第一批国家级非物质文化遗产名录图典（上）

主编 周和平

副主编 王文章 张旭

文化藝術出版社
Culture and Art Publishing House

图书在版编目（CIP）数据

第一批国家级非物质文化遗产名录图典／中国艺术研究院·中国非物质文化遗产保护中心编.—北京：文化艺术出版社，2006.12

ISBN 7-5039-3197-3

Ⅰ.第...　Ⅱ.①中...②中...　Ⅲ.文化遗产—中国—名录

Ⅳ.K203-62

中国版本图书馆 CIP 数据核字（2007）第 001336 号

第一批国家级非物质文化遗产名录图典

主　　编　周和平

副 主 编　王文章　张　旭

编　　者　中国艺术研究院·中国非物质文化遗产保护中心

责任编辑　蔡宛若　胡　晋

责任校对　方玉菊

美术指导　海　洋

整体设计　北京锦绣东方图文设计有限公司

出版发行　文化艺术出版社

地　　址　北京市朝阳区惠新北里甲 1 号　100029

网　　址　www.whyscbs.com

电子邮箱　whysbooks@263.net

电　　话　(010)64813345　64813346（总编室）

　　　　　(010)64813384　64813385（发行部）

经　　销　新华书店

印　　刷　精一印刷（深圳）有限公司

版　　次　2006 年 12 月第 1 版

　　　　　2006 年 12 月第 1 次印刷

开　　本　635 × 965mm　1/8

印　　张　154

字　　数　1000 千字

书　　号　ISBN 7-5039-3197-3/J·840

定　　价　1180.00 元（精装）

编辑委员会

当历史的尘埃落定，一切归于沉寂之时，唯有文化以物质的或非物质的形态留存下来。它不仅是一个民族自我认定的历史凭证，也是这个民族得以延续，并满怀自信走向未来的根基和智慧与力量之源。

孙家正

二〇〇六年二月六日

目录

第一批国家级非物质文化遗产名录（共计518项）

民间文学（共计31项）

民间音乐（共计72项）

民间舞蹈（共计41项）

传统戏剧（共计92项）

曲 艺（共计46项）

目录

杂技与竞技（共计17项）

民间美术（共计51项）

传统手工技艺（共计89项）

传统医药（共计 9 项）

民　俗（共计 70 项）

前 言

中华民族五千年的文明发展历程给我们留下了极为丰富的文化遗产，其中既有物质形态的“有形”文化遗产，如文物、典籍等，又有主要通过口传心授的方式传承下来，以非物质形态存在的非物质文化遗产。

非物质文化遗产和物质文化遗产一样，是我国各族人民长期以来创造积累的重要文化财富。其所包括的口头文学及其语言载体、传统表演艺术、民俗礼仪与节庆、有关自然界和宇宙的民间知识与实践、传统手工艺技能，及其相应的活动场所等等，以其精神性与智慧性的形态方式和活态传承的特殊品格，在人类社会的文明进程和生产生活实践中，占据着非常重要的地位。

中华民族创造和拥有的各类非物质文化遗产，既是人类文化多样性的重要体现，又是中华民族身份和中国文化主权的有力象征。保护和利用好非物质文化遗产对于构建和谐社会、培育民族精神、全面推动人类文明对话和社会的可持续发展，具有十分重要的意义。

中国共产党和中国政府历来重视非物质文化遗产的保护工作。中华人民共和国成立以来的五十多年间，我国的非物质文化遗产保护工作取得了辉煌成就。特别是进入21世纪以来，随着我国加入联合国教科文组织《保护非物质文化遗产公约》、国务院办公厅《关于加强我国非物质文化遗产保护工作的意见》和国务院《关于加强文化遗产保护工作的通知》相继发布、非物质文化遗产保护工作部际联席会议制度建立和“文化遗产日”的确立，我国非物质文化遗产保护工作，进入了一个前所未有的新的发展时期。在以胡锦涛同志为总书记的党中央正确领导下，全面落实科学发展观，我国的非物质文化遗产保护工作已经展现出更加喜人的景象。

在新的发展形势下，我们应该看到，随着全球经济一体化和社会现代化进程的不断加快，相当数量的非物质文化表现形式或文化空间面临传承和发展的挑战，有的甚至濒临灭绝之境。为了抢救和保护珍贵及濒危的非物质文化遗产，按照国务院办公厅《关于加强我国非物质文化遗产保护工作的意见》的精神，部际联席会议从2005年起，组织了国家级非物质文化遗产名录的评审工作，文化部要求各地严格按照规定程序和标准，组织专家逐级评选申报项目。经过各方面努力，全国31个省、自治区、直辖市和中央相关部门，以及香港特别行政区、澳门特别行政区提交申报国家级非物质文化遗产名录项目一千三百多项。2005年10月，文化部组织近百名专家对申报项目进行了认真细致的评审，选出501个项目作为第一批国家级非物质文化遗产名录的推荐项目，并于2005年12月进行了公示。在对公示期各方意见汇总和经专家多次论证后，2006年4月，文化部召集我国非物质文化遗产保护工作部际联席会的其他八个部委，共同商议我国第一批国家级非物质文化遗产名录推荐项目的最终意见。非物质文化遗产保护工作部际联席会的九个成员单位最终达成共识，确定518个项目作为第一批国家级非物质文化遗产名录推荐项目，上报国务院批准公布。2006年5月20日，国务院公布了我国第一批国家级非物质文化遗产名录，包括民间文学、民间音乐、民间舞蹈、传统戏剧、曲艺、杂技与竞技、民间美术、传统手工技艺、传统医药、民俗十个门类，共518个项目。这是我国文化事业的一件大事，更是我国非物质文化遗产保护工作的一个里程碑。我国非物质文化遗产的保护工作，由此进入到整体性的全面保护阶段。

为了进一步提高全社会对于非物质文化遗产的认识，充分展示我国各民族、各地区非物质文化遗产的丰富多样、异彩纷呈的面貌，全面反映我国各民族、各地区非物质文化遗产保护工作的丰硕成果，进一步推动我国非物质文化遗产保护工作，在文化部的领导下，中国艺术研究院·中国非物质文化遗产保护中心组织近三十名专家学者历时7个月编纂了《第一批国家级非物质文化遗产名录图典》，这是我国非物质文化遗产保护工作，特别是四级名录体系（国家、省、市、县）建立工作阶段性成果的全面呈现。该书以六十余万文字、三千余幅图片客观、系统地介绍了我国第一批国家级非物质文化遗产代表作518个项目的传承区域、历史渊源、表现形态、文化价值以及濒危状况，是迄今为止国内第一本完整系统地介绍第一批国家级非物质文化遗产名录的典籍，兼具学术性、知识性与文献性。

在第一批国家级非物质文化遗产名录评审和这本《图典》的编纂过程中，众多的专家学者和工作人员付出了智慧与辛劳，在此向他们表示衷心的感谢！

让我们共同努力，保护好中华民族的非物质文化遗产，守护好中华儿女共有的精神家园，并为世界人类文明的延续作出应有的贡献！

编　者

二〇〇六年十二月二十二日

国务院
《关于公布第一批国家级非物质文化遗产名录的通知》

国发〔2006〕18号

各省、自治区、直辖市人民政府，国务院各部委、各直属机构：

国务院批准文化部确定的第一批国家级非物质文化遗产名录（共计518项），现予公布。

我国是历史悠久的文明古国，拥有丰富多彩的文化遗产。非物质文化遗产是文化遗产的重要组成部分，是我国历史的见证和中华文化的重要载体，蕴含着中华民族特有的精神价值、思维方式、想象力和文化意识，体现着中华民族的生命力和创造力。保护和利用好非物质文化遗产，对于继承和发扬民族优秀文化传统、增进民族团结和维护国家统一、增强民族自信心和凝聚力、促进社会主义精神文明建设都具有重要而深远的意义。

各地区、各部门要按照《国务院关于加强文化遗产保护的通知》（国发〔2005〕42号）的精神和有关要求，认真贯彻“保护为主、抢救第一、合理利用、传承发展”的工作方针，切实做好非物质文化遗产的保护、管理和合理利用工作。

国务院

二〇〇六年五月二十日

第一批国家级非物质文化遗产名录图典

1 苗族古歌 2 布洛陀 3 遮帕麻和遮咪麻 4 牡帕密帕 5 刻道 6 白蛇传传说 7 梁祝传说 8 孟姜女传说 9 董永传说 10 西施传说 11 济公传说 12 满族说部 13 河西宝卷 14 耿村民间故事 15 伍家沟民间故事 16 下堡坪民间故事 17 走马镇民间故事 18 古渔雁民间故事 19 喀左东蒙民间故事 20 谭振山民间故事 21 河间歌诗 22 吴歌 23 刘三姐歌谣 24 四季生产调 25 玛纳斯 26 江格尔 27 格萨（斯）尔 28 阿诗玛 29 拉仁布与吉门索 30 畲族小说歌 31 青林寺谜语

民间文学

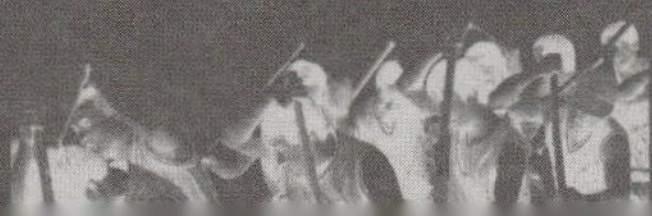

1

苗族古歌*

◎ 申报地区或单位：贵州省台江县、黄平县

苗族分布在祖国西南数省区。按方言划分，大致可分为湘西方言区、黔东方言区、川滇黔方言区。黔东南清水江流域一带是全国苗族最大的聚居区，大致包括凯里、剑河、黄平、台江、雷山、丹寨、施秉、镇远、三穗，以及广西三江和湖南靖县等地。在此广大苗族聚居区普遍流传着一种以创世为主体内容的诗体神话，俗称“古歌”或“古歌古词”。

苗族古歌内容包罗万象，从宇宙的诞生、人类和物种的起源、开天辟地、初民时期的滔天洪水，到苗族的大迁徙、苗族的古代社会制度和日常生产生活等，无所不包，成为苗族古代神话的总汇。

苗族古歌古词神话大多在鼓社祭、婚丧活动、亲友聚会和节日等场合演唱，演唱者多为中老年人、巫师、歌手等。酒席是演唱古歌的重要场合。

苗族的古歌古词神话是一个民族的心灵记忆，是苗族古代社会的百科全书和“经典”，具

* 项目编号从略

有史学、民族学、哲学、人类学等多方面价值。今天，这些古歌古词神话还在民间流传唱诵。

但由于受到现代文化和市场经济的冲击，苗族古歌已濒临失传。以台江为例，在全县13万苗族同胞中，能唱完整部古歌的已寥寥无几，目前只有二百余人能唱一些不完整的古歌，而且都是中老年人，传承古歌较多的老人年事已高。如不抓紧抢救保护，苗族古歌这一民族瑰宝将最终在世间消失。

2 布洛陀

◎申报地区或单位：广西壮族自治区田阳县

布洛陀是壮族先民口碑文学中的神话人物，是创世神、始祖神和道德神。《布洛陀》是壮族的长篇诗体创世神话，主要记述布洛陀开天辟地、创造人类的丰功伟绩，自古以来以口头方式在广西壮族自治区田阳县一带传承。大约从明代起，在口头传唱的同时，也以古壮字书写的形式保存下来，其中有一部分变成壮族民间麽教的经文。

《布洛陀》的内容包括布洛陀创造天地、造人、造万物、造土皇帝、造文字历书和造伦理道德六个方面，反映了人类从茹毛饮血的蒙昧时代走向农耕时代的历史，以及壮族先民氏族部落社会的情况，在历史学、文学、宗教学、古文字学、音韵学和音乐学研究等方面有一定的学术价值。

布洛陀口传诗体创世神话在内容上具有原生性特点，在漫长的口头传承过程中，经过一代代的不断加工和锤炼，艺术性也得到了完善和提高。它不仅可以帮助人们认识历史、满足人们的生活需求，还具有教化的作用。

由于历史及其他各种原因，今天《布洛陀》已面临失传的危机，需要采取普查、建档、研究、出版等手段，并通过建立布洛陀文化生态保护村、唱诵队、传习馆以及在相关学校开办传习班等方式加以保护，使其能在现代化社会条件下继续得到传承。

3 遮帕麻和遮咪麻

◎申报地区或单位：云南省梁河县

阿昌族的长篇诗体创世神话《遮帕麻和遮咪麻》主要流传在云南省德宏傣族景颇族自治州梁河县阿昌族群众中，以唱诗和口头白话两种形式传承至今。

阿昌族人口有三万多，主要聚居在云南省德宏州梁河县九保、曩宋和陇川县户撒3个阿昌族乡。在阿昌族宗教及民俗活动中，要念诵全部的《遮帕麻和遮咪麻》。普通百姓在建房、迎候亲戚、娶亲迎候媒人时，要边歌边舞跳窝罗。开头的唱词为盘家谱，首先唱颂阿昌族的始祖遮帕麻和遮咪麻创造了人类，使族人得以联姻并繁衍传承。

遮帕麻和遮咪麻的传说，不论是唱诗还是白话故事，内容基本一致。故事讲述了阿昌族始祖遮帕麻和遮咪麻造天织地、制服洪荒、创造人类、智斗邪魔腊訇而使宇宙恢复和平景象的过程。遮帕麻和遮咪麻不仅是阿昌族最受崇拜的至尊善神，而且也是所有寻常人家的护佑之神和阿昌族祭祀活动的主掌之神。《遮帕麻和遮咪麻》是一部叙述创世的长诗，同时也形象地反映了人类从母权制向父权制过渡的状况。故事中的盐婆神话是古代西南民族游牧文化的一块“活化石”。《遮帕麻和遮咪麻》是阿昌族文化发展的一座丰碑，阿昌族将其称为“我们民族的歌”。

50年前，遮帕麻和遮咪麻的故事家喻户晓，阿昌族男女老少都会口头讲述。如今，由于懂阿昌古语的人越来越少，能说唱史诗的“活祀”（祭司）由原来的8人减为2人，古老的创世神话正濒临消亡的危险。

4 牡帕密帕

◎申报地区或单位：云南省思茅市

《牡帕密帕》是拉祜族“波阔嘎阔”演唱的一部长篇诗体创世神话，流传于云南省思茅市澜沧拉祜族自治县境内。全诗共17个篇章，2300行，内容叙述造天地日月、造万物和人类以及人类初始阶段的生存状况等，是拉祜族人民传承历史悠久的口述文学精品。

《牡帕密帕》由“嘎木科”（会唱诗的人）和“魔巴”（宗教活动主持者）主唱，也可有多人伴唱或多人轮唱；歌词通俗简练，格律固定，对偶句居多。曲调优美动听，调式因地域不同而有差异，演唱以字行腔，有说唱的特点。《牡帕密帕》在拉祜族的传统节日、宗教活动或农闲期间说唱，唱者声情并茂，听者如痴如醉，说唱往往通宵达旦，参加者无不兴致盎然。

《牡帕密帕》是拉祜族历史文化研究不可或缺的宝贵资料，是拉祜族文化的载体，也是维系拉祜族精神生活的纽带。但由于受现代文化的冲击，这一创世神话濒临失传，后继乏人。目前，澜沧拉祜族自治县境内能完整演唱该曲目的仅剩1至2人。

5
刻道

◎申报地区或单位：贵州省施秉县

苗族“刻道”即“刻木”，汉语译为《苗族开亲歌》，主要流传于贵州省施秉县杨柳塘镇飞云大峡谷的一个山坡洼地里。“刻道”是居住在中国境内的苗族群体中，至今惟一保留的刻木记事符号。它是迄今为止苗族最早的记事实物和该支系最古老的文字工具。

据清乾隆《镇远府志》记载，苗族“俗无文字，交质用竹木刻数寸，名为‘刻木’”。婚嫁则“姑之女定为舅媳。倘无子，必重献于舅，谓之外甥钱，否则终身不得嫁或招少年往来”。《贵州志略》亦有苗族“刻木示信，犹存古风”的记载。《苗族开亲歌》产生于苗族母系氏族过渡到父系氏族之后的一段历史时期，虽然有关于民族迁徙、图腾崇拜等方面的内容，但与那些反映创世、开天辟地、人类起源等的古歌古词神话不同。它所反映的主要是舅权制下的婚姻状况，被民族学家和民俗学家称为“苗族最古老的婚姻‘活化石’”，在苗族发展史的研究上具有非常重要的价值。

《刻道》是苗族古歌中历史最长、规模最大、流传最广的酒歌，有一万多行的歌词。它是苗族先民们在长期的生产、生活实践中创造、积累和演变而形成的，其间吸收了其他民族优秀的民歌精华，形成了苗族诗歌独具的特色和风格。古歌对环境的描写，对人物语言、行动、心理和性格的刻画，绘声绘色、栩栩如生。

《刻道》是一部具有浓郁民族气息的苗族婚姻叙事长诗，更是一部规模宏大、历史悠久的苗族古籍，它不仅取得了很高的文学艺术成就，在苗族的起源和迁徙、图腾崇拜、数学知识、语言学等方面也具有重要的研究价值。

6 白蛇传传说

◎申报地区或单位：浙江省杭州市 江苏省镇江市

白蛇传传说是我国民间文学中的一颗璀璨明珠，所塑造的白娘子、许仙、法海和小青等人物形象，表达了广大人民对人性解放的渴望，是中华民族宝贵的精神文化遗产。传说中所保留的大量古代传统习俗，使白蛇传成为我国民俗文化信息最为丰富的口头遗产之一。

白蛇传传说肇始于唐五代时期，基本成型于南宋，至迟到元代已被文人编成杂剧和话本。明代冯梦龙编纂的拟话本《白娘子永镇雷峰塔》是该传说最早的较为完整的文本。明清以降

至于现当代，民间的口头文学与各类俗文艺的改编、搬演相互渗透、相互融合，使白蛇传最终成为故事、歌谣、宝卷、小说、演义、话本、戏曲、弹词，以及电影、电视、动漫、舞蹈、连环画等各种文艺形式的经典题材。其影响不断扩大，最终流布全国，家喻户晓，并远播日本、朝鲜、越南、印度等许多国家。

民间传说常常出现“多源”现象，白蛇传传说亦然。民间文学专家认为，镇江、杭州是这

一传说的重要流传地。白蛇传传说流传地区广泛，与梁祝传说、孟姜女传说、牛郎织女传说并列为汉民族流传较广的四大传说。

白蛇传极大地丰富了中国民间文艺的宝库。它故事奇崛，人物生动丰满，其中的白娘子是中国艺术长廊中一个重要的典型形象。传说所反映出的南宋以来不同时期的主要社会思想、信仰与价值观及民族深层心理，有重要的历史价值。白蛇传中的民风民俗内容也极其丰富，对了解江南的风土人情有重要的参考价值。而对于这一传说主要的发生地杭州而言，白蛇传与断桥、雷峰塔及西湖等自然和文化景观形成了密不可分的关系，使杭州和西湖都具有了更为丰厚的文化内涵。

7 梁祝传说

◎申报地区或单位：浙江省宁波市、杭州市、上虞市
江苏省宜兴市
山东省济宁市
河南省汝南县

梁山伯与祝英台的传说是我国四大民间传说之一，是中华文化的瑰宝。千百年来，它以提倡求知、崇尚爱情、歌颂生命生生不息的鲜明主题深深打动着人们的心灵，以曲折动人的情节、鲜明的人物性格、奇巧的故事结构而受到民众的广泛喜爱。梁祝传说和以梁祝传说为内容的其他艺术形式所展现的艺术魅力，使其成为中国民间文学艺术之林中的一朵奇葩。

梁祝传说自一千六百年前的晋代形成以来，主要流传于宁波、上虞、杭州、宜兴、济宁、汝南等地，并向全国的各个地区、各个民族流传辐射。在流传的过程中，各地人民又不断丰富发展传说的内容，甚至还兴建了众多以梁祝传说为

主题的墓碑和庙宇等建筑。此外，梁祝传说还流传到朝鲜、越南、缅甸、日本、新加坡和印度尼西亚等国家，其影响之大在中国民间传说中实属罕见。

据梁祝传说改编的越剧《梁山伯与祝英台》、小提琴协奏曲《梁祝》、电影《梁山伯与祝英台》等各种文学艺术作品，以及由此而形成的求学、婚恋的独特风尚，构成了庞大的梁祝文化系统。

同其他口头文学和非物质文化遗产一样，近二十年来，由于受现代化和城市化的影响，以口头传承为主的梁祝传说受到了前所未有的冲击。原有的口头传承人相继去世，年轻一代不愿接续，传承面临着断代的危险，急需抢救和采取相应的保护措施，使这一优秀的文化传统得以绵延。

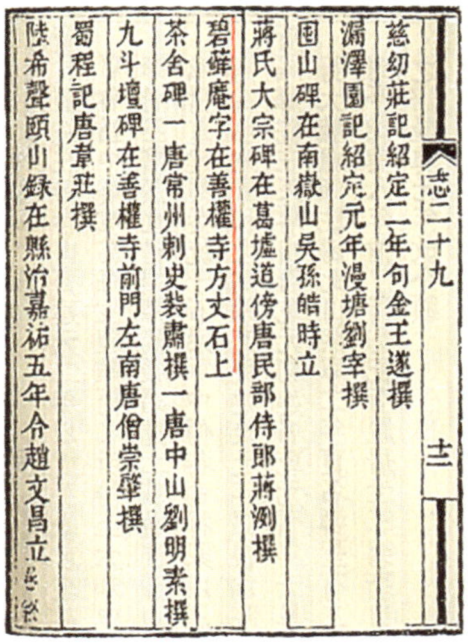
志二十九 十二

慈幼莊記紹定二年句金王遂撰
漏澤園記紹定元年漫塘劉宰撰
國山碑在南嶽山吳孫皓時立
蔣氏大宗碑在葛墟道傍唐民部侍郎蔣洌撰
碧蘚庵字在善權寺方丈石上
茶舍碑一唐常州刺史裴肅撰一唐中山劉明素撰
九斗壇碑在善權寺前門左南唐僧崇舉撰
蜀程記唐韋莊撰
陸希聲頤山録在縣治嘉祐五年令趙文昌立

8 孟姜女传说

◎ 申报地区或单位：山东省淄博市

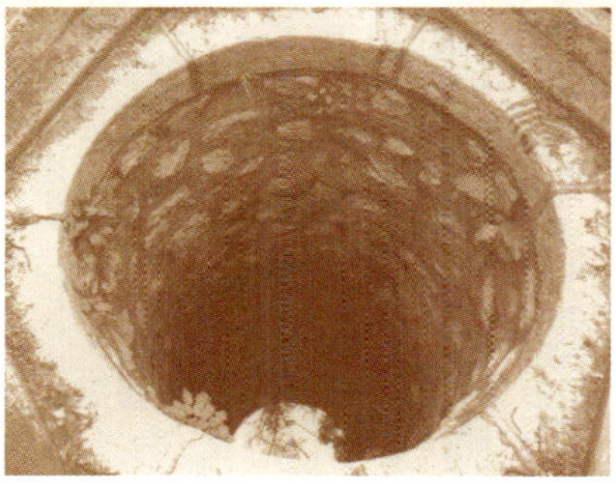

据《左传》“襄公二十三年”载：公元前550年（春秋时期，齐庄公四年）秋，齐国将军杞梁率兵攻打莒国(今山东莒县)，不幸身亡。其妻孟姜迎柩至郊外(齐长城与淄水交汇处，今淄博博山源泉镇北)。齐王欲在此处吊唁，孟姜抵制，要求按仪节到宫舍祭祀。杞梁安葬后，孟姜仍悲痛万分。过了200年，《檀弓》记载曾子对此事的说法谓：“其妻迎其柩于路而哭之哀。庄公使人吊之。”到西汉刘向的《说苑·善说篇》中出现了“其妻悲之，向城而哭，隅为之崩，城为之阤”的记载。《列女传》里出现了杞梁妻赴淄水(今源泉北)而死的情节。杞梁妻的事迹是为孟姜女传说原初的内容。孟姜女传说因其深厚的群众性，流传二千五百多年而不衰，流传地区遍及全中国，内容上也多有演变，本来是春秋齐国的杞梁妻（孟姜女），最终其悲剧命运却与秦始皇和秦长城联系了起来。但追根溯源，杞梁妻哭崩的杞国都城、投身自尽的淄水都在山东淄博一带。

孟姜女传说流传的范围极广，据顾颉刚20世纪20年代的研究统计，该传说流传的省区包括：北京、河北、辽宁、山东、山西、河南、陕西、江苏、上海、安徽、浙江、湖北、湖南、福

建、广东、广西、云南、四川、甘肃。有孟姜女相关遗迹的地方也很多，如山海关的姜女祠庙、姜女坟，辽宁绥中县姜女祠，河南杞县孟姜女庙，陕西哭泉及孟姜女庙，上海万喜良石像，山东博山姜女泉（4处）等。

孟姜女的形象使人们认识到古代妇女的善良性格和战争带给人们的悲惨苦痛，表达了古代人民对战争的厌恶之情。孟姜女的故事在博山世代流传，“孟姜女哭长城”的民歌至今仍在博山民间传唱。西汉以前形成的“悲歌哀哭”这一与孟姜女传说有关的民俗，在博山民众中被一代代传承下来，至今博山中老年妇女仍是长歌代哭，以孟姜女传统曲调来寄托哀思。孟姜女式的哭腔在农村广泛流传，可以说形成了一种哭文化。

9 董永传说

◎ 申报地区或单位：

湖北省孝感市

河南省武陟县

江苏省东台市

山西省万荣县

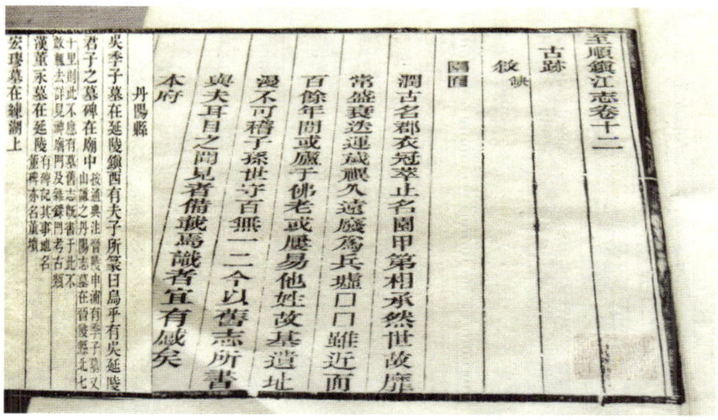

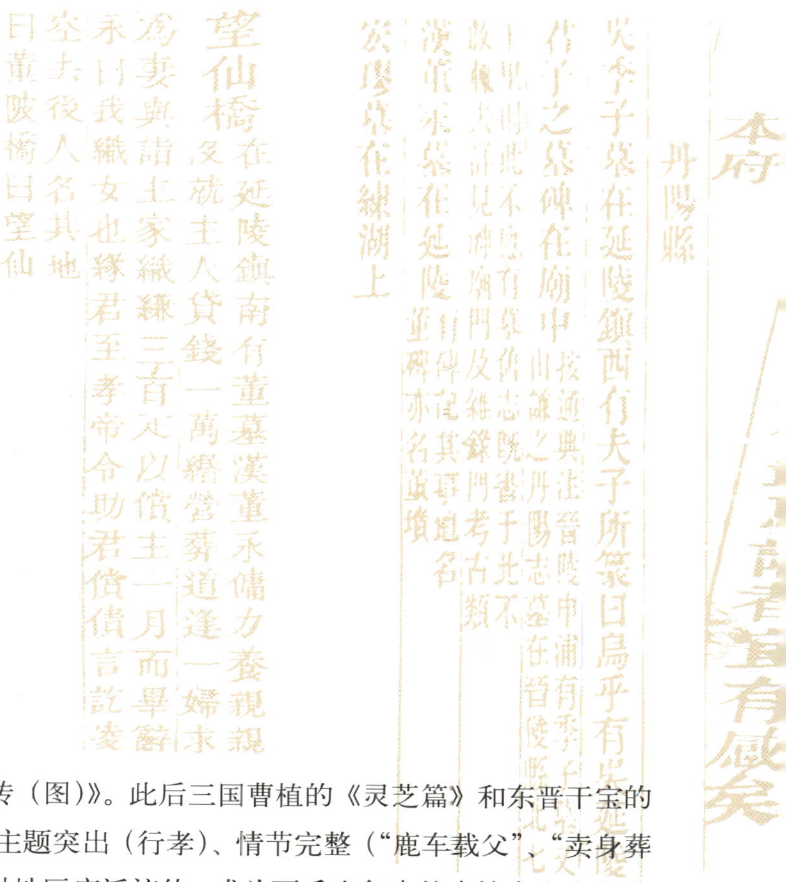

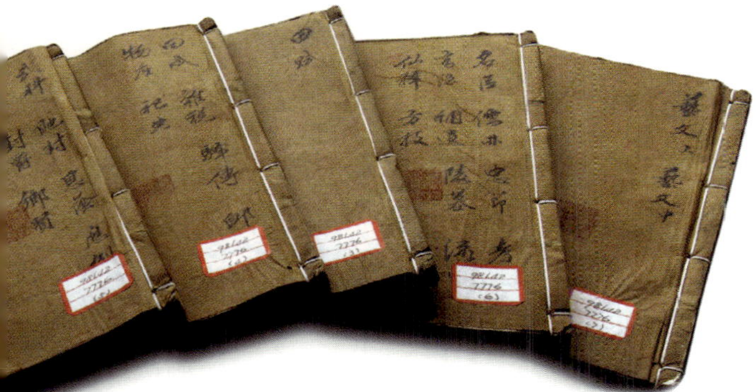

董永传说最早载于西汉刘向的《孝子传（图）》。此后三国曹植的《灵芝篇》和东晋干宝的《搜神记》也都有相关记载。干宝的记载因主题突出（行孝）、情节完整（“鹿车载父”、“卖身葬父”与天女适嫁“助君偿债”）而在我国农村地区广泛流传，成为两千多年来故事嬗变和文学移植的母本，对后世影响深远。由于董永与七仙女的故事是一则既有教化作用又有爱情色彩的民间传说，其教化内容同中国民众长治久安的大众心理需求相适应，爱情故事又契合了民众追求婚姻幸福的内在感情，所以它的神奇幻想同人间现实巧妙融合的艺术特色深受民众喜爱。该传说在长期口耳相传的过程中，因地、因时、因人而异，不断演变，在发展流变过程中具有了向爱情故事演变的趋势，但主题和“母体”并没有大的变化。20世纪以来的一百年间，董永故事一直成为拥有广大受众的俗文学（如说唱、戏曲）以及后起的影视文学创作追逐的题材，出现了电影黄梅戏《天仙配》等影响广远的作品。

董永传说在两千多年的漫长流传过程中，不断与各地的民众生活相结合。由于民众情感的渗透和口碑的附会，产生了富有地方特色的传说，留下相沿而成的风俗及与董永身世有关的文物、碑碣、村落、地名等遗迹。山西省万荣县、江苏省东台市、河南省武陟县、湖北省孝感市等地不仅有与董永相关的遗迹，而且地方志中也多有记载，都称董永是当地人，如山东博兴有董家庄、董永墓；山西万荣小淮村有“董永故里”的匾额，民间还织造“合婚布”；河南省武陟县每年农历二月初三和十一月初十均举行盛大的祭拜孝子的庙会活动；江苏省东台市有董家舍，南宋《方舆胜览》即记载这里为“孝子董永故居”等。多地流传、不断附会的“滚雪球”现象是传说故事常有的特点。董永传说蕴含的历史、文学资料对研究我国各个历史时期社会、经济、政治、文化，特别是文学艺术等方面的研究都有一定的价值。董永传说的教化功能对当今建设社会主义精神文明和构建和谐社会的实践具有一定的现实意义。

10 西施传说

◎申报地区或单位：浙江省诸暨市

西施居中国古代四大美女之首，是中国传统文化中美的象征。西施传说的发端地——浙江省中北部的诸暨，曾是春秋时期越国的古都。

西施传说产生于春秋末期，起源于民间口头讲述，最早的文字记载见于《墨子》和《孟子》等，经历代口耳相传，流传范围扩大，内容不断丰富。

西施传说以吴越争战为历史背景，以西施一生传奇经历为主干，以人物传说（如“东施效颦”）、地名传说（如“白鱼潭”）、物产传说（如“香榧眼”）、风俗传说（如“三江口水灯”）等为枝叶，从不同角度歌颂了西施的美丽、善良和“为国甘献身”的奉献精神。

西施传说历史悠久，自发端流传至今，已有两千五百多年的传承历史。其传播地域广泛，不但流传诸暨全境，辐射江浙乃至全国，甚至远播韩国、日本及新加坡等东南亚国家、地区和世界各地华人区。西施传说内容丰富，涉及人物、地名、物产、风俗等，几乎涵盖了民间文学的所有领域，除以民间文学口耳相传外，传说还以曲艺、戏剧等多种形式加以传承流播。

作为中国丰富多样的人物传说之一，西施传说除了民间文艺学本身的学科意义之外，还具有其他方面的重要价值：(1)文学价值：传说作为文学普及读物，流传极广，老少咸宜，而且历来是各种文学样式的创作源泉，以西施传说为题材的文学作品多种多样；同时，通过文学形式的传播，又扩大了“西施传说”的影响，丰富了传说的内容。研究其中相辅相成的关系，对繁荣文学艺术具有重要意义。(2)美学价值：西施作为一个审美符号，在中华民族审美史上占有独一无二的地位，值得从美学角度进行深入研究。(3)认识价值与史学价值：西施传说依附于吴越争战而产生，是对古吴越历史文化的民间诠释，对研究春秋史有重要参照价值。(4)人文价值：传说褒扬真善美，崇尚英雄主义和献身精神，对弘扬优秀的人文精神有积极意义。

11

济公传说

◎申报地区或单位：浙江省天台县

济公传说是以南宋禅宗高僧道济的故事发展演变而来的一种民间口头文学，以天台为中心分布于浙江省境内，并由此辐射全国，影响世界。

六朝隋唐时期，天台就流传着许多罗汉、癫僧的传说。南宋早期，道济降生于天台，佯狂济世，人称“济癫”。在道济的生前身后，天台出现了许多关于他的灵异传说，为人们所津津乐道。明清以来，济公传说广泛流传于全国各地，成为家喻户晓的民间故事。

天台的济公传说内容涉及降龙罗汉投胎的济公出世传说，神童李修元的少年济公传说，济公癫狂济世、惩恶扬善、扶危济困、戏佞降魔的传说等。与济公相关的民俗风物传说也十分丰富。

济公传说依附于真实的历史人物，具有地域的原生性，同时突出神秘的超自然力，具有情节的神奇性。此外，传说广泛涉及生活的各个层面，内容丰富多样，反映着民众的喜怒哀乐，具有鲜明的人民性。主人公的作为也夹杂了禅宗思想和罗汉信仰。

八百多年来，济公传说已成为文学艺术取之不尽的素材，在小说、书画、雕塑、影视等领域都有生动体现。同时，济公传说作为一种独特的文化现象，深深地印刻在民众的心里，对推进当代道德教育和中华民族精神的传承必将产生积极的促进作用。

由于生存的历史环境业已改变，原生态的济公传说目前已处于濒危状态，急需采取切实措施加以保护。

12

满族说部

◎申报地区或单位：吉林省

吉林省东南部的长白山是满族的发祥地，满族先民自古就在这片广袤、美丽而神奇的沃土上繁衍生息。满族说部是满族及其先民口耳相传的一种古老的民间长篇说唱艺术，满语称“乌勒本”（ulabun），汉译为传或传记。其形式与内涵迥异于听讲普通民间故事，多由族中长者漱口焚香宣讲，常配以铃鼓扎板，夹叙夹唱，意在说“根子”、敬祖先和颂英烈，听者谦恭有序，分外虔敬。满族说部植根于满族及其先民讲古的习俗之中，考其源，盖出于满族氏族对先代英雄的崇拜。

满族讲唱说部主要在氏族内以口耳相传，代代承继。早期多用满语说唱，清中叶后满语渐废，遂改用汉语讲唱，其中夹杂一些满语。满族说部风格凝重、气势恢弘，包罗氏族部落崛起、蛮荒古祭、开拓创业、英雄史传、民族习俗和生产生活知识等内容，被称为北方民族的百科全书。说部是满族及其先民历史的记忆，书中提及的历史内容有的鲜为人知，有的弥补了我国北方历史文献记载之不足，是民族史、疆域史、民族关系史以及人类学、社会学和民俗学研究的珍贵资料。有的说部已被翻译成俄文、日文、英文、意大利文、德文、朝鲜文等多种文字出版，丰富了世界文化宝库。

满族说部蕴藏丰富，但讲说与传承者多系特殊群体，现已人数不多，开展抢救性保护工作刻不容缓。近年来，满族说部作为课题已列入社科院科研项目和“中国民族民间文化保护工程”国家试点项目，搜集记录下来的已达十余部，并通过阶段性成果专家论证。但是，未及记录的说部仍有很多，抢救保护的任务相当繁重。

13 河西宝卷

◎ 申报地区或单位：甘肃省武威市凉州区、酒泉市肃州区

河西宝卷主要流传于甘肃省河西走廊一带，这是我国至今仍有讲唱活动的少数地区之一。

河西宝卷是在唐代敦煌变文、俗讲以及宋代说经的基础上发展而成的一种民间吟唱的俗文学。变文、俗讲和说经主要吸收和沿袭了敦煌佛经的结构，而凉州宝卷则在继承的同时将之进一步民族化、地方化和民间化，使其成为中国民间讲唱文学的一种形式。河西宝卷成熟、盛行于明、清至民国时期，“文革”期间渐趋沉寂，开始走向式微。

河西宝卷有佛教类、历史故事类、神话传说类、寓言类四种类型，内容反映了人民群众的社会生活，主题多谴责忤逆凶残，宣扬孝道和善行。

河西宝卷的主要形式是讲唱过程中韵白结合、有说有唱，以“接佛声”为主要手段吸引听众积极参与演唱。白话是念卷人为了叙述故事情节、交代事件发展、铺叙人物关系、点明时间地点而采用的一种表演手法，以“讲”或“说”的形式来表现。而韵文则是为了寄寓善恶褒贬、推动故事情节发展、抒发爱憎情绪、烘托渲染气氛而采用的手法，以“吟”或“唱”的形式来表现。韵文体宝卷融会了各种曲调，亦加进了部分凉州民歌调，如《哭五更》、《莲花落》、《十劝人》等。

据调查，现存凉州宝卷脚本约有30卷，大多为木刻版和手抄本，20世纪80年代初期也曾

出现过一些油印本。酒泉宝卷已搜集到的词牌曲调和唱腔有七十多种，宝卷数量达七十多种（含存目）一百四十余本。

凉州宝卷是在敦煌俗文学的深刻影响下发展起来的，研究河西宝卷可对敦煌学研究有所助益。宝卷中劝人向善、助人为乐的精神，对父母尽孝、与兄弟和睦、同他人友好的品行和勤劳生产、爱惜粮食的美德等，对培养人们的良好品德、促进精神文明建设均有一定的作用。

当前，由于农村经济的发展和生活习俗的改变，已很少有人主动举行念唱宝卷的活动。现在的念卷者，大都是70岁以上的老人。随着这一人群在未来的逐渐逝去，河西宝卷将面临消亡的危机。

14 耿村民间故事

申报地区或单位：河北省藁城市

耿村隶属河北省藁城市常安镇，西距藁城市12公里，古属中山国。明太祖朱元璋义父耿再辰死后封王葬于此地。为纪念耿再辰而设立的四月初一到初四的耿王庙会吸引着方圆百里的善男信女和各路商贾。庙会中有唱大戏、说书、担经舞、打扇鼓等丰富多彩的民俗节目表演。20世纪40年代，耿村仅有四百余人，大小店铺、作坊却有一百余家，故有“小村大集”、“一京二卫三耿村”之美誉。外出经商、游历、当兵的耿村人，返乡时带回了天南地北的故事和传说。天长日久，这里逐渐成为了商品集散地和民间文学传播地，积淀了丰厚的民俗文化。尤其是村民中讲故事听故事的传统至今仍很盛行。

1987年以来，相关部门组织对耿村故事传承状况作了11次普查。目前，耿村的故事讲述者有二百三十余人，其中67人已被确认为“民间故事讲述家”。另外还出现了故事家庭、故事夫妻、故事兄弟、故事母子、故事父子等传承模式。

耿村因故事资源丰厚，讲述人集中，被命名为“故事村”。该村传承的故事内容涉及社会学、伦理学、历史学、宗教学、哲学和文学等方面，有较高的学术价值。耿村故事表现出的审美观、价值观以及科学认识、道德教化和娱乐功能对建设社会主义精神文明、丰富人民群众的文化生活、提高人民群众素质、构建和谐社会有着积极的现实意义。

截至目前为止，已记录、整理出耿村民间故事六千余万字，先后编印内部科研卷本《耿村民间故事集》5部，公开出版了故事家专集和研究性著作10部，计955万字。耿村民间故事现象引起国内外学界关注，日本等外国学者曾专程到耿村考察，还举办过国际学术研讨会。近年来，现有故事家都年事渐高，新一代对故事的兴趣越来越淡漠，耿村民间故事面临传承断代的危险，急需抢救和保护。

15 伍家沟民间故事

◎申报地区或单位：湖北省丹江口市

伍家沟村系湖北省丹江口市西部六里坪镇的一个行政村落，毗邻丹江库区，素有“九沟十八洼，一百单八岔，岔岔有人家”之说。伍家沟故事种类齐全，内容丰富，分神话、传说、故事、寓言、童话和笑话六大类别，已经出版《伍家沟村民间故事集》一、二集，共76万字。20世纪80年代，在伍家沟村已发现民间故事一千多个，民歌千余首，该村因此被相关机构命名为“民间故事村”。

伍家沟民间故事传承状况与河北耿村齐名，民间文艺界有“北有耿村，南有伍家沟村”的赞誉。伍家沟地处武当山的褶皱里，较为封闭，故而原生态的作品较多，如武当山的传说、陈世美的传说和有关本乡本土的传说等，都是当地所独有的“土产”。这些传说源远流长，如《人狗成亲》这类神话首次在伍家沟故事中发现，从中可见原始社会荒火为害和以狗为图腾的状况；《挖断岗》则传达出了关于生殖崇拜的信息；李自成到过武当山地区的传说为外界闻所未

闻；《秦朝的书生今日死》虽是当代作品，但它浓郁的传统色彩是了解该地区故事发展的一道道鲜明“年轮”。伍家沟民间故事生动鲜活，有的老人至今仍把幻想故事如《林家庄遇鬼》、《狐狸精偷鸡》、《吃过鸡蛋捏碎壳》等当成实有其事，讲者生动传神，听者兴趣盎然。这就使得这些故事文化表现形式的传承有了一定的群众性。

虽然伍家沟的故事文化空间受到社会的广泛关注，一些学者的相关研究成果亦已发表，但随着人们生活方式的改变，文化生活出现多样性选择，伍家沟民间故事生存的社会环境受到了强烈冲击。如何保持这一优秀民族文化的有序发展是传承人和社会各界必须思考的问题。

16

下堡坪民间故事

◎申报地区或单位：湖北省宜昌市夷陵区

湖北省宜昌市夷陵区下堡坪乡位于长江西陵峡北岸的崇山峻岭间，自古以来，这里富庶稳定，教育文化事业相对兴旺，但交通却十分不便。特殊的地理、经济、文化和历史条件构成了当地民俗民间文化生长和承传的特殊环境，因而民间文化积淀十分丰厚。

据调查，下堡坪乡及周边流传的民间故事有两千多个。这里能讲50个故事以上的有一百多人，其中能讲100个故事以上的有二十多人，能讲200个故事以上的有4人。现年67岁的谭家坪村农民刘德方能讲四百多个故事，且能传唱一百多万字的山歌、薅草锣鼓歌、丧鼓歌、花鼓戏和皮影戏。2005年6月8日，中国民间文艺家协会把他命名为“中国民间故事家”。

下堡坪乡民间故事原生态作品很多，大都具有鲜明的本地特色，故事的文化品位较高。如在刘德方传讲的故事中，就有一百多个含有诗词对联等文学形式，高雅而精致。长工董国天的故事系列和陈瓦匠的故事系列分开讲是数百则小故事，合起来看是两部鸿篇巨制，实为民间故事中所罕见。

近几年，中国社科院、中国文联、中国民协及湖北省文联、宜昌市文联先后8次调查并开展学术研讨，认为以刘德方民间故事集《野山笑林》为代表的下堡坪乡民间故事是三峡坝区——宜昌市夷陵区以及整个三峡地区民间文学的缩影，有较高的学术价值和鉴赏价值。

但是，目前杰出的下堡坪民间故事传承人大多年事较高，年轻一代对故事的兴趣越来越小，因而下堡坪民间故事的传承正濒临消亡。

17

走马镇民间故事

◎申报地区或单位：重庆市九龙坡区

走马镇是重庆市九龙坡区的一个镇子，这里流传着一种由以“走马”（赶马）为职业的人群口头创作并传承的民间故事，人们通常将其称作“走马故事”。走马故事起源的确切年代无从稽考，但走马场建立于明末清初并很快得以兴盛，故事应与之同步发展，其产生形成至少已有四五百年的历史。

由于“走马”人群的生存环境和生活阅历与常人不同，所以他们创作和讲述的故事显示出某些特点。走马民间故事内容庞杂、类型多样，除了民间传说故事的一般类型，如神话仙话、风物传说、动植物传说、民俗传说和生活故事等外，还蕴藏着其他独特的文化信息，诸如巴人图腾龙蛇的传说等。作为古代巴文化的重要遗存，这类故事的数量相当大。

20世纪80年代编纂“中国民间文学三套集成”时，在该镇采录到的民间故事目录达10915个，记录完成数达9714则，另外还采集到民间歌谣三千余首、谚语四千余条，歇后语和俗语等四千余条。全镇民间故事家共316人，其中能讲1000则故事的有2人，能讲500至1000则的有3人，能讲200至500则的有10人。

走马民间故事具有讲述时机和场合的多样性、故事构成的多源性、本土文化与外来文化的共存性等特征。

1990年，走马镇被重庆市文化局命名为“民间文学之乡”；1992年，工农村被命名为“中国民间故事村”；1998年联合国教科文组织、中国民间文艺家协会联合授予魏显德“中国民间故事家”称号（全国共10人）。

目前，走马故事面临严重危机，主要问题在于传承之人。抢救、保护走马故事，不仅可以丰富民众的文化生活，而且能够为人类学、文化学、宗教学、民族学和方言学等多种学科提供研究资料。

18 古渔雁民间故事

◎ 申报地区或单位：辽宁省大洼县

古往今来，辽河口海域的二界沟小镇一直是特殊的打鱼人群体——“古渔雁”的落脚聚集之地。持这一生计的打鱼人没有远海捕捞的实力，只能像候鸟一样顺着沿海的水陆边缘迁徙，在江河入海口的滩涂及浅海捕鱼捞虾。因这一群体沿袭的是一种不定居的原始渔猎生计，故辽河口民间称其为“古渔雁”。

二界沟的古渔雁主要是从华北的冀中、冀东地区通过旱陆和水陆迁徙到此地的打鱼人，他们是古渔雁民间文学的创作者与传承者。由于生计的特殊性，古渔雁民间文学和一般海岛渔村的民间文学有很大的不同。鲜明的渔雁生计特点和原始文化遗韵对该群体的历史与生活、习俗与传统、信仰与文化创造等有全方位的反映。在形式方面，古渔雁民间文学篇幅短小，情节简单，内容原始，较少发展和变化。

二界沟的古渔雁民间文学蕴藏丰厚。近十多年来，当地文化部门曾挖掘、采录有近千则解释古船网由来和反映原始渔捞生活的神话、故事和传说，并搜集渔歌一千余首。古渔雁的后代、渔民出身的文化人刘则亭能讲述数百则有关古渔雁的故事和传说，是古渔雁民间文化的重要传承人。

由于生计的特殊性，古渔雁群体在我国历代社会都处于边缘状态，文献对其极少记载。古渔雁民间文学以口述史的方式记述和反映了这一古老的生计方式，具有重要的历史、文化和科学价值。近年来，这一生计方式在我国沿海及世界各海口区域多已中断，老一辈的古渔雁也相继离世，古渔雁民间文学濒临消亡。基于此，辽河入海口二界沟尚存的古渔雁民间文学更显珍贵，急需进行保护。

19 喀左东蒙民间故事

申报地区或单位：辽宁省喀喇沁左翼蒙古族自治县

喀喇沁及东蒙各部的蒙古族较早就定居下来，由游牧转向农耕。在由猎转牧、由牧而农的曲折漫长的历史过程中，这里的民众所创造的民间文学与其他地区的蒙古族民间文学相比，是独树一帜的，折射着鲜明的草原文化与农耕文化交汇相融的特色。

以东蒙民间故事为主要样式的口头叙事方式既承继了草原游牧文化的传统，又以博大的胸怀吸纳了中原汉民族农耕文化的营养，对定居后的农耕生活有全方位、广角度的反映，因而形成了与草原蒙古族民间文学同中有异的文化特色。东蒙民间文学既隐含有蒙古族古老的原始崇拜思维观念及对农耕前期的森林狩猎、游牧生活的追怀，同时又涌现出大量反映农耕生活的作品，传达出这一地区蒙古族民众对农耕生产的热爱与向往；它既描述了东蒙地区三百年来满、蒙民族在政治、经济及婚姻等方面交往互动的历史，也对蒙、汉民族协力农耕开发辽西以及蒙、汉、满三个民族文化的融合历史作了广角度的展现。这些口头叙事对于研究喀喇沁、土默特等东蒙各部蒙古族历史、文化，考察蒙古族文化的变迁，具有重要的参考价值。

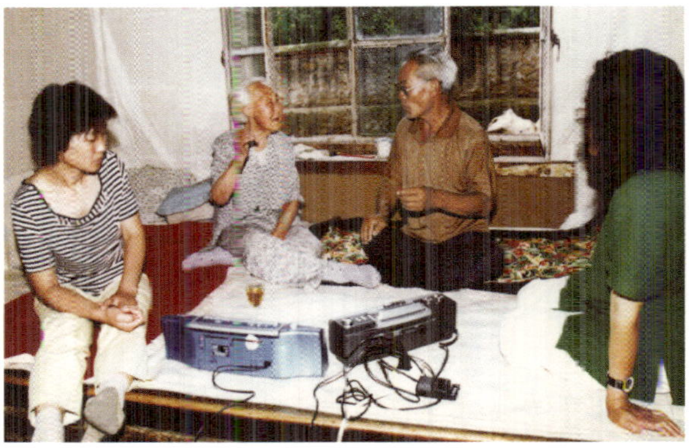

古往今来，东蒙大地上始终活跃着一批在当地享有盛誉的故事家、歌手，他们为东蒙民间文学的繁盛作出了巨大的贡献，他们那些讲不尽的故事、唱不完的民歌反映出喀喇沁民间文学独有的质朴、浑厚特色，并以此向世人昭示：东蒙民间文学蕴藏量之大、内容之丰富、题材之广泛、文化个性之鲜明是不可替代的。

然而，随着时间的流逝，喀喇沁左翼蒙古族民间文学的老一辈传承人相继离去，传承的谱系已难以续写，具有重要的口述史价值的东蒙民间文学正在淡出人们的记忆。尤其令人焦虑的是，当地文化部门近二十年来采录下来的录音资料已开始出现消磁和失真现象，处于贫困地区的基层文化部门无计可施 东蒙民间文学真正处在严重的濒危状况，急需保护和抢救。

20 谭振山民间故事

◎ 申报地区或单位：辽宁省新民市

谭振山，男，著名民间故事讲述家，祖籍河北，1925年农历十一月十日生于辽宁省新民市罗家房乡太平庄村。谭振山的家在法库县、沈阳市新城子区、新民市交界处的最东北端，那里是清咸丰年间的移民村，居民来自山东、河南、河北。谭振山能讲述600个民间故事，内容多为风物传说、鬼狐精怪故事、历史人物传说及生活故事和笑话。这些故事基本通过家族、亲朋传承。谭振山在养育了他的黑土地上生活劳作了80年，在田间、炕头、街口、门前给大家讲故事也已有二十多年的历史。

谭振山在20世纪80年代末民间文学集成调查中始被发

现，民间文学工作者对他讲述的民间故事进行了采录。1988年，沈阳市和新民县共同编辑的《谭振山故事选》出版，选录谭振山讲述的民间故事53篇。

谭振山讲述的故事引起了国内外学界的注意。1992年，谭振山应日本元野市市长邀请赴日参加“世界民间艺术博览会”，并为到会的日、印、韩、意、德等国学者们讲述了中国民间故事。台湾中正大学教授陈益源及其学生曾两次到谭振山家进行采录。谭振山是民间故事家中进大学讲学的第一人。

谭振山是辽河区域口头文学的代表人物。从1989年起，他被聘为新民市罗家房乡中、小学的校外辅导员；1989年又被辽宁省命名为“优秀民间故事家”。现在他是辽宁省民间文艺家协会会员。

谭振山年届80高龄，他的口头文学虽得到部分采录，但不足以反映其全貌。目前，谭振山民间故事虽有少量传承人，但只能讲述其中的一部分，若不尽快对谭振山记忆中的故事进行采录、抢救，将成为千古遗憾。

21 河间歌诗

◎申报地区或单位：河北省河间市

河间市地处河北省中南部的冀中平原腹地，因位于滹沱、中堡二河之间而得名（另一说为九河之间）。

《诗经》十五国风是先秦口头文学的经典代表之一。初传《诗》多家，鲁、齐、韩三家《诗》失传，只有《毛诗》一家传下来。毛诗由毛亨、毛苌叔侄二人传于世间，其发祥地就在今河北省河间市。秦始皇焚书坑儒，诸家经典多遭焚毁，荀子的弟子毛亨来到河间国武垣县（即现在的河间市）隐居。他在整理古文《诗经》的基础上，开始作《诗经诂训传》。在《诗经》传播的同时，河间出现了歌诗。据载，“河间歌诗”起源于汉，历代相习。至今河间还流传着用古韵吟唱的《诗经》中的《关雎》、《蓼莪》等民歌。

河间歌诗是汉代以来民间口头文学的杰出代表，河间诗经村等村落一直保留着吟唱《诗经》的“活态”文化。河间歌诗是一种古老的集民间文学、音乐于一体的综合艺术形式，是《诗经》以口头形式在民间千百年来传承不断的独特载体，也是当代《诗经》文化的重要组成部分。河间的《诗经》文化主要表现为：一、歌诗的出现和流传；二、在《诗经》传播过程中，衍生出了相关的历史人物传说和一些村名，形成地名文化；三、元代修建的毛公书院曾培养出不少人才，留下了与《诗经》相关的历代诗、文、颂、联及碑刻；四、在当地形成了爱诗、写诗、研究诗的悠久传统和浓厚文化氛围，出现了诗人群体。

河间既是《毛诗》的发祥地，又是《诗经》文化的传授研究之处。一代又一代的《诗经》学者为《诗经》文化的发展作出了不可磨灭的贡献。自汉“古歌”到明代裘本固一直在传唱“河间歌诗”，传承脉络清楚。但如今传承人年事已高，难以为继，亟待抢救和保护。

22 吴歌

◎ 申报地区或单位：江苏省苏州市

吴歌是吴语方言地区广大民众的口头文学创作，发源于江苏省东南部，苏州地区是吴歌产生发展的中心地区。吴歌口口相传，代代相袭，具有浓厚的地方特色。

吴歌源远流长，《楚辞·招魂》即有"吴歈蔡讴，奏大吕些"的记载。宋代郭茂倩编《乐府诗集》时将吴歌编入《清商曲辞》的《吴声曲》。明代冯梦龙采录宋元到明中叶流传在民间的大量吴歌，辑录成《山歌》、《挂枝儿》。清代是长篇叙事吴歌的成熟繁荣时期，经书商刊刻、文人传抄和民间艺人的口传，保存了大量长篇叙事吴歌。

五四运动前后，北京大学发起了歌谣运动，《晨报副镌》于1920年起连载吴歌，其后陆续编辑出版了《吴歌甲集》（顾颉刚）、《吴歌乙集》（王翼之）、《吴歌丙集》（王君纲）、《吴歌小史》（顾颉刚）等。20世纪80年代以来，又辑成《吴歌丁集》（顾颉刚辑、王煦华整理）、《吴歌戊集》（王煦华辑）、《吴歌己集》（林宗礼、钱佐元辑），大量吴歌得到搜集、整理和研究。特别是长篇叙事吴歌的发现、挖掘和"中国民间文学三套集成"歌谣卷的编纂出版，使大量的吴歌得到了抢救性的搜集和保存。进入21世纪，有关部门又编辑出版了《中国·白茆山歌集》、《中国·芦墟山歌集》、《吴歌遗产集粹》和《中国·吴歌论坛》等几百万字的吴歌口述和研究资料。

吴歌以民间口头演唱方式表演，口语化的演唱是其艺术表现的基本方式。吴歌是徒歌，在没有任何乐器伴奏的情况下吟唱。其类型大致有引歌（俗称"歌头"，长篇叙事歌称"闹头"）、劳动歌、情歌、生活风俗仪式歌、儿歌和长篇叙事歌等几种。刘半农为顾颉刚的《吴歌甲集》作序说：吴歌的意趣不外乎"语言、风土、艺术三项"，而"这三件事，干脆说来，就是民族的灵魂"。吴歌不仅是吴语地区至今仍然存活在民间的口头文学形式，具有一定的认识价值（社会、历史、风土、世界观等）和审美价值（艺术），而且也是研究方言的珍贵资料。

2 3

刘三姐歌谣

◎申报地区或单位：广西壮族自治区宜州市

“如今广西成歌海，都是三姐亲口传。”壮族民间认为，“歌圩”是刘三姐传歌才形成的，刘三姐是歌圩普遍形成的重要标志。歌圩的歌就是刘三姐的歌。刘三姐被广西民间视为“歌仙”，宜州市是刘三姐歌谣最有代表性的地区，被认同为刘三姐的故乡。

刘三姐歌谣大体分为生活歌、生产歌、爱情歌、仪式歌、谜语歌、故事歌及创世古歌七大类，它具有以歌代言的诗性特点和鲜明的民族性，传承比较完整，歌谣种类丰富多样，传播广泛。刘三姐歌谣在全国乃至全世界都产生了深远的影响，显示了中华民族民间传统艺术活态文化的魅力。它不仅具有见证民族历史和情感表述方式的文化史研究价值，还具有民族学、人类学、社会学、美学等方面的研究价值。

但是随着壮族传统“倚歌择配”社会基础的消失，以及强势文化和新的娱乐方式的冲击，刘三姐歌谣后继乏人，面临失传的危险，需要尽快采取措施加以保护。

24

四季生产调

◎申报地区或单位：云南省红河哈尼族彝族自治州

哈尼族四季生产调流传于云南省红河哈尼族彝族自治州红河、元阳、绿春、金平、建水等县的哈尼族聚居区，其起源时间的下限不晚于唐代。作为山区梯田生产技术及其礼仪禁忌的百科大典，哈尼族四季生产调包括引子、冬季、春季、夏季和秋季五大单元的内容。引子部分强调祖先传承下来的四季生产调对哈尼族的生存所具有的意义，其余部分按季节顺序讲述梯田耕作的程序、技术要领，以及与之相应的天文历法知识、自然物候变化规律、节庆祭典知识和人生礼节规范等。

四季生产调体系严整，通俗易懂，可诵可唱，语言生动活泼，贴近生产、生活，而且传承历史悠久，具有广泛的群众基础。它不仅是梯田生产技术的全面总结，也是哈尼族社会伦理道德规范的集大成之作。

四季生产调见证了哈尼族梯田稻作文明的变迁历程，对人类梯田稻作文明所具有的历史和科学价值的研究有重要的参考价值。同时，它直白、朴素、幽默风趣的语言表述风格给人以亲切感人的艺术享受和审美体验。无论是过去还是现在，口传心授的四季生产调都在哈尼族社会的生产、生活中起着指导作用。

随着社会的变迁、经济全球化浪潮的到来，尤其是随着外来强势文化大量涌入，哈尼族年轻人的价值观念发生了变化，哈尼族四季生产调的传承出现了后继乏人的局面。目前，能系统传唱四季生产调的长辈艺人和祭师已屈指可数，潜心学习四季生产调的年轻一代哈尼人凤毛麟角。四季生产调的抢救、保护迫在眉睫。

25 玛纳斯

◎申报地区或单位：新疆维吾尔自治区克孜勒苏柯尔克孜自治州
新疆维吾尔自治区文联民间文艺家协会

《玛纳斯》是柯尔克孜族的英雄史诗，描写了英雄玛纳斯及其七代子孙前赴后继、率领柯尔克孜人民与外来侵略者和各种邪恶势力进行斗争的事迹。《玛纳斯》体现了柯尔克孜人顽强不屈的民族性格和团结一致、奋发进取的民族精神。

《玛纳斯》主要流传于我国新疆维吾尔自治区南部的克孜勒苏柯尔克孜自治州及新疆维吾尔自治区北部的伊犁哈萨克自治州。此外，中亚的吉尔吉斯斯坦、哈萨克斯坦也是《玛纳斯》重要的流传地域，阿富汗的北部地区也有流传。

据文献记载，《玛纳斯》在16世纪已开始流传，千百年来一直以口耳承传。民间歌手在史诗的创作与传承中起着重要的作用。

《玛纳斯》的普查工作始于20世纪60年代，普查中发现了许多演唱《玛纳斯》的歌手，记录了各种《玛纳斯》的异文。自20世纪60年代起，记录、整理、出版了居素甫·玛玛依演唱

的8部《玛纳斯》（23万行，共18册）柯尔克孜文本。目前已有英、俄、汉、土、日、哈等多种译文。

《玛纳斯》被视为柯尔克孜的民族魂，凝聚着柯尔克孜民族的精神力量。它从古老的柯尔克孜史诗与丰厚的柯尔克孜民间文学中吸取营养，包容了柯尔克孜古老的神话、传说、习俗歌、民间叙事诗与民间谚语，集柯尔克孜民间文学之大成，是柯尔克孜民族民间文化的百科全书，具有文学、历史、语言、民俗等多学科的价值。

随着现代化进程的加速，《玛纳斯》的传承面临危机，一些重要的史诗歌手相继去世，在世的著名歌手也已年过古稀，史诗传承形势严峻。因此，对《玛纳斯》的抢救、保护工作刻不容缓。

26 江格尔

申报地区或单位：新疆维吾尔自治区文联民间文艺家协会
博尔塔拉蒙古自治州、巴音郭楞蒙古自治州
新疆维吾尔自治区和布克赛尔蒙古自治县

《江格尔》是蒙古族英雄史诗，主要流传于中国新疆维吾尔自治区阿尔泰山一带的蒙古族聚居区。多数学者认为《江格尔》最早产生于中国卫拉特蒙古部，17世纪随着卫拉特蒙古各部的迁徙，也流传于俄国、蒙古国的蒙古族中，成为跨国界的大史诗。

《江格尔》的产生和发展过程漫长，主要以口传方式流布，也有抄本和刻印本。这部史诗描述了以江格尔为首的12名雄狮大将和数千名勇士为保卫宝木巴家乡而同邪恶势力进行艰苦斗争并终于取得胜利的故事，深刻地反映了蒙古族人民的生活理想和美学追求，具有很高的艺术价值。

《江格尔》至今仍在蒙古族中传唱。自20世纪80年代起，我国开始大规模搜集和记录《江格尔》的工作，至今已有境内外多种文字的版本刊行，产生了广泛的影响。

随着全球化趋势的增强，经济和社会的急剧变迁，《江格尔》的生存、保护和发展也遇到了新的情况和问题，形势十分严峻。著名的民间艺人有的已经过世，在世的也都已经年届高龄，面临着“人亡歌息”的危险。因此，对《江格尔》传承人和资料的抢救和保护工作，必须抓紧，以使这部宝贵的史诗长唱于世间。

27 格萨（斯）尔

◎申报地区或单位：西藏自治区
青海省
甘肃省
四川省
云南省
内蒙古自治区
新疆维吾尔自治区
中国社会科学院《格萨（斯）尔》办公室

传唱千年的史诗《格萨（斯）尔》流传于中国青藏高原的藏、蒙、土、裕固、纳西、普米等民族中，以口耳相传的方式讲述了格萨尔王降临下界后降妖除魔、抑强扶弱、统一各部，最后回归天国的英雄业绩。

《格萨（斯）尔》是世界上迄今发现的史诗中演唱篇幅最长的，它既是族群文化多样性的熔炉，又是多民族民间文化可持续发展的见证。这一为多民族共享的口头史诗是草原游牧文化的结晶，代表着古代藏族、蒙古族民间文化与口头叙事艺术的最高成就。无数游吟歌手世代承袭着有关它的吟唱和表演。

现存最早的史诗抄本成书于公元14世纪，1716年的北京木刻版《十方圣主格斯尔可汗传》是其最早的印刷本。迄今有记录的史诗说唱本约一百二十多部，仅韵文就长达一百多万诗行，而且目前这一活态的口头史诗仍在不断扩展。《格萨（斯）尔》是相关族群社区宗教信仰、本土知识、民间智慧、族群记忆、母语表达的主要载体，是唐卡、藏戏、弹唱等传统民间艺术创作的灵感源泉，同时也是现代艺术形式的源头活水。

千百年来，史诗艺人一直担任着讲述历史、传达知识、规范行为、维护社区、调节生活的角色，以史诗对民族成员进行温和教育。史诗演唱具有表达民族情感、促进社会互动、秉持传统信仰的作用，也具有强化民族认同、价值观念和影响民间审美取向的功能。

《格萨（斯）尔》在多民族中传播，不仅是传承民族文化、凝聚民族精神的重要纽带，同时也是各民族相互交流和相互理解的生动见证。此外，这部史诗还流传到了境外的蒙古国、俄罗斯的布里亚特、卡尔梅克地区以及喜马拉雅山以南的印度、巴基斯坦、尼泊尔、不丹等国家和周边地区。这种跨文化传播的影响力是异常罕见的。

《格萨（斯）尔》艺人是史诗最直接的创造者、传承者和传播者，他们绝大多数是文盲，却具有超常的记忆力和叙事创造力，通常的史诗演唱达到几万行乃至几十万行。

20世纪50年代以来，受现代化进程的影响，藏、蒙等民族的生计方式发生了变化，职业化的艺人群开始萎缩。近年来一批老艺人相继辞世，“人亡歌息”的局面已经出现。《格萨（斯）尔》受众群正在缩小，史诗传统面临着消亡的危险，保护工作应立即展开。

28 阿诗玛

◎申报地区或单位：云南省石林彝族自治县

《阿诗玛》是流传于云南省石林彝族自治县彝族支系撒尼人的叙事长诗。它使用口传诗体语言，讲述或演唱阿诗玛的故事。阿诗玛不屈不挠地同强权势力作斗争的故事，揭示了光明终将代替黑暗、善美终将代替丑恶、自由终将代替压迫与禁锢的人类理想，反映了彝族撒尼人“断得弯不得”的民族性格和民族精神。

《阿诗玛》的原形态是用撒尼彝语创作的，是撒尼人民经过千锤百炼而形成的集体智慧结晶，具有广泛的群众性。它主要流传于云南省石林彝族自治县彝族撒尼人聚居区，分为南北两个大同小异的流派。《阿诗玛》以五言句传唱，其中使用了伏笔、夸张、讽刺等手法和谐音、顶真、拈连、比喻等技巧，内容和形式完美统一。其作为叙事诗可讲述也可传唱，唱调有“喜调”、“老人调”、“悲调”、“哭调”、“骂调”等，传唱没有固定的场合，可在婚嫁、祭祀、葬仪、劳动、生活等多种不同场合中传唱、讲述。

《阿诗玛》自20世纪50年代初在有关刊物上发表汉文整理本以来，被翻译成英、法、德、西班牙、俄、日、韩等多种语言在海外流传，在日本还被改编成广播剧、歌舞剧、儿童剧等艺

术形式。在国内，《阿诗玛》被改编成电影及京剧、滇剧、歌剧、舞剧、撒尼剧等在各地上演。中国第一部彩色宽银幕立体声音乐歌舞片《阿诗玛》，于1982年获西班牙桑坦德第一届国际音乐最佳舞蹈片奖。

随着生活方式、教育体制以及少数民族语言使用的社会空间的改变，《阿诗玛》的传承正面临着危机。

29

拉仁布与吉门索

◎申报地区或单位：青海省互助土族自治县

《拉仁布与吉门索》是土族民间长诗，用土族口语创作并演唱，以口耳相传的方式在群众中相沿传袭，至今仍为活态的口头文学形式。

这部民间文学作品用生动的形象、深沉悲壮的语言及讲唱的形式记述了穷人拉仁布和牧主的妹妹吉门索的爱情悲剧，两人从雇佣关系发展到热恋关系。由于吉门索兄嫂的百般阻挠，这对恋人的爱情终归于失败。

全诗以讲唱为主，共分8个章节，是土族劳动人民集体智慧的结晶，具有广泛的群众性，是土族群众最喜欢演唱的一首叙事情歌，在不同的流传地区有不同的风格。在演唱方式上，拉仁布与吉门索以男女对唱为主，但不同于一般问答式对唱。演唱的曲调独特，结构清晰，层次分明。

《拉仁布与吉门索》完全用土语演唱，它源于土族地区，又生长和发展于土族地区，植根于土族传统文化之中，为当地土汉两族民众所喜闻乐见。故事中拉仁布、吉门索、哥哥、嫂子等主要人物性格特征鲜明，具有广泛的群众性和独特的民族特色，为民族学、语言学和土族社会学研究提供了生动的素材。另外，《拉仁布与吉门索》所描述的故事反映了土族从游牧生产方式逐步转向农业生产方式的一个侧面，具有重要的历史研究价值。

随着时间的推移，这一民间长诗的传承人大部分已相继辞世，50岁以下的中青年人基本都不会唱了，后继乏人，已到了急需抢救和保护的地步。

30

畲族小说歌

◎申报地区或单位：福建省霞浦县

畲族小说歌发源于福建省霞浦县侯南镇白露坑村。白露坑是畲族人口最为密集和文化积淀最为丰厚的区域，堪称闽东第一村。小说歌滥觞于清代。最初畲族歌手中一些能识字的人将汉族章回小说和评话唱本改编为本民族山歌口头唱本和手抄唱本，后逐渐在本民族流传的英雄人物事迹的基础上，结合本民族生活、心理、语言特点创作了一些作品，如《高皇歌》、《历期歌》、《钟良弼》、《白蛇传》、《十贤歌》、《钟景祺》、《蓝佃三》等，由是形成小说歌。小说歌作为长篇故事歌，是畲族民众创造的独特的文学样式和文化载体。

以其内容来看，畲族小说歌大都取材于我国民间戏曲、曲艺中流传的故事，而与畲族的日常杂歌有别。其基本诗学特点是：一、叙事性强，有故事情节；二、有严谨的结构章法，每篇由众多的单首组成，单首的结构为四行，每行七字，类似汉语的“七绝”；三、运用多种手法对人物形象进行艺术加工；四、作者的署名被巧妙地隐藏在歌尾。

由于畲族小说歌内容丰富，形式多样，语言明快，音韵和谐，不用典故，不事夸张和粉饰，融叙事、咏物、抒情于一体，朴实真切，因而得到畲族民众的广泛认同。它不仅是畲族歌谣中的精髓，也是畲族最具代表性的文化表现形式和闽东地区最有特色的艺术类别。小说歌在畲族文化史和文学史上占有重要的地位，是畲族文化发展中一个进步性的产物。

清末民初是小说歌的全盛阶段，歌手很多。现存手抄本和口头小说歌130本。健在的歌王传人钟昌尧既唱歌、传歌，也搜集民歌，目前他搜集到一百六十多段一百多万字的畲歌，已整理出了包括小说歌在内的五百多首。但钟昌尧现已73岁，需要有传承人来继续他的事业。目前小说歌的传承人正日益减少，而小说歌的创作则已基本停止，相关的抢救、保护工作亟待展开。

31 青林寺谜语

◎申报地区或单位：湖北省宜都市

青林寺村位于历史悠久、地理环境独特的湖北省宜昌市宜都高坝洲境内。这个村的村民们擅长于制谜、猜谜，痴谜成风。在青林寺，几乎人人能说谜语，全村上下不论男女老幼，随时随地都能相互比试自己的得意之作。据调查，掌握谜语30至100则的占该村人口的15%，掌握100则以上的占该村人口的5%。

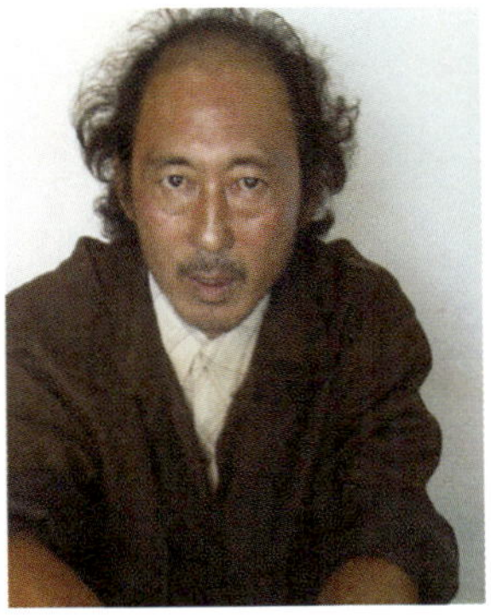

近年来，青林寺谜语村落这一独特的文化现象受到全国众多学者、专家的广泛关注。专家们认为，青林寺谜语乡土气息浓郁，地方特色鲜明，集娱乐性、趣味性、知识性于一体，对研究我国民间文学、民俗学、方志学等有重要的参考价值。有关方面先后编辑出版了《青林寺谜语选》、《青林寺谜语选（续编）》、《青林寺谜语选（精选本）》、《青林寺谜歌选》、《中国湖北青林寺谜语村》、《婚育新风谜语选》6部专辑，成立了青林寺谜语抢救保护组织。此外，青林寺谜语、谜歌已被宜昌市中小学校列入乡土教材。

2002年7月，湖北省文联在组织专家、学者反复论证后，将青林寺村命名为“湖北省青林寺谜语村”；2002年，该村被湖北省文化厅命名为“湖北省民间艺术之乡”；2003年，青林寺村被中国民协命名为“中国谜语村”。

20世纪末，随着清江高坝洲水电工程的开发建设，这里成了主要的淹没区，迁移人口已达到总人口的40%，目前这里仅存925人。随着清江水利梯级开发的进一步深入，淹没区和移民范围必将进一步扩大，再加上新型文化消费形式的冲击，青林寺谜语这一民间文化现象面临着严重的危机。

民间音乐

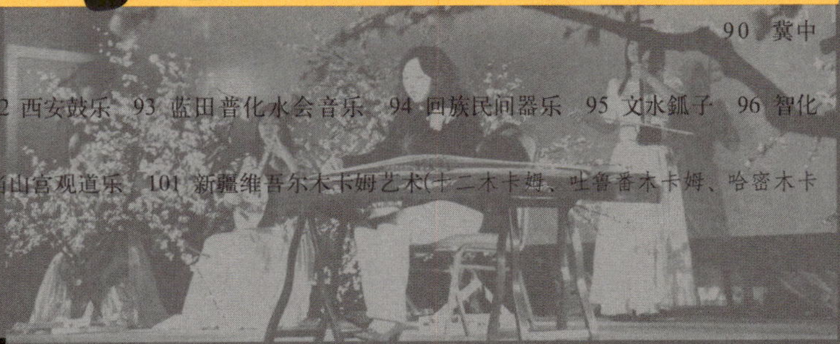

32 左权开花调

◎ 申报地区或单位：山西省左权县

左权县位于太行山主脉西侧、山西省东部边缘，古称辽州、辽县，后因纪念牺牲在此的抗日名将而改为左权。左权民歌蕴藏丰富，据《辽州志》载，宋元以来，当地就有“闹元宵”、“闹社火”、“闹红火”的传统风俗。历代民众不断创造、传承，陆续产生了多种民间音乐体裁，如山歌、小调、号子、套曲、小花戏和吹打等，其中以开花调最具代表性。该类民歌属“山歌体”，因所有唱词一律以“花”为中心，以“开花”为比兴，故称开花调。更为独特的是，所谓“花”，不仅有植物之“花”，更有各类日常用具、物品之“花”，如“门搭搭开花扑来来，门外走进哥哥来”、“玻璃开花里外明，远远照见俺咯旦儿亲”、“油灯灯开花一点明，小酒盅挖米不嫌你穷”等等。这些民歌构思精巧，语词新颖，为广大民众所喜闻乐见。此外，歌中用本地方言所构成的衬词衬句都堪称一绝，如“啊咯呀呀呆”、“亲咯旦儿”、“亲呀咯亲呀么呆呀咯呆”等，都极好地凸显了浓厚的地方色彩。

开花调音调简洁，深情感人，绝大多数由相互呼应的上下两个乐句组成，旋律进行以级进七声性音阶为主，间或出现大跳音型，用于表现情绪、情感的起伏跌宕，大大增加了音乐的感染力。

自20世纪40年代起，音乐工作者就开始在左权收集记录民歌，前后历经半个多世纪，仅收集到的开花调就有百首以上，代表曲目包括《桃花红，杏花白》、《有了心思慢慢来》、《会哥哥》、《格旦亲》、《想亲哥》、《土地还家》等。刘改鱼、冀爱芳、石占明等都是开花调的优秀传人。

以开花调为代表的左权民歌在20世纪七八十年代曾一度衰微，生态失衡。近期在广大民众和政府主管部门的共同努力下，传统歌风日渐恢复，新的传人相继出现，为民歌遗产的保护和传承提供了较好的基础。

33 河曲民歌

◎ 申报地区或单位：山西省河曲县

河曲位于山西省西北部，东界偏关、五寨，南界岢岚、保德，西、北隔黄河分别与陕西、内蒙相邻，是一个“一鸡鸣三省”的特殊地区。由于地处黄河弯道，河曲历史上交通阻隔，土地贫瘠，旱涝无定，老百姓灾难深重。这一特殊的人文地理环境形成了当地老百姓每年春去冬回，到内蒙古大青山、河套一带打短工、拉长工的“走西口”生活生产方式。由这种年复一年的离妻别子的痛苦人生中自然产生了咏叹人间离苦、别绪、思念、期盼的“走西口”民歌，当地人称之为“山曲”。山曲属山歌体裁，它形成于何时尚无确定，但在山曲基础上形成的“二人台”，据考已有二百年左右的历史。方志中就有明代河曲“户有弦歌新治谱，儿童妇老尽歌讴”的记载，足见其歌唱传统的久远。

山曲唱词内容深刻，曲调丰富。1953年冬，中央音乐学院民族音乐研究所（现中国艺术研究院音乐研究所）首次到当地采录民歌，短短三个月即记录了一千五百多首唱词和一百五十多种曲调，其中的《三天路程两天到》、《人家都在你不在》、《割莜麦》、《提起哥哥走西口》、《真魂魂跟在你身左右》、《哥哥在东妹在西，天河隔在两头起》等都是词曲皆佳的传世精品。它们在词曲

结构方面采用上下句体式，上句起兴，下句表情，往往一个上下句就揭示出一种深邃的感情状态或描绘出一种逼真的生活画面，像“山在水在石头在，人家都在你不在”、“听见哥哥唱上来，热身子扑在冷窗台”等都是典型的例子。山曲的曲调则运用并置、呼应、对比等两句体，蕴含有丰富的美学意味。在反映民歌发展历史与民间社会生活状况方面，也具有典型的意义。

34 蒙古族长调民歌

申报地区或单位：内蒙古自治区

长调是蒙古语“乌日汀哆”的意译。“乌日汀”为“长久”、“永恒”之意，“哆”为“歌”之意。在相关著作和论文中，也将其直译为“长歌”、“长调歌”或“草原牧歌”等。

根据蒙古族音乐文化的历史渊源和音乐形态的现状，长调可界定为由北方草原游牧民族在畜牧业生产劳动中创造的，在野外放牧和传统节庆时演唱的一种民歌。长调旋律悠长舒缓、意境开阔、声多词少、气息绵长，旋律极富装饰性（如前倚音、后倚音、滑音、回音等），尤以“诺古拉”（蒙古语音译，波折音或装饰音）演唱方式所形成的华彩唱法最具特色。

早在一千多年前，蒙古族的祖先走出额尔古纳河两岸山林地带向蒙古高原迁徙，生产方式也随之从狩猎业转变为畜牧业，长调这一新的民歌形式便产生、发展了起来。在相当长的历史时期内，它逐渐取代结构方整的狩猎歌曲，占据了蒙古民歌的主导地位，最终形成了蒙古族音乐的典型风格，并对蒙古族音乐的其他形式均产生了深刻的影响。可以说，长调集中体现了蒙古游牧文化的特色与特征，并与蒙古民族的语言、文学、历史、宗教、心理、世界观、生态观、人生观、风俗习惯等紧密联系在一起，贯穿于蒙古民族的全部历史和社会生活中。长调的基本题材包括牧歌、思乡曲、赞歌、婚礼歌和宴歌（也称酒歌）等。

长调民歌所包含的题材与蒙古族社会生活紧密相联，它是蒙古族全部节日庆典、婚礼宴会、亲朋相聚、“那达慕”等活动中必唱的歌曲，全面反映了蒙古族人民的心灵历史和文化品位。代表曲目有《走马》、《小黄马》、《辽阔的草原》、《辽阔富饶的阿拉善》等。

长调民歌的研究涉及到音乐学的诸多分支学科，对它的研究与保护实际上就是对历史悠久的草原文明与草原文化类型最强有力的传承与保护。

35 蒙古族呼麦

◎ 申报地区或单位：内蒙古自治区

呼麦是蒙古族人创造的一种神奇的歌唱艺术：一个歌手纯粹用自己的发声器官，在同一时间里唱出两个声部。呼麦声部关系的基本结构为一个持续低音和它上面流动的旋律相结合。又可以分为“泛音呼麦”、“震音呼麦”、“复合呼麦”等。在中国各民族民歌中，它是独一无二的。

呼麦主要分布在内蒙古自治区的锡林郭勒、呼伦贝尔草原及呼和浩特市等地区，新疆自治区阿尔泰山一带的蒙古族居住地以及蒙古、俄罗斯图瓦地区也能听到这种歌唱方式。

据考证，呼麦的历史可以远溯至匈奴时期，至迟在蒙古族形成前后就已经产生。

作为一种特殊的民间歌唱形式，呼麦是蒙古族杰出的创造。它传达着蒙古族人民对自然宇宙和世界万物深层的哲学思考和体悟，表达了蒙古民族追求和谐生存发展的理念和健康向上的审美情趣。

呼麦是蒙古民族最古老的艺术形式之一，它更多地保留了原始歌唱的某些因素，是一种来自民族记忆深处的久远回音，与蒙古族的历史、文化息息相关，对于人类学、民族学、民俗学研究均有重要的价值。

抢救和保护“呼麦”这种神奇的歌唱艺术，使它免遭灭绝之灾，是一项重要而紧迫的任务。

36 当涂民歌

◎申报地区或单位：安徽省马鞍山市

当涂民歌是流行于皖东长江两岸的各类民歌的统称。早在六朝时期（220—589）就有当涂民歌的记载，刘宋皇帝刘裕主持的著名的“白纻歌舞”即是当涂民歌演唱之一脉。长期生活在当涂的北宋词人李之仪的二十多首《田夫踏歌》和“我住长江头，君住长江尾”的吟唱都属于民歌范畴。清代当涂人黄钺以当地风俗民情为主要内容的五十多首《于湖竹枝词》代表了当时当涂民歌的最高艺术水平。1949年以后，当涂人民创作民歌、传唱民歌形成了热潮，到20世纪50年代末期，发展至鼎盛阶段。

当涂民歌数量众多，题材广泛，内容几乎涉及到社会生活的各个方面。同时，平原、圩区、丘陵山区的民歌异彩纷呈，形成多种体裁。流行于当涂大公圩一带的是号子、牛歌、舞调，流行于博望、湖阳、新市一带的是船歌、渔歌、灯歌，流行于沿江采石、霍里、新桥一带的是秧歌、对歌、门歌等。当涂民歌语言丰富，结构完整，曲调多样，唱法独特，显示出鲜明的地方性民间音乐和语言艺术的魅力。代表曲目有《打麦歌》、《放牛歌》和《姐在田里薅豆棵》等。

当涂民歌是当涂人民智慧的结晶，是劳动人民口头创作、口头演唱、口耳相传的文化表现形式的典型代表，经过历代文化人的艺术加工后，更具有了高度的历史价值、文化价值和艺术价值，是不可多得的音乐和语言艺术珍品。

37

巢湖民歌

◎申报地区或单位：安徽省巢湖市

巢湖市位于皖中，襟江环湖，境内有距今三四十万年前的“和县猿人”遗址，证明这里曾经是中华文化的发祥地之一。巢湖民歌伴随着巢湖古老的历史，经历了一个由简而繁、由单一而多样的演变过程，一直传唱至今。

巢湖人爱唱、爱编民歌。“望风采柳”的创作形式使聪慧的歌唱者可以见什么唱什么，走到哪儿唱到哪儿，干什么活唱什么歌。巢湖民歌有号子、山歌、小调三大类，品种齐全，内容丰富。

1949 年以后，巢湖民歌得到了更广泛的传播。1955 年 3 月，巢湖民歌《姑嫂对花》被农民歌手胡吉英、刘宏英唱到北京中南海怀仁堂，受到毛泽东等党和国家第一代领导人的亲切接见。历年来，有关部门共搜集整理了一千多首原生型民歌，有五百多首被编入各种歌曲集。其中 111 首被编入《中国民间歌曲集成（安徽卷）》，20 首被编入《安徽民歌 100 首》，三十多首被编入中学课本和上海音乐学院、中央音乐学院教材，二十多首被上海唱片社录制成唱片在国内外发行，并馈赠联合国教科文组织留存。巢湖民歌代表曲目有《姑嫂对花》、《喊秧歌》、《刘姐姐》、《吓老鹰》等。巢湖民歌创作、演唱活动一直持续不断，在全省、全国演出活动中多次获奖，在安徽民歌中占有重要地位。

研究巢湖民歌史，可以探寻巢湖历史变迁的踪迹，具有深远的历史意义；研究巢湖民歌的题材内容和体裁特征，能在某种程度上促进安徽民歌史和中国民间音乐史的研究。巢湖民歌是巢湖人民喜闻乐见的艺术形式，继承、弘扬巢湖民歌对丰富人民群众的文化生活具有重要的现实意义。

38 畲族民歌

◎ **申报地区或单位：福建省宁德市**

畲族是中国多民族大家庭中的一员，分布在福建、浙江、江西、广东、安徽五省六十多个县、市的部分山区。闽东、浙南是畲族的主要聚居地。

畲族有悠久的历史。“畲”字，意为“刀耕火种”，用作民族名称始于南宋末年。元代以来，“畲民”作为畲族的专有名称，普遍出现在汉文史籍。最迟在7世纪，畲族就已经定居在闽、粤、赣三省的交界地区。

畲族有本民族自己的习俗和语言，唱山歌是畲族人民文化生活中的一种主要活动形式。山歌是畲族民众传授历史、文化、生产、生活等各种社会知识和进行文化娱乐活动的重要手段和工具。唱山歌成为畲族人民文化生活中不可或缺的内容，不论男女老少大都善歌，并形成了一些独特的民族歌俗歌会。歌俗主要有拦路情歌、来客“比肚才”、“做表姐”、“做亲家伯”等。歌会主要有农历四月“分龙节”在福安穆阳一带苏堤山的牛石岗歌会，六月初一在福安留洋白云山的歌会，七月初七在福安社口、营坑白云山的歌会，八月十五中秋节福安城关镇的歌会，九月初九霞浦城关马洋目莲山与溪南葛云山的歌会等。

畲族民歌按题材内容大致可分为叙事歌（含神话传说歌和小说歌）、杂歌（含爱情、劳动生活、传授知识、伦理道德、娱乐生活等内容）、仪式歌（含婚仪歌、祭祖歌和功德歌等）。

畲族民歌的曲调大致可分为山歌调和师公调两大类。山歌调包括：福宁调、福鼎调、霞浦调、罗连调、丽水调、景宁调、龙泉调、文成调等。师公调包括念诵调和配合做公德动作的歌唱。

畲族山歌多用假声歌唱，按唱法的不同，有平讲调、假声唱、放高音三种变化。在福建省宁德北部的七都、八都、九都等地，还有一种“双音”的歌唱形式。由男女二人用同一歌词演唱，曲调之间形成支声式、模仿式或和音式关系。此种唱歌形式曾有一段时期盛行，代表曲目有《风吹竹叶尾提起》等。现已濒危，亟待抢救。

39

兴国山歌

◎申报地区或单位：江西省兴国县

兴国县位于江西省南部，属赣州市管辖。兴国95%以上的人口均为中原南迁的客家人及其后裔。由于独特的地理环境和客籍背景，世代居住在高山密林中的客家人过着艰辛的生活，在劳作之余，他们只有用山歌来抒发自己内心的情感。中原的古风遗韵和当地土著文化的融会形成了独具特色的兴国山歌。在兴国城乡村镇，处处闻歌声，人人是歌手。所以，兴国素来被誉为"山歌之乡"。兴国山歌代表曲目有《园中芥菜起了芯》、《绣香包》、《行行都出状元郎》、《赞八仙》等。

兴国山歌生动活泼，形式多样，生活气息浓郁，有独唱、对唱、"三打铁"、联唱、轮唱等形式和锁歌、盘歌、斗歌、猜花、丢观音、黄鳅咬尾、绣褡裢、藤缠树、树缠藤等种类。就大的表演形式来分，兴国山歌大体有以下几种：山野田间唱和，因情因景因人而异，内容涵盖男欢女爱、生产、生活、时政等方方面面；跳觋，分南河山歌和东河山歌，南河山歌又分情歌和插科打诨的搞笑歌，由觋公、觋婆装扮演唱，东河山歌即祝赞山歌；民俗歌，在庙会、婚丧嫁娶、祝寿、建房、小孩满月等场合演唱，演唱者多为职业歌师；叙事山歌多为群众场合中一问一答、一正一反的

对唱山歌，有较强的故事性，常常是围绕某一主题展开，现常被地方政府用为宣传工作的手段；赛歌是一种特殊的形式，即歌手聚会打擂台，考“肚才”，比机敏，高潮迭起，决定胜负后诞生擂主。

兴国山歌植根于客家文化的深厚土壤中，涵盖了客家人生活的方方面面，饱含着丰厚的客家文化信息。从某种意义上说，兴国山歌是客家人繁衍生息的一幅历史画卷。保护、研究、解读兴国山歌，发掘其精华，无疑是弘扬优秀民族文化的一项极其重要的举措。

40 兴山民歌

◎申报地区或单位：湖北省兴山县

兴山县汉时属南郡，三国吴景帝永安三年（260）析秭归北界置兴山。兴山位于大巴山余脉，长江西陵峡北侧，东邻宜昌市、保康县，南连秭归县，北靠神农架林区，西接巴东县。兴山民歌分布于兴山县各乡镇及其东、南、北部的周边地区。

兴山民歌源远流长，蕴藏丰饶，国内音乐学界部分学者将其指认为“荆楚古歌”的遗存。此说可从曾侯乙编钟，特别是本地区长阳县出土的商周青铜钟磬的音列结构中找到印证。

兴山民歌音调奇特，常常使受过现代音乐训练的人误认为“唱不准”。其实，它在音阶结构中含有一个介于大、小三度之间的音程，被命名为“兴山三度音程”。兴山仅有的两种三声腔的结构关系如下：

(↑) Do － Mi － Sol

350 ± 15 300 ± 15

(↓) La － Do(↓) － Re

350 ± 15 180 ± 15

其五声音阶就建立在它们之上，亦被称为“兴山音阶”：

(↑) Fa (↓) Sol (↓) La Do (↓) Re Mi Sol

这个独特的音阶证明了在荆楚音乐文化中存在着一个与乐器考古发现的律制相一致的口传文化。兴山民歌的常见曲目有《征东》、《征西》、《薛刚反唐》、《十送》、《十想》、《五更》等。

由于社会的急速变革，现今会唱兴山民歌的人已越来越少，如不大力抢救保护，这个独特的歌种将面临失传的危险。

41 桑植民歌

◎ 申报地区或单位：湖南省桑植县

桑植县地处湖南省西北部，东界石门、慈利两县，南界张家界市永定区、湘西土家族苗族自治州永顺县，西与湘西土家族苗族自治州龙山县毗邻，北和湖北省宣恩、鹤峰两县相连。桑植民歌起源于原始农耕时期的生产劳动，质朴、粗犷、风趣、诙谐是其主要的艺术风格。

经过千百年的锤炼，桑植民歌在高唱低吟中显现出了独特的艺术魅力。概括起来，它有两方面的价值：一、社会文化方面。桑植民歌是桑植特有的地理环境与封闭半封闭的生存状态的产物，至今保留着较多反映原始宗教（如傩腔、薅草锣鼓）的歌谣。其中的三句体歌词结构为研究中国民歌的多样性提供了珍贵的资料和范例，体现了桑植人崇"三"的朴素哲学思想。二、艺术特征方面。桑植民歌分为山歌、小调、礼仪歌、傩腔等，涵盖了传统民歌的多种体裁。其

曲式结构严谨，曲体多样，尤其是衬词的运用，使民歌在烘托气氛、揭示人物内心情感等方面达到了极高的艺术境界。此外，桑植民歌特殊的润腔方法和气声演唱技巧，极大地丰富了民歌演唱理论，为声乐演唱提供了独特的范例。

桑植民歌中的代表性曲目如《板栗开花一条线》、《四季花儿开》、《门口挂盏灯》、《冷水泡茶慢慢浓》、《马桑树儿搭灯台》等已成为中国民歌宝库中的经典。众多音乐家在吸纳桑植民歌丰富营养的基础上创作了《挑担茶叶上北京》、《甜甜的山歌》、《心头爱》等作品也都脍炙人口，传唱一时。

42 梅州客家山歌

◎ 申报地区或单位：广东省梅州市

梅州客家山歌是梅州市境内6县1市1区近500万人口用客家方言演唱的民歌，它流传于广东省东北部客家地区并流播到海外梅州籍客家人聚居地。

梅州客家山歌于宋、明期间伴随着客家民系的形成而传播繁衍，是中原文化与梅州土著文化融合的产物。它的歌词诗味很浓，类似竹枝词，有“国风”和“吴歌”的余韵。

梅州客家山歌共有腔调近百种，音调高扬绵长，平稳流畅，起伏不大；音区较高，音域较窄；级进较多，跳进较少；节奏自由，节拍多样，常有多种节拍混合而歌。

梅州客家山歌有数万首歌词流传于民间，内容包括劳动歌、时政歌、仪式歌、礼俗歌、情歌和其他生活歌、儿歌等，涵盖了客家人生活的方方面面，其中以情歌的数量最多，内容最精彩，文学价值也最高。

梅州客家山歌是客家文化的重要组成部分，是民间音乐、民间文学的瑰宝。它对于文学艺术、社会学、历史学、语言学、民俗学、宗教学、客家学等方面的研究都具有宝贵的参考价值。晚清黄遵宪、屈大均和当代钟敬文等学者都曾对梅州客家山歌的收集、整理、研究工作予以高度重视。

梅州客家山歌历来由民间口头传承。现在，唱山歌的队伍严重老化，不少优秀山歌手相继去世，青少年已不喜欢唱山歌、听山歌，山歌演唱青黄不接、后继乏人的情况日趋严重。抢救和保护梅州客家山歌，对于保存客家文化、丰富中华文化、丰富客家人的文化生活都具有重要意义。

43 中山咸水歌

◎申报地区或单位：广东省中山市

咸水歌又称咸水叹、叹哥兄、叹姑妹，是疍家人自娱自乐的一种歌唱形式。广东中山坦洲镇的疍民素有从事农业劳动或行船时对唱互驳、斗歌竞唱的习俗，特别是在谈婚论嫁、丧葬等过程中，往往触景生情，随编随唱。中山咸水歌的主要类别包括长短句咸水歌、高棠歌、大缯歌、姑妹歌和叹家姐等。

咸水歌是疍家广为传唱的口头文化表现形式。自古以来，疍家人浮家泛宅，不断从四面八方来到珠江口沿海一带的冲积平原上，散居在中山、珠海、顺德等沿海地带和河网地带。咸水歌在中山坦洲历史最为悠久，流传广泛，曲目丰富，至今仍

然保留着传统的唱法，如采用粤方言中山次方言歌唱，衬词用“啊咧”、“啊啰”，衬句多用“妹好啊咧”、“弟好啊咧”，歌唱的即兴性很强，随字求腔等。其代表性曲目有《对花》、《海底珍珠容易揾》等。

目前，能唱传统咸水歌的不过10人，且大多年事已高。外来文化的大量涌入和年轻一代文化意识、价值取向的改变，使咸水歌的生态环境发生了很大的变化。有关方面调查显示，当地多数人已不知咸水歌为何物，咸水歌的濒危状况可想而知。

44 崖州民歌

◎申报地区或单位：海南省三亚市

崖州民歌是海南民歌的古老歌种之一。由三亚市落笔洞古人类遗址考古成果可知，一万年前已有“三亚人”在这里生息。宋太祖开宝五年（972）置崖州，州治设于今三亚市之崖城镇，领宁远、吉阳两县（今三亚、黄流一带）。产生、流传在这一带的民歌统称崖州民歌。

崖州民歌有明显的佛教“斋歌”和唐诗格式影响的痕迹。唐代佛教传入海南，最早在今三亚市崖城镇（即古崖州）建有大云寺，崖州民歌的嗟叹调就出自“斋歌”，当与寺庙中的念诵吟唱有一定关系。

崖州民歌题材广泛，内容丰富，歌词多为七言，从人文历史、风光景色到生产劳动、社会生活各个领域无不涉及。已发现的叙事长诗不下百首，是崖州民歌中的瑰宝。崖州民歌曲调优美动听，有号子、叫卖调、拉大调、柔情调、嗟叹调、哼小调等。常见的曲目有《十送情郎》、《梁生歌》、《张生歌》、《孟丽君》、《驻春园》等。

崖州民歌为群众所喜闻乐见，是群众重要的精神食粮，长期以来依靠口传心授的方式传承，在现代化潮流的冲击下，这种民间音乐难与来势汹涌的流行音乐相抗衡，如不及时抢救保护，就会随着传人的离去而消失。

45 儋州调声

◎ 申报地区或单位：海南省儋州市

儋州调声是仅流传于海南省儋州一地并具有独特地域风格的民间歌曲。儋州在汉武帝时（前110）为儋耳郡，自古就有“歌海”的美誉。北宋大文豪苏东坡居儋期间曾以“夷声彻夜不息”之句赞誉此地歌风之盛。1962年，田汉先生到儋州视察时称儋州调声为“南国乐坛的奇葩”。近期，儋州又因包括“调声”在内的丰富的民间艺术形式和文化内涵被文化部命名为“中国民间艺术之乡”。

调声是“歌海”中最受群众喜爱的品种，是群众生活中不可或缺的精神食粮。

调声主要在农闲或逢年过节，男女青年聚会于山野赛歌时传唱，特别是每年的“中秋歌会”尤其热闹，参加者往往成千上万。唱调声时，男女青年相对排成两列或围成圆圈，互相勾住手指，两手及身体随着歌声节奏摆动，载歌载舞。调声有若干常用曲调，以此为基础加以发展变化，可以创造出更多新曲，从而常唱常新。历年搜集到的调声曲调已有六百多首，有一定代表性的曲目有《天崩地塌情不负》、《祖国江山花百样》、《一时不见三时闷》、《单搥打鼓声不响》等。

调声歌会是群众自娱自乐、自我教育的一种良好形式。儋州市政府已决定将每年的八月十五定为“中秋调声节”，用以全面保护调声。

46 石柱土家啰儿调

◎ 申报地区或单位：重庆市石柱土家族自治县

重庆市石柱土家族自治县地处武陵山脉与长江交汇地带，在这里孕育、传唱的土家啰儿调历史悠久，源远流长。

石柱土家族啰儿调旋律简洁，每曲音域都在八度以内，腔中少有装饰，行腔起伏流畅，易于掌握，便于传唱。其调式多为徵、羽、商调式，既有传统曲目，又有现场发挥的即兴歌调。歌词句式大多为七字句，可即兴填词，现场发挥，酣畅淋漓地表达歌者的真情实感。有的歌曲调相同而词不同，颇有“竹枝词”遗风；有的歌词直白通俗，逼真地反映了当地土家人的生活、劳动、民风、民俗、情感和宗教信仰等多方面的内容，比较全面地记录了土家族的礼俗活动、生存状况及民族文化演变过程。啰儿调音韵淳朴而浓郁，特别是啰儿调中大量地运用“啰儿”、“啰儿啰”、“啰”等习惯性方言衬词，使曲子音调与当地土家族方言的四声声调紧密结合，率真地表现了土家人乐观、豁达、睿智、幽默的性格，从而形成独特的风格和韵味。蜚声海内外的《太阳出来喜洋洋》就是石柱土家族啰儿调民歌的代表作之一，此外还有《长年歌》、《怀胎歌》、《小情郎》等曲目。

20世纪五六十年代，石柱土家族自治县境内尚有三百多人能唱“啰儿调”，随着社会文化的变迁，演唱者越来越少。据初步调查，现在只有大约七十人能唱了，这些歌手年事已高，啰儿调的传承面临困境，已濒于灭绝。

47 巴山背二歌

◎ 申报地区或单位：四川省巴中市

巴山背二歌系指产生并流传于四川东北部米仓山南麓巴中市辖区内的一种山歌。人们把从事长途背运的人叫“背老二”或“背二哥”，所以在背运途中打杵歇气演唱的山歌便有了“巴山背二歌”之称。其表现形态多为一人领唱众人和或众人齐唱。

背二歌唱词以七言格律体为主，多用赋、比、兴等表现手法；衬词常用实词，调式为徵调式，曲式结构为上下两个乐句的单段体，唱腔高亢悠扬，风格粗犷豪放，结束时为长吁短叹的一声甩腔，极具地域特色。

巴山背二歌是随着巴人从事长途背运这种生产劳动方式而产生的，秦汉时巴中境内有米仓古道穿越全境，上通长安，下达成都，过去时代的人们在这条道上组成庞大的队伍背运货物，在劳动中创造了“巴山背二歌”，并传承沿袭至今。“巴山背二歌”是巴山人精神文化的一种体现，是记录社会发展的活典籍和研究巴山人历史的真实依据，它承载着巴山的风土人情和生活习性。代表性曲目有《背起背子难上坡》等。

由于现代化进程的加剧，背运业由原来的长途背运演变为今天的短途背运，且从业人数越来越少，“巴山背二歌”正逐步失去生存和发展的空间，濒临危机，急需保护。

48 傈僳族民歌

◎ 申报地区或单位：云南省怒江傈僳族自治州、泸水县

傈僳族民歌包括木刮、摆时和优叶等歌种。

“木刮”是傈僳族最重要、流传最广的民歌歌种之一，流传于云南省怒江傈僳族自治州的傈僳族聚居区。木刮在傈僳语中原泛指所有的歌和调，后来逐渐成为叙事古歌的专称。其他属木刮类的歌、调一般冠以内容，如阿尺木刮（山羊调）、其奔木刮（三弦调）等。木刮主要用于内容严肃、气氛庄重的传统叙事长诗，并多在民族节日、集会等时间和场合歌唱。代表性歌唱内容如《创世纪》、《生产调》、《牧羊歌》、《逃婚调》等，曲调朴实、深沉，具有苍凉、古老的风格。木刮一般由中老年男子分为两方，盘腿围坐火塘边，各以男、女身份一问一答对唱。对唱时双方都由一人领唱，众人伴唱，领唱者唱一句，伴唱者和一句，吟唱中以酒助兴，边饮边歌。木刮对唱还具有竞赛的特点，若双方领唱者均为对歌能手，对歌往往持续几天几夜。以木刮对唱的傈僳族传统叙事古歌，广泛涉及民族渊源、人类繁衍、生产生活、风情习俗、恋爱婚姻、宗教信仰和民族交往等内容，生动地再现了傈僳族社会历史的广阔图景，具有较高的认识和审美价值。如长篇叙事歌《逃婚调》就反映了傈僳族“指腹为婚”、“以牛为聘”的婚恋习俗，以逃婚争取自由和爱情的社会风习，杀羊招魂、打狗头发誓、泼血酒赌咒的原始信仰，以及各民族之间相互往来、相互帮助的团结精神和傈僳族的社会生产力水平、生产状况等。

随着老一辈歌手的相继去世，现今已较少有人能完整歌唱傈僳族木刮史歌、长篇叙事歌的内容。如不及时抢救、挖掘，抓紧培养年轻一代歌手，木刮将面临后继无人的局面。

"摆时"和"优叶"是云南省怒江傈僳族自治州最具代表性的两类傈僳族山歌。

摆时广泛流传于泸水县和兰坪县傈僳族地区，在平时及节日集会、庆祝丰收、男婚女嫁等喜庆的场合都有歌唱，歌词内容广泛，曲调热情奔放，宜于表露内心激情，深受傈僳族人民喜爱。摆时多为集体性的男女对唱，也可由一人作自娱性独唱。歌唱内容分为"朵我"、"辖我"两类。"朵我"主要歌唱传统叙事长诗，"辖我"则根据对歌对象即兴编唱，多以爱情、时事为主要内容。摆时代表曲目有《竹弦歌》、《忆苦歌》、《孤儿泪》等。一年一度的泸水县登更"澡塘赛歌会"是摆时对唱的隆重盛会。

优叶主要流传于福贡县傈僳族村寨，按歌唱内容及形式分为两类：一类由中老年人围坐火塘边一面饮酒一面对唱，主要内容是追述旧时的悲伤、苦难，曲调低沉、速度徐缓、旋律平稳；另一类曲调轻松、活泼，是青年男女传情表意的主要方式，可男女对唱，也可在同性间对唱。第一类优叶现已较少传唱，第二类优叶至今仍广为流传。优叶常见曲目有《打猎歌》、《悄悄话》、《砍柴歌》等。

摆时和优叶是傈僳族口传文学艺术的杰出代表，经过历代歌手的创造，长期以来积累了极其丰富的歌唱内容，几乎涉及社会生活和民俗活动的各个方面。摆时和优叶同时也创造了富于民族个性的多种艺术表现手法，如傈僳族诗歌的句式、韵律及修辞特点主要通过这类民歌体现出来。摆时和优叶又反映着傈僳族民歌的典型音乐特色，如傈僳族民歌的多声唱法、颤音唱法及衬词运用都能在摆时和优叶中得到充分体现。

49 紫阳民歌

◎申报地区或单位：陕西省紫阳县

紫阳民歌是流传在陕西省紫阳县境内的一种具有浓郁陕南地方色彩的民间歌曲。紫阳位于陕南中部，因道教南派创始人紫阳真人张伯端而得名。我国古代最早的诗歌总集《诗经》中“周南”和“召南”部分25首歌谣的流传地主要就在包括紫阳在内的汉水上游，紫阳民歌在朝代更迭的过程中，伴随着人们种种生活习俗的形成发展而逐渐成熟，于明清达到鼎盛。

紫阳民歌藏量极为丰富，所发现曲目总数已达5028首，编印成册的有828首，体裁包括号子、山歌和小调几大类，其中又包含了社火歌曲、风俗歌曲、宗教歌曲、曲子等不同歌种。由于积蕴深厚、传唱广泛，紫阳县被文化部命名为“民歌之乡”。

紫阳民歌流传久远，其歌词借喻巧妙、风趣幽默，有较高的文学价值；所用方言似川、似楚，韵味独具；其旋律优美婉转，高腔唱法中游移于调式音级间的色彩性颤音唱法具有独特的价值。紫阳民歌的传承直接依托于各种民俗活动，反映出丰富的民俗文化内容。紫阳民歌的代表性曲目有《郎在对门唱山歌》、《唱山歌》、《洗衣裳》、《南山竹子》等。紫阳民歌对于丰富中华民族音乐宝库、弘扬中华民族音乐文化有不可低估的作用。

50 裕固族民歌

◎ 申报地区或单位：甘肃省肃南裕固族自治县

肃南裕固族自治县地处河西走廊中部、祁连山北麓。裕固族使用的语言有两种，一种称“尧胡尔”语，属阿尔泰语系突厥语族，与同属该语族的维吾尔语、哈萨克语关系密切；另一种称“安格尔”语，与同语族的蒙古语关系密切。

从裕固族的历史渊源和语言来看，其民歌与回鹘民歌和蒙古民歌有着同样的源流关系。歌词格律也有不少相似之处，此外还具有许多古代语言的共性。裕固族民歌依题材内容可以分为“叙事歌”、“情歌”、“劳动歌”等，依体裁、功能可以分成“小曲”、“号子”、“小调”、“宴席曲”、“酒曲”、“擀毡歌”、“奶幼畜歌”等。它是研究古代北方少数民族民歌，特别是突厥、蒙古民歌以及古代北方游牧民族文化历史的重要依据，也是挖掘、发展北方少数民族音乐的基础。

目前，肃南县已整理出版了《中国少数民族民歌肃南裕固族自治县卷》（124首）、《祝福草原》、《裕固家园》、《飘香的草原》等书籍和光盘、磁带。整理搜集了裕固族民歌资料三百一十多首。

近年来，作为民歌承载体的裕固族歌手越来越少，大多数民歌已随歌手的去世而消失，急需抢救和保护。

51 花儿

（莲花山花儿会、松鸣岩花儿会、二郎山花儿会、老爷山花儿会、丹麻土族花儿会、七里寺花儿会、瞿昙寺花儿会、宁夏回族山花儿）

花儿是广泛流传于甘、青、宁及新疆四省区的回、汉、土、东乡、保安、撒拉、藏、裕固8个民族，并一律使用当地汉语方言，只能在村寨以外歌唱的山歌品种，通称“野曲”（与“家曲”即“宴席曲”相对），又称“少年”。其传唱分日常生产、生活与“花儿会”两种主要场合。“花儿会”是一种大型民间歌会，又称“唱山”。

花儿·莲花山花儿会

◎ 申报地区或单位：甘肃省康乐县

莲花山位于甘肃省康乐县西南部，花儿会是莲花山地区群众一年一度自发组织的民歌盛会，辐射3州（地）6县78个会场。此类民歌早在三百年前即已兴盛。20世纪六七十年代花儿传唱遭到封禁，改革开放以后再度出现了繁荣景象。

莲花山花儿会形式独特、规模宏大、程序完整，分拦路、游山、对歌、敬酒、告别等过程，从农历六月初一至初六的主会场会期达6天，历经唐坊滩、上山、下山、足古川、王家沟门、紫松山等处，参加民众达十万人次以上。

莲花山花儿主要是以口传心授的方式传承，代表性歌手主要有景满堂、丁如兰、张生彩、朱淑秀、米兆仁、汪莲莲等。

莲花山花儿以创作的即兴性、韵律的固定性、语言的乡土性为其最大特点，俗称“野花”。代表性曲令有《莲花山令》等。因具有独特性、民俗性、依存性、程序性、群体性、娱乐性和通俗性等特征，被国内外学者誉为“西北之魂”、“西北的百科全书”。但近年来，花儿会的规模逐渐缩小，花儿歌手人数锐减，传承断档，后继乏人，亟待抢救。

花儿·松鸣岩花儿会

◎ 申报地区或单位：甘肃省和政县

松鸣岩位于临夏州和政县城南23公里的吊滩乡小峡风景区之中，景区由西方顶、南无台、玉皇峰、鸡冠山四峰组成，是甘肃省著名的三大花儿会场之一，也是河州花儿的发祥地。

松鸣岩花儿会于每年农历四月二十六至二十九在甘肃省和政县国家级森林公园、省级风景名胜区松鸣岩举行。据《和政县志》记载，松鸣岩每年四月二十六、二十七、二十八、二十九

日开龙华大会，朝拜者累千聚万，香火甚盛。根据史料研究，花儿在和政县出现应该在明代前期，距今至少已有数百年历史了。

松鸣岩花儿会有持续的历史传承性和博大的开放包容性，有固定的演唱时间和场合。松鸣岩花儿会上，歌手们除了演唱各种河州令外，还有《牡丹令》，演唱地点或在山坡，或在草坪，或在山口，或在林中，演唱形式有独唱、齐唱、对唱，伴奏乐器有咪咪、四弦子、唢呐、二胡。

花儿·二郎山花儿会

◎ 申报地区或单位：甘肃省岷县

岷县位于甘肃省南部，地处黄土高原、青藏高原和西秦岭山区的交汇地带。二郎山位于岷县城南、千里岷山的起首处。二郎山花儿会最早源于岷县的祭神赛会，据考证其形成时间为明代。每年农历五月初分布在境内的18位湫神（龙神）全驾出巡，全程巡域。位于其巡行路线上的村庄分会定点祭祀，祈祝丰收，这样在祭祀地点便形成点蜡、求神、发愿、唱花儿的大小会场达四十多处，其中心五月十七二郎山花儿会的规模最大。祭祀当天午后，18位湫神依次被抬上二郎山接受官祭，同时祭祀群众赛唱"洮岷花儿"，其时赛会参与人数达十余万，场面极其热烈。所唱"洮岷花儿"，分南北两派，南路派花儿又叫"阿欧怜儿"，演唱粗犷高亢，具有原始美的显著特点；北路派花儿又叫"两怜儿"，曲调自由舒缓，长于叙事。"洮岷花儿"除了具有音乐价值和即兴演唱价值外，歌词的文学价值也极高，它与湫神祭祀一样，凝聚了劳动人民的智慧，是研究岷县社会发展历史和民俗文化的宝库。

由于历史原因，湫神祭祀古风犹存，但上山官祭仪式却面临濒危，有待进一步保护。近几年，由于岷县县委、县政府的努力，"洮岷花儿"被联合国教科文组织授予"联合国民歌考察基地"荣誉称号。

花儿·老爷山花儿会

◎ 申报地区或单位：青海省大通回族土族自治县

老爷山花儿会是每年农历六月初六在青海省大通回族土族自治县的老爷山举行的大型民歌演唱活动，它产生于明代，经过几百年的发展，伴随着"朝山浪会"活动，从以娱神为主逐步演变为以娱人为主的大型民间岁时民俗活动。

老爷山花儿会演唱形式有两种。一是群众性自发演唱，农历"六月六"在老爷山的密林花丛中，或数十人或几百人自由唱和，情景交融；二是1949年以后兴起的有组织演唱，有固定的

演唱场所和舞台，歌手经过层层选拔，在舞台上赛歌竞技。老爷山花儿会以演唱“河湟花儿”为主。演唱者有汉、回、土、藏等民族的歌手，他们共同用汉语演唱花儿。这是老爷山“花儿”和“花儿会”不同于其他民歌和歌会的显著特点。

老爷山花儿内容主要以歌咏爱情生活为主，也涉及宗教、民俗、生产劳动、历史故事、新人新事等类型。其唱词以七字句（一三句）与八字句（二四句）相间的四句体为主，特别规定二四句句尾必须是“双字”词，另外一、三句和二、四句分别押韵，形成了一种特殊的唱词格律，在全国汉族民歌中也属特例。河湟花儿的语言生动、形象、优美、明快，多用赋、比、兴等修辞手法，有极高的文学价值。大通老爷山花儿有《大通令》、《东峡令》、《老爷山令》等代表性曲目。这些曲调韵律独特、优美抒情、高亢嘹亮、婉转悠扬，深受大通各族人民的喜爱。

花儿·丹麻土族花儿会

◎申报地区或单位：青海省互助土族自治县

丹麻花儿会是青海省互助土族自治县具有一定影响力的群众传统集会，集戏曲表演、花儿演唱、商品贸易于一体，一般在每年的农历六月十三日举行，会期为五天，一年一次，规模宏大，影响深远。

举办丹麻花儿会的丹麻镇位于青海省互助土族自治县的东部，是一个土族聚居乡镇。丹麻花儿会起源于明代后期，盛行于清代、民国及新中国成立初期。20世纪六七十年代被认为是低俗野曲会而遭到禁止，一度中断，1978年以后逐步恢复。据专家认定，丹麻花儿会起初是当地土族群众为祈求风调雨顺、期盼五谷丰登而举办的朝山、庙会性质的传统集会。经过历史的演变，它已成为展示土族民俗风情的一个重要的文化现场。丹麻土族花儿有《尕联手令》、《黄花姐令》、《杨柳姐令》等常见曲目。

丹麻花儿会上演唱的土族花儿是青海花儿的重要组成部分，具有独特的民族风格，蕴含着丰富的土族文化内容，具有较高的艺术价值。

丹麻花儿会历史悠久，在青海省境内的群众文化活动中一直享有盛名。保护丹麻花儿会，挖掘、抢救和整理土族花儿，意义十分重大。

花儿·七里寺花儿会

◎申报地区或单位：青海省民和回族土族自治县

七里寺峡位于民和回族土族自治县以南古鄯镇境内的小积石山麓。在这里举行的花儿会至少已有百年历史。每年农历六月初六，八方群众盛装举伞结伴而来，六七万人云集峡谷，通宵达旦对唱花儿。

七里寺花儿会是群众自发组织的民间文化盛会，演唱者均为民间歌手。演唱形式有独唱、对唱、合唱等，无任何乐器伴奏；演唱内容多为情歌。演唱者一般一手轻捂耳朵，根据内容需要用不同的“令”来演唱，所唱曲令达四十余种，代表曲目有《古鄯令》、《马营令》、《二梅花令》等。七里寺花儿会由于其浓厚的地方特色，再加上峡内药泉的吸引力，在西北地区颇负盛名。

七里寺花儿会上歌手众多，除了著名“花儿”歌手到会，周边地区会唱花儿者也常常到场助兴，有许多老歌手演唱的曲令在平时或其他“花儿会”上很难听到。

花儿·瞿昙寺花儿会

◎申报地区或单位：青海省乐都县

瞿昙寺花儿会同时也是当地的庙会，从农历六月十四到十六日，共三天。乐都县瞿昙寺花儿会在青海各地花儿会中规模较大、影响深远。据考证，瞿昙寺花儿会从清道光年间瞿昙寺开庙会起，至清末民初逐渐发展成一定规模的花儿会。瞿昙寺花儿会是当地群众交流花儿的最大舞台，许多民间花儿歌手从这里走向全省乃至西北地区。

瞿昙寺花儿会参与群众以汉族为主，其他民族也踊跃参加。在演唱曲令上，除当地的《碾伯令》外，还有《白牡丹令》、《尕马儿令》、《水红花令》、《三闪令》等。此外藏族人民喜爱的“拉伊”在这里也有广泛的演唱。其演唱形式有独唱、对唱、联唱等，其中最能体现瞿昙寺花儿会民间特色的就是两个阵营的对歌。

瞿昙寺花儿会还具有深厚的民族民间文化底蕴，对花儿会生成的研究具有重要的价值。乐都县是河湟地区有名的“文化县”，瞿昙寺花儿会因而成为研究大型民俗活动与地方文化发展关系最好的典型个案。

作为有影响的花儿会，瞿昙寺花儿会在当地发挥着促进民间物资交流、加强不同民族文化交流、丰富民众生活等多方面的实用功能。

花儿·宁夏回族山花儿

◎申报地区或单位：宁夏回族自治区

山花儿俗称干花儿、山曲子、野花儿，是广泛传唱于宁夏回族聚居区的一种代表性民歌体裁。它继承了陇山地区古代山歌（徒歌、相和歌、立唱歌）的某些特征。《诗经·豳风》、《汉魏南北朝乐府》中的《陇山歌》、《陇板歌》、《陇原歌》即其先声。复合性、多元性文化使这些山歌更多地呈现过渡文化和边缘文化的特征，广泛传唱的回族山花儿就是其中最有代表性的一种，有着广泛的群众基础和丰富的民俗文化内涵。

山花儿基本属于自唱自娱形式或在小范围传唱，它在继承古陇山民歌"三句一叠"的基础上，多以单套短歌的形式即兴填词演唱。山花儿音乐继承古陇山徒歌四声、五声徵调特征，吸收信天游、爬山调、洮岷花儿、河湟花儿以及伊斯兰音调的多种因素，多用五声音阶式迂回进行。

山花儿在文学与音乐方面特色鲜明，风格独特，乡土气息浓郁，保持了山歌野曲粗犷豪放的特点，又具有流畅优美的小调韵味倾向；它是宁夏地区回族文化的生动表现，具有民族学和民俗学方面的研究价值；山花儿三句一叠、双字尾押韵等是陇山地区较为独特的民歌形式，有较高的文学价值。它在商徵型四声腔和五声徵调的基础上演变成为曲式、调性、旋法、节奏多样，风格独特的花儿歌种。宁夏回族山花儿的代表曲目有《黄河岸上牛喝水》、《看一趟心上的尕花》、《花儿本是心上的话》等。

目前能够掌握多首曲目和风格的山花儿唱家已属凤毛麟角，且多已过古稀之年，自然传承纽带已断裂微存，而现代化的冲击使其乡土文化本色特点不断流失，山花儿的生存出现了危机，必须引起有关方面的重视。

52

藏族拉伊

◎申报地区或单位：青海省海南藏族自治州

藏族分为卫藏、康巴、安多三大方言区，结合地形而形成三块文化特色区域。拉伊是流传在青海、甘肃、四川等广大安多方言藏区的一种专门表现爱情内容的山歌艺术，它的分布以青海湖环湖地域和黄河流域（以海南、黄南两州）为中心而向四方辐射。

拉伊脱胎于藏族山歌，公元7世纪三大藏区的划分，促成了拉伊在“下部多康”之安多藏区的广泛流播。

拉伊种类丰富，数量浩繁，内容涉及爱情生活的各个方面，完整的对歌设有一定的程序，如引歌、问候歌、相恋歌、相爱歌、相思歌、相违歌、相离歌和尾歌等。拉伊的曲调因地域不同而形成多种风格。有的强调音乐的语言性，节奏比较紧凑；有的旋律深沉、悠扬，形成自由、婉转的悠长型山歌风格；有的旋律甜美，节奏规整，形成雅致、端庄的抒咏风格等。

拉伊历史悠久，与藏民族的成长历程同步，承载着民族的创造力和灵感，在人类学、民族学、民俗学等研究中具有重要价值。拉伊不但显示出鲜明的区域特色和独到的艺术风格，并以其丰富的表现形式，体现出独特而重要的文化价值。

53 聊斋俚曲

◎申报地区或单位：山东省淄博市

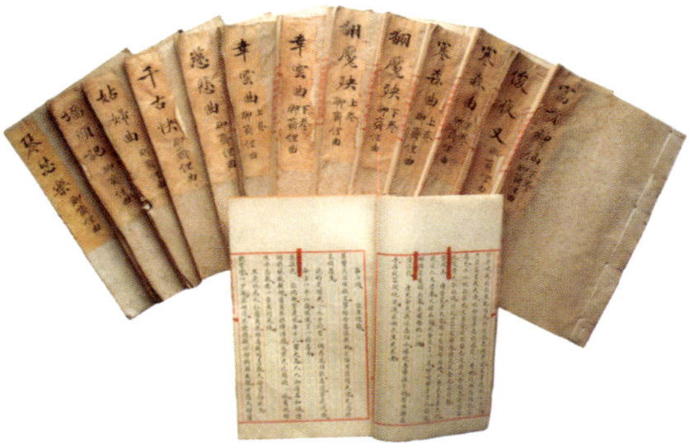

聊斋俚曲的流传地区主要在山东省淄博市，蒲氏家族及后人是其主要传承者。

聊斋俚曲是清初大文学家蒲松龄将自己创作的唱本配以当时流传的俗曲时调而形成的一种独特的音乐文学体裁，因蒲松龄的斋名为“聊斋”，故称“聊斋俚曲”，也有人称“蒲松龄俚曲”。

淄川是明清俗曲重要流布地区之一。蒲松龄坐馆三十余年的西铺毕家是豪门贵族，一直就有编写演唱俚曲的传统，这给蒲松龄编写俚曲故事准备了极好的社会氛围和条件。蒲松龄集一生之阅历，汇明清俗曲之精华，取诸宫调、南北曲的曲牌联套成曲，于晚年完成了15部俚曲的创作。无论是在文学方面，还是在音乐方面，这些俚曲均具有极高的价值。聊斋俚曲曲目有《耍孩儿》、《玉娥郎》、《粉红莲》、《叠断桥》等。

聊斋俚曲生动地反映了封建时代晚期的人民生活，为群众所喜闻乐见，长期在当代社会中传唱流传，成为山东地区一种独树一帜的群众性艺术形式。聊斋俚曲以独特的魅力影响了其他姊妹艺术的发展，单以戏曲为例，俚曲故事改编剧本的就有五音戏、柳子戏、川剧、京剧、秦腔、河北梆子等。

现存聊斋俚曲手抄本15种（原著佚失），均已整理、出版。遗存较原始曲牌五十余支，1962年搜集十余首，近年从古籍文献中查寻、翻译三十多首，尚有部分失传曲牌有待查找。现在会唱俚曲的人已渐衰老，俚曲研究者也寥若晨星，有必要加以抢救和保护。

5 4

靖州苗族歌鼟

◎ 申报地区或单位：湖南省靖州苗族侗族自治县

靖州锹里位于湖南省西南湘黔两省交界沿线地区。这一带生活着近两万苗族同胞。

锹里苗族历史悠久，源远流长。锹里苗民勤劳纯朴、爽朗豪放，素有“以饭养身，以歌养心”的文化情怀和健康向上的生活态度。在优美清新的自然环境中日出而作、日落而息的苗族先民，模拟鸟鸣、蝉唱、水流、林涛等大自然的和声及在生产劳动、狩猎中发现的音律，经过长期的选择与提炼，创造了独具韵味的苗族歌鼟。歌鼟是锹里苗族生息状况记录、人际情感交流、民族文化传承的重要载体，更是他们日常生活不可缺少的重要组成部分。

靖州苗族歌鼟按风格、旋律、内容、演唱方式及民族习俗可分为茶歌调、酒歌调、饭歌调、山歌调、担水歌调和三音歌调等。其歌词多为七言四句，内容涉及历史传说、祭祀礼仪、生产劳动、婚姻恋爱、劝事说理、唱咏风物等诸多方面。其音乐的音律和音程既不同于其他地方的苗族民歌，也不同于邻近的侗族民歌和汉族民歌，有鲜明的个性和特点。演唱采取由低至高、由轻至重、由少至多的递进形式，多以单人低声部起歌，其他声部先后进入，多个声部相互交替流动。靖州苗族歌鼟有《山歌》、《担水歌》、《茶歌》、《三歌》等曲目。演唱语言主要使用当地苗族土语（酸话）。其歌唱活动往往与苗族民俗紧密相联，彼此融为一体。

随着锹里地区交通和通讯的发展，当地苗族与外界长期相对隔绝的状态被打破，苗族歌鼟赖以生存、发展的传统文化空间迅速萎缩，更重要的是歌师、歌手逐年递减，当地苗族同胞对歌鼟的兴趣日益淡漠，苗族歌鼟及其所代表的苗族传统文化后继乏人。

55 川江号子

◎申报地区或单位：四川省 重庆市

川江号子是川江船工们为统一动作和节奏，由号工领唱，众船工帮腔、合唱的一种一领众和式的民间歌唱形式。重庆市和四川东部是川江号子的主要发源地和传承地。

川江号子主要流传于金沙江、长江及其支流岷江、沱江、嘉陵江、乌江和大宁河等流域。这一带航道曲折，山势险峻，水急滩多，全程水位落差较大，特别是经险要的三峡出川，船工们举步维艰。川江号子正是在这种特殊的地理环境下应运而生的。川江号子包括上水号子和下水号子。上水号子又包括撑篙号子、扳桡号子、竖桅号子、起帆号子、拉纤号子等，下水号子又包括拖扛号子、开船号子、平水号子、二流橹号子、快二流橹号子、幺二三交接号子、见滩号

子、闯滩号子、下滩号子等，因此形成数十种类别和数以千计曲目的川江水系音乐文化。代表曲目有《十八扯》、《八郎回营》、《桂姐修书》、《魁星楼》、《拉纤号子》、《捏缆号子》、《橹号子》、《招架号子》、《大斑鸠》、《小斑鸠》等。

川江号子的历史极为悠久，在四川劳动号子中最具特色。重庆、四川自古有舟楫之利，历代史籍对此多有记载。近年来，在沿江两岸陆续发掘出土的新石器时期的“石锚”、东汉时期的“拉纤俑”等文物都印证了川江水路运输行业的久远历史。而川江两岸的人文地理、风土人情、自然风光以及船运中的以歌辅工之俗，无论在民间歌谣还是在杜甫、李白等文人的诗歌中都是久用不衰的题材。

学术界普遍认为川江号子是长江水路运输史上的文化瑰宝，是船工们与险滩恶水搏斗时用热血和汗水凝铸而成的生命之歌，具有传承历史悠久、号类曲目丰富、曲调高亢激越、一领众和和徒歌等特征。它的存在从本质上体现了自古以来川江各流域劳动人民面对险恶的自然环境不屈不挠的抗争精神和粗犷豪迈中不失幽默的性格特征。同时，在音乐形式和内容上，其发展也较为完善，具有很高的文化历史价值。

随着机动铁船的普及，以人工为动力的船只在一些干流河湾和支流小河中运行，川江号子生存发展的基础开始动摇，加之传承断裂等因素，川江号子面临濒危困境。抢救、保护川江号子，让它在民众中代代相承，对于丰富、发展中国水系音乐文化乃至世界水系音乐文化将产生积极的推动作用。

56 南溪号子

◎申报地区或单位：重庆市黔江区

南溪号子流行于重庆市黔江区，它的雏形是土家族农民在劳动中解乏鼓劲的劳动号子和山歌号子，与薅草锣鼓近似。在长时期的传唱过程中，南溪号子逐步发展成为一种自成一格的特殊山歌品种，它既不同于周边的川江号子、纤夫号子，也有别于广泛传唱在武陵山区的其他劳动号子和山歌号子。

南溪号子歌词多为即兴创作，但其腔调和唱法却比较固定。唱腔主要有大板腔、九道拐、三台声、打闹台、南河号、喇叭号等十余种。其基本唱法为一人领喊，两人或三人扮尖声（即喊高音），三人或更多的人喊低音，众人帮腔，从而形成高中低声部互相应和、在山野间悠扬激荡的天籁之声。

南溪号子的内容涉及土家族历史、地理、民间传说，传达出许多古老的历史文化信息。它是土家族音乐文化的遗存，具有较高的艺术价值，同时又能丰富人民群众的文化生活，服务于当代社会的精神文明建设。

现在整个黔江区能唱南溪号子的不到十人，且都年事已高，中青年中没有一人能喊唱号子。这一民间音乐样式濒危状况严重，急需进行抢救和保护。

57 木洞山歌

◎申报地区或单位：重庆市巴南区

木洞山歌系重庆市巴南区木洞镇民众传唱的山歌歌种，它的渊源可以追溯到上古时代的“巴渝歌舞”，中经战国时代的“下里巴人”、汉代的“巴子讴歌”、唐代的“竹枝”，直至明清演化形成木洞山歌。

木洞山歌的主体是被称为薅秧歌的禾籁。禾籁只在木洞及其周边地区流传，属中国民歌的稀有品种。禾籁地域特色浓郁，曲调曲目丰富。主要有高腔禾籁、矮腔禾籁、平腔禾籁、花禾籁和连八句等多种样式。这些样式中又包括若干子样式，如高腔禾籁还包括依呀禾籁、也禾籁、锣鼓腔、依依腔、呀呀腔、四平腔、噢嗬腔、呜哦腔、怄呵腔等。

木洞山歌的重要歌类还有啰儿调。其曲词体式和曲调特征与唐代以来巴渝民间流传的竹枝歌颇为相似，是竹枝歌在木洞地区的“嫡传”。 木洞山歌曲目有《山歌好唱口难开》、《走进深山雨要来》、《木洞新气象》、《赶场》等。

木洞山歌还有劳动号子、风俗歌、表演歌等多种样式。有数以千计的曲目，民间歌手颇多。1991 年重庆市命名的第一批 40 名民间歌手，木洞就占 37 名，其中能唱 500 首以上的 4 名一级歌手全在木洞。木洞还编写了三十余万字的《木洞山歌》专著，2005 年 12 月公开出版。1990 年，木洞地区被重庆市命名为“山歌之乡”，1999 年，木洞山歌又被命名为“巴渝优秀民间艺术”。

由于生产、生活方式的变革，大部分山歌失去了滋养、繁荣的基础，老一代歌手的衰老和谢世，使传承出现断裂，木洞山歌面临濒危境地。抢救、保护木洞山歌，不仅可以丰富巴渝民歌艺术，而且也将促进中国民歌艺术的丰富和发展。

58 川北薅草锣鼓

◎申报地区或单位：四川省青川县

川北薅草锣鼓主要分布在广元市四县三区境内，其中尤以青川薅草锣鼓最具代表性。青川县地处四川盆地北部山区川、甘、陕三省结合部，有“大熊猫故乡”之称。

川北薅草锣鼓一般在二道苞谷草或锄黄豆草时进行，一人击鼓，一人敲锣，敲锣者为歌郎，在数十人的薅草队伍中起指挥作用。薅草锣鼓一天的表演过程大致分为牵线子、扎盖子（起歌头或排歌头）、安五方（或拜五方）、说正文、耍歌子、办交接等步骤。川北薅草锣鼓代表曲目有《韩湘传》、《八仙图》、《十二枝花》、《牧牛打虎》、《送九锤》等。

薅草锣鼓的锣鼓节拍主要有七拍子、九拍子、十二拍子、花拍子几种。曲调和唱词按字数分为七字谱、十字谱，此外还有五字谱等多种曲调及口口相传的传统唱词和即兴唱词等。

川北薅草锣鼓在田间作业中发挥了指挥劳动、活跃现场气氛、调节劳作者情绪的作用。它具有率真质朴的音乐个性，拥有数千首曲目的丰富蕴藏量，明快简洁的音乐语汇中保留了大量古代体力劳动中的音乐文化信息，具有较高的学术研究价值。

如今，由于受现代生产方式的影响，传统的生产生活方式难以跟上时代发展的步伐，川北薅草锣鼓的生存空间正在日益缩小，有濒临失传的危险——老年歌手相继过世，年轻人多外出打工，劳动力大量外迁，歌手队伍青黄不接。因此，保护、传承川北薅草锣鼓的工作已到了关键时刻。

59 侗族大歌

◎ 申报地区或单位：贵州省黎平县
广西壮族自治区柳州市、三江侗族自治县

侗族大歌，侗族称为“嘎老”。“嘎”即歌，“老”既含有大之意，也含有人多声多和古老之意。“嘎老”是一种由众多人参与的歌队集体演唱的古老歌种，故译为大歌。

黎平侗族大歌是在中国侗族南部方言区由民间歌队演唱的一种民间合唱音乐，主要流行于黎平县南部及与之接壤的从江县北部，包括今黎平县岩洞、口江、双江、永从、肇兴、水口、龙额及从江县往洞、谷坪、高增、贯洞、洛香等乡镇。民间习惯称这些地区为“六洞”、“九洞”。

侗族大歌历史久远，早在宋代已经发展到了比较成熟的阶段，宋代著名诗人陆游在其《老

学庵笔记》中就记载了“仡伶”（侗人自称）集体做客唱歌的情况。至明代，邝露在其所著《赤雅》一书中更加明确地记载了侗人“长歌闭目”的情景，这是数百年前侗族大歌演唱的重要文献。大歌一般在村寨或氏族之间集体做客的场合中演唱，是侗人文化交流和情感交流的核心内容，在某种程度上体现和传达了侗族文化的灵魂。

黎平侗族大歌是最具特色的中国民间音乐艺术之一，也是国际民间音乐艺苑中不可多得的一颗璀璨明珠。作为多声部民间歌曲，它在多声思维、多声形态、合唱技艺、文化内涵等方面所达到的水平均为世所罕见。侗族大歌代表性曲目有《耶老歌》、《嘎高胜》、《嘎音也》、《嘎戏》等。

黎平侗族大歌以其独特的演唱方式和特殊的组织形式传承侗族的历史和文化。它不仅仅是一种音乐艺术，而且是侗族社会结构、婚恋关系、文化传承和精神生活的重要组成部分。它曲目众多，内容极为广泛，具有社会史、婚姻史、思想史、教育史等多方面的研究价值，是维系侗族社会生存的精神支柱。

广西三江侗族大歌主要流传于三江县梅林、富禄、洋溪乡沿榕江河一带的侗寨和罗城的侗族村寨。

三江大歌通常在节日里由男女歌队坐在鼓楼或围在火塘边进行对唱，以此来讲述人生哲理，传授生产生活知识。按音色，三江侗族大歌可分为男声大歌、女声大歌、童声大歌和男女混声大歌几种。按体裁，则可分为鼓楼大歌（“嘎得楼”）、声音大歌（“嘎所”）、童声大歌（“嘎腊温”）、叙事大歌（“嘎锦”和“嘎尽”）、礼俗大歌、戏曲大歌和混声大歌（“嘎世尼所”）7种。主要歌腔有几百种，代表作品有《嘎高胜》（高山歌）、《能闷高京》（高山井水歌）、《嘎伦练》（蝉歌）、《嘎依哟》（知了歌）等。侗族没有文字，大歌全靠“桑嘎”（歌师）口头教唱，一代传一代，世代相传下来。

大歌曲式结构独特，每首歌均由“歌头”、“歌身”和“歌尾”三部分组成。大歌的声部通常为二声部。在民间有“雄音”（高声部）、“雌音”（低声部）之称。三江侗族大歌内容丰富，品种多样，旋律优美动听，被誉为世界“最美的天籁之音”。

随着改革开放和市场经济的不断发展，侗族大歌已面临着失传的危险，保护和传承侗族大歌能对侗族地区的文化建设和构建和谐社会产生重要的推动作用。

60

侗族琵琶歌

◎申报地区或单位：贵州省榕江县、黎平县

侗族琵琶歌分布于侗族南部方言地区，可分为抒情琵琶歌和叙事琵琶歌两大类。其歌唱内容几乎涵盖了侗族历史、神话、传说、故事、古规古理、生产经验、婚恋情爱、风尚习俗、社会交往等各个方面，世代传承，歌脉悠远。琵琶歌唱词体现了侗族诗歌的最高水平，是研究侗族社会人类学、民族学、民俗学的重要资料。全国文艺集成志书多把抒情琵琶歌列入民间歌曲范畴，叙事琵琶歌列入曲艺范畴（称琵琶弹唱），亦有两者兼备的。由于各地琵琶歌使用的琵琶型号和定弦的不同，土语不同，演唱场所不同，运用嗓音不同，因而形成许多种不同的风格。

三宝琵琶歌（又称车江琵琶歌）是抒情琵琶歌的一种，用中型四弦琵琶伴奏，外加果吉（牛腿琴）协奏，由男子操琴，男奏男唱或男奏女唱，男声用本嗓，女声用小嗓，在行歌坐夜的场合演唱，主要流行在以三宝为中心的榕江县地区。

晚寨琵琶歌（又名四十八寨琵琶歌）既是抒情琵琶歌的一种，也是琵琶弹唱的一种，男声用三弦或五弦的大中型琵琶伴奏，女声用三弦或五弦的中小型琵琶伴奏，均为自弹自唱。主要流行在榕、黎两县毗连的四十八寨地区和榕江县的七十二寨地区。在整个侗族地区只有四十八寨地区才有女性弹琵琶唱歌。

七十二寨弹唱是叙事琵琶歌的一种，多由中老年男性艺人自弹三弦或五弦大型琵琶伴奏，应听众之邀在民居堂屋或长廊演唱，以唱叙事歌或说理歌为主，只流行在榕江县七十二寨侗族地区。

平架琵琶歌（亦称洪州琵琶歌）是抒情琵琶歌的一种，由男子用三弦小琵琶（形似牛腿琴）伴奏，男弹男唱或男弹女唱，男女声均用假嗓，别具一格，主要流行在黎平县洪州镇和湖南通道县播阳镇为中心的侗族地区。

六洞琵琶歌是抒情琵琶歌的一种，用四弦小琵琶伴奏，男弹男唱或男弹女唱，在行歌坐夜的场合演唱，原先男女声均用假嗓，现在也有改用本嗓的，主要流行在黎平、从江两县泛称关

"六洞"、"千五"和"十洞"的地区。

榕江琵琶歌抒情叙事兼具，演唱形式、演唱场所和演唱内容与六洞弹唱相同，主要流行在广西省三江县、融水县溶江河段和黎平县以"四脚牛"为中心的地区。主要曲目有《河对岸》、《初相会》、《路不平》、《好久不见》等。

寻江琵琶歌抒情叙事兼具，演唱形式、场所和演唱内容与六洞弹唱相同，主要流行在广西省三江县、龙胜县和湖南省通道县寻江河和渠水流域一带。

洪州琵琶歌流行于贵州省黎平县洪州镇的平架村，该村位于黎平县城东33公里，地处湘黔桂三省边缘。平架村建于明代永乐年间（约1405），据说那时此地已唱这种歌曲，一直沿袭至今。1952年，贵州省文化部门音乐工作者发现了这种琵琶歌，将之选调参加贵州省少数民族文艺会演，后推荐上京演出。因当时平架村属洪州管辖，故这种琵琶歌被命名为"洪州琵琶歌"。

洪州琵琶歌最大的特征是无论男女，全都用假嗓高音演唱，曲调悠扬悦耳，别具风格。它的曲调、歌词丰富，其种类包括情歌、孝敬老人歌、叙事歌等等。情歌是男女青年在家中或在山坡上弹琵琶对唱的歌，主要是倾吐互相爱慕之情。孝敬老人歌是男女青年在公共场合弹琵琶唱的歌，内容是怎样孝敬老人，著名的一首歌叫《青年都把老人敬》。叙事歌是年纪大的人在鼓楼里或公共场合演唱的歌，内容大都叙述民族历史、重大事件和民间故事。

洪州琵琶歌主要是在民间自发组织的兴趣爱好组合中互相传授，父子或亲属之间并不直接传授。老人教歌，青年唱歌，儿童学歌，这是侗乡人的传统习俗。

洪州琵琶歌在侗族音乐中占有重要地位，它是侗族琵琶歌中的珍品，是古老民歌的遗产。在琵琶歌中洪州琵琶歌是惟一用假嗓演唱的一个稀有品种。其琵琶制作工艺自成一体，演唱演奏为群众所喜闻乐听，并已成为当地生活中不可分割的重要组成部分。

61 哈尼族多声部民歌

◎ 申报地区或单位：云南省红河哈尼族彝族自治州

红河县哈尼族多声部民歌历史悠久，它主要流传于云南省红河哈尼族彝族自治州红河县以普春村为中心的数个哈尼族村落中。哈尼族多声部民歌包括了歌颂劳动、赞美爱情、讴歌山野田园美景等方面的内容。曲目以《吾处阿茨》（栽秧山歌）和《情歌》最具代表性。演唱方式分为有乐器伴奏和无乐器伴奏人声帮腔两种。哈尼族多声部民歌的演唱场合多样化，梯田、

山林和村寨都可以是其表演空间。伴奏乐器均由民间歌手自己制作，三弦、小二胡只在普春村使用。哈尼族多声部民歌的唱词结构以开腔用词、主题唱词、帮腔用词三部分构成一个小的基本段落，其音乐形态在歌节结构、调式音列、调式色彩、调式组合和多声部组成等方面都显示出鲜明的民族和地域特征。

哈尼族多声部民歌中凝聚着哈尼族的音乐智慧和才能，展现出哈尼族独特的演唱天赋。在田野考察过程中，有关专家已采录到8个声部的原生形态哈尼族多声部民歌，这极为罕见，具有很高的历史、科学和艺术价值。哈尼族多声部民歌是中华民族音乐的瑰宝，已引起国内外音乐界人士的广泛关注。哈尼族多声部民歌与社会生产，尤其是与梯田稻作农耕劳动相伴而生，它是研究哈尼族文化及其民族性格和审美观念的重要资料。哈尼族多声部民歌深藏哀牢山系腹地，其传承完全依赖民间歌手，尽管它已引起音乐界、人类学界专家的广泛关注，但长期没有得到有组织、有计划的保护，具有多声部音乐综合素质的传承人日益减少，这一宝贵的民间音乐形式正处于失传的边缘。

62 彝族海菜腔

◎ 申报地区或单位：云南省红河哈尼族彝族自治州

彝族海菜腔是海内外知名的云南彝族特有的民歌品种，它又称大攀桨、倒扳桨，俗称石屏腔，主要流传于云南省红河哈尼族彝族自治州石屏县彝族尼苏人村落。石屏彝族海菜腔属海菜腔变体的民歌，与其他三种变体曲调沙悠腔、四腔、五山腔并称“四大腔”，彝族称之为“曲子”。

海菜腔歌唱历史悠久，在形成及发展过程中深受明清时期汉族移民所带来的汉族文化影响。清代以来的地方志中，有很多关于海菜腔歌唱的记载和诗文。一首完整的海菜腔曲调通常由拘腔、空腔、正七腔及白话腔等部分组成，结构复杂，篇幅宏大，是一种由多乐段组合，集独唱、对唱、领唱、齐唱、合唱等形式于一体的大型声乐套曲。海菜腔代表性曲目有《哥唱小曲妹来学》、《石屏橄榄菜》等。

作为特定环境下产生的传统艺术形式，海菜腔在特定的生态、社会文化中有高度的适应性和广泛的群众性，在彝族发展史、文化史、道德价值观、艺术思维方式及彝汉文化交融等课题的研究上有重要的价值。对以海菜腔为代表的少数民族特有的民歌进行系统发掘、抢救和研究，对于丰富和完善中国传统音乐体系和音乐史的研究，也具有积极的意义。

随着20世纪50年代以来海菜腔所依存的男女交际习俗“吃火草烟”的消亡及其他文化娱乐形式的传入，海菜腔的歌唱渐趋式微，现已鲜有能完整歌唱成套海菜腔的“曲子师傅”、“曲子老板”（均为对著名歌手的尊称），年轻一辈中也少有海菜腔的爱好者，其传承面临严重危机，亟待保护。

63 那坡壮族民歌

◎ 申报地区或单位：广西壮族自治区那坡县

黑衣壮是壮族中具有奇特色彩的一个族群，自称“敏”、“仲”、“嗷”，现约有5.18万人，因着装全黑而得名，主要居住在位于中越边境的广西那坡县。那坡壮族民歌是他们万代传唱的民歌。在历史长河中，黑衣壮至今仍保存着古朴完整、多姿多彩的民间歌谣，并被誉为“广西民族音乐富矿”和壮族民歌的“活化石”。

历史悠久的那坡壮族民歌按不同的声调可分为“虽敏”、“论”、“哎的呀”、“春牛调”、“请仙歌”和“盘锐”六大种类约一百六十多套。代表性曲目有《虽待客》、《论造》、《酒歌》、《盘歌》、《祭祖歌》等。在内容上，那坡壮族民歌主要有神话传说、人物传记、环境变迁、历史事

件等的叙事歌；倾吐苦难、控诉压迫的苦情歌；反映自然、生活经历的农事歌；向往美景的赞颂歌；接人待物的礼仪歌；表现传统习惯的风俗歌；吊唁奔丧的祭祀歌；庆祝婚嫁满月、新居落成、老人生日的祝酒歌。而最为丰富的是情歌，包含着抒情、初恋、连情、逗情、赌情、定情、盟誓、赞美、相思、忠贞、离情、叮咛、痛惜、怀旧、重逢、苦情、叹情、斗情、白头偕老等二十多种内容。

在漫长的发展过程中，那坡壮族民歌形成了与民间习俗相依存、程序相对稳定、内容丰富多彩以及原生性等特征。除了具有交际、宣传、教育、娱乐等作用外，那坡壮族民歌同时具有历史价值、学术价值、艺术价值和实用价值，它是壮族远古歌谣文化的遗存。

由于赖以生存、发展的文化空间发生了变革，传承的主要途径正在消失、活动场地逐渐缩小、师承断层等原因，黑衣壮歌谣面临着严峻的传承危机。因此，拯救、挖掘、整理、保护黑衣壮歌谣，已经刻不容缓。

64 澧水船工号子

◎ 申报地区或单位：湖南省澧县

澧县位于湖南北部、洞庭湖的西缘。这里是湘西北重镇，有“九澧门户”之称。明清时代成为重要的商埠码头，是整个湘西北物资进出的集散中心。由于特殊的地理环境，这里的长途运输只能靠水路船运，澧县境内的澧水、涔水、道河沿岸的劳动人民大多以行船运货为生。船舶近千，桅杆林立，船工不足一万也有八千，每只大型木船的纤夫不少于二十人。在逆水行船拉纤的过程中，为了集中力量，振奋精神，统一步调，自然而然出现了一种由地方小调转化成的独特的劳动号子，这就是澧水船工号子。

澧水船工号子以反映船工们苦难生活和劳动场面为主题，没有固定的唱本和唱词，也不需要专门从师，全凭先辈口授，代代相传。这些号子大多因时因地因人即兴而起，脱口而出，虽然比较通俗，但豪气冲天，充满了艺术魅力。其句式分七字、五字两种，一般是由一人领唱，众人合唱，气势磅礴，浑厚有力。另外，也有专门唱给老板和旁观者听的号子，如“高山乌云即刻到，拉纤好比过天桥。泥烂路滑难行走，汗水雨水流成槽”，“风儿吹来河儿弯，情哥搭信要鞋穿”等等。由于地域不同，澧水船工号子可分为上河腔和下河腔两种。上河腔在石门以上、桑植以下的区间唱。由于这里山高水急，河面狭窄，滩头礁石较多，行船运货十分艰险，故船工号子高亢有力、节奏明快、衬词多于唱词，富有大无畏的战斗精神。该类船号以摇橹数板为主。

澧水船工号子原随商船的产生而形成，又随商船的发展而发展，随木板商船的消失而濒危。改革开放以来，交通事业突飞猛进，汽车、火车运输取代了澧水流域的水上运输，百分之九十的船民早已改行，另谋生路，船工拉纤已成陈迹。老一辈的船工也因年事已高，相继离世，在此情形下，曾经名扬中外的古老的澧水船工号子正濒临着失传的危险。

65 古琴艺术

◎ 申报地区或单位：中国艺术研究院

古琴又称“琴”、“七弦琴”，别称“绿绮”、“丝桐”。它主要体现为一种平置弹弦乐器的独奏艺术形式，另外也包括唱、弹兼顾的琴歌与琴、箫合奏。古琴相传创始于史前传说时代的伏羲氏和神农氏时期。以目前考古发掘的资料证实，古琴作为一件乐器的形制至迟到汉代已经发展完备，其演奏艺术与风格经历代琴人及文人的创造而不断完善，一直延续至今。古琴演奏是中国历史上最古老、艺术水准最高，最具民族精神、审美情趣和传统艺术特征的器乐演奏形式。

古琴与中国其他传统独奏器乐艺术，如筝、琵琶、笛、箫、管、胡琴等相比较，不仅历史悠久，而且在相关文献、曲目积累、演奏技巧、乐学、律学、传承方式、斫琴工艺及社会生活、历史、哲学、文学等领域的影响方面都具有突出的人文性和不可比拟的丰富性。

琴、棋、书、画是自古以来中国文人整体素质的具体显现。琴居四艺之首，是因为它在很大程度上提升并影响了中国书画等其他艺术门类的境界。

琴曲的标题性、音结构的带腔性、节奏上的非均分性、音质上清微淡远的倾向性集中体现

吟徵調商竈下桐
松間疑有入松風
仰窺低審含情客
似聽無絃一弄中
臣京謹題
聽琴圖

了中国音乐体系的基本特征，构成了汉民族音乐审美的核心。在大量琴曲音乐中，多方面地反映了人在自然、社会、历史变迁中的种种感受。常见曲目有《梅花三弄》、《流水》、《潇湘水云》、《阳关三叠》、《忆故人》等。打谱作为古琴音乐传承中极具创新精神的活动，充分体现了琴人在处理口传与"依谱寻声"、流派传统与琴人个性、音乐的整体与技术细节等关系方面的经验和智慧。继承古琴艺术中所包含的儒家传统精神及崇尚自然的道家思想境界，将为生活在现代化环境中的人们调整与自然和社会的关系，不断认知体验"天人合一"哲学观的深刻性和合理性，带来许多新的启示。

近现代社会的剧烈变革尤其是政治和经济的变化，给古琴及以它为表征的中国传统文人修身养性的理想带来了巨大冲击。在相当长的历史阶段，古琴被视为"旧文化"的代表而备受冷落。西方专业音乐教育制度的移入改变了古琴提高人的文化素养及自娱自悟的功能，促使它朝专业化、职业化的方向迅速转变，从而形成了艺术化和表演化的发展新趋向，由此改变了古琴自古以来依琴人口传心授方式在读谱与打谱间代代相袭的传统，及由琴社、流派等所形成的古琴自然生态空间。古琴原有的集诗书礼乐为一体、琴道即人道的境界被狭窄化了，它只能局限在舞台技艺的范畴之中。古琴作为人文修养的一种重要方式，本来是一种知识分子生活的艺术，而职业化、专业化的结果却使古琴原来的自然生态受到威胁，更重要的是，由此在一定程度上导致中国人文精神中某些深厚内涵的缺失。这个问题必须引起社会相关层面的高度关注。

66 蒙古族马头琴音乐

◎ 申报地区或单位：内蒙古自治区

马头琴是蒙古族音乐文化的典型代表，无论是它的造型、制作材料，还是它的音质音色、音乐表现风格和演奏方法，均体现着蒙古族的性格内涵，充分反映了蒙古族游牧生活的历史形态，表达着蒙古族对自然宇宙哲学性的思考和体悟。

蒙古族马头琴历史悠久，在蒙古族形成时期，马头琴就已存在。在长期的历史发展中，马头琴形成了带有鲜明地域色彩的不同流派，这些流派又与蒙古族内部和外部的聚散离合以及历史变迁密切相关。可以说，马头琴伴随着蒙古族从草原和历史的远处一路走来，其中承载了丰富的历史文化信息。

马头琴不但在一些正式和隆重场合演奏，也出现在民间的婚典仪式和亲友聚会等日常活动中；既可为歌伴奏，亦可独奏曲目。马头琴具有深厚的社会和民俗传统基础，发挥着传播文化、陶冶情操、移风易俗等社会功能。

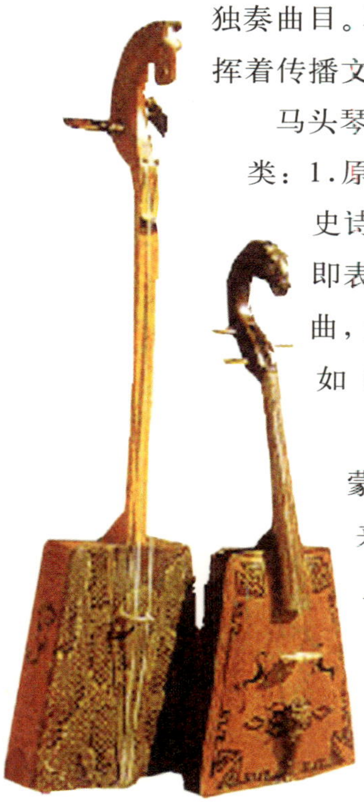

马头琴的传统曲目多从民歌中演化而来，可分为五类：1.原生民歌，如《朱色恋》、《八雅铃》；2.英雄史诗曲牌，如《奔马调》、《打仗调》；3.马步调，即表现马形象的曲调；4.从民歌发展而来的琴曲，如《荷银花》、《莫德烈》；5.汉族古老曲调，如《普安咒》、《柳青娘》。

马头琴在蒙古族文化中极受尊崇，已成为蒙古族文化极为重要的表现形式。近几十年来，马头琴的发展遇到了严重的困难。历史上马头琴有四大传统演奏流派，每一种演奏流派都有自己传统的演奏曲目。但时至今日，马头琴传承人日渐稀少，曲目失传现象严重，保护工作已刻不容缓。

67 蒙古族四胡音乐

◎申报地区或单位：内蒙古自治区通辽市

蒙古族四胡，蒙古语称“侯勒”、“胡兀尔”、“胡尔”，康熙年间编纂的《律吕正义后编》中称之为“提琴”。蒙古族四胡是最具蒙古族特色的乐器之一，分高音四胡、中音四胡和低音四胡三类。高音四胡音色明快、脆亮，多用于独奏、重奏、合奏；中低音四胡音色浑厚、圆润，擅长演奏抒情性乐曲，并主要为科尔沁民族说唱艺术乌力格尔和好来宝伴奏。它们在蒙古族人民的文化生活中扮演着十分重要的角色。蒙古族四胡代表性曲目有《赶路》、《八

音》、《阿斯尔》（以上为大四胡）、《莫德列马》、《弯弯曲曲的葡萄藤》、《荷英花》（以上为小四胡）等。蒙古族四胡文化积淀丰厚，表现力丰富，技艺自成一体，旋律悠扬、古朴，是从事半农半牧生产方式的蒙古族人民杰出的音乐创造，在蒙古族历史学、文化学、民俗学、中外文化交流等方面都具有很高的学术研究价值。

元朝以后，四胡艺术广泛流传，曾一度风靡于内蒙古自治区、辽宁、吉林、黑龙江和华北等汉族聚居地区，对汉族民间说唱产生了深远的影响。位于科尔沁草原腹地的通辽市是目前四胡艺术最为繁盛的地区。

68 唢呐艺术

◎ 申报地区或单位：河南省沁阳市
甘肃省庆阳市

沁阳唢呐属木制双簧管乐器，它的特点为音量大，音质明亮、粗犷，演奏方便，善于表现热烈奔放的场面及大喜大悲的情绪。沁阳唢呐随着时代的发展而发展，近年来逐步增添了闷子、手捌（大咪）、卡腔（小咪）、管子、口哨等附属乐器，大大丰富了唢呐的表现能力及演奏内容。沁阳唢呐分高、中、低音三类，吹奏技艺十分丰富，在本地区凡遇到婚丧嫁娶、寺庙开光、开业庆典、生日祝寿等活动都要请唢呐班吹奏，以增添热闹的气氛。

传说明代宗室朱载堉在唢呐八音孔的基础上研制出"眼管子"，为我国民族管乐的发展作出了巨大贡献。据说他曾在九峰寺创建"金鼓会"，每逢农历九月二十三，各地的唢呐班都要在这里聚会。明末清初时有"同乐会"、"贾家班"，清至民国时有"麻金班"、"毛旦班"、"银河班"等唢呐演奏组织，在当地影响很大。沁阳一带有"大花轿，麻金吹，麻金不吹不结婚"，"闺女，门婿到，毛旦不吹不上轿"的俗语，正反映了这些唢呐班的影响。依照地域和技艺风格，沁阳境内的唢呐整体上可分为四大家两大派。以沁河为界，分为沁北派和沁南派；沁北派以张家、贺家、马家为代表，沁南派以贾家为代表。其繁盛之况，即此可见一斑。

在四大家的影响下，沁阳境内的唢呐班社和艺人队伍规模不断扩大，数量十分可观。新中国成立至20世纪80年代，沁阳的唢呐班已发展到三十多家，从事唢呐演奏的人员达四百多人，呈现出乡乡有唢呐、村村有乐声的状况。据不完全统计，沁阳唢呐演奏的曲目达三百多首。在现当代民俗、艺术生活中，在继承传统的基础上，民间艺术家创作了一些新的具有一定代表性

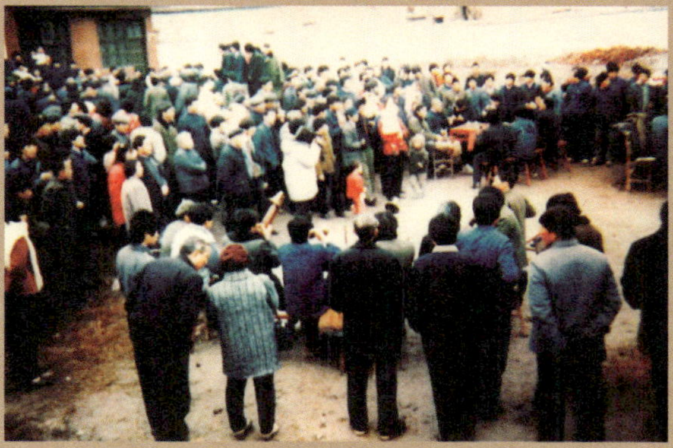

的曲目，如《故乡颂》、《九峰情话》、《沁阳春》。1997年12月，沁阳市被河南省文化厅授予“河南省民间艺术之乡”荣誉称号，后又被文化部命名为“中国民间艺术之乡”。

甘肃省庆阳市西峰区位于陕、甘、宁交界地带，是庆阳市的政治、经济、文化中心，东西与庆阳市的合水县、镇原县接壤，南北与宁县、环县、华池、庆城县毗邻。

庆阳西峰唢呐是以唢呐为主奏的民间吹打乐，也称鼓吹乐，经历代艺人不断加工传承至今，以其为数众多的曲牌、庞大的演奏队伍、丰富的民俗内容和浓郁的地方特色而成为我国民间音乐中一个独特的乐种。它以西峰为中心，分布在周边庆城县、环县、合水县、宁县、正宁县及镇原县部分乡镇。仅西峰区就有唢呐班社31个，从业人员286名。该乐种的表演形式有“大件”组合与“小件”组合两种。一般乐手都能掌握两件以上乐器，在人员不变的情况下可随意调动。

庆阳唢呐曲牌丰富，韵味质朴，自成体系，独具风格，经普查后采录的传统乐曲有一千二百余首，编入《庆阳地区民间器乐集成》的达496首，这些曲牌按源流沿革可分为器乐化程度较高的传统曲牌、民歌变奏和地方戏曲曲牌三类，代表曲目有《披红挂花》等。

庆阳唢呐的文化价值不仅表现在音乐的独特性上，而且表现在其内容的延伸上。如“跑报”就是内涵丰富的表现形式之一，它通过口传方式极大地发挥了艺人的即兴创作能力，充分显示出劳动人民的聪明才智，对继承发扬传统美德、增强社会凝聚力具有重要的作用。然而，这一独特的乐种目前却处于严重的濒危状态，采取相应的抢救保护措施已刻不容缓。

69 羌笛演奏及制作技艺

申报地区或单位：四川省茂县

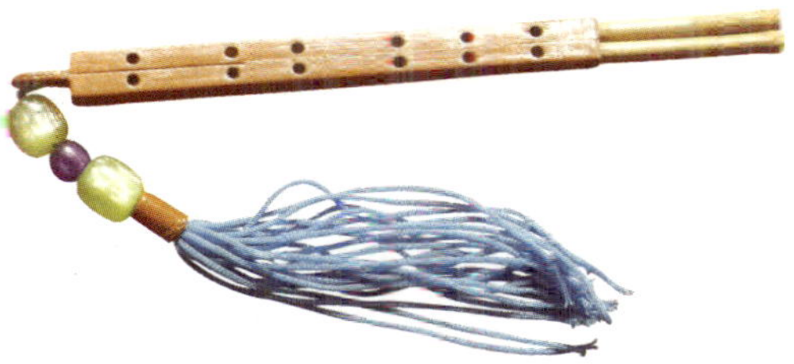

羌笛是一种由两根长约15至20厘米、筒孔大小一致的竹管并在一起，用丝线缠绕，管头插着竹簧的民间竖吹乐器。它主要用于独奏，有十余首古老的曲牌，乐曲内容相当广泛，主要是传达羌族人的思念向往之情。

赤布苏、沙坝地区的羌笛是秦汉战乱年间由南迁的羌族人从西部地区带来的。据史料记载，西汉前，羌笛面上有四孔，公元1世纪时由音乐家京房加一高音按孔，成为五孔。东汉马融在

《长笛赋》中曾有“近世双笛从羌起”的记述。发展到近代，羌笛已成六孔。由此推断，羌笛的存在至少已有两千多年的历史了。

羌笛的声音常给人以虚幻迷离、动人心魄的感觉，羌族人民常用它来抒发自己喜怒哀乐、悲欢离合的种种情感。常演奏的曲目有《折柳词》、《思想曲》、《莎郎曲》等。

羌笛吹奏主要采用鼓腮换气法，一口气可吹奏几分钟，即使是一首简单曲调，其技艺性要求也很高。另外，羌笛在吹奏中还有喉头颤音、手指的上下滑音等技巧，加之双管制作的律差、双簧共振的音响，其音质和旋律独具特色。

制作羌笛一般选用杆直、筒圆、节长，且头尾粗细较均匀、竹肉厚薄有度、质地坚韧、纤维细密、不易开裂的箭竹为材料，并根据筒管的长短、厚薄、大小测定音准，孔距必须精确相等，否则音准不一。

由于羌族没有文字，其历史文化除了世代口传心授外，羌笛也成为交流、传承民族文化的一种重要渠道。羌笛的音律、音色、吹奏技巧独具特色，是我国民族乐器宝库中难得的珍品。

70 辽宁鼓乐

◎申报地区或单位：辽宁省、辽阳市

辽宁鼓乐自古以来就十分盛行，曾对东北各地的鼓乐产生过深远影响。辽宁省辽阳市出土的汉魏时期古墓壁画中就有古代的鼓吹演奏图，并且题有“鼓吹演跌欢戏”六字。

辽宁鼓乐早期为笙管乐，明清时期加入了唢呐乐，清代中叶乐队定型并趋于成熟。从曲目上看，它保留了少部分唐宋曲牌，大部分则是元明南北曲和明清曲牌。从结构上看，鼓乐曲体十分严谨，每一类乐曲都有一定的结构模式，板数规定十分严格。特别是其中的汉曲、大牌子曲，有着明显的唐代大曲和宋代曲破的结构痕迹。从某些乐曲的音调上看，辽宁鼓乐曲明显地受到了北方少数民族（如契丹、女真）音乐的影响。在乐调方面，辽宁鼓乐用借字手法形成的“三十五调”实际是滥觞于唐宋的“移宫换调”，属“燕乐二十八调”的余绪。此外，辽宁鼓乐中唢呐的七种调名称谓为研究唢呐形制的发展演变提供了重要线索。

辽宁鼓乐先后产生了一批技艺高超的传承人如王文州、王国卿、王国全、刘永年、刘永庆、刘宝善等，他们不仅在本地教授徒弟，而且还向外地传艺，由此促进了辽宁乃至东北三省民间鼓乐的普遍传承。常用曲目有《工尺上》、《梅花调》、《上菜曲》、《句句双》、《桂枝花》。

目前，辽宁鼓乐依然盛行不衰，但演奏的传统曲目已经日渐减少，尤其是大牌子曲和汉曲，能完整演奏者寥寥无几，出现了鼓乐活动兴盛而传统乐曲却走向濒危的尴尬局面，需要有关方面加以保护。

71 江南丝竹

◎ 申报地区或单位：江苏省太仓市
上海市

江南丝竹是流行于江苏南部、浙江西部、上海地区的丝竹音乐的统称。因乐队主要由二胡、扬琴、琵琶、三弦、秦琴、笛、箫等丝竹类乐器组成，故名。

明代嘉隆年间，以魏良辅为首的戏曲音乐家们在太仓南码头创制昆曲水磨腔的同时，以张野塘为中坚人物组成了规模完整的丝竹乐队，用工尺谱演奏，由昆曲班社、堂名鼓手兼奏，后逐渐形成丝竹演奏的专职班社。明万历末在吴中（苏州地区）形成了新的乐种“弦索”，可算是江南丝竹的前身。它与民俗活动密切结合，有着广泛的群众基础，后正式定名为江南丝竹。

江南丝竹传统的技法中有你繁我简、你高我低、加花变奏、嵌挡让路、即兴发挥等手法，并逐步形成“小、细、轻、雅”的风格特色。这种技法和风格包含了人与人之间相互谦让、协调创新等深刻的社会文化内涵。丝竹乐来自民间，植根民间，简便易行，适宜推广，有重要的民俗文化价值。江南丝竹曲目丰富，传统乐曲有《中花六板》、《三六》、《行街》、《四合》和《云庆》等。聂耳曾改《倒八板》为《金蛇狂舞》，很快风靡全国；刘天华改编创作的《变体新水令》也早已成为乐坛名曲，在全国产生了深远的影响。江南丝竹音乐的产生和延续，对民族音乐史的研究及戏曲、民俗文化、群众文化的发展都有重要的作用。江南丝竹是江南水乡文化杰出的代表之一。

至20世纪六七十年代，传统江南丝竹班社均自行解散。至今，70岁以上的老艺人已相继离世，后继乏人，加上传统曲目传谱很少，江南丝竹日渐濒危。

72 海州五大宫调

◎ 申报地区或单位：江苏省连云港市

海州是江苏省连云港市的古称。海州五大宫调是指流布在连云港市及周边地区的以【软平】、【叠落】、【鹂调】、【南调】、【波扬】等为基本腔调的一种用曲牌连缀体来演唱的艺术形式。

海州民众演唱小曲的习俗由来已久。明代嘉靖、隆庆以后，海州五大宫调逐步形成并走向成熟，随盐业河运广为流传。由于地处苏、鲁接壤处，海州成为江淮方言和北方方言的交汇地带，历史上南北方的小曲杂调均在此流传生根，呈现出既融会贯通又诸调杂陈的特色。因交通闭塞等历史原因，这里的民间曲调很少受其他艺术形式的影响，各类曲牌得以世代相传并完整保存。

海州五大宫调历史悠久，积蕴颇厚。一些明代的小曲如【寄生草】、【山坡羊】、【打枣竿】等虽几经传衍但仍保存完整；在江浙地区几近失传的乐曲如【马头调】等也可在这里找到传人，其唱词竟与《白雪遗音》中的记载基本相同；一些演唱难度很高的集曲至今仍有人在传唱。1980年后，由于社会环境发生变化，五大宫调等乐曲已渐呈濒危状态。海州五大宫调是我国明清俗曲的一份珍贵遗产，它的发掘保护将对明清小调研究产生积极的推进作用。

73

嵊州吹打

◎ 申报地区或单位：浙江省嵊州市

嵊州吹打起源于民间的庙会活动。据记载，早在春秋战国时期，嵊州就有“村民社赛”、庙会祭祀活动。千百年来世代相传，到明代中叶，境内村村有庙有祠堂，庙堂之中又有戏台。

1949年至20世纪80年代，嵊州民间音乐逐渐形成东西乡两大派系，西乡一派以长乐镇农民乐队为代表，在传承中逐渐形成锣鼓与吹奏相结合的演奏方式，其中“尖号”的吹奏方法，将吹气演奏改为吸气演奏，使得号声更加高亢激越，穿透力、传递力更强。这种吸气演

奏法在全国民乐吹奏乐器的演奏中是极为独特的。其乐队编制的特点是“五锣、三鼓、三大锣”配套组合，吹奏乐器包括唢呐、长号等，另外还有丝弦乐器。主要传统乐曲有《辕门》、《绣球》、《妒花》、《十番》、《节诗》、《将军令》等。东乡一派以黄泽农民乐队为代表，偏重于丝弦乐演奏，风格倾向于纤柔细腻，曲目多为民歌小调及一些传统的民间丝竹乐曲。

嵊州民间音乐是越剧音乐的基础，也是越剧的重要组成部分，它对越剧唱腔及伴奏音乐的发展也产生了一定的影响。嵊州吹打也是“浙东锣鼓”的主要组成部分之一，对于浙东民间音乐的产生发展及浙东民俗风情的研究具有重要的参考价值。

74

舟山锣鼓

◎ 申报地区或单位：浙江省舟山市

舟山市地处杭州湾以东、长江口以南的浙江东北部，其丰富的海洋资源是当地民众生产、生活的基础。而特定的生产方式、生活习俗孕育了独特的民间艺术，舟山锣鼓就是其中的代表。

旧时的舟山锣鼓大多出现在民间乡里的红白喜事、庙会庆典及渔民祭海等活动中。1949年后，这一民间音乐形式在专业音乐工作者的参与和整理下正式定名为“舟山锣鼓”。在1957年莫斯科举办的世界青年联欢节上，舟山锣鼓曾荣获世界民间音乐比赛金质奖章。

舟山锣鼓乐器配制齐全，其中的两大主奏乐器分别是由十三面锣组成的排锣和由五面鼓组成的排鼓，其演奏风格独特，音量对比鲜明，音响色彩丰富。

舟山锣鼓代表性的传统曲目有《舟山锣鼓》、《八仙序》、《渔家乐》、《沙调》、《潮音》等，均被编入《中国民族民间器乐曲集成·浙江卷》，还有许多曲目被灌制成唱片。

20世纪六七十年代以后，由于市场经济的发展和文化娱乐形式的多样化，舟山锣鼓这一区域性文化表现形式逐渐边缘化。随着老艺人的相继过世和一批后起艺术传人的弃艺从商，舟山锣鼓出现了青黄不接的局面，急需加以保护。

75 十番音乐（闽西客家十番音乐、茶亭十番音乐）

十番音乐·闽西客家十番音乐

◎ 申报地区或单位：福建省龙岩市

十番音乐又称“十班”、“五对”等，因用丝、竹、革、木、金制作的十件乐器演奏而得名。客家十番音乐是历代客家民间艺人传承的民间器乐曲，其乐曲标题多描绘大自然及客家人生活习俗情趣，如《碧水山涯》、《湖光柳色》、《好花圆月》、《梅兰菊竹》、《莺歌燕舞》等。此外，客家十番音乐还吸收了历代戏曲剧种中的曲段、唱段和曲艺作品等。

闽西客家十番乐队无论乐手的人数还是使用的乐器都没有严格的规定，一支十番乐队一般少则五到七人，多则十到几十人不等。

客家十番音乐最基本的乐器有曲笛、芦管、琵琶、三弦、二胡、小胖壶、大胖壶、夹板等，笛子为其领奏乐器。客家十番音乐的演奏形式分坐奏和行奏两种，掌板者为指挥。笛子引路（主导），文场和武场间隔进行。

目前闽西客家十番音乐处于后继乏人的境地，急需抢救和保护。

十番音乐·茶亭十番音乐

◎ 申报地区或单位：福建省福州市

茶亭十番音乐发源于福州市台江区的茶亭街。据清乾隆年间郑洛英《耻虚斋诗抄》中的《榕城之夕竹枝词》记述：“闽山庙里夜入繁，闽山庙外月当门。槟榔牙齿生烟袋，子弟场中较十番。”由此可见，当时十番音乐在福州民间受欢迎的状况。

很早以前，福州民间盛行舞龙灯。后来为龙舞伴奏的打击乐逐渐分离出来，成为独立的艺术形式。它使用的乐器有狼杖、大小锣、大小钹五种。人们为了避免五件乐器组合的单调性，在其中加进管弦乐器笛子、逗管、椰胡等，同时还加进了清鼓和云锣。为求得音量上的平衡，每种管弦乐器皆配以双数，形成双笛、双管、双胡，共约十种，乐队即由此基本成型。茶亭十番音乐的代表曲目有《秦楼月》、《水底天》、《莲花开》、《雁来云》、《石榴花》等。

茶亭十番音乐不仅流行于福州市内，也流行于福州周边农村及福州下属的五区六县，还流传到宁德、建阳、南平、古田、福安、柘荣、霞蒲等地。

茶亭十番音乐的演奏形式分为坐奏和行奏两种，其演奏位置的排列十分讲究。茶亭十番音乐主要用于迎神赛会和百姓婚丧嫁娶及家宴等民俗活动中。曲牌大多表现人与自然、社会的关系，或体现一定的意境，或描述古老的传说故事。

76 鲁西南鼓吹乐

◎申报地区或单位：山东省嘉祥县

鲁西南鼓吹乐是一种以唢呐为主奏的民间器乐，它以嘉祥鼓吹乐为典型代表，主要分布在山东省济宁、枣庄、菏泽三市及周边地区。鲁西南鼓吹乐主要依赖节日庆典、婚丧嫁娶等民俗活动而存在。

依照传统习惯，民间将以一支唢呐为主奏，另配以笛、笙、小镲、鼓等乐器者，称“单大笛”（唢呐，当地俗称大笛）；以两支唢呐为主奏，另配以小镲、云锣、汪锣、乐鼓等乐器者，称“对大笛”。此外，还有以锡笛为主奏的乐队和“咔戏”乐队等。

在长期的传承实践中，鲁西南鼓吹乐形成了丰富的曲目家族、多样的调类系统、精湛的演奏技艺、数以百计的民间乐班和数以千计的鼓乐传人。代表性曲目有《百鸟朝凤》、《六字开门》、《一枝花》、《大合套》、《风搅雪》、《抬花轿》等，曲目总数在300支以上；代表性演奏家有任同祥、贾瑞启、袁子文、魏永堂等，代表性乐班仅嘉祥一县就有以杨兴云为代表的“杨家班”，以曹瑞启为代表的“曹家班”，以任同祥为代表的“任家班”，以赵兴玉为代表的“赵家班”和以贾传秀为代表的“贾家班”。其中，杨家班的演奏风格古朴典雅，庄严肃穆；曹家班演奏时音色纯正，柔和甜美；任家班演奏时音色明亮，感情细腻；赵家班演奏时音色宽厚，高昂明亮；贾家班演奏时音色清脆，激荡起伏。一个时期以来，这五大班社带领其他鼓乐传人活跃于当地民间社会生活中，争奇斗妍，各领风骚，深得民

众喜爱，并使嘉祥成为誉满中国、闻名遐迩的“唢呐之乡”。

鲁西南鼓吹乐风格独特，质朴豪放，高亢激昂，具有较高的艺术价值，得到专家和广大群众的喜爱。鲁西南鼓吹乐这种普及面较广的民间艺术，经过专业文化工作者长期的挖掘、整理和推广，已在各方面得到了很大的提高，由婚丧嫁娶活动中的演奏，逐步扩展到大型节日联欢、开业庆典、参军升学、丰收喜庆等场合的演奏，为丰富城乡文化生活、满足群众文化需求起到了一定的作用。

77 板头曲

◎申报地区或单位：河南省南阳市

板头曲为中州古曲，用筝、琵琶、三弦等乐器演奏，是中华民族音乐遗产中的经典。因主要在河南曲子正式演唱之前，用独奏、合奏等形式演奏的前奏乐曲，故亦称“板头曲”或“河南曲子板头曲”。

板头曲分布较广，南阳、泌阳、邓县、许昌、开封皆可见其踪迹，但传播中心在南阳市。据载，明崇祯年间，板头曲随河南曲子见诸市井。清初，逐渐盛行于上述各地。其乐队不备锣鼓笙管，而以弹拨乐器为主，另加胡琴、四胡等拉弦乐器，由此成为我国民间乐队中难得一见的弦索乐组合。其乐曲多半源于古老器乐曲牌《八板》及其各种变体，同时广泛吸收河南曲子曲牌、唱腔及民间小调。代表性曲目有《天下大同》、《高山流水》、《新开板》、《陈杏元和番》、《打雁》、《赏秋》、《闺中怨》、《上楼》、《下楼》等。曲体大部分为六十八板体，结构严谨而又灵活多变。

1949年后，板头曲得以复苏并受到广泛重视。1953年，著名古筝演奏家、板头曲传人曹东扶先生代表河南参加了全国第一届民间音乐舞蹈会演，板头曲的独特风格在音乐界引起强烈反响。同年，部分板头曲经中央音乐学院民族音乐研究所整理出版。一代名家曹东扶先生传谱的筝曲《高山流水》、《苏武牧羊》更是传遍神州，远播海外。中国乐器表演课程(本科)教学大纲中的《闺中怨》、《高山流水》、《闹元宵》、《上楼》、《下楼》等都是板头曲曲谱。此后，曹东扶及其后人全力投入板头曲的记录整理和演奏，为传承、保护这一罕见的音乐品种作出巨大贡献。近期，随着大多数传人去世，板头曲正面临凋敝失传的危机。

78 宜昌丝竹

申报地区或单位：湖北省宜昌市夷陵区

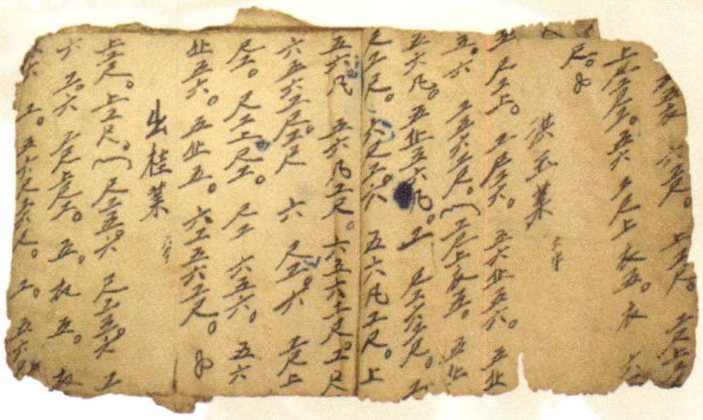

宜昌丝竹亦称“细乐”，是宜昌民间器乐艺术的代表体裁。它主要流行于夷陵区的鸦鹊岭、龙泉，并以鸦鹊岭为中心，辐射毗邻的枝江、枝城、当阳等县市。

宜昌丝竹具有悠久的历史与深厚的文化传统，传承至今已近二百年，历经七代乐人。北宋

欧阳修任夷陵县令时，对当地民风民俗作了“腊市鱼盐朝暂合，淫祠箫鼓岁无休”的描述；著名文学家苏轼也留有“庙前行人拜且舞，击鼓吹箫屠白羊”的诗句。据清《东湖县志》（今夷陵区）载，宜昌风俗一般在“元宵张灯……鼓乐笙箫，遍游街市”。

宜昌丝竹现有六十余首乐曲，仅鸦鹊岭一镇就有六十多个乐班，七百余艺人。常见曲目有《水龙吟》、《戏球》、《小起堂》、《小开门》、《客丧》等。

宜昌丝竹在民间长期演奏于婚丧嫁娶和民俗活动之中，主奏乐器为丝弦和竹管。该乐种的曲牌有明显的丝竹曲牌特点，有以“一曲生五曲、五曲生七调”的曲牌派生法，同时还以起调毕曲音构成主导乐句贯穿全曲。宜昌丝竹曲调优美，表现细腻，加上打击乐轻敲细打，往往给人以典雅、清新之感。其旋律则较为华丽，板式也较为规范，曲牌、小调与本地民歌交融形成特有的风格。

宜昌丝竹因传承的断层和艺人的老龄化使之走到消亡的边缘，亟待抢救保护。总结、研究宜昌丝竹的联曲规律与乐曲派生技法，对拓展民族音乐创作、弘扬民族优秀传统文化都有极其重要的作用。

79 枝江民间吹打乐

◎申报地区或单位：湖北省枝江市

枝江民间吹打乐是由打击乐器、丝弦乐器、喷呐等结合在一起演奏的民间器乐体裁。其中打击乐器包括鼓（大鼓、堂鼓、板鼓、书鼓、战鼓等）、梆子（木鱼、木梆、竹梆等）、锣（大锣、小锣、苏锣、马锣、京锣、云锣、虎音锣等）、钹（大钹、小钹、川钹、小京镲）等，丝弦包括二胡、京胡、四弦等，喷呐包括高音喷呐和中音喷呐，另有大号等乐器。常用曲目有《山歌调》、《六字流板》、《正宫流板》、《春来》、《万年欢》等。

枝江民间吹打乐经过多年的发展演变，已形成了一种普遍、实用、极具地域特色的演奏风俗。它主要在民间的婚丧嫁娶及各种庆典、劳动和岁时节庆活动中演奏，以配合舞蹈等民间艺术形式。

枝江民间吹打乐分为由打击乐器组合进行演奏的“粗乐”和在打击乐器演奏中杂夹喷呐、笛子、二胡、京胡等吹奏、丝弦乐器的“细乐”，粗乐又称武场，细乐又称文场。依技艺流派，枝

江民间吹打乐分为上河（又称荆河）和下河两派；按地域则分为南河和北河两路。

枝江民间吹打乐讲究十样“家业”（乐器）的完整组合，同时吸纳枝江本地山歌、田歌、五句子、小调等民间音乐元素，形成了“十番鼓”的技术种类和风格，具有浓郁的地方特色。

枝江民间吹打乐经过几起几落的发展历程，虽几度处于濒危，但在地方政府及文化部门的努力下，得到了较好的传承和保护，成为鄂西南地区民间音乐艺术的一朵奇葩。2000年，枝江市被文化部正式命名为“中国民间艺术之乡”、“民间吹打乐之乡”。

80 广东音乐

◎申报地区或单位：广东省广州市、台山市

广东音乐是流行于以广州为中心的珠江三角洲及广府方言区的传统丝竹乐种，是岭南民间传统文化的瑰宝。它以轻、柔、华、细、浓的特点和清新流畅、悠扬动听的岭南风格备受民众的喜爱，影响遍及大江南北，流行于世界各地的华人社区。

广东音乐有四百余年的历史，自明清以来，经历了萌发期、发展期和成熟期等阶段，曲名和乐谱可稽的乐曲现有五百多首。代表性曲目有《雨打芭蕉》、《旱天雷》、《双声恨》、《三宝佛》、《步步高》、《平湖秋月》、《娱乐升平》、《赛龙夺锦》等。

其乐队有多种组合，最典型的是20世纪二三十年代的“五架头”（又称“硬弓组合”，即二弦、提琴、三弦、月琴、横箫）和“三架头”（粤胡、扬琴、秦琴），各种丝竹乐器配合默契，相得益彰，全面展示了岭南丝竹音乐的精微和华美。

在长期的创作表演实践中，广东音乐开放性地选择、吸收了外来音乐及国内其他民间艺术的有益成分，加以改造，为我所用，形成了一个独特的民间音乐品种。它拥有一批杰出的作曲家、演奏家和代表性乐器，与粤剧、岭南画派并列为“岭南三大艺术瑰宝”。

在海外，凡有华人的地方就有广东音乐。广东音乐是海外华人与祖国家乡之间的情感纽带，为海外华人传承优秀中国文化传统做出了不小的贡献。

台山市位于珠江三角洲西南部，是全国著名的华侨之乡。台山的“八音班”是广东音乐的活动形式之一，具有独特的地方色彩和悠久的历史。明清之时，八音班主要演奏佛教音乐和民间小调。太平天国运动后，八音班实行变革，将乐曲演奏和戏曲演唱相结合，逐步走入成熟。1949年后，台山市的广东音乐活动纳入城乡文化室的范畴，成为文化室的活动项目。目前全市有一百二十多个广东音乐活动组织，遍布城乡。

作为岭南文化的杰出代表，广东音乐文化底蕴深厚，内涵丰富，经过数百年的传承发展，自成体系，风格独特，深深植根于岭南民间。这一优秀传统文化瑰宝如今也面临传承和发展的问题，保护和扶持工作急需加强。

81 潮州音乐

◎申报地区或单位：广东省潮州市、汕头市

潮州音乐是主要流传于广东潮州地区、用各类民间器乐演奏的乐曲的总称，除潮州外，还广泛流行于闽南、粤东、广州、上海、台湾、香港、澳门各地及东南亚各国和潮人聚居地。潮州市是潮州音乐的中心和发祥地，其源头可追溯到唐宋之际，至明清时期发展成熟。

潮州音乐源于当地民歌、歌舞、小调，并吸收弋阳腔、昆腔、秦腔、汉调、道调和法曲诸乐的素材，兼容并蓄，自成一类。它蕴藏丰富，品种繁多，大致可分为广场乐和室内乐两大类。前者包括潮州大锣鼓、外江锣鼓乐、潮州小锣鼓、潮州花音锣鼓、潮州八音锣鼓，后者包括笛套古乐、潮州弦诗乐、潮州细乐、潮州庙堂音乐等。潮州音乐内涵丰富，既能表现小桥流水式的趣味，又能演绎出气壮山河的史诗。潮州音乐所独有的“二四谱”是十分古老的谱式，在其独特的律制中，“si”、“fa”

二音的灵活变化体现了潮乐独特的韵味，同时构成潮乐轻六、重六、活五、反线等多种调式以及演奏上强调充分发挥作韵和即兴加花两种技法。潮州音乐常用乐器约有二十余种，最具有本地特色的是二弦、唢呐、深波等。代表性曲目有《抛网捕鱼》、《双咬鹅》（大锣鼓）、《昭君怨》、《小桃红》（细乐）、《晏灯楼》（苏锣鼓）等。潮州音乐的乐器组合、演奏技巧、曲式结构、变奏手法都具有独特的章法和美学依据，是一笔非常宝贵的音乐文化遗产。

南宋末年，宋室宫廷乐官吴丙（字汝光，原籍江西）随师抵潮，宋亡后，吴丙定居潮阳棉城，宫廷音乐的种子也因此播落于潮阳大地，经过历代乐工们的充实和发展，形成了潮阳笛套音乐古朴典雅的风采和浓郁的地方特色。

就其表现形式而言，潮阳笛套音乐的品类，可分为笛套音乐和笛套锣鼓。笛套音乐包括笛套古乐（即传统的笛套音乐）和经融合、演变而成的笛套音乐。笛套古乐从曲式结构到旋律进行，都保留了古代宫廷音乐韵味。其风格特点古朴、庄重、典雅、幽逸、清丽、悠扬，具有浓厚的中国民族传统色彩。笛套锣鼓包括笛套小锣鼓、笛套大锣鼓和笛套苏锣鼓，笛套小锣鼓是指笛套音乐配上小巧玲珑的锣鼓点，笛套大锣鼓是指笛套音乐配上大鼓、斗锣、大钹等音量恢宏的大型打击乐，笛套苏锣鼓则是指笛套音乐配上苏锣鼓。

就其共性而言，潮阳笛套音乐是属于套曲式的音乐品种。它以笛、管、笙、箫为主奏乐器，有机地配以三弦、琵琶、古筝和其他的弦乐、弹拨乐等。就其个性而言，潮阳笛套音乐从大笛

吹奏的方法到奏出的音色有别于其他地方，构成潮阳笛套音乐地方特色的一个重要因素——“潮阳味”。在吹奏方法上，潮阳笛套音乐是传统的（宫廷式）“龙头凤尾指”，领奏乐器的大笛（横笛）是28节大锣鼓笛。

由于历史和经济原因，潮州音乐已出现逐渐衰落的状态。历史资料散佚，艺术人才老化等等，无不制约着潮州音乐的传承和发展，因此，有关方面需要进一步加大保护的力度。

82 广东汉乐

◎申报地区或单位：广东省大埔县

广东汉乐分布在广东梅州、汕头、韶关、惠阳等地区，又以梅州市大埔县为代表，旧称客家音乐、外江弦、儒家乐、汉调音乐等。据考是古代汉民由中原南迁时带入的，有“中州古乐”之称，在大埔流传至少有五百年以上的历史。广东汉乐保留了原有中原音乐的特点，并与大埔当地的民间音乐（如打八音、中军班音乐）等相融合，同时又吸纳了潮乐（如大锣鼓）的一些成分，已成为广东三大乐种之一。

按照传统的演奏形式、长期沿革的演奏习惯及不同用途，广东汉乐分成五个类别。一是丝弦乐，俗称“和弦索”。它是广东汉乐中最普及、最大众化的演奏形式。演奏时以头弦（俗称“吊规子”）或提胡领奏，配以扬琴、三弦、笛子、椰胡等乐器。二是清乐，又称儒乐。它追求比较高雅的演奏形式，为文人雅士所偏好。演奏时乐器较少，主要有古筝、琵琶、椰胡、洞箫等，人称筝、琶、胡“三件头”。三是汉乐大锣鼓，又称八音。它主要应用于民间迎神赛会或闹元宵等客家传统节日。演奏时以唢呐主奏，另辅以大鼓、苏锣、大小钹、碗锣、铜金、小锣、马锣（八音用）等打击乐器。四是中军班音乐。历史上它主要由职业或半职业的民间音乐班社演奏，作为仪仗性质的音乐，主要用于民间的婚丧喜庆活动。演奏时以唢呐为

主奏乐器，配以打击乐和若干丝弦乐。五是庙堂音乐。它是举行宗教法事时演奏的吹打音乐，演奏时以唢呐为主，配以打击乐和若干丝弦乐。

广东汉乐曲目丰富，从已整理出版的《广东汉乐曲目集》来看，共有曲目612首，其中丝弦乐430首，清乐56首，汉乐大锣鼓23首，中军班音乐62首，庙堂音乐31首。代表曲目有丝弦曲《单点尾》、《玉山坡》、《思夫》，唢呐曲《粉叠》、《普天乐》、《玉芙蓉》，庙堂音乐《一封书》、《水底鱼》等。

83 吹打（接龙吹打、金桥吹打）

吹打·接龙吹打

◎ 申报地区或单位：重庆市巴南区

接龙吹打乐系重庆市巴南区接龙镇的民间器乐乐种，至迟在明代末年就已正式形成。经过四百多年的传衍，接龙吹打有了很大的发挥和发展。它有吹打乐、锣鼓乐、吹打唱三大类别和丫溪调、下河调、青山调、昆词、教仪调、将军锣鼓、半堂锣鼓7个品种，拥有乐曲983首。接龙吹打的曲牌主要有【大号牌】、【朝排】、【将军令】、【水龙吟】、【南锣】、【六幺令】、【风入松】等。重庆市巴南区现有乐班二百六十余个、乐手近两千人，保存有上百年的古老乐器26件，其中4件在200年以上。乐班不仅经常参加本地民众婚丧寿庆仪式的演出，而且曾多次组团（队）参加市、区（县）的比赛演出，被区、市、中央及台湾电视台摄制成专题片向全国和海外播放。同时，还出版了约八十万字的《接龙吹打乐》、二十余万字的《乡乐新韵——接龙吹打乐论文选》。1991年，重庆市文化局将接龙镇命名为“民间吹打乐之乡”，1999年，又将接龙吹打乐命名为“巴渝十大民间艺术”之一。

曲目丰富、乐班乐手众多、理论研究与艺术实践同步发展的接龙吹打乐在巴渝吹打中独树一帜，颇具特色。

吹打·金桥吹打

◎ 申报地区或单位：重庆市万盛区

金桥吹打乐是重庆市万盛区金桥镇的民间吹打乐种，它产生于宋元时期，距今已有七百多年历史。金桥现有乐班七十多个，乐手八百多人。在长时期的传承中，金桥吹打形成了喜庆类、生产生活类、丧事类、民间传说类等类别，有【花灯】、【大曲牌】、【朝牌】、【宫堂】等曲牌和品打、刁打、散打、干打、夹打、刁散打、竹叶吹奏、口哨等演奏技艺，曲目达一千余首。

金桥吹打有音域宽、音量大、力度厚、音色明快、穿透力强等特点。其最显著的特色技巧是清代刘多二创造的“马风声”，经刘汉卿、向义云、向紫钦、翁庆华等5代人二百多年的发展，“马风声”技艺日臻成熟。演奏中唢呐高鸣酷似马啸，鼓响“得格斗”犹如马蹄声，曲至高潮，马啸与蹄声共鸣，演示出万马奔腾之势，由此形成名闻遐迩的“马风声”派。

金桥吹打在四川省、重庆市的演出比赛中多次获奖，重庆市文化局命名金桥镇为“吹打乐之乡”，金桥吹打为“巴渝十大民间艺术”之一。

目前，金桥镇有造诣的吹打乐手年事渐高，相继谢世，年轻人参加吹打者日趋减少，一些绝技难以传承，接龙吹打与金桥吹打均处于濒危状况，急需抢救保护。

84 梁平癞子锣鼓

◎申报地区或单位：重庆市梁平县

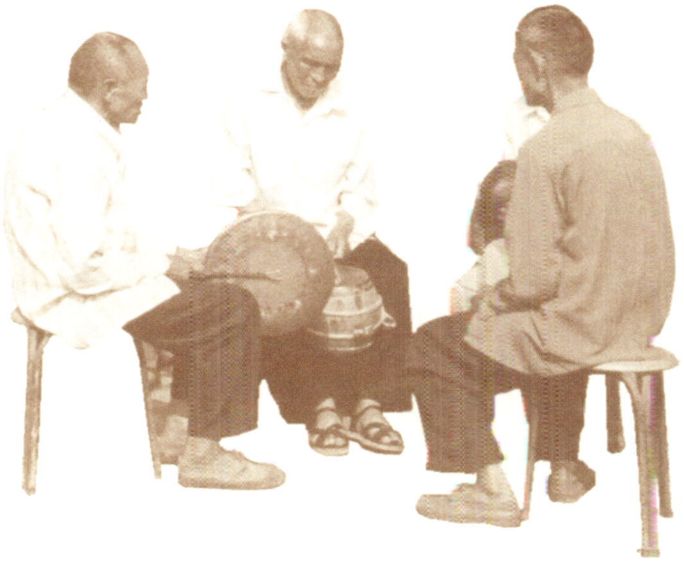

梁平癞子锣鼓是重庆市梁平县境内流传的一种民间器乐，起源年代已不可考。据清代该县文人蓝逸清的《竹枝词》记载，梁平癞子锣鼓应该在明清之际就已广为流传。

梁平癞子锣鼓的乐曲称为“锣鼓引子”，以“十八癞子”锣鼓的引子为代表。主要有“老癞子”、“花癞子”、“鸳鸯癞子”、“刁癞子”、“干癞子”、“重葫芦”、“南山网”等。其中十八癞子的主要曲目有《老癞子》、《佬癞子》、《花癞子》等。头与尾常用的曲目有《金银灯》、《战灵芝》、《急尾子》。在演奏过程中，一口气要打十八个段子，分别由三个段子组成一组，共六组。每组必有马锣开头的段子、钹开头的段子和大锣开头的段子。在此基础上，又发展为包括《金银灯》、《金银花》、《红绣鞋》等上百种锣鼓引子。

梁平癞子锣鼓的乐器有二鼓、马锣、钹、大锣、钩锣、镲子六种，乐队由五人组成，打马锣者兼打钩锣。梁平癞子锣鼓具有声音洪亮、气氛热烈、音韵起翘、耐人寻味等特点，常在节日盛会、开业庆典、生日礼仪、婚丧嫁娶等民俗活动中演奏，深受人民群众的喜爱。

目前一些艺人相继去世，现有艺人年岁已高，年轻人又不愿学打锣鼓，故锣鼓艺人日渐减少，只得将原有的乐班合并演奏。在此情势下，梁平癞子锣鼓濒临灭绝。

85

土家族打溜子

◎申报地区或单位：湖南省湘西土家族苗族自治州

土家族打溜子是土家族地区流传最广的一种古老的民间器乐合奏，它历史悠久，曲牌繁多，技艺精湛，表现力丰富，是土家族独有的艺术形式。

土家族打溜子主要分布在湘西州酉水流域土家族聚居的永顺、龙山、保靖、古丈4县68个乡镇。土家族打溜子与土家族人民的生活密切相关，土家人的婚嫁、寿诞离不开打溜子，年节喜庆要打溜子，特别是土家族的传统舍巴日更是少不了打溜子。由溜子锣、头钹、二钹、马锣组成的打溜子乐队，能将各类乐器的技巧融于一体，并充分发挥每件乐器的演奏技艺。现存的土家族溜子曲牌约有100个，其内容可分为绘声、绘神、绘意三大类。绘声类如《鲤鱼漂滩》、《雁儿拍翅》等，绘神类如《小纺车》、《闹年关》等，绘意类《四季发财》、《观音坐莲》等曲牌，此外还有《安庆》、《迎风》、《八哥洗澡》、《画眉跳杆》、《双龙出洞》、《燕排翅》、《古树盘根》、《扭插秧》等数十首代表性传统

曲目。在我国少数民族器乐艺术中，打溜子独特的组合、精湛的演奏技艺自成系统，具有极大的代表性。它不仅能为民族学、社会学的研究提供不可忽略的重要材料，也可作为音乐学中音色旋律学研究的极其珍贵的原生性文化标本之一。

1949年以来，打溜子先后被国家艺术团体介绍到美国、德国、波兰、俄罗斯等国家，产生了强烈反响，引起巨大轰动。

86 河北鼓吹乐

◎申报地区或单位：河北省永年县、抚宁县

永年鼓吹乐在河北冀东南鼓吹乐中最具代表性，是河北省最有影响的民间器乐曲种之一。传说隋末起义军领袖窦建德在永年建都称王时，军中和民间就已有吹打乐。明中叶以后，鼓吹乐日渐成熟、繁盛。清光绪年间编制的《永年县志（风俗志）》中记载，民间婚葬祭礼时大量使用，气

代相传不替。20世纪70年代前，在城乡群众文化活动中，鼓吹乐这种艺术仍然十分兴旺。

永年鼓吹乐演奏方式多样，主要有吹奏乐、打击乐和咔戏三种。它曲目丰富，包括杂牌曲、套曲和吹咔曲三种，现有曲目二百余首，曲牌五十余种，很多曲目为永年所独有。其演奏风格粗犷热烈、欢快活泼，具有鲜明的地域特色。常见曲目有《一枝花》、《太行情》、《小放驴》、《大登殿》、《抬花轿》、《大放驴》等。

永年鼓吹乐主要以家族方式传承，在长期的传习过程中，逐渐形成五大家族流派。永年鼓吹乐是河北省极具特色的地方民间艺术形式，是研究学习我国民间音乐的珍贵资料，其传统演奏方式、演奏技巧及演奏风格对我国当代民族吹奏表演艺术的发展和创新有很大的启示作用。

抚宁鼓吹乐曲目众多，素有"牌子十四套，小曲赛牛毛"之说。现存乐曲有秧歌曲、大牌子曲、汉吹曲、花吹曲、杂曲五大类共两百余首。常用曲目有《满堂红》、《句句双》、《柳青娘》、《小磨房》、《绣红灯》、《老官调子》等。抚宁鼓吹乐乐器形制十分独特，不同形制的各类唢呐是其主奏乐器，此外还有用于咔戏的"咔碗"、花吹中用的"口琴"及其他多种常用乐器。抚宁鼓吹乐演奏方式多样，技巧独特，有线上、加花、成字、花舌、颤指、三强音、变色等方式，更有用三节唢呐演奏的"拔三节"及"别把"、"串吹"等，吹奏与形体动作表演有机地结合，演

奏风格粗犷有力，活泼风趣，热烈诙谐，具有浓郁的乡土气息。

抚宁鼓吹乐主要用于婚丧嫁娶、年节喜庆和民间舞蹈的伴奏，历来深受群众欢迎。它以家传、干亲拜把子和拜师收徒三种方式传承，历代人才云集，名家辈出，许多乐手都有“少年学艺家乡中，成年卖艺下关东，晚年传艺回故里，关内关外传美名”的从艺经历。

抚宁鼓吹乐内容丰富，具有鲜明的地域文化特色及重要的历史和艺术价值。近些年来，由于多方面的原因，永年鼓吹乐和抚宁鼓吹乐均处于日益萎缩、后继乏人的濒危状态中，亟待抢救和保护。

87 晋南威风锣鼓

◎ 申报地区或单位：山西省临汾市

临汾市古为尧都，世称平阳，是中华民族五千年灿烂文化的发祥地之一。威风锣鼓作为民间锣鼓艺术的一个品类，在临汾市不仅有长远的历史渊源，更有广泛的群众基础。

威风锣鼓最早的名称为“锣鼓”，俗称“家伙”，主要分布在临汾市区及霍州、洪洞、浮山等县。在漫长的发展过程中，威风锣鼓汲取不同时代的艺术精华，使自身渐趋完美。

威风锣鼓的表演形式主要有两种，一种是挎鼓表演，平阳大多地方都由鼓手挎一面圆形大鼓敲打表演；另一种表演形式是架子鼓，这种形式主要盛行于浮山县，表演时队形变化较少，行进中边走边打。由于传承的变化和地域的差异，威风锣鼓形成了河东、河西两个流派，常见曲目有《七牌子》、《牛腰子》、《乱如麻》、《风搅雪》、《银扭丝》、《倒垂帘》等。

威风锣鼓是由锣、鼓、铙、镲四种乐器共同演奏的一种打击乐艺术形式，它内容丰富，形式多样，融音乐、舞蹈、技艺于一体。威风锣鼓表演者强悍矫健的身姿、粗犷豪放的性格、朝气蓬勃的气势，处处体现了生活在黄土高原上的北方汉子豪爽奔放的性格，在民俗学、历史学、社会学、美学的研究中，威风锣鼓都显示出重要的价值。

88 绛州鼓乐

◎ 申报地区或单位：山西省新绛县

绛州鼓乐产生于历史文化名城新绛县。新绛位于山西西南，运城北部，吕梁山南端，为晋、陕、豫三省区交汇之地，历来在政治、文化、经济方面居于重要地位。据传绛州鼓乐源于先秦，盛于明清。据直隶《绛州志》载："岁时社稷，夏冬雨季，又乡镇多香火，扮社鼓演剧。"《新绛县志》也曰："每逢赛社之期，必演剧数日，扮演各种故事，如锣鼓等等。"绛州鼓乐素有"地动山摇"、"闻声十里"之誉。

花敲鼓在绛州鼓乐中最具代表性。它所使用的乐器是多面形制不同的鼓。现有十几种敲奏

技法，即击鼓边、敲鼓边、磨鼓钉、蹭鼓面、打鼓帮、抽鼓皮、磕鼓环、碰鼓架、单槌滚、双槌擂、槌相搓、槌相击、槌相打、槌相挑。这些技法构成绛州鼓乐独特的地方色彩，这种地方色彩与其独特的艺术风格紧密相连。民间将绛州鼓乐分三路，各路都有常用曲目，南路有《叽呱啦》、《啦呱叽》、《扎咚呱》等，中路有《钉缸》、《麻雀踩蛋》等，北路有《牛斗虎》、《凤凰单展翅》、《狮子撩绣球》等。

绛州鼓乐历史悠久，深受当地人民喜爱，具有一定的社会历史价值和艺术价值。

89 上党八音会

◎ 申报地区或单位：山西省晋城市

上党八音会在山西省东南部晋城市6县（市、区）广为流传。八音会是民间组织的音乐班子，主要使用鼓、锣、钹、笙、箫、笛、管等八种乐器，故名八音会。

上党八音会主要演出场地是古庙会、节日庆典、街头舞台坐场吹打、婚丧嫁娶演出等。八音会的吹打乐器主要为吹奏类的唢呐、笙、口噙子、哑腔；拉弹类的高音呼胡、中音呼胡、老呼胡、板胡、二胡、扬琴、二弦等；打击类的老鼓、同鼓、扁鼓、手板、锣、梆子等。器乐套曲有《大十番》、《小十番》、《十样景》等31首。

上党八音会形成发展于元明之际，成熟兴盛于明末清初。1949年后，晋城所辖境内八音会组织较为普及，特别兴盛。“文革”时期，八音会演奏活动被禁绝，几乎衰亡。1980年后，八音会又复苏兴旺了起来。近年来，上党八音会曾应国家文化部邀请进京在中南海和人民大会堂演出。上党八音会还在山西省国际锣鼓节和全国“群星奖”比赛中获金奖。

目前，以民间组织为主的上党八音会，艺人老化，传承乏人，不少有艺术价值的东西正日渐流失，急需抢救、保护、发扬、光大。

90 冀中笙管乐

（屈家营音乐会、高洛音乐会、高桥音乐会、胜芳音乐会）

冀中笙管乐流传于冀中平原，即北京以南，天津以西，沧州、定州一线以北近三十个县市的鼓吹乐品种，民间俗称“音乐会”。因主要用管子领奏，笙等和奏，故又称“笙管乐”。除笙、管类乐器外，另有云锣、笛及击奏类乐器鼓、铙、钹、铛铛等。乐曲分套曲、小曲及独立成套的打击乐三类。套曲篇幅长大、结构复杂，是“笙管乐”的主要组成部分。“笙管乐”遍布整个冀中平原。各地农民以村为单位，借乐结会，在本地祭祀、礼仪、丧葬等民俗活动中演奏传承。

冀中笙管乐・屈家营音乐会

◎ 申报地区或单位：河北省固安县

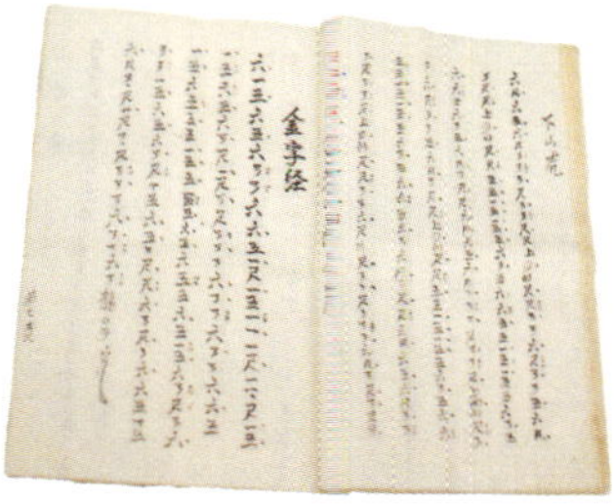

屈家营村在河北省廊坊市固安县，是华北平原一个历史久远、民风质朴的小乡村。

“屈家营音乐会”为民间笙管乐，相传源于元明之际的寺院佛教音乐，它既有北方音乐的古朴粗犷，又兼备南方音乐的婉转清幽，主要用于祭祀和丧礼仪式，有管、笛、笙、云锣等传统乐器，“工尺” 方式记谱，传承至今。屈家营音乐的乐队编制固定，24 名乐手演奏为“满棚”音乐，12 名乐手演奏为“半棚”音乐。现存《玉芙蓉》等十三支套曲、《金字经》等七支大板曲、《五圣佛》等二十多支小曲和一套打击乐。屈家营音乐会历史悠久，相传系以师旷为祖师。“音乐会”通过口传心授的方式传承，习学者须背会所有曲牌方可接触乐器。屈家营笙管乐曲目丰富，乐谱完整，乐手技艺精湛，在中国古代音乐及寺庙音乐与民间音乐交融衍变的研究上，有较高的参考价值。

冀中笙管乐·高洛音乐会

◎ 申报地区或单位：河北省涞水县

涞水县高洛村古名“高乐”，属保定市。高洛音乐会是村民自愿参加、义务排练、义务演出的民间器乐演奏花会，全名“高乐蓝旗音乐圣会”，也称“音乐大善会”。

“涞水高洛音乐”是一个传承很久的民间乐种。高洛音乐会有一条“不准增加新曲目，不准增加乐器种类，不准改变演奏方式，严格按老艺人传下来的规矩进行演奏（表演），不准走样”的会规，因此，尽管经过了很长的时间，高洛音乐会仍保留着“奏、打、舞、唱”的遗风。

1949 年前，涞水高洛音乐会主要是为易县后山后土黄帝庙的祭祀和民间丧葬仪式服务，同时也为求雨、迎喜神、祈福、祈祥、祈平安、净宅、消灾、除厄、求五谷丰登、求六畜兴旺等民俗活动服务。1949 年后，它主要用于民间的丧葬仪式及春节祭神仪式，节假日期间也自娱互娱演出。

涞水高洛音乐会以涞水、易县所在的“后土文化圈”为中心，呈辐射状向京南保北延伸，越是靠近中心，这种花会就越多。据中华人民共和国成立初期统计，当时涞水县有47个音乐会在活动，高洛村音乐会是其中的重要代表。

冀中笙管乐·高桥音乐会

◎ 申报地区或单位：河北省霸州市

“高桥村音乐”为僧传吹打乐，相传系由清康熙年间云游至此的正定大王庙乐僧广达和尚等传的佛乐演变而来，俗称“和尚经”。其演奏时由管子领奏，有3个和尚诵经，12个乐师演奏。

高桥村音乐会靠家族方式传承延续，自诞生之日起，即以尚姓人为主要乐师。尚家不仅世代精通“点笙”，且谙熟音律古韵，在很大程度上保证了高桥村音乐流传久远而不走形。

高桥村音乐属当地“北音乐”（又称“经”），有别于俗世民众自娱自乐的“南音乐”（俗称“会”）。北音乐乐器形制较小，音乐节奏较快，乐手着装也不同于“南音乐”。

高桥村音乐原有曲谱3册，现仅存1册，收录乐曲47首，现乐手仅能演奏其中的二十余首。其中《锦堂月》等数支曲子为高桥村音乐会所独有。

高桥村古乐较好地保存了近古民间吹打乐的原始风貌。同时，高桥村音乐中蕴含着当地民间音乐的成分，带上了地域文化的印记，对研究佛教音乐与地方民间音乐的交融互渗也有一定的参考价值。

冀中笙管乐·胜芳音乐会

◎ 申报地区或单位：河北省霸州市

胜芳镇地处廊坊市霸州以东35公里处。清乾隆时，该镇先后建起了十二道“音乐会”，其中以胜芳镇南音乐会最为著名。

胜芳镇南音乐会是寺院佛教音乐流传民间的产物，其传承方式为口传心授。胜芳镇南音乐会风格古朴，自创会以来，历经数百年而变异甚微。其演奏方式、演奏内容（曲牌）、使用乐器等都有严格定规，鲜有改动。

霸州胜芳镇音乐会现能演奏三十多支曲牌，最擅长大套曲【清吹】、【山坡羊】等。曲目中既有佛教乐曲，也有俗世风格的村调，雅俗兼具，深受民众喜爱。除参与当地丧事民俗活动外，镇南音乐会每年还要出庙会演奏三次，并主办胜芳“琉璃佛”（即冰灯大会）。胜芳元宵灯会期间，镇南音乐会是惟一可以参加“摆会”（众多民间花会出会时的程序之一）的乐社。

霸州胜芳镇南音乐会于清末开始兼收高腔、昆曲，成为镇内“两下锅”的最大音乐社团。新中国成立后昆曲逐渐淡出，但至今乐手们仍能吹奏昆腔。在当地众多音乐会中，幡旗、角灯、鼓架、茶挑等构成的宏大阵形，成为镇南音乐会的特色。

胜芳镇南音乐会的演出仪式、阵形及具有独特风格的相关器物都是佛教音乐在民间的真实遗存，也是认识研究古典佛教音乐及当地民俗民风的重要资料。

由于各种因素的影响，屈家营音乐会、高洛音乐会、高桥音乐会、胜芳音乐会正面临着传承的巨大困难，只有加大保护力度，才可能传承这一优秀民间文化遗产。

91 铜鼓十二调

◎ **申报地区或单位：贵州省镇宁布依族苗族自治县、贞丰县**

布依铜鼓是布依族古老的打击乐器之一，属于珍贵的民族文化遗产。它用青铜铸造而成，常与唢呐、皮鼓、大镲、铙钹、锣木棍混合敲击吹奏，基本保存着古代乐器的演奏风格，具有布依族的民族特色。据传铜鼓是布依族先祖古百越“骆越”一支所造。因此被布依族人视为传家宝和氏族、宗教团结的象征，敬若神灵，年年施祭，岁岁礼拜。

布依族铜鼓十二调源于古代，流传在扁担山、丁旗镇、大山乡、城关镇、六马乡、沙子乡、良田乡、募役乡布依族聚居区，并辐射到关岭自治县、六枝特区、普定县等周边布依族地区，形成了一个覆盖几县范围的布依族民间铜鼓文化圈。布依族铜鼓十二调由《喜鹊调》、《散花调》、《祭鼓调》、《祭祖调》、《三六九调》、《祭祀调》、《喜庆调》等组成，是在庆典、祭祖、祭祀等仪式中表达布依族特性的民族音乐。

贞丰县位于贵州省黔西南布依族自治州东部，这是一个多民族聚居的地区，其中布依族聚居的自然村寨有四百多个。贞丰布依族称铜鼓十二调为“铜鼓十二则”。布依族没有文字，“铜鼓十二则”以家族方式传承，一代一代通过口传心授沿袭下来。

作为民族文化和区域文化的一个重要组成部分，铜鼓始终与布依族的生活、文化样式联系在一起。中国历史上许多古乐器随着时代的变迁而消逝，但布依族地区的铜鼓音乐文化却传承下来，保留至今。铜鼓十二调是内容丰富的古代音乐作品和古代音乐信息的宝库。

现代经济、技术的发展和外来文化的冲击导致人们的审美方式迅速改变，自古流传的布依族铜鼓调现已少有人知，很难引起年轻人的兴趣，铜鼓调的传承已处于濒危状态，亟待抢救和保护。

92 西安鼓乐

◎ 申报地区或单位：陕西省

西安鼓乐是千百年来流传在西安（古长安）及周边地区的民间大型鼓乐。

在古长安及周边地区，尤其是秦岭北麓的众多寺庙和道观，这些庙、观的庙会活动和多家民间乐社是西安鼓乐得以生存的基础。

现存清乾隆二十八年（1763）西安鼓乐手抄谱珍藏本的谱字与宋代姜夔十七首自度曲所用的谱字基本相同，由此证明这一珍藏本历史久远，是明清以来已渐在全国失传的俗字乐谱。

西安鼓乐现存的一千一百余首曲目中包含了部分与唐代大曲、唐宋燕乐曲、教坊大曲等唐宋

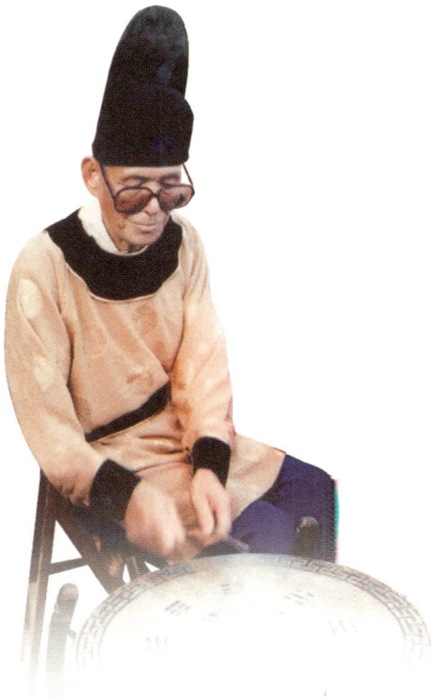

音乐同名的曲目，它甚与唐宋大曲相比的庞大结构形式和不容纳明清以来新生乐器的乐队配置，显示出某种原始性特征，反映了西安鼓乐严格继承唐宋音乐的状况。现在常用的曲目有《鼓段子》、《打扎子》、《引令》、《套词》、《南词》、《曲破》、《杂曲》等。

西安鼓乐是我国古代音乐的重要遗存，它特有的复杂曲式和丰富的特性乐汇、旋法及乐器配置形式成为破解中国古代音乐艺术谜团的珍贵佐证。它大量的传谱曲目丰富了中华音乐文化宝库，将为我国民族音乐文化的进一步发展发挥重要作用。

由于现代强势文化的侵蚀，原西安鼓乐赖以生存的民间人文环境如民间庙会等正在逐步消亡，其生存土壤正在消失，加之老艺人相继谢世，后继乏人，西安鼓乐濒临灭绝，亟待抢救和保护。

93 蓝田普化水会音乐

◎ 申报地区或单位：陕西省蓝田县

蓝田普化水会音乐是千余年来流传在陕西省蓝田县普化镇一带专门用于佛事、善事、祭祀的民间吹打音乐。蓝田县位于关中平原东南部秦岭北麓，是古长安南通荆楚巴蜀的门户。据史料记载，可容纳千名僧侣的蓝田悟真寺水陆殿在唐代已是官方和民间举办大型佛事的重要地点。在水陆道场等大型佛事活动中，吹鼓乐助兴营造气氛，蓝田普化水会音乐这一形式由僧人和民间乐手传承至今。

蓝田普化水会音乐分为行乐和坐乐两类，因演奏所涉事由严肃、庄重，故从不用于喜庆婚俗场合。水会音乐质朴、清越、雅致、细腻，与激越、粗放的秦腔形成鲜明对照。常见曲目有《清江颂》、《小曲子》、《三联子》、《八板》、《宫调》、《老钉缸》等。

蓝田水会音乐手抄传谱原有八十多种曲牌，其记谱法为唐代燕乐半字谱，这也是它历史久远的实证。

蓝田水会音乐从乐队乐器构成、曲目、记谱法等方面显示了很高的历史价值和学术研究价值；抢救传承这一民间特有音乐形式，对于丰富群众文化生活、构建和谐社会、促进社会发展有重要价值。

蓝田普化水会音乐在20世纪六七十年代遭受重创后，多年来一直处于濒危状态，乐谱所剩无几，乐器亦大量丢失损毁，老艺人已相继谢世，抢救传承工作刻不容缓。

94 回族民间器乐

◎ 申报地区或单位：宁夏回族自治区

宁夏回族在长期的生活实践和文化活动中，传承了宁夏古代乐器和西北边塞乐器及其音乐，并将之逐步发展为独具特色的回族民间乐器。20 世纪，我国文史学家考证出宁夏哇呜、咪咪、口弦分别是汉唐以来在宁夏流传的古乐器埙、羌笛、芦管、簧的流变和遗存。唐太宗李世民《饮马长城窟行》中“胡尘清玉塞，羌笛韵金钲”及“不知何人吹芦管，一夜征人尽望乡”的诗句，均是当时亲临古代宁夏灵州后对当地流行器乐的真实记述。由于历史的变迁，这些乐器在我国汉族和其他少数民族中已十分少见，但是直至 20 世纪却还在宁夏回族群众中流行。

宁夏回族乐器已经形成了独特的演奏技艺、制作工艺和弹唱艺术。回族乐器“把式”（高手）可以用交叉颤指在高音哇呜上吹出其他乐器难以出现的华彩。回族艺人制作的回族乐器似牛头、似小羊，其上装饰着回族的艺术图案、线条，雕刻着阿拉伯文书法等，具有鲜明的回族

文化特征。由于它们音色优美、易于演奏、便于携带，故在宁夏回族中世代相传。有些回族乡村无论是年轻姑娘还是白发老人，人手一把小口弦，而回族尕娃、青年则是吹咪咪、哇呜的好手，回乡谚语“哇呜唱，庄稼长；咪咪吹，牛羊壮”正是回乡风俗的写照。目前，头戴盖头、手弹口弦的回族妇女已被公认为宁夏回族的形象大使。

近几十年来，由于受人们生活方式改变等因素的影响，宁夏回族器乐生存的社会土壤正在迅速消失，器乐传承遇到了危机。老一辈艺人纷纷改行，许多年轻人已不知口弦、咪咪、哇呜为何物。为了对宁夏回族民间器乐进行有效保护，应尽快建立保护机制和相应体系，加强宣传，争取全社会更广泛的关注。

95 文水鉟子

◎ 申报地区或单位：山西省文水县

文水鉟子是流传在文水县境内的一个独特的民间乐种，因其源于并主要流布于岳村一带，故又称岳村鉟子。文水县岳村位于吕梁山下的古官道旁，太原盆地西缘。当地人之所以将这种民间乐种称为“鉟子”，有两种解释：一是因其独特的演奏乐器小钹当地人称为“鉟子”；二是因击打小钹所发出的声音“鉟”而得名。“岳村鉟子”源于祈雨，与当地民众的生产方式、生活习俗紧密相关。

口述材料显示，岳村鈲子原作为当地祈雨仪式音乐流传。由于祈雨仪式在当地民众生产、生活中的独特地位，“鈲子”音乐一方面随着祈雨文化代代传承，并被当地百姓作为祭祀音乐，而保持其作为仪式音乐的庄严性；另一方面逐渐与民众的生活习俗结合，成为迎神赛社和日常迎宾的仪仗音乐。

鈲子音乐使用的乐器有小钹、大钹、大铙、大鼓（雷公鼓），因其乐器的不同组合、独特的敲击方法和演奏姿势等呈现出独特的音响效果。经挖掘整理，“鈲子”音乐现有《雷公闪电》、《乌云翻滚》、《普降甘霖》、《喜庆丰收》等曲目。当地人以“阵”指称鈲子音乐演奏时的队形变化，有“双龙出水”、“二龙戏珠”等流动队形和“方阵”、“菱形阵”等固定阵形，与祈雨内容极为契合。

中华人民共和国成立后，岳村鈲子被广泛运用，同时被赋予了新的内涵，成为了当地受人们喜爱的民间艺术形式，影响逐渐从岳村扩大到了整个文水县，成了“文水鈲子”。经过多年的恢复整理，文水鈲子音乐多次参加全国性的比赛，屡获殊荣，被誉为“三晋锣鼓中的一绝”，成了文水县传统艺术的名牌。

文水鈲子具有浓郁的黄土风情，其风格豪放雄浑，粗犷奔放，古朴厚重，是我国古代劳动人民祭祀祈雨文化的缩影，传承着华夏农耕文化的精髓。

96 智化寺京音乐

◎ 申报地区或单位：北京市

北京智化寺始建于明代正统九年（1444），初为明英宗时期司礼太监王振“舍宅为寺”所建的寺院，1961年被国务院列入首批全国重点文物保护单位。智化寺京音乐至今已传承五百六十多年，被誉为中国古代音乐的“活化石”。

智化寺京音乐具有鲜明的艺术特征：音乐风格庄重、古朴、典雅，曲体结构庞大、规范，演奏技法丰富，曲目蕴藏巨大。它在传承方面具有很高的要求，不随意增删变易，注重保护继承。智化寺京音乐忠实地保存了中国传统音乐的基本风貌，为研究中国传统文化的内涵与变迁提供了典型的生动实例。从现有资料看，大部分学者认为京音乐与唐宋古乐有关。它在曲目、乐器、宫调、演奏方法等许多方面保存了宋、明旧制。传统曲目有《喜秋风》、《拿天鹅》、《清江引》、《梅花引》、《小华严》、《醉翁子》等。从20世纪50年代起，我国多位著名音乐家对智化寺京音乐进行研究，取得了丰硕的成果。

智化寺京音乐从20世纪80年代起即得到政府、音乐界人士和佛教界人士的发掘抢救，但至今仍有不少问题难以解决。智化寺26代老艺僧大都过世，目前健在的本兴、福广又都年事已高，27代传人在技术上亟待提高。当前社会的巨大变化使智化寺京音乐的发展举步维艰。近两年，在多方努力下，及时录制了现存的45首乐曲。但是，智化寺京音乐传人在数目上还十分缺乏，乐队不能达到原有的规模，音色和内容上层次单一，远不能表现原有古乐的风采。

智化寺京音乐仍然面临失传的危险，亟待进一步抢救和保护。

97 五台山佛乐

◎ 申报地区或单位：山西省五台县

五台山位于山西省东北部，属太行山支系，因有顶似平台的五座山峰而得名，是全国惟一兼有汉传佛教（称“青庙”）和藏传佛教（称“黄庙”）的佛教圣地。五台山佛教音乐包括声乐和器乐两部分。“声乐”是在法事仪式中对各种经文的演唱，主要有“和念”、“念调”、“吟诵”和“直数”四种形式。“器乐”是由若干件乐器和法器组成乐队，为经文诵咏中的部分曲调进行伴奏或单独进行器乐演奏。器乐演奏的乐曲称为“小曲”。

五台山佛教音乐的谱系是“工尺谱”，以师父带徒弟的口传心授方式传承。五台山僧人在点笙（调音）方面有独特的技术手段和调音法。

五台山佛教音乐在近两千年的发展过程中，不仅始终沿用随佛教进入中国的“歌赞”、“转读”、“唱导”等形式，而且还保存有唐宋以来各时期流行的歌曲和乐曲。其中常见的早课曲目

有《楞严咒》、《大悲咒》、《十小咒》等，晚课曲目有《弥陀经》、《忏悔文》、《蒙山文》等。

五台山佛教音乐是音乐艺术与宗教相结合的产物，是社会发展中的一种特殊文化现象，也是五台山佛教文化的重要组成部分。它被认为是北方佛教音乐的代表，除五台山所属地域外，在整个北方及全国都有较大的影响。

98 千山寺庙音乐

◎ 申报地区或单位：辽宁省鞍山市

千山的佛教音乐分诵经和器乐两个部分。器乐曲主要是笙管乐，其曲牌多与辽南民间流传的笙管曲相同，传统的诵经音调属于北方韵，历史悠久，目前尚不知其起始年代。北方韵是曲牌体音乐，其中多为唐宋时期流行的曲牌，如【望江南】、【挂金锁】等。千山佛教北方韵原不是千山独有，但是由于它地处东北，所以在流传的过程中自然受到东北民间音乐的影响，形成独特的音乐个性。

大约在20世纪20年代，一些僧人到营口、长春、哈尔滨建寺，同时把南方韵带到东北，此后，南方韵在寺庙中广泛流传，久而久之，东北各寺院能诵唱传统北方韵的僧人越来越少。北方韵从曲调上可分为赞子和散韵两类，其中散韵部分已基本搜集完备，惟有赞子搜集甚少，估计不下80个，但目前仅搜集了30个左右，如《斗宝 · 天下司》、《挂金锁》、《五方界》等。

千山佛教笙管乐目前仅有几个居士尚能演奏，曲目大部分失传，保留至今的不过20首，如《雪凤鸣》、《天尊韵》、《三皈依》等。

千山道教采用的是东北新韵，除千山道观外，东北各道观使用的都是东北新韵。东北新韵目前保存基本完整，但有一些长的韵调由于使用得比较少，多数道士已不会了，其中一些韵调如今完全无人会念。

99 苏州玄妙观道教音乐

◎ **申报地区或单位：江苏省苏州市**

以玄妙观道教音乐为代表的苏州道教音乐属于正一派道乐，历史可追溯至西晋，它继承了古代音乐的传统，吸取了庙堂音乐等成分，还受到堂名音乐、江南丝竹、昆曲、吴歌等吴地音乐艺术形式的影响，形成了独树一帜的风格，深受群众欢迎，活动十分繁盛。明末清初施亮生真人辑成的《斋天》等书和嘉庆年间道士曹希圣重订的《钧天妙乐》至今仍是玄妙观道教音乐的规范。苏州曾涌现了不少著名乐师，他们或精于音律、善于编曲，或乐器演奏技艺精湛，或在经韵吟唱方面造诣深厚，在道乐界具有很大影响。清末民初，苏州道教趋于衰落，玄妙观的一些宫宇开始出租，部分道士改行谋生，但道教音乐在民众中的影响仍相当广泛和深入。

苏州道教音乐包括器乐和声乐两大部分。器乐主要有笛曲、鼓段和由两者连缀而成的套曲，演奏方式有"坐奏"、"行乐"等。声乐为道教的经韵，有旋律的为"韵腔"，包括"赞"、"颂"、"偈"、"诰"、"咒"、"符"等诸种形式。

苏州道教音乐历史悠久，具有很高的历史价值。它结构完整、对比强烈、表现力丰富，具有很高的艺术价值，对社会生活产生了广泛影响。近年来，随着改革开放和对外文化交流的增多，苏州玄妙观音乐曾多次出国演出，获得好评。

100 武当山宫观道乐

◎ 申报地区或单位：湖北省十堰市

武当山宫观道乐是我国民族音乐的瑰宝。它在大多数情况下是歌、舞、乐一体的表演形式，依体裁形式可分为“韵腔”和“牌子”两大类。根据演奏场合、对象和目的的不同，又可将“韵腔”分为“阳调”、“阴调”两类；“牌子”分为“正曲”、“耍曲”、“法器牌子”三类。常见器乐曲牌有【山坡羊】、【梧桐月】、【迎仙客】等，唱诵曲牌有【普供养】、【斗老赞】、【三母赞】等。

唐代贞观年间，武当山始建五龙祠，自此以后，道教的正一、全真等教派先后来此山开宗布道，历代高道名师也相继在此隐居修炼，长期的宗教活动留下了极为丰富的音乐资料。武当

山宫观道乐既保留了全真派“十方韵”的音乐特色，又具有多教派音乐混融的风韵，而且各类韵腔与法器牌子俱全，是道乐中不可多得的重要文化遗产。目前，武当山宫观中的“玄门日诵早晚课”、“祖师表”、“萨祖铁罐施食祭炼科范”等（全套）科仪音乐均得到及时传承，妥善而完整地保存了下来。武当山宫观道乐古老纯真的曲调是其他任何音乐所不可替代的，它极大地拓宽了民族音乐学科，为我国民族音乐的发展留下了深刻的启示。

101 新疆维吾尔木卡姆艺术

(十二木卡姆、吐鲁番木卡姆、哈密木卡姆、刀郎木卡姆)

新疆维吾尔木卡姆艺术是一种集歌、舞、乐于一体的大型综合艺术形式，主要分布于南疆、北疆、东疆各维吾尔族聚居区，在乌鲁木齐等大、中、小城镇中广为流传。

维吾尔木卡姆艺术肇始于民间文化，发展于各绿洲城邦国宫廷及都府官邸，经过整合发展，形成了多样性、综合性、完整性、即兴性、大众性的艺术风格，并成为维吾尔族[illegible]杰出表现形式。

新疆维吾尔木卡姆艺术唱词包括哲人箴言、先知告诫、乡村俚语、民间故事等，其中既有民间歌谣，又有文人诗作，是维吾尔族人民心智的生动表现。维吾尔木卡姆艺术的音乐形态丰富多样，有多种音律，繁复的调式，节拍、节奏和组合形式多样的伴奏乐器，显示出鲜明的民族特色和强烈的感染力。

新疆维吾尔木卡姆艺术在其文化空间的发展历程中形成了最具代表性的十二木卡姆、吐鲁番木卡姆、哈密木卡姆、刀郎木卡姆流派。

新疆维吾尔木卡姆艺术·十二木卡姆

◎ 申报地区或单位：新疆维吾尔自治区

十二木卡姆由十二套大型乐曲组成，其中的每一套包括“穹乃额曼”（意为“大曲”，系列叙咏歌、器乐曲、歌舞曲）、“达斯坦”（系列叙事歌、器乐曲）和“麦西热甫”（系列歌舞曲）三大部分。每套含乐曲20至30首，12套共近三百首，完整地演唱需要二十多个小时。喀什、和田、阿克苏和伊犁等地流传的“十二木卡姆”虽然同源，但在结构模式、旋律风格、乐器使用等方面却又各具特色。十二木卡姆是维吾尔民众最喜爱的艺术形式，在各种公众或家庭聚会中演唱和舞蹈。

由于维吾尔族相对独立的绿洲生活环境逐渐改变，人们生产方式和生活习俗也随之变化，十二木卡姆艺术因此出现传承的危机。

新疆维吾尔木卡姆艺术·吐鲁番木卡姆

◎ 申报地区或单位：新疆维吾尔自治区鄯善县

吐鲁番木卡姆是新疆维吾尔木卡姆艺术的重要组成部分，主要流传于吐鲁番地区鄯善县鲁克沁镇及周边吐鲁番市和托克逊县。吐鲁番木卡姆有“拉克木卡姆”、“且比亚特木卡姆”等11部，完整演奏一次约需10个小时。每套木卡姆由“木凯迪满”、“且克特”、“巴西且克特”、“亚郎且克特”、“朱拉”、“赛乃姆”、“尾声”等8部分组成。除有伴奏以外，还有用鼓吹乐表演的形式。吐鲁番木卡姆无鼓不歌、无舞不乐的艺术特色是古代高昌及高昌回鹘汗国的音乐遗风。作为东西方乐舞文化交流的结晶，吐鲁番木卡姆记录和印证了不同乐舞文化之间相互传播、撞击、交融的历史。在吐鲁番木卡姆中既能见到我国中原音乐与漠北草原音乐的因素，也能见到中亚、南亚、西亚、北非等国家、地区音乐的影响。它的特殊音乐节奏、节拍及律制是维吾尔音乐理论体系形成的重要基础。吐鲁番木卡姆的唱词多为民间歌谣，也有中世纪文人墨客的诗作，它汇集了吐鲁番维吾尔民间口头文学和察合台历史时期古典诗歌的精华，成为研究古代高昌人和周边族群及现代维吾尔民族的生活哲学、伦理道德、民俗民风、文学艺术等诸种文化表现不可多得的活态资料。

由于吐鲁番木卡姆中的部分歌词和诗作采用古代察合台语，当代听众鲜解其意，因此它的传承面临困境。

新疆维吾尔木卡姆艺术·哈密木卡姆

◎ 申报地区或单位：新疆维吾尔自治区哈密地区

哈密木卡姆是流传在新疆东部哈密地区的一种历史悠久、篇幅宏大、结构完整的大型维吾尔音乐套曲，共有“琼都尔木卡姆”、“乌鲁克都尔木卡姆”等12套，其中7套包括两个乐章（即两套曲目），共有255首曲目、数千行歌词。哈密木卡姆在其形成和发展过程中，在西域“伊州乐”的基础上，不同程度地吸收了来自中原、中亚及西亚的音乐艺术营养，在歌词、风格、结构等方面体现了文化多元性的特点。哈密木卡姆在历史上经过了从民间到王宫最后又回到民间的流传整合过程，经由民间艺人的不断演唱和整理规范，形成了结构完整的套曲形态。每套木卡姆均由散板的序唱和4/4、7/8、5/8节奏的多首歌曲及2/4节奏的多首歌舞曲的结构序列组成，体现了典型的完整性特征。哈密木卡姆的命名方式保持了维吾尔族的传统，每套木卡姆的名称一直到现在都保留着维吾尔族的名称，如“乌鲁克都尔木卡姆”、“嗨嗨哟兰木卡姆”、“加尼凯姆木卡姆”等，在新疆各地木卡姆中显得十分独特。

受现代化进程的影响，当代维吾尔族人民的审美情趣不断发生变化，尤其是年轻一代对哈密木卡姆的文化价值知之甚少，因此必须采取各种有效措施对其进行保护和传承。

新疆维吾尔木卡姆艺术·刀郎木卡姆

◎ 申报地区或单位：新疆维吾尔自治区麦盖提县

刀郎木卡姆主要分布在塔里木盆地西北部以叶尔羌河至塔里木河流域为中心的刀郎地区，尤以麦盖提县为盛。刀郎木卡姆据说原有12套，现在能收集到9套，其中包括“巴希巴雅宛木卡姆”、“孜尔巴雅宛木卡姆”、“区尔巴雅宛木卡姆”等。每套刀郎木卡姆都由“木凯迪满”、“且克脱曼”、“赛乃姆”、“赛勒凯斯”、“色利尔玛”五部分组成，为前缀有散板序唱的不同节拍、节奏的歌舞套曲。每部刀郎木卡姆的长度约为6到9分钟，9套总长度约一个半小时。刀郎木卡姆的唱词全都是在刀郎地区广为流传的维吾尔民谣，充分表达了刀郎维吾尔人的喜、怒、哀、乐，同时反映出维吾尔族社会生活的各个方面，内容丰富多彩，曲调高亢粗犷，感情纯朴真挚。

新疆麦盖提县维吾尔刀郎木卡姆是麦盖提县独具地方特色的民俗文化，与其他各地流传的刀郎木卡姆和新疆境内的各种维吾尔木卡姆有着千丝万缕的联系，同时又有相对独立的艺术特色，具备较高的艺术价值。

随着文化的传播、整合，人们对于传统文化的记忆越来越淡漠，刀郎木卡姆这种文化表现形式在维吾尔族人民的节日仪式和人生礼仪中的功能逐渐减弱，它的传承因此出现了危机。因此有关部门必须采取抢救和保护措施，使其有序传承。

102 南音

◎ 申报地区或单位：福建省泉州市、厦门市

南音也称“弦管”、“泉州南音”，是中国现存最古老的乐种之一。两汉、晋、唐、两宋等朝代中原移民把音乐文化带入以泉州为中心的闽南地区，并与当地民间音乐融合，形成了具有中原古乐遗韵的文化表现形式——南音。

泉州南音演奏演唱形式为右琵琶、三弦，左洞箫、二弦，执拍板者居中而歌，这与汉代“丝竹更相和，执节者歌”的相和歌表现形式一脉相承。其工尺谱记法自成体系，是古代音乐记写形制之遗存。横抱演奏的曲颈琵琶、十目九节的洞箫、二弦、三弦、击拍板等，也都因袭古乐

器遗制。南音曲目有器乐曲和声乐曲两千余首，蕴含了晋清商乐、唐大曲、法曲、燕乐和佛教音乐及宋元明以来的词曲音乐、戏曲音乐等内容。南音以标准泉州方言古语演唱，读音保留了中原古汉语音韵。演唱时讲究咬字吐词，归韵收音。南曲曲调优美，节奏徐缓，古朴幽雅，委婉深情。

泉州南音由“指套”、“大谱”和“散曲”三大部分（俗称“指”、“谱”、“曲”）构成完整的音乐体系。“指”即“指套”，亦称“套曲”，是一种有词、有谱、有指法（即琵琶弹奏指法），比较完整的套曲。每套套曲由2至7首散曲组成，以音乐的“管门”和“滚门”归类编成套，共50大套，主要有《自来》、《一纸相思》、《趁赏花灯》、《心肝拨碎》、《为君出》5套。“谱”是有标题的器乐套曲，附有琵琶弹法，是有标题的器乐套曲，没有曲词，以琵琶、洞箫及二弦、三弦为主奏乐器。每套包括三支至十多支曲牌，共16大套。内容多为描述四季景色、花鸟昆虫或骏马奔驰等情景，其中著名的有“四”（《四时景》）、“梅”（《梅花操》）、“走”（《八骏马》）、“归”（《百鸟归巢》）4套。“曲”即散曲，又称草曲，只唱不说。有谱、有词，一般由琵琶、洞箫、二弦、三弦四件主要乐器伴奏。内容大致可分为抒情、写景、叙事三类。曲词的内容，主要取材于唐传奇、话本和宋元及明代戏剧人物故事，其中《山险峻》、《出汉关》、《共君断约》

等曲目广为流传。

泉州南音有深厚的群众基础，作为陶冶情操、自娱自乐的文化表现形式，它与闽南人的生活密切相关，闽南人聚居之地几乎都有民间南音社团。除了在闽南地区的泉州、漳州、厦门和港、澳、台地区以外，泉州南音还传播到菲律宾、印尼、新加坡、马来西亚、泰国、缅甸、越南等国家，成为维系海外侨胞和台湾同胞乡情的精神纽带，对增进民族认同感也起到了积极作用。

103 泉州北管

◎ 申报地区或单位：福建省泉州市

泉州市泉港区地处美丽富饶的湄洲湾南岸，邻近港澳，面对台湾，是闽南语和莆仙语两语系的交汇地带。这里既有南音、芗剧、高甲戏、木偶戏，又有莆仙戏等民间艺术形式。泉州北管正是生长在这一特殊地理环境和艺术氛围中的一朵民间音乐奇葩。

“北管”又名“北曲”、“小曲”、“小调”、“曲仔”，是广泛流传于泉州市泉港区的一种丝竹音乐，台湾、新加坡、马来西亚等地也都有北管社团。清光绪初年，江淮一带的民间音乐随着海上运输船只、南下盐兵、淮河难民等进入泉州市泉港区，逐渐形成泉州北管音乐。泉州北管经历了萌芽发展期（19 世纪 70 年代后期至 20 世纪 20 年代）、鼎盛期（20 世纪 20 年代后期至 50 年代初期）、低潮期（20 世纪 50 年代后期至 1976 年）、恢复期（1977 年至 1994 年）和革新发展期（1995 年至今）五个阶段，一直传承至今。

北管分为曲和谱两大类，曲即声乐曲，谱即器乐曲。曲大多数来源于明清以来的江淮小调，谱大多数来源于广东音乐、江南丝竹和京剧曲牌。歌词以叙事抒情、写景抒情居多，在乐句、乐段、乐曲结束处常使用衬词“哎哟”，演唱采用官话（湖广话，相当于现代的普通话），在曲的前奏部分和乐句、乐段结束处演唱者常是边唱边执打击乐器伴奏，给曲子增添了很多生气。演

唱中常出现提高八度的状况，同时还借鉴莆仙音乐、南音的一些演唱方法，使歌声高亢有力、悠扬柔美。谱演奏时一般不用锣鼓，只用板或木鱼鼓打强拍。以多首曲牌联缀的形式较为常见，也有以板式变化手法构成的曲式。乐队沿用江南丝竹乐器，参用闽南、莆仙音乐的乐器，主奏乐器为京胡、笛子，另有月琴、三弦、双清等特色乐器。泉州北管代表性曲牌有曲【四大景】、【采莲】、【采桑】、【玉美人】、【红绣鞋】、【出汉关】、【打花鼓】等，谱【六串】、【草琴】、【广东串】、【苏州串】、【花六板】、【三板】、【将军令】、【太平歌】、【平板】、【行板】、【八板头】、【大八板】、【江南大八板】等。

泉州北管的音乐风格既保留江淮一带民歌的明朗幽雅，又加入闽南、莆仙音乐的柔婉秀丽，具有遒劲、朴实的个性，素有“天子传音”的誉称。做好泉州北管的挖掘整理工作对于研究台湾北管、日本御座乐与泉州北管的渊源关系，中日、闽台和泉港与广东、江苏、浙江的文化交流、经济贸易以及福建民间音乐闽南色彩区和莆仙色彩区的过渡等问题具有重要作用。

4 京西太平鼓　105 秧歌（昌黎地秧歌、鼓子秧歌、胶州秧歌、海阳大秧歌、陕北秧歌、抚顺地秧歌）　106 井陉拉花　107 龙舞(铜梁龙舞、湛江人龙舞、汕尾滚地金
浦江板凳龙、长兴百叶龙、奉化布龙、泸州雨坛彩龙）　108 狮舞(徐水舞狮、天塔狮舞、黄沙狮子、广东醒狮）　109 花鼓灯(蚌埠花鼓灯、凤台花鼓灯、颍上花鼓灯)
傩舞(南丰跳傩、婺源傩舞、乐安傩舞）　111 英歌（普宁英歌、潮阳英歌）　112 高跷（高跷走兽、海城高跷、辽西高跷、苦水高高跷）　113 永新盾牌舞　114 翼城
鼓　115 泉州拍胸舞　116 安塞腰鼓　117 洛川蹩鼓　118 兰州太平鼓　119 余杭滚灯　120 土家族摆手舞　121 土家族撒叶儿嗬　122 弦子舞（芒康弦子舞、巴塘弦
舞）　123 锅庄舞 （迪庆锅庄舞、昌都锅庄舞、玉树亘舞）　124 热巴舞（丁青热巴、那曲比如丁嘎热巴）　125 日喀则扎什伦布寺羌姆　126 苗族芦笙舞（锦鸡舞、鼓龙
虎—长衫龙、滚山珠）　127 朝鲜族农乐舞（象帽舞、乞粒舞）　128 木鼓舞（反排苗族木鼓舞、沧源佤族木鼓舞）　129 铜鼓舞（文山壮族、彝族铜鼓舞）　130 傣族孔
舞　131 达斡尔族鲁日格勒舞　132 蒙古　族安代舞
湘西苗族鼓舞　134 湘西土家族毛古斯　舞　135 黎
打柴舞　136 卡斯达温舞　137 㑇舞　138 傈僳
阿尺木刮　139 彝族葫芦笙舞　140 彝　族烟盒舞
基诺大鼓舞　142 山南昌果卓舞　143 土族於菟　144 塔吉克族鹰舞

民间舞蹈

104 京西太平鼓

◎申报地区或单位：北京市门头沟区

太平鼓是北京市门头沟区老百姓自娱自乐、集体传承、集体发展的民间舞蹈，具有广泛的群众基础和深厚的历史渊源，在当地的民俗活动中发挥着重要的作用。

太平鼓自明代起在北京流传，清初，京城内外太平鼓极为盛行。清末，太平鼓传入门头沟地区。历史上门头沟很多村落家家户户、男女老少几乎都会击打太平鼓，清代宫廷中旧历除夕也要击打太平鼓，取其“太平”之意，所以北京也称太平鼓为“迎年鼓”。太平鼓在每年的腊月和正月最为活跃，在当地的岁时民俗活动中很吸引人，百姓们击打太平鼓更是对太平盛世国泰民安的期盼。打太平鼓不仅可以烘托节日气氛，在某种程度上也可以折射出北京地区的节庆习俗。

太平鼓具有一套完整的民间肢体语言，如：因过去妇女缠足形成的韵律特征“扭劲”、“颤劲”，男性舞者特有的“搧劲”、“艮劲”，以及你追我赶、男追女逐的情趣。在耍鼓、步伐、队形变化方面均体现出了中国传统审美理念，这些都具有鲜明的地方色彩。作为这一舞蹈品种的标志性舞具——太平鼓，从制作工艺到与舞蹈动作的有机结合，已经超脱了作为乐器音响载体的单纯功能，而成为这一地区具有强烈地域文化象征的器物，是当地老百姓文化认同的标志。

太平鼓植根于民间、成长于民间、繁茂于民间，老百姓对太平鼓的喜爱、老艺人对太平鼓的执著使太平鼓得以延续，而民间太平鼓的发扬与创新将使民间艺人们的生命充满活力。

105 秧歌

（昌黎地秧歌、鼓子秧歌、胶州秧歌、海阳大秧歌、陕北秧歌、抚顺地秧歌）

秧歌是中国（主要在北方地区）广泛流传的一种极具群众性和代表性的民间舞蹈的总称，不同地区有不同称谓和风格样式。在民间，对秧歌的称谓分为两种：踩跷表演的称为“高跷秧歌”，不踩跷表演的称为“地秧歌”。近代所称的“秧歌”大多指“地秧歌”。秧歌历史悠久，南宋周密在《武林旧事》中介绍的民间舞队中就有“村田乐”的记载，清代吴锡麟的《新年杂咏抄》中明文记载了现存秧歌与宋代“村田乐”的源流关系。现各地的秧歌一般以秧歌舞队为主要形态，舞队人数少则十数人，多时达上百人，既有集体舞，也有双人舞、三人舞等多种表演形式，根据角色的需要手持相应的手绢、伞、棒、鼓、钱鞭等道具，在锣鼓、唢呐等吹打乐器的伴奏下尽情舞蹈。各地秧歌的舞法、动作和风格各不相同，有的威武雄浑，有的柔美俏丽，千姿百态，美不胜收。

秧歌是中国北方最具代表性的民间舞种之一，既有表演性的，也有自娱性的，自娱娱人，深受老百姓的喜爱。各地均出现过一些有代表性的民间秧歌艺人，很多民间艺人对新中国舞蹈事业的建设发挥过重要作用。在农村经济快速发展、文化环境随之发生变化的今天，能够掌握传统秧歌技艺和纯正舞蹈风格的民间艺人已寥若辰星，保护和传承工作亟待进行。

秧歌·昌黎地秧歌

◎ 申报地区或单位：河北省昌黎县

昌黎地秧歌是河北省最具代表性的民间舞种之一，分布在河北省昌黎、卢龙、抚宁、乐亭、滦县等地。它最早产生于元代，一直流传至今。

昌黎地秧歌从形式到内容都有鲜明的个性。它形式上分为排街秧歌和场子秧歌两种，内容上除“平秧歌”无固定情节外，大多是“秧歌出子”。昌黎地秧歌的行当分为“妞”、“丑”、“擓”、“公子”几种，表演各具特色。昌黎地秧歌产生之初，各行当均由男性扮演。在角色、结构、服饰上受蒙古族文化影响，现在地秧歌中“王”角所戴的“缨子帽”就是从蒙古族服饰发展而来的。昌黎地秧歌与当地的民间歌舞、小戏有密切联系，表

现形式活泼、内容丰富，呈现出角色化、行当化的艺术特征，能深刻地表现人物的性格和情感，丰富细腻地表达动作意图，这在民间舞蹈中显得十分突出。昌黎地秧歌中著名的秧歌小戏有《扑蝴蝶》、《锯缸》、《王二小赶脚》、《傻柱子接媳妇》、《跑驴》等。昌黎地秧歌的舞蹈强调身体各部位的相互配合，肩、胯、膝、腕扭动灵活，表现诙谐有趣。以著名民间艺人周国宝为代表的周派、张谦为代表的张派、卢文春为代表的卢派等几种地秧歌的风格流派各具魅力，家喻户晓。中华人民共和国成立后，昌黎地秧歌节目《跑驴》参加了世界青年联欢节，获得银奖。1996年，昌黎县被文化部

命名为“中国民间艺术之乡”。

昌黎地秧歌是一种体现农民生活情趣且舞蹈风格鲜明的独特的秧歌形式，它反映了农业社会、农村生活的部分特征和农民乐观诙谐的精神风貌。但由于社会经济的迅速发展、艺人高龄化等原因，昌黎地秧歌的传承面临着严峻形势，亟待抢救和保护。

秧歌·鼓子秧歌

◎ 申报地区或单位：山东省商河县

鼓子秧歌分布在今山东鲁北平原的商河地区，是山东三大秧歌之一。鼓子秧歌源于北宋，成于明，盛于清。据当地著名老艺人说，北宋年间，商河一带连年受灾，包公从河南到此放粮，赈济灾民，并由他的属下把鼓子秧歌传授给当地百姓。后来每逢新春佳节人们就跑起秧歌，以示对包公的感激之情，流传至今，相沿成俗。

鼓子秧歌在商河民间上至老者下至少儿都爱学会跳。全县21个乡镇八百多个村都能组织秧歌队。秧歌队伍中有伞头、鼓子、棒槌、腊花、丑角五种角色，表演风格迥异，韵味独特。现存鼓子秧歌主要分为“行程”和“跑场”两部分，“行程”是舞队在行进或进入场地前的舞蹈；“跑场”是表演的主体，又分不同角色表演的“文场”和“武场”。鼓子秧歌表演所跑的场子队形极为丰富，有“牛鼻钳”、“勾心梅”、“一街二门”、“六六大顺”、“里四外八”、“八条街”、“四门斗”等百余种。“伞头”动作圆润，“鼓子”动作粗犷豪放，“棒槌”动作轻巧敏捷，“腊花”动作泼辣大方，而颠颤、划圆、蹲扑、跳蹿等动作为各角色所共有。

鼓子秧歌舞者众多，组织严密，形式完整，舞技健美，气势磅礴，蕴藏深厚的历史文化内涵，富有浓郁的时代气息和鲜明的地方特色。新中国成立后，鼓子秧歌多次参加全国民间艺术大赛，屡获大奖。1996 年，商河县被文化部授予“中国民间艺术之乡”称号。鼓子秧歌的继承与发展，丰富了群众文化生活，传承了中华民族的优秀文化，具有较高的审美价值和研究价值。

秧歌·胶州秧歌

◎ 申报地区或单位：山东省胶州市

胶州秧歌是山东三大秧歌之一，又称“地秧歌”、“耍秧歌”、“跷秧歌”、“扭断腰”、“三道弯”等，流行于山东省胶州市东小屯村一带。胶州秧歌起源于清咸丰年间。据清代宋观炜所作《秧歌词》的描述推测，当时的胶州秧歌舞蹈动作、行当名称、服装道具等与现在基本相同。

胶州秧歌有膏药客、翠花、扇女、小嫚、棒槌、鼓子等角色，基本动作主要有“翠花扭三步”、“撇扇”、“小扭”、“棒花”、“丑鼓八态”等，表演程序有“开场白”、“跑场”、“小戏”三部分，跑场队形有“十字梅”、“四门斗”、“两扇门”、“正反挖心”、“大摆队”、“绳子头”等，还有《送闺女》、《三贤》、《小姑贤》、《双推磨》等小戏。胶州秧歌中，女性舞蹈动作抬重踩轻腰身飘，行走如同风摆柳，富有韧性和曲线美，“扭断腰”、“三道弯”为其代表动作；“棒槌”的动作轻脆洒脱；“鼓子”的动作有“丑鼓八态”，韵味奇特。其音乐由打击乐、唢呐牌子、民间

小调三大部分组成。小戏秧歌原有72个剧目，现已发展至135个。胶州全市现有秧歌队一百多支。中华人民共和国成立后，有关人员曾先后7次对胶州秧歌进行挖掘整理，现已将其编列为汉民族舞蹈的教材之一。1996年，小屯村被文化部授予“中国民间艺术之乡”的称号。

胶州秧歌萌生于乡土，活跃于民间，在发展中自行流变，是群众自发参与、自由

宣泄、自娱自乐的广场民间艺术，展现了胶东农村女性特有的健美体态和情性魅力，具有较高的审美价值和艺术研究价值。

秧歌·海阳大秧歌

◎ 申报地区或单位：山东省海阳市

海阳大秧歌是山东三大秧歌之一，系民间社火中的舞蹈部分，流行于山东半岛南翼、黄海之滨的海阳市一带。

海阳大秧歌是一种集歌、舞、戏于一体的民间艺术形式，它遍布海阳的十余处乡镇，并辐射至周边地区。据海阳赵家庄《赵氏谱书》记载："二世祖（赵）通，世袭（大嵩卫）指挥、镇抚，诰封武略将军。洪熙元年，欣逢五世同堂，上赐'七叶衍祥'金额，悬匾谷旦，诸位指挥偕缙绅光临赐贺。乐舞生闻《韶》，率其创练之秧歌，舞唱于庭，其乐融融。"据此可知，海阳秧歌实创于明代。

海阳大秧歌表演内容丰富，队伍结构严谨，主要由三部分组成。出行时排在最前列的是执事部分，其次是乐队，随后是舞队。舞队有各类角色几十人，其中包括指挥者——药大夫，集体表演者——花鼓、小嫚、霸王鞭，双人表演者——货郎与翠花、箍漏与王大娘、丑婆与傻小子、老头与老婆、相公与媳妇等，排在最后的是秧歌剧人物或戏曲杂扮者。秧歌队常用阵式有"二龙吐须"、"八卦斗"、"龙摆尾"、"龙盘尾"、"二龙绞柱"、"三鱼争头"、"众星捧月"等。海阳秧歌舞蹈动作的突出特点是跑扭结合，舞者在奔跑中扭动，女性扭腰挽扇、上步抖肩，活泼

大方；男性颤步晃头、挥臂换肩，爽朗风趣。

海阳大秧歌是海阳人民集体智慧和创造精神的体现，在现实中，海阳秧歌鲜明地展现了海阳农村百姓的精神风貌和性格特征，是一方地域文化的重要组成部分，具有审美价值和历史价值，对于丰富群众的文化生活、构建和谐社会起到了重要的促进作用。海阳大秧歌现已被编到为汉民族舞蹈教材之一。1996 年，海阳市被文化部命名为“中国民间艺术之乡”。

秧歌·陕北秧歌

◎ 申报地区或单位：陕西省绥德县

陕北秧歌是流传于陕北高原的一种具有广泛群众性和代表性的传统舞蹈，又称“闹红火”、“闹秧歌”、“闹社火”、“闹阳歌”等。它主要分布在陕西榆林、延安、绥德、米脂等地，历史悠久，内容丰富，形式多样。其中绥德秧歌最具代表性。

绥德可谓陕北秧歌的中心，那里的农村至今仍保留传统的秧歌表演程式、礼俗和风格特色，其中既有古代乡人驱傩的“神会秧歌”、“二十八宿老秧歌”，也有1942年之后才兴起的新秧歌。秧歌表演者常有数十人，有的多达近百人，在伞头的率领下，踏着铿锵的锣鼓，和着嘹亮的唢呐，做出扭、摆、走、跳、转的动作尽情欢舞。沉浸在欢乐愉快的喜庆气氛中的陕北高原秧歌表演十分红火。秧歌吸收当地流传的水船、跑驴、高跷、狮子、踢场子等形式中的艺术元素，组成浩浩荡荡的秧歌队。传统的老秧歌、神会秧歌中保存着“起场”、“谒庙”、“敬神”等祭祀礼俗，表演中还有拜门（又称沿门子）、搭彩门、踩大场、转九曲等活动。一个秧歌队从数十人到上百人不等，表演中有“原地扭”、“走十字步”、“三步一跳”、“斜身步”、“抖肩步”等，陕北秧歌分为“大场”和“小场”两种，大场队形变化丰富，有“龙摆尾”、“卷白菜”、“十字梅花”、“二龙吐水”、“十二莲灯”等数百种排列法；小场表演包括“水船”、“跑驴”、“高跷”、“霸王鞭”等。也可根据动作风格和内容划分为“文场子”、“武场子”、“踢场子”、“丑场子”等；其中“踢场子”为表现男女爱情生活的双人舞，有较高难度的舞蹈动作，需展示“软腰”、“二起脚”、“三脚不落地”、“龙爪穿云”、“金鸡独立”、“金钩倒挂”等高难技巧。陕北秧歌在1942年的延安新秧歌运动中成为主角，被赋予了新的精神风貌和时代内容，并随着革命形势的发展而传遍全国。

陕北秧歌表现了陕北群众质朴、憨厚、乐观的性格，具有突出的历史文化价值。

秧歌·抚顺地秧歌

◎ 申报地区或单位：辽宁省抚顺市

抚顺地秧歌有时也被称为“鞑子秧歌”，是一种形成年代久远，民族性、民间性及地域特色都极为浓厚的民间舞蹈形式，主要流传在今辽宁省抚顺满族发祥地一带。抚顺地秧歌形成于清初，一直流传至今。它与满族先世的民间舞蹈有着直接的渊源关系。据史书记载，唐代已有名为“踏锤”的舞蹈，明代有被称为“莽式”的歌舞，它们对抚顺地秧歌的形成有一定的影响作用。

抚顺地秧歌中最具代表性的人物是旗装打扮的“鞑子官”和仅穿皮袄、斜挎串铃及各种生活和狩猎器具的“克里吐”（俗称“外鞑子”）。其表演动作多源自跃马、射箭、战斗之类满族原

始状态的生产生活，也有的系模仿鹰、虎、熊等动作，其中多有传统舞蹈的元素。秧歌动作中的蹲、跺、盘、摆、颤等姿态丰富、刚劲豪放，具有鲜明的渔猎生活和八旗战斗生活的特色。其伴奏音乐借用了满族萨满跳神的打击乐形式，有"老三点"、"七棒"、"快鼓点"等演奏方式，与汉族秧歌有较大区别。抚顺地秧歌自清代以来一直在抚顺地区流传，深得群众喜爱。据1986年调查，当时尚有50个秧歌队在活动，然而目前渊源和传承人谱系较为清楚的只有4个秧歌队。

抚顺地秧歌在民间流传久远。由于环境变化、老艺人数量减少等原因，经常性的抚顺地秧歌活动已难于开展，表演的走阵、动作也有逐渐被简化的趋势，正濒临消亡，需要大力扶持。

106 井陉拉花

◎申报地区或单位：河北省井陉县

河北省石家庄井陉县地处太行山东麓，河北西陲，东距省会40公里。

井陉拉花产生并流传于井陉县境内，是一种当地特有的民间艺术形式。起源于明清，源远流长。井陉拉花源于民间节日、庙会、庆典、拜神之时的街头广场花会。中华人民共和国成立后，井陉拉花经过多次挖掘、整理、发展，享誉全国，名扬海外。

井陉拉花有多种流派沿传。有关“拉花”称谓的传说很多。一说拉花是在拉运牡丹花过程中形成的舞蹈，故称“拉花”；又说“拉花”是在逃荒中形成的舞蹈，“拉花”即“拉荒”的谐音；还说因舞蹈中的女主角叫“拉花”而取名拉花。

传统井陉拉花有其显著的艺术特色，以“拧肩”、“翻腕”、“扭臂”、“吸腿”、“撇脚”等

动作为主要舞蹈语汇，形成刚柔相济、粗犷含蓄的独特艺术风格。它舞姿健美、舒展有方、屈伸有度、抑扬迅变，擅于表现悲壮、凄婉、眷恋、欢悦等情绪，表演人数不等。拉花道具内涵丰富，各有其象征寓意，如伞象征风调雨顺；包袱象征丰衣足食；太平板象征四季平安；霸王鞭象征文治武功；花瓶象征平安美满等等。传统井陉拉花主要表现内容有“六合同春”、“卖绒线”、“盼五更”、“下关东”等。

井陉拉花的音乐为独立乐种，既有河北吹歌的韵味，又有寺庙音乐、宫廷音乐的色彩，刚而不野、柔而不靡、华而不浮、悲而不泣，与拉花舞蹈的深沉、含蓄、刚健、豪迈风格交相辉映，乐舞融合，浑然一体。传统拉花音乐多为宫、徵调式，其次还有商、羽调式，节奏偏慢，大多为4/4拍，特色伴奏乐器有掌锣等。

近年来，井陉拉花各流派拉花老艺人相继谢世，大量拉花技艺不能真传实教，使拉花濒临危机。

107 龙舞

（铜梁龙舞、湛江人龙舞、汕尾滚地金龙、浦江板凳龙、长兴百叶龙、奉化布龙、泸州雨坛彩龙）

龙舞，也称“舞龙”，民间又叫“耍龙”、“耍龙灯”或“舞龙灯”，在全国各地和各民族间广泛分布，其形式品种的多样，是任何其他民间舞都无法比拟的。早在商代的甲骨文中，已出现以数人集体祭龙求雨的文字；汉代董仲舒《春秋繁露》的记录中已有明确的各种舞龙求雨的记载。此后历朝历代的诗文中记录宫廷或民间舞龙的文字屡见不鲜。直至现在，龙舞仍是民间喜庆节令场合普遍存在的舞蹈形式之一。龙舞最基本的表现手段是其道具造型、构图变化和动作套路。根据龙形道具的扎制材料的不同，分为布龙、纱龙、纸龙、草龙、钱龙、土龙、棕龙、板凳龙、百叶龙、荷花龙、火龙、鸡毛龙、肉龙等等；北方龙舞的制作一般高大粗重，风格古朴刚劲；南方龙舞则精巧细致，活泼敏捷。龙舞从色彩上可分为黄、白、青、红、黑等，以黄龙最为尊贵。龙舞的构图和动作一般具有“圆曲”、“翻滚”、“绞缠”、“穿插”、“蹿跃”等特征。龙舞的传统表演程序一般为：“请龙”、“出龙”、“舞龙”和“送龙”。民间有“七八岁玩草龙，十五六耍小龙，青壮年舞大龙”的说法。舞龙人数少则一人舞双龙，多则百人舞一大龙。

龙是中华民族的图腾和信奉的祖先；龙舞是华夏精神的象征，它体现了中华民族团结合力、奋发开拓的精神面貌，包含了天人和谐、造福人类的文化内涵，是中国人在吉庆和祝福时节最常见的娱乐方式，气氛热烈，催人振奋，是中华民族极为珍贵的文化遗产。

龙舞·铜梁龙舞

◎ 申报地区或单位：重庆市

铜梁龙舞系流传于重庆市铜梁县境内的一种以龙为主要道具的舞蹈艺术形式。它兴起于明，鼎盛于清，在当代重放异彩，饮誉全球。

铜梁龙舞包括龙灯舞和彩灯舞两大系列。龙灯舞主要包括大蠕龙、火龙、稻草龙、笋壳龙、黄荆龙、板凳龙、正龙、小彩龙、竹梆龙、荷花龙十个品种，其中以大蠕龙最有特色。彩灯舞主要包括鱼跃龙门、泥鳅吃汤圆、三条、十八学士、亮狮、开山虎、蚌壳精、犀牛望月、猪啃南瓜、高台龙狮舞、雁塔题名、南瓜棚十二个品种。

铜梁龙舞有与民俗活动紧密相连、套路丰富、动律谐趣的特点，伴奏音乐独特，道具构思巧妙，造型夸张，服饰俭朴大方，舞者参舞自由，退舞方便，群众参与性极强。

铜梁龙舞体现了团结合力、造福人类、奋发向上、与天和谐的精神，同时具有娱神娱人、彰显威力等社会功能。铜梁龙舞闻名于世的仅大蠕龙、火龙等少数品种，多数龙舞品种已处于濒危境地，亟待保护和拯救。

龙舞·湛江人龙舞

◎ 申报地区或单位：广东省湛江市

广东省东海岛东山镇东山圩村的人龙舞素有“东方一绝”的美称。表演时，几十至数百名青壮年和少年均穿短裤，以人体相接，组成一条“长龙”。在锣鼓震天、号角齐鸣中，“长龙”龙头高昂，龙身翻腾，龙尾劲摆，一如蛟龙出海，排山倒海，势不可挡，显现出独特的海岛色彩和浓厚的乡土气息，是东海岛乃至雷州半岛经久不衰的民间风俗和大型广场娱乐活动的重要组成部分。每逢春节、元宵、中秋佳节和一些重大喜庆节日，东山圩村必连舞几个晚上“人龙”，东西两街户户张灯结彩，家家倾巢而出，人流如潮，热闹非凡。

据艺人传说，人龙舞大约始于明末，被清军打败的明军撤退到雷州半岛和东海岛，适逢中秋，地方百姓为鼓舞明军士气，编排了这个舞蹈。此后人龙舞便在这里流传开来，至清乾

嘉时达于鼎盛。人龙舞是东海岛特殊社会历史因素与地域自然条件的产物，它将古海岛群众娱龙、敬龙、祭海、尊祖、奉神等多种风俗融入“人龙”之中，形成了自创一体、独具一格的龙舞表演形式和“人龙”精神。湛江人龙舞有起龙、龙点头、龙穿云、龙卷浪等独具特色的表演程式，表演者练就了快速托人上肩的稳健动作和步法，队形流畅多变，动作一气呵成，远望动感十足，近观粗犷雄壮，成为中华龙文化延伸与发展的重要组成部分。

时代变迁，人龙舞逐渐失去了往日的吸引力，处于衰落状态，为保护民间文化遗产，有必要对它进行尽快的抢救和整理。

龙舞·汕尾滚地金龙

◎ 申报地区或单位：广东省汕尾市

根据广东省汕尾市南溪村老人黄天枢藏书中的记载和部分知情者的叙述，“滚地金龙”始创于南宋，明嘉靖年间，黄氏光昭公一支从福建漳州移居广东陆丰南溪村，带来《滚地金龙演史传》的传本。黄氏南溪“滚地金龙”繁衍了十七代。后来由该村的金龙艺师、传统武术师传到陆丰潭西镇深沟村，大安镇的安博、下安联、顶潭、安塘村，西南镇的两军、下村，陆丰城东镇的上神山村等地。

南溪村“滚地金龙”表演时，由二人钻入“龙身被套”，一人舞龙头，一人舞龙尾。整个表演过程分为“开场见礼”、“打围巡洞”、“游潭戏水”、“抻筋洗鳞”、“伏蛰闻雷”、“迎雷起舞”、“驾云飞腾”、“收场还礼”八个舞段，表演中模仿龙的旋舞飞腾、戏水嬉耍、沉睡奋醒、柔静盘曲、勇猛奋进等动作。伴奏用威武雄壮、嘹亮开阔的海陆丰正字戏的“牌子大锣鼓”，大唢呐按不同的表演情节吹奏不同的曲调，有【宫娥怨】、【哭皇天】、【山坡羊】、【八板头】等曲牌。表情丰富、套路众多、舞段精彩、技艺兼善是这个舞蹈的基本特点。

1996年，南溪村被广东省文化厅授予“民族民间艺术之乡”称号，滚地金龙被编入《中国舞蹈志》，并在国家和省级地区的重大活动中多次获奖。

龙舞·浦江板凳龙

◎ 申报地区或单位：浙江省浦江县

浦江县位于浙江中部偏西，金华市北部。据浦江白马镇夏张村张姓族谱载，自唐朝始，“龙腾灯舞闹元宵”便成了浦江民间的习俗，浦江县志中称之为“灯节”。浦江板凳龙盛行于浦江县乡村，广泛流传于江南沿海各地。综观浦江板凳龙的传承发展，唐代为其孕育期，宋、元为其成熟期，明、清为其鼎盛期；中华人民共和国成立后，尤其是改革开放以后，为其弘扬传承期。

从构造上看，浦江板凳龙由龙头、龙身（子灯）、龙尾三部分组成，俗称长灯。根据龙头造型，可分仰天龙、俯地龙、大虾龙等类别。因凳板（龙身）上的设置造型不同，亦有方灯、酒坛灯、字灯等十一种不同的形态。每逢节日或重大庆典兴灯，以麦饼团、剪刀箍、甩尾巴为主要表演阵式。

浦江板凳龙，顾名思义就是一条条用单个板凳串联而成的游动的龙灯，它让人们充分感受到广场民间舞蹈气势恢宏、刚强柔美的特征，在锣声、号角、铳声震天、喝彩声此起彼伏的氛围中接受和领悟娱己娱人的生活习俗和敬天顺人的民众信仰。一条浦江板凳龙几乎就是一个艺术综合体，它集书法、绘画、剪纸、刻花、雕塑艺术和扎制编糊工艺为一体，熔体育、杂技、舞蹈为一炉。游动起来的龙舞兼有粗犷、细腻、奔放、严整的风格，通过这种激情与哲理、娱乐教化合一的舞蹈，人们得到了感官和心灵的双重满足。浦江板凳龙是地道的百姓文化，广场性、广泛性、惊险性为其主要特征，其参加人数之多、活动场地之大，在同类形式中实属罕见。

浦江板凳龙保留了中国尤其是浙中和江南沿海一带“龙信仰”的民间文化传统，融会了书画、剪纸等民间艺术的民间形态，传承了群众体育和广场舞蹈的艺术形式，具有民俗、历史研究价值和民间工艺传承功能，在浦江和浙中及江南沿海一带产生了深远而广泛的影响。但时代变迁所造成的冲击也不可避免地降临在浦江板凳龙身上，使它的传承陷入窘境，亟待抢救与保护。

龙舞·长兴百叶龙

◎申报地区或单位：浙江省长兴县

长兴百叶龙发源并流传于浙江省长兴县林城镇一带，至今已有一百六十多年的历史。

传统百叶龙多在庙会及节庆时表演，先从“游四门”、“圆场”等队形开始，当荷花灯聚成圆圈、相互连接以构成“龙”形时，外圈舞队热烈舞蹈，以遮引观众视线；“龙”一成形，即腾空跃起，众舞队立时散开，突出百叶龙，形成高潮。

百叶龙的表演方式也划分为舞台舞、行街舞、广场舞等不同形式，且日趋复杂，以适应不同的表演场合。其主要队形有长蛇阵、接龙、踩四门、剪刀阵、走四角等，主要动作有游龙、滚龙、龙盘柱、腾龙、卧龙、睡龙、龙出水、龙吐须等。

百叶龙舞蹈表演时，荷花在瞬间突变成龙是其最显著的特点，由此将中国传统的舞龙转化成龙舞，通过湖水荡漾、荷叶摆动、荷花盛开、彩蝶扑飞、荷花变龙、蛟龙嬉戏、龙变荷花等动作和情节，完成一个完美的舞蹈过程，展出江南水乡的绝美意境。

1957年，百叶龙荣获第二届全国民间音乐舞蹈汇演特等奖，由周恩来总理推荐参加莫斯科“第六届世界青年大学生联欢节”演出，荣获金奖， 2000年又获“群星奖”舞蹈大赛金奖。

长兴百叶龙作为中国汉民族一种独特的民间舞蹈，具有极高的艺术价值。时代的变迁给长兴百叶龙的有序传承带来了影响，使这一宝贵的民间艺术形式面临生存危机。为保护、传承百叶龙艺术，长兴地方政府未雨绸缪，采取了一系列有效措施，一个保护地方文化资源、共创特色文化品牌的良好氛围正在形成。

龙舞·奉化布龙

◎ 申报地区或单位：浙江省奉化市

奉化布龙因起源和流布于浙江奉化而得名，是全国颇有影响的代表性龙舞之一。它由敬神、请神、娱神的民间仪式逐渐演变成为富有特色的民间舞蹈，迄今已有八百多年历史。

舞得活、舞得圆、神态真、套路多、速度快是奉化布龙的主要艺术特征。整个舞蹈由盘、滚、游、翻、跳、戏等基本套路和小游龙、大游龙、龙钻尾等过渡动作组成，舞者动作矫健，舞姿变化多端，技艺娴熟。所有舞蹈动作都在龙的游动中进行，能做到“形变龙不停，龙走套路生”。

"人紧龙也圆，龙飞人亦舞"，造型生动，转换巧妙，动作间的衔接和递进十分紧凑。由于龙身轻，舞动起来速度快，龙圈环环相扣，龙身紧紧缠绕。奉化布龙传统套路多达四十余个，为一般龙舞所罕见，其中有的已被用作国家体育舞龙比赛的规定动作，为大江南北的龙舞所移植。

由于奉化布龙的文化价值较突出，且民间流布的生态环境面临潜在的危机，故地方政府已将它率先列入保护范畴。1990年，奉化布龙入选《中国民族民间舞蹈集成（浙江卷）》；1996年，奉化市被文化部命名为"中国民间艺术之乡"；2005年，奉化布龙被浙江省政府列入首批非物质文化遗产代表作名录。

龙舞·泸州雨坛彩龙

◎ 申报地区或单位：四川省泸县

四川泸州雨坛彩龙以其悠久的历史和浪漫的龙舞表演艺术被誉为"东方活龙"。清光绪十八年（1893）左右，当地艺人将原有的"草把龙"改成彩龙，到1919年，出现了第一条雨坛彩龙。自此每逢年节或婚丧嫁娶，当地百姓都要舞彩龙。

雨坛彩龙的表演重在一个"活"字，"人龙合一"。表演时舞者"动于中而形于外"，"心有性情，手衍神色"，"手随眼动，眼随心动"。在川剧打击乐的伴奏下，龙与"宝"交织缠绵，紧紧呼应，在龙舞中对龙的个性特征、生活情态进行生动的描摹。雨坛彩龙按连绵不断的太极图案行进表演，套路变幻莫测，表演活泼灵动，变化多端，或脱衣，或翻滚，或叹气，或挠痒，极显龙之性情。在此过程中，舞者与龙的情感融为一体。

在漫长的表演实践中，雨坛彩龙的传人们不断更新、丰富表演内容，形成了完整的表演套路和经典的动作造型，如龙出洞、龙抢宝、龙脱衣、龙背剑、龙叹气、龙砌塔、龙抱柱、黄龙滚、倒挂金钩、太子骑龙等，最大限度地展示了人们对龙的想象。

雨坛彩龙的龙头造型独特，主要依据泸县全国重点文物保护单位龙脑桥的龙头设计，额高，嘴短，双目突出可动，下颌开合自如，形象既威武有神，又憨态可亲。龙身用竹篾扎制成骨架，分组分节，可长可短。整个龙身用竹篾扎成圈，相互串联，套上龙衣后灵活多变。龙尾也区别于一般的火炬尾、蛇形尾，呈鲢鱼状，极富情趣。

以艺人罗银坤等罗氏兄弟为代表，构成了雨坛彩龙的传承人系统。在当代，这个传人系统大大拓展，不仅有一批青年人加入，而且重庆、铜梁、成都等地还派人来学艺，雨坛彩龙的流布区域由此得到了扩展。时下，雨坛彩龙同样面临新时代的挑战，急需建立保护和传承机制。

108 狮舞

（徐水舞狮、天塔狮舞、黄沙狮子、广东醒狮）

狮舞，又称“狮子舞”、“狮灯”、“舞狮”、“舞狮子”，多在年节和喜庆活动中表演。狮子在中华各族人民心目中为瑞兽，象征着吉祥如意，从而在舞狮活动中寄托着民众消灾除害、求吉纳福的美好意愿。狮舞历史久远，《汉书·礼乐志》中记载的“象人”便是狮舞的前身；唐宋诗文中多有对狮舞的生动描写。现存狮舞分为南狮、北狮两大类，南狮具有较多的武功高难技巧，神态矫健凶猛；北狮娇憨可爱，多以嬉戏玩耍为表演内容；根据狮子假型制作材料和扎制方法的不同，各地的狮舞种类繁多，异彩纷呈。

狮舞·徐水舞狮

◎ 申报地区或单位：河北省徐水县

河北是北狮的发祥地。徐水县北里村狮子会创建于1925年，以民间花会形式存在，中华人民共和国成立后得以迅速发展。

徐水舞狮的活动时间主要在春节和春季寺庙法会期间，表演时由两人前后配合，前者双手执道具戴在头上扮演狮头，后者俯身双手抓住前者腰部，披上用牛毛缀成的狮皮饰盖扮演狮身，两人合作扮成一只大狮子，称太狮；另由一人头戴狮头面具，身披狮皮扮演小狮子，称少狮；手持绣球逗引狮子的人称引狮郎。引狮郎在整个舞狮活动中具有重要作用，他不但要有英雄气概，还要有良好的武功，能表演"前空翻过狮子"、"后空翻上高桌"、"云里翻下梅花桩"等动作。引狮郎与狮子默契配合，形成北方舞狮的一个重要特征。徐水舞狮的基本特征是外形夸张，狮头圆大，眼睛灵动，大嘴张合有度，既威武雄壮又憨态可掬，表演时能模仿真狮子的看、站、走、跑、跳、滚、睡、抖毛等动作，形态逼真，还能展示“耍长凳”、“梅花桩”、“跳桩”、“隔桩跳”、“亮搬造型”、“360度拧弯”、“独立单桩跳”、“前空翻二级下桩”、“后空翻下桩”等高难度技巧。

徐水舞狮在中国民间艺术表演中占有重要地位，1953年，曾到首都北京参加全国民间艺术汇演，并代表国家多次出访演出。曾在罗马尼亚首都布加勒斯特举行的“第四届世界青年联欢节”的比赛中获一等奖。河北省杂技家协会于2001年10月正式命名北里村为“杂技舞狮之乡”。目前，由于舞狮道具昂贵、培养新人不易等原因，徐水舞狮面临传承危机，亟待有关部门加以抢救和扶持。

狮舞·天塔狮舞

◎ 申报地区或单位：山西省襄汾县

山西襄汾县陶寺的狮舞始于隋唐时期，历经宋、元、明、清，经久不衰，被称为“天塔狮舞”。

天塔狮舞具有惊、险、奇、绝、美的艺术特征。塔台高高耸立，动作大起大落，令人惊叹；表演过程内含科学的力学原理，再加上安全的保护措施，看上去险实则无险；狮子眼、舌、尾活动自如，能做出口吐条幅之类的表演，使人感到稀奇；天塔狮舞在力量中融入技巧，特技中渗透文化，堪称一绝；这种高台表演，空中造型尤美，显示出动人的魅力。

天塔狮舞具有独特的表演形式和高超的绝技。天塔狮舞曾获中国第七届艺术节优秀奖，山西省第一届及第三届广场文化节金奖。当前，抢救、保护、研究狮舞，对美学、民俗学及音乐舞蹈史的研究都有很重要的意义。

狮舞·黄沙狮子

◎ 申报地区或单位：浙江省临海市

“黄沙狮子”始创于北宋年间，主要活动于浙江临海市西北山区白水洋镇的黄沙洋一带。此地民风剽悍，朴茂近古，崇尚习武，且舞狮风俗由来已久。

这项传统表演艺术的最大特点是把民间精湛武艺与传统舞狮表演巧妙地结合起来，舞武一体。它不但能在地上翻滚嬉戏，又能在高台上表演各种风趣的动作。表演时，演员在八仙桌上翻飞的同时，还兼耍“过堂”、“桌上筋斗”、“下爬点”、“悬桌脚”、“叠罗汉”等翻桌动作。跳桌是整个表演中难度较高的，四十几张桌子呈梯形相叠，跳桌到最高时，由九重桌子堆叠起来约有三丈二尺高，一个“绝”字就落在最高的第九重桌子的四只脚上——桌脚朝天，一个艺人就在这四只桌脚上跨步移动，脱鞋脱袜，尽显绝技。

黄沙狮子舞武一体，娱神娱人，刚柔相济，具有独特的地方文化特征，寄托着民众美好的期盼，从大年三十开始到二月初二这一段时间，艺人们要走村串乡地去表演。黄沙狮子的中心

区域黄沙洋及其传播地的百姓们祈望风调雨顺、五谷丰登、人财两旺、吉庆平安，都祈盼舞狮为他们赐吉祥，消灾降福，热热闹闹地度过节庆。

黄沙狮子在民俗学、社会学、美学、人类学等方面具有研究价值。随着中国东部沿海地区经济的迅猛发展，传统社会的审美观念和文化生活方式发生的变异，如今健在且能够表演黄沙狮子的老艺人不到10人，这种极具观赏性的传统民间舞蹈形式面临断代和失传危机。

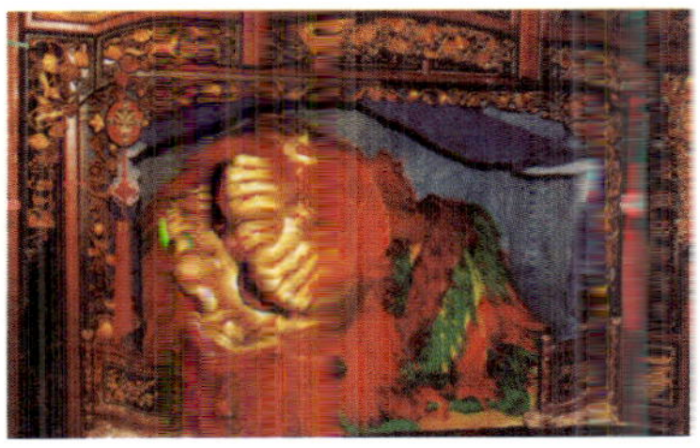

狮舞·广东醒狮

◎ 申报地区或单位：广东省佛山市、遂溪县、广州市

醒狮，属于中国狮舞中的南狮。历史上由唐代宫廷狮子舞脱胎而来，五代十国之后，随着中原移民的南迁，舞狮文化传入岭南地区。明代时，醒狮在广东出现，起源于南海县。现流传于广东、广西及东南亚各国华侨中间，在广东境内主要分布在佛山、遂溪、广州等县市。

醒狮是融武术、舞蹈、音乐等为一体的文化活动。表演时，锣鼓擂响，舞狮人先打一阵南拳，这称为“开桩”，然后由两人扮演一头狮子耍舞，另一人头戴笑面“大头佛”，手执大葵扇引狮登场。舞狮人动作多以南拳马步为主，狮子动作有“睁眼”、“洗须”、“舔身”、“抖毛”等。主要套路有“采青”、“高台饮水”、“狮子吐球”、“踩梅花桩”等。其中“采青”是醒狮的精髓，有起、承、转、合等过程，具戏剧性和故事性。“采青”历经变化，派生出多种套路，广泛流传。遂溪醒狮在表演上从传统的地狮逐步发展到凳狮，由凳狮又发展到高台狮，

高竿狮，由高竿狮又发展到桩狮。桩狮的难度也在不断增大，如增加了走钢丝、腾空跳等表演类。最高的桩接近3米，跨度最大达3.7米，充分体现了“新、高、难、险”的特色，被誉为“中华一绝”。广州市的沙坑醒狮的道具造型特点是：狮头额高而窄，眼大而能转动，口阔带笔，背宽、鼻塌、面颊饱满，牙齿能隐能露。表演分文狮、武狮和少狮三大类。通过在地面或桩阵上腾、挪、闪、扑、回旋、飞跃等高难度动作演绎狮子喜、怒、哀、乐、动、静、惊、疑八态，表现狮子的威猛与刚劲。

自古以来，广东醒狮被认为是驱邪避害的吉祥瑞物，每逢节庆，或有重大活动，必有醒狮助兴，长盛不衰，历代相传。20世纪80年代以来，几乎乡乡都有自己的醒狮队，一年四季，开张庆典锣鼓声不断，逢年过节，狮队便上街采青、巡演。各镇、乡村群众性的狮艺普及也盛况空前。广东醒狮已成为全国知名的为广东特有的民间舞品牌。醒狮活动也广泛流传于海外华人社区，成为海外同胞认祖归宗的文化桥梁，其文化价值和意义十分深远。

109

花鼓灯

（蚌埠花鼓灯、凤台花鼓灯、颍上花鼓灯）

花鼓灯是汉民族中集舞蹈、灯歌和锣鼓音乐、情节性的双(三)人舞和情绪性集体舞完美结合于一体的民间舞种。据史料证明，花鼓灯最迟源于宋代。经过元、明、清、民国时期的发展，至20世纪三四十年代形成了以安徽蚌埠、淮南、阜阳等为中心，辐射淮河中游河南、安徽、山东、江苏四省二十多个县、市的播布区。花鼓灯多在农村秋收完毕到来年春耕以前演出，尤以后会、春会为最盛。花鼓灯男角称“鼓架子”，女角称“兰花”（或“拉花”）。演出多在广场举行。一般包括舞蹈、歌唱、后场小戏、锣鼓演奏四部分，主体是舞蹈；舞蹈中又包括“大花场”（或“大场”）、“小花场”（或“小场”）、“盘鼓”等部分；“大场”是一种集体的情绪舞，由数人到十多人表演；“小场”是双人舞或三人舞，主要表现男女青年谈情说爱、玩乐嬉戏的情景，包括基本程式表演和即兴发挥表演，有简单的情节和人物性格舞，如《抢手巾》、《抢板凳》等，是花鼓灯舞蹈的核心部分；“盘鼓”则是舞蹈、武术、技巧表演相结合又具有造型艺术特征的表演形式。后场小戏是一种歌舞结合的小歌舞剧，有《四老爷坐独杆轿》、《推小车》、《小货郎》等。现花鼓灯的表演风格主要分为三个流派：颍上地区节奏较慢，舞蹈结构严谨，风格古老质朴；凤台地区着重人物情感刻画，动作细腻优美；怀远地区动作轻捷矫健，潇洒倜傥。

花鼓灯·蚌埠花鼓灯

◎ 申报地区或单位：安徽省蚌埠市

蚌埠花鼓灯集合舞蹈、灯歌和锣鼓音乐，将情节性的双(三)人舞和情绪性的集体舞完美地结合在一起，形成比较系统完整的民间歌舞艺术形式，这是汉民族最具代表性的民间舞蹈，也是淮河文化在舞蹈方面的集中体现。花鼓灯融技艺性、表演性和艺人职业化于一身，具有很强的民俗性和群众自娱性。千百年来，花鼓灯的音乐、舞姿和韵律较为完整地保存了淮河人民生活、劳动、情趣、性格、风俗、风情的记忆，承载了不同时期淮河流域的历史和社会经济文化，存储了淮河人独特的文化观念、审美情趣、民风民俗变化的记忆，并以活态的形式传承至今。

蚌埠花鼓灯包含四百多个语汇、五十多种基本步伐，舞蹈动作超常度高，时间差大，瞬间舞姿复杂多变，这些构成了花鼓灯丰富系统的舞蹈语言体系，使花鼓灯成为用肢体语言表达复杂情节的优秀民间舞蹈形式之一。舞蹈是花鼓灯的主要构成部分，舞蹈中包括“大花场”、“小花场”和“盘鼓”等。“大花场”是集体表演的情绪舞，“小花场”是鼓架子和兰花的双人或三人即兴表演的抒情舞，是花鼓灯舞蹈的核心部分。“盘鼓”则是舞蹈、武术、技巧相结

合的表演形式，它同时具有造型艺术的特征。花鼓灯的舞姿和动作很讲究放与收、动与静的巧妙结合，动作的节奏性强，且富有变化。蚌埠地区出现了冯国佩、常春利、郑九如、石经礼、杨再先等一批花鼓灯名家，还产生了《游春》、《抢扇子》等一批有影响的节目，形成了“千班锣鼓百班灯”的鼎盛局面。

但由于多种原因，目前原生形态的蚌埠花鼓灯已濒临消亡。最具影响力的民间艺人年事已高，民间传承的机制有待重新建立，因此急需有效保护。

花鼓灯·凤台花鼓灯

◎ 申报地区或单位：安徽省凤台县

凤台花鼓灯流行于淮河流域，主要分布在凤台及周边地区。

凤台花鼓灯的形成和发展有着良好的自然条件及人文环境。凤台古称州来，又名下蔡，位于淮河中游，交通发达，物产丰富，民风淳朴。凤台花鼓灯历史悠久，其发展历程可划分为四个阶段：一是从萌芽到成熟阶段。凤台花鼓灯起源于宋、元时期，至清代中叶已初具规模，趋于成熟，深受人民喜爱，成为流传甚广的民间艺术；二是清末民初阶段。花鼓灯在凤台基本形成自己的流派特色，为解放后进一步发展奠定了基础；三是新中国成立后的阶段，花鼓灯登上了高雅艺术的殿堂，被誉为汉民族舞蹈的典型代表；四是党的十一届三中全会以后阶段，花鼓灯艺术受到重视，重获新生。

凤台花鼓灯的产生是中国民间歌舞艺术史上重要的一页，是淮河文化在舞蹈方面的集中体现。凤台花鼓灯有四百多种语汇、五十多种基本步伐，讲究男女角色配合，着意感情描绘，动作细腻，扇花变化多样。花鼓灯舞蹈动作内涵丰富，其中典型动作“三掉弯”（三道弯）强调腰部的扭动，是东方舞蹈的重要特征“S”形在花鼓灯中的充分体现。

花鼓灯艺术是淮河流域一些艺术品种的根脉。淮剧、淮北花鼓戏、泗州戏、凤阳花鼓等都是由花鼓灯衍生而来的。凤台花鼓灯影响和丰富了淮河以北的民间舞蹈和民间艺术。目前原生态的凤台花鼓灯已濒临消亡，急需有效保护和全力抢救。

花鼓灯·颍上花鼓灯

◎ 申报地区或单位：安徽省颍上县

颍上花鼓灯是由劳动人民创造且世代相传的艺术形式，产生于淮河流域广大农村，主要流行于淮河沿岸的颍上等二十多个县、市地区。

颍上花鼓灯的主要内容是表达人民期盼政通人和、国泰民安、风调雨顺、人寿年丰的良好愿望，展现淮河儿女的礼仪风情、勤劳勇敢，表现青年男女纯真、朴实的爱情，体现人们对幸福生活的执著与向往。

颍上花鼓灯除在题材、形式、音乐、舞蹈等方面与淮南、蚌埠两地区的花鼓灯有相似之处外，亦有自身的特点。它舞蹈动感特强，节奏紧促有力，动作韵味十足，速度快捷敏锐，姿势变换频繁，表演场面炽热欢腾，演员情绪欢快高昂，唱腔粗犷高亢，整个演出气氛堂皇富丽，地方特色浓郁。

颍上花鼓灯表演者由数名鼓榔子、腊花对偶组成，通常由领首的第一个鼓榔子（叫杈伞把）领舞出场，主要有大花场（跑大场）和小花场（跑小场）等段落。

颍上花鼓灯大多即兴演唱，多用锣鼓敲击（常用鼓、锣、镲、小锣等四件），锣鼓经无谱，常用【凤凰三点头】、【长流水】、【小五番】、【十八番】、【大刹点】、【小刹点】等，大多即兴变奏，随舞蹈变化而变化。音乐多采用民族五声音阶，常用宫和羽、徵混合调式。

颍上花鼓灯有《抢板凳》、《抢手绢》、《游春》等一批有人物有情节的传统舞蹈节目和一些有代表性的民间艺人。

颍上花鼓灯艺术热情、奔放、优美、细腻，充分体现了汉民族民间歌舞的特点。近年来多次应邀参加国际艺术交流活动，产生了广泛的影响。

110 傩舞（南丰跳傩、婺源傩舞、乐安傩舞）

傩舞是广泛流传于各地的一种具有驱鬼逐疫、祭祀功能的民间舞，是傩仪中的舞蹈部分，一般在大年初一到正月十六期间表演。现存傩舞主要分布在江西、安徽、贵州、广西、山东、河南、陕西、湖北、福建、云南、广东等地，各地分别有“跳傩”、“鬼舞”、“玩喜”等地方性称谓。傩舞历史悠久，成型于周代的宫廷“大傩”之礼，在《周礼》中有明文记载。在历史的发展过程中，傩舞在不同地区形成了不同的风格样式，且在傩仪中占有不同的比重。傩舞表演时一般都佩戴某个角色的面具，其中有神话形象，也有世俗人物和历史名人，由此构成庞大的傩神谱系，“摘下面具是人，戴上面具是神”。傩舞伴奏乐器简单，一般为鼓、锣等打击乐。表演傩仪傩舞的组织称为“傩班”，成员一般有八至十余人，常有严格的班规。傩舞常在傩仪仪式过程中的高潮部分和节目表演阶段出现，各地的傩舞节目丰富，兼具祭祀和娱乐的双重功效。

傩舞·南丰跳傩

◎ 申报地区或单位：江西省南丰县

傩舞是“跳傩”的主要表现形式，原为祭神驱疫的仪式舞蹈，后发展为娱神娱人的傩舞。南丰傩舞流传于江西省南丰县180个村庄，传播面广，是民众喜爱的民间舞形式。南丰傩舞历史悠久，几经演变，清初傅太辉《金砂宋氏傩神辨记》载：“汉代吴芮将军……祖周公之制，传傩以靖妖氛。”可见汉时南丰一带已有跳傩。经过一千多年的发展，到明清时期，南丰跳傩吸收了戏曲、木偶、灯彩、武术等多种表演技艺，变得更加世俗化、娱乐化。新中国成立后，传统的跳傩在民间依旧传承，延续着其草根文化的命脉。

南丰傩仪结构复杂，由跳傩仪式、杂傩仪式等构成。跳傩仪式由起傩、跳傩、驱傩等基本程序构成；杂傩仪式有“跳竹马”、“跳和合”及“跳八仙”仪式三种。南丰傩仪中的舞蹈形态众多，现保留82个，其中包括单人舞《开山》、《钟馗》、《财神》、《哪吒》；多人舞《跳判》、《傩公傩婆》、《对刀》，技巧舞《演罗汉》、《观音坐莲》、《普贤骑象》及舞剧节目《西游记》等。南丰跳傩面具造型各异，千容百态，有180种之多，其中包括驱疫神祇、民间俗神、释道神仙、传奇英雄、精怪动物、世俗人物等。其所用道具法器名物众多，主要可为五类：兵器军具类包括斧、刀、枪等，法事器具类包括铁链、桃剑、棕叶等，灯烛炮杖类包括火把、蜡烛等，食物供品类包括三牲（肉、鱼、鸡）等，生活用具类包括手巾、镜子、酒杯等。南丰跳傩内容丰富，形式多样，地方风味浓郁，文化底蕴深厚，深受民众的喜爱。

随着经济全球化和现代化、城镇化发展趋势的加强，南丰跳傩赖以生存的环境发生了巨大的变化。传统民俗生态依托渐失，艺人队伍后继乏人，傩班渐减。有鉴于此，急需加以保护扶持。

傩舞·婺源傩舞

◎ 申报地区或单位：江西省婺源县

婺源傩舞俗称“鬼舞”或“舞鬼”，历史悠久，节目众多，风格独特，是中国古代舞蹈艺术史研究的“活化石”，深为国内外专家、学者所注目。

通过多年的调查，婺源傩舞节目有一百多个、傩面两百多个。由于社会历史等原因的影响，现存秋口镇长径村“驱傩神班”有演员19人，面具三十余个，其中有4个原始木雕面具，可演节目24个。婺源傩舞节目很多，有反映神话故事、民间传说的《开天辟地》、《太阳射月》、《孟姜女送寒衣》等，表演形式有独舞、双人舞、三人舞、群舞等。婺源傩舞动作十分丰富，模拟女性的舞步“妮行步”，《开天辟地》中的“辟斧”、“拗斧”、“磨斧”，《丞相操兵》中的“上、中、下十字架”、“操兵步”、“拍手一照”、“拍腿过河”、“耍羽毛”、“舞花”、“轮棍”，《太阳射月》中的“摸胡点”、“单摸胡”、“双摸胡”等都别具一格，保留着古朴、粗犷、简练、夸张、形象、传神的独特风貌。这些动作多顺拐、屈膝、下沉、含胸、挺腹，具有沉而不懈、梗而不僵的特色。音乐伴奏由

打击乐、曲牌和唱腔三个部分组成，有专用的锣鼓谱和曲牌，遵循舞止曲终的原则。

婺源傩舞曾于1953年赴北京参加全国首届民间音乐舞蹈会演，《丞相操兵》等4个节目入选《中国民族民间舞蹈集成》。2005年6月参加“中国江西国际傩文化艺术周中外傩艺术展演”，荣获金奖和优秀表演奖。婺源傩舞以古朴的舞蹈风格和众多的表演节目承载着丰富的传统文化内容，值得人们加以珍视。

傩舞·乐安傩舞

◎ 申报地区或单位：江西省乐安县

乐安县的东湖村位于江西省乐安县城南30华里处，村里的杨姓氏族世代流传着一种古老的跳傩仪式，当地人称为“滚傩神”，此仪式规约森严，概不外传。东湖“滚傩神”已有近千年历史，它被当地作为驱邪纳福、保境安民的一种仪式传承延续至今。村中傩神庙（始建于清乾隆八年，现已倒塌）前曾写有一副对联“傩驱瘟疫丁盛畜旺，神佑乡里邑立村宁”。

“滚傩神”所戴的面具与其他傩舞不同，不是整个罩住脸部，而是由上额下嘴两个断片组合而成，有猪嘴、鸡嘴、鹅王、东岳、判官、白虎精、歪嘴婆婆等18面。伴奏音乐为一鼓一锣，节奏为反3/4拍，弱拍在前，强拍在后，很有特色。东湖傩班由12人组成，主要表演的节目有《鸡嘴》、《猪嘴》、《板叉》、《唱文戏》、《捉鬼》、《牛魔王》、《七星》、《踩爆竹》等。这种傩舞既有独舞，也有双人舞，表演时多持道具，舞蹈动作古朴粗犷，刚中有柔，有“踢腿蹲裆”、“反弹射箭”、“拂脸见手”、“汇步”等动作技巧。如遇瘟疫灾害，则18个傩神全部出动，走村过户搜索驱邪，整个过程显得较为原始，很少人为加工的痕迹。

“滚傩神”中“猪嘴”、“鸡嘴”的造型动作及表演风格在我国傩舞中实属罕见，是至今惟一幸存的最古老的傩仪和傩舞。

111 英歌（普宁英歌、潮阳英歌）

英歌，又称“鹰歌”、“鹦哥”、“唱英歌”或“秧歌”，是一种融舞蹈、南拳套路、戏曲演技于一体的民间广场舞蹈，表演气势豪壮，气氛浓烈，流传于广东、福建等地，由男子表演，有歌颂英雄的含义。相传已有三百多年的历史，来源多解释为当地民众尚武习俗的变体或搬演《水浒传》故事。英歌一般在逢年过节期间演出，舞者多为双数，少则12人，多至108人，每人手执一对彩色木棒，配合锣鼓点和吆喝，挥动双棒交错翻转叩击，边走边舞；演出分为“前棚”和“后棚”两段，前棚为锣鼓乐演奏和英歌舞；后棚为各具特色的小戏和拿手节目。英歌舞的基本动作是舞棒，舞时每人各执两根圆形短木棒（直径10厘米，长20厘米），双脚成骑马蹲裆步，提腿向横跃动，双手随锣鼓节奏上下左右对击木棒，头和身体随之自然晃动。英歌节奏有慢板、中板、快板三类；有时套路多达20套，有“洗街”、“拜年”、“布年”、“背槌”、“过胯”、“抱槌勾脚”等。英歌舞具有鲜明的阳刚英武之气，舞至高潮，呐喊与螺号声响彻四方，气势磅礴，震撼人心。

英歌·普宁英歌

◎申报地区或单位：广东省揭阳市

英歌是普宁民间广为流传的一种民间舞蹈样式，迄今已有三百多年的历史，它被认为是扬正压邪、吉祥平安的象征，深受群众喜爱和推崇，具有广泛的群众基础和社会基础。

普宁英歌是一种壮美阳刚的汉族男性群体舞蹈，主要表现梁山泊英雄攻打大名府的豪情斗志和英雄气概。表演队伍人数少则24人、36人，多则72人，最多可达108人。表演者勾画风格独特的脸谱，按梁山泊英雄形象造型，着武士服，紧身短打，手执特制双短棒叩击起舞，并配以锣鼓、螺号节奏。表演时队列图形变化丰富，有“双龙出海”、“猛虎下山”、“麦穗花”、“田螺圈”等样式，动作套式亦五花八门，有“布田”、“洗街”、“旋槌”、“槌花”等形态各异的舞姿动态，形成特有的动律，场面恢宏，气势磅礴。普宁英歌表演风格威猛、雄浑、粗犷、豪迈，体现了中华民族果敢、坚强、团结战斗、勇往直前的可贵品格和精神风貌。

普宁英歌突出的精神价值、社会价值、艺术价值得到有关专家的重视，获得“北有安塞腰鼓，南有普宁英歌”的美誉，普宁也被评为“广东省民族民间艺术之乡”。

目前由于农村经济发展不平衡、传承人老化等原因，普宁英歌队伍青黄不接，逐渐萎缩，出现濒危状况，亟待抢救和保护。

英歌·潮阳英歌

◎ 申报地区或单位：广东省汕头市

潮阳英歌是汉族民间广场舞蹈和傩文化形态的延续，在延续中有一定变化，至明代吸收北方大鼓子秧歌，逐渐演化为英歌舞，成为潮阳地区一种具有独特表现形式的民间舞蹈艺术。潮阳英歌集戏剧、舞蹈、武术于一体，极具阳刚之气。它在实践中形成一些不同的流派风格，按舞蹈节奏的板式划分，大致可分为慢板英歌、中板英歌和快板英歌三种。

慢板英歌节奏较慢，所用舞棒比其他流派长，其基本舞法是三下槌或四下槌构成一组动作，慢中见势，势中显气，凝重古朴而又舒展优美。此外，还有“醉槌”英歌，舞时舞者形似醉汉，别具神韵。慢板英歌主要流传于文光、棉北、城南一带。

中板英歌节奏较之慢板英歌略快，基本舞法有打五棒、七棒（英歌舞）构成一组动作的，也有打八棒、十棒、十一棒、十三棒构成一组动作的。其锣鼓点与慢板英歌有明显的不同，前者鼓点中间有停顿和拉长，后者则是连续敲点。中板英歌主要也流传于文光、棉北、城南一带，其特点是于稳健中见潇洒，古朴中现圆活。

快板英歌的节奏快、鼓点紧，并随着队伍的阵势开合而多生变化，所用的英歌槌较短，运槌灵便。快板英歌一般分为对打套式、南山文派和南山武派三类。

至今潮阳英歌仍在广泛流传和不断发展，主要传承人有洪飞鹰、郭耀扬、陈汉隆、姚欣塔、杨卫、周修兴、陈坤利、林阿饱等。潮阳英歌分布面广，辐射力强，几乎每个镇（街道）都有英歌队，有些镇甚至同时拥有几支不同风格或不同年龄结构的英歌队伍。1996年11月，潮阳被文化部命名为“中国民间艺术之乡”。

随着经济和社会的急剧变迁，文化生态发生剧烈的变化，潮阳英歌已失去往日的光彩，濒临断代失传的危险，亟待抢救和保护。

112 高跷

（高跷走兽、海城高跷、辽西高跷、苦水高高跷）

高跷也叫“高跷秧歌”，是一种广泛流传于全国各地的民间舞蹈，因舞蹈时多双脚踩踏木跷而得名。高跷历史久远，源于古代百戏中的一种技术表演，北魏时即有踩高跷的石刻画像。高跷一般以舞队的形式表演，舞队人数十多人至数十人不等；大多舞者扮演某个古代神话或历史故事中的角色形象，服饰多模仿戏曲行头；常用道具有扇子、手绢、木棍、刀枪等；表演形式有“踩街”和“撂场”两种，撂场有舞队集体边舞边走各种队形图案的“大场”和两三人表演的“小场”，角色间多男女对舞，有时边舞边唱。各地高跷所使用的木跷从30厘米至300厘米，高低不一。从表演风格上又分为“文跷”和“武跷”，文跷重扭踩和情节表演，武跷重炫技功夫。

高跷·高跷走兽

◎ 申报地区或单位：山西省稷山县

高跷走兽艺术是山西省稷山县清河镇阳城村庙会文化活动的一种表演形式。它盛行于清朝雍正初年，出现在规模盛大的庙会活动中，经久不衰，至今已有三百多年的历史。

高跷走兽由兽头、兽身和表演人员组成，表演时两人足踩高跷同演骑兽状，演员负重荷，按曲牌节拍行走。辅助配乐由锣鼓、花鼓等打击乐器组成。人及兽的造形奇特，在鼓乐声中列阵行进时，气势宏伟，十分壮观。现有的走兽形象基本都由古时流传下来，虽经多次修补，原貌仍存。其兽头和兽身由技术很高的艺人做出模型，用麻丝、麻纸、细绳、细竹、铁丝、布料等缝制和绑缚而成，并涂以五颜六色，外形威武而精美。稷山县清河镇阳城村分为南、北阳城，北阳城的走兽包括：独角兽、狮狼、麒麟、竹马、猫等，南阳城的走兽包括：黑狸虎、梅花鹿、貘等。

高跷走兽这一民间舞蹈活动丰富了人民群众精神文化生活，增强了人与人之间的团结和谐，同时还体现了当地老百姓祈盼风调雨顺、农业丰收的美好愿望。时下，高跷走兽这一民间舞蹈活动面临青黄不接的状况，亟待采取有效措施，实施抢救和传承。

高跷·海城高跷

◎申报地区或单位：辽宁省海城市

海城高跷秧歌历史悠久，清代文献资料显示其可考的历史有三百余年。清末海城高跷日见成熟，形成一支职业半职业的艺人队伍。艺人们身怀绝技，各有千秋，故其传承谱系蔚为壮观。从1820年的第一代传人小金子、大来子，到1887年第二代的红、粉、黄、蓝、白、青六朵菊花（艺名），1902年第三代的张久荣（艺名白菜心），1940年第四代的吴奎一（号抓地虎）、王凤翔（号滚地雷），1951年第五代的王连成（号王小辫），1970年第六代的陈士友（小生）、秦丽（小旦）等，出现了许多杰出的高跷艺人。

海城高跷秧歌是民众十分喜爱的民间舞蹈，欢腾、奔放、热烈、火爆是其基调，优美、抒情、风趣、诙谐是其特色，二者的统一构成海城高跷秧歌的艺术特征，衍生出“扭、浪、逗、

相”四大技法要素。在海城高跷秧歌的表演中，气势恢宏的大场和轻快细腻的小场包括了音乐、舞蹈、杂技、戏曲等多种形式，构成以舞蹈为主体的综合性民间广场艺术。海城高跷秧歌不仅在当地，而且在国内外都有广泛影响。1988年它在全国广场民间舞蹈大赛中一举夺冠，1997年以来多次参加国内外各种盛大演出，其表演独树一帜，显示出东北地区高跷秧歌的特色。

海城高跷秧歌历史上曾辉煌一时，并一直在民间传承不绝。但是由于一些老艺人相继去世，后继乏人，目前其表演技艺正面临失传的危险，亟待抢救和保护。

高跷·辽西高跷

◎ 申报地区或单位：辽宁省锦州市

据可考史料，辽西高跷秧歌已有二百多年的历史。

辽西高跷秧歌的特点是跷高，最低的90公分，依次升高，最高的可达240公分，演员需坐在房檐上绑跷腿。因跷高且富弹性，舞者为保持全身平衡，双臂必须上下不停摆动，才能表演自如，由此构成辽西高跷“大大舞”的基本动律。也因为跷高，辽西高跷秧歌形成了扔、跨、踢、别、拧等技巧和美、浪、俏、哏、逗等形态，动作潇洒漂亮，场面热烈火爆，有丑中美、美中浪、浪中俏、俏中哏、哏中逗等突出的表演特色，充分展现了辽西人的豪迈性格。

辽西高跷秧歌有自己独特的传承方式。一为家族传承，如大薛乡三屯村第一代传人朱秀峰（1840年出生）传了五代；二为师徒传承，如营盘乡范屯村第一代传人朱有余（1864年出生）传了四代；三为自然传承，由于辽西高跷秧歌深受群众喜爱，许多爱好者在不断观看演出中自学成才，成为新军。

辽西高跷秧歌具有重要的文化艺术价值，在当地及省内外有着广泛的群众影响。

由于辽西高跷秧歌的一些老艺人相继去世，后继乏人，其表演技艺特别是全国独一无二的“特高高跷”正面临失传的危险，亟待抢救和保护。

高跷·苦水高高跷

◎ 申报地区或单位：甘肃省永登县

甘肃省永登县苦水街高高跷，起源于元末明初，到现在已有近七百年的历史。高高跷是当地一门祖辈相传的民间表演艺术，也是农历二月二龙抬头社火中一个传统的保留节目。表演者穿上传统的戏剧服装，画上秦腔剧中人物的脸谱，拿上道具，踩上高高跷，排成长队，在太平鼓队强大阵容的引导下上街表演。苦水高高跷跷腿的高度达3至3.3米，居全国之冠。时下，苦水高高跷面临传承窘境，表演人员心理不稳定，舞种生存遇到危机，需要有关部门投入财力、人力、物力进行发掘和保护。

113 永新盾牌舞

◎ 申报地区或单位：江西省永新县

江西省永新县地处赣西南，位于罗霄山脉中段。盾牌舞是流传在永新的一种民间舞蹈。据永新县志和南塘村吴氏族谱记载，盾牌在明朝就可“供习武防身用”，由此演化出的盾牌舞至今已有二百多年的历史。

盾牌舞主要表现两军对垒破阵、相互攻守拼战的场面，由男子集体表演，两铁叉手与众多（8个以上）牌丁伴着滚、打、桩、躲的一系列动作，组成四角阵、一字长蛇阵、八字阵、黄蜂阵、搭牌、龙门阵、荷包阵、打花牌八个阵式。阵式布局巧妙严谨，造型神采各异。其动作特点为功架不倒，刚柔相济，疾而不乱。盾牌舞的音乐特点主要是吸收“灯彩”中的唢呐曲牌“锣腔”、“戏曲”中长音加花的“南路散板”和“国术”中的快板锣鼓等，加上表演过程中不断响起的铿锵的短刀响环声和演员们“嗬嗬”的呼喊声，为热闹气氛的营造起到了很好的作用。

盾牌舞在永新一带家喻户晓，曾有“不练盾牌不是男子汉”之说，特别是元宵“出灯”时更属必不可少。它深受当地民众喜爱，丰富了人们的文化生活。永新盾牌舞是赣西南山区民俗民风的一个缩影，它体现出一种最原始的民族凝聚力、团队精神和战斗精神。就艺术价值而言，它集武术、杂耍、舞蹈、造型于一体，成为地方文化的典型代表。

文化生活的日新月异以及老艺人的相继去世，使盾牌舞面临失传的危险，抢救工作迫在眉睫。

114 翼城花鼓

◎ 申报地区或单位：山西省翼城县

山西省翼城县位于山西省临汾市南部，自古为西通陕甘、东达豫赵的咽喉要地。翼城花鼓源远流长，翼城杨家祠堂牌匾上写道：“唐太宗坐定长安城，黎民百姓喜在心，年年有个元宵节呀，国邦定，民心顺，国泰民安喜迎春，花鼓打的热哄哄。”落款为大唐贞观三年正月。《翼城县志》“国戚卷”载：“明万历年间李太后回翼城省亲赏花鼓银子三千两。”可见翼城花鼓在明万历以前就已存在。由清代至今，翼城花鼓已成为百姓庆丰收、祭祖先的例行表演形式，所谓“绕城西北东南走，到处皆闻花鼓声”即是这种状况的真实写照。

翼城花鼓动作粗犷，节奏欢快，情绪热烈，风格淳朴。表演形式以行进表演和广场表演为主，也有舞台表演。其乐器比较简单，有花鼓、大苏锣（也叫“背花锣”或“大锣”）、呆锣（也叫“斗锣”或“引锣”）、小战鼓（俗称“救鼓子”）等。曲牌则有【五流水】、【花流水】、【五槌】等，唱腔多为当地民歌，一般由花鼓手和女苗子领唱，众人齐和。

翼城花鼓世代流传，经久不衰，与当地人民的生产、生活息息相关，为后人了解古代翼城的社会变迁、历史沿革提供了一份珍贵的史料，同时它也是音乐学、民俗学等领域的重要研究课题之一。挖掘、整理和保护翼城花鼓，对进一步丰富民间舞蹈将起到积极作用。

115

泉州拍胸舞

◎申报地区或单位：福建省泉州市

拍胸舞是福建省最有代表性的民间舞蹈之一，主要流行于闽南地区的浮桥、江南一带及泉州、金门等地。拍胸舞形式比较简单，仅一两人便可随时随地随意起舞。拍胸舞传统的舞者为男性，头戴草箍，上身裸露，赤足，动作以趋于单一节奏的击、拍、夹、跺为主，部位集中在胸、肘、腿、掌等处，基本体态呈拔腰挺胸之势，全身跳跃，并辅以雄健的蹲步和怡然自得的颤头动作，构成粗犷、古朴、诙谐、热烈的风格。拍胸舞

基本动作为“打七响”，即双手首先于胸前合击一掌，接着依次拍打左右胸部，双臂内侧依次夹打左右肋部，双手再依次拍打左右腿部，共得七响，时值合七拍；与此同时配合双脚的蹲裆步有节奏地跳跃，身体随之左右晃动，配以颤头动作，产生别具一格的摇晃动律，使舞蹈洒脱自然，显露出机灵轻巧、诙谐爽朗的特性，如此循环往复，连续表演。“打七响”最突出地代表了拍胸舞的基本动律和风格特色。当今舞蹈工作者为拍胸舞配上音乐，使得表演场面热烈欢快，整齐有序，“打七响”变为“打八响”（即双手在胸前合击掌二次），这就发展了拍胸舞的基本动作，形成了不同的风格特点。

拍胸舞表演者所戴草箍上的蛇形头饰保留了秦汉闽越族原住民蛇图腾崇拜的遗风，其表演形式也保留了古闽越族原始舞蹈的遗风。拍胸舞的内在动律与土家族舞蹈“肉连响”极其相似，从舞种分布的角度看，它与黎族、高山族等南方少数民族的舞蹈之间存在着密切的渊源关系。泉州古老剧种梨园戏《郑元和》中保留了“莲花落”乞丐拍胸一折，当今民间拍胸舞又使用、保留了泉州南音的《三千两金》，这种文化的传承关系也极具研究价值。

116 安塞腰鼓

◎ **申报地区或单位：陕西省安塞县**

安塞腰鼓历史悠久，但产生形成的具体时代至今已难考证。以鼓报警，以鼓助威，以鼓告急，以鼓为乐，这些都是安塞腰鼓的功能。安塞腰鼓分文鼓与武鼓两种，文鼓以扭为主，重扭轻打；武鼓以打为主，重打轻扭。

安塞腰鼓快放快收，变化神速，自然大方，欢快流畅，刚柔并济，屈伸自如，在发展演变过程中将舞蹈、武术、体操、打击乐、吹奏乐、民歌等融为一体，使自身从内容到形式更加丰富，更具观赏性、娱乐性。

安塞腰鼓是黄河文化的组成部分，是陕北汉子剽悍、虎劲、牛劲的体现，极具民族风格和地域特色。

目前安塞腰鼓的现实生存状况令人担忧，需要对它实行保护和扶持。

117 洛川蹩鼓

◎ 申报地区或单位：陕西省洛川县

洛川蹩鼓主要流传于陕西省洛川县黄章、永乡、旧县等乡村，为延安著名的“三鼓”（胸鼓、腰鼓、蹩鼓）之一，陕西方言称“蹦跳”为“蹩”，此舞以蹦跳为特征，故称“蹩鼓”。

洛川为战国时秦、晋、魏争夺之地，传说蹩鼓即由军阵演变而来，其后通过与当地民间祭祀祈雨活动结合而流传至今。黄章乡已确知的蹩鼓表演传承者已达六代之久。

洛川蹩鼓表演者均为男性，表演时头包战巾、背插战旗、腰系战裙、腿扎裹带，或挎鼓，或持锣、钹（大镲）。击鼓、锣、钹起舞时，其基本动作有单跳、双跳、蹉步、拧摆等，场图主要有“白马分鬃”、“蝎子拧尾”、“单骑扑阵”、“四壁合围”、“品字组合”等。表演者在舞、蹦、跳中做出各种造型，在锣鼓齐鸣中左冲右扑，拼杀搏斗，如临战阵，动作粗犷，剽悍豪放，富于力感。

1996年，洛川县被文化部命名为“中国民间艺术之乡”。

118 兰州太平鼓

◎申报地区或单位：甘肃省兰州市

甘肃兰州太平鼓舞已有六百余年的历史，素有“天下第一鼓”之称，流传于兰州、永登、酒泉、张掖、靖远等地。兰州太平鼓呈圆筒形，鼓身高70至75厘米，鼓面径长45至50厘米，鼓重19至22公斤，双面蒙牛皮，绘有二龙戏珠等图案，鼓带较长，可挎在肩上，便于击打，同时又可将鼓抛向任何一个方向。兰州太平鼓舞是群舞，有“大轿迎宾”、“黄河儿女”、“擂台比武”等多种表演形式。鼓队有24至48人，多的达到108人。鼓手在领队的号令下击锣伴奏，队形不断变换，一会儿是“两军对垒”、“金龙交尾”、“双重突围”，一会儿是“车轮旋战”、“跳打”、“蹲打”、“翻身打”、“岸打”，等等。兰州太平鼓经过几代民间艺人和艺术工作者的编排、加工和完善，逐渐形成了“低鼓”、“中鼓”、“高鼓”三种基本打法，在此基础上糅进戏剧架子功技法和武术技法，加强节奏的变化，单一的太平鼓击鼓节奏衍出轻、重、缓、急的不同打法，队形变化也更加流畅。鼓、锣、钹新技法的编排使兰州太平鼓更加音乐化、美术化、舞蹈化和性格化，在继承的基础上有了合理的发展。

发掘、保护甘肃兰州太平鼓舞，不仅对继承和丰富中国鼓舞文化有积极意义，而且能促进中国古代舞蹈、音乐的学术研究。进入21世纪以来，兰州太平鼓的生存面临着前所未有的危机，活动人数大量减少，年轻的乡村“好家”也不如以前多了。需要采取措施，加强对兰州太平鼓的挖掘、保护、整理和提高。

119 余杭滚灯

◎ 申报地区或单位：浙江省杭州市余杭区

余杭滚灯源于浙江余杭翁梅一带，流传至今已有八百余年历史，是节庆和灯会期间表演的具有强烈竞技特点的民间舞蹈。南宋诗人范成大在诗作《上元纪吴中节物俳谐体三十二韵》中曾对滚灯作如下描绘：“掷烛腾空稳，推球滚地轻”，可见南宋时滚灯就已流行。

余杭处杭州近郊，南宋时为京畿之地，各种庙会活动频繁，滚灯作为旧时俗节迎会仪仗队伍中必出的特色节目，自然十分盛行。余杭翁梅又临钱塘江北岸，古代盐业兴旺，海盗不断侵犯。此后数百年间，余杭民间一直把滚灯作为一种吉祥之物、强体之器，每逢元宵或庙会（主要是元帅庙会）必参与表演，因而世代相传。

余杭滚灯集舞蹈、技巧、体育于一体，具有多样性、综合性、竞技性的鲜明特征，它有九套二十七个表演动作，有独特的艺术构思和典型的地域特色，展示了一些民间舞蹈杰出的创造力，对探索古代民间舞蹈具有很高的研究价值。

随着现代化的发展以及文艺多元化的影响，传统庙会大多消失，滚灯活动机会减少，濒临失传的危险。再者，滚灯制作工艺传人已所剩无几。为此，抢救、保护余杭滚灯十分紧迫。

119 余杭滚灯
120 土家族摆手舞

120 土家族摆手舞

◎ 申报地区或单位：湖南省湘西土家族苗族自治州

湘西土家族摆手舞是最具土家族民族特色、最能反映土家族古老风俗的民间舞蹈，现主要流传于湖南湘西龙山、保靖、永顺等地。一般在农历正月初三至正月十五夜间表演。摆手舞产生于土家族古老的祭祖仪式中，据清代八部大王庙残碑和县志记载推测，摆手舞已有近千年历史。

湘西土家族摆手舞集歌、舞、乐、剧于一体，表现开天辟地、人类繁衍、民族迁徙、狩猎捕鱼、桑蚕绩织、刀耕火种、古代战事、神话传说、饮食起居等广泛而丰富的历史和社会生活内容。其舞蹈内容以上述仪式程序结构而成。土家族摆手舞舞姿大方粗犷，有单摆、双摆、回旋摆、边摆边跳等动作。舞蹈场地一般在坪坝上。舞蹈分为大摆手和小摆手，大摆手祭祀族群众始祖，规模浩大，舞者逾千，观者过万；小摆手主要祭祀本姓祖先，规模较小。其音乐包括声乐伴唱和器乐伴奏两部分，声乐主要有起腔歌和摆手歌，乐器主要是鼓和锣，曲目往往根据舞蹈的内容及动作而一曲多变。摆手舞的动作特点是顺拐、屈膝、颤动、下沉，表现风格雄健有力、自由豪迈。

土家族摆手舞对研究土家族历史、战争、宗教、迁徙、生产、生活、爱情、民俗等都有十分重要的价值，其中反映的战争内容体现了土家先民英勇善战、不怕牺牲的民族精神。同时，摆手舞再现了土家族农耕生活的全过程，反映了土家族人民热爱劳动、不畏艰险、热爱生活、顽强生存的乐观主义精神，是了解和研究土家文化的重要材料。

121 土家族撒叶儿嗬

◎ 申报地区或单位：湖北省长阳土家族自治县

湖北长阳土家族“撒叶儿嗬”，是清江中游地区土家族非常独特的一种歌舞，历史悠久，据《蛮书》记载，土家族先民古时就有“击鼓以悼哀”、“其众必跳”的风习。

“撒叶儿嗬”是一种传统祭祀歌舞，乡亲们聚在孝家堂屋里的亡者灵柩前，男人载歌载舞，女人们穿戴着鲜亮服饰围观助兴，这种活动往往通宵达旦地举行。土家族人为人的生死有如四

季变化，是自然而然的，享尽天年的老人辞世是顺应自然规律，值得庆贺。土家人就这样用绝妙的歌腔舞态表达自己旷达的生死观。跳舞时先由歌师击鼓叫歌，舞者随鼓声应节起舞，舞蹈形式有“风夹雪”、“凤凰展翅”、“滚身子”、“美女梳头”、“牛擦背”、“犀牛望月”、“燕儿含泥”、“叶儿合”等24种套路，其动律特点是顺拐、屈膝、悠颤，出现 6/8 拍子带切分音的节奏律动。

“撒叶儿嗬”是歌、舞、乐浑然一体的艺术。它的声腔以男嗓高八度运腔，歌调是一种古老的特性三度，仅存于清江迤北长江三峡北岸的兴山一带，在其他歌种中已成绝响；其曲体结构与楚辞体式多有相似，从中尚能找到古代巴楚之地祭神乐歌的影子。歌舞中显示出难能可贵的积极人生态度，贯穿着豁达通脱的生命观念。

“撒叶儿嗬” 为清江土家所独有，具有一定的艺术价值和学术研究价值。

122 弦子舞

（芒康弦子舞、巴塘弦子舞）

弦子，又称“谐”、“叶”、“巴叶”，是藏族特有的一种胡琴，一般由男子演奏。弦子舞，也常称为“弦子”，是在乐器弦子的伴奏下，集歌、舞、乐为一体的综合性藏族歌舞艺术。弦子舞分布于西藏东部及云南、四川、青海等藏族聚居区。表演时由男子拉弦子，女子舞彩袖，随着弦子节奏的变化，歌声舞姿变化多样。弦子的歌词大部分为迎宾、相会、赞美、情意、辞别、祝愿的内容；曲调繁多，歌词丰富，舞步多变。舞蹈时男女舞队各围成半圈，时而聚圆，时而疏散，且歌且舞；男子舞姿重在舞靴、跺脚，显示豪放粗犷之美；女子突出长袖轻柔舒展之美。

弦子舞·芒康弦子舞

◎ 申报地区或单位：西藏自治区

芒康县位于西藏东南部，藏、川、滇三省交界处，弦子舞是该地区的一种民间歌舞，它以弦子为伴奏乐器，男女聚集在一起，随着音乐翩翩起舞歌唱。芒康弦子舞在藏语中又叫“蕃谐

羌"，"蕃"藏语为藏族，"谐"为歌舞，"羌"为跳。弦子称为"比旺"，是一种当地老百姓自己发明的二胡，在史书中称为"胡琴"。昌都芒康县弦子舞历史悠久，据考证，唐朝时期芒康就已有弦子舞出现。

弦子舞是芒康当地惟一特有的民族歌舞。每当节日，人们相聚一处，跟在一位或几位边拉琴伴奏边频频起舞的男子身后，甩动长袖蹁跹起舞。芒康弦子舞姿圆活、狂放而流畅，有拖步、点步转身、晃袖、叉腰亘步等动作，以长袖飘飞最有特色。舞者随着弦子乐曲晃动而发出阵阵"颤声"，舞蹈动作相应产生"颤法"，这些动作多以模拟一些善良、吉祥的动物姿态动作为形体特征，有"孔雀吸水"、"兔子欢奔"等类别。现存芒康弦子有不少各具地域特色的流派，如端庄稳重的盐井弦子舞、潇洒飘逸的徐中弦子舞、动作难度较大而轻松舒展的

索多西弦子舞、自由开放的曲邓弦子舞等。在清新婉转的琴声下，弦子舞队无论是聚拢散开、列队绕行，还是扬袖旋转，都体现出丰富的文化意蕴和审美内容。

如今芒康弦子舞已经成为广大藏族群众重要的娱乐方式，芒康十六个乡（镇）每逢佳节，都要开展以弦子舞为主的丰富多彩的文艺活动，这些活动丰富和活跃了群众的精神文化生活，提高了群众的文化素质，增强了他们对祖国和家乡的热爱。芒康弦子舞历史悠久，古老神奇，形式独特，民族气质强烈，高原特色浓郁，流派较多，表演体系完整，其歌舞传统弥足珍贵。

弦子舞·巴塘弦子舞

◎ 申报地区或单位：四川省巴塘县

"弦子"藏语称"嘎谐"，又称为"谐"、"叶"、"巴叶"等，意为圆圈舞，属藏族三大舞种之一。它流行于西藏东部及云南、四川、青海藏族聚居区，以四川巴塘弦子最为有名。巴塘县地处川滇藏三省（区）结合部，这里古代属白狼国地，白狼国的"白狼歌"是一种诗、乐、舞集于一体的礼仪歌舞，巴塘弦子为其后世遗风。经千余年的发展，成为藏族人民十分喜爱的一种民间歌舞。

巴塘弦子是一种优美抒情的藏族舞蹈，具有"长袖善舞"的特点，表演时，由数名男性持拉弦乐器"毕旺"（胡琴）在队前演奏领舞，其余舞者则和他们一起边歌边舞。"三步一撩、一步一靠"是巴塘弦子舞的基本律动特点，其含胸、颤膝及长袖的绕、

托、撩、盖等动作形成了不同一般的地域舞蹈特色。每逢喜庆佳节、集会野营、劳动之余，人们聚集在“林卡”（林中空地）或坝子跳起弦子舞，男女不拘，人数不限。弦子音乐一般分前奏、间奏、尾声三部分，音乐柔中有刚，优美抒情，节奏富于舞蹈性。

巴塘弦子是巴塘人民智慧的结晶。巴塘弦子舞中积淀着厚重的民族文化，折射着浓郁的民族风情，其学术价值和艺术价值都很高。2000年5月，文化部正式命名巴塘县为“中国民间艺术之乡”。有着几千首曲目的巴塘弦子成为了藏族民间音乐的最大宝藏，它是保存最完好的藏族音乐的“活化石”，其音乐和唱词已经渗透到了藏族其他各种文学艺术当中，保护巴塘弦子对于保护藏族歌舞艺术、研究藏族文化都具有十分重大的意义。

123

锅庄舞

（迪庆锅庄舞、昌都锅庄舞、玉树卓舞）

锅庄舞，又称为“果卓”、“歌庄”、“卓”等，藏语意为圆圈歌舞，是藏族三大民间舞蹈之一，分布于西藏昌都、那曲，四川阿坝、甘孜，云南迪庆及青海、甘肃的藏族聚居区。锅庄分为用于大型宗教祭祀活动的“大锅庄”、用于民间传统节日的“中锅庄”和用于亲朋聚会的“小锅庄”等几种，规模和功能各有不同。也有将之区分成“群众锅庄”和“喇嘛锅庄”、城镇锅庄和农牧区锅庄的。舞蹈时，一般男女各排半圆拉手成圈，有一人领头，分男女一问一答，反复对唱，无乐器伴奏。整个舞蹈由先慢后快的两段舞组成，基本动作有“悠颤跨腿”、“趋步辗转”、“跨腿踏步蹲”等，舞者手臂以撩、甩、晃为主变换舞姿，队形按顺时针行进，圆圈有大有小，偶尔变换“龙摆尾”图案。

锅庄舞·迪庆锅庄舞

◎ 申报地区或单位：云南省迪庆藏族自治州

迪庆藏族锅庄舞，广泛分布在云南迪庆藏族自治州，根据从丽江石鼓轿子村出土的唐代藏文画像碑中的舞蹈形象推测，锅庄舞已有上千年的历史。

迪庆藏族锅庄舞以德钦县奔子栏镇和香格里拉市沾塘镇、小中甸镇的最有代表性。奔子栏在待客时以锅庄歌舞形式表现系列礼仪程序，有“祝福锅庄”、“逐客锅庄”、“赞颂锅庄”、“相会锅庄”、“辞别锅庄”、“挽留锅庄”、“送别锅庄”、“祈福锅庄”等种类，在全国各藏区十分罕见。其曲调分“吆”、“卓金”、“霞卓”、“卓草”四个部分。香格里拉锅庄分古、新两种，“擦尼”是古锅庄，歌词内容、舞步形式都较古老，具有浓厚的祭祀性质，有专门的动作和歌词，多为宗教界和老年人喜爱；“察司”是新舞，系随着不同时代而新编的歌舞。迪庆藏族锅庄的歌、舞、词都很丰富，唱词以三句为一段。凡遇喜庆佳节、新居落成、婚嫁喜事，人们不分男女老幼都要聚集在一起跳个通宵，表示欢庆和祈福。

迪庆藏族锅庄包含着丰富的藏族文化内涵，形式完整多样，地域特色鲜明，民族风格浓郁，有深厚的群众基础，其中蕴含着友爱、团结等传统的人文精神，有较高的艺术和社会价值。

锅庄舞·昌都锅庄舞

◎申报地区或单位：西藏自治区

昌都县位于西藏自治区东部川、藏、滇三省交汇处，这里是康巴文化的中心，也是著名的“锅庄”发祥地。根据昌都县锅庄的歌词和民间传说来分析，昌都锅庄早在吐蕃时期就存在了。

在西藏，昌都锅庄广为流传。每逢节日、庆典、婚嫁喜庆之时，广场上、庭院里男女相聚，围成圆圈，按顺时针方向边歌边舞。男性穿着肥大筒裤，女子甩开右臂袍袖披于身后，男女各站一边，拉手成圈，分班唱和。通常由男性带头起唱，女性随后唱和。歌声嘹亮，穿透力很强，舞者和着歌曲“甩手颤踏步”沿圈走动。当唱词告一段落后，众人一齐“呀”（拟声）地一声呼叫，顿时加快速度，撒开双臂侧身拧腰大蹉步跳起，挥舞双袖载歌载舞，奔跑跳跃变换动作。男性动作幅度很大，伸展双臂犹如雄鹰盘旋奋飞；女性动作幅度较小，点步转圈有如凤凰摇翅飞舞，显现出健美、明快、活泼的特点。舞圈中央通常置青稞酒、哈达，舞毕由长者或组织者敬献美酒、哈达，兄弟姐妹情谊藉此得到升华。昌都锅庄可分为农区锅庄（包括城镇）、牧区锅庄、寺庙锅庄三大类，动作大体可分两类，一类节奏缓慢，舞姿舒展优美；另一类节奏急促，舞蹈热烈奔放。昌都锅庄的动作多有模拟动物形态的，如“猛虎下山”、“雄鹰盘旋”、“孔雀开屏”、“野兽玩耍”等，其表演注重姿态和情绪变化。昌都锅庄的节奏在表演中前后有三次变化，序舞时只要舞蹈者站好自己的位置，脚步缓慢地交替迈步即可，步伐很轻，力度也不强；序舞过后逐渐进入慢板舞蹈，最后进入最能体现锅庄舞粗犷奔放特征的快板舞蹈阶段，这时，舞蹈者的情绪达到高潮，场面极为热烈。

昌都锅庄艺术充分表现了藏族人民热爱生活、热爱劳动、热情豪迈的民族特性，显示出一种力量的美和民族自豪感。2001 年，昌都县被西藏自治区人民政府命名为“锅庄艺术之乡”。

锅庄舞·玉树卓舞

◎申报地区或单位：青海省玉树藏族自治州

玉树卓舞流传于青藏高原腹地青海省西南部的玉树藏族自治州一带。卓舞的历史渊源可以追溯到原始社会，玉树卓舞中至今还保留着很多远古时代的痕迹，随着藏族六大氏族的形成，玉树卓舞逐渐以部落、部族和区域文化的形态发展起来。

玉树卓舞种类繁多，其内容以对家乡、自然风光等的歌颂为主，同时广泛反映社会生活的各个方面。完整的演出分祭奉神佛的序舞、表现广泛内容的正部、祝福吉祥的尾声三个部分。玉树卓舞按功能可分世俗性较强的普通卓舞和宗教色彩很浓的“法”卓（藏语称“曲”卓）两类，整体结构由从慢到快两部分组成，以载歌载舞的形式进行表演。玉树卓舞的动作主要围绕甩袖来进行，表演时常常有几十人、上百人共同参与。舞者的袖子很长，全都拖在地上，男子舞蹈甩袖幅度大，动作优美潇洒，手臂旋转自如，运动路线变化多样。 腿部的动作幅度也很大，需要配合着手臂的甩袖作抬腿、撩腿、转身等大幅度的跳跃、移动，动作路线以弧线为主，周身协调配合。整个舞蹈节奏鲜明，气势磅礴，将男性舞蹈阳刚、帅气之美充分展现出来。女子舞蹈动作柔美流畅，甩袖和脚下动作基本与男子舞蹈相近，但幅度较小，展现出女性柔美秀丽和温柔端庄的特性。

卓舞具有广泛的民众和社会基础，其丰富的表现形式、独特的风貌、精湛的技艺、强烈的个性为广大群众所称誉，在藏族歌舞艺术中具有广泛的代表性和显著的典型性，显示出很高的艺术价值。同时卓舞蕴有古老而深邃的文化内涵，在人类学、民族学、民俗学等的研究中都有重要的价值。它所具备的凝聚力和激发力，在现代精神文明的建设中能发挥积极作用。

124 热巴舞

（丁青热巴、那曲比如丁嘎热巴）

热巴舞是由藏族“热巴”艺人表演的一种舞蹈形式。热巴是一种由卖艺为生并流浪艺人班子（一般以家庭为基本单位组成）表演的，以铃鼓为主，融说唱、谐 歌舞）、杂技、气功、热巴剧于一体的综合性艺术。据史料记载热巴起源于公元11世纪，由藏传佛教噶举派第二代祖师米拉日巴所创建。热巴的前身是西藏原始宗教“苯”教的“巫术”和“图腾舞”。它有悠久的历史、丰富的内容、独特的风格、高超的技巧、风趣的道白和奇特的面具，又吸收了古象雄文化、宗教文化、民间艺术的精髓，从而成为藏族古代灿烂文化艺术中的奇葩，具有很高的艺术价值和研究价值。热巴舞分布于西藏昌都、工布、那曲等地及云南、四川、青海、甘肃等藏族聚居区。

热巴舞·丁青热巴

◎ 申报地区或单位：西藏自治区

丁青热巴舞是一种鼓舞，也是一种融说、唱、舞、杂技和气功于一体的综合性表演艺术。丁青热巴舞起源于琼布丁青，其创始人据说是琼布·米拉推巴嘎，也叫米拉日巴。传说昌都地区丁青县当时属热带气候，有大象在此生存，人们杀大象后取其皮铺在地上，并在上面跳舞祭神，由此创造了热巴舞。丁青县可以说是热巴舞的发源地。

丁青热巴舞有三个主要流派，它们分别是：流行于色扎的嘎措热巴，也叫“色扎热巴”，距今已有五百多年的历史；流行于觉恩的窝托热巴，距今已有九百四十多年的历史；流行于桑多的冬洛热巴，也称康沙热巴，距今已有三百多年的历史。其中最负盛名的当推琼布丁青的窝托热巴。窝托热巴的特点是技巧高难，如爬杆技巧、腹上破石、夹刀旋转等都是窝托热巴的绝技。康沙热巴是昌都境内至今活跃于舞台的重要热巴流派之一，其传统节目有一点鼓、三点鼓、六点鼓、九点鼓等，同时穿插一些弦子舞、卓舞及男女对辩（相当于滑稽相声）的表演。三种热巴的表现形式大同小异，均以粗犷豪放的舞蹈动作和高难度舞蹈造型闻名于世，其音乐以淳朴明亮、高亢激昂、奔放流畅为特点，主要内容多表现避灾祛病、庆祝丰收、祈愿

吉祥等等。

丁青热巴传统古老，流派众多，技艺高超，是藏族民间舞蹈中不可或缺的独特品种。解放后，民间的热巴艺人虽有减少的趋势，但由于各级文艺工作者深入生活，拜民间艺人为师，故不仅较好地继承了传统热巴，而且还在演技和服饰方面作了一些改革，使之能符合舞台演出的需要。如今，热巴舞已经登上了国内外舞台，受到了广大观众的喜爱。2002年，丁青县被西藏自治区人民政府命名为“热巴艺术之乡”。

热巴舞·那曲比如丁嘎热巴

◎申报地区或单位：西藏自治区

丁嘎热巴是在藏北那曲地区比如县夏曲乡丁嘎村流传的一种民间舞蹈。据当地艺人的回忆及比如县政协仁旺丹增和索朗多吉两位先生所著的《那徐持如历史》藏文本介绍：最早的丁嘎热巴是在公元1040年藏传佛教噶举派第二代祖师米拉日巴和热穷巴在原有的民间热巴基础上创作和发展起来的一门独立的舞蹈艺术。这种热巴舞在历史上经历了从民间进入寺院，又从寺院回到民间的发展演变过程。

现存的丁嘎热巴分为寺院喇嘛表演的热巴和民间艺人表演的热巴两种形式。过去民间艺人的丁嘎热巴主要以家族父子传承的方式代代相延，现在成立了以村为单位的热巴队，传承面得到扩展。丁嘎热巴的传统节目很多，共有三十多个，每个节目的跳法和姿态各不相同，其内容有讲述藏族历史、传说故事

的，也有为了寺院祭祀活动的需要而宣扬宗教思想的，代表性剧目包括：《欧冬》（击鼓）、《曲杰罗桑》（罗桑王子）、《斯白巴玛感果》（原始的老父母）、《甲沙公觉郎巴》（迎请文成公主）、《古如多吉热》（金刚舞场）等。丁嘎热巴舞既有当地牧民舞蹈的动律，又借鉴了昌都一带热巴铃鼓舞的舞姿，以顺手顺脚的牧民舞蹈动作为基本步法，上身表演吸收了昌都热巴女子手鼓激情豪放的动作，由此形成融会藏东藏北舞蹈精华的独特风格。丁嘎热巴中还有许多风趣的表演动作、模拟动物的动作及一些富有情节的小戏。

几百年来，丁嘎热巴在丁嘎村民的共同努力下不断改进，舞蹈样式和节目日益丰富。丁嘎热巴包含了藏族传统文化内涵，体现了藏族人民卓越的歌舞艺术的创造才能，反映了藏族文化开放融合的一面，在藏族热巴舞中独树一帜。

1 2 5

日喀则扎什伦布寺羌姆

◎申报地区或单位：西藏自治区

羌姆是一种宗教舞蹈，也称“跳神”。“色莫钦姆羌姆”是西藏日喀则地区扎什伦布寺僧人表演的藏传佛教格鲁派羌姆。在藏语中“色莫”是观赏的意思，“钦姆”是大型的意思，“色莫钦姆羌姆”即观赏性大型宗教舞蹈之意。

公元1617年（藏历第十绕迥火蛇年），第四世班禅洛桑曲吉坚赞时，扎什伦布寺建立了“阿巴扎仓”（密乘僧院）；公元1647年（藏历第十一绕迥火狗年），大师78岁时参照桑耶寺万年“曲足”宗教节举行的“莲花生八名号”舞蹈，为扎什伦布寺的护法神“赤巴拉”（六臂明王的随从、守护世界东方的神将之一）制定驱魔禳灾的仪轨，建立了扎什伦布寺每年藏历十二月二十九日表演的“古多”（驱鬼）羌姆，这就是色莫钦姆羌姆的前身。到了公元1862年（藏历第十四绕迥水狗年），第

七世班禅丹白尼玛多次前往拉萨参加有关仪式活动，对前藏寺院的教规产生了兴趣，返回后在扎什伦布寺修建了“德庆格桑颇章”（新宫），并从拉木、蔡公塘、洛扎、丹杰林、木如、次觉林等寺院的羌姆中吸收和借鉴了不少段落，在原阿巴扎仓表演的“古多”基础上，正式建立了色莫钦姆羌姆，由孜贡扎仓的僧人担任表演，一直延续至今。

作为罕见的藏传佛教宗庙祭祀舞蹈，扎什伦布寺羌姆具有较高的研究价值。

126 苗族芦笙舞

（锦鸡舞、鼓龙鼓虎—长衫龙、滚山珠）

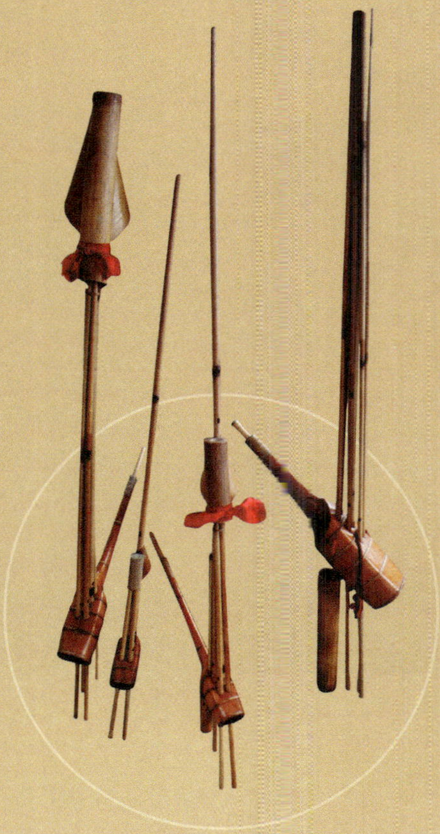

芦笙舞，又名“踩芦笙”、“踩歌堂”等，因用芦笙为舞蹈伴奏和自吹自舞而得名。它流布于贵州、广西、湖南、云南等地的苗、侗、布依、水、仡佬、壮、瑶等民族聚居区，是南方少数民族最喜爱、分布最广泛的一种民间舞蹈。从已出土的西汉铜芦笙乐舞俑分析，芦笙舞至少已有两千多年的历史。芦笙舞大多在年节、集会、庆贺等喜庆时刻表演，主要有自娱、竞技、礼仪三种类型。

苗族芦笙舞·锦鸡舞

◎ 申报地区或单位：贵州省丹寨县

锦鸡舞发源于贵州省丹寨县排调镇境内，流传于苗族“嘎闹”支系中穿麻鸟型超短裙服饰的排调、也改、加配、党早、麻鸟、羊先、羊告、也都和雅灰乡境内雅灰、送陇等苗族村寨。传说这支苗族的祖先住在东方大平原上，后来迁到一个叫“展坳对社”的沙滩边居住，又因洪灾而沿江上行来到丹寨县。在丹寨县定居后，苗族的祖先们一边开荒，一边打猎充饥度日。由于锦鸡帮助他们获得了小米种，帮助他们度过饥荒，所以锦鸡就成了他们的命运吉星。于是，他们仿照锦鸡的模样打扮自己，并模拟锦鸡的求偶步态跳起了芦笙舞。

锦鸡舞是苗族人民每十二年举行一次的祭祖活动中的主要的舞蹈形式。民间的婚庆、迎客礼仪和青年男女的“跳月”的过程中也常常表演锦鸡舞。锦鸡舞以芦笙伴奏，表演时女性个个绾发高耸，头上插戴锦鸡银饰，穿绣花超短百褶裙，戴全套银项圈手镯，脚穿

翘尖绣花鞋，打扮得像美丽的锦鸡一样。男性吹芦笙作前导，女性随后起舞，排成一字形，沿着逆时针方向转圆圈跳。随着芦笙曲调的快慢节拍，妇女头上的锦鸡银饰跃跃欲飞，银角冠一点一摇，腿边花带一飘一闪，百褶裙脚边的洁白羽毛银浪翻飞，翩翩曼舞中舞者步履轻盈，酷似锦鸡在行乐觅食。舞蹈动作三、四、七步不等，以四步为主，兼以六步转身。腰、膝的自然摇动为舞蹈的基本特点。每跳一步，舞者双膝同时自然向前颤动，下肢动作多，上肢动作少，双手于两侧自然放开，悠然摇摆。人多时，芦笙手在中间围成圆圈吹跳，女性在外围成圆圈曼舞。民间锦鸡舞的芦笙曲调丰富，有乐曲一百多首，演奏起来轻快流畅，优美动听。

锦鸡舞表现了苗族人民温和娴静的性格，体现出人与自然和谐友好的精神状态，凸显着苗族人民古老而绚烂的美感追求，是民间舞蹈中一枝烂漫的山花。

苗族芦笙舞·鼓龙鼓虎—长衫龙

◎ 申报地区或单位：贵州省贵定县

鼓龙鼓虎—长衫龙苗语音为“打容打阻—阿冗”，是贵州苗岭山麓小花苗聚居区贵定县新埔乡谷撒村所独有的一种苗族芦笙舞蹈。它历史悠久，至今已有千年以上的历史。据明代熊大木所著的《大宋中兴史话》记载，宋代，黑蛮龙跟随岳飞抗金立功，被封为龙虎将军，后因岳飞父子风波亭遇害，他“痛哭几日绝食而死”。人们以鼓龙鼓虎—长衫龙的舞蹈纪念这位苗族英雄，并一代一代地流传下来。

长衫龙这种苗族芦笙舞过去仅在丧葬和祭寨神仪式中表演，现在则每逢重大节日集会、婚嫁、立房、跳月等传统民族活动都要表演此舞，成为开展娱乐竞赛、增进情谊的重要活动方式。此舞用于丧葬时，于出殡队伍的最前列表演；用于祭寨神时，则于阳历二月初一这一天在杀牛祭祖踩场之际表演；用于立房时，往往在踩屋基时进行；用于跳月时，则多在正月初一至三十的“跳月场”活动中表演。长衫龙包括男子双人舞、四人舞和群舞等形式，整个舞蹈分为三节，第一节表示群龙出现，第二节表示龙腾虎跃，第三节表示群龙抢宝。舞者身着黑色大襟长衫，头插两根野鸡翎，顶龙面牛角图腾，戴髯口，拴红色银饰腰带，手执芦笙，自吹自跳，随着流畅的芦笙旋律做出“龙斗角”、“龙吐水”、“龙出洞”、“龙扇膀子”、“莲花”、“会见”等动作。该

舞伴奏乐器笙管粗长，声音低沉浑厚，音乐节奏鲜明，舞蹈动作与音乐紧密结合为一体，形成一种独具魅力的艺术形式。

鼓龙鼓虎—长衫龙历史悠久，舞蹈形式独特，是一种具有人类学、社会学、民族学、民俗学研究价值的民间舞蹈。由于社会环境的改变，外来文化等多方面因素对苗寨多有影响和冲击，现只有一个寨子不足三十人会跳鼓龙鼓虎—长衫龙舞蹈，这一古老的民间艺术形式已处于濒危状态，亟待保护。

苗族芦笙舞·滚山珠

◎ 申报地区或单位：贵州省纳雍县

苗族芦笙舞滚山珠原名“地龙滚荆”，苗语叫“子落夺”。它流传在贵州省纳雍县猪场苗族彝族乡，是苗族人民世代相传的芦笙舞蹈之一。传说远古时期，苗族祖先大迁徙，途中道路坎坷，荆棘遍野，英勇的苗族青年为了给父老乡亲开辟一条通道，就用自己矫健的身躯从荆棘林中滚出一条路，人们为了纪念这些青年的功绩，就模仿他们用身躯滚倒荆棘的动作，编成芦笙舞，取名“地龙滚荆”。

“滚山珠”是集芦笙吹奏、舞蹈表演、杂技艺术为一体的苗族民间舞。表演时用6支长约20厘米的铁制梭镖头，镖尖向上插入地下，围成一个直径约0.7米的圆圈，或用6只对顶的饭碗装满水摆成圆圈代替梭镖亦可。表演者手执芦笙，一边吹奏，一边跳跃，围着梭镖或水碗翻滚，表演的技巧性强，且异常惊险。“滚山珠”在长期的发展过程中逐渐融进各种技巧，不断完善。到1989年，芦笙舞“滚山珠”由以往的单人表演发展成为6至8人同时表演的舞蹈。表演者手执六管芦笙，头戴箐鸡翎帽，身着绣花白褂，吹奏着世代传承的芦笙舞曲，围绕梭镖或盛满水的碗进行舞蹈表演，时而以头为足，芦笙舞步与技巧运用难度随表演进程不断增加，表现苗族同胞在迁徙途中不畏艰险、勇往直前、排除万难的惊险场面。

苗族芦笙舞“滚山珠”以其粗犷豪放的风格、高难惊险的动作和深厚的文化内涵而成为少数民族民间艺术中的一枝奇葩，流播广远，享誉中外。它曾先后多次参加国内外的艺术节，受到中外人士和各族同胞的高度赞赏。这个舞种中蕴涵着的坚韧顽强、不屈不挠的民族性格是一份宝贵的精神财富，它激励和引导人们不断前进，永不为困难所压倒。

127 朝鲜族农乐舞（象帽舞、乞粒舞）

“农乐舞”俗称“农乐”，流传于吉林、黑龙江、辽宁等朝鲜族聚居区。其历史可追溯到古朝鲜时代春播秋收时的祭天仪式中的“踩地神”。“农乐舞”是一种融音乐、舞蹈、演唱于一体的综合性的民族民间艺术。创始于农业劳作，并具有古代祭祀成分的朝鲜族代表性民间传统活动“农乐舞”，一般有两种形式，一种是以舞蹈和哑剧形式进行情节性的演出；而另一种，是在新年伊始和欢庆丰收时节，以热烈而丰富的传统舞蹈为内容所进行的群众性表演活动。“农乐舞”的表演共包括十二部分。有青年男子表演的“小鼓舞”，舞童表演的“叠罗汉”，多人表演的传统“扇鼓舞”，男女都可表演的“长鼓舞”，多人持大型花扇表演的源于古代“巫舞”的“扇舞”，假形舞蹈“鹤舞”，以及最后压阵的男子“象帽舞”。象帽舞向来是令人瞩目和兴奋激动的舞蹈，男青年舞者头部甩动长达20米彩带的高难技巧，令人目不暇接，成为“农乐舞”最突出的标志之一。

朝鲜族农乐舞·象帽舞

◎ 申报地区或单位：吉林省延边朝鲜族自治州

农乐舞演出时，各个村寨都派出自己浩荡的舞队，参加当地的庆典。舞队的最前方由令旗和一面写有“农业为天下之本”的农旗为先导，随后是一名在队首敲打小锣担任总指挥的男子。在他的带领下，手拿太平箫、喇叭及各种鼓类乐器的乐队和各种乔装人物组成舞队的仪仗部分。接下来是表演小鼓舞、扁鼓舞、长鼓舞、扇舞、鹤舞、象帽舞、面具舞及哑剧的

演员队伍，参加人数不限。象帽舞是农乐舞中的一种重要形式，种类繁复，舞技多样，分“长象帽”、“中象帽”、“短象帽”、“线象帽”、“羽象帽”、“尾巴象帽”、“火花象帽”等种类。其甩象尾的技巧包括左右甩、前后立象尾，有单甩，有双甩，甚或三甩，有站立甩、蹲甩、跪甩、扑地甩等多种。象尾有几尺长的，亦有几丈长的。

象帽舞是我国朝鲜族的代表性舞蹈，应当妥善地加以保护和利用。

朝鲜族农乐舞·乞粒舞

◎ 申报地区或单位：辽宁省本溪市

流传于辽宁省本溪市桓仁县的朝鲜族乞粒舞有悠久的历史，它源于祈求农业丰收的民俗活动，原是农乐舞的一种，随着时代发展，逐渐形成融自娱性和表演性为一体的舞蹈。

乞粒舞有着相对稳定的传统程式，但又不受传统程式的限制，表演者可以根据现场情绪起舞，整个舞蹈具有很强的即兴性。当表演者情绪高涨时，大家各显神通，男性晃动象帽，使顶端长缨飞旋，划出美丽的弧线；姑娘边敲击长鼓边快速旋转，以形体的动感和美感传情达意；老年的扮

演者不仅注重舞之韵味，而且注重姿态，动作变化繁多，能通过即兴表演将心底的欢悦之情表达得淋漓尽致。乞粒舞参与人员多，影响广泛，是朝鲜族农民群体舞蹈的典型代表。

乞粒舞主要在朝鲜族的重大节日或大型活动中演出，如作周（一周岁生日）、回甲（六十大寿）、回婚（结婚60周年纪念日）或婚礼、店铺开张、建造和修缮庙宇时，村里老人都会牵头，组织歌舞表演。乞粒舞多通过家族传承。

乞粒农乐舞，同用于祈神的“踩地神”农乐舞和用于自娱的农乐舞相比较，最为突出的特点是它具有鲜明的表演性，是供人观赏的农乐舞形态。其舞蹈形态复杂，动作洗练，技艺高超，因此在朝鲜族舞蹈中享有独特地位。但是，这种古老艺术由于受到现代文明的猛烈冲击和老艺人相继离世的影响，正面临着失传的危险，亟待抢救和保护。

128

木鼓舞

（反排苗族木鼓舞、沧源佤族木鼓舞）

木鼓舞是流传在西南苗族、彝族和佤族人民中以敲击木鼓起舞祭祀的民间舞蹈。其鼓型多以截取自然生长的树木躯干，凿空内部成型。一般木鼓舞为族群全体参与的大型祭祀活动中的一部分，木鼓被作为族群的象征，以敲木鼓、跳木鼓为核心的祭祀活动充满着强烈的祖先崇拜、自然崇拜的寓意，具有鲜明的原始文化的特征。

木鼓舞·反排苗族木鼓舞

◎申报地区或单位：贵州省台江县

木鼓舞是贵州省台江县苗族群众所喜爱的一种民间舞蹈，主要有反排木鼓舞和施洞、革东木鼓舞两大种类，其中以反排木鼓舞影响较大。它分布于贵州台江县城东南方26公里处的反排村，村中居民皆为苗族。传说反排木鼓舞起源于一对跟从鸟虫学会跳舞的古代兄妹。自古以来，反排木鼓舞就在反排村世代相袭。

每逢丑年，十二年一次的祭鼓节到来，反排木鼓舞便要大跳一次，与宰牛祭祀和盛大的节庆活动相配合。反排木鼓舞启、承、转、合结构完整，舞蹈动作简练，组合丰富，风格热烈豪迈，表现先民的生活场面和地理环境，叙述先民的由来。舞蹈发展采用递进方式，逐步把情节推向高潮，每个情节层次分明，过渡自然。演员歌舞并进，五体皆动，甩同边手，踏二四拍，舞姿粗犷奔放，洒脱优美，头、手、脚开合度大，摆动幅度宽。反排木鼓舞由“牛高抖”、“牛扎厦”、“厦地福”、“高抖大”、“扎厦耨”五个鼓点章节组成，采用单击、合击、交错敲击等演奏手法，鼓点错落有致、节奏明快，与舞蹈有机地结合在一起。

反排村民族文化资源丰富，至今仍保存着以反排木鼓舞为主要文化特征的苗族文化生态圈。反排木鼓舞是苗族祭鼓节重要的活动环节，还是连接苗族社会过去、现在和未来的重要文化纽带。

木鼓舞·沧源佤族木鼓舞

◎ 申报地区或单位：云南省沧源佤族自治县

沧源佤族木鼓舞分布在云南省临沧市沧源佤族自治县的岩帅、单甲、糯良、勐来、勐角、班洪等乡镇，佤山村村寨寨都有自己的木鼓歌场。现沧源县有大、中、小型木鼓七百多只，90%的人能跳木鼓舞，唱木鼓歌。

沧源佤族木鼓舞由拉木鼓、进木鼓房、敲木鼓、祭木鼓四部分组成。每逢年节庆典，佤族男女老少都会穿戴一新，在木鼓的敲击下围绕着木鼓房，携手成圈蹁跹起舞。他们以屈膝、弓腰表示对木鼓的敬仰，不分男女老少一律按逆时针方向围圈缓慢移动，动作以甩手、走步和跺脚为主。第一拍右脚向右斜前方上一步，双手曲肘举至头斜上方，身体后仰；第二拍左脚跟踏一步，双手甩至身后斜下方，身躯前倾。如此循环反复，动作规范而平稳。木鼓舞贯穿于木鼓祭祀活动的全过程，舞蹈以敲打木鼓者的领唱与众人踏节而歌为伴奏，歌词多述说民族历史、祭祀和劳动生产及生活等方面的内容。跳木鼓舞时鼓声震天，舞者秀发飞扬，动作粗犷奔放、炽热狂野，表现出佤族人民勤劳勇敢的性格特征。目前沧源佤族木鼓舞中已形成“高格龙勐”、“甩发舞”、“加林赛”等影响较大的代表作品。

木鼓是佤族传说中的通天神器，被视为民族繁衍之源头，是佤族的历史文化象征。木鼓舞集中体现了佤族民间歌舞、文学、艺术及宗教信仰的成就及特色，不仅有较高的艺术价值，在

艺术学、民族学、民俗学、宗教学等方面也具有一定的研究价值。木鼓舞是佤族民间歌舞的集大成者，是佤族文化最直观生动的体现，一直为广大佤族民众所喜爱，为其民族精神的凝聚起到了不可替代的作用。

129 铜鼓舞（文山壮族、彝族铜鼓舞）

◎申报地区或单位：云南省文山壮族苗族自治州

铜鼓舞是云南省文山壮族苗族自治州壮族、彝族民众中流传最广、影响最大的古老舞种之一，分布于广南、麻栗坡、富宁、西畴、马关、邱北等县的壮、彝村寨，而以广南县壮族、彝族和麻栗坡县新寨乡和富宁县木央乡几个彝族白倮支系的铜鼓舞最具代表性。

广南县出土的铜鼓文物，年代最早的为春秋战国时期的沙果鼓，距今已有两千多年的历史。铜鼓很早就被作为权力的象征、驱邪祈福的神器和娱神的乐器使用了。铜鼓舞始于文山壮、彝先民的自然崇拜和祖先崇拜。彝族认为铜鼓是万物之灵，通过敲铜鼓、跳舞，可以向上苍和祖先传递人们的意愿。壮族则认为敲铜鼓起舞，可以为村寨降妖驱邪，祈求平安。

铜鼓舞属族群性的集体舞蹈。舞者围成圆圈，踏着鼓声节奏沿逆时针方向起舞，跳完一组舞蹈动作再跳另一组，内容都是壮族、彝族农耕生产生活的反映。广南那洒镇马贵村壮族的铜鼓舞完整地保留了十二套舞蹈动作，反映着一年四季十二个月不同的生产内容。麻栗坡、富宁等几个

村寨中的铜鼓舞，主要用于祈雨、求丰收和老人丧葬等民俗活动。壮族、彝族的铜鼓舞流传普遍，动作古朴，舞蹈语汇非常丰富。壮族铜鼓舞表演时，一人敲铜鼓，另一人以木盒辅助形成共鸣滑音，这在其他音乐演奏中是找不到的。彝族的铜鼓演奏则是一种专门技巧，一人用公、母两面铜鼓可演奏十二种音调组合，简称十二调。据称公鼓代表太阳，母鼓代表月亮，十二调代表一年十二个月，因此彝族的铜鼓舞还包含着本地民族的历法文化内容，积淀着壮、彝先民自然崇拜、祖先崇拜，维系民族生存发展等多方面的历史文化内涵，具有鲜明的民族、地域特色和重要的历史、文化、艺术价值。

由于外来文化的冲击，壮族、彝族年轻一代对民族传统历史文化缺乏深层次的认知，导致习铜鼓舞者锐减，如不及时加以保护和传承，就有消亡的危险。

130 傣族孔雀舞

◎ 申报地区或单位：云南省瑞丽市

傣族孔雀舞是我国傣族民间舞中最负盛名的传统表演性舞蹈。流布于云南省德宏傣族景颇族自治州的瑞丽、潞西及西双版纳、孟定、孟达、景谷、沧源等傣族聚居区，其中以云南西部瑞丽市的孔雀舞（傣语为“嘎洛勇”）最具代表性。相传一千多年前傣族领袖召麻栗杰数模仿孔雀的优美姿态而学舞，后经历代民间艺人加工成型，流传下来，形成孔雀舞。

在傣族人民心目中，“圣鸟”孔雀是幸福吉祥的象征。孔雀舞是傣族人民最喜爱的民间舞蹈，在傣族聚居的坝区，几乎月月有“摆”（节日），年年有歌舞。在傣族一年一度的“泼水节”、“关门节”、“开门节”、“赶摆”等民俗节日，只要是尽兴欢乐的场所，傣族人民都会聚集在一起，敲响大锣，打起象脚鼓，跳起姿态优美的“孔雀舞”，歌舞声中呈现出丰收的喜庆气氛和民族团结的美好景象。瑞丽傣族孔雀舞以单人舞为主，也有双人孔雀舞。舞者以男性居多。孔雀舞有丰富多样的手形动作和跳、转等技巧，四肢和躯干的各个关节要重拍向下屈伸，全身均匀颤动，形成优美的“三道弯”舞姿。架子孔雀舞的舞蹈语汇尤为丰富，有“飞跑下山”、“林中窥看”、“漫步森林”、“抖翅”、“点水”等惟妙惟肖模拟孔雀神态的动作。

孔雀舞风格轻盈灵秀，情感表达细腻，舞姿婀娜优美，是傣族人民智慧的结晶，有较高的审美价值。它不只在重要热闹的民族节庆中单独表演，也常常融合在集体舞“嘎光”中。孔雀舞具有维系民族团结的意义，其代表性使它成为傣族最有文化认同感的舞蹈。

131 达斡尔族鲁日格勒舞

◎ 申报地区或单位：内蒙古莫力达瓦达斡尔族自治旗
　　　　　　　　　黑龙江省哈尔滨市

“鲁日格勒”是达斡尔族具有代表性的民间舞。它因地而异，有“阿罕伯”、“郎突达贝”、“哈库麦”、“哈根麦勒格”等几种不同称谓。

在内蒙古和黑龙江嫩江流域的达斡尔族聚居区，“鲁日格勒”舞是对其民间舞的统称，多为妇女表演的自娱性舞蹈。据考证，“鲁日格勒”的汉语意思为“燃烧”或“兴旺”，达语“鲁日格勒贝”可以引申为“跳起来吧”。因为表演时边舞边喊“罕伯、罕伯”，所以“鲁日格勒”又有“罕伯舞”之称。

“鲁日格勒”舞历史悠久，据史料记载，古代达斡尔在春意微透的夜里聚集在村头的草坪上，围绕熊熊燃烧的篝火手舞足蹈，你呼我唤，于劳动之余以舞蹈形式抒发心声，调

整精神，消除疲劳。由此可见，“鲁日格勒”与达斡尔族人民的生产、生活、习俗有着密切的关系。

达斡尔族是一个能歌善舞的民族，“鲁日格勒”以群舞为主，多表现狩猎生活和劳动场面，表演时舞者上身和手臂的动作较为丰富，脚下以侧滑步为基本步伐，舞蹈开始时先唱徐缓轻快的舞歌，舞者随着歌声轻柔地舞动起来，旁观者可任意加入队伍随舞，舞蹈气氛逐渐热烈，节奏加快，舞者不断穿插交换位置，舞蹈达到高潮时，同时齐发出“哲嘿哲”、“德乎达”等简短风趣的呼号，脚上踏出有力的节拍。“鲁日格勒”来源于达斡尔族的劳动生产生活，因此舞蹈中有采集、提水、捕鱼、飞翔、禽类斗闹的内容及舞蹈形象。如今，在鲁日洛勒舞的原生地区，这种民间舞蹈备受冷落，面临失传的危机，急需采取保护措施。

达斡尔族是个精于骑射、擅长歌舞的民族。聚居在黑龙江省的达斡尔族的鲁日格勒舞又称“哈库麦勒”。它一方面具有传统狩猎歌舞的特征，如从原始狩猎篝火歌舞中保留下来圆圈队形、模仿走兽吼叫和飞禽鸣叫的呼号等内容；另一方面有了很大的发展，如队形有多种变化，演唱的新曲数量增多，歌舞内容更为广泛，衬词更加丰富和独特等等。更值得一提的是，哈库麦勒歌舞有了比较清晰的“三段式”表演程式：第一段“比歌”以歌为主，以舞为辅；第二段“赛舞”，以舞为主，以歌为辅；第三段“打斗”，以打斗为主，演员随着高声激昂的呼号，振臂挥向对方，彼此盘旋打斗在一起，最后决出胜负来结束歌舞表演。

在研究和探索北方民族原始狩猎歌舞发展和沿革的变化轨迹方面，哈库麦勒歌舞如同一件“活化石”。此外需要引起注意的是，哈库麦勒歌舞与满族“莽式”宫廷歌舞有很多相似的地方，特别是在哈库麦勒歌舞中出现的打斗动作与满族“莽式空齐”的“大率举一袖于额，反一手于背，盘旋作势”是基本一样的，这种相似之处是很值得研究的。

当前，哈库麦勒歌舞也和其他民间艺术一样，处于濒危状态，急需采取必要的措施加以保护。

132 蒙古族安代舞

◎ 申报地区或单位：内蒙古自治区库伦旗

安代舞发源于库伦旗，据考证约形成于明末清初。当时库伦体制是“政教合一”，寺庙林立，僧侣众多。清朝中期，各地闯关东的移民大量涌入草原，不同部落、不同地域的文化风俗相糅合铸就了库伦蒙古族文化，孕育了具有广泛群众性的安代舞。

安代舞的起源有三十余种说法，其中最有代表性的说法认为安代最初是用来医治妇女相思病的宗教舞蹈，也含有祈求神灵保佑、消灾祛病之意。当时，在库伦等地流行的安代有“阿达安代”、“乌日嘎安代”等12种。安代通常在节庆或闲暇时进行，一人领唱众人应和，成百上千的男女老少载歌载舞。安代舞有强烈的自娱性、鲜明的民族特色和浓郁的生活气息，轻松愉快，简单易学，唱词随编随唱，富于感染力。男女老少皆可入场欢跳，没有时间、地点的限制。只要依其音乐的节奏甩巾踏步，与领唱歌手相应和即可。安代的音乐曲调风格独特，有强烈的感染力，便于歌手根据不同情景表达不同的情感。安代的唱词除开场和收场部分因仪式需要基本确定不变之外，其他皆不固定。那些才思敏捷、善于辞令的歌手可以尽情地用诙谐幽默的唱词抒发情感，或赞美，或嘲讽，或嬉笑怒骂，不拘一格。

近四百年来，安代舞以其浓郁的“民间本色”和“癫狂之舞”的特征而备受蒙古族人民喜爱，渐成内蒙古地区蒙古族宗教礼仪和“那达慕”盛会上最受欢迎

的狂欢之舞。据库伦史料记载，单场安代最长持续时间竟达四十多天，其规模之大、参与人数之多，堪称中国民间舞之最。

中华人民共和国成立后，库伦旗全面开展了安代舞的发掘、整理工作。1958年，安代民间老艺人额尔敦巴拉在北京表演安代，引起轰动。如今，安代舞已成为蒙古民族最为耀眼的文化标识。1996年，内蒙古库伦旗被命名为“中国安代艺术之乡”。近年来，由于文化形态的变迁，安代舞的传承方式与生存空间日益受到限制，舞种延续受到极大威胁，急需整理和抢救。

133 湘西苗族鼓舞

◎ 申报地区或单位：湖南省湘西土家族苗族自治州

湘西苗族鼓舞流传在湖南省湘西土家族苗族自治州境内的吉首市和凤凰、泸溪、保靖、花垣、古丈等县。据历史文献记载，该舞源于汉代以前，产生在苗族祭祀活动中。随着时代的变迁，苗族鼓舞已成为苗族人民最喜爱的舞蹈艺术形式。

湘西苗族鼓舞的种类多达数十种，常见的有花鼓舞、猴儿鼓舞、女子单人鼓舞、男子单人鼓舞、团圆鼓舞等。这些舞蹈特点鲜明，表演者打鼓起舞，节奏明快，双手交替击鼓，两脚轮换跳跃，全身不停扭摆，动作舒展大方。猴儿鼓舞灵巧多变，风趣诙谐；花鼓舞温婉妩媚，身态柔美；男女鼓舞多为屈膝矮桩，动作豪放刚健；女子鼓舞步伐灵活，含蓄抒情；团圆鼓舞场面宏大，激荡活泼。

湘西苗族鼓舞历史久远，在与外来势力的争斗和反抗封建朝廷的过程中，苗鼓号角起到了号召与激励民众的作用，形成巨大的民族凝聚力，苗鼓更是成了湘西苗族的圣物。自古以来，苗

族鼓舞的表演即蕴涵了苗族人民的虔诚信仰和勇于创造、顽强拼搏的民族精神。保护和开发湘西苗族鼓舞对研究苗族的历史、战争、宗教、迁移、生产、爱情、民俗等有着十分重要的意义。

134 湘西土家族毛古斯舞

◎ 申报地区或单位：湖南省湘西土家族苗族自治州

毛古斯舞，土家族语称“谷斯拔帕舞”、“帕帕格次”或“拨步卡”，汉语多称为“毛古斯”或“毛猎舞”。毛古斯舞产生于土家族祭祀仪式中，是湘西土家族一种古老的舞蹈形式，主要流布在湘西的龙山县、永顺县、保靖县、古丈县。

毛古斯舞是一种具有人物、对白、简单的故事情节和一定的表演程式的原始戏剧舞蹈，它以近似戏曲的写意、虚拟、假定等艺术手法表演土家先民渔、猎、农耕等生产内容，既有舞蹈的特征，又有戏剧的表演性，两者杂糅交织，浑然一体。表演大多与跳摆手舞穿插进行，有时在一定场合单独表演。毛古斯舞动作特点别具一格，表演者屈膝，浑身抖动，全身茅草刷刷作响，头上五条大辫子左右不停摆动，表演中碎步进退，左右跳摆，摇头抖肩。“打露水”、“扫进扫出”、“围猎”、“获猎庆胜”等内容，可根据表演动作清楚地分辨出来。该舞蹈最突出的特色在于服饰的风格，表演者身穿草衣树皮，古朴大方，极具原始风情。表演对话时要求变腔变调，使观者辨认不出表演者的真实身份。最重要的是毛古斯舞作为一种古老和独具特色的艺术形式，可以为土家族舞蹈来源的研究提供较可靠的线索。

毛古斯舞不仅对研究土家族最初的生活形态、生活方式有着十分重要的价值，其表演形态中所保留的自然崇拜、图腾崇拜、祖神崇拜等远古信仰符号和写意性、虚拟性、模仿性等艺术元素，更是一笔弥足珍贵的文化遗产。

135 黎族打柴舞

◎ 申报地区或单位：海南省三亚市

打柴舞是黎族民间最具代表性的舞种，黎语称“转刹”、“太刹”。它起源于古崖州地区（今海南省三亚市）黎族的丧葬习俗。

打柴舞有一套完整的舞具和跳法，舞具由两条垫木和数对小木组成。跳舞时将两条垫木相对隔开2米左右平行摆放于地面上，垫木上架数对小木棍。木棍两端分别由数人执握，两两相对，上下、左右、分合、交叉拍击，发出强烈有力的节奏。舞者跳入木棍中，来往跳跃、蹲伏，模仿人类劳动状况和各种动物的动作及声音。打柴舞由平步、磨刀步、搓绳小步、小青蛙步、大青蛙步、狗追鹿步、筛米步、猴子偷谷步、乌鸦步9个相对独立的舞步组成，舞蹈节奏强烈有力，动作古朴粗犷，生动形象，艺术感染力强。打柴舞有很强的娱乐性，是开展群众文体活动的较好方式。1957年晋京参加少数民族文艺会演，被誉为“五指山艺术之花”；到罗

马尼亚、南斯拉夫、巴基斯坦、日本等多个国家演出时，又被誉为“世界罕见的健美操”。

打柴舞依托三亚地区黎族民间习俗而存在，该地区习俗的变化，对民间打柴舞的生存延续影响极大。目前，全黎族地区仅三亚市崖城镇郎典村仍保留着这一古俗。因此，抢救和保护黎族民间打柴舞已迫在眉睫。

136 卡斯达温舞

◎ 申报地区或单位：四川省黑水县

卡斯达温舞主要流传于四川省阿坝州黑水河流域，因舞者身穿“甲衣”歌舞，汉语俗称“铠甲舞”。“卡斯达温”是黑水方言，“卡斯达”为“铠甲”之意，“温”或“贡”是“穿”的意思。“卡斯达温”是古代黑水人出征前，勇士们祈祷胜利，亲人们为他们祈求平安、祝福吉祥的一种

民间祭祀性歌舞活动。

据考证，“卡斯达温”最初可能是古羌部落在游牧、狩猎的过程中产生的祭祀礼仪。唐代以前，由于黑水河流域战事连连，它逐渐演变为将士出征前所举行的一种征战祭祀活动，发展到现在，已成为年节、庆典、喜丧等祭祀仪式中的歌舞活动。

在黑水县的不同地区，“卡斯达温”的内容和表现形式略有差异。

黑水县扎窝乡朱坝村的“卡斯达温”主要表现狩猎的内容和形态。黑水县红岩乡俄恩村的“卡斯达温”主要表现征战的内容和相关状态。黑水县维古乡的“卡斯达温”则主要表现男女道别和为逝去的勇士举行丧葬祭祀的仪式歌舞。值得一提的是，此地只有在勇士的丧葬仪式上才穿铠甲衣跳舞，以示对勇士的崇敬。

从历史渊源看，“卡斯达温”有远古羌文化与吐蕃文化相融的特点，尤其是呈梯形状的舞蹈文化现象，对黑水民族史、语言学、民俗学等的研究有重要资料价值。“卡斯达温”独具一格的多声部祭祀礼仪歌舞形式，对研究远古高原峡谷地带的部族文化艺术特点也有重要的参考价值。“卡斯达温”不仅在音乐、舞蹈上有独到的艺术表现，而且在民俗活动及对迁徙民族人类学基因等研究方面也能提供重要的线索。

如今，“卡斯达温”的生存环境正受到现代生活方式的极大冲击，急需抢救性保护。

137 㑇舞

◎ 申报地区或单位：四川省九寨沟县

㑇，白马人之方言，意为吉祥面具舞，汉语俗称“十二相舞”。它源于白马人崇尚“万物有灵”的原始时期，是氐羌文化与藏文化的融合体，带有一定的祭祀性。其拟兽舞蹈的特征说明

它应是远古“百兽率舞”的遗存之一。

佁舞一般有七、九、十一人表演。其舞蹈组合的第一套动作叫“纽”，一般在大型的祭祀活动和神灵面前表演，包括祭祀祖神和祀山；第二套动作叫“尕”，一般在场坝里表演；第三套动作称“央”，是一套祝福的舞蹈，多用于走村串户、礼拜长辈、互道祝愿。

“阿里尕”，汉语俗称跳小鬼，它是双人舞，代表一公一母，其中“母”的这一方为男扮女装。整个舞蹈展演了白马人男欢女爱的情景。

佁舞的领舞戴号称百兽之王、森林之王的狮头面具，其余舞者所戴动物面具按俗规依次为牛头、虎头、龙头、豹头、蛇头、鸡头、俩小鬼、俩大鬼。其舞蹈对原始拟兽舞蹈的溯源、发展、演变及舞蹈仪轨的形成极具研究价值。

佁舞的舞蹈组合以圈舞的点踏步、穿花的踮跳步为基本表现形式，舞蹈的基本动律以蹉步、小腿划圈蹲步、左右跳转圈为主，结合粗犷、神秘的上肢动作，栩栩如生地表现了所扮动物的形态，体现了白马人独有的审美意识。

佁舞的整体仪式充分体现了白马人对大自然的崇拜，传达了维护当地祥和的社会环境和生态环境的心愿。

138 傈僳族阿尺木刮

◎ 申报地区或单位：云南省维西傈僳族自治县

傈僳族歌舞“阿尺木刮”意为“山羊的歌舞”或“学山羊叫的歌调”，流传于云南省迪庆藏族自治州维西傈僳族自治县叶枝镇的同乐、新乐一带，是当地传统的自娱性民间歌舞。

维西历史上交通闭塞，傈僳族少与外界往来，生产方式基本处于半农半牧阶段。山羊是家家必养的牲畜，羊与维西傈僳人的生活关系极为密切。“阿尺木刮”亦与山羊有关，是维西傈僳人传统生产生活和思想感情的生动表现。

“阿尺木刮”舞者的服饰十分独特，据清代余庆远《维西见闻录》记载，表演“阿尺木刮”时“男挽髻戴簪，编麦草为璎珞缀于发间，出入常佩利刃。妇挽发束箍，盘领衣，系裙裤”。如今这种别具一格的服饰已不多见，现在“阿尺木刮”表演中仍保持“编麦草为璎珞缀于发间”的惟有叶枝镇境内的傈僳族。

“阿尺木刮”舞蹈形式热烈奔放，风格独特，基本上保持着传统的民间艺术形态。目前，一些传统舞蹈套路只有部分老人还会跳，面临着传承危机。

139 彝族葫芦笙舞

◎ 申报地区或单位：云南省文山壮族苗族自治州

西畴彝族葫芦笙舞流传于云南省文山壮族苗族自治州西畴县鸡街曼村。曼村为彝族花倮人聚居的村落。花倮人的葫芦笙舞是一种古老的彝族民间舞蹈，以躯体'S'形前后曲动的典型舞姿而独树一帜，展现着古代滇人葫芦笙舞的遗韵。在开化古铜鼓图饰上，有4个头戴羽冠、衣着羽衣、吹葫芦笙翩翩起舞的舞人饰纹，舞姿正是一个典型的"S"形前后曲动的造型动作。即此可以证明在漫长的历史年代，古滇先民跳葫芦笙舞时，是头戴羽冠、手执羽毛、身穿羽衣、屈肢顿足而周旋飞舞。今天曼村花倮妇女的头饰和服饰仍保留有一些"羽冠"和"羽衣"的痕迹，说明曼村花倮人的葫芦笙舞是由古滇先民舞蹈传承而来，有其特定的历史文化内涵。

在花倮人的重要节日时，全村男女老幼欢聚于场院，妇女身穿节日盛装，在葫芦笙的伴奏下，围成圆圈翩翩起舞。葫芦笙舞有牙虐（站着跳）、牙庆（起步跳）、牙拉（移步翻身）、牙降（走圆圈）、牙稳（穿花）、牙搞（对点头）和牙敢（前跳又后跳）7种不同的舞蹈套路，每一种套路都有不同的葫芦笙曲调吹奏，音乐较为丰富。花倮人葫芦笙制作工艺特别，五根长短不一的竹管，在根部嵌竹或铜制簧片，插入葫芦制成的音斗，三支笙管侧面开有音孔，最短的一支在音斗背后也开有音孔，最长的一支顶端还套有一个小葫芦，以增加共鸣。

由于生产生活的变化和外来文化的冲击，彝族葫芦笙舞的艺术特色和文化内涵正逐渐减弱，表现形式日趋单一，传承上也出现不容乐观的现象，应尽快加以保护和抢救。

140 彝族烟盒舞

◎ 申报地区或单位：云南省红河哈尼族彝族自治州

石屏彝族烟盒舞又称“跳弦”、“垄偬”等，流传于云南省红河哈尼族彝族自治州石屏县的彝族村寨，元明时期趋于成熟，清代和民国时期达到鼎盛。

彝族烟盒舞包括正弦和杂弦两部分，形成了山区和坝区两种风格多种流派，舞蹈套路多达220套，目前仅搜集整理117套，其中正弦62套，杂弦55套。其舞蹈形式有双人舞、三人舞和群舞等，舞者手持旧时盛火草烟的圆形木制烟盒，在四弦的伴奏下，弹击盒底击节作舞，节奏明快，气氛热烈。石屏彝族烟盒舞个性鲜明，技巧多样，著名的技巧动作有“仙人搭桥”、“蚂蚁搬家”、“倒挂金钩”等。这种富有特色的民族民间舞蹈既可健身又可怡情，动作流畅潇洒，极富艺术感染力，深受群众喜爱，传播范围遍及城乡，现已发展成为集歌、舞、乐、竞技于一体的综合性舞蹈艺术。

烟盒舞作为滇南彝族最具特色的一个舞种，以独特的舞蹈语汇展现了彝族的历史观、道德观、价值观和思维方式，在民族学、民俗学、社会学领域有很高的研究价值。其丰富多样的舞蹈套路和深邃的舞蹈内涵表明彝族人民出众的舞蹈创作才能和艺术领悟能力。烟盒舞通过头、脚、身、手、腰等各个身体部位的巧妙运用，以优美的舞姿形象地表达了彝族特有的审美趣味，同时下腰连环翻滚等高难度的舞蹈技巧，也具有很高的艺术价值。烟盒舞以其独特的艺术魅力广为当地各族群众喜爱，成为民族间加强团结、增进友谊的平台。随着时代的变迁，烟盒舞的人文环境发生巨变，传统的

"吃火草烟"习俗已经消失，烟盒舞出现风格单一化、内涵浅显化的趋势，传统的韵味十足的烟盒舞经典套路濒临失传，亟待抢救。

141 基诺大鼓舞

◎ 申报地区或单位：云南省景洪市

大鼓舞，基诺语称"司土锅"，"司土"为"大鼓"，"锅"为"跳"，流传于云南省西双版纳傣族自治州景洪市基诺山基诺族乡的基诺族村寨。基诺族跳大鼓舞是为了感谢传说中用大鼓拯救了基诺人的创世女神阿嫫腰白。跳大鼓舞以过"特懋克节"时最为隆重，时间是在立春后三天。跳大鼓舞有一套完整的仪式：舞前，寨老们要先杀一头乳猪、一只鸡，供于鼓前，

由7位长老磕头拜祭，其中一人念诵祭词，祈祷大鼓给人们带来吉祥平安。祭毕，由一人双手执鼓槌边击边舞，另有若干击铓、击镲、伴舞伴歌者，跳大鼓舞时的唱词称“乌悠壳”，歌词多为基诺人的历史、道德和习惯等内容，舞蹈动作有“拜神灵”、“欢乐跳”、“过年调”等。大鼓是基诺族的礼器、重器和神物，只能挂在卓巴（寨老）家的神柱上，制造大鼓要遵循很严格的程序。

基诺族大鼓舞蕴涵丰富的历史文化内涵，有一定的艺术性和观赏性，目前，只有3名年过七旬的老人尚能掌握大鼓舞仪式的全过程及全部舞蹈动作，已处于极度濒危的境地，急需加以保护。

142 山南昌果卓舞

◎ 申报地区或单位：西藏自治区

山南昌果卓舞是一种腰鼓舞，起源于达布（现加查）地区。相传公元8世纪中叶，第三十七代藏王赤松德赞在莲花生等佛教大师的协助下，在雅鲁藏布江北岸上兴建西藏第一座寺院桑耶寺时，白天工匠们辛辛苦苦修建的墙壁到了晚上就被妖魔毁掉。为了迷惑鬼神，莲花生大师从达布地区邀请了卓巴七兄弟（跳卓舞的演员）跳卓舞镇魔，从此卓舞就在山南盛行开来。山南大部分村庄都有卓舞队，后来这一舞蹈形式又逐渐流传到其他地区。这表明山南昌果卓舞距今至少已有1300年的历史了。

卓舞所用的腰鼓鼓帮上拴有两条鼓带，一条围扎在表演者腰上，一条围扎在表演者大腿根部，将圆鼓竖着固定于腰左。表演时传统的队形基本为圆形，表演者分领舞（阿热）和群舞（卓巴）两类。在整个表演队伍中领舞者人数2至6名不等，他们不带腰鼓，主要是提醒动作变换顺序，控制节奏速度，其动作韵律性强，姿态基本上同于群舞，但难度较小，领舞者均由熟知整个卓舞的动作、顺序、有较长表演经历的人员担任。群舞表演者边击鼓边按鼓点节奏起舞，同时舞蹈动作把长发辫子挥舞成“∞”、“○”等形态，动作粗犷豪放，刚劲威武，节奏感强，变化多端。

卓舞共由18段组成：1.三步鼓点；2.鹦哥；3.安土净地；4.莲花生岩上打桩；5.雄狮跳跃；6.虎狮争斗；7.连环套；8.旃檀仙女；9.桑耶墙角的基石；10.三击卧地；11.击鼓；12.乌鸦行金刚步；13.国王上座；14.财运门；15.臣民；16.礼拜供施；17.大象侧卧；18.九步鼓点。卓舞集动作、韵律、技巧、节奏于一身，各方面相互协调、高度统一，因难见巧，魅力无限。

近来，山南昌果卓舞在民间的保存状况不容乐观，应下大力气加以有效保护，以免失传。

143 土族於菟

◎ 申报地区或单位：青海省同仁县

土族於菟流传于青海省同仁县年都乎村，是当地特有的一种民俗文化形态，于每年农历十一月初五至二十日举行，包含念平安经、人神共娱、祛疫逐邪等仪式。於菟又是舞者的称谓。仪式开始时，名为於菟的舞者在赤裸的上身绘上虎豹图案沿村进行表演，挨家挨户跳舞。土族於菟舞流传至今已有数百年历史。

关于"於菟"习俗的历史渊源，有楚风说、羌俗说、本教仪式说等多种观点，民间也有多种说法。历史上，"於菟"系列民俗活动曾在隆务河流域部分村落中流传，现仅在年都乎村传承沿袭，且已处于濒危状态。保护“於菟”对展示土族传统文化的原创性和丰富性，增强土族的民族认同感和文化自觉具有较大意义。

144

塔吉克族鹰舞

◎申报地区或单位：新疆维吾尔自治区塔什库尔干塔吉克自治县

塔吉克族是我国古老的民族之一，主要聚居在新疆塔什库尔干塔吉克族自治县，其余则分布在该县以东的莎车、叶城、泽普等县。坚忍不拔的意志和一往无前的大无畏民族精神逐渐形成了塔吉克民族特殊的审美追求。他们视鹰为强者、英雄，在民间广布有关鹰的民歌和传说，甚至连舞蹈的起源都与鹰的习性、动态联系在一起，由是形成了“鹰舞”。

塔吉克族舞蹈特色的形成和伴奏乐器及其特有的演奏方法分不开，鹰笛、手鼓、拉巴甫（热瓦甫）、布兰孜库姆、塔吉克式艾捷克都是其广泛使用的民间乐器。其中鹰笛是塔吉克族最典型的乐器，吹奏技法繁难，但音调别致、美妙；手鼓是塔吉克族舞蹈的主要伴奏乐器，演奏时由两名妇女敲打一面手鼓，奏出多种鼓点，这在其他民族中是罕见的。鼓点有固定的套路与名称，如“阿路卡托曼”等，每套都能奏出复杂多变的艺术效果。在盛大的赛马、叼羊活动中，多支鹰笛吹奏《叼羊

曲》、多名妇女同时击奏多面手鼓敲奏“瓦拉瓦拉标克”，令骑手和马都兴奋不已。

鹰舞的主要形式有“恰甫苏孜”、“买力斯”、“拉泼依”等。“恰甫苏孜”在塔吉克语中意为“快速、熟练”，它既指节奏，又是即兴表演并带有竞技性的舞蹈形式，代表了塔吉克族舞蹈特有的风格。其表演以双人对舞为主，形式活泼，舞者可自由进退，两三组同舞，亦可男女同舞。表演时多由一名男子邀请另一男子同舞，两人徐展双臂，沿场地边缘缓缓前进，如双鹰盘旋翱翔；随后节奏转快，两人互相追逐嬉戏，忽而肩背近贴侧目相视，快步疾走，又骞地分开跃起，如鹰起鹰落，由低到高护身旋转、扶摇直上，最后舞蹈在竞技旋转中结束。这些动态表现，显然是西域乐舞“胡旋舞”、“胡腾舞”技艺的遗存与升华。“买力斯”，意为“特定节拍”，是以民乐伴奏或民歌伴唱为主的自娱性舞蹈，也常用来表演传统的故事性民歌，它以原地连续旋转为特色，妇女尤其喜欢。“拉泼依”是家庭内只用一个热瓦甫伴奏的特定舞蹈形式，有时也在室外进行，其伴奏多用恰甫苏孜的曲调，伴奏者还可以边演奏边舞，舞蹈动作自由、轻快，技艺高的演奏者可把热瓦甫放置在肩上弹奏起舞，这可能是西域乐舞风习的遗存。

鹰舞是中国民间舞蹈中极具特色的传统舞蹈形式，艺术价值很高。随着现代化进程的加速，这些珍贵的民间艺术日渐失去生存的土壤，面临困境，亟待保护与抢救。

145 昆曲 146 梨园戏 147 莆仙戏 148 潮剧 149 弋阳腔 150 青阳腔 151 高腔（西安高腔、松阳高腔、岳西高腔、辰河高腔、常德高腔） 152 新昌调腔 153 宁海平调 154 永安大腔戏 155 四平戏 156 川剧 157 湘剧 158 广昌孟戏 159 正字戏 160 秦腔 161 汉调桄桄 162 晋剧 163 蒲州梆子 164 北路梆子 165 上党梆子 166 河北梆子 167 豫剧 168 宛梆 169 怀梆 170 大平调 171 越调 172 京剧 173 徽剧 174 汉剧 175 汉调二簧 176 泰宁梅林戏 177 闽西汉剧 178 巴陵戏 179 荆河戏 180 粤剧 181 桂剧 182 宜黄戏 183 乱弹 184 石家庄丝弦 185 雁北耍孩儿 186 灵丘罗罗腔 187 柳子戏 188 大弦戏 189 闽剧 190 寿宁北路戏 191 西秦戏 192 高甲戏 193 碗碗腔（孝义碗碗腔） 194 四平调 195 评剧 196 武安平调落子 197 越剧 198 沪剧 199 苏剧 200 扬剧 201 庐剧 202 楚剧 203 荆州花鼓戏 204 黄梅戏 205 商洛花鼓 206 泗州戏 207 柳琴戏 208 歌仔戏 209 采茶戏（赣南采茶戏、桂南采茶戏） 210 五音戏 211 茂腔 212 曲剧 213 由子戏（敦煌曲子戏、华亭曲子戏） 214 秧歌戏（隆尧秧歌戏、定州秧歌戏、朔州秧歌戏、繁峙秧歌戏）

传统戏剧

215 道情戏（晋北道情戏、临县道情戏、太康道情戏、蓝关戏、陇剧） 216 哈哈腔 217 二人台 218 白字戏 219 花朝戏 220 彩调 221 灯戏（梁山灯戏、川北灯戏） 222 花灯戏（思南花灯戏、玉溪花灯戏） 223 一勾勾 224 藏戏（拉萨觉木隆、日喀则迥巴、日喀则南木林湘巴、日喀则仁布江嘎尔、山南雅隆扎西雪巴、山南琼结卡卓扎西宾顿、黄南藏戏） 225 山南门巴戏 226 壮剧 227 侗戏 228 布依戏 229 彝族撮泰吉 230 傣剧 231 目连戏（徽州目连戏、辰河目连戏、南乐目连戏） 232 锣鼓杂戏 233 傩戏（武安傩戏、池州傩戏、侗族傩戏、沅陵辰州傩戏、德江傩堂戏） 234 安顺地戏 235 皮影戏（唐山皮影戏、冀南皮影戏、孝义皮影戏、复州皮影戏、海宁皮影戏、江汉平原皮影戏、陆丰皮影戏、华县皮影戏、华阴老腔、阿宫腔、弦板腔、环县道情皮影戏、凌源皮影戏） 236 木偶戏（泉州提线木偶戏、晋江布袋木偶戏、漳州布袋木偶戏、辽西木偶戏、邵阳布袋戏、高州木偶戏、潮州铁枝木偶戏、临高人偶戏、川北大木偶戏、石阡木偶戏、邵阳提线木偶戏、泰顺药发木偶戏）

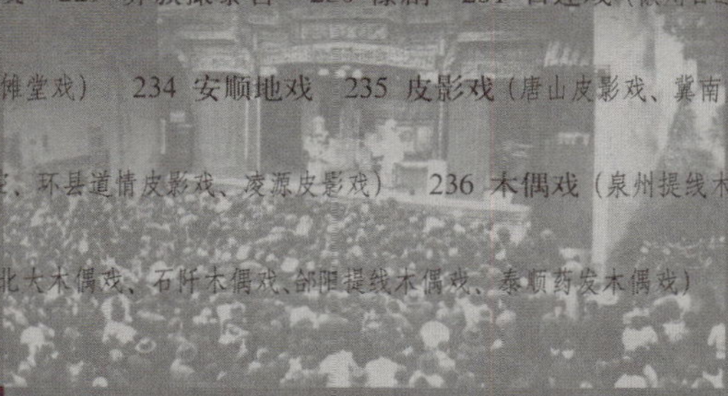

145 昆曲

◎ **申报地区或单位：中国艺术研究院**
江苏省
浙江省
上海市
北京市
湖南省

昆曲又称昆腔、昆山腔、昆剧，是元末明初南戏发展到昆山一带，与当地的音乐、歌舞、语言结合而生成的一个新的声腔剧种。明代初年在昆山地区形成了“昆山腔”，嘉靖年间经过魏良辅等人的革新，昆山腔吸收北曲及海盐腔、弋阳腔的长处，形成委婉细腻、流丽悠长的“水磨调”风格，昆曲至此基本成型。梁辰鱼将传奇《浣纱记》以昆曲形式搬上舞台，使原来主要用于清唱的昆曲正式进入戏剧表演领域，进一步扩大了影响。万历年间，昆曲从江浙一带逐渐流播到全国各地。明代天启初年到清代康熙末年的一百多年是昆曲蓬勃兴盛的时期。清代乾隆年以后，昆曲逐渐衰落下去。新中国诞生以来，昆曲艺术出现了转机，国家先后建立了7个有独立建制的专业昆曲院团。目前昆曲主要由专业昆曲院团演出，有关演出活动多集中在江苏、浙江、上海、北京、湖南等地。

昆曲是一种高度文人化的艺术，明清许多从事昆曲剧目创作的剧作家，取得了很高的文学成就。《琵琶记》、《牡丹亭》、《长生殿》、《鸣凤记》、《玉簪记》、《红梨记》、《水

浒记》、《烂柯山》、《十五贯》等都是昆曲的代表性剧目，其中前三种有全谱或接近全本的工尺谱留存。清代中叶以后，昆曲主要以折子戏形式演出，至今保留下来的昆曲折子戏有四百多出。昆曲新编剧目有《南唐遗事》、《偶人记》、《司马相如》、《班昭》等。

经过长期的舞台实践，昆曲在表演艺术上达到了很高的成就，歌、舞、介、白等表演手段高度综合。随着表演艺术的全面发展，昆曲脚色行当分工越来越细，主要脚色包括老生、小生、

旦、贴、老旦、外、末、净、副、丑等。各行脚色在表演中形成一定的程序和技巧，对京剧及其他地方剧种的形成发展产生了重要影响。昆曲音乐曲调旋律优美典雅，演唱技巧规范纯熟。赠板的广泛应用、字分头腹尾的发音吐字方式及流丽悠远的艺术风格使昆曲音乐获得了“婉丽妩媚，一唱三叹”的艺术效果。

昆曲历史悠久，影响广泛而深远，它是传统文化的结晶，也是戏曲表演的典范。昆曲艺术形式精致，内涵深厚。由于昆曲具有的独特文化价值，因此2001年入选联合国教科文组织首批“人类口头和非物质遗产代表作”。

清末，昆曲就逐渐没落。中华人民共和国成立后，曾得到一度的振兴。近年来，随着传统戏曲演出在城市中的衰微，昆曲正面临着生存的困境，演员和观众队伍不断缩减。昆曲要生存发展，有许多迫在眉睫的问题亟待解决。

146 梨园戏

◎ 申报地区或单位：福建省泉州市

梨园戏发源于宋元时期的泉州，与浙江的南戏并称为“搬演南宋戏文唱念声腔”的“闽浙之音”，距今已有八百余年的历史，被誉为“古南戏活化石”。梨园戏广泛流播于福建泉州、漳州、厦门，广东潮汕及港澳台地区，还有东南亚各国闽南语系华侨居住地。

梨园戏保存了宋元南戏的诸多剧作、唱腔和演出规制。它分小梨园（七子班）和大梨园的“上路”、“下南”三个流派，每个流派各有号称“十八棚头”的保留剧目，保存了《朱文》、《刘文龙》、《蔡伯喈》、《王魁》等25种南戏剧目。梨园戏至今仍存在于舞台之上，并基本保留了原生态的戏剧样式。它有一整套严格规范的表演形式，基本动作称为“十八步科母”，各个行当都须遵守这种规范；梨园戏音乐保留了南戏以鼓、箫、弦伴奏为主的形式，其唱腔源于晋唐古乐

的唱腔，用泉州音演唱，一字多腔，属曲牌体，至今仍沿用【摩珂兜勒】、【霓裳羽衣曲】等古曲牌名；梨园戏所用琵琶系南琶，横弹，与唐制相仿；上弦为晋代奚琴遗制；洞箫即唐之尺八；打击乐以南鼓（压脚鼓）为主，打法独特。

“棚”是梨园戏传统的演出场地，演出前需要举行“献棚”仪式，供奉戏祖师田都元帅，之后才开始扮角、跳加官。与一般戏曲舞台的一桌二椅不同，棚的正后方只摆设长条椅；南宋杂剧《眼药酸》的砌末至今仍可在梨园戏净、丑两个行当的表演中见到。

梨园戏保存了宋元时期戏剧的文献和活态资料，从中可体察出南戏文化及闽南地域文化的重要特色。从历史文化的意义上说，梨园戏是一座无形的综合艺术宝库。由于时代的变迁，梨园戏观众日渐减少，使得梨园戏的生存出现了严重的危机。

147 莆仙戏

◎ 申报地区或单位：福建省莆田市

莆仙戏原名兴化戏，是中国现存最古老的戏曲剧种之一。南宋时期，在宋杂剧的影响下，福建莆田、仙游一带出现了将歌舞念白综合起来搬演故事的兴化杂剧。明代初年，兴化杂剧吸收昆山、弋阳、余姚、海盐等声腔的艺术因素，形成兴化腔，用以演出兴化戏。明清时期，这一戏曲样式又有了进一步的发展。1954年，兴化戏正式改称莆仙戏。莆仙戏主要流行于福建莆田、仙游地区，在闽中、闽南的兴化方言地区也有流传。

莆仙戏现存传统剧目五千多个，其中《王魁》、《张协状元》、《刘知远》、《蔡伯喈》等剧目在一定程度上保留了南戏的艺术风貌，连演七天的《目连戏》明显保留着中国戏曲初期的表演形态。

在莆仙戏的表演体系中，有一些具有鲜明地方色彩的程序动作，如牵步蛇、雀鸟跳、扫地裙、摸田螺、七下溜等，还有一些动作遗留着傀儡戏表演的痕迹。莆仙戏的唱腔结构属于曲牌体，有音乐曲牌一千多支，锣鼓经三百多种。

莆仙戏源远流长，博大精深，扎根于民间土壤之内，积淀着由宋到清各个历史时期的大量戏剧艺术因子，传递出丰富的信息，是研究中国古代戏曲艺术形态的“活化石”。此外，莆仙戏对莆田、仙游地区的民俗、语言、社会心理、生活习惯、文化艺术等也具有影响。

进入新世纪以来，由于种种原因，莆仙戏人才流失严重，后继乏人，传统的表演艺术濒临失传，脸谱、服饰和音乐声腔正在被外来剧种和其他艺术形态同化，艺术的独特性正在削弱。莆仙戏这一古老的剧种正处于自生自灭的状态，急需采取有效措施进行扶持和保护。

148 潮剧

◎ 申报地区或单位：广东省汕头市、潮州市

潮剧又名潮州戏、潮音戏，是用潮州方言演唱的一个古老的地方戏曲剧种。它是宋元南戏的一个分支，距今已有四百三十多年的历史，主要分布于粤东、闽南、台湾、香港和东南亚等地。

潮剧传统剧目分宋元南戏和明清传奇、文明戏和新编历史剧两大类，有剧目两千多个。传统剧目在潮剧中占据重要地位，有《荔镜记》、《苏六娘》、《刘明珠》等精品剧目；传统折子戏《扫窗会》、《杨令婆辩十本》、《闹钗》汇聚了传统潮剧的精华，被誉为“百花潮中的三块宝石”。

从表演上来看，潮剧的脚色行当中以生、旦、丑最具地方特色。生旦戏《扫窗会》被誉为中国戏曲以歌舞演故事的典型代表；潮剧丑角分为十类，其中项衫丑的扇子功蜚声南北，为世所称。老丑戏《柴房会》中，丑角的溜梯功为潮剧所独有，

在戏曲界享有盛誉。潮剧音乐属曲牌联套体，唱南北曲，声腔曲调优美，轻俏婉转，善于抒情。清代中叶以后，它又吸收板腔体音乐，显得灵活多姿。潮剧中有传统曲牌二百多支，乐曲一千多首，是研究中国戏曲声腔的重要资料。潮剧演唱用真声，唱念用古谱“二四谱”，韵味浓郁。其曲调包括优美柔媚的轻三六调、平正端穆的重三六调、哀戚幽怨的活三五调及轻松诙谐的反线调等。潮剧的打击乐器均有定音，伴奏有复调和声之美，1950年后为许多兄弟剧种所仿效。

潮剧是中国古老戏曲存活于舞台的生动例证，是中华民族优秀文化表现形式的代表之一，具有深刻的历史意义和较高的审美价值。1990年以后，潮剧受到市场经济的制约和多种现代文艺形式的冲击，投资减少，人才流失，艺术水平下降，优秀的传统表演艺术濒临灭亡，正处在艰难发展的状况之中，亟待保护和扶植。

149 弋阳腔

◎ 申报地区或单位：江西省弋阳县

弋阳腔是我国古老的戏曲声腔。南宋中期，兴起于浙江的南戏经信江传入江西，在弋阳地区结合当地方言和民间音乐，于元末明初孕育出一种新的地方声腔弋阳腔，与昆山腔、余姚腔、海盐腔并列为当时的四大声腔。弋阳腔以弋阳为中心，主要在江西境内的贵溪、万年、乐平、鄱阳、浮梁、上饶等一些地区传承延续，明代前中期曾流布及于安徽、江苏、浙江、福建、广东、湖南、湖北、云南、贵州及北京等地。

弋阳腔剧目分连台大戏和传奇本两大类，前者包括《三国传》、《水浒传》、《岳飞传》、《目连传》、《封神传》等，后者包括《青梅会》、《古城会》、《定天山》、《金貂记》、《珍珠记》、《卖水记》等。自诞生以来，弋阳腔即以其“杜撰百端”的连台大

戏和“错用乡语”的艺术特色在民间广为流传。弋阳腔的脚色分为小生、正生、老生、二花、三花、小旦、正旦、老旦等行，其唱腔结构最初采用曲牌联套体，演出时仅辅以锣鼓而不用管弦伴奏，演员一人演唱，数人接腔，形成极富特点的“徒歌、帮腔”演唱方式，明代中叶又发展出打破曲牌联套体制的滚调，进一步增强了声腔音乐的戏剧性和表现力。在广泛流播的过程中，

弋阳腔繁衍出多种变体，由此形成高腔体系，对南北各地的四十几个声腔剧种产生了重要影响，推动了中国地方民间戏曲的发展进程。

弋阳腔是中国传统文化的奇葩，它对中国戏曲尤其是中国地方戏曲发展的贡献是无可替代的。弋阳腔延绵至今，显现出强大的艺术生命力。近二十年来，由于多种原因，弋阳腔的传承步入困境，演艺队伍严重老化，剧团名存实亡，许多优秀剧目和唱腔曲牌濒临失传，即使在其流行地，弋阳腔也多年不能与观众见面，陷入了被人遗忘的尴尬境地，这种状况必须引起有关方面的高度重视，采取有力措施加以改变。

150

青阳腔

◎申报地区或单位：江西省湖口县 安徽省青阳县

青阳腔形成于安徽省池州市青阳县，因青阳属池州府，故又称池州调或徽池雅调。目前主要存在于安徽省青阳县及江西省湖口县等少部分地区。明代嘉靖年间，弋阳腔流入青阳地区，与当地方言及民歌小曲相结合，形成青阳腔。这一新起的声腔突破曲牌联套体的音乐结构，发展了“滚调”，创造了腔、滚结合的歌唱形式，将我国戏曲声腔的演进推向了一个新的高度。

青阳腔的剧目上起元明南戏，下到后世的各种文人传奇，数量众多，历史上曾出现过《词林一枝》、《摘锦奇音》、《玉谷新簧》、《徽池雅调》等一批青阳腔剧目刊本，现在能收集到的青阳腔大小剧目有94个。青阳腔演唱时一般只用大鼓、大铙、大锣等伴奏而不用管弦，独唱与帮腔结合，一唱众和，同时在演唱中运用“滚调”的方法，在唱腔中加入“滚白”和“滚唱”，形成长于叙事的特点。其唱腔灵活多样，语言通俗易懂，极大地提高了戏曲声腔的可塑性和表现力。青阳腔继承古南戏的脚色体制，有生、旦、净、末、丑、外、贴7个行当，后来又增加了小、夫两

个脚色。其表演讲究“文戏武唱”，娱乐性、趣味性强，火爆热闹，常穿插表演窜刀门、盘吊杆、翻高台、跳火圈等技艺。青阳腔中还有各种纸质面具，在舞美上极具特色。

青阳腔从皖南流布到闽、湘、川、豫、晋、鲁等地，成为“天下时尚”，直接或间接地影响了徽剧、赣剧、川剧、黄梅戏等剧种的形成与发展，在我国戏曲史上占有显赫的地位。然而，由于战争、瘟疫和外来文化冲击等多种原因，青阳腔日渐式微，基本上已从舞台上消失，濒于灭绝，急需抢救、保护和传承。

151 高腔（西安高腔、松阳高腔、岳西高腔、辰河高腔、常德高腔）

高腔是明代弋阳腔与后来的青阳腔流变派生形成的诸声腔剧种。在几百年的流变过程中，弋阳腔各分支发生了很大的变化，它们与各地民间音乐有不同程度的结合，由此形成各地高腔不同的音乐风格。

高腔·西安高腔

◎ 申报地区或单位：浙江省衢州市

西安高腔形成于浙江衢州，因衢州古称西安而得名。它是在弋阳腔影响下形成的地方戏，最迟形成于明代嘉靖年间，以衢州为中心，流传于浙江的温州、金华及江西东南部、福建西北部等地。

西安高腔起源于民间，流行于民间，有《槐荫树》、《合珠记》、《芦花絮》等一批传统剧目。它原来仅以锣鼓伴奏，清道光后与昆腔、乱弹合班演出，受昆山腔和乱弹腔的影响，在保留原音乐特征的前提下加入管弦、昆笛、板胡、提胡等乐器，也有了简单过门。现存的西安高腔唱腔上“大吼大叫”，表演上“大蹦大跳”，舞美上“大红大绿”，乐器上“大鼓大号”，乡土气息浓厚，在剧目、行头、唱法、行当体制、演出程序等方面基本上原汁原味地保留了古南戏的风貌，对南戏研究具有重大意义和价值。

近代以来，因战乱不断，西安高腔流散于民间。解放后，地方政府对西安高腔进行了抢救，保存了大量相关资料，上演了部分剧目。但随着现代化进程的加速，西安高腔观众流失严重，人才稀缺，出现青黄不接的局面，再次面临新的生存危机，这一状况迫切需要有关方面加以重视，认真对待。

高腔·松阳高腔

◎ 申报地区或单位：浙江省松阳县

松阳高腔是浙江省现存最古老的剧种之一，是浙江八大高腔系统中的独立分支，属单声腔剧种。由于松阳县玉岩镇的白沙岗高腔班演出松阳高腔从未间断，在这一声腔的传承中占有突出地位，故松阳高腔又被称作“白沙岗之土调”，当地人则称为“高腔”。它起始于明代，以松阳地方杂

剧为主，吸收昆腔等外来声腔的艺术因素而最终成型，在清代乾隆至光绪年间达到鼎盛时期。松阳高腔现在主要流行于以松阳为中心的浙西南农村地区，远及闽、赣、皖等地。

松阳高腔的演出保留了戏曲的原始状态，具有曲调优美、样式质朴的特点。它的唱腔属曲牌连缀体，但演唱时句式、词格可根据需要而随意变化，行腔中常用“衣”、“呀”、“啊”、“哈”等衬词，并以高八度假嗓帮腔，形成独特的演唱风格。松阳高腔采用管弦伴奏，是高腔系统中较为特别的一种，乐器包括板、鼓、笛、唢呐、二胡、小锣、大锣、大钹等。原有曲牌一百多支，保存下来的有七十多支。

松阳高腔的脚色早期分生、旦、净、丑、小、贴、外、夫8个行当，清末以来又增加了二旦、作旦、老外、二花、四花等行当。自创建班社起，松阳高腔艺人代代相传，至今已传承23代，其表演带有鲜明的民间艺术的特色，散发出浓郁的乡土气息。松阳高腔现存剧目四十多个，《夫人戏》、《三状元》、《八仙桥》、《买水记》、《鲤鱼记》、《火珠记》、《酒楼杀家》等是其代表作。

松阳高腔具有很高的历史和文化研究价值。20世纪50年代和80年代，浙江省市县各级有关部门先后多次对松阳高腔进行恢复继承和挖掘整理，取得了初步成果。目前，由于松阳高腔艺人年龄老化，年轻艺人青黄不接，言传身教的传承方式面临挑战，同时民间剧团难以走向市场，面临灭绝的危险，加上地方财政紧张，没有足够的力量扶持，所以松阳高腔的抢救和保护工作迫在眉睫，任重道远，应引起有关方面的重视。

高腔·岳西高腔

◎ 申报地区或单位：安徽省岳西县

岳西高腔是安徽省岳西县独存的古老稀有剧种，由明代青阳腔沿袭变化而来，有三百多年的传承历史。明末清初，文人商贾溯潜水、长河将青阳腔传入岳西，当地文人围鼓习唱，组班结社，岳西高腔初步成型。光绪初期，外来职业高腔艺人系统传授舞台表演艺术，促成了岳西高腔的进一步发展。

岳西高腔艺术遗产丰厚，其戏曲文学、戏曲音乐、表演艺术及基本活动形式都自成体系，风格独特。通过对岳西境内民间抄本的发掘、搜集、整理，已累积剧目一百二十余种，二百五十多出，可分为“正戏”和“喜曲”两类，其中“正戏”占绝大多数，包括《荆钗记》等南戏五大传奇剧目的精彩折子，具有较高的文化品味和文学价值，其最大特征是继承了“滚调”艺术并发展成“畅滚”；“喜曲”所唱均为吉庆之词，主要用于民俗活动，是岳西民俗文化的重要组成部分。岳西高腔的音乐体制基本属曲牌联套体，一唱众和，锣鼓伴奏，“唱、帮、打”三位一体，风格古朴。艺人以独有的“箍点”标记指导唱腔，传承艺业。

岳西高腔的演唱包括围鼓坐唱、舞台表演和在民俗活动中表演三种形式，有严格而成熟的程序规范。它全面融入境内各民间灯会，成为本土民俗文化的有机组成部分。清末以来，岳西高腔几度兴衰，新中国成立前夕已处于濒危境地。新中国成立后，县政府组建专业高腔剧团，专门对岳西高腔进行传承和研究。20世纪60年代后，珍贵史料损毁严重，专业剧团体制变异，民间班社活动萎缩，岳西高腔后继乏人，再次面临绝灭的危险。

辰河高腔是包括高腔、弹腔和少部分昆腔在内而以高腔为主的地方戏曲剧种，流行于湖南省沅江中上游的支流辰河一带，波及贵州、四川省的部分地区。辰河高腔源于戏曲四大声腔之一的弋阳腔，清代道光、咸丰年间得到发展，老艺人杜凤林组建湘西最早的辰河高腔戏班“大红班”，到各地巡回演出，辰河高腔开始走向民间，得到广泛流传。

在长期的发展演变过程中，辰河高腔形成了独特的艺术风格。它有48本“目连戏”及《黄金印》、《红袍记》、《一品忠》、《琵琶记》、《装疯油锅》等剧目，在湘西久演不衰，深受群众喜爱。辰河高腔曲调丰富，有曲牌五百余支，适合表达各种不同的思想感情，主要曲牌有【归朝欢】、【降皇龙】、【浪淘沙】、【淘金令】、【扑灯蛾】等。

辰河高腔的声腔高亢激昂，音域宽广，可在高、中、低音区回旋，粗放时裂金碎玉，响彻云霄；柔和时则细若游丝，婉转动人。男声用大本嗓演唱，给人以粗犷奔放之感；女声唱腔的高八度花腔委婉清亮，悦耳动听。早期的辰河高腔分生、旦、净、丑、外、副、末、贴八个脚

色行当，清末民初之后变为生、旦、净、丑四行，其中生角又分为正生、老生、红生、小生，旦角又分为正旦、小旦、摇旦、老旦等。演员的表演朴实、自然，带有浓郁的泥土气息，具有讲究唱功、多唱传奇本高腔、擅演目连戏的特点。演出时的伴奏乐器包括唢呐、笛子、京胡、二胡、三弦、大鼓、小锣、云锣、钹、小鼓等，特制的高腔唢呐声音高亢优美，能与唱腔融为一体，在帮腔和伴奏中发挥着重要作用。

辰河高腔完整地保留了民族和地域特色，具有广泛的群众基础。较早地在戏剧演出中实现了观众和演员的互动，被称为“世界上最早的意识流艺术”。辰河高腔在国外演出时曾引起轰动，被誉为“中国戏剧的瑰宝”。

由于经费紧张、人才缺乏及受众局域化、老龄化等问题，现在辰河高腔已到了几乎失传的地步，只有少数剧团在艰难的生存条件下坚持演出，需采取措施尽快改变这种局面。

高腔·常德高腔

◎ 申报地区或单位：湖南省常德市

常德高腔为常德汉剧高、昆、弹三大声腔之一。它是在本地原始祭祀歌舞等乡土音乐的基础上不断吸收明代弋阳腔、青阳腔等早期戏由声腔而逐渐发展成熟的，主要流行于西洞庭区、武陵山系、辰水和沅水流域，远及鄂西南和黔东一带，1986年更名为武陵戏。明代万历至清代乾嘉年间是常德高腔最为兴盛的时期，此后随着弹腔南北路的兴起而逐渐走向衰落。《祭头巾》、《思凡》、《两狼山》、《双猴斗》、《程咬金娶亲》等是常德高腔中的代表性剧目，解放后又出现了《芙蓉女》、《紫苏传》等新编高腔戏，演出轰动一时。

常德高腔有三十余种基本腔和七十余种曲牌，演唱形式有滚唱、帮控等。其中帮腔受沅水船歌、扎排号子音调的影响较大，分人声帮腔和乐器随奏两类，人声帮控一唱众和，乐器随奏以大锣、大钹和唢呐伴奏。其唱腔与本地方言紧密结合，并融入了大量本地巫腔、傩愿腔、渔

鼓调的音乐素材，表现力很强。演唱时有本嗓、边嗓、夹嗓、小嗓等多种表现方法。

常德高腔的脚色分为生、旦、净、丑四行，其中包括青须、白须、小生“三生”，正旦、小旦、老旦“三旦”，大花脸、二花脸、小花脸“三净”。表演中唱念以中州韵拼读标准与常德方言声调相结合，为了强调人物的地域特点，也兼用一些外地语言。常德高腔特别重视表演基本功的训练，有一套富于表现力的动作程式，此外还从生活中提炼出一些特殊的表演范式，形成模拟飞禽走兽或其他动静物态的身法动作。常德高腔的表演中常会穿插一些精彩的特技，往往能收到引人入胜的演出效果。

早在清代嘉庆、道光时，众多常德高腔班社已相继解体或改唱弹腔，导致大批剧目失传，传承关系几近中断。1954年，常德市文化主管部门举办高腔学习班，挖掘传统剧本二十余个并恢复上演了其中的少数剧目，使几近消亡的常德高腔重新萌发了生机。常德高腔为常德地域文化的有机载体，为研究地方戏曲声腔的流播衍变提供了鲜活的材料。近年来，随着社会的巨大变迁，常德高腔又一次陷入濒临灭绝的艰困境地，迫切需要得到抢救和保护。

152

新昌调腔

◎申报地区或单位：浙江省新昌县

新昌调腔是古老的戏曲声腔之一，又名掉腔、绍兴高调、新昌高腔，以新昌为中心，流布于浙东绍兴、萧山、上虞、余姚、嵊县、宁海等地。它被认为是明代南戏“四大声腔”之一余姚腔的惟一遗音。清初，新昌调腔进入全盛期，以杭州为中心向四处流布。

新昌调腔剧目丰富，既有源于目连戏、南戏、元杂剧、明清传奇的各种剧目，又有近现代新编的历史故事剧和现代剧。在调腔的艺术档案中，保存下来的晚清以前的古剧抄本就达159种，其中属于元杂剧的《北西厢》、

《汉宫秋》、《妆匣记》等剧目为调腔所独有，极为珍贵。新昌调腔剧团是全国惟一能演《北西厢》的艺术团体，其演出的《汉宫秋》亦能保持元曲的原貌。调腔目连戏在我国目连戏系统中占有重要地位，167出调腔目连剧目中，为其他剧种所没有的多达72出。

调腔演唱中有干唱、帮腔、叠板等方式，常在每句唱词的句尾采用一字或数字的帮腔，或者迟一拍用不同旋律重复句尾几字；帮腔纯用人声，各句旋律有逐渐下滑的趋势。调腔不用管弦伴奏，仅以打击乐配合演出，后因受昆曲和乱弹的影响，在少数折子戏中采用笛子和板胡伴奏。调腔的伴奏乐队构成极为简单，仅由6人组成，负责鼓板、小锣等的演奏。调腔的脚色行当有“三花、四白、五旦堂”之称，三花为大花脸、二花脸、小花脸，四白为老生、正生、副末、小生，五旦堂为老旦、正旦、贴旦、小旦、五旦。其表演以精湛细腻著称，有擎椅、掌烛、背身踢靴等绝技。

新昌地处浙东山区，环境相对闭塞，调腔因而得以在这一隅之地保存下来。在调腔散曲“风枪联缀体”中还能找到唐时“踏歌”和宋时“转踏”的遗响，对于古代戏曲、音乐的研究具有极其重要的意义。调腔深深地影响了周围的剧种，宁海平调是它的分支，越剧、台州乱弹、瑞安高腔、绍剧等地方剧种也都从它的剧目、声腔和表演中得到一定的滋养。

清末民初战乱频仍，加上新剧种不断兴起，新昌调腔因之走向衰落。目前调腔戏受到社会变革的影响，处于濒危状态，剧团资金匮乏，演艺人员青黄不接，断层严重，只有及时采取有效措施，才能保证这个剧种继续生存下去。

153 宁海平调

申报地区或单位：浙江省宁海县

宁海平调是浙江古老的地方戏曲剧种之一，属于新昌调腔的分支，起源于明末清初，以宁海为中心，流行于象山、黄岩、温岭、临海、仙居、天台、奉化等地，至今已有三四百年的历史。它有《小金钱》、《金牛岭》、《潞安洲》、《天门阵》、《白门楼》、《御笔楼》、《百花赠剑》、《贵妃醉酒》、《陈琳救主》、《偷诗赶船》等一百多出传统剧目，其中《小金钱》百余年来与耍牙的技艺紧密结合，成为宁海平调中最富于特点的代表剧目。

宁海平调的唱腔声调高亢而婉约，一唱众帮，不用管弦而单以锣鼓衬托。其帮腔有混帮、清帮、全句帮、片段帮、一字帮等多种形式。演出中除小丑对白外，基本使用宁海方言和“读书音”。“宁海耍牙”是宁海平调表演中独具的一门绝活儿，至今已有一百多年的历史。它是一种粗犷中不失细腻、野性中凸现灵动的“变口”技艺，主要分一咬、二舔、三吞、四吐等几个步骤。艺人取200公斤以上的雄性肉猪下颚骨上獠牙含在口中，以舌为主要动力，而用齿、唇、气的各种活动辅助表演。这种表演以精湛的“变口”功夫和狂放的身段配合平调的“三大一小”及【将军令】等曲牌，塑造出剧中独角龙不可一世的骄横之态，令人叹为观止。宁海平调中的耍牙技艺独特，程序讲究，看似轻松，实则是一门苦功，每一代传人都要经历艰苦的练习过程方能掌握。新中国成立后，耍牙在传统的基础上得到改进提高，由原来的六颗耍发展成十颗耍，赢得了广大观众的一致赞誉。

宁海平调为中国戏曲表演增添了一门独特的耍牙绝技，丰富了戏曲脸部表演的形式和内容，引起广泛的关注。目前宁海平调与其他地方戏曲剧种一样处于低迷状态，耍牙绝技传承乏人。无论是整个剧种还是其中引人注目的耍牙技艺都需要尽快加以抢救和保护。

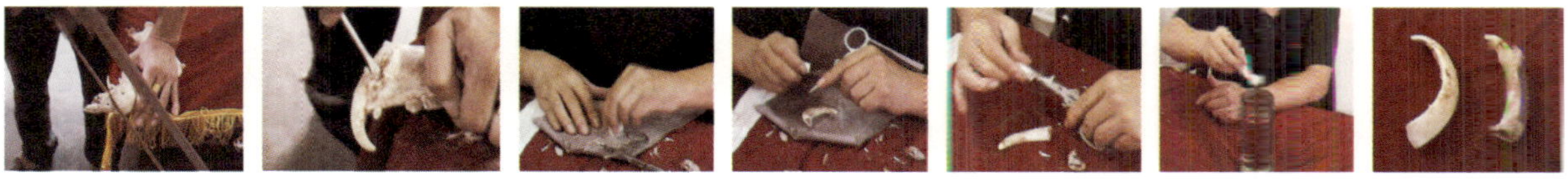

永安大腔戏

◎申报地区或单位：福建省永安市

永安大腔戏形成于明代中期，是弋阳腔的一个流派，因是“大锣大鼓唱大戏，大嗓子唱高腔”，故称大腔戏。明景泰年间，福建省永安市青水畲族乡丰田村熊氏家族年年派人到江西石城祭祖，并向当地艺人学习弋阳腔，而后结合本地的山歌、小调及道士音乐，创立了大腔戏班。随着熊姓家族部分成员向周边地区的迁徙，大腔戏传播到了大田、尤溪、沙县等地。

永安大腔戏的传统剧目有一百多个，常演的有《白兔记》、《金印记》、《中三元》、《葵花记》、《取盔甲》、《黄飞虎》、《破庆阳》、《三代荣》、《合刀记》、《白罗衫》、《月台梦》、《卖水记》等。大腔戏的声腔字多腔少，粗犷高亢，朴素平直。演员发声以大嗓为主，大小嗓结合，演出中后台不断帮腔，保留着弋阳腔“一人启齿，众人帮腔”的特点。大腔戏的脚色行当分“四门九行头”，“四门”为生、旦、净、丑，“九行头”即正生、小生、副生、正旦、小旦、夫旦、大花、二花、三花，此外还有老旦和贴旦。大腔戏戏班一般由15人组成，伴奏乐器也只有锣、鼓、钹、唢呐和板几种。演出时舞台上仅陈设一桌二椅，演员戏服较为简单，或干脆不穿戏服，只用红、黑、白三色化妆，而后挂上别具一格的“须套”，走到桌前表演。司鼓坐在椅上打鼓，并自始至终不停地干唱，与演员配戏。

丰田村的大腔戏平时除自娱自乐外，还常在村里的迎神赛会、祭祖和节庆活动中演出。清代咸丰以后，由于小腔戏在闽西北地区流行，大腔戏开始走向衰落。到了20世纪20年代，不少大腔戏班先后解体，留存下来的戏班活动范围逐渐缩小。丰田村地处高山密林之间，交通闭塞，故大腔戏这一明代形成的古老剧种得以保存至今，五百多年来未曾中断。大腔戏的表演动作、舞台调度、舞美形式等都属于明代戏剧的珍贵遗存，是中国戏曲史、文化史、社会生活史研究的第一手重要材料。如今丰田村大腔戏剧团成员不足20人，演出范围仅限于本村和本乡。近年来，随着文化生活的不断丰富，丰田当地群众对大腔戏的兴趣逐年递减。大腔戏的业余演出活动越来越少，艺人的年龄也趋于老化，而山区生活的贫困又使急于改变经济状况的年轻一代无暇去学习继承这一古老剧种。演出市场的萎缩和后继乏人的窘境使得永安大腔戏处于濒危状态，亟待抢救和保护。

155 四平戏

◎申报地区或单位：福建省屏南县、政和县

四平戏又名四评戏、四坪戏、四棚戏、四蓬戏，系由明代中叶流行的四大声腔之一的弋阳腔演变而来，嘉靖年间盛行于徽州（安徽省歙县）一带，明末清初传入闽东北大山深处的政和，在政和县杨源乡及屏南县龙潭乡以历史原貌完整地延续至今。

四平戏的传统剧目有《荆钗记》、《白兔记》、《拜月亭记》、《杀狗记》、《琵琶记》、《苏秦》、《英雄会》、《九龙阁》、《陈世美》、《芦林会》、《八卦图》等几十个。其唱腔属于高腔系统，古朴粗放，清新悦耳，优雅动听，句末帮腔用拖音演唱。道白使用一种介于普通话与当地方言之间的“土官话”念诵，俗称“讲正字”。留存下来的四平戏剧本只标注轻重音符而不标注唱腔音符，无谱有调，唱腔完全以口头方式代代相传。其脚色行当在清代雍正时期已较齐全，表演上生角强调文雅，旦角要求细腻，净角注重粗犷，丑角讲究滑稽，形成四平戏独特的表演风格。脚色表演动作有腾、挪、滚、打等，随鼓缓急进退，不同脚色行当的手、脚动作都有规定的口诀。演出中保持以鼓、钹、板鼓等打击乐器衬托，而以鼓为主导的伴奏形式，继承了弋阳腔“一人成声而众人相和”的古老传统。四平戏较好地保

龍潭劇

留了明代的声腔艺术形式，被戏剧史专家称为“中国戏剧活化石”。由于地处条件落后的大山深处，其生存充满艰辛。在经济大潮的冲击下，这一古老剧种的传承已出现了严重的问题，必须尽快采取措施进行抢救。

156 川剧

◎ 申报地区或单位：四川省
重庆市

川剧流行于四川省、重庆市及云南、贵州、湖北省的部分地区，是中国西南部影响最大的地方剧种。它主要有高腔、胡琴、弹戏、昆曲、灯调五种声腔，是明末清初以来中国戏曲声腔剧种演变历史的一个缩影。明末清初，昆曲、弋阳腔、青阳腔、陕西梆子、湖北汉调、徽调等声腔流入四川，乾隆、嘉庆年间与当地的薅秧调、川江号子、地方小调、宗教音乐等逐渐融合，基本完成了外来声腔“四川化”的演变过程。辛亥革命前后，高腔、昆曲、胡琴、弹戏及四川

本土的灯戏在同台演出过程中融为一体，形成“五腔共和”的川剧，一直延续至今。

川剧剧目丰富，有传统剧目和创作剧目六千余个，以《黄袍记》、《九龙柱》、《幽闺记》、《春秋配》、《东窗修本》、《五子告母》、《神农涧》、《情探》等为代表，其中不少是宋元南戏、元杂剧、明传奇与各种古老声腔剧种留存下来的经典剧目，具有很高的文学和

历史价值。新中国成立后整理改编的《柳荫记》、《彩楼记》、《绣襦记》、《白蛇传》、《拉郎配》、《打红台》及改革开放时期改编、创作的《巴山秀才》、《变脸》、《死水微澜》等均产生了较大的社会影响，显示出川剧深厚的传统文化底蕴。

川剧分小生、旦角、生角、花脸、丑角5个行当，各行当均有自成体系的功法程序，尤以文生、小丑、旦角的表演最具特色，在戏剧表现手法、表演技法方面多有卓越创造，能充分体现中国戏曲虚实相生、遗形写意的美学特色。川剧表演生活气息浓郁，生动活泼，风趣幽默。为了更好地塑造人物，川剧艺人创造了变脸、藏刀、钻火圈、开慧眼等许多绝技，表演时火爆热闹，新奇有趣，形成川剧的一大特色。川剧五种声腔中，以曲牌体的高腔音乐最具创造性，其帮、打、唱相结合的结构形态使戏剧与音乐的结合达到了前所未有的高度，成为我国戏曲高腔音乐发展的杰出代表。

川剧具有巴蜀文化、艺术、历史、民俗等方面的研究和认知价值，在中国戏曲史及巴蜀文化发展史上具有十分独特的地位。近年来，川剧同其他各种地方戏曲一样出现了生存危机，观众减少，演出市场萎缩，经费不足，传承发展举步维艰，抢救、保护川剧的任务正严肃地摆在人们面前。

157

湘剧

◎申报地区或单位：湖南省衡阳市

湘剧是湖南省最主要的地方声腔剧种，流行于湘南东部17个县市及赣南西部和广东的坪石、岐门、乐昌、桂头、犁市、韶关等地。因它曾以长沙、湘潭为活动中心，故又称长沙湘戏。湘剧融合有昆腔、高腔、弹腔及杂曲小调等多种声腔，明初至嘉靖年间，传入湖南的昆腔和弋阳腔与当地方言及民间音乐相结合，形成湘剧。

衡阳湘剧剧目繁多，有连台本戏6个，整本戏113个，散折戏465个，《封神榜》、《岳飞传》、《目连传》、《金印记》、《投笔记》、《白兔记》、《拜月记》、《四进士》、《奇双会》等均是其中的代表性剧目。

湘剧脚色行当分工细致，包括大靠把、二靠把、唱工、小生、大花脸、二花脸、紫脸、三花脸、正旦、做工旦等12行，小生又有文巾、罗帽、雉尾、蟒靠之分，且有穷、文、富、武四

种做派。湘剧表演充分吸收昆曲的艺术因素，载歌载舞，灵动活泼，有一批以造型和功架著称的剧目。生行表演中拖鞋前行的“趿鞋路”、金鸡独立的“船路”、踉跄而走的“醉路”及丑行中的“大脚婆路”等都带有鲜明的剧种特色。湘剧有曲牌三百余支，以南曲为主，弹腔除南、北路外，尚有反南路、反北路、平板、安庆调、七槌半等。演唱时以唢呐、笛子等伴奏，湘剧伴奏有文武场面之分，文场以二弦、月琴、笛、唢呐等管弦乐器配合唱腔，武场则以鼓板、大钹、大小锣等打击乐器烘托表演。

经过数百年的艺术实践，衡阳湘剧已成为湖南的一个独立戏曲剧种。谭保成是衡阳湘剧谭派表演艺术的奠基人，他的表演深受昆曲艺术影响，雄健雅致，别具一格。1952年10月，他主演的《醉打山门》参加全国第一届戏曲观摩演出，受到毛泽东、周恩来等党和国家领导人及梅兰芳等著名表演艺术家的高度评价。

昆曲造就了衡阳湘剧，衡阳湘剧视昆曲为灵魂，同时又将高雅的昆曲艺术与区域文化结合起来，达到了雅俗共赏的境界，这种将外来高雅艺术地方化、乡土化的实践在戏曲史乃至艺术史的研究中具有重要的价值。目前由于现代文化的冲击，湘剧与观众的关系越来越淡薄，加上资金缺乏、人才流失等问题，湘剧的生存正面临着严峻的形势，值得有关方面加以关注。

158

广昌孟戏

◎申报地区或单位：江西省广昌县

广昌孟戏是一种以孟姜女哭长城为题材的戏曲，流行于江西省广昌县境内，俗称孟戏，又名盱河戏，约起源于明初，至今已传承演出了五百余年。孟戏用高腔演唱，经专家考证，其唱腔是明代四大声腔之首的海盐腔遗响。广昌原有三路孟戏，赤溪曾家孟戏和大路背刘家孟戏两路现存，舍溪孟戏则已湮灭于20世纪的60年代。孟戏只在每年的正月演出一次，用于民俗活动。

曾家孟戏被认为是元本，全剧共64场，分为两本，一个晚上演一本。剧中孟姜女富于反抗精神，哭倒长城，为保贞节而投河自尽，同时对于封建朝廷进行了有力抨击。刘家孟戏是明传奇本，始演于明万历年间，全剧共69场，分三个晚上演出，剧中孟姜女虽因丈夫死于长城下而悲伤，却并无反抗意识，结果被秦王封为一品夫人，获赠金银。刘家、曾家两路孟戏剧本上标出的曲牌有一百四十余支，在戏曲音乐界引起了广泛的关注。

广昌孟戏属曲牌体，以高腔演唱，一唱众和，多在后句的下半句帮腔，并有"杂白混唱"的特点。曾家孟戏所唱南曲比弋阳腔更古老，并吸收了海盐腔的成分，字多腔少，以广昌官话演唱，以鼓、锣、钹等打击乐器伴奏，节奏较快，显现出简单、原始的古曲特征。刘家孟戏主要以海盐腔演唱，同时参以弋阳腔、青阳腔和徽州腔。

曾、刘两家的孟戏剧本都是古南戏的孤本，为中国戏曲和民俗的研究、继承提供了十分珍贵的资料，具有独特的艺术价值和社会学价值。1962年，在江西广昌县召开的戏曲工作会议上，戏曲工作者呼吁保护孟戏。在县政府的组织下，进行了抢救性的挖掘整理工作。"文革"后，江西省文化厅和地方文化局对广昌孟戏高度重视，开展了一系列抢救保护工作。但由于财政紧张，许多规划和措施无法迅速落到实处，剧种传人日益老化，后继乏人，如再不设法挽救，很可能也会像舍溪孟戏那样湮灭在历史长河之中。

159

正字戏

◎申报地区或单位：广东省陆丰市

正字戏本名正音戏，用中州官话唱念，是一个多声腔的古老稀有剧种。明初南戏的一支传入粤东，形成正字戏，主要扎根于海陆丰地区，后传播到港澳台及东南亚等地。

正字戏有传统剧目两千六百多个，分为文戏和武戏两类。文戏有明代宣德七年的《正字刘希必金钗记》及嘉靖年间的《蔡伯喈》南戏抄本和一批较完整的清代、民国抄本，以及20世纪50年代的记录本。《三元记》、《五桂记》、《满床笏》、《月华缘》"四大喜戏"，《荆钗记》、《葵花记》、《琵琶记》、《白兔记》"四大苦戏"和《忠义烈》、《千里驹》、《铁弓缘》、《马陵道》"四大弓马戏"统称十二真本戏。武戏多为连台本戏，如《三国》、《隋唐》等。

正字戏表演风格古朴，气魄宏大，特别擅演连台本戏。文戏的唱腔保留着古老的面貌，以曲牌体的正音曲、唱牌子为主，杂以乱弹、小调等。正音曲以奚琴领奏，大锣、大鼓伴奏，唱牌子以笛子、大小唢呐伴奏。正音曲中有很多曲牌直接继承了弋阳、青阳古腔，滚唱运用得较为普遍。昆腔曲牌有一百多支，其中有一部分充分体现了北曲严格、完整的组织形式。武戏即

提纲戏，没有或少有唱腔，用吹打牌子伴奏以渲染气氛，气氛热烈火爆，有斗靠旗、抖肌肉、抖髯口、跑布马、展示南派武功等精彩表演，能很好地表现各种历史、军事场景。正字戏传统有红面、乌面、白面、老生、武生、白扇、正旦、花旦、帅主、公末、婆、丑12行当，演出中有些行当勾画脸谱。正字戏的脸谱有毛面、水龟目、鹰嘴、虎目等两百多种图案。

正字戏是古老南戏的变体，为戏曲声腔的流变和地方文化对戏曲的影响等研究提供了有力的证据。目前正字戏的生存出现危机，需要有关方面及时加以抢救和保护。

160 秦腔

◎申报地区或单位：陕西省

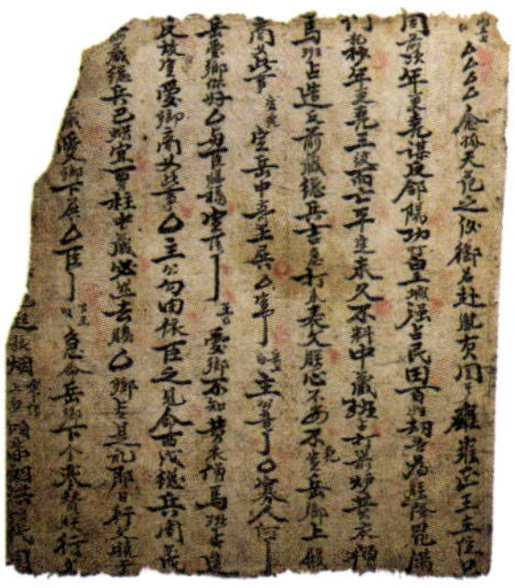

秦腔是元明之际流传于关中一带的劝善调及当地民间音乐与关中方言结合形成的一个戏曲声腔剧种，主要流行于陕西、甘肃、宁夏、青海、新疆等西北部地区。明清之际，秦腔由陕西商人传入中原及华东、华中、华南一带，至清初成为全国有重大影响的戏曲剧种。

现已发现的秦腔传统剧目有三千多种，多取材于历史故事及各种神话和民间传说，其中包括《春秋笔》、《和氏璧》、《玉虎坠》、《紫霞宫》、《麟骨床》、《长坂坡》、《卖华山》、《临潼山》、《斩单通》、《取洛阳》、《三娘教子》、《柜中缘》、《反延安》、《破洪州》、《三上殿》、《献西川》等代表性剧目。

秦腔音乐分欢音和苦音两种，前者主要表现欢快喜悦的情绪，后者主要表现悲愤凄凉的情绪。秦腔演唱时有慢板、二六板、代板、起板、尖板、滚板等板式变化形式，伴奏乐队分为文场和武场，文场以板胡为主，辅以笛、三弦、月琴、唢呐等；武场基本使用打击乐器，包括指板、干鼓、暴鼓、战鼓、钩锣、手锣、水水等。秦腔的脚色行当传统上分为四生、六旦、二净、一丑，各有自己完整的唱腔和表演程序。秦腔的生、净行唱腔高亢激越、慷慨悲凉、雄迈豪放；旦角唱腔委婉细腻、婉转流变、细腻典雅。秦腔演员还极重工架和特技，在长期的舞台实践中形成了趟马、拉架子、担柴、喷火、梢子功、扑跌等富有特点的表演模式。此外，秦腔的脸谱也别具特色。

秦腔是西北黄土高原人民共同拥有的精神财富，也是三秦文化的典型代表样式，有着广泛的群众基础。它在历史上曾流传至中原和沿海一带，影响和孕育了数十个地方剧种。20世纪80年代以后，秦腔和其他戏曲剧种一样受到现代文化的巨大冲击，专业演出团体生存艰难，优秀演艺人才缺乏，传统表演技艺正面临失传的危险，急需采取切实的保护措施。

161

汉调桄桄

◎申报地区或单位：陕西省汉中市

汉调桄桄又称汉调秦腔、南路秦腔、桄桄戏，是明代末年关中秦腔传入汉中地区与当地方言和民间音乐结合而形成的梆子声腔剧种，主要流行于陕西南部的汉中、安康一带，并曾流传到川北、陇东、鄂北等地。

汉调桄桄剧目丰富，传统剧目有七百多个，其中本戏五百六十多本，折子戏一百七十多出，其中《刘高磨刀》、《镔铁剑》、《夕阳山》、《水灌晋阳》、《红缨披》等百余种剧目为汉调桄桄所独有，《帝王珠》、《无影剑》、《呢喃阁》等剧目在其他剧种中已经失传或残缺。

汉调桄桄的唱腔属板腔变化体，既有秦腔的高亢激越之美，又体现出陕南地方音乐优雅柔和的特点，旦角唱腔高昂，讲究唱“硬三眼调”；花脸擅用“犟音”，声高八度，多以假声演唱，尾音拖腔较长，人称“老少配”。唱腔的板路包括二流、慢板、尖板、拦头等多种，且有“软”、“硬”、“快”、“慢”之分。“软”为表现悲凉情绪的苦音，“硬”为表现欣悦情绪的欢音，“快”为快板，“慢”为慢板。汉调桄桄的伴奏有文、武场之别，文场原以盖板、二弦为主奏乐器，后改为板胡，另有京胡、海笛、三弦等与之配合；武场使用尖鼓、平鼓、钩锣、铙钹、梆子、牙子、木鱼等打击乐器。

汉调桄桄的表演追求大幅度夸张，有“箍桶”、“撒莲花”、“耍椅子”、“棍架子”、“吊毛盖”、“变脸”、“换衣”、“揣火”等许多独特的技巧，还有不少刀枪、棍棒、拳脚、腾翻的特有身段。民国以前，汉调桄桄演出时，生、净均不穿靴，常穿草鞋演出；旦角面部搽粉，头上插花即可出场。其服饰和化装虽简单，唱工却十分讲究，当地人习惯于夜听十里大调，且听远不听近，名为“燕过梁”。

近年来，汉调桄桄观众日渐减少，班社、剧团纷纷解体，艺人流散，传统剧目、曲牌、表演技艺已经或即将失传。目前仅有南郑县一个剧团还在维持演出，仍面临经费困难、人才青黄不接的窘境，难以长久坚持下去，须采取切实可行的措施予以抢救和保护。

162 晋剧

◎申报地区或单位：山西省

晋剧是山西省四大梆子剧种之一，因产生于山西中部，故又称中路梆子，外省称之为山西梆子，主要流布于山西中、北部及陕西、内蒙古和河北的部分地区。清代初年，蒲州梆子流入晋中，与祁太秧歌、晋中民间曲调相结合，经晋商和当地文人的参与而形成晋剧。其后几经变化，在晋中、晋北以至内蒙古、河北、陕北的部分地区发展传播开来。清末民初的近百年间是晋剧的发展时期，当时班社众多，人才辈出，尤其是以丁果仙为代表的第一代女演员出现之后，晋剧艺术提升到了一个新的阶段。

晋剧传统剧目丰富，经常上演的有二百多出，包括《渭水河》、《打金枝》、《临潼山》、《乾坤带》、《沙陀国》、《战宛城》、《白水滩》、《金水桥》、《火焰驹》、《梵王宫》、《双锁山》等。在发展过程中，晋剧保留了蒲州梆子慷慨激昂的艺术特色，同时形成婉转细腻的抒情风格。晋剧唱腔丰富，包括乱弹、腔儿、曲子几种，板式多变，表现力强，如乱弹板路就分平板、夹板、二性、流水、介板、倒板、滚白7种。晋剧传统乐队由9人组成，分文、武场两种，文场伴奏乐器为呼胡、二弦、三弦、四弦“四大件”，武场则采用鼓板、铙钹、小锣、马锣、梆子等乐器。晋剧脚色行当主要有须生、正旦、大花脸“三大门”和小生、小旦、小花脸“三小门”，表演粗犷豪放，富于激情，不仅继承了梆子戏表演中的绝技，而且在翎子功、帽翅功等方面又有了进一步的发展。

作为山西省的代表性剧种，晋剧在山西地方戏剧、音乐、民俗、历史等的研究中占有重要地位。目前由于商品经济的影响和现代生活方式的冲击，上演剧目迅速减少，城市观众大量流失，农村观众则以老年群体为主，晋剧的前途令人忧虑。

163 蒲州梆子

◎申报地区或单位：山西省临汾市、运城市

蒲州梆子明末清初形成于晋、陕、豫交界地带的蒲州，主要流行于山西南部及陕西、河南、甘肃、青海等省的部分地区。它是我国古老的梆子腔剧种之一，初期民间称为乱弹或梆子腔，清代中叶称山陕梆子，民国初年称蒲州梆子，20世纪30年代起简称蒲

剧。蒲州梆子剧目众多，现在已知剧目有一千四百多个，其中《窦娥冤》、《薛刚反朝》、《麟骨床》、《杀驿》、《挂画》等影响较大。

蒲州梆子唱腔以梆子腔为主，另有昆曲、吹腔及民歌小调等。梆子腔属板腔体，有7种基本板式，另有唢呐曲牌和丝弦曲牌三百多支。蒲州梆子的声腔特征是腔高板急，起伏跌宕，长于抒发慷慨激越的情绪。在演唱过程中演员大小嗓兼用，往往出现十度以上或两个八度的跳跃，行腔高亢奔放，富于激情。伴奏乐队有文、武场之分，文场乐器以板胡为主，辅以笛、二股弦、三弦、二胡等；武场乐器采用鼓板、枣梆、马锣、铙钹等，锣鼓经十分丰富。

蒲州梆子分须生、老生、小生、正旦、小旦、老旦、大花脸、二花脸、三花脸等脚色行当，其表演艺术有悠久的历史和深厚的传统，最鲜明的特点是火爆奔放，刚健大方，舒展明快，含蓄细腻，注重做工，擅用特技表现人物，有不少难度较高、观赏性极强的表演技巧，仅特技绝活就有三十余种，其帽翅功、髯口功、翎子功、梢子功、鞭子功、椅子功、扇子功、耍纸幡、彩功等表演特技在全国享有盛名。

在梆子腔剧种体系中，蒲州梆子是山西四大梆子中诞生最早的一种，它与陕西梆子之间存在着渊源关系，是考察中国地方戏曲传承演变轨迹的活资料，对于山西地方文化研究也能发挥重要作用。在商业大潮的冲击下，蒲州梆子正陷于危机之中，观众大量流失，演员队伍青黄不接，这种局面需要尽快得到扭转。

164

北路梆子

◎申报地区或单位：山西省忻州市

北路梆子又名上路戏，是山西四大梆子之一，主要流行于山西北部的大同、朔州、忻州及内蒙古、河北的部分地区。清代初期蒲州梆子北上，在忻州当地扎根后，逐渐形成北路梆子。其传统剧目主要有《王宝钏》、《打金枝》、《算粮》、《金水桥》、《哭殿》、《斩黄袍》、《血手印》、《铡美案》、《蝴蝶杯》、《斩十王》、《访白袍》、《回龙阁》、《九件衣》、《杨八姐游春》等两百多个。

北路梆子的唱腔结构属于板腔体，有慢板、夹板、二性板、垛板、流水板、三性板、倒板、滚白、介板、花腔等的分别。传统伴奏乐器有文、武场之分，文场乐器由枣胡、二弦、三弦、四弦、笙、笛、唢呐等组成，武场乐器由板鼓、马锣、铙钹、手锣、梆子、战鼓、堂鼓、碰铃、小音锣等组成。北路梆子的唱腔深受蒲州梆子的影响，具有高亢激越、淋漓酣畅、稳健粗犷的特点，同时又结合当地的民歌小调，形成“咳咳腔”等自成一体的唱法，带有鲜明的地方特色，充分体现了当地劳动人民质朴淳厚、豪爽大方的性格。

在戏曲发展史和地方文化史的研究中，北路梆子具有不可替代的史料价值。但在飞速发展的现代社会，北路梆子和许多地方戏曲一样同时代拉开了距离，那种万人争睹的景况已经一去不复返了。传承乏人、演出市场萎缩等问题长期困扰着北路梆子，这个古老的剧种正盼望着有关方面能对其加以抢救和保护。

165

上党梆子

◎申报地区或单位：山西省晋城市

上党梆子是山西省四大梆子之一，流行于山西东南部。它在道光年间称为本地土戏，1934年赴省城太原演出时称作上党宫调，1954年定名为上党梆子。上党梆子以演唱梆子腔为主，兼唱昆曲、皮黄、罗罗腔、卷戏，俗称“昆梆罗卷黄”。它在清代乾隆中后期已经盛行，嘉庆、道光年间班社林立，名伶辈出，剧目竞现，流派纷呈，进入蓬勃发展时期。

据统计，上党梆子的传统剧目有七百多个，其中梆子戏近六百个，皮黄戏九十多个，昆曲十多个，罗罗腔戏和卷戏各数个，代表性剧目有《三关排宴》、《天波楼》、《雁门关》、《闯幽州》、《董家岭》、《巧缘案》、《夺秋魁》、《甘泉宫》、《东门会》、《徐公案》等，其中一些剧目完全为上党梆子所独有。清咸丰年间到抗战前，上党梆子进入鼎盛时期，有班社两百多个，形成了特色鲜明的“州府派”和“潞府派”两大艺术流派，涌现出赵清海、郎不香、申灰驴等诸多名家。上党梆子的唱腔曲牌体与板腔体兼具而以板腔体为主，其板式分大板、中四六、四六、垛板、散板、滚腔等，以四六和大板使用最多也最具特色。演唱时男女同腔同调，男腔使用假声。伴奏乐器主要为巨琴、二把、呼胡“三大件”。

上党梆子的脚色行当主要有生、旦、净、丑四种，各行当的基本表演程式名为“三把”，运用时演员挺胸昂头，稳健有力。其表演风格粗线条、大轮廓，直出直入，简练明快，后在发展过程中逐渐受到京剧影响，有所变化。上党梆子的舞台装置有“设大朝”的讲究，脸谱图案也十分独特。旦角还有一种名为“破面”的化妆，带有元杂剧的遗风，即用白粉在剧中品行不端者右眼脸上横画一笔，或在角色右颧骨处画上一朵小小的兰花或菊花。

上党梆子包含有多种声腔，从中可考察戏曲声腔历史流变的现象。目前由于受到现代文化和经济大潮的冲击，上党梆子观众大量流失，演出水准逐渐下降，不少剧团被迫解散，后继人才匮乏，剧团前景堪忧，迫切需要采取措施，予以支持和保护。

166 河北梆子

◎ 申报地区或单位：河北省

河北梆子是河北省最具代表性的地方声腔剧种，又名京梆子、直隶梆子、卫梆子、秦腔等。清代中叶，流入北京的秦腔、山西梆子与河北地区方言、民间音乐相结合，于道光年间正式形成。河北梆子鼎盛时期，曾流行于北至今蒙古人民共和国的乌兰巴托，南至广州，东至今俄罗斯的海参崴，西至新疆的广大区域，后影响范围缩小，目前主要流行于河北、北京、天津及山东、东北的部分地区。

河北梆子的传统剧目有五百多出，其中《宝莲灯》、《秦香莲》、《金水桥》、《杜十娘》、《蝴蝶杯》、《窦娥冤》、《教子》、《断桥》、《三上轿》、《喜荣归》、《打金枝》、《荀灌娘》、《南北合》、《苏武牧羊》等影响较大。河北梆子声腔属板式变化体，有慢板、二六、流水、尖板、哭板、反调及各种引腔和尾腔，主要伴奏乐器有板胡、笛、梆子、笙等。演唱时以梆子击节，音调于高亢激越之中时时透出委婉凄楚的旋律，擅长表现慷慨悲壮的情绪。其伴奏乐器有文、武场之分，文场乐器包括板胡、笛子、三弦、唢呐、海笛等，武场乐器包括鼓、板、大小锣等。河北梆子的脚色行当包括须生、小生、武生、青衣、花旦、老旦、大净、二净、文丑、武丑等，各行当

皆有特定的唱腔风格，生腔苍劲悲壮，旦腔激越高昂，净腔粗犷豪放，丑腔风趣跃动。河北梆子的表演风格粗犷火爆，奔放热烈，演员运用程式动作较夸张，还常常加进高难度的特技表演。

河北梆子独特的艺术对京剧、评剧和其他剧种产生了一定的影响，具有较高的戏剧文化价值。20 世纪 30 年代后，河北梆子急剧衰落，濒临灭绝，直至建国后才重获新生。然而，80 年代后期，在各种现代艺术形式的不断冲击下，河北梆子的生存再度出现危机，演出市场萎缩，人才流失严重，急需加以抢救、保护。

167 豫剧

◎ 申报地区或单位：河南省

豫剧也叫河南梆子、河南高调、河南讴，豫西山区则称之为靠山吼。它是我国梆子声腔剧种中极为重要的一支，深受广大人民群众的喜爱，主要流行于河南省，在全国各地都有流传。豫剧传承至今已有上百年的历史，早在清代乾隆年间，已成为河南很有影响的戏曲剧种。豫剧在生成和发展时期，汲取了昆腔、吹腔、皮簧及其他梆子声腔剧种的艺术因素，同时广泛吸收河南民间流行的音乐、曲艺说唱和俗曲小令，形成了朴直淳厚、丰富细腻、富于乡土气息的剧种特色。

豫剧拥有丰富的剧目资源，其中传统剧目近千出，历史上曾有“唐三千、宋八百，唱不完的三列国”之说，《斩子》、《牧羊卷》、《刘全进瓜》、《抱琵琶》、《铡郭槐》、《红下山》、《大祭桩》、《借妻》、《红娘》、《花木兰》、《穆桂英挂帅》、《对花枪》、《唐知县审诰命》等众多传统剧目长期以来在舞台上盛演不衰。

豫剧音乐中有四大板类，数十个唱腔板式，数十种调门唱法，其唱腔不仅有多种地方唱调，如豫东调、祥符调、豫西调、沙河调、高调等，还容纳了词格为十字句、七字句、五字句及曲词为长短句的多种曲牌，在表演和演唱方面形成了众多艺术流派。豫剧伴奏有文、武场之分，文场乐器主要包括板胡、二胡、三弦、月琴、皮嗡、笛子等，武场乐器则包括板鼓、梆子、大锣、小锣等。

“四生”、“四旦”、“四花脸”构成豫剧的脚色行当体制，“四生”为老生、大红脸、二红脸、小生；“四旦”为青衣、花旦、老旦、彩旦；“四花脸”为黑脸、大花脸、二花脸、三花脸。近现代以来，豫剧在发展过程中涌现出常香玉、王润枝、马双枝、陈素真、崔兰田、马金凤、阎立品等一批名家，以多样化的艺术风格将豫剧推向更高的境地。

豫剧艺术长期受中原文化特别是黄河流域地方文化的影响，它在演出剧目、舞台表演、人物塑造、表述方式、音乐唱腔等方面都形成了独特的河南地方风格，带有浓郁的地域文化色彩，成为我国民族戏曲宝库中的珍贵财富。由于时代的飞速发展，社会意识形态和审美风尚发生了巨大变化，豫剧的生存开始出现危机。观众数量急遽缩减，表演人才缺乏，许多传统剧目特别是具有代表性的地域流派剧目已经几近失传，这种状况急需改变，豫剧的抢救、保护工作亟应尽早落实。

168 宛梆

◎ 申报地区或单位：河南省内乡县

宛梆是一个稀有的地方戏曲剧种，它生长并流布在河南西南部的南阳及周边广大地区，早期人们称它为唧唧梆、老梆子、南阳梆子等，因南阳古称为“宛”，故1956年南阳行署正式将其命名为“宛梆”。宛梆是明末清初陕西的东路秦腔（同州梆子）传入南阳后，与南阳当地的民歌小调、民间说唱融合，演变形成的一个戏曲剧种，它的兴起至今已有三百多年的历史。

宛梆有《汶江河》、《化心丸》、《黑打朝》、《铡美案》、《下陈州》、《桃花庵》、《卖苗郎》、《杨家将》、《打金枝》、《黄鹤楼》等一百四十多个传统剧目。其音乐属于板腔体，曲调丰富，唱腔分为本腔与假腔两种，各类板式中都有本腔与假腔相配。通常的调门有慢板、流水、二八、散板四大部分。伴奏乐器包括大弦、二弦、坠胡、月琴、唢呐、小锣、手镲、板鼓、

大锣、大镲、大鼓、战鼓、枣木梆子等。宛梆主弦为秦腔早期大弦，发音高亢，宛如鸟鸣，与枣木梆子搭配，风格独特。

宛梆既有陕西梆子的高亢激越，又有中原音乐的平整规范，还有楚乐的委婉清丽，它用以烘托感情的假腔为高八度无字行腔，系宛腔一绝，具有独特的艺术价值。受中原文化、秦晋文化和楚文化共同滋养的宛梆是研究河南梆子早期生态的标本，20世纪30年代以来，由于豫剧、河南曲剧的兴起和迅速流传，宛梆渐趋衰落，至目前只剩下内乡县一家国有宛梆专业剧团还在艰难地传承着这一古老的民族艺术火种，有必要及时加以抢救和维护。

169 怀梆

◎ 申报地区或单位：河南省沁阳市

怀梆系河南省古老的稀有地方剧种，因起于旧怀庆府（今沁阳）一带，故名怀梆，俗称怀庆梆子、老怀梆、小梆（班）戏、怀调，主要流行于河南沁阳、博爱、济源、孟州、温县、

武陟、修武、原阳、获嘉、焦作、新乡一带。其前身是由围桌说唱祈雨演变而来的海神戏，形成于明洪武、永乐年间。原河内县居民多由山西洪洞一带迁来，故海神戏保持着山西戏剧的表演形式，与河内当地的风俗习惯和方言土语相结合，逐步形成了与山西中路梆子接近而又具有怀庆府一带特色的声腔剧种，剧目、唱腔、念白、音乐等方面都带有浓厚的地方色彩。

怀梆有三百多本传统戏，经常上演的剧目多为双生、双旦、双花脸，其中的代表性剧目有《反西京》、《古槐案》、《张春醉酒》、《老少换》、《红珠女》、《赶秦三》、《辕门斩子》、《九头案》、《桃花庵》、《凤仪亭》、《老征东》、《五女拜寿》等。这些传统剧目多无剧本，全以老艺人口授方式传承。

无论是在音乐还是在表演艺术上，怀梆都有自己独特的风格。它属于板腔体，演唱时须用枣木梆击打节奏，唱词多为七字句、十字句和长短句，上下对应，合辙押韵，结构基本规整。怀梆以方言吐字，唱腔慷慨激昂，根据剧情需要常出现高八度的“后嗓”音。其板式主要有慢板、二八板、流水板、三板、非板五大类，伴奏乐器包括大弦、板胡、月琴、鼓板、大锣等。怀梆生、旦、净、末、丑行当齐全，表演粗犷奔放，擅演文武带打蟒靠架子戏。

由于怀梆的艺术形式独特，因此加强怀梆剧种的发掘、抢救和保护工作，对弘扬民族文化，加强我国梆子声腔剧种体系的研究，丰富和完善中国戏剧史都能起到重要的作用。但在目前形势下，怀梆赖以生存、发展的社会基础发生了变革，出现演出市场低迷、演员跳槽等严重现象，整个剧种面临着青黄不接、后继乏人的局面，需要从速采取措施加以抢救、保护。

170 大平调

◎申报地区或单位：河南省濮阳县、滑县、延津县

大平调又称平调、大梆戏、大油梆，主要流行于豫北、冀南、鲁西南及豫东、皖北等地，它起源于明代中期，至今已有五百多年的历史。大平调的唱腔音乐属梆子腔系统，因比山东梆子、河南梆子、河北梆子的音调低，故称平调或大平调。它的音乐板式结构多与豫剧相同，艺术风格则比豫剧更加粗犷火爆。大平调在黄河以北的广大地区有着很大影响，逐渐形成三个支派，即东路平调、西路平调和河东平调。

大平调在长期发展过程中积累了丰富的剧目，据统计约有六百余出，现在保留下来的只有二百余出，其内容主要取材于《三国演义》、《水浒传》、《隋唐演义》、《杨家将》、《包公案》等小说，多以黑脸、红脸的“袍带戏”为主，民间生活故事戏较少，常演剧目有《下高平》、《下燕京》、《下江南》、《反阳

河》、《晋阳关》、《反徐州》、《收姜维》、《百花亭》、《战洛阳》、《秦香莲》、《铡赵王》、《赵公明下山》、《金鞭记》、《张飞滚鼓》、《三传令》、《火龙阵》等。

大平调的唱腔与山东梆子大体相同，但是发声一般都用真嗓，惟慢板、拐头钉等板式起板时，尾声使用极高的假嗓。主要伴奏乐器有大弦、二弦、三弦、大梆、大号等。在大平调的脚色行当中，黑脸和红脸居于主要地位，形成剧种的重要特色。其表演气势恢弘，场面宏大，唱做念打并重，粗犷豪放，刚中带柔。

大平调在河南地方音乐、戏曲历史等研究方面具有重要的学术价值，值得引起关注。20世纪90年代以后，随着戏剧市场的滑坡，大平调也受到了前所未有的冲击，观众群体日渐萎缩，剧团生存和演出条件恶劣，缺乏后继的表演人才，目前这一古老剧种正面临着失传的危险，亟待抢救。

171

越调

◎申报地区或单位：河南省周口市

越调又名四股弦，是河南省古老的剧种，主要流传于陕南、鄂北、皖西、山东及河南各地，且在全国有一定的影响。越调清代乾隆年间开始在南阳等地流行，其后逐渐演变为专门的声腔剧种，清朝末年走向兴盛。剧种形成后，它主要以皮影越调戏、木偶越调戏和越调大戏班三种形式演出。

在长期的发展过程中，越调形成了五百多个传统剧目，尤以擅演“三国”而闻名，代表性剧目有《收姜维》、《下南唐》、《无佞府》、《李天保吊孝》、《白奶奶醉酒》、《李双喜借粮》、《火焚绣楼》、《诸葛亮吊孝》等。越调起源于曲牌体，后又加入板腔体，成为板腔体与曲牌体合一的独特剧种。其板式有慢板、流水、铜器调、赞子、导板、飞板、紧打慢唱、哭腔、吹腔、杂调等。越调曲牌有两百多个，多来自其他戏曲剧种和民间音乐，分笛牌和弦牌两部分。越调唱腔主要为“越调”，有时也兼唱吹腔、昆腔、七句半等，具有独特的风

格，高亢明快，淳厚质朴，吐字清晰，以字代音，以声传情，唱中有笑，笑中有唱，既善于表现激昂慷慨、悲壮高歌的场面，又能抒发深沉、轻柔、哀怨的情感，具有中原地区民间音乐的特色和乡土气息。越调声腔艺术丰富，有自己的行当特色和套路板式。演员用本嗓演唱，辅以假声，净行唱腔的主音比其他行当高五度。伴奏分文、武场，文场乐器包括坠胡、笛子、二胡、唢呐、三弦、琵琶、闷子等，武场乐器包括板鼓、大小锣、堂鼓等。

越调的脚色行当齐全，包括大红脸、二红脸、文生、武生、大净、二毛、三花脸、正旦、花旦、闺门旦、浪旦、武旦、老旦等十几种，每个行当都有鲜明的个性色彩。在长期的舞台实践中，滋生出了以申凤梅和毛爱莲为代表的一些著名表演流派。

越调生动地反映了中原一带的社会生活，在社会史和艺术史研究方面都有重要价值。在计划经济向市场经济转变的进程中，越调举步维艰，每况愈下，过去那种“满城锣鼓万人迷，村村都有越调戏”的喜人景象早已风光不再。现在河南全省只剩下河南省越调剧团和许昌市越调剧团两个专业演出团体，资金缺乏，新剧目产生困难，艺术人才青黄不接。当务之急是加大政策扶植的力度，调动各种力量对之进行抢救和保护，首要任务则是对老艺人的绝活儿进行抢救性挖掘。

172 京剧

◎申报地区或单位：中国京剧院

北京市

天津市

辽宁省

山东省

上海市

京剧又称平剧、京戏，是中国影响最大的戏曲剧种，分布地以北京为中心，遍及全国。清代乾隆五十五年（1790）起，原在南方演出的三庆、四喜、春台、和春四大徽班陆续进入北京，他们与来自湖北的汉调艺人合作，同时接受了昆曲、秦腔的部

分剧目、曲调和表演方法，又吸收了一些地方民间曲调，通过不断的交流、融合，最终形成京剧。

在文学、表演、音乐、舞台美术等各个方面，京剧都有一套规范化的艺术表现程式。京剧的唱腔属板式变化体，以二簧、西皮为主要声腔。四平调、反四平调、汉调等都从属于二簧，南梆子、娃娃调则从属于西皮。二簧旋律平稳，节奏舒缓，唱腔浑厚凝重；西皮旋律起伏较大，节奏紧凑，唱腔明快流畅。京剧伴奏分文场和武场两大类，文场使用胡琴（京胡）、京二胡、月琴、弦子、笛子、唢呐等，而以胡琴为主奏乐器；武场以鼓板为主，小锣、大锣次之。京剧的脚色分为生、旦、净、丑、杂、武、流等行当，后三行现已不再立专行。各行

当内部还有更细的划分，如旦行就有青衣、花旦、刀马旦、武旦、老旦之分。其划分依据除人物的自然属性外，更主要的是人物的性格特征和创作者对人物的褒贬态度。各行当都有一套表演程式，唱念做打的技艺各具特色。

京剧以历史故事为主要演出内容，传统剧目约有一千三百多个，常演的在三四百个以上，其中《宇宙锋》、《玉堂春》、《长坂坡》、《群英会》、《打渔杀家》、《空城计》、《贵妃醉酒》、《三岔口》、《野猪林》、《二进宫》、《拾玉镯》、《挑滑车》、《四进士》、《搜孤救孤》、《霸王别姬》、《四郎探母》等剧家喻户晓，为广大观众所熟知。新中国成立后，京剧改编、移植、创作了一些新的历史剧和现代题材作品，重要的有《将相和》、《穆桂英挂帅》、《杨

门女将》、《海瑞罢官》、《曹操与杨修》、《沙家浜》、《红灯记》、《智取威虎山》、《黛诺》、《骆驼祥子》等。

京剧有“京派”和“海派”之分，不同时期出现过许多优秀的演员，如清末的程长庚、余三胜、张二奎、梅巧玲、谭鑫培、孙菊仙、汪桂芬、刘鸿声、田桂凤、余紫云、陈德霖、王瑶卿等，民国年间的余叔岩、言菊朋、高庆奎、马连良、杨宝森、梅兰芳、程砚秋、荀慧生、尚小云、周信芳、金少山等。

京剧流播全国，影响甚广，有“国剧”之称。它走遍世界各地，成为介绍、传播中国传统文化的重要手段。以梅兰芳命名的京剧表演体系已经被视为东方戏剧表演体系的代表，与斯坦尼斯拉夫斯基及布莱希特表演体系并称为世界三大表演体系。京剧是中国民族传统文化的重要表现形式，其中的多种艺术元素被用作中国传统文化的象征符号。但近年来随着社会的变迁，京剧艺术与当代人的审美距离逐渐加大，观众锐减，上演剧目萎缩，如何实现京剧的保护和振兴已成为一个亟待解决的课题。

173

徽剧

◎申报地区或单位：安徽省、黄山市

江西省婺源县

徽剧是一种重要的地方戏曲声腔，主要流行于安徽省境内和江西省婺源县一带。明末清初，乱弹声腔传入安徽，与地方声腔及民间音乐结合，在安庆府的石牌、枞阳、桐城等地形成拨子。乾隆年间，拨子与四平腔脱胎而来的吹腔逐渐融合，形成二簧腔。二簧腔又与湖北西皮形成皮簧合奏，奠定了徽剧的基础。

徽剧的音乐唱腔可分徽昆、吹腔、拨子、二簧、西皮、花腔小调等类。徽昆以演武戏为主，多用唢呐、锣鼓，气势宏大；吹腔兼有曲牌体和板腔体形式，以笛和小唢呐为主奏乐器；拨子用枣木梆击节，以唢呐、笛、徽胡伴奏；二簧以徽胡为主奏乐器，有导板、原板、回龙、流水等板式；西皮则有文武导板、散板、摇板、二六等板式，同样用徽胡为主奏乐器；花腔小调

多为民间俗曲，生活气息浓郁。徽剧脚色行当包括末、生、小生、外、旦、贴、净、丑等类，表演火爆热烈，气势豪壮，动作粗犷，特别擅长武戏，有翻台子、跳圈、窜火、飞叉、滚灯、变脸等特技。

徽剧传统剧目丰富，其中徽昆剧目以武戏为主，有《七擒孟获》、《八阵图》、《八达岭》、《英雄义》、《倒铜旗》、《白鹿血》等；昆弋腔剧目有《昭君出塞》、《贵妃醉酒》、《芦花絮》等；吹腔、拨子剧目有《千里驹》、《双合印》、《凤凰山》、《淤泥河》等；西皮剧目有《战樊城》、《让成都》等；皮簧剧目有《龙虎斗》、《反昭关》、《宇宙锋》、《花田错》等；花腔小戏有《李大打更》、《探亲相骂》等。

徽剧迄今已有三百多年历史，在中国戏曲发展史上曾起过重要作用，它不仅孕育了京剧，而且中国南北几十个地方戏曲剧种都同它有着密不可分的血缘关系。同时，徽剧还是徽州文化的一个重要组成部分，它以直观的方式反映了徽州文化乃至中国传统文化的许多特点，值得深入研究。但目前徽剧面临着“断种”的危险，演员老化，传承乏人，经费紧张，从业人员越来越少，现在必须加紧从保护老艺人入手，进行徽剧的抢救、挖掘、整理工作，否则将会错失良机，造成巨大的遗憾。

174 汉剧

◎申报地区或单位：湖北省武汉市

汉剧旧称楚调、汉调，又名楚腔、楚曲，初步形成于清代康乾年间，至嘉道年间走向进一步成熟，至今已有三百多年的历史。它流行于湖北，远及湘、豫、川、陕、粤、皖、赣、黔、晋等省的部分地区。

汉剧声腔以西皮、二簧为主，首创皮簧合流，丰富完善了板腔体音乐的表现功能。其曲牌有四百余首，包括唢呐、笛子、丝弦三类。伴奏乐器有胡琴、二胡、月琴、三弦、笛子、琵琶、唢呐、锣、钹等，并夹用马锣的“川打”，形成了一定的特色。汉剧剧目丰富，号称八百出，现在尚存六百五十余出，较流行的约三百多出，主要取材于历史演义和传说故事，其中的代表性剧目有《双尽忠》、《两狼山》、《生死板》、《打花鼓》、《宰陶大》、《合银牌》、《斩李虎》、《宇宙锋》、《闹金阶》、《哭祖庙》等。

汉剧的脚色行当较为完整，共分末、净、生、旦、丑、外、小、贴、夫、杂十大行。各行都有自己的表演程序，对兄弟剧种行当的丰富和发展有较大影响。汉剧在发展中先后涌现出米应先、余三胜、余洪元、董瑶阶、李彩云、李春森、吴天保、陈伯华等众多杰出的艺术家，尤其是解放后形成的吴（天保）派和陈（伯华）派表演艺术代表了汉剧发展的高峰，在全国影响很大。

在中国戏曲发展历史上，汉剧为京剧的形成作出过特殊的贡献，对川剧、滇剧、桂剧、湘剧、粤剧、赣剧等地方戏曲剧种也有不同程度的影响，是研究戏曲板腔体系、戏曲音乐结构演变的重要史料和进行艺术创新的资源。20世纪60年代以来，各地汉剧团急剧减少，至今湖北省境内仅存两个专业汉剧院团，许多剧目和传统技艺正随着老艺人的谢世而失传，急需加以抢救和保护。

175

汉调二簧

◎ 申报地区或单位：陕西省安康市

汉调二簧又称陕二簧、山二簧，是陕西第二大剧种，流行于陕西的安康、汉中、商雒、西安及四川、甘肃、湖北的部分地区。它源自陕南汉江流域的山歌、牧歌、民歌，清代初叶受秦腔影响，并吸收昆曲、吹腔、高拨子等曲调，糅合当地方言，形成了独立的声腔剧种，原来用双笛伴奏，笛以竹作“簧”，故称“二簧”。为与“京二簧”区别，又称“土二簧”。汉调二簧传统剧目丰富，仅安康一地就有一千二百多种，已挖掘整理出本戏420个，折子戏517个。这些剧目的题材多取自《东周列国

志》、《三国演义》、《封神演义》及其他历史故事和民间传说，其中的代表性剧目有《文姬辨琴》、《胡笳十八拍》、《战蚩尤》、《尝百草》、《黄天荡》、《清风亭》、《二度梅》、《打龙棚》、《梁红玉》等。

汉调二簧在发展中曾形成安康、汉中、商雒、关中等流派，名角层出不穷。其脚色共分末、净、生、旦、丑、外、小、贴、夫、杂十个行当，表演讲究细腻精到，唱腔真假嗓并用，悠扬婉转。生、老旦一般用真声演唱，旦用假声演唱，净则使用虎音。其唱腔以西皮、二簧为主，西皮用于表现愉快、爽朗的情绪和场面，二簧用于表现悲哀、肃穆的情绪和场面，演唱中根据剧情需要交替使用，形成甜音、苦音之分。伴奏乐队的文场使用胡琴、二胡、月琴、三弦、阮、唢呐、笛子、喇叭等乐器，武场则使用牙板、梆子、暴鼓、尖鼓、锣、铙钹等。汉调二簧的脸谱样式众多，比京剧和秦腔更为考究，目前收集到的有四百五十多个。

经研究认定，汉调二簧形成较早，各地其他皮簧声腔剧种都与之存在渊源关系，它对川剧、

徽剧、京剧等的形成和发展有着不可忽略的影响。近年来，汉调二簧观众锐减，经济上出现困难，不断走向衰落，专业剧团纷纷解散，目前仅剩下安康汉滨区一个剧团还在维持演出，而且这个唯一的剧团也正濒临解散的危机。在此情势下，有必要大声呼吁，应该尽快对这一古老剧种进行抢救和保护。

176

泰宁梅林戏

◎申报地区或单位：福建省泰宁县

梅林戏俗称土戏、土京戏，是福建省地方戏曲剧种之一，流行于泰宁、将乐、顺昌、邵武、光泽等地。清代乾嘉年间，徽调经浙江、江西两路传入泰宁后，与当地方言和民歌小调、道教音乐相融合，形成具有地方特色的剧种。其道白采用当地官话，唱腔以乱弹、西皮、下江为主。

梅林戏的唱腔优美动人，它以皮簧、拨子、吹腔为主，此外还有南词北调、弦索、徽州词、浙江调、四平调、青板、小调等。伴奏乐器分文乐和武乐两类，文乐包括京胡、二胡、三弦、月琴、琵琶、扬琴、唢呐、竹笛等，武乐包括大鼓、大平鼓、京锣、小锣、大小钹等。

梅林戏的脚色行当比较齐全，有“五门十七行头”，“十七行头”即正生、副生、小生、老

生、娃娃生、头梁旦、二梁旦、三梁旦、花旦、金榜旦、茶盘旦、彩旦、老旦、大花、二花、三花、四花。其表演风格古朴粗犷，具有严格的程式，唱、做、念、打都具有鲜明的个性，服装和化妆比较朴素。表演中有类似古时“娱神”和提线木偶的科介动作，还有“耍撩牙”、“叶火变裙”、“变脸”、“耍叉”、“挺僵尸”、“下高台”等众多的传统特技。梅林戏有传统剧目三百三十多个，已收集记录有剧本的一百三十多个，经整理上演的较好传统剧目包括《飞龙带》、《蓝腰带》、《鸳鸯带》、《雌雄鞭》等三十多个。

梅林戏源于徽戏，至今仍较好地保存了徽戏的艺术特征，要研究徽派艺术，探寻中国戏曲史等的发展历史，梅林戏无疑是一件不可多得的实物资料。但在社会急速发展的今天，梅林戏陷入生存困境，剧团虽仍在农村巡回演出，但出场费过低，经济情况十分紧张，时时面临剧团解散、剧种消亡的危险，需要尽快制定措施加以保护。

177 闽西汉剧

◎申报地区或单位：福建省龙岩市

闽西汉剧是福建省主要的地方戏曲剧种之一，属西皮、二簧声腔体系，旧称外江戏，亦称乱弹，主要流行于闽西、粤东、赣南、闽南、台湾等地，影响遍及东南亚地区。清代乾隆年间，乱弹流入闽西后，不断吸收当地方言和民间音乐，于嘉庆年间逐步衍化成闽西本地的地方戏曲剧种，原来称为乱弹，20世纪30年代初定名为汉剧，50年代末为与湖北汉剧相区别，正式改称闽西汉剧。

根据剧目清单，闽西汉剧可查的传统剧目总数有 836个，《醉园》、《兰继子》、《时迁

偷鸡》、《臧眉寺》、《审六曲》、《洛阳失印》、《百里奚》、《大闹开封府》、《二进宫》等是其中的代表性剧目。闽西汉剧的脚色行当分生、旦、丑、公、婆、净六大类，表演程式各行当不同，即使是同一行当也有差异。每个行当均有一套传统的基本功，如“倒吊莲”、“画眉跳架”、“过火坑”、“踮刀尖”、“桌上翻”等武功技艺就为闽西汉剧所独有。

闽西汉剧唱腔以西皮、二簧为主，兼用昆腔、梆子腔、弋阳腔等多种声腔，并吸收了大量在闽西、闽南广泛流行的民间小调和佛、道教音乐。在闽西汉剧的声腔中，各行当有不同的发音方法。小

生、青衣、花旦、正旦用假嗓；老生、老旦、丑用本嗓；黑净发炸音；红净真假嗓结合，强调鼻腔与后脑共鸣，嗓音清纯洪亮，行腔雄浑舒展，刚柔相济，在全国较为少见。道白与唱词以官话为基础，押中州韵，又结合闽西方言，故有“土官话”之称。闽西汉剧的乐队建制与其他皮簧剧种有明显区别，它以吊规、提胡、洋琴、小三弦“四大件”为基础，加上椰胡、中胡、阮、竹笛、唢呐、号头等民族乐器。乐器中的吊规、大苏锣极具特色，吊规状如牛角，又名牛角弦，发音高尖、清脆，是闽西汉剧的领奏乐器；大苏锣直径 80 公分左右，重十七八斤，体积巨大，奏出的音乐古朴雅静，舒缓悠扬。

闽西汉剧和乱弹及湖北汉剧有着亲缘关系，可以从中梳理出地方声腔剧种流变的基本轨迹。在现代化进程加速的今天，闽西汉剧也遭遇了生存危机，亟待抢救、保护。

178 巴陵戏

◎ 申报地区或单位：湖南省岳阳市

巴陵戏原名巴湘戏，民间又称之为岳州班，1953年始正式定名为巴陵戏。它是湖南省重要的戏曲剧种之一，主要流行于湖南的岳阳、益阳、常德、湘西、长沙及邻近的湖北、江西部分地区。巴陵戏渊源于明代万历年间传入的昆腔，明末清初弋阳腔流入湖南，对巴陵戏高腔的出现产生了较大影响。清代乾隆年间，巴陵戏吸收其他剧种的艺术因素，以唱弹腔为主，兼唱昆腔和杂腔小调，逐渐发展成一个较为稳定的戏曲声腔剧种。

巴陵戏现存传统剧目三百七十多出，内容多取材于历史演义和话本，以反映历代政治、军事斗争题材为主，其中的代表性剧目有《打严嵩》、《九子鞭》、《夜梦冠带》、《崔子弑齐》、《打差算粮》、《张飞滚鼓》、《三审刺客》等。巴陵戏的音乐分声腔和伴奏音乐两部分，声腔又分昆腔、弹腔和杂腔小调几种，其弹腔分为南、北路，又各有其反调，同时还有一种特殊的唱腔形式西二簧，其过门能巧妙地将南北路融为一体，南唱北拉，风味独特。弹腔用胡琴、月琴、小三弦伴奏，辅以唢呐、笛子和长杆子等。用于伴奏的打击乐器包括板鼓、课子、堂鼓、大锣、小钞、云锣、马锣等，有一套完整的锣鼓经，成为将唱、做、念、打等表演程式组成一体的纽带。

巴陵戏的脚色分生、旦、净三大行，生行包括老生、三生、靠把、小生、贴补等；旦行包括老旦、正旦、闺门、跷子、二小姐等；净行包括大花脸、二净、二目头、三花脸、四七郎等。

巴陵戏用中州韵、湖广音结合湘北方言演唱，特别注重人物性格的刻画，有一套较为完整的传统表演程式，形成了粗犷朴实、细腻生动的艺术风格。其表演有“内八功”、“外八功”等技巧。“内八功”是指喜、怒、哀、乐、悲、愁、恨、惊八种刻画人物心理、表达人物情感的基本技巧。“外八功”则泛指手、腿、身、颈及胡子、翅子、翎子、扇子、水袖等的运用。巴陵戏的表演特别注重眼神，常用的眼神有正眼、斜眼、喜眼、怒眼、哀眼、病眼、贼眼、妒眼、媚眼、死眼等三十多种。历代巴陵戏艺人在武打戏中吸收民间武术、杂技内容，创造了抛叉、抛椅、钻刀圈、钻火圈、翻桌、叠罗汉、顺风旗等许多表演绝技。巴陵戏的道白除常用的韵白、戏白之外，还有京、苏、川、淮、晋、沔阳、通城等方言白口，用以表现某些人物的地域特征及其身份、性格。

巴陵戏是湘东北地区戏剧的代表，在湖南省乃至全国的地方大戏剧种中占有重要地位。其舞台语言、剧目、声腔、音乐、表演乃至演出习俗中承载着大量与岳阳有关的历史文化信息，是研究岳阳历史文化和民风民俗的“活化石”，又是研究中国戏曲流变和地方剧种成型、发展的宝贵资料。民国中后期，巴陵戏开始走向衰落，1949年以后经过抢救得到复兴。现在由于现代文化的冲击，湖南仅存岳阳市一个巴陵戏专业剧团，已处于灭绝边缘，急需得到扶助和保护。

179 荆河戏

◎ 申报地区或单位：湖南省澧县

澧州荆河戏是在湘西北及湖北荆州、沙市等地流行的一个戏曲声腔剧种，因流传于长江荆河段而得名，历史上曾有上河路子、大班子、大台戏等名称，抗战期间又曾被叫作楚剧、汉剧、湘剧，1954年正式定名为荆河戏。荆河戏起于明初永乐年间，明末清初秦腔戏班随李自成军来到澧州，艺人们四处流散，到清代初年基本完成了楚调与秦腔的“南北结合”，形成荆河戏弹腔的“南北路”，荆河戏基本成型。

荆河戏的传统剧目较为丰富，保存下来的有五百多出，其中包括整本戏四百五十多出，散

折戏六十多出。这些剧目基本出于元明杂剧传奇、章回小说、民间故事，代表性剧目包括《百子图》、《楚宫抚琴》、《大回荆州》、《双驸马》、《沙滩会》、《翠屏山》、《反武科》、《秦雪梅》、《三娘教子》、《一捧雪》、《四下河南》等。

荆河戏的脚色行当分生、小生、旦、老旦、花脸、丑六行，生分老生、杂生、正生、红生四种，旦分正旦、闺门旦、花旦、武旦、摇旦五种，花脸则分大花脸、毛头花脸和霸霸花脸三种。荆河戏的表演讲究内、外八块的功夫。"内八块"功夫指人物的喜、怒、哀、乐、惊、疑、痴、醉等内心情感，"外八块"功夫则指云手、站裆、踢腿、放腰、片马、箭步、摆裆、下盘八种外部形体程式动作。荆河戏以武戏见长，尤以各种姿态的"拗军马"、"抖壳子"最具特色。

荆河戏音乐南北交融，别具韵味。荆河戏北路唱腔保留有由秦腔向弹腔衍变过渡后期的呔腔，属荆河戏独有的特殊唱腔。另有一种北路唱腔，用南路定弦演唱，名为"南反北"，又称"子母调"，用以表现人物的思虑、悲伤、恐怖等各种情绪，而子调则表现病危、死亡等情绪，这在其他皮簧剧种中亦较为少见。荆河戏南北路唱腔中还有很多特殊唱法，如十八板、十三板、正八句、龙摆尾，南路正反"马头调"、正反"老板头"、正反"八块屏"等等。荆河戏唱腔响亮、气势宏大，演员用嗓根据行当不同而有所区别。须生多用边嗓和沙嗓，小生、旦用假嗓，花脸用"本带边"，小花脸、老旦则用本嗓。念白主要采用澧州官话，少数剧目也用京白、川白、苏白和山西白。荆河戏的伴奏乐器包括文、武两种场面，文场面有胡琴、月琴、三弦、唢呐、笛子等，武场面则包括堂鼓、大锣、小锣、马锣、头钹、二钹等。马锣的传统打法极为特别，是将锣抛到空中再打。

澧州荆河戏历史悠久，至今仍保留有大量珍贵的原始曲牌、堂曲、打击乐谱等，在语言学、民俗学、民族音乐史等方面均具有很高的学术研究价值。由于多种原因，湖南的5个荆河戏专业剧团，有4个已先后解散或解体，只剩一个澧县荆河剧团还在艰难地支撑着。在此情势下，抢救与保护荆河戏已是刻不容缓。

180 粤剧

◎ 申报地区或单位：广东省文化厅
香港特别行政区民政事务局
澳门特别行政区文化局
广东省广州市、佛山市

粤剧主要流行于广东全省、广西壮族自治区南部和香港特别行政区、澳门特别行政区等使用粤方言地区的城乡。明末清初，弋阳腔、昆腔传入广东。清代咸丰、道光年间，广东本地班在演出中以“梆簧”（西皮、二簧）作为基本曲调，兼收高腔、昆腔及广东民间乐曲和时调，用“戏棚官话”为基本语言，间杂以粤方言，逐渐形成粤剧。1912年前后，粤剧演出基本上已改用广州方言，表演体系日趋完善，开始在梆簧中穿插民歌小调，并改假声演唱为“平喉”演唱。

粤剧的传统剧目早期主要有《一捧雪》、《二度梅》、《三官堂》、《四进士》、《五登科》等所谓“江湖十八本”，后又出现《黄花山》、《西河会》、《双结缘》、《雪重冤》等“新江湖十八本”和《苏武牧羊》、《黛玉葬花》等“大排场十八本”。其他代表性剧目还有《白金龙》、《火烧阿房

宫》、《平贵别窑》、《宝莲灯》、《罗成写书》、《凤仪亭》等。粤剧基本声腔为梆子、二簧，兼有高腔、昆腔及广东民间说唱、小曲杂调等。粤剧乐队最初由二弦、月琴、三弦、竹提琴、箫“五架头”组成，后又陆续吸收了其他一些新式乐器。

粤剧原有末、生、旦、净、丑、外、小、夫、贴、杂十大行当，后精简为文武生、小生、正印花旦、二帮花旦、丑生、武生六类。粤剧表演带有质朴粗犷的特色，有单脚、滑索、运眼、小跳、拗腰等绝技。其武打以南派武功为基础，靶子、手桥、少林拳及高难度的椅子功和高台功都十分出色。粤剧化装简练，色彩浓艳，服装多采用广绣，精美华丽，富有浓郁的地方特色。

粤剧广泛吸收广东音乐、广绣、牙雕、陶瓷、灰塑等地方艺术形式，充分体现了广府民系群落的地域文化传统，辐射范围遍及全球各地，在世界华人中具有极强的文化凝聚力。但面对现代都市文化的猛烈冲击，粤剧的生存空间已大为收缩，处于濒危状态，必须尽快投入力量对之进行保护。

181 桂剧

◎ 申报地区或单位：广西壮族自治区

桂剧是广西主要的地方剧种，流行于广西桂林市、柳州市、贺州市、河池市一带及梧州市部分官话地区，波及湖南南部地区与广东西北隅。桂剧历史比较悠久，大约发端于明代中叶。明末清初昆腔流播到广西，后高腔和弋阳腔又相继传入，几种声腔相互融合形成桂剧。

桂剧剧目数量丰富，有“大小本杂八百出”之说，《打金枝》、《烤火下山》、《断桥会》、《抢伞》、《穆桂英》、《闹严府》、《合凤裙》、《李逵夺鱼》、《泗水拿刚》、《排风演棍》、《刘青提》、《盗甲》等都是其中的代表性剧目。桂剧汲取祁剧、京剧、昆曲等剧种的声腔和表演艺术，唱做念舞并重，以唱工细腻、做工传神著称。其声腔音乐属板腔体，以弹腔为主，兼唱高腔、昆腔、吹腔及杂腔小调。弹腔分南路和北路两大系，北路高亢雄壮，南路委婉低沉，其反调形式“阴皮”

和“背弓”也都自成体系。桂剧用桂林方言演唱，声调优美，抑扬有致。伴奏乐队分为文、武场，前者使用二弦、月琴、三弦、胡琴、曲笛、梆笛、唢呐、唧呐等，后者则使用脆鼓、战鼓、大堂鼓、小堂鼓、板、大锣、大钹、小锣、小钹、云锣、星子、碰铃等。

桂剧的脚色分为生、旦、净、丑四大行当。生行又分生、末、外、小、武几种，旦行又分旦、占、贴、夫四种，净行则分净、副净、末净三种，丑行只分丑和小丑两种。另有一些跑龙套的脚色统称为“杂”。桂剧无摇旦专行，摇旦脚色常由副净、丑、夫等行演员兼演，表演诙谐幽默。随着清末“三小戏”的兴盛，桂剧旦行又逐渐细分为正旦、闺门旦、背心旦等。桂剧侧重做工，常常武戏文唱，表演质朴细腻，委婉动人，注重以富于生活气息的艺术手法塑造人物。

扎根于民间的桂剧融会了广西特有的风土民情和人文特点，逐步形成了细腻婉约、灵秀生动、刚柔并济、富有乡土气息的风格特色和贴近生活的质朴简约之美。由于各种原因，目前桂剧已陷入濒危境地，传统流失，人才断档，剧目和技艺失传，民间演出举步维艰，桂剧原有的艺术特色在此过程中正日渐淡化，需要采取措施，及时发掘抢救保护桂剧，使这一濒临消亡的古老剧种重新焕发生命力。

182 宜黄戏

◎ 申报地区或单位：江西省宜黄县

宜黄戏旧称宜黄班、宜黄调，主要流行于江西的宜黄、南城、南丰、广昌等县，远及赣东北、赣南和闽西一带。它以明末西秦腔演变成的宜黄腔为主要唱腔，清末吸收其他乱弹的声腔和剧目而形成一个多种声腔综合的剧种。

宜黄戏的传统剧目约有五百余种，但绝大多数已经失传。《清官册》、《药茶记》、《三官堂》、《奇双配》、《四国齐》、《雌雄鞭》、《庆阳图》、《双龙会》、《上天台》、《老君堂》、《飞龙传》、《月明楼》、《江东桥》、《春秋配》、《龙凤阁》、《拷打春桃》、《八仙飘海》、《卖梨招亲》等皆是其代表性剧目。宜黄戏的有些演出剧目还保留了早期的关目和排场，显得十分古朴。

宜黄戏的曲调主要有宜黄腔、反调、唢呐二凡、西皮浙调、南北词等，同时还保留西秦腔时代的吹腔，俗名“平板吹腔”。宜黄戏唱腔较为原始、平直，拖腔少而短，老生、老旦用本嗓，小

生大小嗓结合而尾音常翻高八度，男女同腔同调。

宜黄戏的脚色发展到近代可以分为正生、小生、老生、副生、正旦、小旦、二旦、老旦、大花、二花、三花、四花十二行。其表演粗犷古朴、严谨工稳。有些戏中表现人物骑马，不用马鞭代替马身，而采用元明杂剧的方式，将马形扎于身上。随着锣鼓打出的马蹄声应节而舞，做出跑马的身段。这种古老的表演方式在其他剧种中早已绝迹，而惟独在宜黄戏中保存下来了。

经专家研究，二簧实源于宜黄腔，宜黄戏由此在中国戏曲史上占有了突出的地位，它的形成、发展、衰落过程已成为戏曲史的一个缩影，因此宜黄戏正是探索研究戏曲衍变规律的理想标本。已知的宜黄戏早期剧目中专唱宜黄腔的有58种，这使得宜黄戏成为全国保留二簧腔最多的一个剧种。在当今社会，宜黄戏的生存、发展面临着重重危机，有必要从调拨资金、加强宣传、培养后继力量等方面入手，使这个古老的剧种获得一个合适的生存环境，长留于世。

183 乱弹

◎ 申报地区或单位：浙江省台州市、浦江县

乱弹流布于台州、金华等地，较为著名的有台州乱弹和浦江乱弹。

台州乱弹原名黄岩乱弹，形成于明末清初，流行于台州、温州、宁波、绍兴、金华、丽水等地区。台州乱弹有三百多个剧目，常演剧目号称“七阁八带九记十三图”，七阁包括《回龙阁》、《兰香阁》等，八带包括《鸳鸯带》、《挂玉带》等，九记包括《拜月记》、《白兔记》等，十三图

包括《百寿图》、《双狮图》等。此外代表性剧目还有《三星炉》、《紫阳观》、《汉宫秋》、《连环记》、《长生殿》、《单刀会》、《五虎平西》、《阳河摘印》、《锦罗衫》、《紫金镯》等。

台州乱弹唱腔十分丰富，以乱弹为主，兼唱昆曲、高腔、徽调、词调、滩簧等，是全国少有的多声腔乱弹剧种之一。其舞台语言以中原音韵结合台州官话，充满民语乡韵，通俗易懂，别具特色。伴奏乐器有文场、武场的分别，文场分丝竹管弦乐曲和唢呐曲两类，武场分闹台锣鼓和表演锣鼓两类。台州乱弹的脚色行当分“上四脚”和“下四脚”，“上四脚”包括生、旦、净、丑，“下四脚”包括外、贴、副、末。随着剧种的发展，行当分类越来越细。在表演方面，台州乱弹有许多绝技，如“耍牙”、“双骑马”、“钢叉穿肚”、“甩火球”、“雨伞吊毛”等，长期以来一直为人所称道。

浦江乱弹又名金华乱弹，起源于南宋末年，形成于明代中叶，流行于浦江、临安、建德、桐庐一带和婺、衢、处、温、台诸州及江西、福建等地。因它发源于浙江中部的浦江县，故称浦江乱弹。浦江乱弹是以浦江当地民歌《菜篮曲》为基础，在诸宫调讲唱艺术和南戏的相互影响下发展而成的。自南宋末年至明朝中叶的数百年间，它一直以讲唱艺术的形式流传于世。明代中叶，浦江乱弹由坐唱转为舞台演出。

浦江乱弹的主要腔调有三五七、乱弹三尖、二凡、芦花调、拨子等，各分若干板腔，自成完整的系统。伴奏乐器有文堂、武堂之分，文堂包括笛子、板胡、科胡、唢呐等，武堂包括鼓板、大小锣、大小钹等。乐器演奏技巧很高，尤以“三五七”及器乐曲《花头台》最具特色。演奏的曲调华丽、流畅、舒展，同时具有激昂、高亢、悲壮、沉郁的情绪特点。浦江乱弹的脚色行当分为十三门，包括花旦、正旦、贴旦、老旦、小旦、大花、二花、小花、四花、老生、老外、副末、小生等，其表演具有文戏武做、武戏文做的特点，程式规范，粗犷有力，富于乡土气息，在特技和武打表演方面也别具特色。浦江乱弹剧目大约有三百多个，现已收集到近二百个，代表剧目包括《玉麒麟》、《百花台》、《寿红袍》、《碧桃花》、《凤凰山》、《全家福》、《醉打山门》、《瞎子拿奸》、《卖胭脂》等。解放后，浦江乱弹成为婺剧的一种主要声腔，现已无浦江乱弹的专业和业余剧团，但在浦江县至今还有几十个以唱浦江乱弹为主的民间坐唱班。

台州乱弹和浦江乱弹是民族民间文化的宝贵遗存，是戏曲的“活化石”，其历史渊源、艺术形式等方面都有很高的研究价值。但在经济大潮的冲击下，乱弹表演团体萎缩，演员青黄不接，观众大量流失，剧种承传出现困难，急需加以抢救、保护。

184 石家庄丝弦

◎ 申报地区或单位：河北省石家庄市

石家庄丝弦又名弦腔、弦索腔、河西调、小鼓腔、罗罗腔、女儿腔等，是河北省特有的古老剧种之一，也是全国稀有的一个地方戏曲声腔剧种。它流行于河北省大部分地区和晋中地区东部及雁北地区。石家庄丝弦有传统剧目五百多出，《空印盒》、《白罗衫》、《小二姐做梦》、《赶女婿》、《金铃计》、《杨家将》、《花烛恨》、《生死牌》、《宗泽与岳飞》等是其代表性剧目。

石家庄丝弦在明清俗曲的基础上衍变而来，唱腔独特，以真声唱字，旋律向上大跳翻高，再用假声拖腔，旋律顺级下行，激越悠扬，慷慨奔放。丝弦音乐属弦索声腔，有各种音乐曲谱五百多支，各类伴奏曲牌一百多种，分官腔、越调两大部分。官调曲牌多为长短句，以【耍孩儿】为代表；越调曲牌多为对偶句，以【三道腔】、【罗罗】为代表。丝弦乐队分文、武场，文场乐器包括弦索、月琴、大三弦、小三弦"四架弦"，武场乐器包括板鼓、大筛锣、大铙、哑钹等。丝弦的脚色分生、旦、净、丑诸行，其表演热烈火炽，粗犷豪放，动作夸张，刻画人物细腻传神，带有浓厚的乡土气息。

石家庄丝弦是燕赵文化的杰出代表，具有很强的创造性，在河北地方剧种中占有较高地位，有"昆高丝乱不分家"和"一昆二高三丝弦"之说。近年来，随着现代化进程的加速，人们的价值取向、审美观念发生了巨大变化，戏曲的生存空间日渐狭窄。石家庄所属的一些丝弦剧团先后停止活动，仅剩石家庄市丝弦剧团还在维持演出，但也面临着演出市场萎缩，观众锐减，上演剧目老化，经费紧张，专业人才青黄不接等许多问题，迫切需要国家采取措施进行发掘和抢救。

185 雁北耍孩儿

◎ 申报地区或单位：山西省大同市

耍孩儿又称咳咳腔，是以曲牌名命名的一个戏曲声腔剧种，主要流布于山西省北部的大同市及周边地区。清代嘉庆、道光年间已有耍孩儿的班社活动，它的形成至少在此以前。

耍孩儿的唱腔属曲牌体，名为“平曲子”，有“本体”、“主插体”、“异体”三种结构类型。以主曲为骨架，嵌入“喜钹子”、“苦钹子”、“倒三板”、“半钹子”、“垛钹子”、“梅花钹子”、“串儿”等曲调，组成一整套唱腔，同时又巧妙地吸收梆子戏中“介板”和“滚白”的唱法，使板腔体音乐和曲牌体音乐融为一体，转换自如，不落痕迹。耍孩儿传统的伴奏音乐分文、武场，文场以板胡、笛子为主要伴奏乐器，音调旋律欢快活泼，婉转嘹亮，武场则使用大锣、小锣、鼓、钹等。音乐伴奏与唱腔紧密结合，显得十分和谐。耍孩儿最为突出的特点是唱腔发声使用后嗓子，声音从喉咙后部挤压发出，先咳后唱，以特殊的音色造成浑厚有力的音响效果。

耍孩儿有自己的传统剧目，其中代表性的有《白马关》、《七人贤》、《三孝牌》、《打佛堂》、《对联珠》、《送京娘》、《金木鱼》、《狮子洞》、《花园会》、《二龙山》、《赶脚》等四十多个。耍孩儿的脚色分红、黑、生、旦、丑五行，表演上大量吸收民间舞蹈动作，更接近于生活，处处洋溢着乡土气息。

独特的演唱发音方法、欢快火爆的打击音乐、取材广泛的丰富剧目、别具一格的剧种风格使得耍孩儿这个古老剧种日渐为专家学者所瞩目，它被称作戏曲史的“活化石”。保护这一古老剧种对于中国戏曲起源、发展、流布、生存的研究具有重要的意义。由于资金、人员等方面的问题，更由于与现代生活方式的冲突，雁北耍孩儿在目前出现了生存危机，必须尽快加以抢救和保护。

186 灵丘罗罗腔

◎ 申报地区或单位：山西省灵丘县

罗罗腔是流行于山西省灵丘县及其周边地域的戏曲剧种，它由弋阳腔演变而来，兴盛于清代乾隆年间，清末至民国时期渐呈衰颓之势。罗罗腔由一人在前台演唱，众人在后台帮腔，和之以“罗罗哟哟”之声，“罗罗腔”之名即由此而来。

罗罗腔历史悠久，形态古老，唱腔中保留有早期的传统曲牌，如【娃子】、【彩腔】、【山坡羊】等。在长期的发展过程中，其唱腔结构又在不断变化。罗罗腔传统的音乐唱腔主要有甩板、数词、流水、平板、垛板、散板、娃子、哭腔、起膛等十多种，其中说唱性较强的数词是代表性的唱腔。在其唱腔中存在曲牌唱腔与板式唱腔有机结合的特殊结构，如以甩板、数词与流水

组合为一套曲子，等等。罗罗腔演唱中在每句的句尾常用假嗓“耍腔”，其伴奏方式较为特别，“唱时不伴”，乐器过门在每句的尾音处进入。

罗罗腔在发展中形成了一批传统剧目，代表性剧目有《飞天闸》、《描金柜》、《审土地》、《小二姐做梦》、《锦缎记》、《龙宝寺》、《黑驴告状》、《两狼山》、《杨家将》、《罗通扫北》等四十多出。罗罗腔为了解戏曲传统、认识戏曲发展变化的规律提供了活生生的材料。古老的罗罗腔在现代社会陷入了生存的困境，由于资金缺乏，演出市场萎缩，演员纷纷流失，1960 年成立的灵丘县罗罗腔剧团是仅存的一个专业演出团体。现在已经到了抢救、保护这一珍贵剧种的紧要关头。

187 柳子戏

◎ 申报地区或单位：山东省

柳子戏又名弦子戏，亦称北调子、糠窝子，流行于山东、河南、江苏北部、河北南部、安徽北部的广大地区。它由元明以来流行于中原地区的俗曲小令衍化而成，因其主要的说唱曲调“柳子”通俗易懂，影响较大，故被称作柳子戏。柳子在清代中叶盛极一时，曾与昆腔、弋阳腔、梆子腔合称为“南昆、北弋、东柳、西梆”。

柳子戏主要由俗曲和柳子两部分构成，俗曲部分比重较大，现存曲牌一百余支，曲调一般分为越调、平调、下调、二八调、昆调、转调等。俗曲以三弦、横笛、笙等乐器伴奏，演唱时可用“挂叙”的方法，在长短句中插入大段七字句或十字句的唱词，以适应表现的需要。其音乐风格委婉动听，能够表现复杂细腻的心理情感。柳子属板式变化体，用通俗的七字句演唱，而以三弦和笙伴奏，显示出浓郁的地方特色。柳子戏在发展

过程中还吸收了高腔、青阳腔、乱弹、昆曲、罗罗腔、皮簧等剧种的唱腔、表演和剧目，以三弦为主奏乐器，同时辅以笙笛。有人用“九腔十八调”来形容柳子戏腔调的丰富多彩，可谓恰如其分。

柳子戏现存的传统剧目有两百多出，其代表剧目包括《孙安动本》、《张飞闯辕门》、《白兔记》、《金锁记》、《玩会跳船》、《抱妆盒》、《燕青打擂》、《打登州》、《鞭打芦花》、《锯大缸》等。柳子戏脚色分工较为细致，生行包括净面文生、架子生、袖生、武生、白胡老生等，旦行包括青衣、红衣、闺门旦、老旦等，净行包括红净、黑脸等，丑行包括文丑、武丑等。其表演以粗犷豪放为特色，极受地方观众欢迎。

柳子戏中容纳了明清以来盛行的各种古老声腔，保存有曲牌六百多支，在中国北方戏曲及元代散曲的研究方面具有不可替代的重要价

值。但由于种种原因，目前只剩下号称“天下第一团”的山东省柳子剧团一家还在支撑着“东柳”的门面，对这一古老剧种的保护已刻不容缓。

188 大弦戏

◎ 申报地区或单位：河南省滑县、濮阳县

大弦戏原称公兴班，又名弦子戏，是一个古老而稀有的多声腔剧种，它以河南开封、濮阳为中心，流行于河南省东北部、河北省南部、山东省西南部一带。一般认为大弦戏与唐代宫廷的梨园戏有一定的渊源关系，在演变发展过程中又继承了宋元杂剧北曲的传统。大弦戏剧目原

有五百余本，现存百本左右，内容以忠奸斗争、杀伐征战及除霸安良为主，代表性剧目有《反五关》、《黑石关》、《杨府选将》、《战洛阳》、《下南唐》、《孙武子兴兵》、《黄花寺》、《西厢记》、《两架山》等。

大弦戏的唱腔音乐属曲牌体，主要由【海里花】、【江头金桂】等五大套曲和【山坡羊】、【步步娇】等散曲组成，此外还部分吸收了青阳腔、石牌腔、弦索高腔、罗罗腔及其他民间俗曲小令的音乐，共有各类曲牌四百余支，现已挖掘整理出一百八十余支。大弦戏的伴奏有软场、硬场之分，软场主要乐器包括三弦、锡笛、大笛、横笛、笙等，锡笛是大弦戏独有的乐器，用它伴奏的称为细曲，用大笛、笛、横笛伴奏的则称为粗曲；硬场除一般打击乐器外，还使用四大扇、尖子号及螺号等，以烘托紧张、激越的气氛。大弦戏唱腔中曲牌更换频繁，音节跳度较大，演员吐口用真嗓，行腔则用假嗓。

大弦戏的脚色行当有五生、五旦、五花面之分，花面脸谱细腻讲究，富于个性。至今大弦戏还原汁原味地保留着传统的"跳加官"戏和宋元杂剧中的"滑稽戏"、"拴搐艳段"及"赤膊戏"等，其表演以梅花拳、洪拳为基架，粗犷泼辣、古朴浑厚。身段特技表演真刀真枪上阵，惊险刺激，其中的一些绝技如"削柳椽"、"打五把彩"、"大上吊"、"睡三孔桥"、"砸瓦"等更是令观众惊叹不已。

无论是在剧目、音乐还是在表演上，大弦戏都基本保持了原生态的面貌，让人感受到唐代参军戏、唐宋大曲和宋元杂剧的遗韵，具有很高的历史研究价值。自20世纪90年代以来，由于娱乐节目日渐丰富多彩，大弦戏的演出市场不断萎缩。目前，河南仅有濮阳大弦戏剧团和滑县大弦戏剧团两个专业演出团体，由于经费紧张，演员经济收入逐年减少，生存和演出条件急遽恶化，表演人才青黄不接，许多剧目、曲牌、特技失传。现在有近百支曲牌和两百多本剧目等待挖掘，掌握唐宋大曲和大弦戏曲牌音乐的已仅剩一人，且年近古稀，急需保护。

189 闽剧

◎申报地区或单位：福建省福州市

闽剧又称福州戏，是现存惟一用福州方言演唱、念白的戏曲剧种，流行于闽中、闽东、闽北地区，并传播到台湾和东南亚各地。明代末年，弋阳腔传入闽中，与当地的方言小调逐渐融合，形成江湖调，随后出现了演唱江湖调的江湖班及以江湖调和飏歌为主要唱腔的平讲班。清末，平讲班和演唱昆腔、徽戏等外来声腔的唠唠班及福州演唱儒林戏的儒林班合流，最终形成闽剧。辛亥革命后，闽剧进入兴盛时期，涌现出众多班社及有“闽剧梅兰芳”之称的郑奕奏、曾元藩、薛良藩、马狄藩“四大名旦”。

闽剧的传统剧目有一千多种，大都取材于民间传说、历史演义或古代传奇、杂剧，其中有的源于儒林班，有的源于江湖班，有的源于平讲班，还有的是从徽班继承而来，常见的代表性剧目有《炼印》、《荔枝换绛桃》、《紫玉钗》、《女运骸》、《开封府》、《珍珠衫》、《储问记》、《招姐做新妇》、《孟姜女》、《秦香莲》、《杜十娘》、《梁山伯与祝英台》、《万花莲船》、《邱丽玉》、《秋兰送饭》等。

闽剧的音乐唱腔由洋歌、江湖调、逗腔和小调等组成，演唱时男女均用本嗓，以高亢激越、朴实粗犷为主要特点，同时亦不乏细腻柔婉之处。闽剧演唱讲求朴素自然，干净利落，同时亦注意恰当运用喉腔、鼻腔、腹腔、胸腔共鸣交替的变化以增进效果。闽剧的曲牌大部分从弋阳腔、四平腔、徽调和昆曲衍变而来，不少唱腔仍保留着弋阳腔的特点，可以帮腔和“夹滚”。主要伴奏乐器有横箫、唢呐、头管、二胡、椰胡、青鼓、战鼓、大小锣等。

闽剧的脚色早期只有生、旦、丑三个行当，后来吸收徽班、京班的行当体制，逐渐发展出小生、老生、武生、青衣、花旦、老旦、大花、二花、三花、贴、末、杂等“十二脚色”。演员表演中重视运用手、眼、身、法、步的基本程式，力求展现优美的身段，通过外形体现人物的内心世界。

闽剧居福建五大剧种之首，至今已有四百多年的历史，在戏曲声腔流变史和福州地方文化发展史的研究中，它是不可忽视的一个重要环节。目前闽剧已在现代社会经济大潮的冲击下日渐走到濒危状态，亟待抢救、保护。

寿宁北路戏

◎申报地区或单位：福建省寿宁县

北路戏俗称福建乱弹、横哨戏，是清代中叶传入福建的乱弹与当地民间戏曲融合形成的一种地方戏曲声腔剧种，曾流行于闽北、闽中及闽东等地，至今已有三百多年的历史，是代表清代乱弹声腔的珍稀剧种。乱弹进入福建后产生了上路班、下路班、北路班、南路班等戏班，其中以北路班最为强盛，其他各路戏班相继解散后，北路班仍活跃在闽东北一带，北路戏即由此而得名。

北路戏的唱腔除极少数具有高腔曲牌体特征外，大多数均属板腔体，曲调旋律优美，节奏欢快，行腔顺畅，带有叙事性的表现特征。其道白、唱腔均使用普通话，这已成为北路戏的一个突出特色。在数百年的演出活动中，北路戏总结出一套深为广大观众所喜爱的表演形式，不管什么脚色行当，都以手、眼、身、法、步等肢体语言来表现人物性格和心理活动，

推动剧情进展，这种对形体动作的强化和对人物内心活动的外化与唱腔紧密结合在一起，唱与做高度和谐，形成许多且歌且舞、兼文兼武的表演艺术形式，丰富了戏剧的表现力。北路戏的代表性剧目主要有《探阴山》、《对珠环》、《纸马记》、《凤娇与李旦》等。

作为福建有影响的珍稀剧种之一，北路戏有着极深的文化内涵和极高的历史价值。

191 西秦戏

◎申报地区或单位：广东省海丰县

西秦戏又称乱弹戏，流行于广东海丰、陆丰、潮汕和福建南部及台湾等地。明代西北地区的西秦腔流入海陆丰，与地方民间艺术结合，至清初形成西秦戏。

西秦戏的音乐唱腔为齐言对偶句的板式变化体，曲调有正线、西皮、二簧、小调四类。正线是西秦戏的主要声腔，又分二方、平板、梆子三种。西秦戏唱、白沿用中州音韵，男女异声同调，男唱真嗓，女唱假嗓。乐队分“文畔”、“武畔”两种，“文畔”使用头弦、二弦、三弦、月琴、唢呐、号头等乐器，“武畔”主要使用锣鼓等打击乐器。

西秦戏表演风格粗犷豪放，雄浑激昂，长于武戏，其武打技巧取法南派武功。西秦戏脚色分“打面行”、“打头行”、“网辫行”、“旗军行”几种，“打面行”包括红面、乌面、丑等；“打头行”包括正旦、花旦、蓝衫、婆脚等；“网辫行”包括老生、文生、武生、公末等；“旗军行”包括乌军、红军等。西秦戏传统剧目有一千多个，其中较有影响的包括《龚克己》、《三官堂》、

《宝珠串》、《贩马记》等“四大弓马戏”，《打李凤》、《棋盘会》等“三十六本头戏”，《斩郑恩》等“七十二提纲戏”等，《回窑》、《葛嫩娘》、《秦香莲》、《赵氏孤儿》、《游西湖》等剧目也深受观众欢迎。

西秦戏中留存着古老剧种西秦腔的艺术因子，是清代地方戏曲声腔传播流变的活证物，具有很高的研究价值。目前，海丰县西秦戏登记在册的剧团仅一个，从艺人员五十多人，传统剧目和富有传统特色的打头、打击乐、曲牌、道具等已濒临消亡，演艺人才青黄不接的状况极为严重，抢救、保护工作迫在眉睫。

192 高甲戏

◎申报地区或单位：福建省泉州市、厦门市

高甲戏是闽南地方戏曲剧种之一，又名弋甲戏、九角戏、大班等，流行于福建省闽南方言地区和台湾，以及东南亚各国华侨、华人聚居地。高甲戏孕育于明末清初，早期只是在民间乐曲伴奏下作即兴的化装表演，后来发展成专业戏班，主要演宋江故事，被称为宋江戏。清代中叶，宋江戏吸收了其他艺术门类的表演形式，发展成有文有武的合兴戏；清末又吸收徽剧、昆腔、弋阳腔和京剧的艺术因素，形成具有独特风格的闽南地方戏曲剧种高甲戏。

高甲戏的剧目分为大气戏、绣房戏和丑旦戏三大类，以武戏、丑旦戏和公案戏居多。它有六百多种传统剧目，包括《大闹花府》、《困河东》、《斩黄袍》、《林文生告御状》、《管甫送》、《杏元思钗》、《孟姜女》、《番婆弄》、《唐二别》及连台本戏《三国》、《岳传》等。高甲戏的音乐曲牌属南音系统，大都来自南音和

木偶戏，但节奏、旋律有所变化。演员演唱时用本嗓，行腔雄浑高昂，也不乏清婉细腻的音韵。高甲戏使用的乐器分文乐和武乐两种，文乐以唢呐为主，辅以品箫、洞箫、二弦、三弦、琵琶等；武乐包括百鼓、大小鼓、大小锣、大小钹、响盏、小叫等，显示出浓厚的地方特色。

高甲戏的脚色行当原只有生、旦、丑三个行当，后来陆续增加了净、贴、外、末和北(净)、杂等。这些行当中，以丑最为突出。丑行有男丑、女丑之分，男丑又分文、武丑。文丑有长衫丑和短衫丑，武丑有师爷丑和捆身丑。女丑则有夫人丑、媒人丑、老婆丑、媪丑等几十种。丑行表演艺术丰富多姿，艺人们从生活中提取素材，创造设计了公子丑、破衫丑、傀儡丑等表演类型，以对不同人物典型行为的拟示或以对木偶戏和动物动作的模仿作为表现人物性格的手段，

轻松幽默，妙趣横生，夸张而不失实，带有浓厚的生活气息。高甲戏的武打中吸收了提线木偶和民间舞狮的技艺，形成“冷煎盘”、“大碰场”、“凤摆尾”等动作，别具特色。

在中国传统戏曲中独树一帜的高甲戏是闽南地方文化的典型代表，在海内外有着极大的影响。

193 碗碗腔

（孝义碗碗腔）

◎ 申报地区或单位：山西省孝义市

孝义市位于山西省境内吕梁山脉中段东麓，晋中盆地西南隅。孝义碗碗腔流传在孝义市及周围市县。

孝义碗碗腔有两种声腔：皮腔和碗碗腔。两种声腔均来自孝义皮影戏，即纸窗皮影唱皮腔及纱窗皮影唱碗碗腔。皮腔的渊源有两种说法：一说形成于北宋时期，一说形成于战国时期。皮腔因主要以唢呐为伴奏乐器，故亦称“吹腔”。有专家认为孝义吹腔是中国戏曲古老的声腔之一。

皮腔唱腔有两种形态：一种为四句体，“起承转合”结构，艺人多称为“平板（慢板）”，加锣鼓点称为“流水”；另一种是可以多次反复的上下句唱腔，艺人称为“垛板”。伴奏分武场和文场。碗碗腔因有一碗状铜铃参与伴奏得名，属特殊的板腔体结构，不能以常规的板眼来规范节拍。碗碗腔唱腔的特点是真假声混用，多用“虚词假声腔”。假声唱法分两种：一种是“二音子”；另一种是“尖音子”，“尖音子”是在“二音子”基础之上再翻高形成。

碗碗腔的优秀剧目，如《柳树坪》、《三上桃峰》、《风流父子》、《风流姐妹》、《风流婆媳》、《骏枣坡》等，为凝聚民族精神、增强民族团结、激励民族斗志起到了重要作用。

194

四平调

◎申报地区或单位：河南省商丘市、濮阳市

四平调是由苏北花鼓演变而成的，在民间曾有“四拼调”的俗称，1930年左右由化装演唱演变为登台着戏装演唱。

四平调以花鼓为基础，同时又大量吸收了其他姊妹剧种的艺术营养，形成了具有浓厚地域特点的艺术风格。女声在质朴之中不失委婉俏丽，男声则高昂豪放、刚柔兼备，保留着较强的说唱特征。

四平调流布范围较广，河南、山东、安徽、江苏相互接壤地区均为它的活动范围，河南目前还有商丘市四平调剧团和濮阳市范县四平调剧团两个专业剧团。

四平调是有着深厚群众基础的戏曲剧种，《陈三两爬堂》、《小包公》、《哑女告状》等都是深受群众欢迎的剧目。同时，由于四平调从始至今的演变发展过程脉络清晰，有证有据，被人称为是“中国戏曲发展的一个缩影”，在中国的戏曲艺术中有着特殊的地位，是中国民间艺术中的一朵奇葩。

195 评剧

◎申报地区或单位：辽宁省沈阳市 河北省滦南县 天津市宝坻区

评剧原名蹦蹦戏、落子戏，又名平腔梆子戏，简称平戏，1935年正式使用评剧的名称。它流行于北京、天津、河北及东北等地，有着广泛的群众基础。1910年前后，以成兆才为首的蹦蹦戏艺人以河北省东部滦州一带的对口“莲花落”为基础，吸收东北二人转的音乐和剧目，后来又吸收京剧、皮影、大鼓等的音乐和表演艺术，并在演出中采用全套河北梆子乐器伴奏，形成评剧的基本样式，这一新兴的戏曲声腔剧种后来又在实践中得到进一步的发展和完善。

成兆才是评剧的创始人，也是评剧的第一位剧作家，他的代表作品《马寡妇开店》、《花为媒》、《杨三姐告状》等已成为评剧的经典保留剧目。此外评剧还有《王二姐思夫》、《安安送米》、

《马思远开茶馆》、《小女婿》、《刘巧儿》、《小二黑结婚》、《秦香莲》、《杜十娘》等一批代表性剧目。评剧音乐属板腔体，有尖板、搭板、大安板、小安板、三锤、倒板、垛板、流水板等板式，另外还有反调。伴奏乐器分为拉弹类、打击类和吹奏类三种，拉弹类有板胡、二胡、三弦等，打击类有板、底鼓、堂鼓、底锣、大锣等，吹奏类有笛子、唢呐等。评剧唱腔借鉴了京剧和梆子的音乐，分男腔和女腔两种。男腔中创造发展出“老生

腔”和“花脸腔”，女腔有众多的演唱流派。

早期评剧只有男、女角色之分，在发展过程中逐渐有了生、旦、丑三个行当，后来又受京剧和梆子的影响，形成青衣、花旦、老旦、小生、老生、小丑等行当。其表演吸收梆子和京剧的身段动作及唱腔，但仍保持着自由活泼的民间小戏特征，富于生活气息。

评剧是东北、华北地区的主要剧种，并流传到西北、西南广大地区，成为一个既蕴含着深厚民间文化传统，又能体现现代审美意识的新兴剧种，同时它又承载了冀东地区的民间文化，深为戏曲史、民俗史研究者所关注。随着时代的发展，评剧观众锐减，且有老龄化的趋势，评剧的影响力正大大减弱，应当定出具体措施对之进行必要的扶持。

196 武安平调落子

◎申报地区或单位：河北省武安市

武安平调落子是武安平调和武安落子的总称，武安平调和武安落子是河北省武安市独有的两个地方剧种，经常在一起演出，习惯上合称武安平调落子。武安平调落子流传于河北省南部的邯郸、邢台，河南省北部的安阳、新乡及山西省东南部的长治等地区。

武安平调俗称大戏，约产生于明末清初，是河南怀调与武安地方民间音乐结合的产物。它属于梆子腔系，曲腔悠扬，旋律流畅，风格独特，有慢板、二八板、散板、流水板、栽板等板式。早期文场主要用二弦、轧琴、板胡等伴奏，后又增添了二胡、中胡、唢呐、笛子等；武场除一般普通打击乐器外，另有大锣、大铙、大镲、战鼓，称为“四大扇”。平调角色行当齐全，有红生、小生、老生、配生、青衣、小旦、彩旦、老旦、大脸、二脸、三花脸、杂花脸等行当，合称“四梁八柱”或“四生四旦四花脸”，其中以红生、小生、旦、大脸为主角的戏最多。平调的武打自成一格，粗犷豪放，带有剽悍的民间武术气概。表演中的念白以武安话为基础，有的甚至完全使用武安方言，风格淳正朴实，带有浓厚的乡土气息。平调有传统剧目两百多个，影响较大的有《三进帐》、《姚刚征南》、《董家岭》、《天河配》、《三上轿》、《桃花庵》、《朱彦荣吊孝》、《铡赵王》、《司马懿观山》、《敬德背鞭》、《扫洪州》、《奇男传》、《反冀州》、《审马荣》、《访姬昌》等。

武安落子原名莲花落，清末由武安民间流行的“花唱”发展而来。其唱腔板式变化体有慢板、高腔、娃子、悲腔、迷子等板式和腔调。早期伴奏乐器只有锣踏鼓，后陆续增添镲、钹、笛子、板胡、二胡、笙等。武安落子曲调优美，宽厚洪亮，乡土气息浓厚。其唱腔有口语化说唱的特点，与当地方言结合紧密。武安落子脚色齐全，主要分小旦、青衣、小生、小丑、老生等行，但分工不甚严格，有些行当常可兼演。其表演不以武功和戏曲程式见长，而是将秧歌、高跷等民间舞蹈和生活动作融于戏中，边唱边做，载歌载舞，在叙事中抒情，幽默风趣，活泼自如。武安落子有传统剧目一百四十余出，代表性剧目有《借笛笛》、《吕蒙正赶斋》、《老少换妻》、《小过年》、《借当》、《蓝桥会》、《何文秀》、《王小赶脚》、《闹驴》、《跪花亭》、《闹书房》、《机房训子》、《大上吊》、《顶灯》、《安安送米》等。

武安平调落子影响深远，与宁海平调、通化落子、上党落子、内黄落子等声腔之间存在血缘关系。其主要乐器二弦、轧琴在全国绝无仅有，具有很高的研究价值。

197 越剧

◎ 申报地区或单位：浙江省 上海市

越剧流行于浙江、上海、江苏等许多省、市、地区，它发源于浙江省绍兴地区嵊县一带，清末在曲艺“落地唱书”的基础上吸收余姚滩簧、绍剧等曲种、剧种的剧目、曲调、表演艺术而初步成型，当时称为“小歌班”或“的笃班”。1916年进入上

海时称为“绍兴文戏”，1930年以后又发展成为全部由女演员演出的“女子绍兴文戏”，1938年改称越剧。以后在发展中进一步走向成熟，形成优美抒情的艺术风格。

越剧是一个晚出的剧种，它善于博采众长，为我所用。越剧唱腔属板腔体，早期曲调单一，后来吸收其他剧种、曲种音乐，逐渐丰富起来。越剧曲调清悠婉转，优美动听，长于抒情，主要有尺调、四工调、弦下调三大类，其中尺调又分慢板、中板、连板、散板、嚣板、二凡、流水板等。越剧的脚色行当分为小旦、小生、老生、小丑、老旦、大面六大类，其中小旦又分为悲旦、花旦、闺门旦、花衫、正旦、武旦六种，小生又分为书生、穷生、官生、武生四种，老生又分为正生、老外两种，小丑又分为长衫丑、官丑、短衫丑、女丑四种。越剧早期演出较为简单，后来搬用其他剧种的动作程式，又从生活中提炼出一些基本动作。1942年，在袁雪芬等的倡导下，越剧一方面吸收话剧、电影的表演方法，真实、细致地刻画人物的性格和心理活动，一方面学习昆

曲、京剧优美的舞蹈身段和表演程式，使外部动作更细致、更具节奏感。这两方面有机结合，形成了越剧表演写意与写实相结合的独特艺术风格。

越剧有不少为人熟知的优秀剧目，其中较具代表性的有《梁山伯与祝英台》、《红楼梦》、《祥林嫂》、《西厢记》、《追鱼》、《情探》、《盘夫索夫》、《柳毅传书》、《碧玉簪》、《三看御妹》、《打金枝》、《玉堂春》、《琵琶记》、《孔雀东南飞》等。

舞台美术也是越剧中极具特色的一个有机组成部分。从20世纪30年代初起，越剧就开始采用带有中国画特色的立体布景、五彩灯光、音响和油彩化妆，服装样式结合剧情进行设计，在继承传统的基础上借鉴古代仕女画，款式清新自然，色彩、质料柔和淡雅，对传统戏曲服装作了很好的发展。

越剧在短短百年内发展成熟起来，成为中华戏曲百花园中的奇葩。新中国成立后，越剧迅速传播到华东、西南、华北、西北、中南、东北等地，并随着对外文化交流的开展，以其典型的东方艺术特征在国际上赢得了一定的赞誉。进入21世纪以后，随着人们精神需求的多元化和文化艺术形式的多样化，越剧的生存发展出现危机。

198 沪剧

◎申报地区或单位：上海市

沪剧是上海的代表性剧种，流行于上海、苏南及浙江杭、嘉、湖地区。它起源于浦江两岸的田头山歌和民间俚曲，在流传中受到弹词及其他民间说唱的影响，演变成说唱形式的滩簧。清代道光年间，浦江一带的滩簧发展为二人自奏自唱的“对子戏”和三人以上演员装扮人物、另设专人伴奏的“同场戏”。1898年，已有艺人流入上海，并固定在茶楼坐唱，称作本滩。1914年，本滩易名为申曲。1927年以后，申曲开始演出文明戏和时事剧。1941年上海沪剧社成立，申曲正式改称沪剧。

沪剧音乐委婉柔和，曲调优美动听，带有浓郁的江南水乡情调。其唱腔音乐来源于田头山歌，在长期实践过程中逐渐形成了丰富的曲调和独特的风格。沪剧唱腔既善于叙事，又长于抒情，其曲调主要分为板腔体和曲牌体两大类。板腔体唱腔包括以长腔长板为主的一些板式变化体唱腔，它代表了沪剧的风格，应用广泛，一般称为“基本调”。在其演变形成的过程中已实现男女分腔。曲牌体唱腔多数是明清俗曲、民间说唱的曲牌和江浙俚曲，也有从其他剧种吸收的曲牌及山歌、杂曲等，但在多数情况下只应景应时作插曲性质的运用。沪剧的伴奏乐器以竹筒二胡为主，

辅以琵琶、扬琴、三弦、笛、箫等。后吸收了少数广东乐器，将一些江南丝竹乐及广东乐曲的音调融入唱腔过门。

不同时期沪剧的脚色行当各有不同。对子戏时期一生一旦居多，同场戏时期有了生行、丑行的分别。生行包括小生、老生，小生又分正场小生、风流小生。旦行又名包头，分正场包头、娘娘包头、花包头、老包头、邋遢包头等。当时由于班社人手少，演员往往需要串扮。随着沪剧表演向文明戏、话剧靠拢，其脚色行当的分类日渐淡化，动作、念白均无形成行当程式，演唱也都使用真声。沪剧演出剧目丰富，既有《庵堂相会》、《杨乃武和小白菜》、《珍珠塔》、《孟丽君》、《双珠凤》等传统剧目，又有《秋海棠》、《家》、《雷雨》、《罗汉钱》等新编的现代题材剧目。

沪剧是上海地域文化的典型代表，它从不同侧面反映了近现代中国大都市的风貌，在成长过程中显示出很强的生机和活力。近年来随着现代化进程的加速，沪剧艺术面临着越来越严重的生存危机，演出市场日益萎缩，观众减少，沪剧从业人员收入偏低，出现人才流失和断层现象，江南地区原有的数十个沪剧演出团体现在仅剩3个，以有力措施抢救和保护沪剧艺术已刻不容缓，势在必行。

199 苏剧

◎ 申报地区或单位：江苏省苏州市

苏剧由花鼓滩簧与南词、昆曲合流而成，流行于苏南浙北城乡。其前身苏滩原名对白南词，俗称“打山头”，是一种围坐清唱的曲艺形式。1912年对白南词有了简单的化装表演形式，1941年朱国梁在上海创建国风新型苏剧团，尝试将对白南词发展为独立的戏曲声腔剧种苏剧，让苏剧和昆曲在一起混合演出。中华人民共和国成立后，苏剧健康成长起来。

苏剧的音乐唱腔主要有三个来源，一是昆曲曲牌，二是南词，三是滩簧曲调。因深受昆曲的影响，所以苏剧的音乐风格婉转清丽，细腻动人，同时保留苏滩通俗流畅的风韵。其伴奏以二胡为主，兼用江南丝竹。常用的传统曲调有太平调、弦索调、费家调、柴调、迷魂调、银绞丝、流水板等数十种，另外还有源自昆曲的【一江风】、【点绛唇】、【锁南枝】、【羽调排歌】等和苏州一带流传的民歌小曲如【春调】、【劈破玉】、【大九连环】、【小九连环】等，又有慢板、快板、散板等各种板式。

苏剧的脚色行当与昆曲基本相同，现有老外、老生、副末、冠生、巾生、雉尾生、穷生、老旦、正旦、作旦、四旦、五旦、六旦、净、副、丑等行当，演员往往一人兼几行，如老生兼演老外、副末，副兼演丑，正旦兼演作旦、四旦、五旦、六旦等。苏剧的表演亦充分借鉴了昆曲的经验，婉丽多姿，细致传神。

苏剧的传统剧目与化装苏滩一致，分为前滩和后滩两大类。绝大部分前滩剧目源于昆曲，《西厢记》、《牡丹亭》、《红梨记》、《烂柯山》、《玉簪记》、《绣襦记》、《西楼记》、《占花魁》、《渔家乐》等为其代表性剧目，演出时以折子戏为主，其情节和对白与昆曲基本相同，唱词则由长短句改为通俗易懂的七字句。为适应苏剧演员不善舞蹈的特点，有时也会适度改动情节。后滩剧目有从昆曲等剧种和曲艺中改编移植过来的内容，也有由丑独唱的时调小曲和时事段子等，《教歌》、《张三借靴》、《嵩寿》、《探亲相骂》、《卖草囤》、《打斋饭》、《游观十八景》等皆是后滩的代表剧目。

作为苏剧基础和灵魂的苏州滩簧历史悠久，传统深厚，资源丰富，苏剧本身又在文学、音乐、表演等多个方面与昆曲有着渊源关系，充分体现了苏州文化的特质。近年来，流行文化和现代艺术对苏剧冲击很大，观众锐减，剧团生存艰难，抢救、保护这一重要的地方剧种迫在眉睫。

200 扬剧

◎ **申报地区或单位：江苏省扬州市**

扬剧原名维扬戏，俗称扬州戏，流行于江苏省的扬州、镇江地区和安徽省的部分地区及南京、上海一带。它以扬州民间歌舞小戏花鼓戏和苏北民间酬神赛会时由男巫扮演的香火戏为基础，吸收扬州清曲、地方民歌小调而最终成型。1911年，苏北香火戏由扬州进入上海，改称“维扬大班”。1920年，扬州花鼓戏进入上海，改称“维扬文戏”。20世纪30年代初，两种戏合并形成维扬戏，后简称扬剧。

扬剧音乐属于曲牌体，主要由花鼓戏音乐、香火戏音乐和

扬州清曲、小唱三部分组成。花鼓戏音乐包括种大麦调、磨豆腐调、深亲调、跌怀调等曲调，风格健康淳朴、生动活泼；香火戏音乐包括上字句、十字句、快板、船调、渔调等曲调，高亢粗犷，乡土气息浓郁；扬州清曲和扬州小唱包括满江红、叠落、侉侉调、梳妆台、剪剪花等曲调，行腔优美，典雅细腻，娓娓动听。扬剧伴奏有文、武场之别，文场有主胡、正弓、琵琶、三弦、扬琴、笛、唢呐等乐器，武场有板鼓、大锣、小锣、铙钹、堂鼓等打击乐器。扬剧的伴奏轻俏流丽，既规范而又灵活，色彩鲜明，个性独特，在一般剧种中较为少见。

扬剧的脚色行当虽有生、旦、净、丑之分，但区别并不严格，演员戏路较宽，在唱腔上也只分男腔、女腔。各行当的表演多从昆剧、京剧借鉴吸收而来，但始终保持着花鼓戏朴素、活

泼的特点，生活气息浓重。扬剧一向重视丑行和旦行的表演，一丑一旦的传统剧目很多，由此形成了扬剧特有的喜剧风格。扬剧的传统剧目有四百多种，其中影响较大的有《玉蜻蜓》、《珍珠塔》、《审土地》、《绣符缘》、《王昭君》、《闹灯记》、《三戏白牡丹》、《命妇宴》、《樵夫与画女》、《鸿雁传书》、《百岁挂帅》等。

扬剧有较高的观赏性和审美性，思想内涵丰富，能传达出特定地域的文化观念和审美风尚，具有历史文化的认知和研究价值，是中国戏剧文化宝库中的珍贵财富。近十多年来，由于受到现代社会多元文化的冲击，人们的审美观念发生改变，扬剧观众减少，剧团生存艰难，整个剧种已处于濒危状态，急需采取抢救、保护措施。

201 庐剧

◎ 申报地区或单位：安徽省合肥市、六安市

庐剧原名“倒七戏”，是安徽省主要的地方声腔剧种之一。它流行于安徽境内皖中、皖西、沿江的大片地区和江南的部分地区。庐剧是在皖西大别山一带的山歌、合肥门歌、巢湖民歌、淮河一带的花灯歌舞的基础上吸收锣鼓书、端公戏、嗨子戏的唱腔发展而成的，因其创作、演出中心在皖中一带，古属庐州管辖，故最后定名为庐剧。

庐剧的传统剧目分本戏、折戏和花腔小戏几种，本戏以爱情、公案等为主要内容，折戏是从本戏中抽出的精彩部分，花腔小戏以小喜剧和闹剧为主。较有影响的庐剧剧目包括《彩楼配》、《药茶记》、《天宝图》、《柴斧记》、《借罗衣》、《打芦花》、《讨学钱》、《休丁香》、《雪梅观画》、《放鹦哥》、《卖线纱》等。

庐剧在安徽因地域不同而形成了上、中、下三路。上路以六安为中心，音乐粗犷高亢，跌宕起伏，带有山区特色，称为“山腔”；下路以芜湖为中心，音乐清丽婉转，细腻平和，显出水乡风味，称为“水腔”；中路以合肥为中心，音乐兼有上路、下路的特色，明快朴实，自然清新。庐剧唱腔分主调、花腔两大类，主调是本戏和折戏的主要唱腔，既可叙事，也可抒情，适合表现复杂的情感；花腔多为民间小调，轻松活泼，常用于小戏。庐剧唱腔板式丰富，落板常有帮腔，满台齐唱，称为“吆台”。传统的庐剧没有管弦乐伴奏，只用锣鼓进行起奏、间奏和伴奏，俗称“满台锣鼓半台戏”。

早期庐剧的表演比较简单，基本上是地方小调与民间舞蹈相结合，动作一般不配合剧情。演出多为幕表制，基本没有固定的台词，多采用临时串词、套词的方式。中华人民共和国成立后，庐剧

在表演艺术等方面作了较大的改革。

庐剧具有很强的吸收性、包容性和普及性，它在唱腔上吸收了地方民歌小调、山歌、情歌、麻城“高腔”等的音乐，表演上吸收了鄂东的“花鼓戏”、“端公戏”、“嗨子戏”等的手法，不少剧目中融汇进了佛教、道教等宗教文化的观念和内容。从这个意义上来说，庐剧具有一定的历史价值、文化价值、认识价值和艺术价值。

近年来随着生产、生活方式的变化，文化需求的多元化趋势日益明显，新型的文化娱乐方式对戏曲产生了巨大的冲击，致使庐剧的生存空间不断缩小，能演大戏的屈指可数。庐剧的抢救、保护工作应尽快提到议事日程上来。

202 楚剧

◎ 申报地区或单位：湖北省

楚剧旧称哦呵腔、黄孝花鼓戏、西路花鼓戏，清代道光年间鄂东流行的哦呵腔与黄陂、孝感一带的山歌、道情、竹马、高跷及民间说唱等融合，形成一个独立的地方声腔剧种，1926年改称楚剧，距今已有一百五十余年的历史。楚剧主要流行于武汉、孝感、黄冈、荆州、咸宁、宜昌、黄石七地市四十余县。

楚剧现存剧目约五百个，常演的有两百多个，其中较为重要的包括《秦雪梅吊孝》、《银屏公主》、《赶斋》、《杀狗惊妻》、《三世仇》、《吴汉杀妻》、《蔡鸣凤辞店》、《葛麻》、《百日缘》、《九件衣》、《乌金记》、《卖棉纱》、《哑女告状》、《白扇记》、《思凡》、《赖婚》、《汲水》、《董永卖身》等。楚剧腔调分为板腔、小调、高腔三部分，板腔包括迓腔、仙腔、应山腔、四平、十枝梅等，小调有【十绣调】、【麻城调】、【讨学钱】、【卖棉纱】等曲牌，高腔有【锁南枝】、【梧桐雨】、【山坡羊】等曲牌。楚剧

的伴奏乐器主要有胡琴、京二胡、二胡、三弦、板鼓、钹、大小锣等。楚剧的脚色主要分为生、旦、丑三类，其他行当亦由生、旦、丑演员兼演。楚剧表演讲究贴切自然，运用程式手段不拘一格，乡土气息浓郁，名演员有沈云陔、高月楼、关啸彬、李雅樵、熊剑啸等。

楚剧贴近生活，紧跟时代，表现手段丰富多样，具有很强的包容性，充分显示了鄂东一带地方文化的特色。目前楚剧面临着剧团锐减、人员老化、经济困难、后继乏人、观众萎缩等诸多困难，对珍贵资料与老一辈艺人技艺的抢救也因缺乏资金而难以开展，迫切需要有关方面加以关心扶持。

203 荆州花鼓戏

◎ 申报地区或单位：湖北省潜江市

荆州花鼓戏是湖北省的主要地方剧种之一，旧称花鼓子、天沔花鼓戏。它是明末以后在江汉平原三棒鼓、踩高跷、采莲船等民间演唱形式上不断吸收其他剧种的剧目、声腔和表演逐渐发展起来的一种乡土戏曲，流行于原荆州所辖各地区，波及邻近的鄂南、湘北等地。

荆州花鼓戏的剧目据统计有197出，包括《抽门闩》、《掐菜苔》、《告老爷》、《站花墙》、《双撇笋》、《打莲湘》、《江汉图》、《贺端阳》、《打补钉》、《戏蟾》、《三官堂》、《辞店》、《阴审》、《告经承》

等。荆州花鼓戏早期的脚色行当主要为小生、小丑、小旦。后来随着剧目的变化，形成小生、生脚、正旦、花旦、丑5个行当。其表演自由灵动，轻松活泼，充满浓郁的地方情调和民间生活气息，有“摘花”、“带彩”、“咬碗”等特技。

荆州花鼓戏音乐属打锣腔系，其唱腔分主腔和小调两大类，主腔属于板腔体，包括高腔、打锣腔、四平腔、圻水腔等；小调分单篇牌子、专用曲调、插曲三类，乐曲短小，旋律优美，节奏轻快，色彩丰富。荆州花鼓戏传统的演唱形式为“一唱众和，锣鼓伴奏”，唱腔高亢朴实，曲调音域宽阔，旋律进行中大跳较多，男女唱腔都以本音结合假嗓演唱，“唱、

帮、打”三者紧密配合，形成独特的演唱风格。主要伴奏乐器包括边鼓、竹梆、钹、大锣、马锣、小锣、唢呐等，打击乐器的曲牌约有二十多种。

荆州花鼓戏扎根于江汉平原沃土，21世纪前后，荆州花鼓戏遇到了不可抗拒的危机，发掘、抢救荆州花鼓戏对于荆楚民间文化艺术的传承保护和研究至关重要。

204 黄梅戏

◎ 申报地区或单位：安徽省安庆市
湖北省黄梅县

黄梅戏起源于湖北黄梅，原名黄梅调、采茶戏等，现流布于安徽省安庆市、湖北省黄梅县等地。

清末湖北省黄梅县一带的采茶调传入毗邻的安徽省怀宁县等地区，与当地民间艺术结合，并用安庆方言歌唱和念白，逐渐发展为一个新的戏曲剧种，当时称为怀腔或怀调，这就是早期的黄梅戏。其后黄梅戏又借鉴吸收了青阳腔和徽调的音乐、表演和剧目，开始演出"本戏"。后以安庆为中心，经过一百多年的发展，黄梅戏成为安徽主要的地方戏曲剧种和全国知名的大剧种。

黄梅戏的唱腔属板式变化体，有花腔、彩腔、主调三大腔系。花腔以演小戏为主，曲调健康

朴实，优美欢快，具有浓厚的生活气息和民歌小调色彩；彩腔曲调欢畅，曾在花腔小戏中广泛使用；主调是黄梅戏传统正本大戏常用的唱腔，有平词、火攻、二行、三行之分，其中平词是正本戏中最主要的唱腔，曲调严肃庄重，优美大方。黄梅戏以抒情见长，韵味丰厚，唱腔纯朴清新，细腻动人，具有丰富的表现力，且通俗易懂，易于普及，深受各地群众的喜爱。在音乐伴奏上，早期黄梅戏由三人演奏堂鼓、钹、小锣、大锣等打击乐器，同时参加帮腔，号称“三打七唱”。中华人民共和国成立以后，黄梅戏正式确立了以高胡为主奏乐器的伴奏体系。

黄梅戏的脚色行当体制是在“二小戏”、“三小戏”的基础上发展起来的，包括正旦、正生、小旦、小生、花旦、小丑、老旦、老生、花脸、刀马旦、武二花等行。各行当虽有分工，但并无严格限制，演员常可兼扮他行。黄梅戏的表演载歌载舞，质朴细致，真实活泼，富于生活气息，以崇尚情感体验著称，具有清新自然、优美流畅的艺术风格。黄梅戏中有许多为人熟知的优秀剧目，而以《天仙配》、《女驸马》、《牛郎织女》、《夫妻观灯》、《打猪草》、《纺棉纱》等最具代表性。

黄梅戏是中国五大戏曲剧种之一，影响十分深远。目前黄梅戏流行区域正在萎缩，各级黄梅戏剧团特别是县级剧团的生存日益艰难，需要政府和全社会的关心与扶植。

205

商洛花鼓

◎申报地区或单位：陕西省商洛市

商洛花鼓民间通称花鼓子、地蹦子，流行于陕西省商洛地区。清光绪三年（1877），湖北郧阳遭受水灾，大批灾民进入商洛地区，带来了郧阳流行的花鼓戏。后花鼓戏逐渐改用商洛地区方言演唱，并吸收了许多商洛的民歌小调，最终形成商洛花鼓。

因其流行地域和语音的不同，商洛花鼓逐渐形成了商丹路和镇柞路两大流派。商丹路花鼓又被称为北路花鼓，它以关中语系为主，杂以当地土语，曲调流畅、优美，婉转柔和；镇柞路

花鼓又被称为南路花鼓，它以鄂西北语系为主，掺用本地土语，曲调高亢洪亮，欢快明朗。

商洛花鼓由花鼓子、八岔子、大筒子三种曲调构成。花鼓子主要用民歌小调演出，也叫小调戏，多反映当地人民的劳动与爱情生活，代表性剧目有《打铁》、《打草鞋》、《哥接妹》、《瞎子摸妻》、《贾金莲回河南》等；八岔子用八岔调演出，也叫八岔戏，多反映公子、小姐的爱情故事，其曲调分阳八岔和阴八岔两种，阳八岔又称硬八岔或大八岔，阴八岔又叫软八岔或小八岔，代表性剧目有《坐西楼》、《送香茶》、《小东楼》、《小牙楼》等；大筒子以筒子胡琴伴奏，也叫筒子戏，属于花鼓中的大中型戏，多表现历史故事、民间故事和神话故事内容，代表性剧目有《蓝桥担水》、《刘海戏金蟾》、《血刀记》、《万寿图》、《山伯访友》、《四姐下凡》、《正德王访贤》等。商洛花鼓以演出"三小戏"为主，小生、小旦、小丑是其主要脚色，表演生动活泼，富于民间色彩。

商洛花鼓传统的唱腔音乐结构形式单一，历史年代久远，在戏曲音乐发展演变历史的研究中具有"活化石"的作用。目前，由于市场经济的冲击，商洛花鼓已处于濒危状态，急需抢救和保护。

206 泗州戏

◎申报地区或单位：安徽省宿州市、蚌埠市

泗州戏是安徽省四大剧种之一，原名拉魂腔，流行于安徽淮河两岸，距今已有二百多年的历史。它与山东的柳琴戏、江苏的淮海戏同是由"拉魂腔"发展而来，彼此之间存在着一定的血缘关系。泗州戏的形成说法不一，许多人认为它发源于苏北海州一带，乃是当地农民以"猎

户腔”和“太平歌”等民间曲谣即兴演唱的小戏，后传入泗州并吸收当地民间演唱艺术，形成安徽的“拉魂腔”泗州戏。1920年前后，泗州戏才有固定的班社演出，并开始进入城市。

泗州戏有传统大戏八十多个，小戏和折戏六十多种，代表剧目有《三蜷寒桥》、《杨八姐救兄》、《樊梨花点兵》、《皮秀英四告》、《大花园》、《罗鞋记》、《绒花记》、《跑窑》、《拾棉花》等。泗州戏的唱腔随意性很强，演员可以根据自身嗓音条件随意发挥，故名“怡心调”。男腔粗犷豪放，高亢嘹亮；女腔婉转悠扬，结尾处多翻高八度拉腔，明丽泼辣，动人魂魄。其伴奏乐器以土琵琶为主，辅以三弦、笙、二胡、高胡、笛子等，另有板鼓、大锣、铙钹、小锣四大件打击乐器。

泗州戏的脚色主要分大生、老生、二头、小头、丑等几类，其表演在说唱基础上大量吸收民间的“压花场”、“小车舞”、“旱船舞”、“花灯舞”、“跑驴”等舞蹈表演形式，受戏曲程式规范的影响不大，带有明快活泼、质朴爽朗、刚劲泼辣的特点，充满浓郁的皖北乡土气息。演出时有许多独特的身段和步法，如四台角、旋风式、剪子股、仙鹤走、百马大战、抽梁换柱、燕子拨泥、怀中抱月、凤凰双展翅等，演员必须注意手、眼、腰、腿、步等各部位的协调与配合。

泗州戏与皖北人民的生活、习俗有着密切的联系，显示出强烈的地域文化特征。但近年来随着社会的飞跃发展，观众逐步减少，演出亏损，传统技艺濒临失传，泗州戏的生存出现了危机，迫切需要政府和社会的扶持。

207 柳琴戏

◎申报地区或单位：山东省枣庄市

柳琴戏俗称拉魂腔，又有拉呼腔、拉后腔等名称，1953年正式定名为柳琴戏。它形成于清代中叶以后，主要分布在江苏、山东、安徽、河南四省接壤地区。柳琴戏的起源有两种说法，一说是以鲁南民间小调为基础，受当地柳子戏的影响发展起来的；一说是由江苏海州传播而来。

柳琴戏传统剧目非常丰富，共有本戏、折子戏180个，连台本戏41个，代表性剧目包括《四平山》、《八盘山》、《鲜花记》、《鱼篮记》、《断双钉》、《小鳌山》、《雁门关》、《白罗衫》、《喝面叶》、《小书房》等。柳琴戏的唱腔以徵调式与宫调式为主，徵调式温和缠绵，宫调式明快刚劲。在柳琴戏演唱中，这种同主音调式转换的手法无处不在，这在中国戏曲演唱中显得异常独特。柳琴戏的唱腔曲调包括起板、导板、拉腔、射腔、叶里藏花、回龙调、四六长腔、男女拉拉腔、叠断桥、打牙牌、千金小姐进花园调等，其板式大致可分为慢板、二行板、数板、紧板和五字紧板等。柳叶琴、笛子、坠琴、二胡、板胡、唢呐、笙及板鼓、大锣等是柳琴戏主要的伴奏乐器。

柳琴戏的脚色有自己特殊的名称，在小头、二头、二脚梁子、老头、老拐、大生、勾脚、毛腿子、奸白脸等行当中，小头即闺门旦，二头即青衣，二脚梁子即青衣兼花旦，老头即老旦，老拐即彩旦，大生即老生，勾脚即丑，毛腿子即花脸，奸白脸即白面。柳琴戏的表演粗犷朴实，节奏明快，乡土气息浓厚，演员的身段、步法明显带有民间歌舞的特点。

柳琴戏在长期发展过程中吸收了各种姊妹艺术的优点，并与流行地人民群众的生活发生着密切的联系，成为一种地域文化的载体。

208

歌仔戏

◎申报地区或单位：福建省漳州市、厦门市

歌仔戏是以闽南歌仔为基础，吸收梨园戏、北管戏、高甲戏、潮剧、京剧等戏曲的营养形成的闽南方言戏曲剧种。20世纪初，歌仔戏兴于台湾岛内，不久传及厦门，并迅速流布闽南地区和东南亚华侨聚居的地方。

歌仔戏初以一男一女的对唱为主，后发展为有生、旦、丑三行并兼备科、曲、白的成熟戏剧。其生行有小生、老生、文生、武生，旦行有苦旦、正旦，丑行有三花、老婆等脚色。众脚色皆用真嗓演唱，其中以苦旦最具特色。歌仔戏的内容以演唱民间故事为主，剧目有《陈三五娘》、《刘秀复国》、《八仙过海》、《济公传》、《梁山伯与祝英台》等，多强调忠孝节义，一般没有固定剧本，至今仍沿袭以“戏先生”讲戏并分配角色的方式演出。歌仔戏曲多白少，格律自由，在一百多种传统曲调中，既有悠扬高亢的【七字调】、【大调】和【背思调】，又有民谣诉说式的【台湾杂念调】，更有忧郁哀伤的各种哭调。此外，它还吸收了台湾当地的民歌小调和部分戏曲音乐作为补

充。歌仔戏的主要伴奏乐器有椰胡、大筒弦、京胡、唢呐、单皮鼓、锣、铙钹等，按照表演形式和剧场形态的不同，可分为落地扫歌仔阵、野台歌仔戏、内台歌仔戏等，随着广播电影电视等大众传媒的兴起，广播歌仔戏、歌仔戏电影及电视歌仔戏等也相继涌现出来。

歌仔戏自诞生后，两岸戏班及艺人演出交流不断，作为海峡两岸人民共同创造共同拥有的宝贵艺术形式，歌仔戏已经成为维系两岸人民精神文化的一条重要纽带。保护和发展歌仔戏对于弘扬中华民族的戏曲文化，推动祖国的和平统一事业具有重要意义。然而随着社会的进步，受现代文化艺术形式和流行风尚的影响，歌仔戏现在主要在中老年人中流行，青年人已不再对其感兴趣，这样的现状极大地影响了歌仔戏的生存和传续，需要制定措施加以保护。

209 采茶戏

（赣南采茶戏、桂南采茶戏）

采茶戏・赣南采茶戏

◎ 申报地区或单位：江西省赣州市

赣南采茶戏发源于江西安远县九龙山一带，迄今已有三百多年的历史。它是以九龙茶灯为基础，吸收赣南民间艺术逐步形成的，主要流行于赣南、粤北和闽西，一度也传播到广西桂南一带。

赣南采茶戏俗称“灯子戏”、“茶篮戏”，是江西采茶戏中最有代表性的一种，被田汉誉为“中国戏曲百花园中的一朵奇葩”。它由民间歌舞发展而来，内容贴近生活，语言诙谐幽默，传统曲牌有二百八十余首，根据其来源、风格、弦路、调式及使用情况等，可分为“茶腔”、“灯腔”、“路腔”、“杂调”四类。表演时，演员在伴奏音乐中灵巧地运用独特的矮子步、扇子花、单长水袖及模仿动物形象的一些表演动作，载歌载舞，显示出浓郁的乡土气息和鲜明的客家特色。

赣南采茶戏的传统剧目多以"三小"（小生、小旦、小丑）戏为主，有《南山耕田》、《打猪草》、《九龙山摘茶》、《睄妹子》、《睄同年》、《钓蚂》、《上广东》、《卖花线》、《大劝夫》、《四姐反情》、《补皮鞋》、《补缸》等代表性剧目。新中国成立以后，又涌现出一批优秀剧目，其中《茶童戏主》由上海电影制片厂拍成戏曲片在全国放映，新编现代采茶戏《怎么谈不拢》、《风雨姐妹花》也先后被搬上银幕。

赣南一带是客家人的聚居区，客家先民落户当地后以采茶为生，采茶戏作为当地家喻户晓、人人喜爱的地方戏，已成为凝聚客家民心、团结客家乡亲的艺术纽带，是研究客家语言、艺术及民俗文化的重要材料。目前，赣南大部分采茶剧团编、创、演及研究人员匮乏，一些赣南采茶戏全靠老艺人传唱，会唱采茶戏的艺人越来越少，需要采取措施予以保护。

采茶戏・桂南采茶戏

◎ 申报地区或单位：广西壮族自治区博白县

桂南采茶戏于清代中叶从江西赣南经粤北传入桂南，距今约有四百多年的历史。根据其衬词的特点，采茶戏也被称为"吁嘟呀"。桂南采茶戏广泛流传于广西东南部的玉林各县以及钦州、梧州和南宁等市的部分县区。

桂南采茶戏属"三小戏"，以小生、小旦、小丑为主演，也叫"三角班"。它最初是以"十二月采茶"为主要内容的歌舞演唱，后在此基础上增加了开荒、点茶、探茶、采茶、炒茶、卖茶等情节，形成一整套反映茶农劳动和爱情生活的歌舞。表演时通常由一人扮作茶公，两人扮作茶娘，在歌舞中穿插一些有情节的生活小戏。桂南采茶戏中演唱历史故事或民间传说的被称作"采茶串古"，多为喜剧、闹剧。另外还有一些受彩调影响而出现的剧目，如《卖红线》、《卖水粉》、《卖杂货》、《斩柴寻妻》、《剃头二借妻》、《虔诚娶妻》等。后因受太平天国运动失败后避难广西的粤班影响，桂南采茶戏中后来出现了《倒乱鸳鸯》、《高文举》、《陈三磨镜》等大戏，

总体风格发生较大改变，已不再是早年的采茶小戏。桂南采茶戏的主要伴奏乐器为锣、鼓、钹、木鱼、唢呐、笛子、二胡，道具有彩带、钱鞭、花扇和手绢等。其演唱曲牌，一是茶腔，即原套采茶曲调，二是茶插，即以“南昌小曲”、“四季莲花”为基础，吸取各地民间小曲而成。唱腔语言以客家话为主，地老话为辅，念白多为韵白。

桂南采茶戏载歌载舞，活泼热烈，具有浓厚的地方特色。它与当地群众的文化生活、审美情趣密不可分，其艺术价值和文化价值得到举世一致的认可。

210 五音戏

◎申报地区或单位：山东省淄博市

五音戏原名“打鼓子”，发源于山东章丘、历城一带，流行于山东中部的济南、淄博及周边地区。其发生、发展、定型大致经历了秧歌腔、五人班和五音戏三个时期。

五音戏表演时一般是先吐字，后行腔，曲调口语化，腔调旋律变化较多。其演唱用本嗓，女腔尾音旋律延长，后尾用假嗓翻高，称为“云遮月”，极富抒情性。最初，五音戏的表演以二小（小旦、小生）戏、三小（小旦、小生、小丑）戏为主，无文场伴奏，内容多反映民间生活，后经发展增添了文场伴奏，剧目也更为丰富。五音戏的传统剧目主要有《王小二赶脚》、《王二姐思夫》、《拐磨子》、《彩楼记》、《王定保借当》、《墙头记》、《赵美容观灯》、《王林休妻》、《乡里妈妈》、《三婆说媒》、《张四姐落凡》、《松林会》、《亲家顶嘴》、《安安送米》等。由于表现的多是当地农村妇女的形象和生活状态，故生活气息强烈，地方特色浓郁，方言纯朴自然，常用民间谚语和形象比喻，言简意长，深得一方百姓喜爱。

在五音戏的发展历史中，早期的著名演员有铁笛、荀兴旺、曹然生、高步芳（艺名“半碗蜜”）、李德兴（艺名“银柱子”）、王焕奎（艺名“自来喜”）等。之后，艺名“鲜樱桃”的邓洪山成为“五音戏”表演的集大成者。他的唱腔朴实简约、柔和婉转，被百姓形象地比喻为“一嘟噜一穗儿，喜得人掉泪儿”。邓洪山的表演细腻传神，其“飘眉”、“送

目”、“飞老鸹”等技巧堪称戏曲表演一绝。20世纪30年代，邓洪山到上海百代公司灌制唱片，因其唱腔优美动听，唱片公司赠送他“五音泰斗”的锦旗，“五音戏”也由此定名。

五音戏源于民间，植根于民间，早已成为流传地区百姓节假婚庆、自娱自乐不可缺少的艺术形式。近年来，社会、经济、文化等方面的急剧变革给五音戏带来极大的影响和冲击，加之保护措施滞后和资金不足，这一剧种正面临失传的危险。

211 茂腔

◎申报地区或单位：山东省高密市、胶州市

茂腔是流行于潍坊、青岛、日照等地的地方戏曲，最初为民间哼唱的小调，称为“周姑调”，传说系因一周姓尼姑演唱而得名，又称“肘子鼓”，据说是因民间艺人肘悬小鼓拍击节奏演唱而得名。茂腔大约在清代道光年间已广泛流传于山东半岛一带，流传过程中吸收本地花鼓秧歌等唱腔和形式形成“本肘鼓”，意指本来的肘鼓子调，也可理解为本地流行的肘鼓子调。因其上下句结尾处的“噢嘀罕”三字耍腔别具特点，所以又称“噢嘀罕”或“老拐调”。1895年左右，苏北人“老满州”携儿女沿

临沂向北演唱，将柳琴戏唱腔融合到“本肘鼓”中，形成了尾音翻高八度的新唱法。这种唱腔，当地群众称之为“打冒”或“打呜”，取其谐音，“本肘鼓”逐步衍变成“茂肘鼓”，解放后定名茂腔。

茂腔曲调质朴自然，唱腔委婉幽怨，通俗易懂，深受山东半岛居民的喜爱。茂腔中女腔尤为发达，给人以悲凉哀怨之感，最能引起妇女们的共鸣，故茂腔俗称为“拴老婆橛子戏”。茂腔有一百多个剧目，其中代表剧目有《东京》、《西京》、《南京》、《北京》、《罗衫记》、《五杯记》、《风筝记》、《钥匙记》、《火龙记》、《丝兰记》、《绒线记》、《蜜蜂记》等“四大京”、“八大记”。茂腔在本肘鼓时期只有鼓、钹、锣等打击乐伴奏，茂肘鼓时期开始使用柳琴伴奏，后来受京剧、梆子等的影响，采用京胡为主奏乐器，按京剧二簧定弦，并用二胡、月琴配合，陆续增添了唢呐、笛、笙、低胡、扬琴等民族乐器。在行当方面，茂腔起初只分生、旦、丑，后来根据京剧行当划分脚色，分工更加细致齐全。

茂腔具有较强的艺术感染力和生命力，与人民生活密不可分。但随着市场经济和现代科技的发展，人们的生活方式及艺术观赏方式发生了很大变化，城市中的年轻人对茂腔已比较陌生，专业演出队伍也日渐萎缩。虽然目前茂腔在乡村还有雄厚的群众基础，但发展和传承的问题同样严峻。

212 曲剧

◎ 申报地区或单位：河南省

河南曲剧亦称“高台曲”，是在河南曲子和踩高跷的基础上，于20世纪20年代前后正式发展形成的。伴奏乐器原本只有坠子，登台表演以后逐渐增加曲胡、三弦、软弓京胡、手板、笙及古筝、二胡、琵琶等，同时也出现了武场乐器。曲剧音调优美，唱腔曲牌很多，常用的有【马头】、【阳调】、【汉江】、【诗篇】、【清江】、【银纽丝】、【满江红】等。根据剧情需要，一个唱调可以通过特殊的表现技巧形成具有不同情绪的唱法，如阳调有一般阳调、哭阳调、喜阳调、怒阳调、老阳调等十几种唱法，诗篇有硬诗篇与软诗篇两种唱法。这是曲剧演唱艺术的最大特点，其他剧种中极为罕见。曲剧的题材一般多为民间故事、家庭生活及男女恋情，擅演悲剧和小喜剧，唱、白通俗易懂，乡土气息浓厚，富于生活情趣。经过几十年的发展，积累了一批代表剧目，包括《胡二姐开店》、《安安送米》、《小观灯》、《打灶君》、《李豁子离婚》、《陈三两爬堂》、《卷席筒》、《风雪配》、《寇准背靴》、《下乡》、《赶脚》、《游乡》等，著名演员有张新芳、王秀玲、高桂枝、海连池、马骐等。

曲剧是河南第二大剧种，除河南外，还分布于陕西、山西、河北、湖北、安徽、江苏等省。它至今创演不辍，因自然风趣、贴近生活而深受观众喜爱。但其后备力量不容乐观，既缺乏好的接班人，又没有专门的培养机构。在地方戏普遍不景气的大气候下，选拔好苗子，培养优秀演员和固定观众群，摸索成熟的市场运作方法及加强宣传等是曲剧生存发展的根本策略，有必要认真施行。

213 曲子戏

（敦煌曲子戏、华亭曲子戏）

曲子戏·敦煌曲子戏

◎ 申报地区或单位：甘肃省敦煌市

曲子戏是流行于我国西北五省区的民间小戏。它源于明清时期的民间俗曲，清末民初在各地形成具有不同风格的地方小戏，如敦煌曲子戏、华亭曲子戏、新疆曲子戏、宁夏曲子戏等。曲子戏的唱腔属联腔体，由众多的曲牌连缀而成，在发展过程中又吸取了秦腔、眉户的艺术成分。其演出形式有舞台演出和地摊坐唱两种，其中舞台演出俗称“彩唱”，有文武场和服装道具，道白用当地方言，表演要求旦角扭得欢，走得飘，舞蹈轻盈活泼，形象生动，丑角则需幽默诙谐，滑稽伶俐。地摊坐唱俗称清唱，不受演出场地的限制，不需服装道具，只要唱者嗓子好、唱调准、曲调多、板路稳就可以入座献唱。曲子戏剧目题材广泛，多表现神话故事、历史传说及民间社会生活等。

作为敦煌地区民间一度繁荣的地方戏曲，敦煌曲子

戏已经在民间流传了上千年，至今逢年过节，民间仍有小规模演出。有研究表明，尽管在内容上有所演变，并增加了民间新创作和新的艺术形式，但在已经形成自己风格的敦煌曲子戏中，仍保留有敦煌遗书中的曲子词和曲调，这使敦煌文化的余脉在民间得到了延续。

曲子戏以民间业余演出为主，专业演出团体很少。随着社会的变革和娱乐方式的多元化，曲子戏的生存空间变得越来越小，现已濒临失传。为保护和弘扬曲子戏，扩大影响，有关方面采取了举办曲子戏艺人培训班、邀请老艺人集中发掘、整理、传授曲子戏剧目和录音、录制剧目等多种措施，积累了一些宝贵的经验和资料。在此基础上，仍需巩固现有成果，将抢救、保护工作进一步推向深入。

曲子戏·华亭曲子戏

◎ 申报地区或单位：甘肃省华亭县

甘肃华亭县地处关山东麓，古代是关陇通往西域的丝绸古道。

华亭曲子戏源于宋、元，盛于明、清，尤以民国为最。华亭曲子戏是戏剧的一种，在流传地习惯又称“小曲子”、“笑摊”、“地摊子”、“信子腔”等，具有元杂剧的遗痕。唱腔属联腔体，由众多的曲牌连缀而成。从内容上分为正剧、喜剧和悲剧。曲子以《前月调》、《后背宫》曲牌开头，《月调尾》收场，在剧终唱词中报剧名，一唱到底，唱词的长短句式及宫调，具有元曲、宋词遗风。保留了曲艺向戏曲蜕变的痕迹。剧目全为短小折戏，情节简单，演出时间上只在正月初五至正月二十三，平时婚丧及庙会时演出，至今仍保持自演自乐性。做功主要在表情和行为动作上，无武打戏，表演无固定程式，旗作轿、鼓作磨、鞭作马、帐子为床。行当分为生、旦、丑。乐队分文武：文乐队以三弦为主，辅以板胡、二胡、笛子、低胡；武乐队开场锣鼓打场子，演唱以“四页瓦”、水子（碰铃）敲出节奏。民国后由于秦腔眉户的传入，以呐河为界，呐河以北区

域仍保留曲子戏的老腔老调和表演模式；呐河以南区域则吸收了眉户剧的某些特点，但从根本上还是以曲子戏调式及表演形式为主。

华亭曲子戏为活跃山区群众文化生活，起到了积极的作用，在陶冶情志、扬善抑恶、寓教于乐中教化群众。随着社会经济技术的迅速发展，曲子戏受到了严峻的、前所未有的挑战，多元文化的渗透，信息网络、电视普及、娱乐方式的多样化，加上曲子戏传承人过世或年事已高等诸多因素，1990年普查剧目失传五十多个，曲牌失传达50%，曲子戏到了濒危的地步。

214

秧歌戏

（隆尧秧歌戏、定州秧歌戏、朔州秧歌戏、繁峙秧歌戏）

秧歌戏是我国北方地区广泛流行的一种民间戏曲，主要分布于山西、河北、陕西及内蒙古、山东等地。它起源于农民在田间地头劳动时所唱的歌曲，后与民间舞蹈、杂技、武术等表演艺术相结合，在每年的正月社火时演唱带有故事情节的节目，逐步形成戏曲形式。清代中叶，梆子腔剧种兴盛以后，山西、河北、陕西的秧歌戏在不同程度上借鉴和吸收了当地梆子戏的剧目、音乐和表演艺术，逐渐发展为舞台演出，向地方大戏演变。

各地的秧歌戏多以兴起或流行的地区命名，如山西的祁（县）太（谷）秧歌、朔州秧歌、繁峙秧歌、襄（垣）武（乡）秧歌，河北的定州秧歌、隆尧秧歌、蔚县秧歌，陕西的韩城秧歌、陕北秧歌等。这些秧歌有的以唱民歌小曲为主，如祁太秧歌、韩城秧歌、陕北秧歌；有的民歌组合与板式变化相结合，如朔州秧歌、繁峙秧歌、蔚县秧歌，其主要唱腔和板式多来自梆子腔，板式有头性（慢板）、二性、三性、介板、散板及滚白等，其中的民歌小曲统称“训调”，包括【四

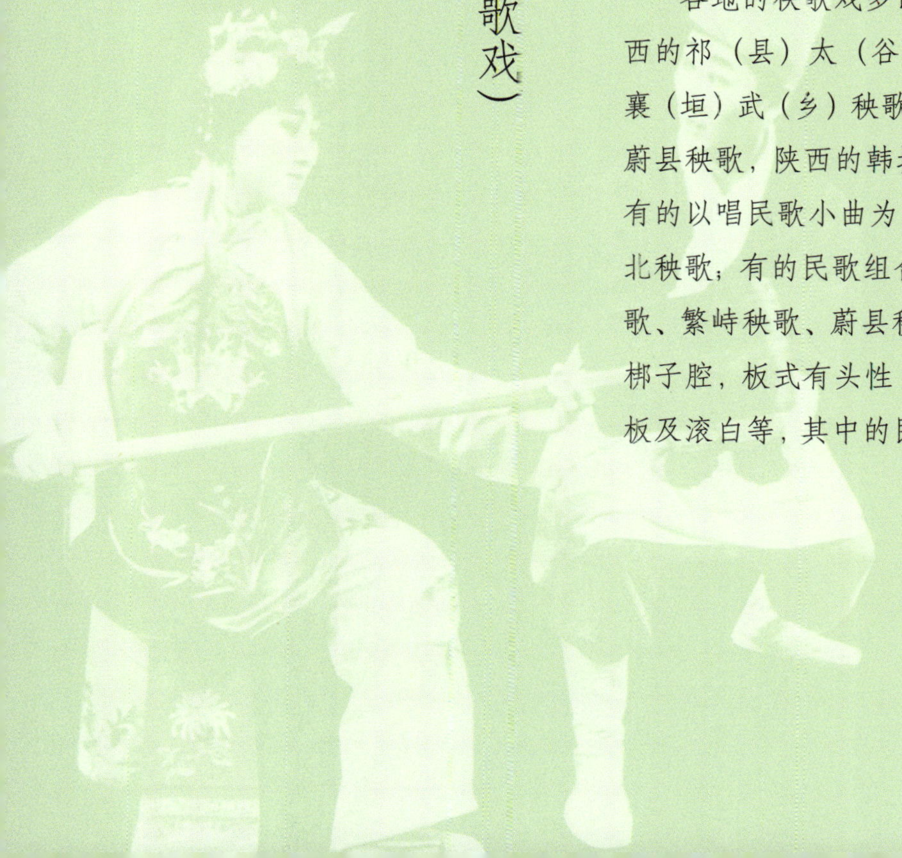

平训】、【苦相思训】、【高字训】、【下山训】、【跌落金钱训】、【推门训】等，演唱时采用板胡、笛子、三弦等伴奏，俗称“梆扭子”；有的属于板式变化，如定州秧歌、隆尧秧歌，唱腔板式分慢板、二性（二六）、快板、散板、导板等，演唱时用板鼓或梆击节，大都不用管弦，只用锣鼓伴奏，因此又叫“干板秧歌”。

各地秧歌戏的传统剧目分小戏和大戏两类，小戏俗称“耍耍戏”，包括《王小赶脚》、《借髢髢》、《拐磨子》、《绣花灯》、《做小衫衫》、《天齐庙》、《小姑贤》、《蓝桥会》、《吕蒙正赶斋》等，大戏包括《花亭会》、《九件衣》、《芦花》、《日月图》、《白蛇传》、《老少换妻》、《梁山伯下山》、《李达闹店》、《顶灯》、《泥窑》、《乌玉带》、《姜郎休妻》、《芦林相会》、《安安送米》等。秧歌戏脚色原只有小丑、小旦、小生“三小门”，后在此基础上增加了须生、花脸、青衣“三大门”。其音乐唱腔吸收了梆子腔的特点，形成曲牌体与板腔体兼容的体制，表演也有了较大的丰富和提高。

秧歌戏形式比较灵活、自由，长于表现现实生活。抗日战争时期，延安和各抗日根据地开展新秧歌剧运动，改革了秧歌戏的音乐、表演、装扮，编演了《兄妹开荒》、《夫妻识字》、《牛永贵负伤》等表现群众参加生产、学习及对敌斗争题材的剧目。新秧歌剧运动的发展不仅创造出了一种新的戏剧形式——新歌剧，而且推动了秧歌戏等民间小戏的革新与发展。新中国成立后，在党和政府的扶持下，各地的秧歌得到不同程度的发展；朔州秧歌、繁峙秧歌、定州秧歌、隆尧秧歌等都建立了专业剧团。新中国成立后，在党和政府的扶持下，各地的秧歌得到不同程度的发展，山西的繁峙、襄垣，河北的蔚县等地成立了专业秧歌剧团，演员经过正规化的训练，演唱水平得到进一步的提高。但进入新时期以后，作为民间小戏剧种的秧歌戏不仅面临与大剧种的激烈竞争，而且受到现代流行歌舞的挤压，演出活动越来越少，不少秧歌剧种濒临消亡，急需社会各界加以关注和扶持。

秧歌戏·隆尧秧歌戏

◎ 申报地区或单位：河北省隆尧县

隆尧县位于河北省南部，地处太行山东麓。境内有《史记》所记载的尧山、宣务山等。

隆尧秧歌是由古代当地劳动人民在插秧、收获、劳作时的稻歌发展变化而来的。隆尧秧歌诞生于明末清初，形成组班登台巡演于嘉庆年间，至今已有四百多年历史，是河北省古老的地方剧种之一。

根据表演特点和地域的不同，隆尧秧歌又分为南、北、中三路。隆尧秧歌的主要特点，一是表演舞台性，行当齐全，唱念做打完善，不同于民艺舞蹈扭秧歌。二是地域乡土性，表演风格饱

含乡土气息。三是剧目丰富，据统计达二百余出。四是语言通俗，唱词道白朴实生动，口语民风浓，唱腔简单明快。五是伴奏简易，徒歌干唱，前期只有武场，以鼓、锣、镲、梆为主。后期增添弦、笙、笛等文场乐器。

隆尧秧歌唱腔古朴，无丝竹相配。研究、发掘隆尧秧歌对于研究河北乃至中国戏曲史具有重要的价值。发掘、抢救、保护和发展隆尧秧歌对丰富人民群众文化生活，推动社会主义精神文明建设具有促进作用。

目前，当地为保护这一珍贵剧种进行了不懈努力，但隆尧秧歌演员队伍日益老化，观众群体非常窄小，发展已陷入低谷，急需抢救保护。

秧歌戏·定州秧歌戏

◎ 申报地区或单位：河北省定州市

定州秧歌又名定县大秧歌，是流行在华北平原中西部的一个古老戏曲剧种，因发源地在定州而得名。据传其源头是一种民间小调，经过宋代文学家苏轼整理而流传下来。

定州秧歌在语言、唱腔、调式、剧目等方面有其独有的特色。戏文浅显易懂，明白如话，有

大量方言俚语，生活气息浓厚；男女唱腔均以宫调式为主，演唱是用本嗓、真嗓大喊的演唱方法。传统演唱没有文场伴奏，没固定调门，演员随意起调，加上管弦乐伴奏后，调值为D调。唱腔中大量运用衬字虚词。旋律以下行旋律较多，但唱法中不乏诙谐俏皮；节奏以一板一眼为主，传统板式达28种之多，仍旧保留了全用打击乐伴奏（即大锣腔）的形式；定州秧歌剧目丰富，涉域广泛，包括爱情类、节孝类、公案类、滑稽类等，琳琅满目。著名社会科学家李景汉搜集出版的《定县秧歌选》，收入了剧目近百个。

定州秧歌的唱腔独特，传统剧目保留了大量民俗和人文信息，成为研究中国民俗以及传统文化的第一手材料。目前，定州秧歌发展日渐式微，抢救、保护和传承迫在眉睫。

秧歌戏·朔州秧歌戏

◎ 申报地区或单位：山西省朔州市

朔州秧歌是融武术、舞蹈、戏曲于一体的综合性民间艺术形式，流行于朔州市及周边内蒙古南部的集宁、呼市、包头及河套一带，另河北张家口及陕西靠近山西的市县也有存在。早期为广场、街头的秧歌舞队表演的朔州秧歌历史悠久，在宋代加入了武术成分，清代后期又加入故事内容，现在以舞蹈和戏曲两种艺术形式活动于民间。

以舞蹈为主的秧歌称为“踢鼓子秧歌”，主要是在节庆和贺生日、祝寿、拜女婿、应邀还愿等民俗事象中表演。全部演出人员为108人，但也有30人或50人的。男角称“踢鼓子”，女角称“拉花”，男女成对表演。演员多扮成《水浒》、《西游记》中的人物，表演粗犷奔放。表演过程有入户拜年、广场表演、进院祝拜、坐灯官、压街镇邪、烧香祭风、灯场游园、旋旺火、接下程等一系列程式。表演分大场子、小场子和过街场，各有自己的表演形式。以演戏为主的秧歌称为“大秧歌”。大秧歌唱腔集中了当地流行的民歌小调，借鉴了其他戏曲的唱腔结构和曲调，形成了独特的板腔与曲牌的“综合体”。剧目以道教故事和民间故事为主。

朔州秧歌长期在当地流行，并演变为不同的艺术形式，为研究我国民间艺术的发展、流传以及演变提供了鲜活的材料。由于现代多元文化的冲击和受表演的时限性影响，朔州秧歌与其他民间传统艺术形式一样，渐渐走向濒危境地，抢救保护工作时不我待。

秧歌戏·繁峙秧歌戏

◎ 申报地区或单位：山西省繁峙县

繁峙县因寺庙多而得名，位于山西省东北部，属忻州市。繁峙秧歌戏流行于繁峙县及周边地域。

“秧歌”曲调于明万历年间传入繁峙的奋地和白马石一带(今属应县)，当时只是一种在街头跑摊子演唱的广场艺术，群众称之为“玩意儿”，又依地名称其为“奋地秧歌”。清代道光年间，民间艺人张信、张代把各地流行的秧歌曲调、器乐曲牌收集起来加以改进，并吸取了其他剧种的唱腔融合于“秧歌”之中，移植了其他剧种的剧目将其搬上舞台演出，深受广大群众的喜爱，并流传至今。1956年10月1日，繁峙县政府把流散的民间艺人组织起来，正式成立了繁峙秧歌剧团。

繁峙秧歌戏的剧目有86个，经常上演的七十多个，其中有早期的民间小戏，又有逐渐发展的连本大戏。繁峙秧歌唱腔结构由板腔体和曲牌体混合组成，其中板腔体的基本板式有10种，曲牌体的“训调”有17种，另外还有若干个小调，器乐曲牌75个。

繁峙秧歌戏是由民间舞蹈演变成为戏曲的，至今仍存留有演变过程的痕迹。尤其它的唱腔融汇了多种类型戏曲唱腔的形式，对研究中国戏剧发展史具有重要的价值。

215

道情戏（晋北道情戏、临县道情戏、太康道情戏、蓝关戏、陇剧）

道情戏是我国黄河流域流行的一种民间小戏，它起源于唐代道士所唱的“经韵”，宋代发展成为唱白相间的曲艺形式道情鼓子词。清代乾隆年间，流传于晋北的说唱道情被搬上戏曲舞台，成为深受当地观众喜爱的一个戏曲品种。在晋北道情登上戏曲舞台前后，流行于晋西的临县道情也登上了戏曲舞台，流行于晋南的洪洞道情也曾在咸丰年间和宣统年间两度搬上舞台，但没有能继续下来。新中国成立以后，流行于山西晋南的河东道情和河南周口道情、山东的蓝关戏等道情戏也相继发展成为舞台剧。

道情的早期剧目内容多反映道家生活和宣扬道教教义，代表性剧目有《经堂会》、《二度林英》、《高楼庄》等。中期剧目内容多为道家修贤劝善故事，代表性剧目有《王祥卧冰》、《郭巨埋儿》、《小桃研磨》等。中后期剧目内容反映民间生活的故事，代表性剧目有《老少换妻》、《打灶君》、《顶灯》、《打刀》等。各地道情戏都有唱腔曲牌，晋北道情有【耍孩儿】、【西江月】、【浪淘沙】等，临县道情有【七字调】、【十字调】、【终南调】、【罗头纱】、【一枝梅】、【太平年】、【燕子飞】等。道情戏的伴奏乐器文场有笛子、四胡、大板胡、小板胡，武场除渔鼓、简板外，其他乐器与梆子相同。脚色则分红（须生）、黑（净脚）、生、旦、丑五行，表演重文轻武，以唱工取胜。

中华人民共和国成立后，山西应县、临县建立了专业的道情剧团，使道情的演唱艺术得到了进一步的完善和提升。20世纪80年代以后，各种艺术形式和娱乐形式竞争加剧，道情戏受到很大冲击，民间业余演出越来越少，专业剧团生存艰难，亟待抢救、保护。

道情戏·晋北道情戏

◎ 申报地区或单位：山西省右玉县

晋北道情戏流行于晋北二十余县及内蒙古南部、陕北东部、河北西北部，分神池、代县、应县三个艺术流派。道情音乐约于金代流入晋北一带，以曲牌体说唱形式广泛活跃于民间，主要演唱道教故事，宣传教义。清代中叶，搬上舞台，以代言体演述故事，内容广泛触及社会生活。其音乐体制主要为曲牌连缀体，同时也吸收了北路梆子的音乐元素。清末民初，职业班社林立，著名艺人辈出，为蓬勃兴起和迅速发展的时期。著名的职业班社有杨侉子班、武为周班等，名艺人有李艾疙瘩、石六十八等。

晋北道情的代表剧目，主要是宗教故事和劝善故事，如《韩湘子出家全图》、《庄周梦》、《郭巨埋儿》等，还有一些生活小戏和移植剧目如《老少换妻》、《八义图》等。其唱腔曲调，相传有72大调，若干小调，今存套曲13种96曲，如《大红袍》、《皂罗袍》等。其伴奏乐器文场有笛子、四胡等，武场有渔鼓、简板、单皮鼓、大锣等。表演重文轻武，重唱轻做。均为男演员扮戏，建国后始有女演员登台演出。

晋北道情是我国北方道情的缩影，是研究民间宗教音乐和戏剧的“活化石”，具有很高的学术价值、艺术价值和历史价值。现在，晋北道情只有右玉县的一个剧团在勉强度日，举步维艰，其生存与发展面临十分严峻的局面，几乎濒临消亡状态。

道情戏·临县道情戏

◎ 申报地区或单位：山西省临县

临县地处黄河中游、晋西黄土高原吕梁山西侧，隔黄河与陕西省佳县、吴堡县相望。

临县道情是由说唱道情演变而成的地方戏曲剧种。主要流行在晋西北的临县以及吕梁山沿黄河一带。

临县在历史上道教盛行，至今保存着许多道家的文物古建筑，有“十三观寺九厦院”之说。说唱道情在宋、元时就有活动。最晚在清道光年间演变成为戏曲剧种，1960年成立了国营道情剧团。时至今日，临县道情一直是晋西人们喜爱的民间艺术形式。

临县道情传统剧目有以反映道家内容为主的“韩门道情戏”和明清时广泛流行的“民间小戏”。成立专业剧团后，创作、移植排演了一批现代戏。

临县道情传统唱腔为曲牌体，分为平调（由道歌演变成型的唱腔）和小调（当地民歌同道歌结合形成的唱腔）两大类。平调唱腔是早期说唱道情时所用的曲牌，主要有【耍孩儿】（称【终南调】）、【浪淘沙】等；小调唱腔主要是明清俗曲和地方小曲，主要有【太平调】、【五更调】、【小放牛】等。近现代以来借鉴了板腔体唱腔的结构方式，使唱腔向板腔化发展。

临县道情伴奏乐器在说唱道情阶段有“文八仙”和“武八仙”，即“文场四大件”（管子、四胡、竹笛、笙）和“武场四大件”（渔鼓、简板、小镲、木鱼）组成。

临县道情由民间说唱演变成为戏曲剧种，其演变方式和过程对认识戏曲的形成和发展、戏曲音乐的嬗变有着重要的价值。

道情戏·太康道情戏

◎ 申报地区或单位：河南省太康县

太康县道情属民间戏曲艺术，分布在太康及周边地区。它稀有珍贵，历史悠久，清末至民初，是道情戏曲成熟期，新中国成立后是道情由班社到剧团的发展期。

太康道情体裁种类繁多，剧目丰富，据普查统计有三十多个曲牌、曲调，包括三大类五大品种。三大类别是唱腔、表演、音乐；五大品种是声腔派系、表演程式、音乐体系、曲牌子曲调、打击乐。太康道情这些类系的形成，既有沿袭下来的民间艺术，也有姐妹艺术穿插，最后形成太康道情的独自特色。

据普查统计，道情剧目中古装传统戏一百六十多部（不包括移植剧目），现代戏六十多部（不包括移植剧目），这些剧目在长时期的流传中，有很多已失传。现仅存太康道情传统剧目七十多部，现代剧目四十多部。

道情戏音乐分四大类：

弦乐：道情胡、二胡、大胡、中胡；管乐：唢呐、笙、横笛；拨弹乐：瑟瑟、棕软、三弦、筝；打击乐：堂鼓、大掌鼓、小鼓子、锣（中、高、低）、钹、铰、镲、鱼鼓（即道情筒）、木梆、碰铃等。

太康道情谱系，有四个班，六代传承人，再加道情音乐调式和配器的传承人分为四个部分。现有健在名老艺人31人是道情的第四代传承人，第五代、第六代是现太康道情剧团的主要骨干力量。

荣誉满载的太康道情目前由于种种客观原因而陷入困境，党和政府给予很多支持，做了许多发掘、抢救、继承、弘扬工作，但仍然存在不少难以解决的问题。

道情戏·蓝关戏

◎ 申报地区或单位：山东省莱州市

蓝关戏是流传于胶东半岛的莱州及招远等地的一个古老的高腔剧种，是弋阳腔在胶东的后裔。据有关典籍记载、著述表明及历代艺人的口碑资料，蓝关戏始于明末，兴于清初。明代末年，弋阳腔在其风靡全国之时传至莱州，成为早期“蓝关戏”发生的重要契机，促使了它的孕育和萌生。蓝关戏即是以“错用乡语”的音调特征沿袭和模仿弋阳腔，“其节以鼓，其调喧”的表现形式和吸收了胶东的民间曲调及其他成分。

蓝关戏“帮、打、唱”三位一体，交映生辉，成为该剧种音乐的三大支柱，当地群众“会唱者，颇入耳”，素有“蓝关开了台，婆娘跑掉鞋”之说。蓝关戏上演的剧目有近百出，主要为《东游记》与《西游记》两部大型连台本戏。

蓝关戏的历史是一部声腔剧种的发展史，蓝关戏的衍变和传承，是我们探索蓝关戏古老文化内涵的“向导”，具有突出的学术价值和历史资料价值。发掘、抢救和保护这一古老剧种对丰富完善中国戏曲史和发展民族音乐事业大有裨益。

道情戏·陇剧

◎ 申报地区或单位：甘肃省

陇剧是甘肃独有地方戏曲，原名陇东道情。陇东道情起源于汉代的道情说唱，唐宋时期由宫廷走向民间。扎根于陇东的渔鼓道情，逐渐吸收了当地民间音乐营养，增加二股弦等乐器，衍化为皮影唱腔音乐。经环县民间皮影艺人解长春（清同治时人）改造唱腔后在宁夏、内蒙、陕北及当地广为流传。在抗战时期成为陕甘宁边区革命文化的组成部分。1959年陇东道情剧被搬上舞台，《枫洛池》晋京为国庆十周年献礼演出，被誉为“陇上奇葩”，接着巡回演出于大江南北十几个大城市，深受观众喜爱。唱腔为板式、曲牌、麻簧的结合体，分花音和伤音，花音明快活泼，悦耳动听，伤音抒情委婉，清扬幽雅，尤以麻簧最富特色，一唱众和，气氛热烈，有“一句一簧，两句一帮”之说。特色乐器有陇胡、唢呐、渔鼓、水梆子，表演融入皮影侧身造型美，舞台美术借鉴皮影镂空、彩绘、装饰手法及旦角高髻燕尾头饰等，形成独特风格。在现代文化的强烈冲击之下，陇剧也陷入了濒临衰亡的困境，演出团体及演出场次锐减，传承链几乎中断，处于被大剧种和时尚文化所取代的困境，如不加关注与保护，势必越来越边缘化乃至面临衰滞、消失。

216

哈哈腔

◎申报地区或单位：河北省清苑县、青县

哈哈腔又称“喝喝腔”、“呵呵腔”，流行于河北省的保定、沧州、衡水、廊坊、石家庄及山东省的惠民、德州地区。

哈哈腔原是俗曲曲名，清代嘉庆年间北京钞本《杂曲二十九种》所收《西厢记·游寺》和北京“百本张”钞本中均有该曲。哈哈腔约形成于明末清初，清代乾隆年间已经在京师和民间

流行，清末民初达到鼎盛。其发展大约经历了当地的民间歌舞、民间小戏两个阶段，最后定型为以弦索小曲“柳子”为唱腔曲调的小戏。在不同地方语言和民间艺术的影响下，哈哈腔逐渐形成了具有不同艺术风格和音乐特点的三路流派。东路流行于山东省的德州、惠民地区和河北省的东南部，中路流行于沧州、衡水地区，西路流行于保定地区及廊坊部分地区。哈哈腔唱腔属于板腔体，流水板是核心板式，主要板式有头板、二板、三板、快三板、垛板、尖板等。哈哈腔各行当唱腔大体相同，分男腔、女腔两种，男女同调，惟旋律稍有区别。其乐器以“拙笙、巧弦、浪荡笛”三大件为主，西路的笛子尤其突出，富于民间吹打乐的特点。

哈哈腔传统剧目有一百余种，以喜剧风格

见长，代表性剧目有《王小打鸟》、《三拜花堂》、《双灯记》、《李香莲卖画》、《金锁记》、《女中魁》、《卖水》、《杨二舍化缘》、《唐知县审诰命》等，另外还有《小过年》、《拴娃娃》、《摔纺车》等反映民间生活的小戏，以及《全忠孝》、《乌玉带》等从梆子移植的大戏。这些剧目乡土气息浓厚，戏文通俗易懂，深受农民特别是农村妇女的欢迎。

新中国成立以后，河北省清苑县建有专业的哈哈腔剧团，在丰富当地群众的文化娱乐生活及宣传党和政府的路线、政策方面发挥了重要作用。目前由于造诣较深的老艺人大多年事已高，后继乏人，哈哈腔处于濒危境地，急需弘扬和保护。

217 二人台

◎申报地区或单位：河北省康保县
山西省河曲县
内蒙古自治区呼和浩特市

二人台是流行于内蒙古中、西部地区和晋北、陕北、河北张家口等地的民间小戏。其原始曲调为当地的民歌，如由内蒙古中、西部地区汉族民歌演变的唱腔【打樱桃】、【压糕面】、【打后套】等，由晋北民歌演变的唱腔【走西口】、【五哥放羊】、【珍珠倒卷帘】等，由陕北民歌演变的唱腔【送大哥】、【十里墩】、【绣荷包】等，由蒙古族民歌演变的唱腔【阿拉奔花】、【王爱召】等，冀北民歌《十对花》，江淮民歌如《茉莉花》、《虞美人》等等。牌子曲则吸收了许多晋剧曲牌、民间吹打乐和宗教音乐。

以呼和浩特为界，二人台的风格流派有西路与东路之分。西路二人台最初叫蒙古曲，主要流行于呼和浩特市、包头市、巴彦淖尔盟、伊克昭盟、榆林地区、忻州地区；东路二人台初名“蹦蹦”或二人台，主要流行于乌兰察布盟、雁北地区、张家口地区。二人台传统剧目多以描写劳动生产、揭露旧社会黑暗、歌唱婚姻爱情等为主要内容，另有部分神话故事和历史故事。西路二人台有《打金钱》、《打樱桃》、《打后套》、《转山头》、《阿拉奔花》等剧目，东路二人台有《回关南》、《拉毛驴》、《摘花椒》、《卖麻糖》、《兰州城》等。

二人台的演唱形式分硬码戏、带鞭戏与对唱三大类。硬码戏注重唱、念、做，要求表演者有较好的嗓音条件；带鞭戏注重舞蹈表演；对唱由二人交替演唱。

二人台流行地多在黄河中游两岸及长城内外的农区，因地域偏僻，交通不便，给挖掘、整理、保护工作带来许多困难。近年来随着老艺人的离世，许多曲目、剧目濒临失传，急需抢救、保护。

218 白字戏

◎申报地区或单位：广东省海丰县

白字戏是用广东海丰、陆丰方言演唱的地方剧种，元末明初从闽南流入海陆丰等粤东地区，后来吸纳竹马、钱鼓、渔歌和潮剧音乐等民间艺术，改用当地方言演唱，逐步形成自己的风格特点。起初白字戏和潮剧都称白字戏，白字戏名为“海陆丰白字”，又称“南下白字”；潮剧名

为“潮州白字”，又称“顶头白字”，后来白字戏一名用来专指海陆丰白字。

白字戏唱腔结构以曲牌联套体为主，也有部分板式唱腔。它音乐优美，有联曲、滚唱、一唱众和等形式和特点。传统乐队7人，俗称“七张交椅”，乐器包括一对鼓(大鼓、鼓头)、一对吹(头吹、二吹)、一对锣(头锣、二锣)、一副大铙，后文武场乐器都有所增加。白字戏曲白采用海陆丰方言，分生、旦、丑、净、公、婆、贴七个脚色行当，表演程式严而不僵，载歌载舞，富有生活气息。短打用南派武工，舞台美术简朴，便于流动。白字戏以演文戏见长，亦从正字戏中吸收部分提纲武戏，擅演儿女恋情，整本戏较多，折子戏较少。其剧目分小锣戏、大锣戏两大类，小锣戏又分正板小锣戏、反线戏和民歌小调戏3种。小锣戏唱腔活泼明快，富有生活气息和地方色彩；大锣戏音乐庄重典雅，具有高腔音乐的特点。白字戏的主要剧目人称“八大连”，包括英台连（《同窗记》）、陈三连（《荔镜记》）、高文举连（《珍珠记》）、秦雪梅连（《三元记》）、蒋兴哥连（《珍珠衫》）、王双福连（《临江楼》）、袁文正连（《还魂》）、崔鸣凤连等，另有《白鹤寺》、《白蛇传》、《访友记》、《书琴缘》、《天门

阵》、《白罗衣》等优秀传统剧目和《金菊花》、《红珊瑚》等现代剧。白字戏与同样流传于海丰、陆丰的正字戏有密切的承传关系，因而形成“半夜反”的演出习俗，上半夜讲官话，演来自正字戏的科白(提纲)武戏，下半夜说方言，转演白字戏的文戏。

新中国建立后至改革开放初期，白字戏曾一度获得发展和繁荣，后随着娱乐产业的发展和审美的多元化，其演出市场逐渐萎缩，传统剧目和富有特色的行当艺术及其他舞台艺术等已濒临消亡。

219 花朝戏

◎申报地区或单位：广东省紫金县

花朝戏源于紫金县乡村的“神朝”祭祀仪式，用客家话演唱，流行于广东省东部客家地区。明清以来，紫金县“神朝”乐舞深受乡民喜爱。后来神朝艺人为了取悦观众，常在仪式后以小曲演唱轶闻趣事。这种表演谐趣花俏，同虔诚肃穆的神朝形成鲜明的对比，人们更为喜爱，称之为“花朝”。清末民初，艺人叶春林组织定长春班专门演出花朝，逐渐形成花朝戏。此时紫金县还有粤剧、采茶戏和汉调木偶戏演出，花朝戏艺人借鉴吸收这些剧种的剧目、曲牌小调和表演技艺，增强了花朝戏的艺术表现力。花朝戏最盛时，紫金县有19个戏班，百余名艺人，有名的戏班如定长春、紫华春、庆祥春、定华喜等，演出遍及粤东十多个客家方言县份。

花朝戏在发展过程中积累了上百个传统剧目，代表剧目有《秋丽采花》、《卖杂货》、《三官进房》、《过渡》等。其曲白浅显易懂，常用俚语、歇后语、双关语。唱腔音乐主要由神朝腔和民间小调组成，有时也采用客家山歌。脚色行当一般只有小生、小旦、小丑三种，有扇花、手帕花、耆勾脚、穿心手等特色技艺，表演载歌载舞，质朴清新。

新中国成立后，作为专业表演团体，紫金县花朝戏剧团整理演出了一些传统剧目，创作演出了《苏丹》、《紫云英》、《红石岭》等现代戏，移植改编了《刘三姐》、《巧姻缘》等剧目。花朝戏的表演艺术有了很大提高，原来的脚色行当分工更趋细致，同时吸收了其他剧种的水袖、身段等表演技艺。唱腔音乐在运用曲牌连缀形式的同时，也运用板式变化的方式。邓观云、刘恩芳、陈业兴、陈淑君等观众喜爱的演员活跃于舞台之上，花朝戏不断在紫金山区和邻近的中、小城市演出，造成一定的影响。

花朝戏的传统剧目题材多取自民间传说，大都宣扬惩恶扬善、忠贞爱国、婚姻自由等积极主题。客家人所崇尚的儒家思想及耕读传家、崇文重教等人文观念在花朝戏中得到充分的展示。因此，花朝戏在民间文学、民间音乐、民俗文化、宗教文化等方面都具有较高的学术研究价值。目前，虽然花朝戏专业剧团按期下乡演出，同时还在本地重大的节日庆典及一些民间活动中演出，但是，花朝戏的演出目前已不常见到，观众日渐减少，问题比较突出。

220 彩调

◎ 申报地区或单位：广西壮族自治区

彩调是清代北方的柳子戏流传到桂北以后与当地民间俚曲小调紧密结合而形成的地方剧种，因其唱腔中常用“哪嗬咿嗬嗨”为衬词，故民间又称之为“哪嗬嗨”或“咿嗬嗨”。彩调分布甚广，各地名称不一，如桂林、柳州、河池等地区称“调子戏”、“采茶”、“哪嗬嗨”，左、右江的宁明、百色等地叫“大采茶”、“嗬嗨戏”，平乐、荔浦等地叫“山花灯”、“彩灯”、“采茶戏”，等等，但以称“调子戏”、“采茶戏”最为普遍。1955 年，统一定名为“彩调剧”。

彩调唱腔属联曲体，分板、腔、调三大类，其中板有诉板、哭板、骂板、忧板等；调有比古调、走马调等；腔以脚色行当区分有小生腔、旦角腔、丑角腔等，按人物身份、职业区分的有相公腔、化子腔等，表现身段动作的有挑担腔、饮酒腔等。此外，彩调唱腔中还吸收了一些流行于江南一带的民间小调，如鲜花调、十月花等。彩调的音乐伴奏分左、右场，左场为弦乐，右场为击乐。弦乐有调胡（也叫大筒，类似二胡）、扬琴、琵琶、三弦、唢呐、笛子等乐器，以调胡为主奏。击乐的锣鼓曲牌较简单，常用的有【三点头】、【一条龙】、【一钹】、【四钹】等。

彩调剧目多以劳动、爱情、家庭生活等为主题，有大量的口传和手抄本在民间流传。表演时采用桂柳方言，以小生、小旦、小丑（三小）等载歌载舞的表现形式为主，丑角和旦角的步法、转身、亮相、扇花、手花极富特色，其中尤以步法最为突出。由于深深扎根于乡村民众之间，又和当地民间俚曲小调紧密结合，彩调形成了内容谐趣、形式活泼的表演风格，号称彩调“三件宝”的扇子、手帕、彩带在表演中发挥着重要作用。

新中国成立后，彩调得到较快的发展，特别是《刘三姐》等优秀剧目的上演，扩大了这一剧种在全国的影响。然而，广西彩调当前已陷入因为没有演出市场而难以为继的困境中，知道和了解彩调的人越来越少，数百家彩调剧团在市场经济的冲击下纷纷解散，仅剩广西彩调剧团、柳州彩调剧团和桂林彩调剧团等寥寥几家专业剧团，业余彩调队伍的数量大幅下降，维持艰难。彩调的抢救和保护工作迫在眉睫。

221 灯戏

（梁山灯戏、川北灯戏）

灯戏不仅是重庆、四川极富地方特色的民间小戏，而且是川剧的重要声腔之一。由于其演出多与春节、灯节、社火、庆坛等民俗活动结合在一起，所以形成小戏多、喜戏多、闹戏多的特点，一般场面大、情节复杂、人物众多的戏基本不演。

明嘉靖年间（1522—1566）的《阆中县志》就记载："五月十五瘟祖会，演灯戏十日，每夜焚香如雾，火光不息，其所为灯山者，亦如上元时。"（此书收藏于北京大学图书馆）清代演出非常活跃，乾隆四十七年（1782）的《苍溪县志》记载："上元，放花灯，演灯戏，在郡邑城廓间筑台竞演，昼夜不分。"

灯戏·梁山灯戏

◎ 申报地区或单位：重庆市梁平县

1949年前梁平县又名梁山县，因此当地的地方戏被人们称为梁山灯戏，一直沿用至今。梁山灯戏源自民间的“玩灯”和“秧歌戏”，前者的舞蹈动作与后者的说唱表演形式结合而成。清代中期是梁山灯戏发展的鼎盛时期。现在，本地人也叫它“包头戏”(解放前，女角由男性扮演，俗称“包头”)、“端公戏”或“胖筒筒调”。

梁山灯戏的唱腔音乐主要有胖筒筒类的灯弦腔、徒歌类的神歌腔和俚曲类的小调，其中“梁山调”灯弦腔比较独特。梁山灯戏的表演特点为“嬉笑闹”与“扭拽跳”。其剧目相当丰富，总数在200种以上，最具代表性的有《吃糠剪发》、《送京娘》、《湘子度妻》、《请长年》等，这些剧目大都改编自民间戏曲或民间故事。灯戏表演采用方言，唱词通俗自然、生动活泼，极富生活气息。此外，由于灯戏的娱乐性很强，情节夸张，矛盾突出，嬉闹诙谐，所以演员们表演起来往往动作夸张，带有舞蹈的特性，深受当地群众的喜爱。节庆盛会或者红白喜事，老百姓们总离不开灯戏。

目前，灯戏专业剧团的演出人员老化，会唱灯戏的老艺人已屈指可数，口传剧目大量流失。另外，灯戏用扬琴、笛子、琵琶、二胡等民乐伴奏，由于乐手流失，不得不采用电声乐器加民

乐来“凑合”。年轻人受流行文化的影响，对传统的、民间的东西接受困难，灯戏的传承问题日益严重，面临失传的危险，亟待抢救和保护。

灯戏·川北灯戏

◎ 申报地区或单位：四川省南充市

川北灯戏用农民的道德标准演人间的美丑善恶，喜怒哀乐，大多表现劳动人民的思想感情和道德情操，语言通俗易懂，诙谐风趣，极富乡土气息和地方特色。

南充是它的发源地。南充市位于四川盆地东北部，嘉陵江中游，流行于阆中、苍溪、南部、盐亭、剑阁、昭化、江油、西充、仪陇、巴中、广安等地以及绵阳、遂宁、达州等市的部分地区。是川北地区历史最悠久、覆盖面最广、影响最大、群众基础最为深厚的传统民间艺术形式之一。

川北灯戏明代开始流行于今南充的阆中、南部、仪陇、顺庆等地，与其他地区的灯戏一样，它也经历了由提灯、挂灯、玩灯、舞灯到灯戏的发展阶段。川北灯戏演出形式生动活泼，内容多歌颂正义，鞭挞丑恶，寓教化于嬉乐之中。其剧目一般以喜剧、闹剧为主，正剧、悲剧题材也多用喜剧表现。川北灯戏的表演粗犷简洁，诙谐通俗，载歌载舞，妙趣横生，唱词质朴健康，具有浓郁的乡土气息。因小戏多、喜剧多、闹剧多，故丑行在川北灯戏的表演中占有特殊地位。灯戏的丑行有男丑、女丑之分，男丑又叫小花脸、三花脸，女丑又叫彩旦、摇旦、婆。丑既扮反面人物，也扮正面人物和中间人物。在众多灯戏剧目中，半数以上少不了丑。川北灯戏由花灯歌舞发展而来，其中包含有川北山乡的民歌小调、清音、神歌、端公调，同时又吸取了陕西调、吴下补缸调等曲调。它有

板式变化的正调类唱腔体系，也有曲牌联缀的唱腔，如《裁缝偷布》一剧，其唱腔就是由【太平年】、【金纽丝】、【银纽丝】、【卖鲜花】、【跌断桥】、【十里墩】、【花背弓】等曲牌连缀成的。板式与曲牌联唱也可综合使用于同一剧目中。川北灯戏的主要伴奏乐器是“胖筒筒”、胡琴，演奏时发出低沉浑厚的“嗡”音，所以又叫 “嗡筒筒”，除此以外还有花灯锣鼓等，后又逐渐增加了二胡、笛子等乐器。川北灯戏的表演中融进了民间舞灯及木偶、皮影、杂技等技巧，用以刻画人物、表现情节。

散落于民间的灯戏进行调查、收集，共挖掘了三百多个剧本和九十多支曲牌。参加全国或省级

建国后，川北灯戏在党和人民政府的扶持下，60年代、80年代，南充专区多次组织人员对散落于民间的灯戏进行调查、收集，共挖掘了三百多个剧本和九十多支曲牌。参加全国或省级各类会演、大赛，多次获文化部颁发的各类奖项。

222 花灯戏

（思南花灯戏、玉溪花灯戏）

花灯戏是广泛流行于汉民族中的一种戏曲艺术形式。其突出特征是手不离扇、帕，载歌载舞，唱与做紧密结合。花灯戏源于民间花灯歌舞，是清末民初形成的一种地方戏曲形式。在流行过程中因受当地方言、民歌、习俗等影响而形成不同演唱和表演风格。

花灯戏·思南花灯戏

◎ 申报地区或单位：贵州省思南县

花灯戏是贵州和云南的主要地方剧种，因地域文化的区别，形成不同的风格特色。

贵州花灯戏是清末民初在当地民间歌舞基础上发展起来的。起初，花灯叫采花灯，只有歌舞，后在歌舞中加入小戏，再以后受外来戏曲影响，发展为演出本戏。贵州花灯戏主要流行于独山、遵义、毕节、安顺、铜仁等地，各地有不同的称谓。黔北、黔西一带叫“灯夹戏”，独山一带叫“台灯”，思南、印江等地叫

“高台戏”或“花灯戏”。最初的花灯戏演出形式简单，以演民间小戏为主。题材多取农村生活和民间故事，有《拜年》、《姐妹观花》、《三访亲》、《刘三妹挑水》、《放牛拦妻》等剧目。其表演以“扭”为特点，演员常用折扇与手帕为道具表示情感。舞蹈的步法有二步半、四方步、快三步、慢三步、野鸡步、梭步、碎米步、矮桩步、妇田步、快上步等；扇子耍法有小花扇、大花扇、交扇、盖扇、苫扇、扑蝶扇等；身段有犀牛望月、膝上栽花、黄龙缠腰、海底捞月、雪花盖顶、岩鹰展翅等。贵州花灯戏的曲调有的戏剧性较强，也有的源于抒情性的民歌小调，其中《绣荷包》最为闻名。贵州花灯戏在流行过程中逐渐打破了“灯、扇、帕”的歌舞程式，脚色行当也不再局限于“二小”、“三小”，而有了净、末、老旦、彩旦等的划分。其乐曲腔调在原有曲调基础上也出现了扩展变化，并逐渐形成自己的“板腔”和“曲牌”。常用的板腔有【出台调】、【行程调】、【路调】、【数板】、【骂板】、【哭板】、【一字调】、【出马门】、【阴二簧】、【山坡羊】、【哀子】、【四平调】等。常用的曲牌有【四小景】、【四季相思】、【月调】、【送夫调】、【巧梳妆】、【白牡丹】、【比古调】、【送茶调】、【观花调】、【雪花飘】等。在表现情节刻画人物时，板腔与曲调综合使用，形成了丝弦灯调系、台灯灯调系和锣鼓灯调系，音乐表现力更加丰富。思南土家花灯戏融入本民族傩戏和摆手舞中的一些成分，形成了自己的特色，其婉转动人的优美唱腔、浓郁的乡土气息和灯戏兼容的独特民族风格折射出乌江流域的人文风采。

花灯戏·玉溪花灯戏

◎ 申报地区或单位：云南省玉溪市

云南花灯戏源于民间花灯歌舞，是清末民初形成的流行于云南的地方戏曲。在流行过程中因受各地语音、民歌小曲影响而形成不同演唱和表演风格。云南花灯戏有昆明花灯戏、玉溪花灯戏和姚安花灯戏三大支系，其中昆明花灯保留明清小曲及明清剧目最多，伴奏乐器以胡琴为主；姚安花灯民歌色彩浓重，主要用笛子、梆子伴奏；玉溪花灯革新最早，所以被称为“新灯”，其剧目及演出形式受滇剧的影响较大。

云南花灯最初演出的是歌舞成分很重的花灯小戏，后受滇戏等大戏影响，老灯戏艺人在改

进情节比较曲折复杂的剧目时，也吸收相关曲调加以变化、拓展和翻新，创立了花灯戏新调。新编的灯调采用曲调连接的编曲方式，具有板腔音乐的某些特点，适合演出传统大戏。除此以外，云南花灯戏的曲调还有各种民歌小调，在整个剧种中占有重要地位。花灯戏演出很注重舞蹈，云南花灯舞蹈的基本特征是“崴”，民间有“无崴不成灯”的说法。“崴步”都有手部动作配合，手中的道具和扇子的“手中花”及“扇花”的种种变化是其具体表现。花灯戏中的歌舞有利于烘托情节和丰富人物性格。

云南花灯戏最繁荣的时期是20世纪50年代至60年代，此时不仅涌现了史宝凤、熊介臣、袁留安等一批著名花灯戏演员，还出现了《探干妹》、《闹渡》、《刘成看菜》、《三访亲》等享誉云南戏曲舞台的剧目。熊介臣是最早把农村晒场演出的“簸箕灯”搬上舞台的前辈艺人之一，他擅演小生，以演《山伯访友》中的梁山伯、《白蛇传》中的许仙闻名，表演具有浓郁的云南玉溪乡土风味。

近年来，各地的花灯戏都面临着与其他传统戏曲艺术同样的困境，剧场演出日益减少，剧团经费短缺，新剧目编排上演困难，年轻一代的编创演出人员后继乏人，急需采取措施对花灯戏这一地方特色剧种进行抢救、保护。

223 一勾勾

◎ 申报地区或单位：山东省临邑县

“一勾勾”是由高唐一带的鼓子秧歌衍化而成的地方剧种。高唐鼓子秧歌是一种民间演唱艺术，演唱者腰挎花鼓，自己打鼓演唱伴奏，后来发展成登台演出，并采用四胡为伴奏乐器，发展为戏曲形式，人称“四根弦”。行当有青衣、花旦、老生、小生、花脸丑等。“一勾勾”戏，演出形式古朴，演员多为民间流散艺人，一般利用春冬农闲季节组织演出。演员白天劳动，如帮工、锄草，晚间唱戏，乡人常称之为“锄草班”，他们也经常在农村集市、节日组织演出。一勾勾来自“一讴吼”，由于它的唱腔中带有一讴或一吼，时间长了人们就把它说成了“一勾勾”。

“一勾勾”有传统剧目七十多个，主要有《东秦》、《西秦》、《坐楼杀惜》、《梁山伯与祝英台》、《胡林抢亲》、《三进士》、《女驸马》。从1962年至1965年间相继排演了多部现代戏。

“一勾勾”有着广泛的群众基础，音乐风格独特，剧目内容地方色彩浓郁，是花鼓系统较为典型的剧种，具有审美、学术等多种价值。

224 藏戏

（拉萨觉木隆、日喀则迥巴、日喀则南木林湘巴、日喀则仁布江嘎尔、山南雅隆扎西雪巴、山南琼结卡卓扎西宾顿、黄南藏戏）

藏戏是一个非常庞大的剧种系统，由于青藏高原各地自然条件、生活习俗、文化传统、方言语音的不同，它拥有众多的艺术品种和流派。西藏藏戏是藏戏艺术的母体，它通过来卫藏宗寺深造的僧侣和朝圣的群众远播青海、甘肃、四川、云南四省的藏语地区，形成青海的黄南藏戏、甘肃的甘南藏戏、四川的色达藏戏等分支。印度、不丹、锡金等国的藏族聚居地也有藏戏流传。

藏戏的藏语名叫拉姆，意为“仙女”。据传藏戏最早由七姊妹演出，剧目内容又多是佛经中的神话故事，故而得名。藏戏起源于8世纪藏族的宗教艺术。17世纪时，从寺院宗教仪式中分离出来，逐渐形成以唱为主，唱、诵、舞、表、白、技等基本程式相结合的生活化的表演。藏戏唱腔高亢雄浑，基本上是因人定曲，每句唱腔都有人声帮和。藏戏原系广场剧，只有一鼓一钹伴奏，别无其他乐器。演出一般分为三个部分，第一部分为“顿”，主要是开场表演祭神歌舞；第二部分为“雄”，主要表演正戏传奇；第三部分称为“扎西”，意为祝福迎祥。藏戏的传统剧目相传有“十三大本”，经常上演的是《文成公主》、《诺桑法王》、《朗萨雯蚌》、《卓娃桑姆》、《苏吉尼玛》、《白玛文巴》、《顿月顿珠》、《智美更登》等“八大藏戏”，此外还有《日琼娃》、《云乘王子》、《敬巴钦保》、《德巴登巴》、《绥白旺曲》等，各剧多含有佛教内容。藏戏的服装从头到尾只有一套，演员不化装，主要是戴面具表演。藏戏有白面具戏、蓝面具戏之分。蓝面具戏在流传过程中因地域不同而形成觉木隆藏戏、迥巴藏戏、湘巴藏戏、江嘎尔藏戏四大流派。每年的“雪顿节”是藏戏班子纷纷演出的日子，故雪顿节有“藏戏节”之称。

西藏和平解放以后，自治区政府在原觉木隆藏戏班的基础上组建了西藏自治区藏剧团，担负起传承和发展藏戏的任务，先后整理演出了《朗萨雯蚌》、《文成公主》、《诺桑王子》等一些传统戏，同时还创作演出了一些现代题材剧目，剧团在保持藏戏原有的广场艺术特色的基础上，进行了剧场舞台艺术方面的实践，使藏戏由广场走上舞台，有了灯光、布景和化装，还开始使用管弦乐伴奏。20世纪80年代以后，青海藏剧团在黄南成立，创作演出了《意乐仙女》、《藏王的使者》、《金色的黎明》等优秀剧目，在国内外产生了很大影响。新的剧目为黄南藏戏带来了新的活力，如《意乐仙女》的伴奏，既有六弦等藏族传统乐器，又加入以民乐为主的大型现代混合乐队，在形成间奏的气氛音乐的同时，可以直接为唱腔伴奏，改变了西藏藏戏用一鼓一钹只为舞蹈和表演动作压节奏，很少为唱腔伴奏的状况。改进后的黄南藏戏布景和舞台美术富丽堂皇，神奇秀逸，令人耳目一新。

藏戏历史悠久，具有缜密的表演程式，在藏族人民精神生活中具有无法替代的地位。由于受到严格的宗教神规制约，藏戏在发展过程中受汉族文化影响较少，从表演内容到形式更多保留了原始风貌，所以在戏剧发生学等领域具有极高的学术价值。同时，藏戏的剧本也是藏族文学的一个高峰，它既重音律，又重意境，大量应用格言、谚语和成语，甚至还在情节中穿插寓言故事，保留了藏族古代文学语言的精华。不过近年来，藏戏和内地的戏曲剧种一样，在时代的变革中陷入了与现代艺术和娱乐形式争夺观众和演出市场的竞争局面。存在资金缺乏、剧团生存艰难、艺术人才断档、传统表演技艺失传、理论研究薄弱等问题。各地藏戏发展面临危机，急需制定规划对这一古老的少数民族剧种加以保护。

藏戏·拉萨觉木隆

◎ 申报地区或单位：西藏自治区

觉木隆藏戏是在所有藏戏剧团和流派中艺术方面发展最为完备丰富、影响最大、流传也最广的一种。觉木隆藏戏团是旧西藏地方政府惟一的带有专业性的剧团，归西藏地方政府“孜恰列空”和贡德林寺共同管理，但无薪俸。除参加雪顿节会演可得赏银和食物外，其他时间则到西藏各地卖艺乞讨度日。他们惟一的权利是可任意挑选演员。为此，他们持有西藏地方政府发的一纸文书，声明他们所到之处，在业余藏戏团体中如发现优秀的苗子或尖子，可马上挑走，该团体不得阻拦。这个剧团开办之初住在堆龙德庆县觉木隆村的“雄白拉穷”泉水边，故称觉木隆藏戏队。

觉木隆藏戏经过唐桑、米玛强村、扎西顿珠等几代艺术家的组织经营、精心创造和改革丰富，逐步兴盛起来，还出了几个著名的演员，如阿妈拉巴、阿妈次仁、阿古登巴、次仁更巴等。其中次仁更巴在觉木隆传统特技上有很深的功夫，如躺身蹦子，藏戏中叫“拍尔钦”，双臂平伸与地面成六十度转大圈旋舞，最多时能在一个大场地或大舞台上一气转四一圈，计有一二十个蹦子。

觉木隆藏戏分布、影响的地区很广。像江嘎尔剧团演出《朗萨雯蚌》和《文成公主》时，许多唱腔都是直接学用觉木隆的，其他一些独具风格的剧团也有这样的情况。拉萨、山南地区的藏戏团体，多数是属于觉木隆派的。就是边远的亚东县的四五个藏戏队，也属于觉木隆派。

藏戏·日喀则迥巴

◎ 申报地区或单位：西藏自治区

迥巴藏戏团是我国藏民族戏剧中最为古老、最为杰出的代表之一。我国藏戏以蓝面具藏戏为典型代表，而蓝面具藏戏是从迥巴藏戏班首先创建起来的。相传藏戏始祖汤东杰布在六百多年前为造福雅鲁藏布江两岸人民，在其家乡日吾齐的江上修建铁索桥，为此募捐资财，以前藏区白面具藏戏形式为基础，创建了第一个蓝面具藏戏班。迥巴藏戏最早是以藏戏《顿月顿珠》而受到第十三世达赖时期的拉萨市民欢迎的。他们演出的传统剧目有《智美更登》、《朗萨姑娘》、《卓娃桑姆》。担任迥巴藏戏的 34 年戏师的额仁巴贡嘎是迥巴藏戏戏师的杰出代表。

迥巴藏戏，上承白面具藏戏十分古老的传统，下启蓝面具藏戏，流传于西藏的昂仁、定日、拉孜和四川的甘孜等县。迥巴藏戏的表演、唱腔艺术在藏族群众中享有崇高的声誉，由于它的风格特点鲜明，表演精彩绝伦，既开创了新颖华丽的蓝面具藏戏风格，又保持了藏族最为古老的发声法，以及宗教祭祀与古老杂技糅合为一体的表演。因此，它曾被十三世达赖喇嘛授予金耳环和面具上日月金子徽饰。

藏戏·日喀则南木林湘巴

◎ 申报地区或单位：西藏自治区

湘巴藏戏也称“常·扎西直巴”。五世达赖时一个贵族叫扎西直巴，后来当过嘎伦。他命家乡南木林“多确·常”的人学习江嘎尔藏戏，组织了一个藏剧团，逐渐演唱流行起来，因为都是在南木林山沟中的香河边，就被称为香巴藏戏。而后来，嘎厦的“则恰列空”登记为“常·扎西直巴”。香巴藏戏又被称为湘巴藏戏。八世班禅、九世班禅对湘巴较为重视，扶持了一段时间，逐渐壮大，自成一派。主要流行于南木林县的多确、卡则、琼、山巴等地。解放前夕的戏师根角，才艺出众，乐观调皮，谙熟剧本，他是八世班禅选定的戏师，在湘巴藏戏史上影响最大。早先湘巴藏戏不去拉萨支差，有一年迥巴藏剧团去拉萨支差参加雪顿节，过雅鲁藏布江时翻船，死了不少艺人，剩下少数日吾齐艺人，到南木林找了一些湘巴艺人去了拉萨会演，被称作“湘·日吾齐”。以后湘巴影响大起来，规定了《文成公主与尼泊尔公主》和《直美滚顿》轮换去拉萨演出。湘巴藏戏整个风格特点较接近于江嘎尔，现在艺人多数已经去世。

藏戏·日喀则仁布江嘎尔

◎ 申报地区或单位：西藏自治区

江嘎尔藏戏发源地在仁布县江嘎山沟。江嘎尔藏戏演出的剧目有《曲杰诺桑》、《阿佳朗萨》、《文成公主与尼泊尔公主》，有时也演《热琼娃》。演得最有影响的是《曲杰诺桑》，据说是戏师那加根据定钦云巴·才仁旺堆写的《诺桑传记》和八世班禅、多仁班智达二人写的一些书之精华编演成当时的藏戏《曲杰诺桑》，因此也出了名。江嘎尔藏戏的影响仅次于觉木隆，是一个富有代表性的剧团，唱腔好是它的特点，类似汉族戏曲中的文戏，很受广大群众的称道。其唱腔高亢浑厚，古朴粗犷，但装饰顿音"阵过"没觉木隆唱腔中的多，也没发展得那么细致丰富。它同迥巴藏戏一样，所演的戏比较严格地按照"脚本"来，说的"雄"，就是剧情讲介人的"连珠韵白"，唱腔中间穿插的舞蹈节奏都比较悠沉缓慢，表演也较为简单，没有杂技和特技。

江嘎尔藏剧团每年参加拉萨会演后，回日喀则要在扎什伦布寺演出，班禅也来看。藏历八月二日要赶回仁布到强钦寺演出。在夏天，它还要分别给“嘎厦托子”（嘎伦过林卡）、“仲果也节”（七品官以上过林卡）、“孜仲也节”（僧官过林卡）演两三天戏。江嘎尔藏戏，在日喀则、江孜、仁布和白朗等地区较为流行，除职业性的剧团外，还有业余团体在活动。现在嘎江尔藏剧团还有一些著名的艺人，如解放前最后一个戏师唐曲的儿子拉归，75岁的艺人强巴和年轻艺人丹增等，活跃在江嘎尔藏戏传统的艺术园地上。

藏戏·山南雅隆扎西雪巴

◎ 申报地区或单位：西藏自治区

久负盛名的藏戏雅隆扎西雪巴是西藏白面具藏戏的杰出代表。其名称是以本地五个极具吉祥意义的名称而定，即：扎西雪巴（村名）、扎西妥门（村名）、扎西桑巴（桥名）、扎西孜（宗名）、扎西曲登（寺名）。

在五世达赖时期雅隆扎西雪巴每年必须前往拉萨参加“哲蚌雪顿”的藏戏演出，支藏戏差。

这期间还需到拉萨的各寺院和部分西藏地方政府官员府邸进行表演。每年藏历一月四日（藏历年期间）到架桑寺献演。

雅隆扎西雪巴鼓钹伴奏、唱腔、服饰等与西藏其他藏戏不同。在表演过程中“唉哈哈哈哈”的叫声，表现的是藏戏始祖汤东杰布看了自创的藏戏时满意地发出笑声的情形。

藏戏·山南琼结卡卓扎西宾顿

◎ 申报地区或单位：西藏自治区

白面具派藏戏琼结卡卓扎西宾顿距今有六百多年的历史，是西藏藏戏艺术的一个著名演出团队。琼结卡卓扎西宾顿主要演出剧目为《曲杰诺桑》。该团以独特的唱腔闻名于全藏，并且在藏戏演出过程中要表演一段名为《吉祥九重》的歌舞，这在其他藏戏演出中是没有的。另外，该团的演员均为男性，女性角色也由男性扮演，这也是其主要特征之一。

藏戏·黄南藏戏

◎ 申报地区或单位：青海省黄南藏族自治州

黄南藏戏是青海黄南地区藏族戏曲剧种，在19—20世纪中期，流布区域曾经覆盖了黄南藏族自治州以及相邻的循化撒拉族自治县、化隆回族自治县的部分地区，目前主要流行于黄南地区。

黄南藏戏属于安多语系藏戏的一个重要支系，它的发展经历了17世纪中期到18世纪中期的说唱阶段；1740—1794年夏日仓三世时期三人表演的形成阶段；1854—1946年吉先甲时期的成熟阶段；1910—1973年多吉甲时期的兴盛发展阶段；1980年以来的提高革新阶段。

黄南藏戏有如下特点：1.具有广泛的群众性和民间传承性。民间和寺院藏戏队，始终与社会民众保持着密切联系。2.音乐方面保留了宗教音乐的成分，也吸收了当地民歌、舞蹈音乐等素材。3.演出剧目除八大传统藏戏外，还有《格萨尔王传》、《国王官却帮》等其他藏区没有的剧目。4.保留了《公保多吉听法》这出古老而珍贵的原始戏剧形态的仪式剧。5.即兴表演独具特色。这些即兴表演，既表现了编剧、演员高超的艺术水平，又对抨击时弊、净化社会环境起到了很好的作用。6.历代黄南藏戏艺人在长期的艺术实践中，总结出各种行当及成套的表演程式，手式指法、身段步法和人物造型，吸收黄南寺院壁画人物形态，融入寺院宗教舞蹈、民间舞蹈及藏族生活素材动作等，形成本剧种独有的艺术风格。

20世纪80年代以后，青海藏剧团在黄南成立，创作演出了《意乐仙女》、《藏王的使者》、《金色的黎明》等优秀剧目，在国内外产生了很大影响。近几年来，受现代文化的冲击，黄南藏戏也面临失传危机，剧团减少，艺人老化，演出范围缩小，抢救势在必行。

225

山南门巴戏

◎申报地区或单位：西藏自治区

门巴戏是门巴族戏曲剧种，流行于喜马拉雅山东南坡门巴族聚居区，即现在的西藏山南地区错那县勒布区。因为它直接采用藏戏的藏文剧本，所以民间称之为“门巴拉姆”，即门巴藏戏。相传18世纪末，强巴克龙从拉萨带回一部《诺桑王子》的藏文本剧本，由此门巴戏开始在勒布流传。

门巴戏的表演按开场戏“顿羌”、正戏“雄”和结尾戏“扎西”依次进行，只有6个演员和1个司鼓钹的伴奏员参加，参演者皆为男性。“顿羌”也叫“琼根杂娃松”，意为“三个根本的来源”，指借藏戏开场仪式中的三个人物温巴、甲鲁、拉姆，化成了门巴戏开场仪式中的渔翁（老温巴）、渔夫（小温巴）、甲鲁、仙翁、仙女（拉姆）、龙女6个角色。仪式由这6个角色先后出场跳舞、歌唱、表演，还穿插祭祀太阳神、香獐神、大象神、牦牛神、鹿子神、石磨神等的表演。正戏开始后，6个演员除分别扮演剧中6个角色外，还要轮流串演其他角色，串演时服装、装扮都不变换。一般戏班除6个演员和1个伴奏员外，还有1个管理人，他也要参加开场演出，穿黑藏装，戴“薄独”帽，举一面保护神“杜嘎日”的旗帜，第一个出来绕场一圈，并引6个演员出场表演。鼓钹师的要求更高，他除司奏小鼓小钹外，还要谙熟全部剧情、戏词及全部唱腔、舞蹈动作和表演，以使鼓钹点与整个戏剧节奏相吻合。门巴戏的表演源自门巴族的民间舞蹈、歌舞和宗教艺术表演，其音乐则源自门巴族民歌“萨玛”（酒歌），此外又吸收了门巴族的说唱音乐、古歌、悲歌和宗教音乐。门巴戏的服装主要以门巴族生活服装为基础，同时又受到藏族服饰的影响。在勒布地区，每年藏历新年期间，规定都要连续演出《诺桑法王》7天，一天演一段。

由于地处西藏偏远的边境地区，勒布的门巴戏早在新中国成立以前就已停止活动，至今已半个世纪。经过西藏有关部门采取措施抢救扶持，目前已部分恢复。但是门巴戏只有业余演出团队。

226

壮剧

◎申报地区或单位：广西壮族自治区

壮剧又叫“壮戏”，是在壮族民间文学、歌舞和说唱技艺的基础上发展而成的。旧时壮族自称“布托”，意即“土著者”、“本地人”，把壮戏称为“昌托”即“土戏”，以别于汉族剧种。

由于地域环境、方言土语、音乐唱腔、表演风格及伴奏乐器的差异，壮剧产生了广西的北路壮剧、南路壮剧、壮族师公戏（又称壮师剧）以及云南的富宁壮剧、广南壮剧等分支。其中广西北路壮剧流行于使用壮语北部方言的地区，以马骨胡、葫芦胡、月琴等为伴奏乐器，唱腔主要包括正调、平调、卜牙调、毛茶调、骂板、恨板、哭调、喜调等，部分角色有特定唱腔，剧目有《卜牙》、《文龙与肖尼》、《刘二打番鬼》等；广西南路壮剧包括壮族提线木偶戏和马隘壮戏，流行于使用

壮语南部方言的地区，以清胡、厚胡、小三弦等为伴奏乐器，唱腔主要包括平板、叹调、采花、喜调、快喜调、高腔、哭调、寒调、诗调等，行腔时采用帮腔形式，剧目有《宝葫芦》、《百鸟衣》等；壮族师公戏脱胎于壮族民间师公教的祭祀娱神歌舞，流传于广西河池、柳州、百色等地，表演初时着红衣戴木面具，后改为化妆着戏服，以蜂鼓、锣、钹和无膜笛伴奏。剧目有《莫一大王》、《白马姑娘》等；流行于云南的富宁壮剧及广南壮剧受汉族地方戏曲影响较大，另有特点。

壮剧植根于民族生活土壤之中，是壮族人民创造的历史悠久、独具特色的剧种，是东南亚地区的民族文化交流的桥梁。

目前，由于现代化进程的加速推进，壮剧受到多元文化和强势文化的冲击，生存出现危机。青年一代追求时尚，视壮剧为土俗，欣赏和传承民族传统文化的热情锐减。随着壮剧老艺人相继去世，不少地方壮剧的传承出现断档，这一特色剧种开始自然消失。及时对壮剧进行抢救和保护已成为不可忽视的重要任务。

227

侗戏

◎ 申报地区或单位：贵州省黎平县

侗戏大约产生于清代嘉庆至道光年间，由黎平县腊洞村侗族歌师吴文彩始创，至今已有一百五十多年的历史。吴文彩在侗族长篇说唱叙事歌的基础上，根据汉族说唱本《二度梅》编制出第一部侗戏《梅良玉》。之后，侗戏不断吸取桂剧、彩调、祁阳戏、贵州花灯戏等其他戏曲剧种的营养，逐渐提高和完善，最终演变成表演有说有唱、曲调丰富、别具风格的独立剧种。

侗戏主要流行于贵州省的黎平、从江、榕江，湖南省的通道，广西壮族自治区的三江、龙胜等县的侗族村寨。其主要曲调包括【平板】（又称【普通板】、【胡琴板】）和【哀调】（又称【哭调】）等，伴奏乐器包括二胡、牛腿琴、侗琵琶、月琴、低胡、扬琴、竹笛、芦笙等，开台和人物上下场时用鼓、锣、钹、镲伴奏。侗戏表演比较朴实，服饰、道具都是本民族普通的或稍加

美化的日常用品。表演时一般由两人用侗语对唱，每唱完最后一句，表演者一起在音乐过门中走“∞”字交换位置，然后再接着唱下一句，如此反复直至一段唱词结束。侗戏没有严格的行当划分，惟丑角的表演有独特程式，无论从哪个方向出场，都只能向里跳，人称“跳丑脚”。《梅良玉》、《毛洪玉英》、《刘知远》、《江女万良》、《珠郎娘美》等是侗戏的传统剧目，其中《珠郎娘美》已被摄制为影片。

侗戏尽管发展缓慢，但民族特色和地方特色鲜明，有深厚的群众基础。在侗族地区，多数村寨都有群众自己组织的业余侗戏班。但随着社会的变革和现代传媒的发展，侗戏不再在民众的娱乐生活中占据绝对优势地位。侗族没有文字，过去戏师们全凭记忆把整出甚至数出戏记于脑中，再传授给演员；还有的则利用汉字记音，借用汉文字把传统的侗戏记录下来。这种方式的脆弱性影响到侗戏的顺利传承，有必要设法加以解决。

228

布依戏

◎申报地区或单位：贵州省册亨县

布依戏在布依语中称“谷艺”，主要分布于贵州南部及西南部布依族聚居的册亨、安龙、兴义等县。它是受汉、壮、苗族戏曲的影响，用布依语演唱布依族乐曲，在八音坐弹、板凳戏的基础上发展形成的。

布依戏的音乐曲调有【京调】、【起落调】、【翻演调】、【马倒铃】、【正调】、【长调】、【八谱调】、【反调】、【武打升官调】、【过场调】、【倒茶调】、【吃酒调】等，伴奏乐器主要包括尖子胡琴、朴子胡琴、笛、短箫、木叶、三弦、琵琶、月琴及大锣、大钹、鼓、木鱼、包包锣、小马锣等。布依戏表演时有固定的程序，一般由祭祀、请祖师开箱、降三星、打加官、正戏、扫台、封箱等部分组成，其中正戏是主体部分。正戏的

剧目包括本民族剧目和移植剧目两类。本民族剧目以讲述布依族传说故事为主，有《三月三》、《六月六》、《罗细杏》、《人财两空》等，唱、白均用布依语，民族特色十分浓郁。移植剧目主要从汉族民间故事移植而来，包括《玉堂春》、《蟒蛇记》、《秦香莲》、《祝英台》等，用"双语"表演，人物出场念"引子"、"定场诗"、"自报家门"时说汉语，演唱、对白、插科打诨时用布依语。布依戏中有生、旦、丑及大王、大将等分工，各脚色的舞台调度都是三步或五步一转身，演唱过程中对面穿梭，形式活泼，风格质朴。

布依戏主要由村寨的民间业余戏班加以传承。戏班一般有三十多人，以自然村寨为基础，戏师为班头，各班每年春节期间必须为本寨或没有戏班的村寨演出，以禳灾祈福、驱鬼逐疫。

布依戏具有历史学、民俗学、宗教学、戏曲学等方面的研究价值，对中国文化的丰富和完善曾发挥过重要作用。但是，现在布依戏已经不易看到了，因为许多布依戏演员年事已高，又难以物色到合适的接班人，故而能演者越来越少。

229

彝族撮泰吉

◎申报地区或单位：贵州省威宁彝族回族苗族自治县

撮泰吉是仅存于贵州省威宁彝族回族苗族自治县板底乡裸嘎寨的一种古老的戏剧形态。撮泰吉为彝文译音，意思为“变人戏”，这一戏剧形态源于何时，至今尚无定论，彝文典籍中亦无记载。

撮泰吉一般于农历正月初三到十五演出，旨在驱邪祟、迎吉祥、祈丰收。其表演形式十分独特，表演者用白色头帕将头缠成尖锥形，身体及四肢用布紧缠，象征裸体；部分人头戴面具，分别扮作彝族老人（1700 岁）、老妇人（1500 岁）、苗族老人（1200 岁）、汉族老人（1000 岁）及小孩。面具通常长约一尺，前额突出，鼻子直长，眼睛及嘴部挖出空洞，用锅烟涂为黑色，又以石灰及粉笔在额头和脸部勾出各种线条，黑白相间，极显粗犷、神秘、森严、古朴。表演中不戴面具者为山林老人或山神（2000 岁），是自然与智慧的化身。撮泰吉表演主要分为祭祀、耕作、喜庆、扫寨四个部分，其中耕作是全戏的核心，主要反映彝族迁徙、农耕、繁衍的历史。正月十五的扫寨即“扫火星”活动将整个撮泰吉演出推向高潮，表演者走村串寨，扫除灾难和瘟疫，祝愿人畜兴旺、五谷丰登。每到一家，他们都要坐在火塘边念一段吉祥祝辞，并向主人索要鸡蛋和麻，走时再从柴房四角扯一把草。之后来到寨边路口，把三个鸡蛋埋入土中，点燃茅草，将其余鸡蛋煮熟分食，口中念“火星走了，火星走了”。

撮泰吉因具有民间信仰和祖先祭祀的功能而成为当地民众祭祀祖先，祈愿人畜兴旺、风调雨顺的重要方式，深深植根于彝族的生产、生活及文化历史中。这种原始艺术具有戏剧发生学

和艺术形态学等方面的研究价值，其中有关生产、生活的表演活动对于人类学、民族学等方面的研究也有重要参考价值。撮泰吉因在一个偏远的区域流传而一直延续下来，并较少受到外界影响，但在现代文明的冲击下，这种只被少数人掌握和传承的艺术显得十分脆弱，任何一个环节出现问题，都会使其遭受致命打击，因此有必要做好相关的保护工作。

230 傣剧

◎申报地区或单位：云南省德宏傣族景颇族自治州

傣剧是云南独具特色的少数民族戏曲剧种之一，流传于云南省德宏傣族景颇族自治州潞西、盈江、瑞丽、陇川、梁河等县及保山市部分傣族聚居区。

傣剧发源于有一定人物情节的傣族歌舞表演及佛经讲

唱，后吸收滇剧、皮影戏的艺术营养，逐步形成比较完整的戏曲形式。清末，盈江干崖土司署组织了德宏历史上第一个傣戏班。不久，傣剧流传到德宏其他地区，德宏十个土司衙门先后建立傣戏班，建造戏楼。与此同时，傣剧从土司衙门扩散到民间，涌现出大量民间傣剧表演组织。新中国建立后，傣剧有了新的发展。1960年第一个专业演出团体潞西县傣剧团成立，1962年扩建为德宏州傣剧团。

起初，傣剧中由男性扮演的女性角色穿傣族女装，男性角色的装扮及男女角色的动作套路与滇剧和京剧相仿。表演时，演员上前三步演唱或做动作，再退后三步听场边人提词，唱段之间以锣鼓等打击乐伴奏。后来唱腔经逐步发展形成【喊混】（男腔）和【喊朗】（女腔）两个基本腔调，傣族民歌曲调被广泛吸收为唱腔及器乐曲。演出中着傣装，表演动作中融入傣族民间舞蹈的步态，伴奏方面增加了葫芦丝、二胡及象脚鼓等乐器，民族风格更加浓郁。

傣剧传统剧目有的源自傣族民间故事、叙事长诗或佛经故事，如《相勐》、《千瓣莲花》、《朗

推罕》等；有的翻译移植自汉族剧目，如《庄子试妻》、《甘露寺》、《杨门女将》等。20 世纪 60 年代以来，傣剧整理改编和创作演出了《娥并与桑洛》、《海罕》、《竹楼情深》等一大批剧目。1962 年，《娥并与桑洛》参加西南区少数民族戏剧观摩演出引起轰动，被誉为“东南亚的明珠”。除德宏州傣剧团这样的专业团体以外，较大的傣族村寨几乎都有业余演出队伍。目前傣剧基本上只为老年人所喜爱，年轻人因为听不懂而对其没有多大兴趣。傣剧在传承方面的困难日益凸现。

231 目连戏

（徽州目连戏、辰河目连戏、南乐目连戏）

目连戏是保存于民俗活动中的戏曲演出，因主要扮演目连救母的故事而得名。目连救母的故事最早载于佛家经典，主要内容大致为：傅相一生广济孤贫，斋布僧道，升天后受封。傅妻刘氏青提（又叫刘四娘）不敬神明，破戒杀牲，死后被打入阴曹地府。其子傅罗卜为救母往西天求佛超度，佛祖为他所感，准其皈依沙门，改名大目犍连，并赐其《盂兰盆经》和锡杖。目连在地狱历尽艰险，最终寻得母亲，一家团圆超升。几百年来，经过无数艺人的锤炼，目连戏以其博大纷繁的戏剧形式、无所不包的表演手段、积淀深厚的音乐素材及情景交融、观演互动的演出排场，在民间盛演不衰，一度广泛流布于安徽、江苏、浙江、江西、湖北、湖南、四川、山西、福建、河南等地。

目连戏·徽州目连戏

◎ 申报地区或单位：安徽省祁门县

明万历年间，安徽祁门清溪人郑之珍在过往杂剧、变文及传说等的基础上撰写出《新编目连救母劝善戏文》。郑本目连戏一经产生，便在祁门、休宁、石台、婺源、歙县等地广为流传。祁门目连戏原没有固定演出场所，以鼓击节，锣钹伴奏，不用管弦，上寿时则用唢呐。其基本唱腔古朴，为明中叶流行于徽州一带的“徽池雅调”，即徽州腔、青阳腔，保留“滚调”特点。脚色分生、旦、末、净、杂、襟，脸谱有鬼脸、标脸、花脸等。表演吸收民间武术、杂耍的一些技巧，能走索、跳圈、窜火、窜剑、蹬桌、滚打等，这些表演特技被巧妙地融入剧情当中，成为表演武戏的特殊招式，为后来徽班的武戏表演奠定基础。演出班社大多以宗族为单位组班，即一个班社均由同宗同族的人氏组成，外姓人不得加入。目连戏演出形式有二：一为演员直接扮演，谓之“大目连”；二为演员操木偶演唱，谓之“托目连”。一般以春、秋两季为盛，有“稻旺戏”(秋收)、“堂会戏”(公堂办，每五年或十年一届)、“庙会戏”(朝九华山)、平安戏、香火戏(还愿)等名目。演唱时间一、四、七、十日不等。

目连戏·辰河目连戏

◎ 申报地区或单位：湖南省溆浦县

辰河目连戏的主要剧目是《目连传》。艺人们在长期的艺术实践中，不断地将剧目的范围扩大，将《前目连》、《梁传》、《香山》以及称为“花目连”的一系列剧目也纳入到其中，形成了庞大的剧目组合，称“四十八本目连戏”。在明清长达五百多年的历史中，演唱目连大戏，一直是辰河地区最盛大的全民文娱活动。

目连戏传说自宋代由开封流传到河南南乐。南乐民间有一部目连戏口述剧本，就其故事情节、思想内容及主要人物看，与唐代的目连变文一脉相承。濮阳目连戏以民间杂耍为主，集戏曲、武术、焰火、魔术于一体，有锯解、磨研、开肠剖肚等带彩特技，盘叉、滚叉、金钩挂玉瓶、玩水蛇、挖四门等舞蹈动作及金刚拳、武松采花拳、五龙出动拳等诸多拳路，服装、道具、化妆、表演均有独特之处。由于深藏民间，至今仍保留粗犷、原始的面目。其唱腔初为花鼓调，清代改为大平调。

目连戏有“中国戏剧的活化石”之称，为中国戏剧起源、沿革及发展传承等的研究提供了极富价值的材料。

但是，当前只在部分乡间保留的目连戏，民间艺人日渐老迈，愿意随其学艺的人很少。专业院团里业务较好的年轻演员几乎流失殆尽，由于缺乏保护和研究资金，大量珍贵的文字及录音录像资料逐渐散佚、损毁，有的还被外国专家学者罗致而去。另外，目连戏在有些地方被列为旅游观赏项目，在利益的驱动下，传统表演遭到割裂扭曲，需要立即采取措施进行抢救保护。

目连戏·南乐目连戏

◎ 申报地区或单位：河南省南乐县

目连戏是以《目连僧救母》而得名，是中国最古老的戏曲剧种，堪称戏剧鼻祖。

目连戏最早形成于北宋。南宋孟元老《东京梦华录》记载：“构肆乐人，自过七夕，便搬《目连救母》杂剧，观者倍增。”至明，有

郑之珍《目连救母劝善戏文》，清康熙年间入宫廷，皇家也搬演此剧。时张照有《劝善金科》传奇，均以目连之母蒙作恶不善之冤，被打入地狱，目连求佛救母为主要情节。

目连戏自宋代由开封流传到河南南乐。南乐地处冀、鲁、豫三省交界，古代的交通不便，地域偏僻，使该戏曲形式一直保留着古老的原始风貌，其表演形式，戏剧程式等方面，无不带有传统文化痕迹。

南乐目连戏是流行于河南省南乐县民间的一个口述本，就其情节和思想内容及主要人物，与唐代的目连变文一脉相承。该剧以民间杂耍为主，综合戏曲、武术、焰火、魔术于一身，服装、道具、化妆、表演均有独特之处，由于深藏民间，至今仍保留粗犷、原始面目。

目连戏有“中国戏剧的活化石”之称，对中国的戏剧起源、沿革及发展传承等研究有较高的学术研究价值，也为研究华夏史学史、文学史、民俗文化等提供珍贵资料。

232 锣鼓杂戏

◎ 申报地区或单位：山西省临猗县

锣鼓杂戏又名“铙鼓杂戏”，主要流传于晋南河东一带，与合阳的跳戏一脉相承。其起源有多种说法，据唐代贞元二年（786）的临猗县龙岩寺石碑记载，有龙岩寺即有杂戏，按照旧俗，每逢正月，临猗县的龙岩寺都要演出锣鼓杂戏以敬神祀佛，故锣鼓杂戏又有“龙岩杂戏”之称。

锣鼓杂戏唱腔为吟诵形式，有少量曲牌，如【越调】、【官调】、【油葫芦】等。伴奏无弦乐，乐队由鼓、锣、唢呐组成，以大鼓主奏，同时承担乐队指挥之责，基本鼓点有擂鼓、战鼓、走鼓、刹鼓、列儿鼓、跌场鼓、行营鼓等八种。锣鼓杂戏表演程式化，动作台步亦有固定程式。演员扮演的脚色固定，家族世袭。脚色均为男性，每剧数十人。演出时，由一名身穿长袍、头

戴礼帽的“打报者”引各种脚色上台至左角入坐。脚色登场用“念”的方式自报家门，举手动步及唱、吟、念、白都配锣鼓。“打报者”还负责拉前场、传令、禀报，向观众解说剧情及充当树木、石头道具，类似宋代杂剧中的“竹竿子”。锣鼓杂戏演出剧目以军事题材为主，“三国戏”尤多，流传至今的有《伐西岐》、《乐毅伐齐》、《三请诸葛》等百余种。现存有手抄本锣鼓杂戏剧目《铜雀台》等十余本，其中的《会洛阳》系乾隆十二年抄本。

锣鼓杂戏的音乐唱腔、表演、乐器设置及演出程式保留了宋金、元杂剧的形态，对认识了解戏曲的原生形态、了解戏曲史及其发展规律有着重要的意义。目前能演锣鼓杂戏的人越来越少，在娱乐形式多元化的影响下，承父业的传统传承方式逐渐中断，新一代人不喜欢听唱大戏，这些情形使锣鼓杂戏处于岌岌可危的境地，亟待抢救、保护。

233 傩戏

（武安傩戏、池州傩戏、侗族傩戏、沅陵辰州傩戏、德江傩堂戏）

傩戏又称傩堂戏、端公戏，是在民间祭祀仪式基础上吸取民间戏曲而形成的一种戏曲形式，广泛流行于安徽、江西、湖北、湖南、四川、贵州、陕西、河北等省。傩戏源于远古时代，早在先秦时期就有既娱神又娱人的巫歌傩舞。明末清初，各种地方戏曲蓬勃兴起，傩舞吸取戏曲形式，发展成为傩堂戏、端公戏。傩戏于康熙年间在湘西形成后，由沅水进入长江，向各地迅速发展，形成了不同的流派和艺术风格。湖南、湖北的傩堂戏吸收了花鼓戏的表演艺术，四川、贵州的傩戏吸收了花灯的艺术成分，江西、安徽的傩戏则吸收了徽剧和目连戏的养料。

傩戏的演出剧目有《孟姜女》、《庞氏女》、《龙王女》、《桃源洞神》、《梁山土地》等，此外还有一些取材于《目连传》、《三国演义》、《西游记》故事的剧目。剧本唱多白少，善于通过大段叙事性唱词交待事件，展开矛盾，塑造形象。演唱用本地方言，唱腔除第一类剧目用端公调外，其他均唱本地群众熟悉的戏曲腔调。除湖南沅陵等少数地区用唢呐在句尾伴奏外，多数傩戏只使用锣、鼓、钹等打击乐器。傩戏的脚色行当分生、旦、净、丑，多数戴面具表演。面具用樟木、丁香木、白杨木等不易开裂的木头雕刻、彩绘而成，按造型可分为整脸和半脸两种，整脸刻绘出人物戴的帽子和整个脸部，半脸则仅刻鼻子以上，没有嘴和下巴。人物按身份可分为文臣、武将、老翁、少妇、神仙等。表演的基本步法是男角走正步、罡步，女角走碎步、云步。由于傩戏是戴着面具表演，故动作幅度大，风格古朴粗犷。

由于历史背景和所接受的艺术影响不同，傩戏分为傩堂戏、地戏、阳戏三种。地戏是由明初"调北征南"留守在云南、贵州屯田戍边将士的后裔屯堡人为祭祀祖先而演出的一种傩戏，没有民间生活戏和才子佳人戏，所演都是反映历史故事的武打戏。而阳戏则恰恰相反，它是端公法师在作完法事后演给活人看的，故以演出反映民间生活的小戏为主，所唱腔调亦多吸收自花鼓、花灯等民间小戏。

傩戏是历史、民俗、民间宗教和原始戏剧的综合体，蕴藏着丰富的文化基因，具有重要的研究价值。各地的傩戏主要流传于乡间，随着社会的发展，娱乐活动不断丰富，愿意观看傩戏演出的人日益减少，傩戏传承困难。

傩戏·武安傩戏

◎ 申报地区或单位：河北省武安市

武安市地处河北省南部，东距邯郸市30华里。武安傩戏历史久远，从其规模、阵容和角色来看，有宋代宫廷大傩的遗风。

武安傩戏内容丰富，娱神娱人节目多样，有队戏、赛戏、竹马等。傩戏面具角色原始古朴。

固义村傩戏是集祭祀、队戏、赛戏和多种民间艺术形式于一身的民间传统文化复合体。演出活动既有对人们进行孝道等伦理道德教化的作用，又表现了农耕社会的人们祈盼风调雨顺、

五谷丰登和社会安宁的美好愿望。

武安傩戏的存在为研究中国仪式戏剧的发生和发展，提供了实证资料，有重要的研究价值。武安傩戏演出中的特殊角色——掌竹，是我国宋金杂剧引戏人“竹竿子”在当今的遗存。武安傩戏完整地再现了中国仪式戏剧发展衍变中的四种形态。

傩戏·池州傩戏

◎ 申报地区或单位：安徽省池州市

池州傩戏源于图腾崇拜意识，主要流传于中国佛教圣地九华山麓方圆百公里的贵池、石台和青阳等县（区），尤其集中于池州市贵池区的刘街、梅街、茅坦等乡镇几十个大姓家族，史载“无傩不成村”。它无职业班社和专业艺人，至今仍以宗族为演出单位，以祭祖、驱邪纳福和娱神娱祖娱人为目的，以戴面具为表演特征。

池州傩戏有“傩仪”、“傩舞”和“傩戏”等表现形式。整台“正戏”，饰演既有戏剧情节、表演程式，又有脚色行当和舞台砌末等戏

曲特征的“本戏”。是靠“口传心授”的方式，宗族师承，世代沿袭，每年例行“春祭”和“秋祭”，“春祭”即每年农历正月初七（人日）至十五择日进行，“秋祭”即农历八月十五进行，平时不演出。

池州傩戏汇蓄和沉淀了上古到近代各个历史时期诸多文化信息，涉及多种学科、多个领域，内涵十分丰富，隐藏着博大精深的文化蕴涵和极高的文化人类学、戏剧学、宗教学、美术学、历史学、考古学和民俗学等学术研究价值，仍保持着古朴、粗犷的原始风貌，是中国最古老、最重要的民俗仪式，是中国最具民族特色的文化象征，是我国现存“最古老、最完整”的古戏曲之一。

傩戏·侗族傩戏

◎ 申报地区或单位：湖南省新晃侗族自治县

侗族傩戏当地称作“咚咚推”，它流行于湖南省新晃侗族自治县贡溪乡四路村天井寨，因演出时在“咚咚”（鼓声）、“推”（一种中间有凸出的小锣声）的锣鼓声中跳跃进行，“咚咚推”由此而得名。

“咚咚推”起源难以查考，天井寨最早的居民为龙姓侗族人，明永乐十七年（1419）从本省靖州迁来。龙姓人说：“‘咚咚推’头在靖州，尾在天井。”依此推论，这种傩戏，很有可能是明代由靖州传来的。

天井寨旧时有盘古庙、飞山庙各一座，春节期间每庙一年，轮流祭祀，祭祀时必演“咚咚推”。每逢天灾或瘟疫时，也要演唱“咚咚推”。“咚咚推”有简单情节的舞蹈，一部分是具有戏剧雏形的傩戏。所有的演唱全部用侗语。它的剧目有反映本民族生活的《跳土地》、《癞子偷牛》、《老汉推车》等；也有《关公捉貂蝉》、《古城会》等以关公为主角的三国戏。“咚咚推”的音乐多由当地山歌、民歌发展而成，常用的曲调有【溜溜腔】、【石垠腔】、【吟诵腔】、【垒歌】等。“咚咚推”演唱时所有角色全戴面具。常用的面具称为“交目”，共有36个。

“咚咚推”的表演在舞蹈中进行，演员的双脚一直是合着“锣鼓点”，踩着三角形，不停地跳动。老艺人介绍，这种踩三角形的舞蹈，是根据牛的身体而来，牛的头和两只前脚是一个三角形，牛的尾巴和两只后脚又是一个三角形。是侗族的农耕文化孕育了“咚咚推”。

1949年，“咚咚推”所有的面具失散。此后，演唱时或以临时做的纸面具，或以涂面化妆代替。1992年，当地群众重做面具，恢复了“咚咚推”的本来面目。近年来，“咚咚推”引起了国内外的广泛关注，先后有日、韩等专家对其进行过多次考察，均给予了高度评价。

傩戏·沅陵辰州傩戏

◎ 申报地区或单位：湖南省沅陵县

傩文化在五溪文化中占有重要地位。王逸在《楚辞章句·九歌序》中说：“昔楚国南郢之邑，沅、湘之间，其俗信鬼而好祀。其祀，必作歌舞以乐诸神。”五溪文化中的这种古俗，至今在沅陵，特别是七甲坪乡犹存。

沅陵“辰州傩”（又称土家傩），见诸史籍者甚多，清康熙四十四年（1705）《沅陵县志》记载：“辰俗巫作神戏，搬演孟姜女故事。以酬金多寡为全部半部之分，全者演至数日，荒诞

不经，里中习以为常。”清乾隆十年（1745）的《永顺县志》也记载有辰州傩戏的影响：“永俗酬神，必延辰郡师巫唱演傩戏。……至晚，演傩戏。敲锣击鼓，人各纸面一：有女装者，曰孟姜女；男扮者，曰范七郎。”

现存于沅陵县七甲坪镇的辰州傩的主要传人仅17人，辰州傩渊于荆楚，辐射于巴蜀吴越秦等地，曾一度影响中原。

傩戏按其内容形式有傩堂正戏、小戏、大本戏之分，正戏是法师请神演变而成，表演剧情简单，小戏已具小型戏曲特征，大戏的戏曲化程度较高，主要剧目有：《孟姜女》、《龙王女》、《七仙女》、《鲍三娘》等，傩技为绝技杂技表演，主要有上刀梯、过火槽、踩犁头等。

辰州傩不仅是戏剧的“活化石”，更重要的是它涵盖了政治、历史、民族、宗教、考古、文学、艺术等方面，是这些方面学术研究难得的研究文本。

傩戏·德江傩堂戏

◎ 申报地区或单位：贵州省德江县

德江县地处贵州东北部，古为南蛮之地，战国时代属巴、楚，元代以后设水特姜长官司、水德江长官司，明万历三十三年（1605）

改置安化县，属思南府附郭。清光绪八年（1882），安化县治所迁移于大堡，即今德江县城。民国二年（1913），安化县改名为德江县。

德江自古为土家族等少数民族聚居之地，特殊的地理位置和历史沿革，使德江傩堂戏不仅源远流长，而且保存十分原始和完整，被专家学者誉为“中国戏剧活化石”。

德江傩堂戏又称傩戏和傩坛戏，土家人叫“杠神”。它是一种佩戴面具表演的宗教祭祀戏剧，也是一种古老的民族民间风俗文化活动。它源于古时的傩仪，是古傩的一种。汉代以后，逐渐发展成为具有浓厚娱人色彩的礼仪祀典。

傩戏是傩堂戏的主体部分，有正戏和插戏之分，共有八十多支，其中正戏16支。除傩戏之外，一般还要进行傩技（土家人称绝活）表演，项目由主家与坛班约定。在举行傩事活动前，土家族老师都要精心布置一个傩坛（傩堂），所以傩堂戏又称傩坛戏。傩坛布置精致，集编扎、剪纸、染印、绘画、书法、建筑等艺术为一体。

德江傩堂戏具有历史学、民俗学、宗教学、戏剧学等多学科学术研究价值，对中国文化与世界文化的丰富和完善都具有十分重要的意义。

234 安顺地戏

◎ **申报地区或单位：贵州省安顺市**

地戏是流行于贵州省安顺市的地方戏，其产生与明初来自安徽、江苏、江西、浙江、河南等地的安顺屯军有关。明朝军队在贵州设有24个卫、26个守衙千户所，其中安顺有3个卫、2个守衙千户所，史料上称卫所军士为“屯堡人”，有了屯堡人，地戏也就随之而出现了。

安顺地戏演出以村寨为单位，演员是地道的农民。一般一个村寨一堂戏，演员二三十人，由“神头”负责。演出在每年的新春佳节和农历七月稻谷扬花时节举行，村民还会在建房求财、祈福求子的时候请地戏队中的“神灵”如关羽、佘太君等去进行“开财门”、“送太子”等活动。

安顺地戏是一种古老的戏剧，其显著特点是演出者首蒙青巾，腰围战裙，戴假面于额前，手

执戈矛刀戟之属，随口而唱，应声而舞。其演唱是七言和十言韵文的说唱，在一锣一鼓伴奏下，一人领唱众人伴和，有弋阳老腔余韵，其舞主要表现征战格斗的打杀，雄浑粗犷，古朴刚健。安顺地戏所演的三十来部大书，以屯堡人喜爱的薛家将、杨家将、岳家将、狄家将、三国英雄、瓦岗好汉为主角，赞美忠义、颂扬报国的忠臣良将，内容全部是金戈铁马的征战故事。

安顺地戏是研究戏剧发生学、人类学、宗教学、民俗学等学科不可多得的活材料。但在现代文化的冲击下，其演出逐渐萎缩，演员年龄偏大且人数逐年减少，很多有地戏队的村寨已停锣息鼓多年。保护这一具有丰富文化内涵的古老剧种已刻不容缓。

235 皮影戏

（唐山皮影戏、冀南皮影戏、孝义皮影戏、复州皮影戏、海宁皮影戏、江汉平原皮影戏、陆丰皮影戏、华县皮影戏、华阴老腔、阿宫腔、弦板腔、环县道情皮影戏、凌源皮影戏）

皮影戏是一种用兽皮或纸板剪制形象并借灯光照射所剪形象而表演故事的戏曲形式。其流行范围极为广泛，几乎遍及全国各省区，并因各地所演的声腔不同而形成多种多样的皮影戏，如陕西的华县皮影戏、华阴老腔皮影戏、阿宫腔皮影戏、弦板腔皮影戏，甘肃的环县道情皮影戏，山西的孝义碗碗腔皮影戏，河北的唐山皮影戏、冀南皮影戏，浙江的海宁皮影戏，湖北的江汉平原皮影戏，广东的陆丰皮影戏，辽宁的复州皮影戏、凌源皮影戏等。

皮影戏的形成时代尚无确考，但据南宋孟元老《东京梦华录》记载，它至晚在宋代已经成熟和盛行，东京汴梁瓦舍中的影戏艺人已有董十五、赵七、曹保义等9人。山西繁峙岩山寺文殊殿金代壁画中有一幅《影戏图》，生动形象地表现了当时山西皮影演出的实况。经过宋、金、元、明四个历史时期的发展，流行全国各地的皮影戏在清代呈现出繁荣局面。

皮影戏虽然种类繁多，但区别主要在声腔和剧目方面，至于影人制作和表演技术则大同小异。影人一般是先将牛皮或驴皮、羊皮刮去毛血，加工成半透明状后再刻制上彩，其雕绘工艺讲究刀工精致，造型逼真。影人一般分头、身、四肢等几部分，均为侧影，头部附有盔帽，身部、四肢皆着服饰，涂油彩后用火砖烘烤压平即成。演出时将影人的头插于身部，身与四肢相接，同时在身部和两手安上三根竹扦，即可操作演出。除了人物造型外，还要刻制一些砌末道具、桌椅和景物造型，以便配合表演。

道具主要为影窗，俗称“亮子”，一般高3尺，宽5尺，最高不过4尺，宽不过6尺，以白纸作幕，以便单人操作。其次为油灯一盏，用以映射影人和表演动作。

皮影戏是我国重要的民间传统艺术，近年来由于现代影视艺术的冲击，观众和演出市场日益减少，许多皮影戏面临消亡的危险，亟待抢救与保护。

皮影戏·唐山皮影戏

◎ 申报地区或单位：河北省唐山市

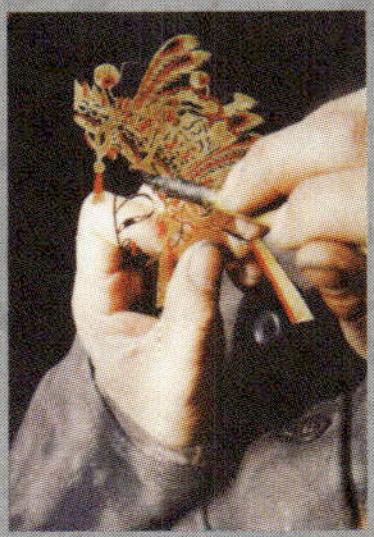

唐山皮影又称滦州影、乐亭影、驴皮影，是中国皮影戏中影响最大的种类之一。通常认为滦州影戏初创于明代末期，盛行于清末民国初年，迄今已有四百多年的历史。

唐山皮影戏的主要操纵演员有两个人，即“上线”和“下线”。支配影人动作的杆子有三根，分别叫“主杆”和“手杆”。唐山皮影戏演出通常有拿、贴、打、拉、唱五种分工，有“七忙八闲”之说。

唐山皮影戏的剧本又称“影卷”，现存至少五百多部。其中“连台本”有一百三十多部，单本剧也很多。剧目有《五锋会》、《二度梅》、《青云剑》等。皮影传统剧本的文学结构为人物出场有上场“诗”，下场“对”。其格律常用“七字句”、“十字锦”、“三赶七”、“五字赋”、“硬散”、“大金边”、“小金边”等。这些唱词结构都是以对偶的上下句为其结构的基本单位，每段唱词一般都是由若干对声韵相同的上下句组成。唐山皮影以乐亭方言为基础，以唱功见长，风格独特，为板腔体。基本板式有大板、二性板、三性板、散板以及平唱、花腔、凄凉调、悲调、游阴调、还阳调以及因特殊句式而得名的三赶七等各种腔调。

皮影的雕刻要经过刮皮浆皮、拓样雕刻、着色涂油、拼钉装杆几个步骤。刀口和上色是最能体现雕刻艺人水平的地方。人物造型分为生、小、大、髮、丑等。

唐山皮影的剧目内容是深层剖析当地社会民俗民风、宗教心理的重要材料。历代唐山皮影艺人对唱腔表演、舞台道具的材料和技艺的改良与创新从未间断过，这些经验是今人和后人的宝贵财富。唐山皮影的传承延续着口传心授的方式，为文化传承的方式方法提供了重要借鉴价值。唐山皮影的唱腔、音乐、表演、造型有着本地域特有的风格，受到国内外同行和观众的赞誉，具有很高的欣赏与研究价值。

现在，能够进行皮影戏剧本创作的人不足 10 人，皮影艺人年龄偏大，找不到徒弟传承，欣赏皮影艺术的人也越来越少。唐山皮影面临着失传的困境。

皮影戏·冀南皮影戏

◎ 申报地区或单位：河北省邯郸市

冀南皮影主要流布于河北邯郸多个县区。

冀南皮影戏源远流长，据传是北京宫廷皮影流落冀南而形成，主要分布于河北南部，并影响到冀中、冀北等地区。冀南皮影戏是宋代中原皮影戏重要的嫡脉，它与河南皮影有着重要联系。

冀南皮影造型古朴，雕绘结合，造型体制简练，体现着我国皮影戏的早期风貌。冀南皮影剧目丰富，演唱没有文本，完全是口传心授，对白幽默风趣，非常口语化，表演起来通俗易懂，有鲜明的地方特色。冀南皮影的道具主要有皮影造型、表演幕窗、伴奏乐器。乐队配有板胡、二胡、闷笛、三弦、唢呐、笙等乐器，现在又配上了电子琴。武场配有板鼓、战鼓、大鼓、大锣、小锣、大镲、小镲、马号、梆子等。冀南皮影戏班社依然保持着传统的习俗，基本上体现了原生态皮影戏的表演形式。

冀南皮影戏有过辉煌的历史，但时至今日却陷入十分尴尬的生存境地，大多数皮影艺人年事已高无法演唱，中年艺人特别是年轻艺人很少，影戏箱也越来越少，有的班社只留下道具，而艺人已经没有了。据在冀南6个县的统计，现在尚可演出的皮影戏班社已由解放初期的一百多个减少至十余个，皮影艺人由过去的近千人减少到一百余人，演出剧目从过去的两百多个减少到三十多个，而且演出场次越来越少，演出范围越来越小。传统的皮影表演技艺难以得到传承，其唱腔、口传剧目、雕制方法等，几乎面临失传。

皮影戏·孝义皮影戏

◎ 申报地区或单位：山西省孝义市

孝义皮影戏是我国皮影戏的重要支派，因流行于山西省孝义市而得名。据史料记载，孝义皮影在宋金时代已有班规、雕簇者存在，说明孝义皮影在宋金时代已发展成熟。据专家考证，孝义皮影起于战国，是我国最早的皮影发源地之一。

皮腔是皮影戏的曲调，因皮腔音乐以唢呐为主要伴奏乐器，故又称“孝义吹腔”。孝义吹腔是中国最早的民间吹腔之一。

孝义皮影以麻纸糊窗作屏幕，凭借悬吊在纸窗后的麻油灯亮影，因此亦称“灯影儿”、“纸窗子”。一般纸窗面积为 1.75m × 1.21m。纸窗糊制有严格的裁纸、毛边、对口、粘贴、平整 5 道工序，其窗平整无皱雪白无瑕。

孝义皮影在明代之前以羊皮为雕刻材料，体高 58—60cm，俗称“二尺影”。到清代，皮影体高缩至 42—48cm，俗称“五尺影”，三岁牛皮为雕刻上等材料。孝义皮影造型粗犷，简练夸张，线条遒劲有力，极富韵味。

明清时为孝义皮影的鼎盛期，孝义境内皮影班社多达六十多家，随后逐渐衰落。1956 年成立孝义市木偶皮影艺术团，“文革”时期撤消。1978 年恢复皮影戏演出，曾参加首届中国艺术节演出，赴英国交流访问演出。1995 年，孝义皮影中的武将形象作为邮票图案被全国人民认识。孝义皮影剧目丰富，现收藏有两百余本，这些剧本题材广泛，内容丰富，极具学术价值。对孝义皮影戏形成和发展的研究，有助于探讨中国戏曲发生和演变的内在规律，了解皮腔原生态的唱腔结构。

皮影戏·复州皮影戏

◎ 申报地区或单位：辽宁省瓦房店市

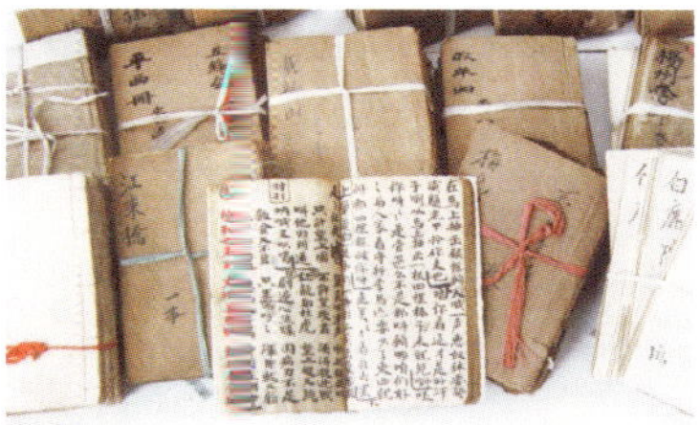

复州皮影戏是在明朝万历年间（1573—1620），由陕西来东北戍边的士兵传来的。复州皮影戏真正活跃和盛行的时间是在清朝嘉庆年间（1796—1821），当时河北一带“白莲教”盛行，有皮影艺人也参加“白莲教”，被清政府诬为“悬灯匪”，并下令禁演皮影戏。河北滦州皮影艺人被迫大量流入东北并进入辽南。复州皮影戏就是在这种背景下产生和发展的，距今已有三百余年的历史。

从 1932 年开始，复州皮影戏被迫停止了演出，抗战胜利后，复州皮影戏恢复。全国解放

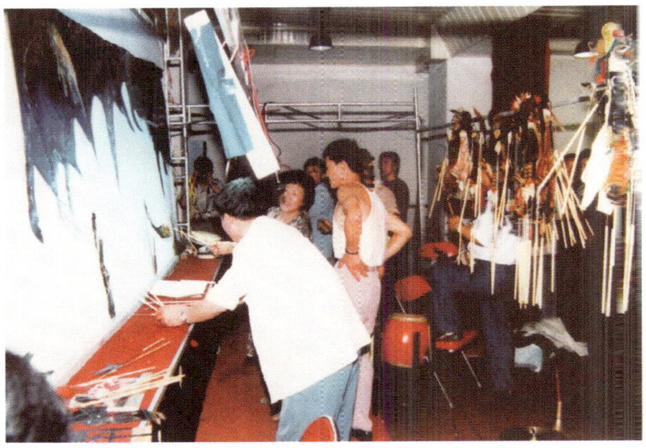

后，瓦房店地区的皮影非常活跃，最兴盛时，全县有皮影戏班 43 个，在群众中影响较大的皮影艺人有二十多位。

复州皮影戏具有悠久的历史和重要的历史文化价值。在传播文化知识，保留、传承民间有价值的历史传说、风土人情、人物掌故等方面，起到了宣传和教育的作用。从复州皮影戏所反映的内容来看，它涵盖了社会生活，歌颂了真善美，鞭挞了假恶丑，深受当地群众的喜爱。

皮影戏・海宁皮影戏

◎ 申报地区或单位：浙江省海宁市

位于钱塘江北岸的浙江省海宁市境内，至今流传着具有南宋风格的古典剧种——海宁皮影戏。

海宁皮影戏自南宋传入，即与当地的“海塘盐工曲”和“海宁小调”相融合，并吸收了“弋阳腔”等古典声腔，改北曲为南腔，形成以“弋阳腔”、“海盐腔”两大声腔为基调的古风音乐；曲调高亢、激昂，宛转幽雅，配以笛子、唢呐、二胡等江南丝竹，节奏明快悠扬，极富水乡韵味。同时将唱词和道白改成海宁方言，成为民间婚嫁、寿庆、祈神等场合的常演节目。再则，海

宁盛产蚕丝，民间有祈求蚕神风俗，皮影戏也因长演“蚕花戏”，称作“蚕花班”。

海宁皮影的人像用羊皮或牛皮为材料，通过绘图、剪形、勾线、上色、缝制插签等工序制成，主要特点是“少雕镂、重彩绘、单线平涂”，脸形圆活、单眼侧面、少夸张、近实像、富“人情”味；整体以单手、并足（侧身）为主，颇具民族民间特色。

海宁皮影戏演绎至今，已有近千年历史，至20世纪三四十年代，海宁境内尚有戏班二十多个，剧目达三百余个，演员一百二十多人。随着时代的变革，皮影艺术的生存环境受到严重影响。50年代，浙江省文化部门为组建剧团赴京演出，经调查全省惟海宁尚存技艺精湛的皮影老艺人。但时至今日，仅存的几位老艺人年岁均逾七旬，后继乏人，已属重点抢救的传统民间艺术项目之一。

皮影戏·江汉平原皮影戏

◎ 申报地区或单位：湖北省潜江市

江汉平原皮影戏是指流行在湖北省中南部的潜江、天门、沔阳（今仙桃市）、监利、洪湖、石首、江陵、公安、京山等县（市），具有相同艺术特征的皮影戏。江汉平原北依长江，南贯汉水，是荆楚文化的发源地之一，皮影戏在这里找到了滋生和繁衍的土壤。虽然其源头尚无法考证，但早在明末清初，这一带凡举办谢神会事，逢年过节都有唱皮影戏的习惯，日积月累便形成了独特的风格和雕镂特色。

江汉平原皮影戏的核心地区集中在天、潜、沔一带，其显著艺术特征主要表现在雕镂（造型）艺术、唱腔艺术和口头文字艺术等方面。

江汉平原皮影的雕镂艺术，源于潜江的“汤格”和“郭格”，尤以图案精细、圆润舒展、人物造型逼真生动和影大见长，形成了独特的艺术风格。

江汉平原皮影戏的唱腔以歌腔、渔鼓腔为主。歌腔皮影中的“鸡鸣腔”源于东周时期的楚国《四面楚歌》，是我国传统音乐中的“活化石”。渔鼓腔出自旧时艺人的乞讨唱曲，调式多样，具有浓郁的乡土气息。

江汉平原皮影戏演唱的剧目多达三百多个。这些“剧本”实际上只有剧目的条文，在表演时全靠艺人根据历史故事展开情节和刻画人物，唱、做、念、打浑然一体，其口头文学艺术形式是江汉平原皮影戏的又一主要特征。

江汉平原皮影制作精细、造型生动、唱腔优美，富有古朴的楚文化风格，深受人民群众喜爱。

随着现代文明的成熟和老一代艺人的相继谢世，江汉平原皮影已经开始走向消亡，亟待后人传承。

皮影戏·陆丰皮影戏

◎ 申报地区或单位：广东省汕尾市

陆丰皮影戏是我国三大皮影系统之一的潮州皮影的惟一遗存，陆丰市皮影剧团是广东省惟一的专业皮影剧团。陆丰皮影戏一直在民间生存、发展，有古代闽南语系的基因，又得海陆丰民间习俗的孕育，唱腔音乐丰富，地方特色浓厚，绘画、雕刻精致，表演生动逼真，优雅可观。

陆丰市位于广东省东南部碣石湾畔，南濒南海，毗邻港澳，介于深圳与汕头两个经济特区之间，水陆交通十分便利。陆丰皮影就在这座小城栖身，它的历史悠久，形成于宋代，盛行于明、清，普及于民国时期。新中国成立前夕的战乱时期，其他戏剧大部分停鼓散班，皮影戏班仍活跃在周边乡镇，可见皮影戏的群众基础深厚，有很强的生命力。新中国成立后得到复兴和发展，在绘画、音乐、制作、表演、效果及舞台灯光等方面，都为世人所瞩目，所到之处，深受广大观众的欢迎，少年儿童更为喜爱。演出区域不断扩大，不但到过粤北地区的各市、县及广州等地，还在福建几个市、县留下足迹。1975年之后，多次赴京参加演出，所演剧目如《战恶兽》、《鸡与蛇》、《龟兔赛跑》、《飞天》、《鸡斗》、《哭塔》等广受好评。陆丰皮影是一种传统民间艺术，具有很高的历史价值、教育价值和艺术价值。

皮影戏·华县皮影戏

◎ 申报地区或单位：陕西省渭南市

华县碗碗腔皮影戏（曾名时腔），形成于清代初叶。因其主要流传于关中东府渭南二华、大荔一带，所以也称其为东路碗碗腔。该剧种唱腔板式齐备，伴奏乐器很有特性，细腻幽雅、婉转缠绵，表现形式丰富多彩。皮影造型优美，人物个性特征明显、选料考究、制作精细。清乾隆、嘉庆年间，戏剧家李芳桂等文人、举子，为碗碗腔皮影著有《十大本》等许多传统剧目，至

今流传，并被其他剧种移植、改编搬上舞台，久演不衰，为陕西的戏曲艺术作出了巨大的贡献。皮影班、社多由五六人组成，行动方便、不择场地、长年可活动于民间的村镇、宅院，在广阔的农村扎下牢固的根基。

现因各种原因面临失传和生存的危机，拯救和保护碗碗腔皮影这一群众喜闻乐见的优秀传统文化，成为当前一项刻不容缓的重要任务。

皮影戏·华阴老腔

◎ 申报地区或单位：陕西省华阴市

华阴老腔系明末清初，以当地民间说书艺术为基础发展形成的一种皮影戏曲剧种。长期以来，久为华阴县泉店村张家户族的家族戏（只传本姓本族，不传外人）。其声腔具有刚直高亢、磅礴豪迈的气魄，听起来颇有关西大汉咏唱大江东去之慨；落音又引进渭水船工号子曲调，采用一

235 **皮影戏** 华阴老腔

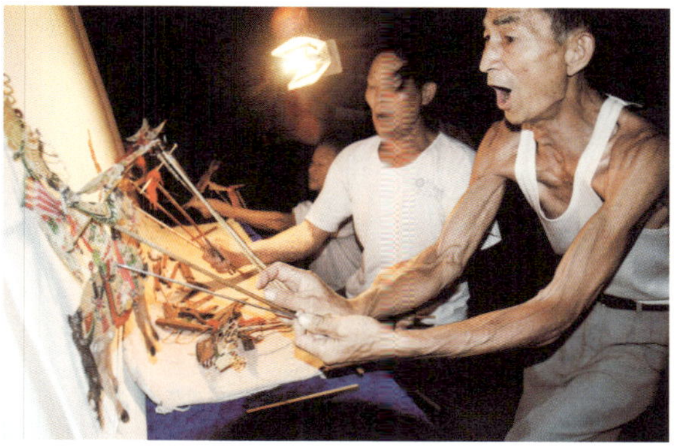

人唱众人帮和的拖腔（民间俗称为拉波）；伴奏音乐不用唢呐，独设檀板的拍板节奏，均构成了该剧种的独有之长，使其富有突出的历史和文化价值，世代流传，久演不衰。但又鉴于该剧种这一特殊情形（家族戏），目前依然处于行将消亡的濒危状态，迫切需要保护。

皮影戏·阿宫腔

◎ 申报地区或单位：陕西省富平县

阿宫腔系陕西关中中北部地区(礼泉、咸阳、泾阳、高陵、临潼、耀县、富平等市县)皮影戏中独具特色的一枝奇葩。其唱腔旋律不沉不躁、清悠秀婉；行腔中的“翻高”、“低遏”、“一唱三遏”为其特色。阿宫腔音乐长于刻画、抒发人物复杂的心理活动。如《王魁负义》中焦桂英唱段的凄楚哀怨、热耳酸心；《白蛇传》借伞中许仙与白素贞对唱婉转情切、缠绵悱恻；《杜鹃山》中雷刚哭大江则高亢激越、荡气回肠。这些经典唱段不但为广大观众所喜爱，也为戏剧界专家、同仁所肯定。建国后，阿宫腔从皮影搬上舞台是一次发展和革新。1961年曾进京演出，受到中央首长和在京戏剧界人士的赞许。多年来创作演出的《四季歌》、《两家亲》、《三姑娘》等剧目曾获文化部和省级奖励。但近十多年来却发展缓慢，濒临灭亡，亟待抢救和保护。

皮影戏·弦板腔

◎ 申报地区或单位：陕西省乾县

弦板腔皮影戏流传于关中乾县、兴平、礼泉、咸阳等地。弦板腔又称“板板腔”，由主要伴奏乐器“二弦子”和敲击乐器“板子”而取名。形成于清代初年，最早为一人左手摇“呆呆子”（二板子），右手掌结子（即蚱板子）的说唱形式，到了清代中叶，艺人们加上了自制的土三弦和土二弦等弦乐伴奏，开始形成了以弦子调为主的【正板调】，并相继延伸出【慢板】、【二六】 等曲调，使弦板腔开始进入了第一个发展兴盛时期。道光、咸丰年间，礼泉的王秀凯，又以【正板】为基础，创造出【大开板】等多种唱调，乐器又加进了二胡，采用二板子配二弦和三弦的伴奏形式，形成了浑厚、清脆、明快的声腔特色，奠定了弦板腔音乐的基本格局，再次使弦板腔进入班社林立、艺人迭出的最佳时期，各地班社一度最多达六十多个班。

中华人民共和国成立后，乾县、兴平、礼泉等地还将其搬上舞台演出，弦板腔又形成了皮影与舞台演出相兼的演出形式，长期流传于民间。近年来，弦板腔处境濒危，迫切需要对其进行抢救和保护。

皮影戏·环县道情皮影戏

◎ 申报地区或单位：甘肃省环县

环县隶属甘肃省庆阳市，地处陕甘宁三省交界，面积9236平方公里，辖20个乡（镇），人口34万。曾是匈奴、羌、戎、狄等民族交往及古老秦陇文化和多民族文化相互碰撞融合之地，特殊的地理位置和深厚的文化底蕴，孕育诞生了“环县道情皮影”这一民族民间艺术。

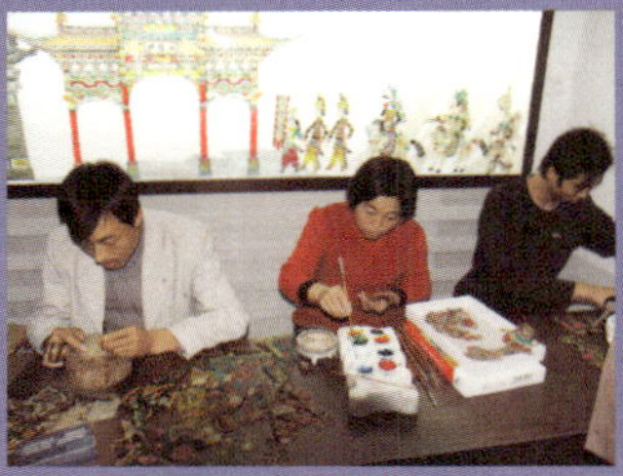

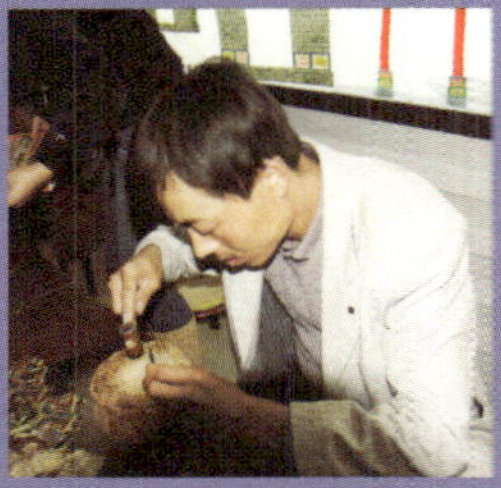

环县道情皮影是“道情”与皮影相结合的产物，已有千年历史。历经沧桑，形成了环县独特的道情皮影戏。经清末“道情皮影大师”解长春等一代人的改革创新，使其更加完善。它与当地人民的习俗信仰水乳交融，形成了以环县为中心，延伸至周边的华池、庆城及宁夏盐池、陕西定边等县在内区域的播布现状。其价值主要体现在优美独特的道情音乐唱腔和精湛的皮影制作及表演上。戏班演出时，前台一人挑杆表演，并承担所有角色的坐唱念白，后台四五人伴奏并“嘛簧”，一唱众和，粗犷高亢，独具风格。道情音乐为微调式，分为“伤音”、“花音”，以坦板、飞板两种速度演唱，曲牌体与板式体并存。其伴奏乐器中的四弦、渔鼓、甩梆子、简板均为自制，音色独特。传唱的一百八十余部剧目中，至今还保留着“图”、“卷”等古老文化符号。现馆藏及民间流存的数千件清代皮影原件，构思奇妙、雕刻细腻逼真，有极高的艺术和研究价值。

经普查，全县境内现有47个戏班、285名艺人、四十多名皮影雕刻者。20世纪50年代，环县道情皮影三次进京演出，受到毛泽东、周恩来等领导人的高度赞誉，并最终发展为甘肃惟一地方剧种——陇剧。

皮影戏·凌源皮影戏

◎ 申报地区或单位：辽宁省凌源市

凌源皮影属中国北方皮影戏的一个重要支脉，相传已有三百多年的历史。在传承与发展的过程中，形成了鲜明的艺术风格和独特的艺术魅力——影人雕镂玲珑剔透、操纵表演惟妙惟肖、掐嗓演唱独具特色。1996 年，文化部命名凌源市为“中国民间艺术之乡（皮影艺术）”。1999 年 9 月 17 日，原文化部部长贺敬之在参观凌源收藏的几千卷影卷时说：“凌源的影卷可为全国之最。”

凌源皮影不仅在当地家喻户晓，而且在国内外较有影响，曾多次在省市皮影戏调演中夺冠，并为中央领导和国际友人专场演出。中央电视台、辽宁电视台曾在凌源拍摄了《苦皮影》、《走马凌源访皮影》、《影卷迷》和话剧包装皮影戏《火焰山》等多部电视作品，其中，电视专题片《灯与影的魅力》被选送驻外使领馆，《影之舞》被选送参加了 2004 年的中法文化交流活动。

凌源皮影是纯民间艺术，尽管有过鼎盛时期，全市曾有自娱自乐、半农半艺、专业皮影团 120 个，但是，目前因受现代文化的冲击和老艺人相继辞世，致使凌源皮影艺术后继乏人，抢救保护凌源皮影刻不容缓。

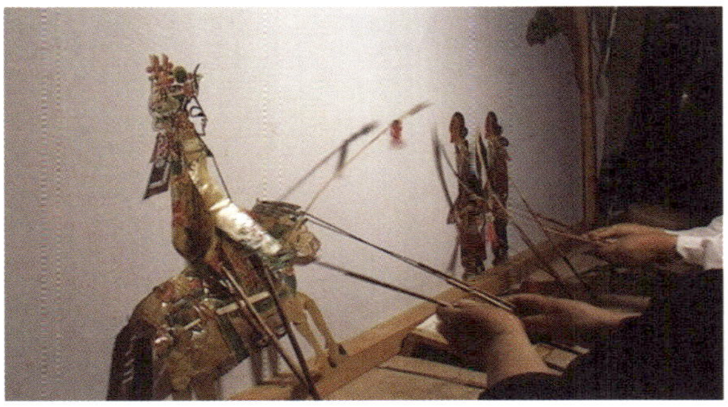

236 木偶戏

（泉州提线木偶戏、晋江布袋木偶戏、漳州布袋木偶戏、辽西木偶戏、邵阳布袋戏、高州木偶戏、潮州铁枝木偶戏、临高人偶戏、川北大木偶戏、石阡木偶戏、邰阳提线木偶戏、泰顺药发木偶戏）

木偶戏古称“傀儡戏”、“傀儡子”，是由艺人操作木偶表演故事的一种戏曲形式。

中国的木偶戏兴起于汉代，至唐代有了新的发展和提高，能用木偶演出歌舞戏。宋代是我国木偶戏发展的一个重要时期，木偶的制作工艺和操纵技艺进一步成熟。随着社会经济的发展，明代木偶戏已流行全国各地，经济发达的南方各省区木偶戏更为繁荣，故有“南方好傀儡”之说。清代以后木偶戏进入全盛时期，不仅流行范围广，而且演出的声腔也日益增多，出现了辽西木偶戏、漳州布袋木偶戏、泉州提线木偶戏、晋江布袋木偶戏、邵阳布袋戏、高州木偶戏、潮州铁枝木偶戏、川北大木偶戏、石阡木偶戏、邰阳提线木偶戏、泰顺药发木偶戏、临高人偶戏等分支。就演出形式而言，可概括为提线木偶、杖头木偶、布袋木偶、铁枝木偶、药发木偶五种。

木偶艺术精美绝伦，令人叹为观止。除了艺人的精彩表演外，完美的偶人造型艺术和操作装备也是吸引广大观众的一个重要方面。造型艺术重在木偶的雕刻和设计，就一般情况而言，提线木偶造型较高，多在2.2尺左右。关键部位均缀以提线，最多可达三十多条，至少也有十余条，如进行特技表演还须根据需要增加若干辅助提线。木偶人表演各种舞蹈身段及武打技艺的水准，完全取决于艺人的操作技巧，这是提线木偶表演艺术水平高低的关键。杖头木偶高于提线木偶，一般偶高3尺左右，装有三条操作线，两条牵动双手，一条支配头部与身躯表演。布袋木偶造型最小，仅有7寸左右，靠艺人两手托举表演，操作技艺特别，不同于提线和杖头木偶。

中华人民共和国成立以后，木偶戏的表演更加丰富多彩。除了演出传统的戏曲节目外，还表演话剧、歌舞剧、连续剧，甚至出演广告等。与此同时，木偶戏也面临着与其他艺术形式的激烈竞争。传统的木偶戏蕴藏着各地、各民族人民的思想、道德和审美意识，应加以扶持和保护。

木偶戏·泉州提线木偶戏

◎ 申报地区或单位：福建省泉州市

泉州傀儡戏，古称“悬丝傀儡”，今称提线木偶戏。源于秦汉。晋唐时随中原移民南迁入闽。唐末五代即已在泉州地区流行。历经宋、元、明、清、民国，从未间断。

千年来，泉州傀儡不仅成为泉州乃至闽南语系地区民俗中不可或缺的重要部分，而且以其独特技艺和精彩演出，成为一般民众，乃至士大夫文人雅俗共赏、喜闻乐见的民间戏曲艺术。

历经千年不间断的传承与积累，泉州傀儡戏至今保存七百余出传统剧目和由三百余支曲牌唱腔构成的独特剧种音乐“傀儡调”（包括“压脚鼓”、“钲锣”等古乐器及相应的演奏技法），并且形成了一整套精巧成熟的操线功夫“传统基本线规”和精美绝伦的偶头雕刻、偶像造型艺术与制作工艺。

在泉州傀儡戏传统剧目中，保存着大量古代泉州地区民间婚丧喜庆及民间信仰、习俗的内容。保存着“古河洛语”与闽

南方言俚语的语词、语汇、古读音，并且也保存着许多宋元南戏的剧目、音乐、演剧方法、演出形态等珍贵资料。因而，对“闽南文化学”、“闽南方言学”与“宋元南戏学”等，具有多学科的研究价值，已引起国内外专家学者的广泛关注。

由于泉州与台湾及东南亚地区特殊的地理、历史、人文等关系，泉州傀儡戏于明末清初即开始向台湾及东南亚华侨聚居地流播，并在当地生根开花。为传播闽南方言、文化，延续民族文化传承，沟通海峡两岸同胞及东南亚各国侨胞感情，增进民族文化认同发挥了重要的桥梁作用。

木偶戏·晋江布袋木偶戏

◎ 申报地区或单位：福建省晋江市

晋江布袋木偶戏即南派布袋戏，指泉州地区掌中木偶戏，以泉腔演唱，有别于唱北调的漳州北派布袋戏。1951 年 7 月，闽南布袋戏定名为掌中木偶戏，是我国木偶戏中的稀有剧种。

南派布袋戏流行于闽南地区，其源头可追溯到晋代《拾遗记》及五代《化书》、南宋《己未元日》中的史料记载。明中时至清末，是南派布袋戏兴起与发展时期，民间传说和《台湾通志》

称，布袋戏兴起于明嘉靖间，创始人为后来被誉为“戏状元”的梁炳麟。清中叶，晋江等地的布袋戏演出兴盛，并传至台湾，同时出现了李克茶等著名艺人。清末民初，泉属各县一些著名的布袋戏班社纷纷兴起，如清同治、光绪年间的闽南“五虎班”。民国时期，安溪、惠安等地的布袋戏班几乎遍及全县。但至建国前夕，由于经济衰退，泉属诸县的布袋戏班社处境维艰。

中华人民共和国成立后，南派布袋戏获得了新生。20世纪50年代，晋江等县组织挖掘记录了二百多个布袋戏剧目和音乐曲牌。新时期以来，南派布袋戏得到了进一步的发展，其主要承载体为晋江市掌中木偶戏剧团。建团五十多年来，多次进京演出。参加戏剧赛事和国际木偶节，并获得省级、国家级的奖誉。剧目《白龙公主》、《五里长虹》获得文化部嘉奖和第九届文华奖。

南派布袋戏具有兼收并蓄，博采众长的特点，地域文化特征明显。其艺术风格独特，行当脚色分工细致，木偶头雕刻形神兼备，表演细腻，动作传神，深受广大群众的喜爱。但由于受到当前商品经济的影响，这一传统的艺术形式遭到不断冲击，如不加以保护，将面临消亡的危机。

木偶戏·漳州布袋木偶戏

◎ 申报地区或单位：福建省漳州市

漳州布袋木偶戏又称“景戏”、“指花戏”、“掌中戏”，傀儡戏剧种之一。漳州布袋木偶戏是由木偶表演、剧目、音乐、木偶制作、服装、道具、布景等组合而成的一种综合性艺术。

漳州布袋木偶戏，其特点是用指掌直接操纵偶像进行戏剧性的表演，使之活灵活现，栩栩如生，既能够体现人戏的唱、念、做、打，以及喜、怒、哀、乐的感情，又能表演一些人戏难以

体现的动作，具有技巧高超、造型精美等独特风格。布袋木偶戏的操纵是用手由下而上，以手掌作为偶人躯干，食指托头，拇指和其他三指分别撑着左右两臂。技艺高超的艺人双手可以同时表演两个性格、感情各异的偶人。布袋木偶戏尤为擅长武打场面和善于刻画人物性格。

漳州布袋木偶戏已有一千多年历史，是我国古老珍稀的优秀艺术，南宋时兴盛于漳州，明末即流传到广东、台湾和东南亚一些地区。清中叶以来漳州各地大量出现专业布袋戏班社，形成若干不同的流派。其中主要有“福春”、“福兴”、“牡丹亭”三派，各有特色。近二百年来，至今已传承八代。

从人文历史考证，闽台文化原属一体。其母体为闽文化，是中华民族的重要组成部分。台湾的布袋戏是闽文化在台湾的移植和延伸，通过闽台文化交流，不仅促进了两岸木偶艺术的发展，更加深了两岸同为中华民族一家亲的认同感。在促进祖国统一事业方面产生了良好的作用和影响。闽台布袋戏同根同源，这对漳州布袋戏艺术的发展衍变、历史传承与交流等方面，具有很高的历史研究和现代文化价值。

木偶戏·辽西木偶戏

◎ 申报地区或单位：辽宁省锦州市

辽西走廊似一条超越时空的彩练，把中原汉民族文化与辽西北方民族文化连在一起。独特的地域，复合性的走廊文化，孕育了辽西自己的木偶艺术风格。

蔡大田（蔡万荣），是辽西木偶设计制作的创始人，由他设计制作的大型神话故事悬丝木偶剧《嫦娥奔月》，制作精良，堪称一绝，在省内外引起极大反响。

由蔡大田亲自雕刻的《苏三起解》、《葛麻》形象逼真，栩栩如生。由辽西黑山人张仃（曾任中央工艺美术学院院长）设计、蔡大田亲自雕刻的《望娘滩》（即《无孽龙》、《黑风洞》），得到了高度赞誉。前“青艺”美术家张光宇设计，蔡大田雕刻的《猪八戒背媳妇》、《小放牛》等脍炙人口。遗憾的是这些珍贵的佳作都在“文革”期间付之一炬了。

辽西木偶艺术表演主要传承人关剑青，出生于1926年，系民间班社悬丝木偶艺人，代表作是《平顶山》（即《三打白骨精》）。辽西木偶六代相传，承袭至今。1953年1月辽西木偶剧队一行23名队员奉文化部调令赴北京，从此成立了今天的中国木偶艺术剧团。不甘寂寞的辽西木偶人，在此后的几个时期，迎着困难，几经磨难，六起五落。他们的作品陶冶了一代又一代少年儿童的情操，是东三省的稀有剧种，同时也填补了辽宁省木偶艺术的空白。

目前辽西木偶艺术又面临着危机，老一辈艺人都已是七八十岁以上的人了，传承已面临断档边缘。

木偶戏·邵阳布袋戏

◎ 申报地区或单位：湖南省邵阳县

邵阳布袋戏的发祥地白竹村燕窝岭位于邵阳县九公桥镇。据刘氏家谱记载：元末明初，为避战乱，刘姓祖宗胜公携家眷肩挑布袋戏逃难至燕窝岭定居，至今已有六百余年。布袋戏从胜公传至"永"字辈，共十八代。

邵阳布袋戏系口传心授。其表演方式和表演技巧为：一个艺人一副戏担，不管大戏小戏、文戏武戏，生旦净末丑，吹打弹唱耍，全靠艺人一个人手、脚、口、舌并用，十指灵活调度。主要剧目有《封神榜》、《三国演义》、《西游记》、《杨孝打虎》等，以武打戏、鬼怪戏、滑稽戏居多。音乐以祁剧唱腔为主，风格清新、古朴、纯真，自成流派。

邵阳布袋戏集木偶技巧、戏剧形式、表演技艺于一体，具有神秘、精致、新奇、简便等特征。六百余年来，始终保持初创时期的表演技巧、演出风格和演出形式，独具历史文化底蕴，有很高的审美情趣和价值取向。鼎盛时期，燕窝岭有一百一十多副戏担子上云贵、下湖广、去浙江。1955年9月，艺人刘恒贵出访捷克斯洛伐克表演布袋戏《三打白骨精》获得巨大成功。自2002年经中央电视台等主流媒体宣传后，引起海内外关注。特别是2005年8月，中央电视台戏曲频道播出了邵阳布袋戏专题节目，其独特的艺术价值和文化价值，更引起了有关方面的重视和关注。

木偶戏·高州木偶戏

◎ 申报地区或单位：广东省高州市

高州木偶戏，也称"傀戏"、"傀仔戏"，是一种群众喜闻乐见的民间戏曲艺术。高州木偶属杖头木偶，始于明朝万历年间，是在福建布袋木偶的基础上发展起来的。几百年来，高州木偶戏广泛流传于高州的村村寨寨，高州市28个镇、街道办中23个有傀戏班。高州木偶戏的原始形态为单人木偶戏，清末发展了中班。高州木偶戏没有固定的演出场地，只需一小块空地就可以搭台演出；在时间上，一年四季都有

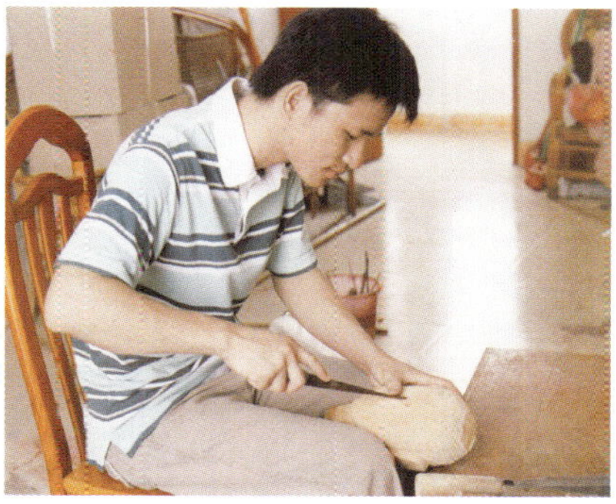

演出，但以春季为最盛，元宵、年例和喜庆节日演出木偶戏娱神娱人。高州木偶戏以高州白话演出，唱词为七字诗体句式，唱腔称木偶腔，以高州山歌调为基础，以叙事方式进行。木偶戏内容多取自历史演义、公案小说、民间传奇、神话故事，传统剧目不下数百套。所演人物忠奸、善恶分明，对群众有传播历史知识和传统道德教化作用。高州木偶雕刻精巧，表演技艺精湛，偶像可作眨眼、喷烟喷火、杀头等高难度动作；木偶艺人集唱、做、念、打和音乐于一身，是一门融会了雕刻、服装、表演、剧本、音乐诸元素的民间戏曲艺术，是优秀的人类精神文化遗产，是中国民间艺术瑰宝。“先有傀戏，后有人戏”，高州木偶戏对研究中国戏剧发展史、民族民俗文化史、社区史和建设新文化都有重要意义。

高州木偶戏现在面临生存危机和失传的危险。社会转型，强势经济冲击，文化多元化，青年人娱乐取向转变，观众剧减使高州木偶戏生存发生危机，木偶艺术后继乏人，一些著名木偶艺人后代不愿继承衣钵，社会上也难找人传承，高州木偶戏确实面临着消亡的危险。

木偶戏·潮州铁枝木偶戏

◎ 申报地区或单位：广东省潮州市

潮州铁枝木偶俗称“纸影戏”，是我国木偶艺术的稀有品种，系由南宋时期随中原移民传入的皮影戏演变而来。清代以后，为满足观众视觉欣赏需要，艺人们逐渐把舞台蒙上的白纸去掉，把偶像从平面改为圆身，于是“捆草为身、扎纸为手、削木为足、塑泥为头”，在当时称为“圆身纸影”。后经艺人不断实践，逐步形成偶像舞台表演。潮州铁枝木偶偶像由连在后面的三枝铁枝操纵，保留了皮影操纵特点；剧目、表演动作、音乐唱腔与潮剧相同；表演时后台由三至四人操纵木偶，盘腿而坐，每人操纵一至二尊，后面伴唱、伴乐者九至十二人；基本表演手法有：推、拉、提、拨、抖等，表演过程根据人物行当和剧情需要表演飞天、入地、点火、射箭、骑马、张扇、划船、武打等动作，呈现独特的操纵技艺。

但是，随着人们艺术欣赏的改变，演出市场日益萎缩；木偶班大多为半农半艺，是松散型业余艺术团体，对木偶戏的研究传承具有一定难度，特别是一些高难表演技艺面临失传，必须采取有效措施加以保护、传承。

木偶戏·临高人偶戏

◎ 申报地区或单位：海南省临高县

临高人偶戏是全国惟海南独有、世界少见的稀有剧种。主要流行于海南岛西北部的临高县及周边的海口市、澄迈县、儋州市等市县中操临高话的乡镇，是中华民族非物质文化遗产的瑰宝。

据老艺人相传，临高人偶戏源于南宋末期。临高先民求神拜佛逐鬼驱邪时，皆用人型杖头木偶。据光绪十七年（1891）续修的《临高县志》云：“临俗多信奉神道，不信药医。每于节例，端木塑于肩膀，男女巫唱答为戏。”后经过艺人改造，搬上舞台，至迟在清康熙年间已形成。临高县八旬老艺人陈和成先后于1979年献出七代珍藏的10个老木偶，其中4个头部刻有“康熙”年号的标志。康熙年间就有吴四龙、曹大锣、王香发、刘彩凤等30棚人偶戏社。

临高人偶戏是当地群众喜闻乐见的重要文化载体，具有独特的表演艺术。主要特点是，舞台不设布幛，演员手擎木偶化装登台，人与偶在台上同扮一个角色，以人的表演弥补木偶感情之不足。以来自本地民歌调“阿罗哈”和来自道士调的“朗叹”作为主要唱腔，优美动听，地方特色浓郁。戏剧大师田汉1962年到临高县视察工作，观看人偶戏的演出后，称赞人偶戏为“稀

有品种，不同凡响，表演灵动，唱腔动听”，并赋诗云：“椰子林边几曲歌，文兰江水袅新波，此间亦有刘三妹，唱得临高生产多。”人偶戏古老的传统剧目甚多，解放后也演历史剧和现代戏。

1981年至1993年临高人偶戏曾先后两次进京演出，均获得好评，荣获优秀表演奖和优秀音乐奖。其中《花仙子》被中央电视台录制播放，《人民日报》、《民族画报》、《中国木偶报》等多家媒体专题评介。

人偶戏具有突出的历史、文化和社会价值，有深厚的群众基础和世代传承的特点。但近年来，受时尚的流行歌舞冲击和娱乐多元化的影响，人偶戏已陷入后继乏人的濒危困境，急需抢救保护。

木偶戏·川北大木偶戏

◎ 申报地区或单位：四川省

川北大木偶为世界稀有的木偶剧种。其偶身高大，酷似真人，五官灵动，四肢灵活，能基本完成人所能完成的一切动作，还能完成人所不能完成的一些其他动作。被苏联世界著名木偶艺术家奥布拉兹佐夫誉为世界上罕见的木偶艺术“中华民族艺术的冠冕”(见《木偶论》)。

川北大木偶的起源向有二说。一说是清初湖广移民传入；一说是远古木偶艺术文化的遗存(见《列子·汤问》、《张鲁传》)。这两种说法都因木偶艺术向来被统治者认为是雕虫小技，而不见经传，从而缺乏有力的史料证据。但从现今遗下的旧木偶头像中有“咸丰五年”的字样，可知已有二三百年历史。

清末民初，曾广泛流传于四川北部地区，到20世纪40年代，就仅存于四川南充市仪陇县马鞍场的“福祥班”了。现经四川省人民政府、南充市人民政府的多方扶持，成立了“四川省

大木偶剧院”，并搬迁至南充市，川北大木偶就仅存于四川省大木偶剧院内了。

川北大木偶传承了最古老的木偶艺术，从其表演的特点及其本身，都能管窥出古时木偶艺术的精彩，特别是其惟一性，更使川北大木偶的保护和传承，弥足珍贵，具有很高的价值。

木偶戏·石阡木偶戏

◎ 申报单位或地区：贵州省石阡县

石阡木偶戏是流传于贵州省石阡县各民族中的一种民间傀儡戏曲剧种。鼎盛时期的演出范围辐射到全县各地及周边湘、鄂、渝、黔等省边区的各民族中。

石阡木偶戏其远祖可追溯到汉魏以远的“刻木人像”的“傀儡”，为宋元时期杖头傀儡的遗存。据口传资料，大约在二百年以前，自湖南辰溪传入，至今已有七代传人。至20世纪四五十年代发展为鼎盛时期，拥有太平班、兴隆班、天福班、杨本家班、泰洪班等。

石阡木偶戏有着丰富的文化价值、独特的民族性、地域性以及多样性的社会功能,其价值主要体现在:1.是古代杖头傀儡在黔东地区的遗存;2.研究黔东地区各民族文化交流的例证之一;3.是研究黔东方言在民间戏曲中运用的活例证;4.对高腔、平弹的传播学研究具有启发性意义;5.具有丰富、独特的民族造型艺术和服饰文化价值;6.通过对石阡木偶戏的表演方式、身段、场合、习俗等方面的研究,有助于我国木偶艺术的发展;7.对石阡木偶戏剧目在民间的传播研究,有助于我国当代少数民族社会教育方式的研究;8.其蕴含的丰富的宗教信仰理念是研究民间宗教构成心理的又一重要路径。

目前,石阡木偶戏失去了原有的观众群体。老艺人相继辞世,只剩下3个耄耋老人,后继无人,石阡木偶戏所依托的人力资源即将消亡。伴奏乐器、头子、戏装的损坏,剧目、唱腔、表演得不到及时整理以至于迅速失传,都是石阡木偶面临的重要问题。

木偶戏·郃阳提线木偶戏

◎ 申报地区或单位:陕西省

郃阳提线木偶戏(又称“郃阳线胡”),地处渭南黄河之滨,与山西西部地区相邻,是中国北方提线木偶的独有之秀。明末清初,号称“关中八高士”之一的郃阳举人李灌(向若)对线

戏的唱腔、音乐、剧目及木偶制作等方面作了较大改革，使其更趋于完整化、戏曲化。清乾隆、嘉庆、同治年间曾多次前往苏州、扬州、北京等地演出，影响极大。该剧种包含了提、拨、勾、挑、扭、抡、闪、摇等技巧和创造性的独有特技，赋予提线木偶以艺术生命，使之栩栩如生。线戏的唱腔、音乐苍凉悲壮、委婉细腻，多具秦地特色。乐器演奏拥有铮子、截子等特种乐器，别具一格，特色鲜明。传统剧目意境美妙、文字优美，具有较高的文学性。

1949年后，一些剧目被移植改编为舞台剧目，在省内外享有声誉。该剧种目前人才匮乏，市场萧条，直接影响了它的进一步发展。如何保护这一传统剧种，是当前一项极为重要的任务。

木偶戏·泰顺药发木偶戏

◎ 申报地区或单位：浙江省泰顺县

泰顺位于浙南边陲，被誉为“木偶之乡”。药发木偶是一种独具一格的传统形式，其木偶表演由火药带动，在其他木偶表演中独一无二；烟花表演结合木偶表演，在其他烟花表演中也是绝无仅有的。

“泰顺药发木偶”是将烟花与木偶相结合的木偶戏，在泰顺称之为琼花木偶。艺人将戏曲人物、神话人物等木偶造型混于烟花之中燃放，在烟花的带动下，焰光中木偶凌空飞舞、五彩纷呈、栩栩如生。它往往在庙会、祭祀、民间节日等活动中表演。据调查考证，泰顺药发木偶在泰顺兴起迄今已有三百多年历史。

中国木偶戏“源于汉、兴于唐”，主要有悬丝木偶、杖头木偶、水木偶、药发木偶、肉木偶五大类，其中水木偶和药发木偶一度被认为在国内早已失传。但据泰顺有关部门考证后认为长期以来存在于泰顺民间的琼花木偶就是药发木偶。几百年承传不断的药发木偶在泰顺发现，为我国木偶戏研究提供了宝贵的例证。

但由于许多民俗的淡化、娱乐形式的改变和公共安全的考虑，药发木偶赖以生存的空间逐步缩小，加之其工艺复杂、精细，现阶段已少有新人传承。药发木偶制作艺人都年事已高，这一宝贵的传统戏曲形式已到了濒临消亡的境地，亟待保护。

曲艺

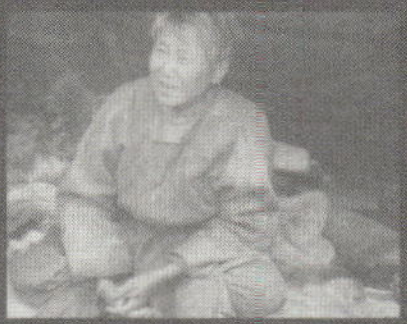

237 苏州评弹
（苏州评话、苏州弹词）

苏州评弹·苏州评话

◎ 申报地区或单位：江苏省苏州市

苏州评话是采用以苏州话为代表的吴语方言徒口讲说表演的曲艺说书形式，流行于江苏南部和浙江北部，包括上海大部的吴语地区，通常与苏州弹词合称“苏州评弹”。在流行地区，苏州评话俗称“大书”，苏州弹词俗称“小书”，总称“说书”。

苏州评话至迟在明末清初就已形成，清代中叶进入鼎盛时期，成立有行会组织光裕社。至咸丰、同治年间，出现了说演《水浒》的姚士章等名家。

苏州评话的艺术传统非常深厚。表演以第三人称即说书人的口吻来统筹叙述，中间插入第一人称即故事中人物的语言进行摹学。摹学故事中人物的语言举止叫做“起角色”，第三人称的说演称“表”，第一人称的说演称“白”，表和白以散文为主，也有用作念诵表演的部分韵文，包括赋赞、挂口、引子和韵白等。表演注重制造喜剧性的噱头，有“噱乃书中之宝”的说法。又因演员在语言运用和“起角色”等方面的不同特色，形成有不同的风格流派。如说演严谨，语言表达基本固定，叫做“方口”；随机应变，舌底生花，善于即兴发挥，并适应不同的听众而随时变化，叫做“活口”；说表语如联珠，铿锵有力，叫做“快口”，相反则为“慢口”；以说表见长，少起角色，称为“平说”。其艺术上的发达为同类说书形式所少有。

苏州评话的传统节目约有五十多部，其中包括讲史性的《西汉》、《东汉》、《三国》、《隋唐》、《金枪》、《岳传》、《英烈》等，俗称“长靠书”，又称“着甲书”；侠义性的《水浒》、《七侠五

义》、《小五义》、《绿牡丹》、《金台传》等，俗称“短打书”，此外还有神怪故事和公案书如《封神榜》、《济公传》、《彭公案》、《施公案》等。

苏州评话的节目形态多属长篇故事，分回逐日连说。每天说演一回，每回约一个半小时。通常一部书能连说月余，长的可达一年半载。其艺术表现以单线顺叙为主，用“未来先说、过去重提”的方法进行前后呼应，同时用不断设置“关子”的办法来制造悬念、吸引听众。中华人民共和国成立后，苏州评话编演了一批新书目，重要的有《江南红》、《铁道游击队》、《林海雪原》、《烈火金钢》、《敌后武工队》等，还出现了一些中短篇节目。

近些年来，苏州评话听众锐减，书场萎缩，艺人大量流失，生存发展面临危机，急需加以扶持和保护。

苏州评弹·苏州弹词

◎ 申报地区或单位：江苏省苏州市

苏州弹词是以说唱相间的方式用苏州方言表演的“小书”类曲艺说书形式，发源并流行于以苏州为中心的江苏东南部、浙江北部和上海等吴语方言区，大约形成于明末清初。由于和苏

曲藝

州评话同属说书行业，曾经拥有共同的行会组织，民间即习惯性地将其与苏州评话合称之为“苏州评弹”。

苏州弹词的表演通常以说为主，说中夹唱。唱时多用三弦或琵琶伴奏，说时也有采用醒木作为道具击节拢神的情形。演唱采用的音乐曲调为板腔体的说书调，即所谓“书调”。因流传中形成了诸多的音乐流派，故“书调”又被称之为“基本调”。早期演出多为一个男艺人弹拨三弦“单档”说唱，后来出现了两个人搭档的“双档”和三人搭档的“三个档”表演。

苏州弹词的艺术传统非常深厚，技艺十分发达。讲究“说噱弹唱”。“说”指叙说；“噱”指“放噱”即逗人发笑；“弹”指使用三弦或琵琶进行伴奏，既可自弹自唱，又可相互伴奏和烘托；“唱”指演唱。其中“说”的手段非常丰富，有叙述，有代言，也有说明与议论。艺人在长期的说唱表演中形成了诸如官白、私白、咕白、表白、衬白、托白等等功能各不相同的说表手法与技巧，既可表现人物的思想活动、内心独白和相互间的对话，又可以说书人的口吻进行叙述、解释和评议。艺人还借鉴昆曲和京剧等的科白手法，运用嗓音变化和形体动作及面部表情等来“说

法中现身”，表情达意并塑造人物。在审美追求上，苏州弹词讲求“理、味、趣、细、技”。“理者，贯通也。味者，耐思也。趣者，解颐也。细者，典雅也。技者，工夫也”。

苏州弹词的节目以长篇为主，传统的代表性节目有《三笑》、《倭袍传》、《描金凤》、《白蛇传》、《玉蜻蜓》、《珍珠塔》等几十部。早期的著名艺人有清代的王周士、陈遇乾、毛菖佩、俞秀山、陆瑞廷、姚豫章、马如飞、赵湘舟和王石泉等。清末民初出现了大批女演员。20世纪30年代以来，随着广播电台的兴起，苏州弹词进入鼎盛期，节目丰富，流派纷呈，以演唱的音乐风格区分，就有“沈（俭安）调”、“薛(筱卿)调”、“魏（钰卿）调”、“夏（荷生）调”、“周（玉泉）调”、“徐(云志)调”、“蒋(月泉)调”等十多种。

中华人民共和国成立后，苏州弹词艺术经过艺人们自觉的整旧创新，艺术上有了很大的飞跃。新节目不断涌现，长篇有《白毛女》、《新儿女英雄传》、《李闯王》、《青春之歌》、《苦菜花》、《红岩》、《野火春风斗古城》、《红色的种子》、《江南红》、《夺印》、《李双双》等，中篇和常独立演出的“选回”有《老地保》、《厅堂夺子》、《玄都求雨》、《花厅评理》、《怒碰粮船》、《庵堂认母》和《一定要把淮河修好》、《海上英雄》、《芦苇青青》、《新琵琶行》、《白衣血冤》、《大脚皇后》等。

然20世纪末期以来，苏州弹词听众锐减，书场萎缩，艺人大量流失，生存发展面临危机，亟待抢救和扶持。

238 扬州评话

◎ 申报地区或单位：江苏省扬州市

扬州评话是以扬州方言徒口讲说表演的曲艺说书形式，流行于苏北地区和镇江、南京、上海等地。兴起于清初，不久就形成了“书词到处说《隋唐》，好汉英雄各一方”的繁荣局面，独步一时的书目有《三国》、《水浒》等10部，身怀绝技的著名说书家也有20余人之多。到了乾隆年间，有的艺人根据自己的生活体验加工充实传统节目，有的则创编新书。如屡试不第后成为扬州评话艺人的叶霜林把自己的遭遇和激愤心情寄寓到《岳传》中，说演《宗留守交印》“声泪俱下”，感人至深；浦琳根据自己的生活经历编说《清风闸》，塑造了以皮五辣子为代表的一批社会底层人物形象，影响深广；艺人邹必显独创新书《飞跎传》，讽刺嘲笑的矛头直指统治阶级中的显赫人物，一定程度上反映了受压迫者的心声，丰富了扬州评话的表现内容。

扬州评话在艺术上以描写细致、结构严谨、首尾呼应、头绪纷繁而井然不乱见长，表演讲求细节丰富，人物形象鲜明，语言风趣生动。艺人在创作和表演中还十分注意渲染扬州本地的风光，具有浓郁的地方色彩。扬州评话表演上善于借鉴吸纳兄弟艺术的长处，注重口技的运用。

其中《三国》和《水浒》是两部深受欢迎又自成流派的长篇节目，说演《三国》者以清咸丰、同治年间的李国辉、蓝玉春最为著名且影响深广，为后世所宗法，号为“李派”和“蓝派”；李国辉所传8个弟子时称“八骏”，其中的康国华以说演孔明角色见长而有“活孔明”之誉，由他开创的《三国》说演风格人称“康派”。说演《水浒》的名家有邓光斗，以表情动作精彩而获“跳打《水浒》”之誉。后来艺人王少堂在继承前辈《水浒》书艺的同时，发展了其中的宋江、武松、石秀、卢俊义等四个“十回书”，自成一绝，人称“王派《水浒》”。

扬州评话的传统节目分为三类，其中包括讲史演义类的《东汉》、《西汉》、《三国》、《隋唐》、《水浒》、《岳传》等，公案侠义类的《绿牡丹》、《八窍珠》、《九莲灯》、《清风闸》等和属于神话灵怪类的《封神榜》、《西游记》、《济公传》等。中华人民共和国成立后，整理出版了王少堂的长篇《水浒》，即宋江、武松、石秀、卢俊义四个“十回书”，出版了《扬州评话选》和《扬州说书选》，与此同时，还出现了根据小说编演的《烈火金钢》、《林海雪原》、《红岩》和夏耘等创作的《挺进苏北》、李真创作的《广陵禁烟记》等一些长篇和中短篇书目。这一阶段的著名演员有王筱堂、王丽堂、俞又春、李信堂和惠兆龙等。

扬州评话现在面临前所未有的困境，演出队伍萎缩，听众老化，书场陈旧，后继乏人，生存与发展受到严峻挑战，亟待有效保护。

239 福州评话

◎ 申报地区或单位：福建省福州市

福州评话是以福州方音讲述并有徒歌体唱调穿插吟唱的独特说书形式，流行于福建省的福州、闽侯、永泰、长乐、连江、福清、闽清等十几个县市及台湾省和东南亚的福州籍华侨集居地。

福州评话约形成于明末清初，相传是柳敬亭的大弟子居辅臣到福州双门楼授徒传艺而流传下来的。由存世的清代雍正、乾隆年间福州评话刻本《七星白纸马》等来看，当时福州评话已很盛行。

福州评话的唱调分为序头、吟唱和诉牌三类。序头用以演述正书之前的短篇书赞，类似古代说书的“入话”；吟唱是基本唱腔，可用于表唱，也可表现人物的内心独白和人物之间的对话，曲调包括【高山流水】、【浪淘沙】、【连珠】、【滴滴金】、【泪句】等；诉牌的音乐性较强，在人物表白身世和倾诉冤情时使用，唱时以筷子敲铜铙钹来间奏。另外，还有一些结合故事情节采用的民谣曲调，如【贺年歌】、【真乌仔】、【三十六叫】、【五字叠】等。

福州评话的节目繁多，按题材通常分为长解书、短解书、半长短书、公案书和家庭书5种。长解书都是历史故事，有《三国》、《隋唐》、《精忠岳传》等；短解书是武侠故事，有《七侠五义》、《彭公案》、《施公案》等；半长短书有《水浒》等；公案书专讲清官为民请命和平冤决狱的故事，为福州评话独有且富于地方色彩，《王公十八判》、《珍珠被》、《长泰十八命》等为其中代表性的作品；家庭书多反映家庭伦理与悲欢离合的故事，如《甘国宝》、《双玉蝉》、《玉蝙蝠》等。中华人民共和国成立后福州评话编演了《九命沉冤》、《流水欢歌》、《小城春秋》、《保卫延安》等新节目，形成一定影响。

福州评话从伴奏乐器的形制、吟诵表演的方式、独特的曲本体裁和传统的话本题材等方面看，都具有十分重大的历史和文化价值，被称为古老曲艺的“活化石”。但是，福州评话的当代生存与发展面临着巨大的困难，需要大力扶持和保护。

240 山东大鼓

◎ 申报地区或单位：山东省

山东大鼓是我国北方现存最早的曲艺鼓书暨鼓曲形式，相传形成于明代末期，已有三百五十多年的历史。它发源于鲁西北农村，又名“犁铧大鼓”，或作“梨花大鼓”。最初只是敲击犁铧碎片伴奏，采用山东方言来演唱当地

的民歌小调，后逐渐发展为有板式变化的成套唱腔、敲击矮脚鼓和特制的半月形梨花片并有三弦伴奏的说唱表演形式。

清末以前，山东大鼓一直活跃于农村，著名艺人有郭老占、何老凤、范长凤、李老凤等，以后白妞（王小玉）、黑妞进入城市演唱，女艺人大量增加。享盛名的有上半截、下半截、盖山东、白菜心、郭大妮等。20世纪30年代以后享名曲坛的是所谓的“四大玉”，即谢大玉、李大玉、赵大玉、孙大玉。之后，杜大桂、姬素英、鹿巧玲相继而起，山东大鼓流传地区由山东城乡扩展到徐州、南京、上海、郑州、洛阳、汉口、重庆，北至北京、天津和东北各地，盛极一时。

山东大鼓传统节目繁多，已知有中篇《三全镇》、《金锁镇》、《大破孟州》、《大送嫁》、《范孟亭推车》等数十部；短篇段儿书尤为丰富，以《三国》题材的唱段最多，有《东岭关》、《长坂坡》、《河北寻兄》等六十余段；其次是《红楼梦》题材的唱段，有《黛玉葬花》、《宝玉探病》等十余段；《水浒》唱段有《李逵夺鱼》、《燕青打擂》等。另外还有一些根据戏曲故事、民间传说故事编写的唱段，以及由子弟书移植过来的唱段等，共计二百余段。中华人民共和国成立后，还编演了不少新节目。

山东大鼓历史悠久，音乐唱腔独特，节目蕴藏丰富，地方色彩浓郁，它直接促发了山东快书的形成，并对“乔派”河南坠子和西河大鼓等的形成与发展产生过重大影响，具有很高的历史文化价值。20世纪后期以来，山东大鼓逐渐趋于衰落，现在仅有少数演员还能演出，亟待扶持保护。

241 西河大鼓

◎ 申报地区或单位：河北省河间市

西河大鼓是北方较为典范的鼓书暨鼓曲形式，普遍流行于河北境内并流传周边河南、山东、北京、天津和内蒙古及东北地区。在流传过程中曾有过“大鼓书”、“梅花调”、“西河调”、“河间大鼓”和“弦子鼓”等名称，20世纪20年代在天津被定名为“西河大鼓”，沿用至今。

西河大鼓由木板大鼓发展而来，创始人一般认为是木板大鼓的著名艺人马瑞河（马三疯子），起源时间约在清代道光、咸丰年间。

西河大鼓的表演形式为一人自击铜板和书鼓说唱，另有专人操三弦伴奏。其唱腔简洁苍劲，风格似说似唱，韵味非常独特。传统节目长、中、短篇都有，已知名目的有中长篇一百五十余部，书帽及小段三百七十余个，内容多为历史征战故事和民间通俗演义，情节曲折，语言生动，是我国优秀的民间艺术遗产。

西河大鼓自诞生之日起就受到广大流行地群众的喜爱，出现过马瑞河、朱化麟（朱大官）、毛贲（王振元）、王再堂（转眼王）、张双来、郝英吉、赵玉峰、马连登、王书祥、李全林、马增芬、王艳芬、段少舫等著名艺人，以及《响马传》、《呼家将》、《薛家将》、《刘公案》、《施公案》、《前后七国》、《小两口争灯》等经典节目。20世纪中后期以来，西河大鼓的传承与发展出现了空前的危机，创演凋零，传人断档，大有消亡的危险，亟待抢救和保护。

242 东北大鼓

◎ 申报地区或单位：辽宁省沈阳市
黑龙江省

东北大鼓是主要流行于我国东北即辽宁、吉林、黑龙江三省的曲艺鼓书暨鼓曲形式，因一度盛行于沈阳，而沈阳于清末曾设奉天府，故曾有“奉天大鼓”之称。民国十八年奉天省改称辽宁省后，又曾称作“辽宁大鼓”。东北大鼓约形成于清代中期，最初的表演形式是演唱者一人操小三弦自行伴奏说唱，并在腿上绑缚“节子板”击节，也叫“弦子书”。后发展成一人自击书鼓和简板演，另有人操大三弦等专司伴奏，说唱表演采用东北方音。

东北大鼓早期主要在乡村流行，民间俗称“屯大鼓”。演唱的曲调是当地人们熟悉的土腔土调，唱词也不甚讲究。许多艺人在演出中甚至当众翻看唱本，照本宣科地演出，俗称“把垛说书”。演出的节目以中篇为主，有《回杯记》、《瓦岗寨》、《彩云球》、《四马投唐》、《白玉楼》等。19世纪末东北大鼓进入城市，主要演唱短段节目，唱词也移植了一些子弟书词。知

名艺人有车德宝、门振邦、王德生、张万胜等。20世纪初期，大批女艺人进入东北大鼓表演行列，男艺人退而伴奏。当时知名的女艺人有刘问霞、金蝴蝶、尹莲福、侯莲桂等，其中刘问霞曾获得过“奉天大鼓鼓王”的称号。号称“书场姊妹花”的朱玺珍和朱士喜姐妹挑梁的“朱家班”曾于20世纪30年代到天津演出，朱玺珍在那里被誉为“辽宁大鼓皇后”；由傅凌阁及其4个女儿傅凤云、傅翠云、傅桂云和傅慧云挑梁的“傅家班”，则将东北大鼓带到了北京。

在长期的传播过程中，东北大鼓形成了不同的艺术流派，如20世纪中期出现的“奉调”、“东城调”、“江北派”、“南城调”和“西城调”等，各派都拥有自己的传统节目。“奉调”以沈阳为活动中心，唱腔徐缓，长于抒情，多演出《露泪缘》、《忆真妃》等移植子弟书词的短段节目，代表性艺人有霍树棠等；“东城调”以吉林为活动中心，以演唱《三国演义》和《红楼梦》题材的节目为主，代表性艺人有任占奎等；“江北派”以哈尔滨松花江以北地区为活动中心，代表性艺人有刘桐玺等；“南城调”以辽宁营口为活动中心，代表性艺人有徐香九等；“江北派”和“南城调”有一个共同的特点，就是表演的节目多说唱《呼家将》和《薛家将》等长篇大书；“西城调”以锦州为活动中心，擅长表演《罗成叫关》等悲壮故事，代表性艺人有陈清远等。

中华人民共和国成立后，东北大鼓创作表演的反映现实生活的新节目较多，根据文学作品改编的重要的新节目有《烈火金钢》、《红岩》、《节振国》等长篇大书和《杨靖宇大摆口袋阵》、《白求恩》、《渔夫恨》、《毛主席来到十三陵》、《刑场上的婚礼》等短篇唱段。

东北大鼓在流行地人民的娱乐生活中占有重要地位，其曲本和音乐也影响了其他艺术，如《忆真妃》被多种鼓曲移植，唱腔曲牌【慢西城】被二人转吸收等等。但在20世纪末期以来，东北大鼓的听众大批转移，传承和演出遇到严重困难，生存出现危机，在此情势下，保护和发展东北大鼓刻不容缓。

243 木板大鼓

◎ 申报地区或单位：河北省沧县

木板大鼓是流布于河北大部分地区的一种曲艺鼓书形式，有小口大鼓、清口大鼓、梅花调、老木板子、老北口木板、怯大鼓、鼓碰弦儿、弦子鼓儿、木板西河调、憋死牛等别称。表演时一人左手持木板，右手持鼓楗，站立说唱中轮番敲击木板和书鼓，使之与说唱相配合，

另有人持三弦专司伴奏。木板大鼓相传形成于清代乾隆年间，知名艺人有李文通（李尚志）、曹占奎、李殿奎、张百奎、邓连奎、李振奎、马瑞河、马瑞林、朱化麟、庞凤城、胡金祥、曹金升和何贵海等，其中尤以马瑞河（马三疯子）、朱化麟（朱大官）和庞凤城影响最大，贡献最多。木板大鼓沧州地区发展得较有特色，出现过王福贞和穆汉青两个支派，王福贞因影响巨大，人送绰号“沧州红”。

木板大鼓的传统节目非常丰富，短篇有《老鼠告猫》、《劝人方》、《度林英》、《郭巨埋儿》、《目连救母》、《赵五娘》等百余段；中篇有《二度梅》、《响马传》、《武松传》、《千里驹》、《金环记》和《姜公案》等上百段；长篇有《左传春秋》、《吴越春秋》、《英烈春秋》、《走马春秋》、《金盒春秋》等“五大春秋”和《薛家将》、《杨家将》、《呼家将》、《包公案》、《刘公案》、《海公案》等“三将三案”，以及《飞龙传》、《马潜龙走国》等数十部。其唱腔音乐为板腔体，曲调简洁独特，粗犷浑厚，对北方许多鼓书与鼓曲如西河大鼓、京韵大鼓、京东大鼓、乐亭大鼓、竹板书等的形成与发展，都产生过不同程度的影响，具有十分独特的艺术价值。

进入21世纪以来，木板大鼓的传承与发展陷入了困境。知名的木板大鼓民间艺人仅有8人，最年轻的也已57岁，前景非常令人担忧。有关部门对此应加以重视，制定方案加以拯救和保护。

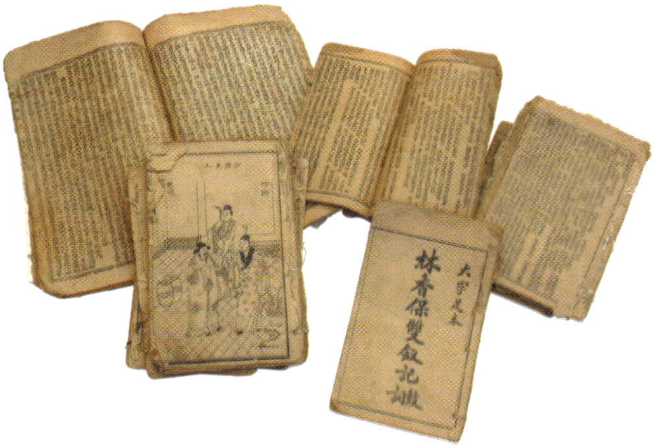

244

乐亭大鼓

◎申报地区或单位：河北省乐亭县

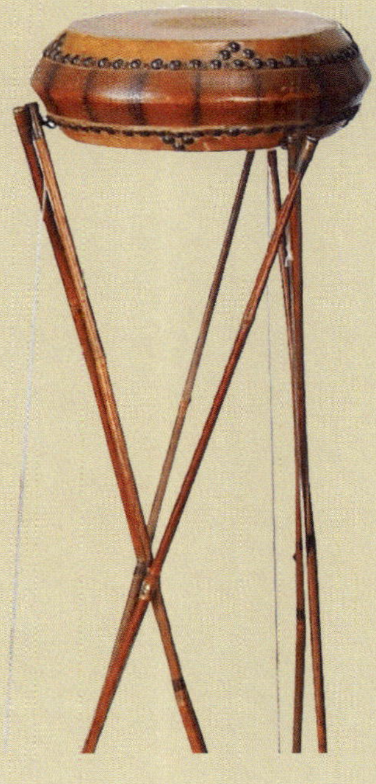

乐亭大鼓是北方较有代表性的曲艺鼓书暨鼓曲形式，广泛流传于冀东、京、津及东北的辽宁、吉林、黑龙江等地。演出时由一人自击鼓板站立说唱，另有人分持三弦等乐器伴奏。乐亭大鼓相传约150年前后由温荣创立于河北乐亭县，曾与评戏、唐山皮影并称“冀东民间艺术的三朵花”。自形成以来，名家辈出，流传较广，有较为深厚的群众基础和文化底蕴。温荣之外，其传人陈际昌、齐祯（齐珍）、冯福昌、王恩鸣、王德有、戚用武、戚文峰、韩香圃、靳文然、张云霞、贾幼然、姚顺悦等是各个历史时期的代表性艺人。其中尤以民国时期的韩香圃和靳文然最为著名，他们各自的艺术被分别尊为“韩（香圃）派”和“靳（文然）派”。

乐亭大鼓世代相承的传统曲（书）目达三百多个，长、中、短篇均有，《东汉》、《隋唐》、《三侠五义》、《呼

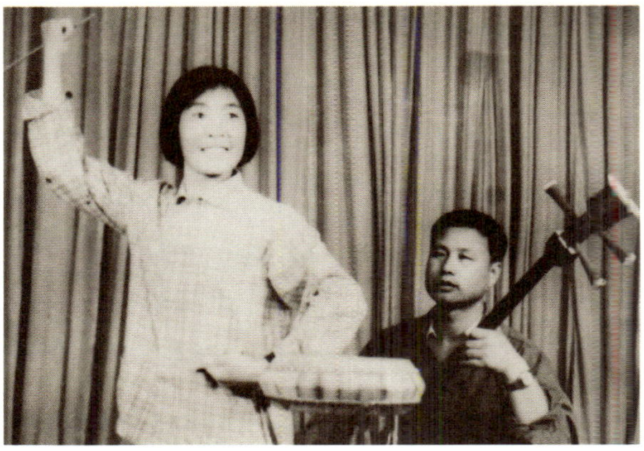

延庆打擂》、《金陵府》、《小上坟》、《蓝桥会》、《古城会》、《玉堂春》、《长生殿》等是其中的典型代表。乐亭大鼓的唱词多有灵动儒雅之气，文学价值较高。其唱腔音乐为板腔体，曲调丰富多变。除有完整的慢板、流水板、快板、散板外，并有上字调和凡字调两种不同调性的往复转换，板式变化十分灵活。

目前，乐亭大鼓在发展中出现了严重颓势，急需扶持和抢救。

245 潞安大鼓

◎申报地区或单位：山西省长治市

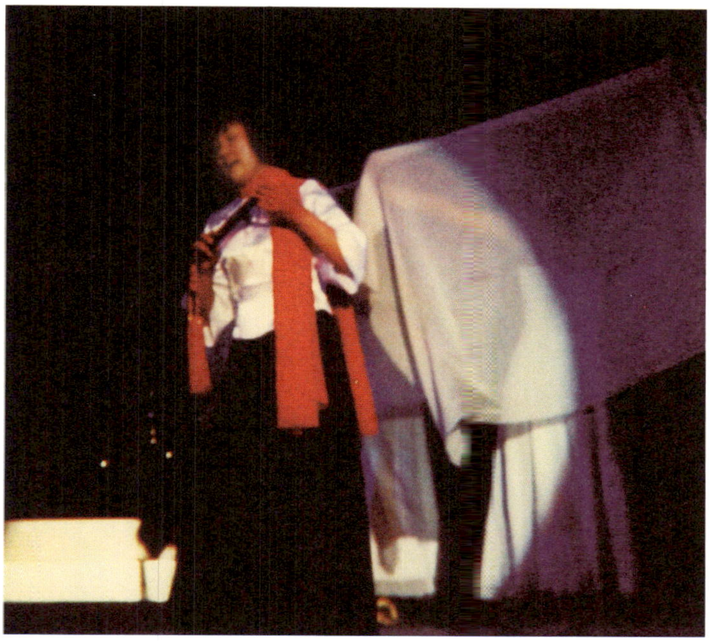

潞安大鼓是北方富有鲜明地域特色的传统鼓书暨鼓曲形式，又称“潞安老调”，因流行于古潞安府（今山西长治）一带而得名，另外还有“干板腔”和“潞安鼓书”等别称。早在清乾隆三年便有驰名于上党一带的鼓书艺人路占元、董祥五等联络潞安府八县的百余名艺人成立“盲子队”，即鼓书艺人的演出活动班社，后来发展成为行会组织“三皇会”。据此，一般认为至迟在清代中叶潞安大鼓就已经形成了。早期艺人主要为盲人，后来有了明目人，20世纪50年代起出现了女艺人。民间传统的潞安大鼓表演形式为多人分持鼓板、三弦、二胡、低胡等分行当围圈说；走上高台后通常由一人敲击鼓板站立说唱，另有专人分司三弦和二胡等伴奏。其唱腔音乐为板式变化体，曲调丰富，旋律优美，富于乡土气息。传统节目有《打登州》、《破孟州》、《燕王扫北》、《巧连珠》、《巧奇缘》、《拙老婆》等。高福树和于树田等为影响较大的知名艺人。

20世纪末期以来，潞安大鼓的传承发展遇到了空前困难，急需大力抢救保护。

246 京东大鼓

◎ 申报地区或单位：天津市宝坻区

京东大鼓是一种采用京东方音说唱表演的曲艺鼓书暨鼓曲形式。表演形式为一人击鼓站唱，另有人分持三弦、扬琴等乐器伴奏。约形成于清代中叶，在不同时期和不同地方有过不同的称谓，如京东怯大鼓、乐亭调、平谷调大鼓、平谷调、乐亭调大鼓、四平调大鼓、乐亭大鼓（与形成并流行于河北乐亭县的乐亭大鼓名同实异）、铁片大鼓、铁板大鼓、承德地方大鼓等。京东大鼓源于京东河北的三河、香河与天津的宝坻地区，流行于河北廊坊、承德、保定、唐山、北京怀柔和天津宝坻一带。它20世纪初流入天津时在小型曲艺演出场所演出，主要说唱长篇大书。30年代初天津宝坻人刘文斌在天津商业电台播演《刘公案》，极受广大群众喜欢，京东大鼓的影响由此日趋扩大，后逐渐传到北京、唐山等地。

1949年以前，京东大鼓的著名艺人很多，有邓殿奎、于七、王宪章、刘俊海、傅士亭、张士诚、石金荣、王佩臣、魏西庚、刘文斌、齐文周等。传统曲目和书目非常丰富，包括短篇鼓曲《王婆骂鸡》、《耗子告猫》、《杨八姐游春》、《湘子上寿》、《鞭打芦花》、《小姑贤》，中篇鼓书《响马传》、《包公出世》、《王定保借当》、《葛红霞扫北》、《刘公案》，长篇鼓书《大八义》、《小八义》、《杨家将》、《呼家将》、《双合记》、《反唐》等。1933 年，香河艺人于景元在天津仁昌电台演播《石兰传》时，称之为“京东大鼓”，“京东大鼓”之名就此通行起来。

1949 年以后，京东大鼓的演出以天津宝坻的业余演员董湘昆最为著名。他在保留传统唱腔的基础上，将原来的使用京东各地方音表演改为采用普通话说唱，并进一步加工和规范唱腔，不断创作出适应时代发展的新曲目，深得广大观众的喜爱。在董湘昆等人的不懈努力下，20 世纪六七十年代京东大鼓的发展走向高峰，其曲种的影响也遍及北方各地。

进入 21 世纪以来，由于传人减少，演出不多，京东大鼓的发展出现了空前危机，急需扶持和保护。

247

胶东大鼓

◎ 申报地区或单位：山东省烟台市

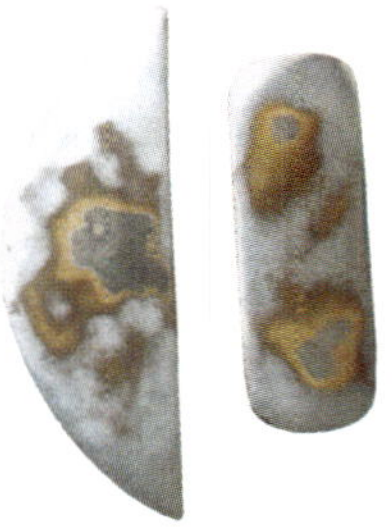

胶东大鼓初为盲人所创，早年的演唱者都是说书兼算卦。到了清嘉庆之后，才结合【靠山调】慢慢发展成早期大鼓的曲调。20 世纪 20 年代，流行胶东半岛各地的盲人，吸收东路大鼓、莱阳弹词、茂腔等唱腔曲调，得到新的发展。

胶东大鼓是流行于胶东半岛上的一种鼓曲形式，大致可分为三路。按乾隆初年荣成、刘学义出现时推算，该曲种产生已有二百五十年左右的历史。

胶东大鼓的伴奏乐器有鼓、板和三弦。

1937年抗日战争爆发，胶东各地盲艺人基于爱国热情，将盲人组织“三皇会”改建为“盲人抗日救国会”，以演唱大鼓进行抗日宣传。

胶东大鼓在胶东民间民俗文化中占有重要地位，是丰富多彩的胶东民间民俗文化的一个缩影，在各个历史时期，特别是在抗日战争时期，发挥了重要的作用，影响巨大。

发掘、抢救和保护胶东大鼓，对烟台地区乃至全国的精神文明建设，丰富人民群众的文化生活，提高人民群众的素质，促进人们全面发展，构建社会主义和谐社会，都将产生重要的促进作用。

248 河洛大鼓

◎申报地区或单位：河南省洛阳市

河洛大鼓，起源于清末民初，是在洛阳琴书的基础上发展起来的。洛阳琴书旧称“琴音”，早期的伴唱乐器是我国传统的七弦古琴。“琴音”在官宦、商绅和文人之间传唱，词曲典雅，流入民间后，改称“琴书”，其琴也改为扬琴。洛阳琴书早期演唱方式多为闭目坐唱，其唱腔委婉细腻，字少腔多，节奏缓慢拖沓，其演唱书目也多为才子佳人悲欢离合的中、短篇故事。19世纪初，河洛大鼓由洛阳琴书和“单大鼓”结合，并吸收了河南坠子的一些曲调而形成。其早期被人们称为“大鼓书”、“鼓碰弦”、“钢板书”。 20世纪50年代初定名为河洛大鼓。唱腔属板腔体，板式丰富，方便演说各类书目。在传统节目中，以公案书、武侠书和袍带书等长篇书目为多。

在河洛大鼓传承过程中，先后出现过许多知名的艺人。第二代传人有“说书状元”之称的张天倍，在洛阳几乎家喻户晓；第三代传人程文和，享誉豫西，并曾代表河南参加全国首届曲代会，一曲《赵云截江》受到国家领导人的赞赏；第四代传人段介平，以及原河南省曲艺团团长王小岳等，都曾独树一帜，闻名遐迩。然而，随着时代的发展变化，洛阳曲艺跌入低谷，许多市、县取消了曲艺团队，曲艺演员大多改行或流入民间，自生自灭。近些年来，一些知名老艺人相继过世，后继乏人，这一在洛阳地区具有代表性的曲艺品种濒临消亡，亟待抢救和保护。

249 温州鼓词

◎申报地区或单位：浙江省瑞安市

温州鼓词是流行于浙江温州及其毗邻地区的一个曲艺品种，俗称“唱词”。因过去的艺人多为盲人，故又称为“瞽词”或“盲词”。它用温州方言表演，具有浓厚的地方色彩和独特的艺术风格，在清代中期已见流传。

温州鼓词的表演形式说唱相间，唱腔音乐为板腔体，基本曲调为“吟调”，节奏整齐，朗朗上口，板式变化丰富。其演出以一人“单档”为主（也有夫妻、兄妹、师徒等双档形式），演员自弹牛筋琴伴奏说唱。20世纪70年代后，曾出现过3人以上的组合演出形式。

温州鼓词的艺术传人已知的有清代的白门松、阿光儿、毛行发、陈昌德，民国时期的曹佶卿、陈壬莲、李庆新、李林姆、白象珍、王阿坤，中华人民共和国成立以来的管华山、阮世池、郑明钦、丁凌生、陈志雄、方克多、徐玉燕、林秀珍等。温州鼓词艺术积累十分深厚，传统书目众多，其中包括神话题材的《南游》和《封神》，公案题材的《包公案》，讲史题材的《征东》和《征西》，世情题材的《十二红》和《八美图》，武侠题材的《七侠五义》和《七剑十三侠》等。新编节目有《海英》、《铁道游击队》、《小二黑结婚》、《秋香爱社》等。

进入21世纪以来，温州鼓词的发展面临困境，演出很少，传人断档，急需保护。

250 陕北说书

◎ 申报地区或单位：陕西省延安市

陕北说书是西北地区十分重要的曲艺说书形式，主要流行于陕西省北部的延安和榆林等地。最初是由穷苦盲人运用陕北的民歌小调演唱一些传说故事，后来吸收眉户、秦腔及道情和信天游的曲调，逐步形成为说唱表演长篇故事的说书形式。

陕北说书的传统表演形式是艺人采用陕北方音，手持三弦或琵琶自弹自唱、说唱相间地叙述故事。根据伴奏乐器的不同，或称之为“三弦书”，或称之为“琵琶书”。自20世纪三四十年代，陕北说书在著名艺人韩起祥等的改造下，发展成一人同时操用大三弦（或琵琶）、梆子、耍板、名叫“麻喳喳”的击节木片和小锣（或钹）五种乐器进行伴奏的曲艺说书形式。

陕北说书的唱词通俗流畅，有浓郁的地方特色；曲调比较丰富，风格激扬粗犷，素有“九腔十八调”之称，其中常用的有【单音调】、【双音调】、【西凉调】、【山东腔】、【平调】、【哭调】、【对对调】、【武调】等。

陕北说书的传统节目很多，其中代表性的长篇有《花柳记》、《摇钱记》、《观灯记》、《雕翎扇》等，短段有《张七姐下凡》等。从20世纪40年代起，陕甘宁边区文协成立了说书组，由新文艺工作者林山等帮助韩起祥和其他艺人陆续编演了一些配合革命斗争的新书目，如《刘巧团

圆》、《王丕勤走南路》、《宜川大胜利》、《翻身记》、《我给毛主席说书》等。韩起祥和刘绪旺、宪福祥、王进考等是富有影响的陕北说书名艺人。近些年来，陕北说书的发展陷入困境，老艺人们逐渐离世，艺术传承后继乏人，急需扶持和保护。

251 福州伬艺

◎ 申报地区或单位：福建省福州市

福州伬艺是一种传统的曲艺唱曲形式，流行于福建省的福州市及闽侯、长乐、连江、福清等县，并传播到台湾省及港澳地区，在缅甸、新加坡、印度尼西亚等国的福州籍华侨聚居区也有演唱。它原名伬唱。自1943年从业艺人成立“福州市伬艺乐唱联谊会”始，定名为福州伬艺。

相传福州伬艺是由民间卖唱艺人在民歌小调的基础上参照民间社火活动创造发展而来，约形成于明代嘉靖年间。清代出现了不少以表演伬艺为主的民间班社，称为“伬社”，著名的有运云霄、驾云天、雅乐天、同乐轩等。太平天国时期，浙江、安徽、江西的流民大量逃亡福建，陆来的艺人聚集在福州的经院巷和较场沿一带，以江淮小调、莲花落及弋阳腔沿街卖唱，对当地的伬艺产生较大影响。抗日战争后，伬艺表演渐趋衰落。中华人民共和国成立之初，有关部门对福州伬艺进行扶持，成立了福州市伬艺工作者联谊会，建立了5处专门表演伬艺的场所，并组织艺人成立演出队和演唱小组进行演出。1960年又成立了以表演伬艺为主的福州市曲艺团，使这门传统艺术得以复兴。

福州伬艺使用福州方音说唱，表演形式通常为一至二人自操二胡或三弦说唱表演，以唱为主，间有说表，另有人以三弦、月琴、低胡等伴奏。其中说唱表演的长篇节目称为“评

话伬”，多人各操二胡、三弦、月琴、低胡及板鼓、檀板、摔磬、单钹、横笛、笙、小唢呐等自行伴奏围唱或轮递演唱的方式称为“全堂伬”。传统社火表演中进行的伬艺表演还辅助以跑旱船、踩高跷、台阁、马上、打莲花棍等杂技性的动作表演。福州伬艺的唱腔曲牌分“逗腔”、“江湖”、“飐歌”和“小调”四类，另有【采莲鼓】、【贺年歌】、【螃蟹歌】、【数落】等民间小调。其节目以中篇故事为主，辅之以散曲演唱。传统节目按照使用的唱腔曲牌，分为江湖伬本、飐歌本、逗腔伬本和小调唱篇四类，其中属于江湖伬本的代表性节目，有《珍珠塔》和《金龟母》等，属于“飐歌伬本”的代表性节目有《白扇记》和《拣茶记》等，属于逗腔伬本的代表性节目有《紫玉钗》、《猴告状》、《灵芝草》和《王昭君》等。这些节目是福州伬艺节目的主体，此外尚有各种曲调综合运用的平讲伬。20世纪后半期出现了不少反映现实生活的新节目，影响较大的有《红色三兄弟》、《锦绣河山》、《一帧照片》、《思归》等，同时还整理演出了《思儿》等一些优秀的传统曲目。

进入21世纪以来，福州伬艺的发展处于濒危状态，书场已经全部消失，舞台演出也从20世纪30年代的每年四千余场锐减到现在的每年不到300场。人才青黄不接，曲本散失严重，演员已不足15人，流派艺术严重失传，招生传习困难重重，急需加以有效扶持和大力保护。

252 南平南词

◎ 申报地区或单位：福建省南平市

南平南词是流行于福建北部南平的一种曲艺形式，一般认为是江南的南词于清嘉庆年间由苏州传入南平之后逐渐与当地的民歌小调融合发展而成。

南平南词的表演形式是由一人主唱，另有多人分执不同乐器列坐周围，按照不同的行当轮递配合说唱。

南词在18世纪后期传入南平，刚刚传入时即出现过著名的活动班社“静逸轩”，至今已历二百多年，传人有九代之多，艺术传统相当深厚，艺术生命力十分顽强。但是，南平南词在今天的发展中出现了问题，后继乏人，困难重重，急需加以扶持和保护。

253 绍兴平湖调

◎ 申报地区或单位：浙江省绍兴市

绍兴平湖调又称“越郡南词”，简称“绍兴平调”，是流行于浙江绍兴及其周围地区的一种曲艺形式，因所唱主要曲调为【平湖调】而得名。相传这一曲艺初创于明代初期，成型于清代初期。

绍兴平湖调的表演方式为一人自弹三弦说唱，以唱为主，间有说白。另有二人、四人或六人专司伴奏，称为“三品”、“五品”或“七品”。主要的唱腔曲调为【平湖调】，具体又分【衰衣谱】和【细调】两种。其节目分“节诗”和“回书”两种，“节诗”为短篇唱段，“回书”为中长篇内容。绍兴平湖调的传统节目有《甘罗记》、《古玉杯》、《双鱼坠》、《双珠凤》、《白蛇传》、《三蜻蜓》和《十美图》等。

平湖调文辞高雅，曲调优美，旋律丰富，风格独特，具有较强的文学性、音乐性和艺术性，是明清江南曲艺唱曲艺术在绍兴的传承和发展，它对于培育和提高流传地民众的文化素养，有着十分重要的作用。

时至今日，绍兴平湖调后继乏人，濒临消亡，急需加以关注和保护。

254 兰溪摊簧

◎ 申报地区或单位：浙江省兰溪市

兰溪摊簧是形成并流行于浙江中西部兰溪地区及金华和衢州等地的一种曲艺唱曲形式。

相传清乾隆末年，一位县衙中的官差公务之暇在兰溪集商贾子弟传授由江苏传来的“摊簧”曲调，采用当地方言演唱，借以消闲自娱，久而久之，逐渐发展形成了具有自身体系的兰溪摊簧。至光绪二十六年（1900），兰溪城区出现了专门演唱兰溪摊簧的“余庆社”，后易名为“群乐会”、“咏春会”。兰溪摊簧一时趋于兴盛。抗日战争时期，城区艺人避难乡下，兰溪摊簧随之而传入兰溪乡村的永昌、诸葛、游埠等地。

兰溪摊簧文辞典雅，演唱讲究字清腔纯和字正腔圆，一直为文人雅士所喜好。流风所及，其他的坐唱班亦以自命风雅者为多，唱奏者多穿长衫，举止文雅，素有“摊簧先生”之称。坐唱班除应成员间亲朋好友之邀为喜庆助兴或敬神献唱外，一律不搞经营性唱奏。由于活动方式仅限于爱好者之间，传布不广，加上战乱影响，至20世纪40年代末期，兰溪摊簧几近绝响。

后来，兰溪摊簧许多优美的唱腔曲调被婺剧吸收。运用兰溪摊簧创编的婺剧《李渔别传》、《苦菜花》和《僧尼会》等由此成为艺术精品。20世纪80年代，在编纂中国十部文艺集成志书的过程中，对兰溪摊簧的艺术传统进行了相应的挖掘和整理，并因此恢复创作了一批新节目，民间的摊簧演唱活动也得以开展。但面对种种冲击，兰溪摊簧如何获得发展，走向繁荣，依然是一个严峻的问题，需要加以特别关注。

255 贤孝

（凉州贤孝、河州贤孝）

贤孝·凉州贤孝

◎ 申报地区或单位：甘肃省武威市

凉州贤孝又称“凉州劝善书”，是流布于甘肃省武威市凉州区城乡及毗邻的古浪、民勤和金昌市永昌县部分地区的一种古老而悠久的民间曲艺说书形式。据相关史料，它形成的历史至少可追溯到元末明初。

历史上凉州贤孝的演唱者多为盲人，师徒相承，口传心授。其内容主要以表演英雄贤士、烈妇淑女、孝子贤孙、帝王将相和才子佳人的故事为主，寓隐恶扬善、喻时劝世、因果报应、为贤尽孝等宗旨于其中，故名“贤孝”。

凉州贤孝的表演形式为一人自行伴奏说唱，即说白、诵唱和伴奏一般都由一人完成。唱词语言以凉州方言为主，通俗易懂，幽默风趣。表演中，艺人们边与听众交流，边有即兴发挥，往往妙语连珠。

凉州贤孝的音乐唱腔十分丰富，并保留着许多古老的曲牌，既有“凉州杂调”，又吸收了地方民歌的曲调，融汇化用，自成一格。

随着社会的发展，一个时期以来，凉州贤孝的听众基础正在逐渐失去，演出也没有了固定的场所，加之艺人队伍青黄不接，生存面临考验，这个古老曲艺形式的发展举步维艰，急需扶持保护。

贤孝·河州贤孝

◎ 申报地区或单位：甘肃省临夏市

河州贤孝又称“河州唱书”、“贤孝弹唱”、“河州三弦善书”、“临夏贤孝”、“河州调”等，是流传在甘肃临夏地区的一种传统曲艺形式。它形成于明末清初，因表演内容多宣扬劝善惩恶、忠臣良将、妻贤子孝的内容而得名。

河州贤孝的传统表演形式为一人（过去主要是盲人）手持三弦，自弹说唱。其节目数量颇多，多为艺人们据书编就，世代流传。为了便于区别，艺人们把表现国家兴亡、忠臣良将的节目叫“国书”，《伍子胥过江》、《三国演义》、《薛仁贵征东》、《杨家将》、《包公案》等即属此类；反映日常生活中孝顺父母、男女情爱的节目叫“家书”；此外还有《王祥卧冰》、《郭巨埋儿》、《孟宗哭竹》等以“二十四孝”故事为内容的节目和《白猿盗桃》、《花厅相会》、《小丁丁》等剧目。

河州贤孝历史悠久，形式古朴。但由于目前赖以生存和发展的社会环境发生了变化，它在广大城乡的展示平台逐渐消失，急需加以保护。

256 河南坠子

◎ 申报地区或单位：河南省

河南坠子是一种比较独特的曲艺形式，俗称“坠子书”、“简板书”或“坠板书”，因使用坠子弦（又名坠琴）伴奏而得名。它流行于河南等中原地区和华北的部分省市，约在清代道光年间形成。

河南坠子使用河南方音说唱表演，以唱为主，唱中夹说，所用唱腔主要包括【平腔】、【快扎

板】、【武板】、【五字坎】和【垛板】等。早期艺人均为男性，著名的有将坠子书带到安徽太和的郭成德和从道情说唱改为坠子书表演的薛玉湘、赵明堂、胡明善、徐振东、艾宝莲等。民国初年，又有孙民德、冯治邦、党治法、刘世禄、程万林、高治安等艺人在开封和郑州一带享有盛名。河南坠子常演的节目有《偷石榴》、《小姑贤》、《三打四劝》、《王麻休妻》等“段儿书”和移植自道情说唱的《回龙传》、《响马传》、《五虎平西》、《狸猫换太子》等“长篇书”。

辛亥革命后，随着男女平等思想的不断深入人心，河南坠子表演开始出现了女性艺人，已知最早的一批女艺人为从开封相国寺出道登场的张三妮和尹凤宝等。她们的出现及家班的形成，使得河南坠子的表演在通常的自拉自唱之外又出现了男拉女唱或男女对唱的方式。不久河南坠子即传入京津等大城市，影响也随之不断扩大。20世纪30年代末期，在河南的南乐、大名和清丰一带享名的乔利元和乔清秀夫妇应邀赴天津演出，董桂枝、程玉兰等名演员随后而至。她们在天津坐场演出又灌制唱片，影响日隆。其中乔清秀和乔利元的搭档演出风格独具，节奏流畅，吐字清脆，唱腔婉转，人称“小口”、“巧口”或“乔派”； 程玉兰的演唱以板眼规整、深沉含蓄见长，人称“老口”或“程派”；董桂枝的演唱嗓音圆润、朴实明朗，人称“大口”或“董派”。女演员的出现使河南坠子的表演在大城市里的发展趋向短段“唱曲”，虽然丰富了唱腔旋律，扩展了唱腔音域，提高了伴奏技巧，但也丢失了长篇说唱的特质与优势。在河南本地，当时比较著名的艺人有擅演“风情书”的赵言祥、擅演《三国》段子的张治坤、号称豫东“四大名演”之一的李凤鸣等，女艺人则有以表演细腻见长的刘明枝、以表演妩媚著称的刘桂枝和以表演豪放夺人的刘宗琴，三人同时以擅演长篇大书著名，时人称为“郑州三刘”。到了抗日战争时期，河南坠子相继传入上海、沈阳、西安、兰州、武汉、重庆和香港等地，成为中国流行最广的曲艺形式之一。

河南坠子的伴奏乐器有专职伴奏者使用的脚梆和坠胡，说唱演员使用的简板、铰子、矮脚书鼓与醒木等。其中由道情改演河南坠子的艺人多用简板击节，由三弦书改演河南坠子的艺人多用铰子击节，由大鼓书改演坠子的艺人多用矮脚书鼓，醒木则多在说唱长篇书时使用。说唱表演的方式除了早期一个人演出的“单口”和后来发展出的双人演出的“对口”外，还有三个人搭档演出的“群口”，几种方式各有适宜的节目。

中华人民共和国成立之后，河南坠子的创作和表演更加自觉，出现了一大批名家名作。王树德及其《黄道翻身桥》、刘宗琴及其《李逵夺鱼》、赵铮及其《摘棉花》和《双枪老太婆》、宋爱华及其《双赶车》等是其中的代表性作品。

20世纪末期以来，河南坠子的生存发展遇到空前困难，艺人锐减，演出很少，急需扶持与保护。

257 山东琴书

◎ 申报地区或单位：山东省

山东琴书是山东重要的地方曲艺品种，又称“唱扬琴”或“山东扬琴”。它源于明代中期鲁西南菏泽(古曹州)地区兴起的民间小曲自娱演唱形式“庄家耍”(又称“玩局”)，至清代中期，原来唱曲使用的伴奏乐器古琴和古筝改为扬琴（又称“蝴蝶琴”）、四胡、古筝、琵琶、简板和碟子，表演为多人分持不同乐器自行伴奏，分行当围坐表演，以唱为主，间有说白或对白。

山东琴书采用山东方音表演，因脱胎于民间的“小曲子”联唱，所用唱腔曲调十分丰富，约有曲牌二百多支。发展为琴书说唱之后，使用的曲调逐渐集中，以所谓“老六门主曲”即【上合调】、【凤阳歌】、【叠断桥】、【汉口垛】、【垛子板】、【梅花落】最为常用，清末民初以来又进一步发展为以【凤阳歌】和【垛子板】为主要曲调，穿插少量小曲进行说唱的音乐体制，节目也以中长篇书为主，兼唱小段儿。

山东琴书分南、北、东三路流行，并有各自的代表性艺人和流派。南路为最早的一支，流行于鲁西南地区，以茹兴礼及其创始的“茹派”最具代表性，演唱不用花腔巧调，行腔深沉，咬字真切，节目多为愤世之作；北路以济南为中心，广泛流行于鲁西北地区，以邓九如及其创始的“邓派”最具代表性，表演善用方言俚语，于纯朴中显幽默，平易中求韵味；东路以广饶、博兴为中心，流行于胶东各地，以商业兴、关云霞夫妇及其创始的“商派”最具代表性，唱腔优美动听，富于变化。

山东琴书的传统代表性节目很多，长篇有《白蛇传》、《秋江》及移植来的《杨家将》、《包公案》、《大红袍》等多部，中篇有《王定保借当》、《三上寿》、《梁祝姻缘记》等七八十部，短段儿多为早期小曲子节目中传承下来的经典之作。

中华人民共和国成立后，山东琴书得到新的发展，流行范围扩大至山东省以外，经过加工整理的优秀传统节目《梁祝下山》、《水漫金山》等及新创作的中篇《李印》，短篇《十女夸夫》、《姑娘的心愿》、《大林还家》、《锔瓷盆》都有重要影响。

山东琴书文化底蕴丰厚，对吕剧的发生发展产生过重大影响，是山东吕剧的直接母体，历史文化价值比较独特。如今它的发展遇到了前所未有的困难，急需加以保护和扶持。

258 锣鼓书

◎ 申报地区或单位：上海市南汇区

锣鼓书旧称“太保书”，“太保”系由上海郊县农村中求保佑太平的活动“太卜”衍化而成。因演出时由演员自击锣鼓演唱故事，民间亦称之为“堂锣书”、“神鼓书”。新中国成立后，令其名称为“锣鼓书”。锣鼓书的起源与形成期尚无确考，形成地点在上海市郊，清末民初已广泛流行于沪郊东、西乡，并传布到浙江嘉兴、平湖一带。

“太卜”仪式类似道教的道场，其目的是为生者驱瘟逐疫。仪式以说唱形式表现，有道白、吟唱、独唱、对唱等。内容系民间传说和历史故事，与宗教仪式无关，仅用以示神娱民。久而久之，这种形式逐渐从宗教仪式中脱胎而出，发展为单独的民间说唱形式。

锣鼓书的基本演出形式是演员自击锣鼓，唱表说书。早期都是单人坐演，20世纪50年代末逐渐改为双人或多人站立说唱乃至表演唱，伴奏乐器亦逐渐增加，配有琵琶、扬琴等丝弦小乐队，而常用的主要演出形式为单人说唱配乐队。流传过程中因地域不同，锣鼓书音乐有川沙、南汇一带的“东乡”和松江、金山一带的“西乡”之分，曲调有【金平调】、【杏调】等。

20世纪三四十年代，上海的太保书颇为繁盛。南汇城厢出现了专说太保书等的茶园“鲁班阁”。下沙一带因艺人代代相传，成为荟萃太保书艺人的“太保窝”。外号黑皮的艺人徐连奎把太保书一直唱入上海市区城隍庙。抗日战争时期，太保书正式进入市区，当时较有影响的演员有胡善言、王俊发等。

1949年以后，仅有少数沪书艺人兼唱太保书。1957年，上海市文化局挖掘民间曲艺，艺人胡善言创作了现代中篇节目《打盐局》，南汇县文化馆又推陈出新，编演了第一部以“锣鼓书”为曲种名的现代短篇节目《芦花荡里稻谷香》。从此，太保书改名为锣鼓书，以革新面目渐渐复苏于业余曲艺舞台。

锣鼓书演出多以长篇和中篇的传统书目为主，1949年以后的业余演出则以现代题材的短篇和开篇为主。传统书目有“小书”（即重唱的文书）与“大书”（即重说的武书）之别，但以“小书”居多，如《网船过渡》、《九更天》、《高桥八美图》、《双珠球》、《玉蜻蜓》、《珍珠塔》、《白蛇传》、《文武香球》等；“大书”则有《英烈传》、《罗通扫北》、《呼家将》、《后兴唐》、《七剑十三侠》等。《王婆骂鸡》、《芦花荡里稻谷香》等短篇节目，《打盐局》、《林冲夜奔》等中篇节目及《十二月野花名》、《螳螂做亲》等开篇节目都有一定的代表性。锣鼓书的内容多取材于民间传说、演义小说和家庭伦理与历史故事，具有浓厚的乡土风味与地方特点。

由于时代的变迁，锣鼓书演出萎缩，老艺人相继谢世，现今能表演的艺人锐减至5人，整个锣鼓书已到了难以维系的地步，急需加以扶持和保护。

259 绍兴莲花落

◎ 申报地区或单位：浙江省绍兴县

绍兴莲花落是流行于浙江绍兴一带的曲艺说书形式，它形成于清代道光和咸丰年间。

形成之初，艺人们的行艺方式为沿门说唱，多演唱恭喜发财、吉祥如意之类的套辞，后逐渐形成有故事情节的段子，称为“节诗”。这类节诗包括《娘家节诗》、《长婆节诗》、《分家节诗》、《大衫节诗》等，大多取材于民间日常生活或民间传说，一个节诗叙述一个情节较为简单的故事，具有滑稽、夸张、讥讽、幽默的特点。此后艺人又开始以绍兴方言说唱长篇书目，其

说表语言通俗生动，唱词通顺流畅，幽默风趣，有说有唱，以唱为主。代表性的传统长篇节目有《闹稽山》、《马家抢亲》、《天送子》等，以后借鉴和吸收戏剧及其他说唱文艺的本子，又出现了《何文秀》、《百花台》、《顾鼎臣》、《游龙传》、《龙灯传》、《珍珠塔》、《后游庵》等书目。

绍兴莲花落的唱腔曲调早期为“哩工尺”，由一人主唱，旁有一两人以“工尺”为辞帮和。20世纪20年代后，开始以四胡伴奏，逐步形成传承至今的“基本调”。

绍兴莲花落艺人多因个人爱好由别业转入，并无严格的师承关系。后来出现了专业演员，倪齐全、潘家富和翁仁康均是有代表性的当代传人。

当前，绍兴莲花落的发展面临着如何适应新形势的问题，进一步保护与发展这种艺术已成为一个艰巨的任务。

260 兰州鼓子

◎ 申报地区或单位：甘肃省兰州市

兰州鼓子是形成并主要流行于甘肃兰州地区，用兰州方音表演的曲艺形式。相传甘肃农村流传的以唱【打枣歌】和【切调】为主的“送秧歌”形式流入兰州后以清唱方式表演，形成兰州鼓子，时在清代中晚期。清末民初兰州鼓子又受到北京传来的“单弦八角鼓”和陕西传来的“迷胡子”（眉户）等的影响，艺术上进一步定型。其表演形式为多人分持三弦、扬琴、琵琶、月琴、胡琴、箫、笛等坐唱，走上高台后由一人自击小月鼓站唱，另有多人用三弦、扬琴、琵琶、月琴、胡琴等伴奏。兰州鼓子唱腔的音乐结构属于曲牌联套体，常用的唱腔曲牌有【坡儿下】、【罗江怨】、【边关调】等四十余支。长期以来，兰州鼓子主要由业余爱好者演唱，职业艺人很少，王义道、曹月儒、唐江湖、马东把式、张国良、卢应魁等是早期比较有名的兰州鼓子唱家。其传统节目内容极为广泛，既有历史故事和民间传说题材的中长篇，也有咏赞景物和喜庆祝颂的短段。广受听众欢迎的节目有“闺情曲”和“英雄曲”两类，前者如《别后心伤》、《拷红》、《莺莺饯行》、《独占花魁》等，后者如《武松打虎》、《林冲夜奔》、《延庆打擂》等，也有一些反映消极出世思想的作品，以《红尘参透》、《渔樵问答》等最为典型。20世纪40年代中期，热心兰州鼓子的爱好者李海舟（1907—1983）组织了“南山学会鼓子研究会”，调查保存了不少兰州鼓子的艺术资料。中华人民共和国成立后，兰州鼓子开始走上高台，出现了一些新节目，代表性的有《杨子荣降虎》、《夺取杉岚站》、《劫刑车》、《韩英见娘》等，知名演员有段树堂、王子英、张麟玉、王雅录等。

长期以来，兰州鼓子的继承发展处于自流状态，艺人很少，演出难见，急需采取有力措施加以扶持和保护。

261 扬州清曲

◎申报地区或单位：江苏省扬州市

扬州清曲是在明清时期流行于扬州一带的俗曲和小调基础上发展形成的曲艺唱曲形式，又名“广陵清曲”、“维扬清曲”，俗称“小唱”或“唱小曲”，主要流行于江苏省的扬州、镇江和上海等地，用扬州方音表演。它在清代初期即已形成。传统的表演形式为一二人至八九人分持琵琶、三弦、月琴、四胡、二胡、扬琴，及檀板、碟子、酒杯等自行伴奏坐唱，走上高台后大多由5人分持琵琶、三弦、二胡、四胡和扬琴自行伴奏坐唱。唱腔曲调为各类曲牌，早期主要用【劈破玉】、【银纽丝】、【四大景】、【倒扳桨】、【叠落金钱】、【吉祥草】、【满江红】、【湘江浪】等，后来主要用【软平】、【骊调】、【南调】、【波扬】、【春调】、【补缸】、【鲜花调】、【扬子调】、【杨柳青】、【雪拥蓝关】等。节目分为采用单支曲牌演唱的“单片子”和两支以上曲牌连缀或联套演唱的套曲两种类型。套曲又分为“小套曲”和“大套曲”，以【满江红】为主要曲调的套曲俗称“五瓣梅”。

扬州清曲的演唱分职业性和自娱性两种，前者在旧时以个人或家庭为单位，走街串巷或在航行于内河的客船上卖艺，后来主要由专业曲艺表演团体的专职演员进行表演；后者多系店员、小手工业者和知识阶层的市民客串演唱，有些人甚至在创作唱本和音乐曲调的改革整理方面多有贡献，还有些人做过一些理论性的整理研究工作，如王万青即著有《扬州清曲唱念艺术经验》。传统的代表性节目有《十杯酒》、《做人难》等"单片子"，《三国》、《水浒》、《西厢记》、《红楼梦》、《白蛇传》、《珍珠塔》、《黛玉悲秋》、《梁山伯与祝英台》、《秦琼卖马》、《苏三起解》、《竹木相争》、《烟花自叹》、《老鼠告状》等套曲。中华人民共和国成立后编演的新节目有《刘胡兰》和《工农兵》等。

据李斗《扬州画舫录》记述，扬州清曲的早期知名艺人有黎殿臣、陈景贤、刘天禄、刘禄观、牟七、金姑、潘五道士、郑玉本和朱三等。20世纪以来影响较大的艺人有黎子云、钟培贤、裴福康、王万青和尤庆乐等。

扬州清曲是历史较为悠久的曲艺唱曲形式，许多元明以来的古代民间俗曲，包括一些俗曲的原词，都在扬州清曲中得到了很好的保存。由于流播时间较长，它在传布中对其他地区的许多同类曲种产生过不同程度的影响。当前这一具有代表性的古老曲种由于种种原因已处于艺人流散、后继乏人的濒危状态，急需加以抢救和保护。

262 锦歌

◎申报地区或单位：福建省漳州市

锦歌是一种重要的曲艺唱曲形式，流行于以漳州为中心，包括厦门、晋江、龙溪在内的闽南平原地带及台湾省，原名“杂锦歌”，“锦歌”是通行的简称。大约产生于明末清初，兴盛于清代中期，与泉州南音并称为闽南民间艺术的姐妹之花。20世纪40年代以后，锦歌开始走下坡路。

锦歌的表演形式为多人围坐演唱，同时分持琵琶、洞箫、二弦、三弦及木鱼、双铃等自行伴奏。其唱腔音乐丰富繁杂，包括【五空仔】和【四空仔】等常用的主要曲调、【杂碎仔】和【念杂仔】等念诵性的曲词及“杂歌”与“花调仔”等吸收自姊妹艺术的曲调等多种类型。传统节目以《陈三五娘》、《秦雪梅》、《山伯英台》、《孟姜女》、《妙常怨》、《董永》、《吕蒙正》等最为著名。锦歌音乐唱腔海纳百川的丰富性反映出其艺术上兼容并蓄的开放品格，从一个侧面体现了流行地人民不拘一格、开拓进取的精神气质。

锦歌植根于民间，唱词通俗易懂，曲调优美流畅，具有浓郁的乡土气息。明末清初，郑成功收复台湾时，也把锦歌带至台湾，并与当地民歌、小调相结合，形成了“唱歌仔”的新形式。锦歌对姊妹艺术的哺育催生作用即此可见一斑。

随着时间的推移，现今人们对于锦歌的兴趣日益淡漠，锦歌艺术面临随时可能消亡的危机，需要设法加以保护。

263 常德丝弦

◎ 申报地区或单位：湖南省常德市

常德丝弦是湖南曲种湖南丝弦的重要分支，因在湖南丝弦中最为发达，影响最大，已然具有了独立曲种的地位。

湖南丝弦流传于湖南各地，因用扬琴、琵琶、月琴、三弦、二胡、京胡等丝弦乐器伴奏而得名。它系由江浙一带流入湖南的时调小曲和湖南本地的民歌曲调融合发展而成，时间约在清代初年。这个曲种用湖南方音表演，在湖南各地的流传中又形成了以常德为中心的“常德丝弦”、以长沙为中心的“长沙丝弦”、以浏阳为中心的“浏阳丝弦”、以平江为中心的“平江丝弦”、以衡阳为中心的“衡阳丝弦”和以邵阳为中心的“邵阳丝弦”等各具特色的支派，其中以“常德丝弦”最为繁盛。

包括常德丝弦在内的湖南丝弦的传统表演形式为多人分持扬琴、鼓板、京胡、二胡、三弦和琵琶等围坐一圈，轮递说唱，座次及乐器的位置均有一定之规，所谓“扬琴对鼓板，京胡对二胡，三弦对琵琶”，表演以唱为主，间有道白。道白分表白（第三人称）、说白（第一人称）、对白和插白 4 种，多为散文体式，偶有韵白。节目则多为《西厢记》、《二度梅》、《秦香莲》等长篇传奇故事。后来湖南丝弦走上高台，变为一至二人以简板等打节拍站唱，另有多人分持扬琴、鼓板、京胡、二胡、三弦和琵琶等专司伴奏，节目也趋于精短，代表性的有《秋江》、《追韩信》、《徐策跑城》、《四季相思》等。

湖南丝弦的唱腔音乐丰富多彩，根据所用的唱腔体式可分为“牌子丝弦”和“板子丝弦”两类。其中的“牌子丝弦”以演唱曲牌为主，曲调非常丰富，有源于南北曲的【普天乐】、【清江引】、【一支花】、【小桃红】等，有源于明清之际时调小曲的【银纽丝】、【九连环】、【倒扳桨】、【四大景】等，也有源于其他地方曲种和民歌的【莲花落】、【凤阳调】、【斗把高腔】、【安庆调】等。“板子丝弦”又分为“老路”和“川路”两种唱腔风格，“老路”为常德一带流行的本地唱法，风格深沉浑厚，代表性的节目有《雪梅吊孝》和《清风亭》等；“川路”相传在民国初期由四川艺人万斌成传来，风格热烈开朗，演唱俏皮风趣，代表性的节目有《拷红》等。“板子丝弦”的基本唱腔板式有【一流】、【二流】、【三流】3种。

常德丝弦拥有一百多个传统曲目，大部分取材于历史故事和民间传说，其中以《宝玉哭灵》、《鲁智深醉打山门》、《双下山》、《王婆骂鸡》、《昭君出塞》等最为著名。中华人民共和国成立后，又涌现出《新事多》、《夸货郎》、《风雪探亲人》等一批反映现实生活的新曲目。

常德丝弦有鲜明的地方特色和乡土气息，艺术价值较高。但因20世纪80年代以来缺少专业表演团体，加上老一辈丝弦艺人相继辞世，目前已面临失传的危险，亟待抢救和保护。

264 榆林小曲

◎申报地区或单位：陕西省榆林市

榆林小曲是形成并主要流行于陕北榆林地区的曲艺唱曲形式，相传由明代驻扎在榆林一带的军官蓄养的歌伎从江南带来，后在长期的发展演变过程中，以当地方言演唱并吸收化用了当地的民歌小调，丰富完善为今天的曲艺品种。

榆林小曲的表演形式为一人或二人主唱，多人分持扬琴、古筝、琵琶、三弦、京胡、碟子等伴奏并分不同行当兼唱。其唱腔音乐十分丰富，唱腔体裁为曲牌体，或单曲反复，或联曲串唱。伴奏乐器曲目多演绎男欢女爱和儿女情长的内容，尤擅表现由此生发出的离愁别怨。榆林小曲传统的节目有短有长，《日落黄昏》、《妓女告状》、《放风筝》及《梁山伯与祝英台》、《张生戏莺莺》等皆为其中的代表性作品。

历史上的榆林小曲主要是由爱好者以自娱自乐方式演唱，后来出现了作为乞讨手段的走街串巷演唱、堂会演唱及高台性的经营演出。在当地人的文化生活中，榆林小曲扮演过重要的角色。但是，时至今日，这种艺术形式的发展出现了传承乏人的困难，面临失传危险，需要设法加以保护。

265

天津时调

◎申报地区或单位：天津市

天津时调是我国北方较有代表性的时调小曲类曲种。其表演形式为一人或二人执节子板站唱，另有人操大三弦和四胡等伴奏。天津时调源于明清小曲，清末民初形成并流行于天津城区。其曲调非常丰富，包含许多天津地方民歌小调和外地流入天津的曲调，如天津本地流行的【靠山调】、【鸳鸯调】、【大数子】和一些外地流入但天津化了的民歌小曲如【拉哈调】、【秦琼悲秋】、【怯五更】、【后娘打孩子】、【叉杆解狱】、【对花】、【十杯酒】等，具有浓郁的乡土气息。

天津时调最初主要流行于天津底层市民聚集的南市、河东地道外、红桥区鸟市、和平区等处的曲艺演出场所，20世纪三四十年代逐渐衰落。新中国成立后，对【靠山调】等进行成功改革，使之成为主要的演唱曲调，并创作出许多精品节目。“文革”前期天津时调又一度陷入危机，改革开放后重获生机，日趋振兴，一些传统曲调、曲目恢复上演。但近年来天津时调发展又面临严峻的考验，出现了某种程度上的生存危机，亟待扶持和抢救。

266 新疆曲子

◎申报地区或单位：新疆维吾尔自治区昌吉回族自治州

新疆曲子是一个具有独特风格的地方曲艺品种，俗称“小曲子”，孕育形成于清代晚期，陕西“曲子”（越调）、兰州“鼓子”（鼓子调）、青海“平弦”（平调）及西北等地的其他民间俗曲传入新疆后，受新疆汉语方言字调的影响，并与新疆多民族音乐艺术相融合，逐渐形成新疆曲子。这种由汉、回、锡伯等民族群众共创共演的曲艺品种，主要流传分布于北疆沿天山一带的昌吉州八县市、乌鲁木齐、石河子、沙湾、伊宁、霍城、察布查尔和东疆的哈密、巴里坤及南疆的焉耆等地区。其表演形式为多人分持三弦、二胡、板胡和碰铃等自行伴奏，轮递演唱，唱腔音乐十分丰富。

新疆曲子是多民族艺术融合的结晶，深受广大群众的欢迎和喜爱，在长期的传承发展中，为流行地各民族传统文化的传承和伦理道德的教化，发挥了重要的功用。新疆曲子的存在有力地证明了新疆自古以来就是各族人民共同开发建设的，这里多姿多彩的文化艺术也是各族人民共同创造和发展的。

随着社会经济的急剧发展，新疆曲子的受众逐步减少，生存环境日渐狭小，一些颇有造诣的曲子艺人年事已高，逐步终止了演唱活动，老年艺人相继去世，后继乏人的现象日益明显，一些演唱和演奏技巧因此难以得到传承。濒危的新疆曲子，亟待抢救和保护。

267 龙舟说唱

◎ 申报地区或单位：广东省佛山市顺德区

龙舟说唱在民间又称“唱龙舟”或简称“龙舟”，是流行于广东珠江三角洲地区的一种曲艺形式，一般认为形成于清代乾隆年间，相传为一名原籍顺德龙江的破落子弟所创。其表演形式为一人或二人自击小锣或小鼓作间歇伴奏吟唱，声腔短促，高昂跌宕，诙谐有趣，富于宣泄效果。唱词以七言韵文为基本句式，四句为一组。腔调简朴流畅，富有乡土气息，宜于叙事抒情。节目内容丰富，从神话故事、民间故事到时事新闻几乎无所不包。但由于民间艺人识字不多，且多为口耳相承，流传下来的并不多。

历史上的龙舟说唱多由艺人走街串巷演出，在重大的民族节日或各种喜庆场合很容易觅见他们的身影。龙舟说唱中蕴含着大量的民俗信息，影响所及，连粤剧也吸收其唱腔为演唱的重要曲牌，曲牌的名字就叫【龙舟歌】或【龙舟】。

时下年轻一代价值取向转变，龙舟说唱出现了后继乏人的局面。龙舟说唱的核心流传地顺德，目前会唱者仅四五人，且未发现有主动拜师学艺的青年人，急需采取有力可行的保护措施，让龙舟说唱能继续传承下去。

268 鼓盆歌

◎ 申报地区或单位：湖北省荆州市

鼓盆歌是一种非常古老的曲艺形式，源于我国古代丧礼上“扑一个盆子当鼓打，唱歌陪丧家”的民俗活动，故又俗称“丧鼓”、“丧鼓歌”和“打鼓闹丧”，其具体的形成年代已无法确考。

鼓盆歌流传于江汉平原的沙市、荆州、江陵一带，其表演形式通常为一人或二人自击鼓板独唱或对唱。民间演出时热心的听众也可参与帮腔，即在每段唱词的开头和结尾一起齐唱，也有一人无伴奏的清唱形式。鼓盆歌唱腔有【平板】、【敲板】、【三句半】和【胡腔】等。表演中鼓的伴奏独具特色，其节奏在音乐的上下句落尾处出现强拍无重音的现象，悖于音乐节拍之常理，在中外音乐史上也比较罕见。

由于鼓盆歌的表演与民间习俗密切相关，所以它在艺术本身的价值之外还有着民俗学、社会学和文化学的多重价值。在现代化进程日益加快的今天，鼓盆歌与其他民间艺术形式一样出现了生存危机，需要加以重视和保护。

269 汉川善书

◎ 申报地区或单位：湖北省汉川市

汉川善书简称“善书”，又称“未开言”，是广泛流行于湖北汉川、天门、沔阳、潜江、孝感等地的曲艺说书品种。它在汉川最为兴盛，且蕴藏的传统最为深厚。

汉川善书形成于清末民初，由清初开始的“圣谕”宣讲活动发展演变而来。传统的表演形式为一人徒口说唱，民国时期发展为二人或多人分行当说唱。其表演程式分“宣”、“讲”、“答”、“对”等项，内容多高台教化和劝善祈福的色彩。唱腔曲调有【大宣腔】、【小宣腔】、【丫腔】、【梭罗腔】、【怒斥腔】、【哀思腔】等。汉川善书较为常见的传统节目有《滴血成珠》、《蜜蜂汁》、《安安送米》和《节烈坊》等。

汉川善书在当前的传承发展遇到了空前困难，青年艺人断档，传统流失严重，急需扶持保护。

270 歌册

（东山歌册）

◎ 申报地区或单位：福建省东山县

东山歌册是在广东潮州歌传入福建东山后经过地方化而发展形成的一种曲艺说书形式，民间俗称“唱歌册”。传唱过程中先后融入了南音等其他地方曲种和音乐的艺术因素与曲调，具有东山地方特色。

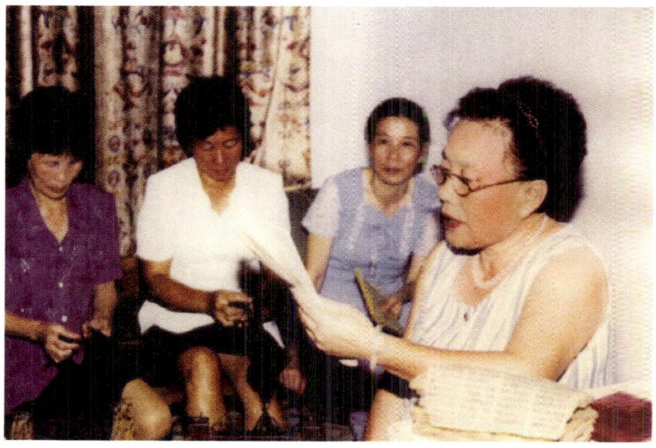

东山歌册的表演形式是由一人照本宣科式地吟唱长篇韵文体的叙事“歌册”。节目内容故事性强，文字浅显，唱词押韵顺口，唱腔韵律平稳。传统的歌册节目有《万花楼》、《崔鸣凤》、《陈世美》、《凤娇与李旦》、《隋唐演义》、《薛刚反唐》等，20世纪中期以来新创作的节目有《渔家女》和《织网歌》等。

东山歌册在旧时的妇女阶层中普遍流传，几乎被认为是妇女生活的教科书。东山妇女通过听唱歌册，认识历史，了解社会，增长知识，学做人，知善恶，识礼仪。人们视会唱歌册为体面之事，以歌册作陪嫁，形成新娘厅堂唱歌册的风俗。

东山歌册以口传心授方式传承，随着老歌手的相继去世，唱歌册濒临失传的危险。同时由于文化大革命中的破坏，原版的歌册十分稀少，演唱条件大受限制。唱歌册的活动在20世纪末期大为减少，至今几成绝响，急需大力扶持保护。

271 东北二人转

◎ 申报地区或单位：辽宁省黑山县、铁岭市
吉林省
黑龙江省海伦市

二人转是一种广有影响的曲艺唱曲形式，因表演时载歌载舞、曲舞相衬，故旧名“蹦蹦”，主要流行于辽宁、吉林、黑龙江三省和内蒙古自治区东部，用东北方音说唱表演，一般认为约在清代中期由东北大秧歌与关内传来的莲花落融合而成。它在发展中广泛吸收东北民歌、太平鼓、东北大鼓等姊妹艺术的音乐唱腔和表演技巧，唱腔曲调异常丰富。

二人转不仅有作为主体的“双玩艺”及多人唱叙演出的“群唱”形式，还有属于小戏体裁，由演员扮演角色的“单出头”和“拉场戏”形式。作为曲艺曲种的二人转“双玩艺”及“群唱”，表演形式或由甲乙二人扮成一旦一丑，载歌载舞，分行当说唱表演，或多人分持不同的伴奏乐器分行当轮递坐唱。其唱腔音乐十分丰富，素有“九腔十八调，七十二咳咳”之称，常用的唱腔曲牌有【胡胡腔】、【喇叭牌子】、【文咳咳】、【武咳咳】、【三节板】、【抱板】、【四平调】、【五字锦】、【红柳子】等，伴奏乐器有板胡、唢呐、竹板等。二人转唱词以七言和十言为主，兼有长短句式；表演讲究唱、说、做、舞四功的综合运用，其中唱功讲究“字儿、句儿、味儿、板

儿、腔儿、劲儿”，高亢火爆，亲切动听；说功分“说口”、“成口”（亦称套口）和“零口”，丑逗旦捧，多用韵白，也有说白和数板，语言风趣幽默，招人讨笑；做功（亦称扮功）讲究以身段和动作辅助演唱，强调手、眼、身、法、步等功法的综合运用；舞功以跳东北大秧歌舞为主，也吸收其他民间舞蹈和武打的成分，并有耍扇子、耍手绢、打手玉子、打大竹板等杂技性的绝活穿插其间，舞台效果十分热闹火爆。

随着流行地域的不同，二人转在发展中曾经形成东路、西路、南路、北路四个流派。其中东路以吉林市为中心，表演擅舞彩棒，有武打成分；西路以辽宁的黑山县为中心，讲究板头和演唱；南路以辽宁营口为中心，表演歌舞并重；北路以黑龙江的北大荒为中心，追求

唱腔的优美动人，故此历史上曾有二人转“南靠浪（舞），北靠唱，西讲板头东耍棒”的民谚。后来各路表演取长补短，互相融合，表演的侧重不再像以前那样明确。

二人转的传统节目以《蓝桥》、《西厢》、《包公赔情》、《杨八姐游春》、《猪八戒拱地》等最为著名。新中国成立后，又出现了《三只鸡》、《接姑娘》、《柳春桃》、《丰收桥》等新节目。20世纪以来有影响的二人转代表性艺人有辽宁的徐小楼、郎艳芳、小兰芝，吉林的程喜发、李青山、谷柏林，黑龙江的郭文宝、李太、胡景岐等。

长期以来，二人转深受东北广大人民群众特别是农民朋友的喜爱。东北民间流传着“宁舍一顿饭，不舍二人转”的说法。

272

凤阳花鼓

◎申报地区或单位：安徽省凤阳县

凤阳花鼓又称“花鼓”、“打花鼓”、“花鼓小锣”、“双条鼓”等，是一种集曲艺和歌舞为一体的民间表演艺术，但以曲艺形态的说唱表演最为重要和著名，一般认为形成于明代。

凤阳花鼓主要分布于凤阳县燃灯、小溪河等乡镇一带。其曲艺形态的表演形式是由一人或二人自击小鼓和小锣伴奏，边舞边歌。历史上艺人多以此为出门乞讨的手段，凤阳花鼓因此传遍大江南北。清康熙、乾隆年间，许多文人的诗文记录了凤阳花鼓表演时载歌载舞的热闹场面。清中期以后，舞蹈因素逐渐从民间的凤阳花鼓中淡出，仅剩下唱曲部分，分为“坐唱”和“唱门头”两种形式。

凤阳花鼓早期演唱的曲目多为当时的“时调”，主要有《凤阳

歌》、《鲜花调》、《王三姐赶集》、《秧歌调》等，每一首都曾被广泛传唱。随着历史的发展，凤阳花鼓的鼓、鼓条乃至击鼓方法都在不断变革。20世纪50年代初，新文艺工作者对凤阳花鼓加以改革，增加了一些新的表现手法，剔除了小锣，专用小鼓伴奏演唱，同时根据击鼓用的鼓条特征，将其改称为“双条鼓”。

目前，原生态的凤阳花鼓已经趋于衰亡，其中蕴涵的丰富艺术资源还远没有被挖掘出来，这份珍贵的民间艺术遗产急需保护。

273

答嘴鼓

◎申报地区或单位：福建省厦门市

答嘴鼓是流行于福建省闽南地区和台湾省及东南亚闽南籍华裔聚居地的一种以闽南语表演的曲艺谐谑形式。它近似对口相声，但对白却是严格押韵的韵语，语言节奏感很强，并长于运用丰富多彩、生动活泼、诙谐风趣的闽南方言词语和俚俗语，注重情节的展示与人物的刻画，讲究使用“包袱儿”与“韦登笑科”（爆笑料）以获取喜剧性效果，很受广大群众的喜爱。

由于海峡两岸同根同源，语言相通，习俗相同，近些年来答嘴鼓艺术在台湾老百姓当中同样红火。1991年6月，台湾宜兰举行了“台湾首届答嘴鼓比赛”，促进了台湾答嘴鼓艺术水平的提高。闽南答嘴鼓艺术家林鹏翔的答嘴鼓节目通过各种媒体向四方传播，在海外也引起了强烈反响，成为海外专家学者研究闽台民俗和语汇的宝贵资料。

然而，随着现代化进程的不断推进，能完整听讲闽南话的人，特别是青年人和外来人越来越少。答嘴鼓的活动空间日益狭窄，创作表演人员和受众群体年龄普遍老化。随着林鹏翔等老一辈艺人的相继去世，答嘴鼓的艺术传承出现了青黄不接的现象，这一曲艺形式面临断代失传的严重危机，急需设法加以抢救和保护。

274

小热昏

◎申报地区或单位：浙江省杭州市

小热昏是广泛流行于江浙沪一带的曲艺谐谑形式，又名“小锣书”，俗称“卖梨膏糖的”。它源于清末杭州街头的“说朝报”。“朝报”是当时杭州的地方小报，因印刷质量较差，卖报人为了招徕顾客，就一面敲小锣，一面念出报上的主要新闻，称为“说朝报”。

稍后，艺人把说朝报改为“说新闻、唱朝报”，自编自演。由于形式滑稽幽默，内容风趣，唱词通俗易懂，唱腔又是百姓熟悉的民歌和小调，故深得人们喜爱。

1905年，杜宝林把说唱朝报的形式运用到卖梨膏糖上，一改过去卖糖艺人那种单纯唱支小曲或说点小笑话的谋生方式，把说唱的内容由新闻朝报和生活趣事变为有简单故事情节、有人物性格和矛盾冲突的节目。因大多数节目表达了对现实生活的不满，经常招致官差驱赶，为逃避追究，故将这种形式取名为“小热昏”，意思是演员自己发昏说的胡话。表演形式定型为一人自敲小锣说唱，以唱为主，以说为辅。

民国初期，杭州盖世界游乐场成立，杜宝林应邀前往演出。为了丰富演出节目和表演技巧，他把杭州隔壁戏中的《萧山人拜门神》等节目移植过来，还吸收了隔壁戏中“学乡谈”（学说各地方言）和“吟叫”（模仿声响、效学百禽鸣叫）的表演技巧，又把自己的说唱形式称为“醒世谈笑”，但杭州人仍称其为小热昏。

小热昏不但深得观众喜爱，而且影响了姊妹艺术的形成与发展。1927年，杜宝林的学生江笑笑、鲍乐乐进入上海，演出《水果笑话》等小热昏节目，受到观众的热烈欢迎。此后，许多小热昏中的“卖口”节目逐渐被移植或改编成独脚戏节目，如《清和桥》等。其后在上海滑稽即独脚戏基础上发展起来的滑稽戏也移植改编了《火烧豆腐店》等小热昏节目。

后来，有人根据小热昏表演时敲击小锣伴奏的特点，称之为“小锣书”。至今已有六代传人，虽然还活跃在舞台上，但大都年事已高，急需培养接班人，而且大量传统曲目也需要记录和整理，抢救、保护工作迫在眉睫。

275 山东快书

◎申报地区或单位：山东省

山东快书是非常典型的韵诵表演的曲艺说书形式，因早期主要表演武松故事，武松又行二，故俗称之为“武老二”，艺人被称为“说武老二的”或“唱武老二的”；因为其所表现的主人公武松身躯高大魁伟，人们又将艺人称为“唱大个子的”。后来在不同时期这一曲艺形式还曾有过“竹板快书”、“滑稽快书”的名称。1949年6月艺人高元钧在上海大中华唱片厂灌制《鲁达除霸》唱片时，正式将其定名为“山东快书”。

山东快书主要流行于以山东为中心的华北地区。其起源有多种说法：一为明代万历年间落第武举刘茂基创始说，二为清代道光年间山东大鼓艺人傅汉章创始说，三为清代咸丰年间落魄文人赵大桅创始说。但据艺人师承推断，比较可信的说法为清代道光年间傅汉章创始说。山东快书创立之后经过赵震、魏玉河、吴洪钧、卢同武、卢同文、杜永春、马玉恒、

戚永立、范元德、高元钧、李元才、杨立德、刘同武、傅永昌等几代艺人的努力，发展成为影响整个华北和华东部分地区的大曲种。特别是20世纪中期，高元钧加入部队曲艺表演团体，在军队系统培养了一批专业山东快书演员，使山东快书的流布范围进一步扩大，影响遍及全国大部分地区。20世纪中后期有影响的演员还有刘司昌、孙镇业和高景佐等，同时也有一些女演员出现。其中，尤以高元钧和杨立德二人传徒较多，风格独特，影响较广。高元钧及其传人的表演火爆风趣，人称"高派"；杨立德及其传人的表演细腻俏皮，人称"杨派"。

山东快书的表演采用山东方音，以韵诵为主，间有说白。唱腔为典型的韵诵体，早期偏重"吟诵"，后来趋向"板诵"。唱法上有所谓"平口"、"俏口"、"贯口"和"散口"之别，说白所使用的"白口"又分为穿插说明性的"表白"和打岔议论性的"过口白"。唱词是以七字句为主的韵文，具有口语化和形象性的特点。

山东快书的传统看家节目是长篇《武松传》，但演出常常选取其中的回目或者段落，如《景阳冈》（又名《武松打虎》）、《十字坡》、《快活林》、《闹公堂》等。20世纪中期以来，山东快书的题材不断扩大，新节目不断出现，代表性的有宣传抗日的《智取袁家城子》和《大战岱崮山》，表现抗美援朝的《一车高粱米》、《三只鸡》、《抓俘虏》和《侦察兵》，反映社会主义建设和军队生活的《青海好》、《师长帮厨》、《张大发走娘家》、《李三宝比武》、《金妈妈看家》等。

进入21世纪以来，山东快书艺人青黄不接，亟待扶持。

276

乌力格尔

◎申报地区或单位：内蒙古自治区扎鲁特旗、科尔沁右翼中旗
辽宁省阜新蒙古族自治县
吉林省前郭尔罗斯蒙古族自治县

乌力格尔是一种蒙古族的曲艺说书形式，约形成于明末清初，广泛流传在内蒙古自治区各地及相邻的黑龙江、吉林和辽宁等省蒙古族聚居地区。

乌力格尔的汉语意思是“说书”，因采用蒙古族语表演，故又被称作“蒙语说书”。在蒙古族民间，将徒口讲说表演而无乐器伴奏的乌力格尔称为“雅巴干乌力格尔”，又称“胡瑞乌力格尔”；将使用潮尔伴奏说唱表演的乌力格尔称为“潮仁乌力格尔”；将使用四胡伴奏说唱表演的乌力格尔称为“胡仁乌力格尔”。有伴奏乐器的乌力格尔表演通常为一人自拉胡琴说唱，唱腔的曲调丰富多彩、灵活多变，其中功能特点比较明显的有【争战调】、【择偶调】、【讽刺调】、【山河调】、【赶路调】、【上朝调】等。

乌力格尔的艺术积累非常深厚，节目有短篇、中篇和长篇之分，尤以长篇最为引人，《镇压蟒古斯的故事》、《唐五传》（即《哭喜传》、《全家福》、《殇妖传》、《契僻传》、《羌胡传》）、《忽必烈汗》、《黄金史》、《西汉》、《元史演义》、《青史演义》、《白音那元帅》、《春秋战国》、《大西梁》、《北辽》、《三国演义》和《红楼梦》等都是其中的经典。乌力格尔节目的题材来源非常广泛，有的源于民间故事，如《太阳姑娘》；有的出自文人或艺人创作，如《青史演义》；有的源于民间叙事诗、叙事民歌，如《嘎达梅林》、《达那巴拉》；有的据现实生活中发生的事件创作，如《红太阳》、《烟酒之害》、《整齐的林落》；还有的从汉族相类形式或文学故事移植改编而来，如《三国演义》、《封神演义》、《杨金花夺印》等。中华人民共和国成立后编演的新节目有《二万五千里长征》、《刘胡兰》、《黄继光》、《女英雄郭俊卿》、《草原儿女》、《红色娘子军》、《红灯记》、《打虎上山》、《连心锁》、《金光大道》、《西沙儿女》、《创业》等。

历史上穿梭于内蒙古大草原和东北各蒙古族聚居地的乌力格尔艺人可谓群星璀璨。知名者有清代的旦森尼玛、白音宝力告、绰邦、叁不拉、萨仁满都拉、贺力腾都古尔、白坦奇、乌日塔那斯图和席恩尼图，民国时期的扎那、金宝山、常明、蒯莽、孟根高力套、额尔敦珠日合、布仁巴雅尔、温都苏、札木苏和希日布，中华人民共和国成立以来的琶杰、毛依罕、扎那、道尔吉、却吉嘎瓦、劳斯尔及包良、来喜、乌力吉桑、孟邦柱、仁钦、舒林、特格喜巴雅尔、德木希格、甘珠尔、元宝、特木尔高勒、孟根敖拉等等，他们都以乌力格尔表演艺术的高超而深受人们的欢迎。

在长期的发展演变中，不同流行地区的乌力格尔表演形成了各自不同的特点。如在科尔沁草原，“胡仁乌力格尔”较为发达，历史上形成了以孟根高力套、额尔敦珠日合、布仁巴雅尔为代表的三种不同风格的流派；辽宁省阜新蒙古族自治县的乌力格尔则移植编演汉族故事较为普遍，并曾孕育催生出“阜新蒙古剧”等新的艺术样式。

对于广大的蒙古族群众来说，乌力格尔不仅是他们文化生活的主要方式与手段，而且也是他们学习知识和培育精神的重要教育手段，在他们心目中，乌力格尔占有十分重要的地位。

进入20世纪80年代以后，许多知名的艺人相继去世，新的传人严重不足，再加上生活方式发生变化，娱乐方式趋向多样，乌力格尔艺术传统的生存和发展面临危机，演出日渐萎缩，活动阵地缺少，队伍后继乏人，亟待采取有力措施加以扶持和保护。

277 达斡尔族乌钦

◎ 申报地区或单位：黑龙江省

达斡尔族乌钦又作“乌春”，是达斡尔族的曲艺说书形式，形成并流行于黑龙江省齐齐哈尔市梅里斯达斡尔族区、富拉尔基区、富裕县和龙江县，内蒙古自治区莫力达瓦达斡尔族自治旗、呼伦贝尔盟、喜桂图旗，以及新疆维吾尔族塔城地区等达斡尔族聚居地。

乌钦本是在清朝年间由达斡尔族文人用满文创作并以吟诵调朗读的叙事本诗歌，后来民间艺人口头说唱表演这些作品，乌钦遂逐渐演变成含有“故事吟唱或故事说唱”之意的一个曲艺品种。乌钦最初的演出多为徒口吟唱，后来出现了艺人采用“华昌斯”（四弦琴）自拉自唱的情形。演唱的曲调也丰富起来，除了原有的吟诵调外，也采用叙事歌曲调和小唱曲调表演。乌钦的节目内容丰富，有讲唱民族英雄莫日根故事的，有反映爱情和婚姻生活的，有歌唱家乡山水风光的，也有讲述神话、童话和传说故事的。在这些节目中，尤以反映民族英雄莫日根历史为

绩的故事、具有史诗品格的《少郎和岱夫》及改编自汉族古典名著《三国演义》、《水浒传》等的故事最受达斡尔族民众的欢迎。节目的容量长短不一，长者可说唱几天几夜，短者几分钟到数小时不等。

传统乌钦演出多在逢年过节和吉日庆典期间，广大观众聚集在民家炕头，盘腿而坐聆听艺人说唱。中华人民共和国成立之后，出现了大量歌唱新生活和新时代的作品。如色热自编自演的乌钦曲目《歌唱英雄黄继光》、《祖国母亲》、《北京颂》和已故著名乌钦艺人何日格图自编自演的《一只铁桶的来历》、《自从见到毛主席》等。

乌钦具有鲜明的民族风格和地域文化特色，始终深受广大达斡尔族人民的喜爱。但在新的历史时期它的生存与发展遇到了严重的挑战，处于濒危状态，非常需要采取相应手段加以扶持和保护。

278 赫哲族伊玛堪

◎ 申报地区或单位：黑龙江省

赫哲族伊玛堪是赫哲族的曲艺说书形式，流行于黑龙江省的赫哲族聚居区。据现有资料，它至迟在清末民初就已经形成。

伊玛堪的表演形式为一个人说唱结合地进行徒口叙述，大体上以说为主，以唱为辅，没有乐器伴奏。传统节目长、中、短篇均有，代表性作品有《什尔达鲁莫日根》、《满格木莫日根》、《木竹林莫日根》、《英土格格奔月》、《亚热勾》、《西热勾》等。

伊玛堪的节目类型及演出风格有“大唱”和“小唱”之分。“大唱”即“伊玛堪大唱”，是指以说为主的表演，侧重和擅长表现英雄与传奇性的节目内容，如各种“莫日根（英雄）”故事和赫哲族人的创世传说；“小唱”即“伊玛堪小唱”，是指以唱为主的表演，侧重和擅长表现抒情性内容的短篇节目。

伊玛堪的唱腔音乐具有鲜明的民族特色，因流行地和艺人的不同，所采用的唱腔曲调也各有区别，常见的曲调有【赫尼那调】、【赫里勒调】、【苏苏调】、【喜调】、【悲伤调】和【下江打渔调】等。

伊玛堪是赫哲族人民生活中不可缺少的一种艺术品类和一种娱乐审美的方式。它同时还具有传承本民族历史文化的“教科书”功能，价值独特，意义重大。

279 鄂伦春族摩苏昆

◎ 申报地区或单位：黑龙江省

鄂伦春族摩苏昆是形成并流行于黑龙江大小兴安岭鄂伦春族聚居区的一种曲艺说书形式，形成于清代末期。“摩苏昆”是鄂伦春语，意为“讲唱故事”。演出形式多是一个人徒口表演，没有乐器伴奏，说一段，唱一段，说唱结合。其内容多讲唱“莫日根”的英雄故事，曲调多不固定，且因流行地的不同而有所不同，如流传在逊克的多用【库亚若调】，流传在呼玛的多用【库尧勒调】，流传在黑河的多用【因交调】，属于“类型曲调”。还有根据节目不同而使用不同曲调的情形，如演出《阿尔旦滚滚蝶》时必用【四季来临的时候】，演出《[illegible]飞鸟的故事》必用【渡口河边】，演出《猎人和心爱的妻子》必用【妻子的礼物】，属于“定型专用调”。另有自由

选用或借用各种曲调表演的情形。摩苏昆的艺术传承一直以口耳相传的方式进行，传统节目有《英雄格帕欠》、《宝贝年末日根》、《坤玛布库末日根》和《鹿的传说》等，著名艺人有莫海亭、李水花、魏金祥、初特温、孟德林等。

摩苏昆在形成后的整个20世纪，曾经是鄂伦春族人民重要的娱乐和教化手段，同时又是其民族精神和思想的载体，对于了解和研究包括鄂伦春族在内的北方各渔猎民族的社会、历史、经济、文化和宗教传统意义十分重大。但今天的摩苏昆遭到了现代化的强烈冲击，生存出现危机，急需加以保护。

280 傣族章哈

◎ 申报地区或单位：云南省西双版纳傣族自治州

傣族章哈又称“赞哈”，是傣族传统的曲艺唱曲形式，流传于云南省南部边陲的西双版纳傣族自治州及思茅市江城、孟连、景谷等地傣族村寨，与傣族毗邻而居的布朗族中也有传唱。章哈既是歌手称谓，也是作为曲艺表演形式的曲种名称。

章哈的具体演出形式可分为独唱和对唱两种，其中对唱有赛唱的性质。演出因伴奏乐器不同也分为两种形式，一种以傣族拉弦乐器玎伴奏，演唱内容多为山歌、情歌，多倾诉小伙子对姑娘的爱慕之情，称作“哈赛玎”；另一种以单簧吹管乐器筚伴奏，称作“哈塞筚”。章哈的演唱既有

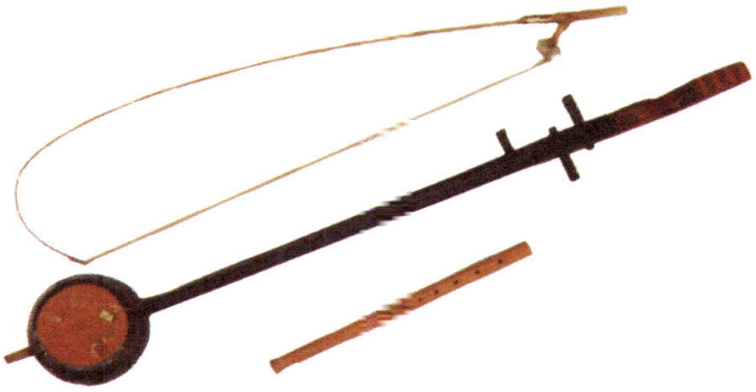

即兴演唱，也有程式化的祝福歌、祈祷歌，还有固定本子的叙事长歌等。其曲调与唱词语调联系密切，朗诵性与歌唱性有机结合，具有柔美抒情的特色。

章哈在傣族社会生活中有着不可替代的作用，其演出极为广泛，傣族新年、关门节、开门节、祭寨神、赕佛及贺新房、婚嫁礼仪、孩子满月等多种喜庆场合都要请艺人演唱章哈。

章哈曲目众多，保存了诸多傣族最原始古老的歌谣、神话和传说。它兴盛时期曾产生过康朗甩、康朗英、波玉温等享誉全国的著名艺人。近年来，老一辈章哈歌手逐渐老去、相继离世，加上傣族地区的城镇化进程日益加快，各种外来的艺术和娱乐形式涌入傣族地区，傣族民间听章哈的风习已远不及以往。今已无知名章哈歌手，一些长篇的演唱内容也逐渐失传，章哈的生存面临危机，亟待加以有效保护。

281 哈萨克族阿依特斯

◎ 申报地区或单位：新疆维吾尔自治区伊犁哈萨克自治州

哈萨克族阿依特斯是哈萨克族曲艺的典型代表，是一种竞技式的对唱表演形式。其传统节目主要表现哈萨克民族的历史、文化和感情，从唱词到音乐都充满浓郁的哈萨克口头文学和音乐文化特点，具有突出的历史文化价值，被誉为全面反映哈萨克人民社会生活的“一面镜子”和“百科全书”，堪称哈萨克民族的艺术瑰宝。

阿依特斯的对唱没有固定的曲牌或相应的唱腔流传，演唱者一般根据对唱的内容从语言本身生发旋律与节奏，并且多弹奏冬布拉为自己伴奏，也有不用冬布拉伴奏的徒口清唱。

阿依特斯的唱词均为即兴创作，并不固定，因此对艺人即“阿肯”的要求很高。阿依特斯艺人必须具有敏捷的才思和渊博的知识，具有出口成章的才华，世事洞明，人情练达，能在瞬间对答如流，以理以才服人。

由于是竞技式的对唱，阿依特斯艺人们在表演时通常采取扬己抑人的方式，力图先声夺人，

语言尖刻而又互相谅解，胜不骄，败不馁，胜者谦和有礼，败者不耻于输。阿依特斯的表演必须在众人聚集的场合下举行，通常在不同部落、不同地区的艺人之间展开。

随着市场经济的发展和文化生活的多元化，人们的审美需求也开始发生重大变化，哈萨克族的年轻一代对阿依特斯的兴趣越来越淡漠，这种古老的传统艺术，正面临消亡的危险。

282 布依族八音坐唱

◎ 申报地区或单位：贵州省兴义市

布依族八音坐唱又叫“布依八音”，是布依族世代相传的一种民间曲艺说唱形式。千百年来，它一直在南盘江流域的村村寨寨传承延续着。据传，布依八音的原型属于宫廷雅乐，以吹打为主。元明以后，由于布依族民族审美意识的作用，逐渐发展为以丝竹乐器为主伴奏表演的曲艺形式。

据有关资料记载，明清时期，布依八音曾一度盛

行。在盘江流域布依族村寨普遍开设有教乐坊“八音堂”，专门传授布依八音技艺，演出八音坐唱的八音队多时达到三百余支。新中国成立后，兴义市布依八音队多次应邀参加国内外演出，被誉为“盘江奇葩”、“凡间绝响、天籁之音”、“声音的活化石”、“南盘江畔的艺术明珠”。

八音坐唱的表演形式为八人分持牛骨胡（牛角胡）、葫芦琴（葫芦胡）、月琴、刺鼓(竹鼓)、箫筒、镲、包包锣、小马锣等八种乐器围圈轮递说唱。表演以第一人称的“跕入”唱叙故事，以第三人称的“跳出”解说故事，也有加入勒朗、勒尤、木叶等布依族乐器进行伴奏的情形。演唱时，男艺人多采用高八度，女子则在原调上进行演唱，这样不仅可以产生强烈的音高和音色对比，还能增加演唱的情趣。

八音坐唱的唱腔曲调主要为【正调】，其他曲调统称为“闲调”。最具代表性的传统节目有《布依婚俗》、《贺喜堂》、《胡喜与南祥》、《迎客调》、《唱王玉莲传》、《敬酒歌》、《梁山伯与祝英台》等四十余个。

八音坐唱是布依族人民在长期的生产与生活实践中逐步创造形成的，它深深扎根于布依族群众之中，具有鲜明的布依族特色和广泛的群众基础。可以说，八音坐唱既是布依族人民智慧的结晶，又是中国曲艺宝库中的瑰宝。目前，八音坐唱的生存和发展面临严重困难，急需加以保护扶持。

第一批国家级非物质文化遗产名录图典（下）

主　编　周和平

副主编　王文章　张　旭

文化艺术出版社
Culture and Art Publishing House

第一批国家级非物质文化遗产名录图典

杂技与竞技

283 吴桥杂技　284 聊城杂技　285 天桥中幡　286 抖空竹　287 维吾尔族达瓦孜　288 宁德霍童线狮　289 少林功夫　290 武当武术　291 回族重刀武术　292 沧州武术　293 太极拳（杨氏太极拳、陈氏太极拳）　294 邢台梅花拳　295 沙河藤牌阵　296 朝鲜族跳板、秋千　297 达斡尔族传统曲棍球竞技　298 蒙古族搏克　299 蹴鞠

283 吴桥杂技

◎ 申报地区或单位：河北省吴桥县

吴桥县位于河北省东南部，属沧州管辖，是世界闻名的杂技之乡。

吴桥杂技主要流布于吴桥县域、山东省宁津县和陵县的部分地区。

河北省是中国杂技发源地之一，战国时期中山国成王墓中已有演练杂技形象的银首人俑铜灯出现。吴桥很早就是冀州大地杂技密集的地区，晋代墓室中已有宴乐杂技表演的壁画出现。到了宋朝，杂技走向民间，出现“勾栏”、“瓦舍”等演出形式。清代和民国时期，吴桥杂技达到鼎盛阶段。

在两千多年的变迁过程中，吴桥杂技文化不断丰富发展着。它供奉“吕祖”为自己的行业神，创造了行业“春典”（即行话），衍生了表演中的“说口”、“锣歌”等口头文艺形式，形成了独特的表演、道具、管理以及传承等方

面的规则，构成了完整的行业文化体系，受到全国杂技界的推崇，其影响远播五洲，素有“十方杂技九籍吴桥”、“没有吴桥人不成杂技班”之说。

吴桥杂技从业人员多，节目种类丰富，流布地区广。据统计，传统节目主要有肢体技巧、道具技巧、乔装仿生、驯兽、马术、传统魔术、滑稽7大类486个单项，集中体现了尚武好义、百折不挠的吴桥杂技文化精神，为人们所传颂。

但是，20世纪50年代以来，由于社会政治经济条件、演出组织形式、活动形式的改变，老艺人、老教练、老手艺人越来越少，行业规矩淡化，吴桥杂技文化有逐渐走向消亡的危险，亟待挖掘和抢救保护。

284 聊城杂技

◎ 申报地区或单位：山东省聊城市

聊城地区是中国杂技的发源地之一。新石器时代晚期，聊城是东夷人活动的主要区域，当时东夷人的首领蚩尤据说便是一位杂技高手，古代杂技就源于角抵戏即蚩尤戏。聊城杂技现分布于东阿、茌平、阳谷等县及其周边地区。

春秋战国时期，聊城杂技马戏得到初步发展，到汉代已

经基本成熟。三国时期，杂技马戏在聊城的东阿一带已很盛行，成为一种以杂技为主兼有其他技艺的表演形式，东阿王曹植曾以“斗鸡东郊道，走马长楸间”的诗句来描述这种状况。历史上黄河经常泛滥成灾，许多农民为了生存不得不弃农学艺，东阿县孟庄、贾庄、张大人集等村就是著名的杂技村。民国初期，仅东阿县就有几十个杂技马戏班。此外，阳谷、茌平、莘县、临清等还有几十个杂技团。其中有些团体曾到朝鲜、日本、新加坡演出。1955年，东阿县正式组建马戏团8个。1970年，成立了聊城地区杂技团。

聊城杂技历史悠久，艺人辈出，逐渐形成了富有齐鲁特色的杂技行业文化体系。聊城杂技主要包括马戏、魔术、表演三大种别，重视腰腿顶功，突出新、难、奇、美、险，艺术风格朴实、英武、粗犷，素有齐鲁英豪之称，深受广大群众喜爱。

目前，聊城杂技虽经着力发掘和倡导，但仍存在着衰落的趋势。这主要是因为随着生活水平的提高，原来作为谋生手段的杂技对现在的年轻人已不具吸引力，由此导致严重的后继无人现象。一些颇有造诣的杂技演员因年事已高逐步退出舞台，有的相继谢世，使得一些绝技面临失传的危险。

1993年文化部批准在聊城建立中国少儿杂技基地，并将其列入国务院蒲公英计划。聊城市政府依托中国少儿杂技基地，建立了聊城蒲公英杂技艺术学校，培养杂技后备人才。但这仍然与科学的、立体的、全面的、原生态的保护相距甚远，非物质遗产的抢救保护意识和工作力度亟待进一步加强。

285 天桥中幡

◎ 申报地区或单位：北京市

幡是旗的一种，尺寸有大小之别。中幡，其主干是一根9米左右的粗竹竿，竿顶悬挂一面0.5米宽、5.5米长的长条锦旗，旗面绣有吉祥图案和祝福用语，因此又称标旗。耍中幡、舞中幡是中国民族民间传统杂技项目，北京天桥中幡表演最为有名。

耍中幡源于晋朝军中。幡旗形制壮丽，标题清晰，常常用于仪仗活动。旗手耍弄幡旗，能尽显武勇与智慧，因此中幡曾是清代朝佛、庆典等走会活动的必备项目。走会中各个团体都有自己的标旗，竞相演练耍幡高招绝技，逐渐形成颇具特色的杂技节目。清代乾隆年间，中幡会属于镶黄旗佐领管辖，属内八档会之一，受过皇封，盛极一时。清末民初，八旗子弟为谋生计纷纷到天桥市场卖艺，其中由沈三（沈友三）、宝三（宝善林）、张狗子（张文山）等率众表演的中幡、摔跤是撂地表演中最红火、最火爆、最受欢迎的项目。20世纪50年代，天桥耍中幡由宝善林先生执掌，第三代传人陈金权、马贵保、傅顺禄、徐茂等人在天桥跤场演练中幡，吸引了全国各地大批专业和业余高手前来切磋技艺。

中幡表演时，艺人们将竿子竖起托在手中，舞出许多花样，其表演动作样式各有形象的名称。将竿子抛起用脑门接住为霸王举鼎，单腿支撑地面用单手托住竹竿为金鸡独立，此外还有龙抬头、老虎撅尾、封侯挂印、苏秦背剑、太公钓鱼、擎一柱等样式。考究的中幡竿顶上还有一层乃至数层由彩釉、锦缎、响铃、小旗、流苏组成的圆形装饰物，称为璎珞宝盖，舞起来不仅五彩缤纷，而且发出悦耳的声音。

由于历史原因，20世纪60至70年代，曾经盛极一时的天桥市场被取消，各种文艺演出被禁止，宝三跤场也同时被撤销。改革开放后，宣武区文化委员会以弘扬宣南文化为宗旨，开展了挖掘、整理、保护天桥民俗系列文化活动。在区文化委的指导和支持下，傅顺禄先生之子傅文刚成立了“北京傅氏天桥宝三民俗文化艺术团”，使一批天桥绝活儿得到传承。但目前舞幡已逐渐非职业化，专业艺人匮乏，加之天桥杂技作艺的环境及演出的形式均发生了变迁，耍中幡技艺仍处于濒危状态，需要进一步加以保护。

286 抖空竹

◎ 申报地区或单位：北京市宣武区

空竹，以竹木为材料制成，中空，因而得名，清代曾与空钟混称，俗称闷葫芦，江南又称之为扯铃，以北京、天津所产的最为著名。

空竹在我国有悠久的历史，明代《帝京景物略》一书中就有空竹玩法和制作方法的记述，明定陵亦有出土的文物为证，可见抖空竹在民间流行的历史至少在600年以上。

空竹为圆盘状，中有木轴，以竹棍系线绳缠绕木轴拽拉抖动。空竹分为单轮（木轴一端为圆盘）和双轮（木轴两端各有一圆盘）两种。圆盘四周有哨口，以一个大哨口为低音孔，若干小哨口为高音孔，分为双响、四响、六响，直至三十六响。拽拉抖动空竹时，各哨同时发音，高亢雄浑，声入云表。

北京抖空竹历史悠久，群众基础稳定，技术技巧成熟完备，是抖空竹这一民间体育活动发展传承最具代表性的地区之一。北京有专门的民间组织——“北京玩具协会空竹专业委员会”，目前已有近百名会员，其中既有抖空竹的能手，也有制作空竹的高手。抖空竹的技术技巧在继承中又有创新，如“金鸡上架”、“翻山越岭”、“织女纺线”、“夜观银河”、“二郎担山”、“抬头

望月”、“鲤鱼摆尾”、“童子拜月”、“鹞子翻身”、“彩云追月”、“海底捞月”、“青云直上”等，令人眼花缭乱、目不暇接，其中“蚂蚁上树”系将长绳一端系于树梢，一端手持，另有一人抖动一只空竹，迅速将飞转的空竹抛向长绳，持绳者用力拉动长绳，将空竹抖向五六十米高的空中，待空竹落下时，抖空竹者将其稳稳接住，令观者惊叹不已。

抖空竹是靠四肢巧妙配合完成的运动项目。当双手握杆抖动空竹做各种花样技巧时，上肢的肩关节、肘关节、腕关节，下肢的胯关节、膝关节、踝关节，加之颈椎、腰椎都在不同程度的运动着，因此抖空竹有助于人们的身体健康。

随着城市的飞速发展与人们生活方式的改变，空竹作为历史发展的见证和民俗文化的传承方式，其存续的文化空间面临萎缩，因此，有关部门有必要采取各种有效措施对其进行保护。

287 维吾尔族达瓦孜

◎ 申报地区或单位：新疆维吾尔自治区

维吾尔族达瓦孜，在维吾尔语中意为“高空走索”，它是维吾尔族绵延千年的一种杂技艺术表演形式。成书于1072年至1074年的《突厥语大辞典》中即有“走软绳，耍达瓦孜”的文字记载。千余年以来，达瓦孜的演出方式基本保持传统风貌。

达瓦孜表演多在露天进行，其特点是把多种多样的杂耍技艺搬到数十米高空的绳索或钢丝上演练，表演者手持长约6米的平衡杆，不带任何保险带，在绳索上表演前后走动、盘腿端坐、蒙上眼睛行走、脚下踩着碟子行走、飞身跳跃等一系列惊心动魄的技艺。在维吾尔族民间乐曲

的伴奏下，高空走索演员踏着节拍跳舞歌唱，迅速替换着高难动作，表演幽默，场面热闹非凡，极富特色。

达瓦孜早先流行于和田、莎车、英吉沙和喀什一带，后传至库车、吐鲁番、哈密、伊犁和乌鲁木齐。1990年1月，新疆杂技团吸纳仅存的英吉沙县达瓦孜团，成立了由阿迪力·吾守尔等5位主要演员组成的达瓦孜队。此外尚有艾山江·吾守尔的达瓦孜团。目前，两团均在乌鲁木齐。

当今表演达瓦孜的明星当数新疆杂技团的空中王子阿迪力·吾守尔，他是达瓦孜表演世家的第6代传人，其家族表演此技至少已有四百多年的历史。阿迪力·吾守尔不但创造了在高空钢丝上小顶倒立、劈叉、骑独轮车、弯腰采莲等创新性的高难技巧，而且于1997年和2000年两次刷新了高空走钢丝的吉尼斯纪录，成为众人关注的空中勇士。

达瓦孜历史悠久、技艺独特，在高空杂技节目中独树一帜，深受观众欢迎，在中亚、日本、法国等地也广为人知、影响深远。但是，目前达瓦孜技艺的传承出现困难，高难度、高危险的表演要求从艺者具备极强的身体平衡能力和良好的心理素质，因此即使是有兴趣学习者也往往难以达到项目既定要求，由此造成达瓦孜传人难觅的状况。再加上现代文艺娱乐活动的冲击，达瓦孜的演出市场近于萎缩，这一古老杂技艺术日益陷入濒危局面，需要开展有组织、有计划的保护工作。

288 宁德霍童线狮

◎ 申报地区或单位：福建省宁德市

霍童线狮现留存于福建宁德霍童镇，又称抽狮，当地人称之为“打狮”，是一种独特的民俗游艺表现形式，也是一种具有独特风格的乔装动物的杂技节目。

据历史传说，隋代谏议大夫、开山大祖黄鞠公曾为霍童灌溉村田，造福子民，当地以举办“二月二”灯会的方式来纪念他，线狮表演是“二月二”灯会中最具特色的节目之一。明代中后期以来，霍童线狮成为当地节庆文化的重要组成部分。

线狮表演之前，从舞台制作、灯光效果配置到绳子布局均由人工操作。绳索的穿结是线狮表演的关键环节，每一个穿孔动作都必须细致认真。线狮所衔的球精致灵巧，大球网筐内套有旋转自如的小球，小球配有灯光，在夜里闪闪发光，犹如点点繁星。狮子全身由多种材料制成，以竹篾为框架，里面填充棉花、布料、橡胶等，狮毛则用特殊的彩色塑料丝制成。经过历代民间艺人的改革，线狮的体积从最初的小如木偶发展到现在的庞大沉重，结构由简单变得复杂，制作工艺也得到了很大的发展和完善。

霍童线狮通过绳索操纵狮子表演各种动作，集文功、武功于一身，其表演有单狮（雄）、双狮（一雄一雌）、三狮（一母二子）、五狮（一母四子）4种形式。线狮表演最早是沿途行进，边走边舞，后转为固定台表演。经过历代民间艺人的实践性创造，线狮的表现力越来越丰富，能

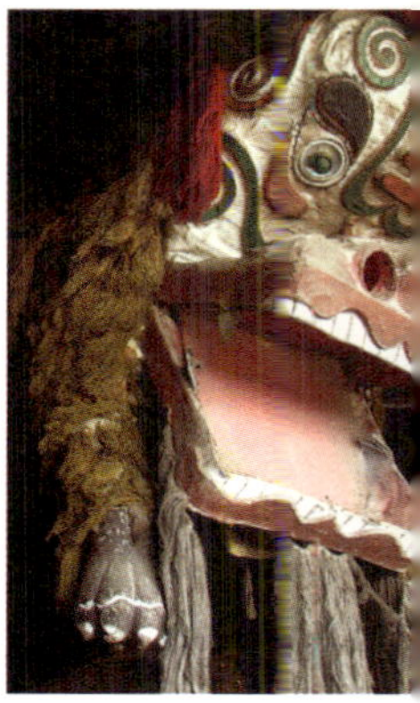

表演坐立、蹲卧、苏醒、伸展、登山等各种不同姿态，仅狮子戏球就有寻球、追球、得球等动作。狮子所有的这些动态表演　全凭艺人们集体的操纵和密切的配合加以实现。

霍童线狮不仅拥有丰富的表演内容，还具有一套独特的传承方式，有传男不传女的家族传承特点，由此而导致了后继乏人的状况。霍童线狮堪称中华绝活儿，发掘抢救和保护霍童线狮，对认识和研究中国民俗文化具有重要意义。

289 少林功夫

◎ 申报地区或单位：河南省登封市

少林功夫是指在河南登封嵩山少林寺这一特定佛教文化环境中历史地形成的，以佛教神力信仰为基础，充分体现佛教禅宗智慧并以少林寺僧人修习的武术为主要表现形式的一个传统文化体系。

少林功夫具有完整的技术和理论体系，它以武术技艺和套路为表现形式，而以佛教信仰和禅宗智慧为文化内涵。

创建于北魏太和十九年（495）的少林寺是少林功夫依存的文化空间。少林功夫伴随着少林寺一千五百多年的历史不断丰富完善，由最初保卫寺产的手段，逐渐发展成为技术完备、内涵丰富的文化表现形式。根据少林寺流传下来的拳谱记载，历代传习的少林功夫套路有数百种之多，其中流传有序的拳械代表有数十种，另有72项绝技及擒拿、格斗、卸骨、点穴、气功等门类独特的功法。少林寺目前流传的少林功夫拳术、器械和对练等套路合计有255种。

禅宗智慧赋予了少林功夫深厚的文化内涵，少林功夫的传承人首先应具有对佛教的信仰，包括智慧信仰和力量信仰。少林功夫的智慧信仰主神为禅宗初祖菩提达摩，力量信仰主神为紧那罗王。超常神力和超常智慧从来都是佛教徒潜心追求的目标。以信仰统摄技击，以技击表现信仰，这是少林功夫表现为神奇武术的根本原因，也是少林功夫与其他武术区别之所在。

佛教僧人的生活受佛教戒律约束，在少林寺这一特定环境中，佛教戒律又演化为习武戒律。戒律在习武者身上表现为武德，所以少林功夫往往表现出节制谦和、内敛含蓄和讲究内劲、短小精悍、后发制人的风格特点。

少林功夫的传习方式主要以口

诀为媒介，与少林寺传统的宗法门头制度相结合，其核心内容是师父的言传身教和弟子的勤学苦练。

少林功夫达到了“禅武合一”的精神境界，是中国武术文化最杰出的代表，也是少林文化最具代表性的呈现方式。

随着时代的发展，中国汉地佛教信仰整体水平衰落，少林住院僧人逐年减少。火器的普遍使用使传统武术从总体上退出军事攻防技术领域。现代人热衷于“少林功夫” 动作套路的技术表现，由此导致其内在品质的边缘化。所有这些造成了当代少林功夫的濒危境况， 需要有关方面尽快制定方案，对少林功夫加以抢救、保护。

290

武当武术

◎申报地区或单位：湖北省十堰市

武当武术的发源地在湖北武当山，其创始人是元末明初的武当道人张三丰。张三丰将《易经》和《道德经》的精髓与武术巧妙融为一体，创造了具有重要养生健身价值，以太极拳、形意拳、八卦掌为主体的武当武术。

武当武术具有鲜明的道家文化特征，是武功和养生方法的天然结合体，且具有深厚的传统武术文化底蕴，又含有精湛的科学道理。太极拳强调“先以心使身”而后再以“身从心”，形意拳讲究“用意不用力，意到气到，气到力达”，八卦掌要求走转圈“化意念走”，这些都体现了道家“包藏至道”以达“想推用意终何在，益寿延年不老春”的健身宗旨，符合把形体训练与心理训练相结合的内养外练的运动观念。

武当武术理论体系和技术体系完整，它以“宇宙整体观”、“天人合一观”为宗旨，以“厚德载物”、“道法自然”为原则，以“动静结合”、“内外兼修”为方法，形成诸多各具特色的拳功剑法，既有功理和功法，也有套路操作和主旨要领，这些都集中体现在张三丰的《太极拳总论》、《太极拳歌》和《太极拳十三式》三大经典之中。

武当武术原本以武当山为文化空间。历史上，武当山有无数高隐之士和专业修道者队伍栖息，经过他们的修炼和传播，武当武术技艺日精，声誉日隆，最终遍及中华大地。

但是，随着现代社会的发展，武当武术的传承也出现了一些障碍。首先，武当武术早期受道教“隐秘单传”思想束缚，传播面窄；其次，现在的一些传人大都年事已高，且散居全国各地，挖掘利用武当武术资源受到限制；再次，武当武术理论研究工作不够，其文化意义有待深入挖掘。在此情势下，有必要迅速制定合理可行的措施，对武当武术进行抢救、保护和整理、开发。

291 回族重刀武术

◎申报地区或单位：天津市

重刀系大刀的原称，它是京津一带的一种传统兵器，在我国已有数千年的历史。天津市回族大刀成名于明成祖初年，相传燕王朱棣的一个金陵籍回族将领惯用一把60斤重的大刀征战，他随朱棣北伐平定天津，后举家迁至天津，于是有了津门曹氏大刀，代代相传。至近现代时，传

人曹金藻阿訇的大刀已加重到160斤，成为一种健身器械。曹金藻还融合“北派少林”的长拳、桩功、散手与“西洋拳”、“秘宗艺”及祖传“十手拳”，独创了“七十二式连环套拳”，集南拳、北腿、摔跤、擒拿为一体，尤以“青牛扫尾”、“潜龙出渊”和“鬼推转”三招最具特色。曹金藻武艺超群，行侠仗义，与霍元甲并称为“回汉双侠”。曹金藻之子曹克明继承父业，在本门刀、礅、抱石、拳铲等功夫基础上自创“曹门刀式”，以“弘扬武术，强身爱国”为宗旨，组建了天津市第一家回族武馆“回族大刀花样举重队”，目前已传至曹仕伟、曹仕杰兄弟，传承方式也由“家族世袭”变为开放式传授。

唐朝以来，160斤的重刀是武状元考试的主要器械，曹门刀式吸收了以往武科考试中的弓、刀、石、马步箭等科目技艺，将礅子、石锁、抱石等功夫糅进大刀招式之中。曹门重刀主要有插、背、拧、云、撇、水磨、腰串、狮子披红、乌龙摆尾、雪花盖顶、比摆荷叶、掌中花、叠罗汉等刀式，特点是刚柔相济、动静结合，集力量与技巧于一体。大刀舞起，动如风，静如松，提刀千斤重，舞刀鸿毛轻，刀飞钢环响，刀落寂无声，既惊险雄劲，又轻盈灵动，给人以极大的美感享受。

曹门刀式以弘扬民族武术精神、加强民族团结、习武健身为宗旨，受到国内外各界人士的普遍赞誉。目前这一重要武技在发展中遇到资金不足、场地缺乏等问题，亟待解决。

292

沧州武术

◎申报地区或单位：河北省沧州市

沧州市地处河北东南部，东临渤海，南接齐鲁，北倚京津，号称京津南大门，历史上是兵家必争之地、商贾云集之处、人犯流放之所，人们习练攻防格斗之术以求生存，因此武术盛行。据统计，沧州在明清时期出过武进士、武举人1937名，乾隆年间已成为华北一带的武术重镇。1992年，沧州被正式命名为全国首批“武术之乡”。

沧州武术历史悠久，“源于春秋，兴于明朝，盛于清代，清末民初甚为繁盛”。沧州的武术门派众多，有八极、劈挂、燕青、八卦、六合、查滑、功力、太祖等53个拳种，占全国129个武术门派拳种的40.3%，各门派均具有刚猛剽悍、力度丰满、长短兼备、朴中寓鲜的风格特点。近几百年来，沧州武术精英荟萃，涌现出丁发祥、霍元甲、王子平等大批高人义士，为御外辱、扬国威、光大中华精神作出了巨大贡献。

沧州武术独树一帜，除有代表性拳种的8大门派以外，疯魔棍、苗刀、戳脚、阴阳枪等拳械为沧州所独有。沧州武术还兼收并蓄，积累了雄厚的传统武术资源，近年来又吸纳跆拳道和规范武术套路等积极成分，取得新的发展。沧州武术刚劲威猛，技击性强，既有大开大阖的勇猛长势，又有推拨擒拿的绝技巧招，一招一式中无不体现着中华文化中阴阳、内外、刚柔、方圆、天地、义理等源于儒、释、道的理念和意蕴。

习练沧州武术可以提高人的身体素质，锻炼人的精神品格，促进人的全面发展，丰富和完善中华乃至国际武术文化，还可以进一步带动武术培训、表演、竞赛、交流、节庆会展、器械生产交易等多种相关行业的发展。但是，沧州武术技艺以口传心授为主要传承方式，老拳师文化水平低，“学问都在肚子里”，而他们年事已高，许多绝技妙招濒临失传，急需保护和抢救。

293 太极拳（杨氏太极拳、陈氏太极拳）

太极拳·杨氏太极拳

◎ 申报地区或单位：河北省永年县

永年县位于河北省南部，距邯郸市15公里。永年杨氏太极拳为清道光年间广府杨露禅所创，发源于永年县广府古城。此后永年县先后出现了杨班侯、杨澄甫、杨振铭等三十多位大师级拳师，被誉为“太极圣地”。

杨露禅外出学艺18年，悟得各路拳术精髓，对太极、八卦等健身技艺尤有深刻的理解。他在陈氏老架的

基础上创编出一百零八式的永年杨氏太极拳，回家后专职开馆教拳。此拳传承脉络清晰，历史上名人辈出，海内外广有习练者。杨氏太极拳现在重点分布在上海、北京、四川、西安、河北、广东、海南及海外八十多个国家和地区。

杨氏太极拳其拳架舒展，结构严谨，由松入柔，积柔为刚，刚柔相济，身法突出，含胸拔背，以腰为轴，上下相随，内外结合，中正安舒，轻松自然，轻灵沉稳。永年杨氏太极拳包含两方面内容，一是太极拳套路，主要包括大、中、小架，快架，三十二短打等；二是杨氏太极拳器械，主要包括太极剑、太极刀、太极十三杆等。

永年杨氏太极拳展示了人体文化的艺术性，老少皆宜习练。它有益于增强人民体质，习练者按其要求秉持讲义重德的中华传统武术精神，对增强中华民族的凝聚力、自信心、自豪感有积极的作用。

现在习练永年杨氏太极者渐少，太极拳套路与功法正在退化，一些太极功法只有少数几个人会练，前景堪忧，需要抓紧进行保护。

太极拳·陈氏太极拳

◎ 申报地区或单位：河南省焦作市

太极拳是东方文化的瑰宝，是中华武苑的古老奇葩，数百年来已衍生出广播海内外的陈、杨、武、吴、孙、和等诸多流派。陈氏太极拳出现于明末清初，系河南省焦作市温县陈家沟的陈王廷经过潜心研究创编而成的。

太极拳是集技击、强体、健身、益智和修性为一体的独特运动方式，其中蕴藏着东方哲学的深刻内涵。它将阴阳、动静、

正反、有无、形神等对立统一的内容融入武术之中，以符合人体运动规律的演练形式强体健身，体现了中华民族生生不息的活力。

但由于工业化、全球化及市场经济等多种因素的影响和冲击，陈氏太极拳的当代发展面临困境，其文化内涵日渐消亡，原文化生态环境遭到破坏，许多拳、械套路濒临失传。近年来，焦作市、温县两级人民政府虽然在政策、资金投入、普及推广等方面采取了一系列保护措施，但陈氏太极拳的发展状况仍不容乐观，濒危的形势依然严峻，亟待进一步加强保护。

294 邢台梅花拳

◎ 申报地区或单位：河北省邢台市

梅花拳流行于冀南邢台广宗、平乡和威县一带，以广宗、平乡两县为主。据《广宗县志》和《平乡县志》记载，梅花拳在明末清初传入当地。它融周易八卦于拳理，化阴阳五行于招术，文武双修，不断发扬光大，先后出现邹宏、景廷宾等著名拳师。

梅花拳的组织形式分文场和武场两部分，文场领导武场。文场领导层侧重研究集“三教”学说精义的文理，负责管理拳内事务；武场弟子通过武功锻炼体悟拳理拳法。武功锻炼的层次和形式分为架子、成拳、拧拳、器械四部分。梅花拳的动作套路朴实大方、威武雄壮，既有表演观赏价值，又有技击制敌的实战功能。梅花拳还以文养武、以武济文，其指导思想和套路均遵循中国传统文化“五行八卦九宫太极无极”原理，因此梅花拳又被誉为“文化拳”。

邢台梅花拳在广宗、平乡一带流传三百多年，以爱国爱民为拳规拳训，师承关系清晰，现已传至第七代，并有拳谱存世。梅花拳多以口传身授形式授徒，最长拳师87岁。广宗、平乡梅花拳及其传播方式，被专家学者称为是探析中国武术源流及功法、套路、格斗的“活化石”。习练梅花拳不仅可以强身健体，而且可以活跃群众文化生活、振奋民族精神。但是现在能够全面掌握梅花拳绝技的拳师都已年迈或去世，许多技艺面临失传的境地，尤其是梅花桩几近灭绝，因此急需加强对梅花拳的抢救和保护工作。

295 沙河藤牌阵

◎ **申报地区或单位：河北省沙河市**

藤牌阵是我国古代战场实战技击项目，如今仅存于我国河北省沙河市十里铺村，当地人称之为“打藤牌”。

沙河藤牌阵历史悠久，传说明末，李自成军队从北京溃败南退，其中有一人秘密逃遁十里铺村，将藤牌阵传授给村民，用以护村、防身，并留下“只传男，不传女，传里不传外”的训诫。三百多年来，村民遵循训诫，将藤牌阵代代相传，至今已传承十二代，经常习练者达二百余人，在当地，藤牌阵现已被列入小学体育课程。

藤牌开战时，由战鼓指挥，大筛锣、铙、镲、钹辅助烘托。表演阵法时，攻守方每队最少4人，藤牌兵左手执藤牌，右手执短刀，与4名攥三齿叉、大片刀、长矛或木棍者按阵法轮番打斗。实战时藤牌阵法变化无穷，常见的有一字长蛇阵、八卦连环阵、梅花五方阵、四门迷魂阵、八门穿心阵等，阵容可随实战需要扩大到成千上万人。

制作藤牌的主要材料是北方太行山一带常见的荆条，经过沤泡变得柔软坚韧后，即可用来编制藤牌，制作完成后在藤牌顶部罩一块画有虎头的帆布或生牛皮。

三百多年来，沙河藤牌阵无论是在防身御敌还是在活跃当地人民的文化生活中均发挥了积极作用。藤牌阵法攻防兼备，变化莫测，对它进行深入研究将进一步丰富中国古军事战法的内容。另一方面藤牌阵法场面中融入了舞蹈和音乐，可以用来丰富群众的文化生活，使人们获得艺术享受。

目前健在的藤牌阵3名传承人平均80岁，年事已高，继承人不仅人数较少，而且战术、技法生疏，动作生硬、简单化，阵法不整，竞技水平日减。沙河藤牌阵的传承已告濒危，亟待抢救和保护。

296 朝鲜族跳板、秋千

◎ 申报地区或单位：吉林省延边朝鲜族自治州

朝鲜族是个爱好体育运动的民族，压跳板和荡秋千是朝鲜族妇女最喜爱的民间传统体育运动，具有广泛的群众性。

作为一种体育竞技游戏，跳板流行于吉林省延边朝鲜族自治州及全国其他朝鲜族聚居地，跳板活动一般在元宵节、端午节和中秋节等喜庆日子举行。

跳板一般长近6米，宽40厘米，厚5厘米左右，大多用木质坚硬又极具弹性的水曲柳木板

制成。跳板中间有一个支点，跳时两人分别站在两端，轮流起跳，利用跳板的反弹力把自己和对方弹向空中。这样反复地一起一伏，参加者奋力向上跃起，不断增加腾空的高度并做出各种花样动作。跳板讲究多种技巧和空中姿态，有腾空而起、翻滚而下的动作，有跃身屈体、双腿伸开、落地垂立的动作，有挺胸展臂、双腿叉开、落地合拢的姿态。跳板靠两个人的协调合作进行。有时边跳边唱，一个唱一个和。

跳板比赛有比抽线拉高和比表演技巧两种。比抽线就是比拉出的线的总长度，以抽线的长短定胜负，表演道具有铁圈、花环等。这种比赛主要是比谁的动作最符合标准，谁的动作难度大，谁的动作姿态优美。近年在以往高度比赛的基础上增加了比赛技巧，看谁在腾空的瞬间做出的高难动作多且姿态优美动人。所以参加跳板活动不但需要胆量，而且需要智慧和技能。观看跳板活动则会令人赏心悦目，拍案叫绝。

跳板运动是一种健康的传统体育运动，历来深受朝鲜族人民的喜爱，甚至有“姑娘不跳跳板，将来难生产”的说法。

秋千是朝鲜族妇女最喜欢的活动之一，历史悠久，流行于延边朝鲜族自治州及其他朝鲜族聚居的广大农村。

秋千活动具有高、飘、悠、巧、柔、美、欢的特点。秋千绳一般都拴在高大树木结实的横枝上，在秋千前方的上空悬有彩带或铃铛，荡起的秋千板要触及这个标志才能赢得欢呼与赞扬。常常是一人荡起，众人瞩目，场边喝彩连连。艳丽的衣裙像彩凤的双翼，带动缕缕清风，远远望去，天空湛蓝，草地青青，浓妆淡抹的朝鲜族少女宛若飞动的彩色蝴蝶，在空中飘忽来去，构成一幅流动的瑰丽画卷。

大型的荡秋千竞技比赛更加迷人，多在农闲时期及端阳等节庆日举行，届时朝鲜族妇女们穿着节日的盛装去参加比赛，比赛方法有两种，一种是比荡起的高度，另一种是比踢铃的次数即比耐力。比赛中常常可见到高空中悬挂着一面皮鼓，荡秋千的姑娘们在围观者的呐喊助威声中高高荡起，在空中用脚踢鼓，谁踢响的次数最多，谁就将成为比赛的冠军。

秋千现已正式列入全国民族运动会的比赛项目，延边朝鲜族自治州的荡秋千绝技已成为少数民族传统体育园地一朵盛开的奇葩。

297 达斡尔族传统曲棍球竞技

◎申报地区或单位：内蒙古自治区莫力达瓦达斡尔族自治旗

据史料记载，唐代盛行“步打球”运动，这种运动与当代的曲棍球运动极为相似。步打球在辽代依然盛行，《辽史》中称为“击鞠”，下端弯曲的击球棍称为“月仗”。随着时间的流逝，此项运动后来在我国其他各民族中基本消失，而在达斡尔族中得到了传承与发展，现在这种曲棍球竞技运动主要分布在内蒙古莫力达瓦达斡尔族自治旗达斡尔族聚居区。

达斡尔传统曲棍球运动，达语称作“贝阔他日克贝”，其中的“贝阔”系指球棍，达斡尔球棍选择根部弯曲、枝干挺直的柞木削磨加工而成。达语中球被称为“朴列”，其大小如棒球，分木球、毛球、火球三种，偶尔也使用骨球。木球用柞树根削磨制成；毛球用畜、兽毛搓制而成；

火球主要用于夜间运动，它以桦树上长出的已硬化的白菌制成，壳硬内空，其上穿通数孔，注入松明，点燃后烟火不熄。

达斡尔族传统曲棍球比赛多在重大节日、集会或空闲时以氏族（莫昆）、村屯为单位举行，比赛场地大都选在平坦的草地或村中开阔的地方，场地大小无统一规定，场地两端各设一个球门，参加比赛的两队人数相等即可，以打进对方球门多者为胜。比赛规则规定不得从左侧抢球和击球，不得用球棍打人或绊人，除守门员外不得用手接球和以脚踩踢球。

达斡尔传统曲棍球运动是传统曲棍运动的典型代表，是我国体育中的一项绝技，国家体委在 1989 年命名莫旗为“曲棍球之乡”。而今达斡尔族传统曲棍球运动在专业化建设方面，出现了资金和人才短缺问题，应加以扶持，使其得到顺利传承并进一步发扬光大。

298 蒙古族搏克

◎ 申报地区或单位：内蒙古自治区

“搏克”为蒙古语，意为摔跤，它是蒙古族“男儿三艺”之一，属蒙古族传统的体育项目。搏克已有近两千年的历史，西汉初期开始盛行，元代广泛开展，至清代得到空前发展。现在蒙古自治区各地尤其是锡林郭勒盟、通辽市、呼伦贝尔市、巴彦淖尔市、鄂尔多斯市、阿拉善盟等地都有流行。

搏克运动的比赛形式古朴而庄重。按蒙古族传统要求，参赛选手上身穿牛皮或帆布制成的“卓得戈”（紧身半袖坎肩），裸臂盖背，“卓得戈”边沿镶有铜钉或银钉，后背中间有圆形的银镜或“吉祥”之类样字，腰间系用红、蓝、黄三色绸子做的“策日布格”（围裙），下身穿用32尺或16尺白布做成的肥大“班泽勒”（裤），“班泽勒”外套一条绣有各种动物或花

卉图案的套裤，脚蹬蒙古靴或马靴。优胜者脖颈上配套五色彩绸制成的“将嘎”（项圈）。它是搏克手获胜次数多少的标志，获胜次数越多，“将嘎”上的五色彩绸条也越多。

搏克比赛在悠扬激情的“乌日亚”赞歌声中开始，比赛场地无特殊要求，有一块平坦草地或土质地面即可举行。选手们挥舞着壮实的双臂，跳着模仿狮子、鹿、鹰等姿态的舞步入场。比赛规则简单明了，不限时间，参赛者也不分体重，膝盖以上任何部位着地为负。

搏克运动要求选手腰、腿部动作协调配合，在对抗中充分显示自己的力量和技巧。从事搏克运动能训练力量、灵敏度、速度、耐力等方面身体素质，并能培养人的机智、勇敢、顽强等意志品格。现在，搏克已成为蒙古族农牧民群众辛勤劳作一天之后进行娱乐的方式，同时它又是“那达慕”的重要内容。

299 蹴鞠

◎ 申报地区或单位：山东省淄博市

蹴鞠又名“蹋鞠”、“蹴球”、“蹴圆”、“筑球”、“踢圆”等，“蹴”即用脚踢，“鞠”系皮制的球，“蹴鞠”就是用脚踢球，它是中国一项古老的体育运动，有直接对抗、间接对抗和白打三种形式。

进行直接对抗比赛时，设鞠城即球场，周围有短墙。比赛双方都有像座小房子似的球门；场上队员各12名，双方进行身体直接接触的对抗，就像打仗一样，踢鞠入对方球门多者胜。进行间接对抗比赛时中间隔着球门，球门中间有两尺多的“风流眼”，双方各在一侧，在球不落地的情况下，能使之穿过风流眼多者胜。白打则主要是比赛花样和技巧，亦称比赛“解数”，每一套解数都有多种踢球动作，如拐、蹑、搭、蹬、捻等，古人还给一些动作取了名字，如转乾坤、燕归巢、斜插花、风摆荷、佛顶珠、旱地拾鱼、金佛推磨、双肩背月、拐子流星等。

蹴鞠流传了两千三百多年，它起源于春秋战国时期的齐国故都临淄，在汉代获得较大的发展，唐宋时期最为繁荣，从元明时期开始走向衰弱，清代主要在民间流行。20 世纪以来，由于受到战争、灾害等原因的影响，蹴鞠活动已越来越少见。

蹴鞠对现代足球的产生具有重要的影响。在唐代，中国蹴鞠向东传播到日本和朝鲜，向西传播到欧洲，在英国发展为现代意义上的足球。2004 年 6 月 9 日至 11 日，足球起源专家论证会在山东省淄博市临淄区召开并形成一致结论：中国古代蹴鞠起源于春秋战国时期的齐都临淄。2004 年 7 月 15 日，在第三届中国国际足球博览会的新闻发布会上，国际足联和亚足联公开宣布，中国是足球运动的发源地，世界足球起源于中国山东淄博临淄地区的蹴鞠。

临淄地区现在虽然一直保留着蹴鞠，但由于受到西方文化和中国社会转型的冲击，这项古老的运动已处于濒危状态，急需加以挽救。

第一批国家级非物质文化遗产名录图典

民间美术

300

杨柳青木版年画

◎申报地区或单位：天津市

在天津众多的民间艺术中，最具代表性的就是杨柳青木版年画。

杨柳青木版年画发源于千年古镇杨柳青。明代永乐年间，京杭大运河的开通及天津漕运的兴起使杨柳青成为南北商品交易的重要集散地，经济日益繁荣。周边地区的木版年画艺人先后迁居杨柳青镇，发展业务。而杨柳青镇外盛产的杜梨木非常适宜雕版，有了这种可用的工艺材料，杨柳青木版年画随即兴起，并日益走向兴盛，出现了全镇及周边村庄“家家会点染，户户善丹青”的盛况。

由于历史原因，杨柳青年画曾一度衰落，抗日战争时期全部停业，损失最为惨重。1949年后，经过人民政府的多次抢救、搜集、挖掘、整理，杨柳青年画又获得了新生。

杨柳青木版年画题材广泛，内容丰富，构图饱满，寓意吉祥，雅俗共赏。它采用刻绘结合的手法，刻工精美，绘制细腻，人物生动，色彩典雅，成为我国著名的年画品种之一。杨柳青年画是中国年画艺术的代表，在中国民间文化和天津文化发展史上占有重要地位。挖掘、抢救、保护杨柳青木版年画，对天津地区民俗文化及北方年画乃至中国美术发展状况的研究具有重要意义。

301 武强木版年画

◎申报地区或单位：河北省武强县

武强县是著名的民间年画之乡，地处冀南平原，位于河北省东南部，属衡水市管辖。武强木版年画具有浓郁的乡土气息和地方特色，其丰富的内容是中国民间社会生活的“百科全书”。

据现存资料考证，武强木版年画产生于宋末元初，明、清两代最为鼎盛。后因地理交通状况的变化而日渐衰微，民国时期的战乱导致武强木版年画业迅速萎缩，仅有四十余家画坊开门经营。20世纪40年代初，武强木版年画艺术与晋察冀边区的

301 武强木版年画

美术工作者一同创办“冀中年画研究社”，1947年又在此基础上成立了“石家庄大众美术社”，武强木版年画由此得以复兴并有所创新。1949年后，武强县40家画业作坊合并为武强画厂。1985年，武强木版年画博物馆建立。1993年，武强县被文化部命名为“中国木版年画之乡”。

武强木版年画制作采用传统手工木版套印而成。在题材方面，既有传统的人物、山水、花鸟，亦有当代现实生活及时事新闻，其中对传统美德的宣扬表现得尤为突出。武强木版年画有门画、灶画、中堂、对联、窗花、灯方、斗方、条屏、历画、炕围画等几十种形式，充分表达了下层平民百姓的思想感情，它在辞旧迎新的欢乐气氛中散入千家万户，吉利红火，深受广大群众喜爱。

随着社会的变迁和人们生活观念的转变，目前武强木版年画已面临着人亡艺绝的严峻形势，抢救、保护工作迫在眉睫。

302

桃花坞木版年画

◎ 申报地区或单位：江苏省苏州市

桃花坞木版年画产生于明代，当时在苏州七里山塘和阊门内桃花坞一带有数十家画铺，年产量多达数百万张，故以桃花坞为名。

桃花坞木版年画盛于清代雍正、乾隆年间，最繁盛时期有张星聚、张文聚、魏宏泰、吕云林、陆福顺、陆嘉顺、墨香斋、

张在、泰源、张庄、季祥吉等画铺，稍后出现的王荣兴、陈同盛、陈同兴、吴锦增、吴太元、鸿云阁等画铺在当时亦有不小的影响。桃花坞木版年画曾流行于江苏、上海、浙江等处，远销湖北、河南、山东各地，并流传到国外，日本的浮士绘等版画艺术受其影响甚大，英国、法国、俄罗斯、德国等亦有桃花坞木版年画作品收藏。

桃花坞木版年画的画、刻、印分为三大谱系。在长期的创作、生产实践中，身怀绝技的老艺人各自摸索出了独特的经验，形成了一整套特殊的工艺制作程序。

桃花坞木版年画制作一般分为画稿、刻版、印刷、装裱和开相五道工序，其中刻版工序又分上样、刻版、敲底和修改四部分，其主要工具为“拳刀”，同时以弯凿（剔空）、扁凿、韭菜边、针凿、修根凿、扦凿、木钵、铁尺、小棕帚等工具配合使用。套色印刷亦有一套程序，主要包括看版、冲色配胶、选纸上料（夹纸）、摸版、扦纸、印刷、夹卡等步骤。

桃花坞木版年画继承了宋代的雕版印刷工艺，兼用人工着色和彩色套版，以门画、中堂、条屏

为主要形式，题材多为祈福迎祥、驱凶避邪、时事风俗、戏曲故事等。

近三十年来，随着人们生活方式的改变，桃花坞木版年画的实用功能大大减弱，而纯粹的观赏功能反倒有所提高。市场的变化影响到桃花坞木版年画中传统技艺的留存，现代印刷技术的发展给传统木版年画的手工制版和印刷技巧造成巨大冲击。在此情势下，桃花坞木版年画的画铺越来越少，传统雕版技艺和染色印刷技术的传承也越来越困难，急需抢救、保护。

303

漳州木版年画

◎申报地区或单位：福建省漳州市

漳州木版年画主要流传于漳州的芗城区和闽南、岭南一带，并远销台湾、香港和东南亚等地。

宋代福建的刻书业开始兴盛，迅速带动了民间版画刻印技术的发展。明清两代，漳州木版年画开始流行，漳州月港的兴起给木版年画的外销带来了有利条件。20世纪初，漳州联子街、香港路、台湾路一带集中了大批年画店，直至50年代尚有八九家存在。

繁多的民间民俗活动是漳州木版年画的生存和发展的基础。漳州民间木版年画的主要题材有辟邪消灾、祈求吉祥、历史戏文故事及装饰图案等。漳州年画中以门画居多，门画又分粗、幼神及文、武神等种类。粗神指以大红或朱红纸为底印制的门画；幼神指直接以本色纸印制，而人物背景上自行调色套印淡红色的年画；文神指画面人物没有骑马或插旗的年画；武神年画与文神相反，画面上人物一般要骑马或插旗。

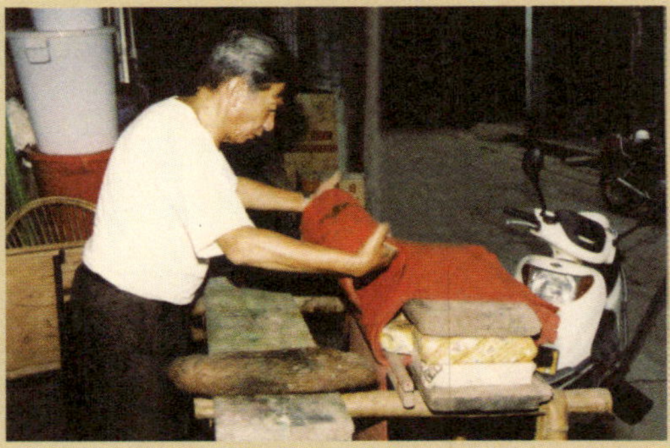

漳州木版年画先在木质平板上镌刻画稿（分色版和墨线版），而后以饾版法套印于纸上。雕版分阳版和阴版两种，印制“幼神”人物背景色（红）的版为阴版，这种阴版的刻法和用法为全国所独有。雕版上所有线条和色块的边缘都是向外倾斜的，这便于印制时调节水分。印制时采用饾版套印，先色版后墨线条版，画面效果十分明朗。版材多选梨木，也采用相思木、红柯木、石榴木等，纸张全部采用闽西纸，如龙岩的福书纸，长汀、上杭、古田的玉叩纸，清流的锡皮纸等。漳州木版年画作坊有“红房”和“黑房”之分，“黑房”专指印制文字书籍的作坊，“红房”则专指印制年画的作坊。作坊老板一般兼任画稿和刻版工作，或二者居一，也用雇工干杂活。清末的颜氏作坊在兼并小作坊的过程中聚集了一大批前代旧版和同代新版，各种版本比较齐全。1957年，颜氏后代颜镜明将作坊和店产全部捐给政府，自己改业行医。

随着社会变革的深入，传统意识逐渐消除，民间民俗活动因之而发生变化，依托于地方民俗的漳州木版年画观赏性增强，而趋吉避邪的实用性减弱，由此造成年画市场的萧条。随着原来民间年画市场的萎缩，从事漳州木版年画生产的人员大大减少。若不尽快制定具体措施加以抢救、保护，漳州木版年画的制作技艺难免要走向消亡。

304

杨家埠木版年画

◎ 申报地区或单位：山东省潍坊市

杨家埠木版年画是流传于山东省潍坊市杨家埠的一种民间版画。明代隆庆二年后，杨家埠年画艺人创立了“恒顺”、“同顺堂”、“万曾城”、“天和永”四家画店。清代乾嘉年间，杨家埠木版年画开始兴盛，至咸丰年间达到鼎盛，一时间，当地出现了画店百家、画种上千的盛况，年画人才辈出，杨家埠木版年画曾行销大半个中国。1949 年后，因战乱而一度萧条的杨

家埠木版年画枯木逢春，重新焕发了生机。1952 年，杨家埠木版年画印制 780 万张。1979 年，原潍县政府成立了杨家埠木版年画研究所，专门对杨家埠木版年画进行挖掘整理、研究创新。

杨家埠木版年画制作方法简便，工艺精湛，色彩鲜艳，内容丰富。每年春节年画题材都会更换一次，许多新思想、新事物出现之后，马上就能够在年画中反映出来，对社会的进步起到一定的促进作用。另外，杨家埠木版年画还间接地记录下了中国民居和民间社会生活的情况，对于中国古代文化的研究有一定的参考价值。

305 高密扑灰年画

◎申报地区或单位：山东省高密市

山东省高密市姜庄的扑灰年画亦称“民间写意画”，作画时先用柳枝烧制的炭条打好草稿，然后用毛笔勾描，再用白纸拓印，一稿可拓扑多张，“扑灰”由此得名。扑灰后的画稿还要加以手绘，经多道工序后才能成画。

扑灰年画相传形成于明代成化年间，初时一些民间画工临摹庙宇壁画出售，因为临摹需要大量底稿，故在传统民间壁画底稿“扑粉”拓印法的基础上形成了“扑灰”拓印法。“扑粉”和“扑灰”最大的差别并不在于材料的运用，而在于“扑粉”是使用现成的粉本（即样本），而“扑灰”则需要先对原作加以临摹。“扑粉”是直接印制，用一次印一次，“扑灰”是一次模仿多次印制。因为有了临摹这一程序，故扑灰年画在发展过程中极善于吸收各种绘画因素和造型风格，以适应人们的审美趣味。清初扑灰年画吸收了文人画的艺术因素，嘉庆年间又对天津杨柳青、潍县杨家埠两种木版年画的技术进行了吸收与改造，逐渐形成具有浓郁地方风格的年画派系。咸丰年间高密涌现出一大批年画制手，出现了“老抹画”、“红货”两个主要流派。

扑灰年画的制作特点使其无法脱离传统的手工扑拓、绘制技艺，由此造成制作周期长、工艺讲究、产量有限的特点，这样扑灰年画便无法与制版印刷的新年画技术竞争市场，至光绪年间整个行业开始衰落。时至今日，扑灰年画技艺在高密地区的传承已是后继无人。作为一个独特的年画品种，反映了社会文化和风土人情，保存了中国民间绘画的传统技能，有必要对之进行抢救和挖掘。

306 朱仙镇木版年画

◎ 申报地区或单位：河南省开封市

河南省开封市位于豫东平原。据《东京梦华录》记载，北宋时距开封城南二十多公里的朱仙镇就已有了木版年画。明清两代，朱仙镇的木版年画十分兴盛，作坊最多时达三百余家。清末民初朱仙镇木版年画开始衰落，大多数作坊迁回开封市内，于是开封又成为朱仙镇木版年画

的生产与销售中心，城内出现了“天成”、“云记”、“汇川”等名噪一时的老字号年画作坊。1949年后，开封市先后成立了开封年画社、河南朱仙镇木版年画社等团体机构，对木版年画的传统工艺进行挖掘、整理。

朱仙镇木版年画十分讲究用色，以矿物、植物作原料，自行手工磨制颜料，磨出的颜料色彩十分纯净，以之印制的年画明快鲜艳，久不褪色，构图饱满匀称，线条简练粗犷，造型古朴夸张，艺术风格独特。年画题材多源于脍炙人口的民间故事、神话传说和戏曲等，种类繁多，形象生动。

现在开封已挖掘、整理出年画老版二百二十余块，

重新印制历史老版年画三百多套，并编印了《开封朱仙镇木版年画精选》、《朱仙镇木版年画珍藏本》、《朱仙镇木版年画故事集》等，为保护传统木版年画做了大量有益的工作。但是，目前大多数老艺人年事已高，其技艺无人传承，特别是传统的矿、植物颜色磨制方法已鲜为人知，如不及时加以保护，朱仙镇木版年画制作技艺很可能会彻底消亡。

307

滩头木版年画

◎申报地区或单位：湖南省隆回县

滩头木版年画是湖南省惟一的手工木版水印年画，以浓郁的楚南地方特色自成一派。滩头镇地处湖南省隆回县东南部，此地民风古朴淳厚，习俗独特，历史上曾出现过造纸村、雕刻村，色纸、花纸、香粉纸巷和年画街，手工业十分发达，且分工明确，相互配套。滩头自古巫风炽盛，民间祭祀活动甚为流行，用于祭祀的纸马品种繁多，其制作工艺与后来的滩头木版年画有着内在的传承关系。据《隆回县志》载，滩头木版年画有三百多年的历史，而据民间口传历史资料，滩头最初的木版年画作坊是明末清初时绰号“王猴子”的王兵元所办，曾印制过《秦叔宝》、《尉迟恭》等十余种年画。道光年间，胡奇甫开办“和顺昌”年画作坊，增加了《桃园结义》等新品种。同治

年间，滩头木版年画已行销全国。20世纪初，滩头木版年画生产达到全盛，有手画作坊108家，年产年画三千多万份，销往江南各省及东南亚一带。1949年后，滩头木版年画被当作封建迷信加以禁止，1958年恢复生产，1966年后再次受到摧毁，1979年重新恢复生产。1984年，滩头镇被文化部命名为“中国现代民间绘画之乡”。1994年，滩头木版年画被文化部授予“中国民间美术一绝银奖”。2003年，在中国首届文物仿制品暨民间工艺品大展中，滩头木版年画获中国传统工艺品金奖。

滩头木版年画从造纸到成品所有工序都在滩头当地完成，形成了一个完善的生产系列，这在全国年画制作中较为鲜见。传统的滩头木版年画有四十多个品种，分为门神画像、寓意吉祥、戏文故事三大类，在滩头木版年画的工艺中，蒸纸、托胶、刷粉等传统工序均为滩头所独有，“开脸”也是有别于他处年画的独特技艺。滩头木版年画的制版难度在于线版雕刻，在这方面“高福昌”年画作坊的“陡刀立线”技术很有名，其行刀角度一致，使用均匀的暗劲，转折、交叉处稳当不乱，完全靠感觉和技巧把握。

如今，历经三百多年风采依然的滩头木版年画已经远涉重洋，成为英、美、日等多国大型博物馆的珍藏。但近年来滩头木版年画市场急剧萎缩，作坊入不敷出，艺人纷纷改行，只剩两家年画作坊还保留着门面，其中“金玉美”也基本停产，“高腊玫”只能勉强支撑，年产量不足5万张，作坊主人的子女无一继承祖业。滩头木版年画或毁坏或流失，有不少技艺已经失传，亟待抢救、保护。

308 佛山木版年画

◎ 申报地区或单位：广东省佛山市

佛山市位于广东省中南部、珠江三角洲腹地，东倚广州，毗邻港澳，地理位置十分优越。早在宋元时期，广州、佛山一带已流行刻绘门神的习俗。这类门神早期直接在门板上手绘刻画，后来另置木板绘刻，大量复印，制成木版年画行销于市，供人张贴。

佛山木版年画的生产兴盛于清代乾嘉年间，20世纪30年代后渐次萧条。以技艺划分，佛山木版年画包括原画、木印、木印工笔三种类型；以题材划分，则有门画、神像画和岁时风俗画三种类型，其主要功用为祭祀、祈福和装饰环境，体现了人们驱邪纳福的愿望。

佛山木版年画为当地活动中的一种特殊的形式，反映着佛山本地文化的历史根源以及佛山传统民间绘画和印刷工艺的一些基本情况。

目前佛山木版年画的传承人仅剩冯氏一家，现急需采取有力的保护措施让这一富有价值的年画制作工艺继续延续下去。

309

梁平木版年画

◎ 申报地区或单位：重庆市梁平县

重庆市梁平县的梁平木版年画属于民间美术梁平“三绝”（竹帘、年画、灯戏）之一，至今约有三百年的历史。

梁平木版年画的内容大体可分为三类：一是门神，主要有《将帅图》、《立刀顿斧》、《加官晋爵》、《扬鞭》、《五子登科》等作品；二是神话传说，主要有《老鼠嫁女》、《麒麟送子》等作品；三是戏曲故事，主要有《四郎探母》、《踏伞》、《钟馗嫁妹》等作品。梁平县也生产各种类型的花笺、花纸和门画。在年画等的绘制技法上不仅继承了传统水印木版年画的工艺流程和川派雕刻技术，也吸取了徽派、金陵派的雕版套色技术，还运用西洋绘画中的焦点透视，巧施阴阳（明暗画法），区分远近；其构图饱满简洁，人物夸张变形，色彩对比强烈，动静处理得当，造型古朴粗犷，使人过目难忘。

清代，梁平木版年画便已“驰名京省处”，畅销东南亚。20世纪三四十年代，又被苏联、美国和法国等地的博物馆收藏，由此蜚声中外。20世纪末，《中国美术全集》、《中国民间美术全集》、《三峡民间艺术》和《民间年画》等大型画册中都收录了传统的梁平木版年画。随着现代社会环境的转变，民间习俗也发生了很大的变化。在此背景下，梁平木版年画逐渐淡出人们的生活，部分年画和雕版珍品散落民间，一些传承人先后去世，年画技艺后继乏人，濒临灭绝，急需进行抢救和保护。

310

绵竹木版年画

◎申报地区或单位：四川省德阳市

绵竹市地处四川盆地西北边缘，盛产竹子，其中最为著名的绵竹是造纸的上好材料。绵竹木版年画技艺主要分布在绵竹市城区剑南镇和北部的拱星镇、清道镇、新市镇、孝德镇等地。

绵竹龙门山中段与成都平原北部连接，成都自唐以来便是国内雕版印刷的中心，绵竹受其影响，相传在宋代已有木版年画生产。据口述资料，清代乾嘉年间，绵竹有年画从业人员九百余人，大小规模不一的作坊三百多户，年产包括门画、斗方、屏堂、杂条、拓片、案子在内的年画一千二百多万幅，远销云南、贵州、陕西、青藏、两湖及四川省内各地。绵竹木版年画

的题材除传统的门神画以外，还涉及戏曲故事、山水花鸟、写景纪实、吉祥图案等。绵竹各地年画制作有专业分工，城区偏重拓片、杂条、斗方、案子，并兼及门画；清道乡偏重彩色清水大袍；遵道乡偏重美人、娃娃戏，如此等等。绵竹木版年画兴盛时，出现了行会组织“伏羲会”，自发对年画产品进行评议。20世纪初，绵竹木版年画开始衰落，此后日趋萧条，休业者众。

绵竹木版年画与地方习俗紧密联系在一起，仅张贴就有许多规矩，不能违背。画中种种图像亦有不同的象征与解释，和图像一起反映或呈现在各种民俗仪式中。明清时，除神佛题材外，绵竹木版年画中已大量出现戏曲题材，绵竹的画师根据川剧剧目绘制年画，创作出《白狗争凤》、《五子告母》等作品。从体裁论，绵竹木版年画有“红货”和“黑货”之分，“红货”是指彩绘年画，“黑货”是指以烟墨或朱砂拓印的木版拓片。

绵竹木版年画制作包括起稿、刻版、印墨、施彩、盖花等工序。其艺术特点一是手工彩绘，同一张版因不同的手绘，效果不一；二是对称性构图；三是运用色相和色度对比，尤善用金色（如沥金、堆金、贴金）。但比较而言，最见特色的还是“填水脚”（指用剩余颜料涂抹的一种样式）。

清代乾隆以后，绵竹木版年画代出名师，从未间断，现在这一技艺的主要传承人有李方福、陈兴才等。20世纪50年代以后，绵竹木版年画在多次政治运动中受到毁灭性的打击，不少传承人被剥夺了绘画的权利，古版亦遭破坏。近20年来，年画的制作与生产虽已恢复，但市场开始萎缩，因此有的传承人卖版子毁笔，不再从事年画制作。

311

凤翔木版年画

◎申报地区或单位：陕西省凤翔县

位于陕西省关中平原西部的凤翔县，是我国知名的木版年画产区。据凤翔县南肖里村邰氏祖案记载，明正德二年前，邰氏家族已有8户从事年画生产，至今已传承延续了20代。至1950年，凤翔木版年画尚有六百九十多种，分门画、十美画、风俗画、戏剧故事画、神码画五大类，最盛时年产销量达600万张。凤翔木版年画全以手工雕版，土法印制，局部手绘染填，套上金银二色，色彩对比强烈，造型饱满夸张，保留了古版年画古朴自然的艺术风格。它数百年间流行于陕、甘、宁、青、川广大地区，深受民众喜爱。

20世纪六七十年代，凤翔年画濒于灭绝。1978年后，“西凤世兴画局”第三代传承人邰怡，主持成立了凤怡年画社，对流散民间的版画古样进行挖掘、整理、研究和复制，重新恢复了凤翔木版年画这一古老的民间传统艺术。1984年后，邰怡长子邰立平接主凤怡年画社，继续为抢救、保护凤翔木版年画而不断奋斗。经过邰立平的努力，《凤翔木版年画选》两卷册得以整理出版。陕西省文化厅、陕西省文联和陕西省民间文艺家协会曾授予“西凤世兴画局”第二、三、四代主持人邰世勤、邰怡、邰立平“陕西民间年画世家”的称号。

目前西北地区能够制作年画的只有为数不多的几个人，而能从事创作及研究的只有邰立平一人，凤翔邰氏木版年画的传承和延续正面临着危机，亟待抢救和保护。

312

纳西族东巴画

◎申报地区或单位：云南省丽江市

东巴画是纳西族东巴文化艺术的一项重要内容，流传在云南省丽江市古城区和玉龙纳西族自治县地区。以纳西族民间信奉中的神灵、传说中的祖先及动物等为主要描绘内容，表现了人与自然的和谐关系，主要有经卷图画、木牌画、纸牌画和卷轴画等形式。

东巴的经卷图画包括东巴图画文字、封面装帧画、经书扉页和题图等。东巴的木牌画是在简制的木牌面上绘制出的图像，它主要用于纳西族的插地祭祀活动，与两汉时期中国西北部古羌人"人面形木牌"有着渊源关系。东巴的纸牌画以自制的土纸为载体，它主要包括两类，一类是绘制的神像，或竖于神坛供人祭拜，或戴在祭司头顶；另一类是绘画谱典，或用作绘画者的规范，或用作绘画传承时的教本，这种谱典种类繁多，可以自成体系。东巴的卷轴画多绘于麻布或土布上，四周用蓝布装裱，

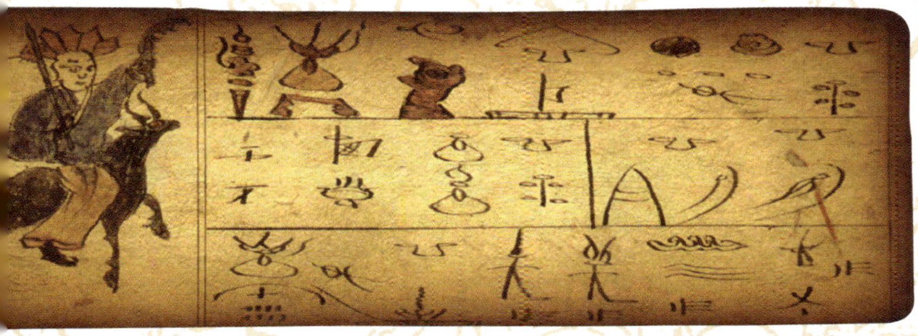

上有天杆，下设地轴，绘画内容多为纳西族信奉的神祇。卷轴画在继承纳西族传统绘画的基础上借鉴了藏、汉等民族的绘画技法，又吸收了佛、道文化元素，特别是吸取了元、明以来藏族唐卡造像艺术的特点，兼收并蓄，形成一种新的绘画形式。卷轴画《神路图》是东巴绘画艺术中的皇皇巨制，全长十几米，由一百多幅分格连环画组成，直幅长卷上共描绘了三百六十多个人物及动物形象，场面宏大，气势壮观，技艺高超，反映了纳西族灵魂不灭的生命意识和完善人生的伦理观念。

东巴绘画主要以木片、东巴纸、麻布等为材料，用自制的竹笔蘸松烟墨勾画轮廓，然后敷以各种自然颜色，绚丽多彩，历经数百年而不褪色。其绘画形象具有强烈的原始意味，以线条表现为主，并不注重事物外部的形体比例，但朴实生动，奇异诡谲，野趣横生，色彩多用原色，鲜艳夺目。许多画面亦字亦画，保留了浓郁的象形文字书写特征，是研究人类原始绘画艺术的“活化石”。

313

藏族唐卡

（勉唐画派、钦泽画派、噶玛嘎孜画派）

藏族唐卡·勉唐画派

◎ 申报地区或单位：西藏自治区

勉唐画派是 15 世纪以后影响最大的藏族唐卡绘画流派，主要流行于卫藏地区。该画派的创始人是勉拉·顿珠嘉措，他出生于洛扎勉唐(今山南地区)，勉唐画派由此而得名。勉拉·顿珠嘉措拜萨迦一带的画师多巴扎西为师，苦心钻研，在绘画艺术上有着很高的造诣，其造像多注重绘画线条的运用，工整流畅，法度精严而变化丰富，色调亦活泼鲜亮。在创作的同时，勉拉·顿珠嘉措还根据《续部》编写了绘画理论专著《造像画度如意宝》。

勉唐画派艺术产生并形成于赞普时代，兴盛于帕竹时代中期至甘丹颇章时代，1949年至1966年为一转折期，1966年后开始冷落、沉寂。尽管20世纪80年代后地方政府做了不少抢救工作，但其绘画技艺依然处于难以为继的状态，有必要进一步加大抢救力度。

藏族唐卡·钦泽画派

◎ 申报地区或单位：西藏自治区

钦泽画派15世纪中期以后流行于后藏和山南地区，创始人是贡嘎岗堆·钦泽切姆。他自幼酷爱美术，在传统藏传尼泊尔派绘画的基础上吸收中原汉地、印度等地的绘画技法，创立了钦泽画派。钦泽画派和勉唐画派的出现给以前流行于卫藏地区的尼泊尔绘画样式画上了句号。钦泽画派在构图上保持了藏传尼泊尔绘画中主尊较大的特点，但在风景表现上开始吸收汉族地区的绘画风格，尤其擅长表现具有阳刚之美的忿怒像，绘制精彩绝伦。

藏族唐卡·噶玛嘎孜画派

◎申报地区或单位：西藏自治区
四川省甘孜藏族自治州

噶玛嘎孜画派属于藏族唐卡的三大流派（勉唐画派、钦泽画派、噶玛嘎孜画派）之一，流行于藏区东部，以四川省甘孜德格和西藏昌都为中心，相传在16世纪由南喀扎西活佛创建，以噶玛巴大法会而得名，又译“嘎玛嘎赤画派”，亦简称“噶孜派”。

噶玛嘎孜画派的风格来源较为复杂，其创派人物南喀扎西活佛以南亚梵式铜佛像为范，深受勉唐派绘画大师嘎丹夏觉巴·贡觉彭德的影响。经与南喀扎西同时期的八世噶玛巴活佛米久多吉总结先师及自己的经验，撰成《线准太阳明镜》，从而奠定了噶孜画派的理论基础。其后，十世噶玛巴曲英多吉从一套罗汉丝绢唐卡中发现了汉族界画和青绿山水技法的妙处，开始以工笔重彩绘制唐卡，作品具有浓重的汉族风格，有别于卫藏地区的勉唐、钦泽两大画派。在南喀扎西之后，又有两名画师继承了噶孜派画风，一是却吉扎西，以青绿设色著称；一是噶旭噶玛扎西，以独创出新著称。他们与南喀扎西一道，被誉为“噶孜三扎西”。

继“噶孜三扎西”之后，康巴炉霍郎卡杰大师的微型唐卡堪称一绝，而被誉为工巧天毗首羯摩化身的德格普布泽仁大师留存在德格印经院的画版几乎成为噶孜画派的范本。噶孜画派承传谱系十分明晰，历代名家辈出。派系传承中因地域、师承诸种关系而派生分支，导致风格变化，形成“旧噶孜派”和“新噶孜派”。

噶孜画派最显著的特点是施色浓重，对比强烈，画面富丽堂皇，故在数百年中逐渐形成一套颜料制作与使用的特殊技法。创作中以白、红、黄、蓝、绿为母色，能调出5大支32中支进而变化出158小支诸种色相。黄金的运用是藏传佛教绘画的一大特色，因使用金色被视为对神佛最神圣的供养。噶孜画派有一套研制金汁及涂金、磨金、勾金线、刻金、染金的绝技，可将金色分成多种冷暖变化，可在黑地上用金线勾画十几种不同的层次效果，还可在大片涂金的地方用九眼石制成的笔摁出各种线条（俗称"宝石线"）。

由于唐卡制作程序复杂，成本昂贵，方法考究，且技艺长期以来均是师徒承承、口耳相传，维系力量十分微弱，极易中断。近年来，很多民间画师以价格低廉的现代合成颜料替代传统颜料，对传统的唐卡造成巨大冲击。现在传统天然颜料的制作方法和使用技法都面临着失传的危险，噶孜画派传统的绘画风格也在发生着变化，急需保护和抢救。

314 衡水内画

◎申报地区或单位：河北省衡水市

衡水内画是指河北省衡水市的一种鼻烟壶内壁绘画技艺，主要分布在衡水市及其周边地区。其工艺精妙异常，"寸幅之地具千里之势"，如同鬼斧神工，被外界认为不可思议。

鼻烟壶的内画技艺产生于清代，1696年，康熙皇帝设立了第一个玻璃工厂，专门制作鼻烟壶，赏赐给王公大臣和外国使节；乾隆时扩大了烟壶的选料范围，由料器（玻璃）、瓷器发展到象牙、琥珀、珊瑚、玛瑙、水晶、竹根等。嘉庆年间，开始具有特定风格的京派内画出现，咸丰时有了进一步的发展，其制作工艺包括写、画、雕、刻、镂、錾、烧、焊、凿、磨、镶、嵌、铸、错、粘、漆及模压等技术。晚清时京城出现了一批内画大师，其中马少宣、孙星五、叶仲三父子善画人物，周乐元、丁二仲等善画山水花鸟。衡水内画号称冀派，与京派有着密切的联系，其创始人王习三是京派老艺人叶仲三之子叶晓峰、叶奉祺的第一位外姓弟子。20世纪50年

代末，王习三熟练掌握了京城“叶派”的内画技法后，将中国画中的工笔“撕毛法”引入鼻烟壶内画。他自创了冀派内画的特殊工具金属杆勾毛笔，即“习三弯勾笔”，笔杆直弯，可随意改变方向。

衡水内画把国画的皴、擦、染、点、勾、撕等技法引入内画。1981 年，该画派试用油彩作肖像内画，经过摸索掌握了油彩内画技法，打破了传统水彩画的局限，完成“中西合璧”的创举。衡水内画立意深邃，构图严谨，线描技法丰富，设色协调精润，书画并茂，雅俗共赏，深为世人所重。

衡水内画是现代中国内画的代表，行业内人才济济，各有专长的一流画师就有十余人，其作品豪爽奔放，富有诗情画意，肖像着色清淡，层次分明，富有质感。但目前衡水内画只有王习三的师徒传承谱系，此外并无系统的文字记录或著述，若不制定出具体保护措施加强管理，这一特色技艺将难以为继。

315 剪纸

（蔚县剪纸、丰宁满族剪纸、中阳剪纸、医巫闾山满族剪纸、扬州剪纸、乐清细纹刻纸、广东剪纸、傣族剪纸、安塞剪纸）

◎ **申报地区或单位：河北省蔚县**

剪纸·蔚县剪纸

蔚县位于河北省西北部，以出产剪纸而闻名。蔚县剪纸又称“窗花”，是当地民间一种传统的装饰艺术，至今已有二百多年的历史，初始图案多为花卉一类的吉祥纹样，后融入天津杨柳青年画和武强年画的艺术特色，形成了自己特有的风格。经刘老布等剪纸艺人共同研究，对创作工具进行改革，部分纹用刻刀由单幅剪转变为成批刻，使蔚县剪纸工艺有了新的提高。20世纪初，在王老赏、王守业、周永明等艺人的带动下，

315 **剪纸** 蔚县剪纸

蔚县剪纸的风格越来越突出，走出了民间剪纸的一般格局，具有了更为深厚的人文内涵。

蔚县剪纸是民间社会的产物，更是百姓生活的写照。它题材广泛，花样繁多，有戏曲人物、戏曲脸谱、神话传说、花鸟鱼虫、家禽家畜、吉禽瑞兽等多方面的内容。蔚县剪纸的刀工既有北方民间剪纸粗犷、质朴的特性，又有南方剪纸细腻、秀丽的风格。它色彩浓艳，对比强烈，装饰感强，民间味浓，富有韵味节律，呈现出妩媚娇艳、淳朴华美的艺术魅力，为世人所青睐。

在品类繁多的民间剪纸艺坛上，蔚县剪纸以构图饱满、造型生动、色彩绚丽、工艺奇特的艺术风格独树一帜。它以阴刻为主，阳刻为辅，阴阳结合，复用多色点染彩绘，达到了工致传神、雅俗共赏的效果。

剪纸·丰宁满族剪纸

◎ 申报地区或单位：河北省丰宁满族自治县

河北省丰宁满族自治县地处塞北，民间流传的丰宁满族剪纸始于清代康熙年间，至乾隆年间形成了具有地域特征与民族特色的新异风格，它以阳刻为主，阴刻为辅，批毛纤长，剪工精细。清末民初丰宁满族剪纸进入鼎盛时期，1949年后在形式和内容上又有了进一步的发展，更为贴近现实生产与生活。1960年以后，剪纸艺术创作堕入低谷。1982年，丰宁民间剪纸队伍重新建立，其作品随着各种展览和出国表演在海内外产生了广泛的影响。1993年，丰宁被文化部命名为“中国民间剪纸艺术之乡”。

丰宁满族剪纸从内容上可分为吉祥剪纸，花鸟鱼虫剪纸，山水风光剪纸，人物、盆篮碟盘瓶、瓜果、动物、花字剪纸等类。由表现形式看，它包括单色剪纸（红、白、黑等）、点染剪纸、填色剪纸、复色组合剪纸等品种。根据具体用途，又可分为窗花、祭神祖吊笺（挂签）、阴天扫天婆、节令剪纸、礼花（结婚的喜庆剪纸、葬丧的素色剪纸等）、日常室内装饰用顶棚花、风斗花、炕围剪纸等。在我国众多民间剪纸之中，丰宁满族剪纸以其特有的艺术魅力占有一席之地。

目前丰宁满族剪纸的传统技艺大多留存在70岁以上的老人手中，面临失传的危险，亟待抢救、保护。

315 剪纸 中阳剪纸

剪纸·中阳剪纸

◎ 申报地区或单位：山西省中阳县

山西省中阳县位于黄河中游黄土高原的吕梁地区。这一带民俗文化积淀极为深厚，保留着许多原生态的人文环境，由此形成中阳剪纸古老的民俗文化内涵与艺术形态。

中阳剪纸主要分布于中阳县境内南川河流域、刘家坪地区和西山边远山区。南川河流域的民俗剪纸风格细腻、古朴典雅，在中阳剪纸中占据主流地位。刘家坪的剪纸风格纯朴、刚健，西山边远地区的剪纸风格粗犷、浑厚，与南川河流域剪纸的主流风格相依相存，丰富着中阳剪纸的特色。

中阳剪纸与当地传统民俗文化血肉相连，它以中阳当地民俗信仰、岁时节令、人生礼仪、神话传说为主要表现内容，其中既有以鱼、蛙、蛇、兔为主题的装饰纹样，也有配合岁时节令、人生礼仪的民俗剪纸，还有以民间神话为题材的剪纸作品。中阳剪纸多以红纸剪成，体现着喜庆、热烈的民俗气氛，有时也根据风俗习惯，运用紫、黑、黄、绿、蓝等彩色纸剪制作品。中阳剪纸的主要作者是中阳农村中的劳动妇女，剪纸是她们日常生活中一项重要的内容，是她们审美情趣和聪明才智的集中表现。中阳剪纸富有浓郁的山野泥土气息和原始艺术质朴的美感，生动形象地记录了劳动妇女的理想和追求。其技艺的传承关系一般是自发的，亦有以家族方式传承的。现在主要传承人有王计汝、高宝香、刘玉莲、王中文、马翠莲等十几人，年龄已在60岁以上。这些老人一旦离去，中阳剪纸势将面临后继无人的局面，最终走向消亡，应尽早采取措施，对之进行抢救。

剪纸·医巫闾山满族剪纸

◎ 申报地区或单位：辽宁省锦州市

医巫闾山地区满族民间剪纸艺术以满族人原始的自然神崇拜、始祖神崇拜、生殖繁衍崇拜以及满族风俗为主要表现内容。医巫闾山地区满族人的原始崇拜活动中往往要制造图腾形象，或用树皮、兽皮剪刻诸神形象，或用木材雕刻神偶的形象等等。这种仪式造像活动历年相沿成习，最后发展成为一种剪纸艺术，既保留了东北满族的人文特征，又具有独特的艺术形式和丰富的萨满文化内涵，是研究民族文化融合的重要史料。

医巫闾山满族民间剪纸不但内容丰富，且造型简洁，纹样古朴。它不用繁琐、细密的剪法，不求精致、准确的造型，而主要以博大恢弘的气度和朴拙古茂的神韵取胜。

数百年来，这种满族民间剪纸艺术在医巫闾山地区的北宁市、凌海市、阜新市、义县等地流传，世代相承。在许多城乡地区，众多妇女参与剪纸活动，产生出许多技艺高超、成果丰富的艺人，形成祖辈相传的传承谱系。目前，尚有侯桂芝、马凤云、黄连玉、江秀霞等十余家谱系仍在传承相续。随着老一代艺人逐渐逝去，将后继乏人，在现代生活方式的冲击下随时都可能走向衰亡。因此有必要制定方案，对这一古老的民族民间艺术实施保护。

剪纸·扬州剪纸

◎ 申报地区或单位：江苏省扬州市

扬州是中国剪纸流行最早的地区之一，唐宋时期就有“剪纸报春”的习俗。扬州人在立春之日剪纸为花，做成春蝶、春钱、春胜等样式，“或悬于佳人之首，或缀于花下”，观以为乐。

另外还剪制纸钱、纸马等，专门用于祭奠。至清代，扬州商业兴盛，剪纸艺人亦数量大增，嘉、道年间的著名剪纸艺人有包钧等，技艺超群，有“神剪”之誉。扬州的剪纸艺人还根据需要创作绣品底样，大至门帘帐沿、被服枕套，小至镜服香囊、绢帕笔袋，有绣花必有纸样，扬州人称剪纸样的艺人为“剪花样的”。

扬州剪纸线条清秀流畅，构图精巧雅致，形象夸张简洁，技法变中求新，形成了特有的“剪味纸感”和艺术魅力，为中国南方民间剪纸艺术的代表之一。其用纸以安徽手抄宣为主，厚薄

适中，无色染，质地平整。

现代扬州剪纸的主要传承人为张金盛（艺名“老张三麻子”）和张永寿（艺名“小张三麻子”）父子俩。张永寿从艺七十多年，其剪纸已从实用性的花样转入富有装饰性的主题性创作，作品显现出写实、变化、概括、夸张的风格特点，总结有“圆如秋月、尖如麦芒、方如青砖、缺如锯齿、线如胡须”等剪纸要诀，为后辈剪纸艺人留下了宝贵的“创作经”。张永寿毕生创作了数千件作品，其中的《百花齐放》、《百菊图》、《百蝶恋花图》等艺术价值极高，被人们称为“剪纸艺术中的观止之作”。1989年，张永寿先生逝世，其第三代传承人虽也取得了一定的艺术成就，但功力和灵气都无法超越前代。到目前为止，扬州剪纸技艺后继无人的趋势已越来越明显，这一古老的民间艺术正处于濒危状态，亟待保护和扶持。

剪纸·乐清细纹刻纸

◎ 申报地区或单位：浙江省乐清市

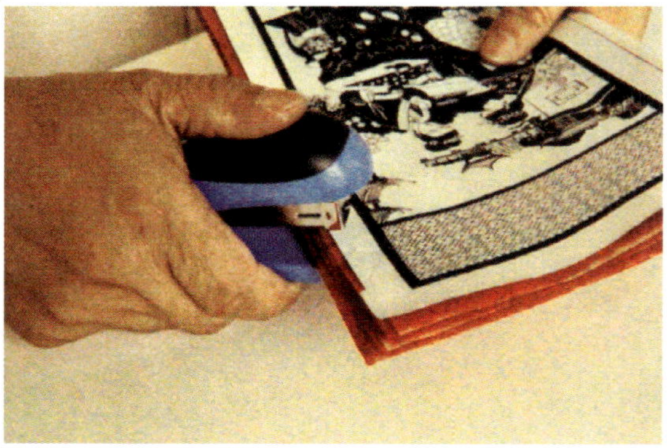

乐清市位于浙江省东南部沿海，乐清细纹刻纸是当地流传的一项绝艺，主要集中在乐清市象阳镇的寺前村、后横村，北白象镇的东才村及乐成镇、柳市镇、翁阳镇等地。

乐清剪纸源于乐清民间剪纸“龙船花”，至今已有七百多年的历史。据《乐清县志》记载，元代大德年间，“社里笙歌达旦，通衢剪彩为众共赏，与民同乐”。这里的“剪彩”就是剪纸。每年正月十五，乐清乡间各地都有龙船灯巡游。龙船纸扎和细纹刻纸是龙船灯的基本工艺和装饰手段，早期龙船灯上的细纹刻纸是单纯的几何图案，后发展出花卉、鸟兽、山水、戏曲人物、神话故事等内容，代表作有《九狮图》、《八角双鱼》等。乐清细纹刻纸的现代传承人有林邦栋、林顺奎、陈余华、郑元逊、卢发良等。

乐清细纹刻纸刀法精妙入微，挺拔有力，图案细如发丝，工而不腻，纤而不繁，表现力十分丰富。它最突出的一个特点是细，在早期“龙船花”的刻纸中，最细的能在一寸见方的纸上刻出52根线条，一幅碗口大的细纹刻纸要十多天才能刻成，十分费工。细纹刻纸的工艺使各种民间图案纹样都能在几厘米见方的纸上得到细致而丰富的表现，这使乐清细纹刻纸获得了“中国剪纸的南宗代表”之称。

细纹刻纸技艺难度大，短时间内难以掌握，一般要有数十年的雕刻功夫才能创作出精美的作品。近二十几年来，随着温州轻工业的蓬勃兴起，乐清市剪纸工艺品的生产受到冲击，出现了衰微的状况，许多人弃艺从商，老艺人年老力衰，后继乏人。

剪纸·广东剪纸

◎申报地区或单位：广东省佛山市、汕头市、潮州市

广东剪纸主要由流传于佛山地区的佛山剪纸、流行于潮汕地区的潮阳剪纸和流传于潮州地区的潮州剪纸构成。佛山市位于广东省中南部、珠江三角洲腹地。佛山剪纸是由当地民俗活动发展而来的一种民间艺术，主要分布在佛山市禅城区及南海区的部分乡镇。

佛山剪纸据说源自中原，结合当地民俗风情及手工业、商业而发展起来，至清代已逐步成行成市，并出现了行会组织。20世纪初，与佛山剪纸有关的门钱、童话、符疏衣纸、溪纸、金花、磨花纸、蘸料纸、打铜、铜箔、朱砂年红染纸、花红染纸、染色纸12行都蓬勃发展，店号数百家，工人近三千人，他们所生产的蘸料纸、各色染纸都是佛山剪纸的材料来源。

佛山剪纸分为纯色剪纸、衬料剪纸、写料剪纸、铜凿剪纸四大类，根据用料不同，又可分纯色料、纸衬料、铜衬料、染色料、木刻套印料、铜写料、银写料、纸写料、铜凿料9种。剪纸手法分为剪和刻两大类。剪，多为随意剪制，每次两三张，如礼品花、灯花、乞巧节的烛台花、香案花、饼花等即以此法制成；刻，每次可刻20至30张，粗犷的图案可刻50至100张不等，便于大量复制。佛山剪纸所用刻刀大小不一，一般系随意磨制而成，宽度从3毫米至1毫米不等，一套十余把。操刀时以握毛笔法持之，垂直切割，线条连接而不断，成型如网状。传统佛山剪纸以社情民意决定其内容和形式，喜庆吉祥、驱邪纳福、多子长寿等是永恒的主题，

315 剪纸 广东剪纸

在民间极受欢迎，长期流行不衰。与此主题相应，佛山剪纸中以铜箔金碧辉煌的特点配合鲜明的色纸，形成独有的地方风格，也形成铜凿剪纸等独特的表现形式。现在佛山剪纸技艺的主要传承人为林载华等。

佛山剪纸具有产业化的传统，加强对其挖掘和保护将有助于研究珠江三角洲民俗活动和民间文化形态，同时还可以繁荣民间文化市场，增强地域文化特色。但目前佛山剪纸专业人员队伍青黄不接，最具特色的铜凿剪纸由于工具散失，作为主要材料的铜箔不再生产而无法制作，加上老艺人退休或病故，许多传统技艺面临失传的危险，亟待抢救。

潮阳剪纸主要分布在广东省潮汕地区，以潮阳区铜盂、西胪、和平、贵屿等镇为代表。潮阳剪纸的兴起与迁居此地的中原人有关。这一剪纸样式多表现吉祥喜庆、福禄寿诞、五福呈祥、子嗣绵延、五谷丰登、六畜兴旺等祥瑞题材，一般在游神赛会、元宵观灯、中秋拜月、婚俗喜庆、祭祖拜神等活动中用作装饰以渲染喜庆气氛，另外也表现一些日常生活内容，如花鸟虫鱼、动物走兽、民间传说、神话故事、戏曲人物、市井百姓等。除上述品种以外，潮阳剪纸也有一些装饰性的小花样，如供品花与礼品花等。潮阳剪纸造型灵活，构图以对称为主，结构严谨，饱满而不杂乱，尤其以“花中套花”的布局最具特点，疏密有致，剔透玲珑。剪纸刀法精巧细腻，以阳剪为主，配合使用阴剪。阳剪的纹线工整细致，阴剪的线条粗壮有力，再加上“花中套花”的手法，表现力十分丰富。

20世纪80年代以来，潮阳区政府组织力量对潮阳民间剪纸进行了挖掘、整理、保护和研究。1989年，整理出18本（套）近五百个花样，出版了《潮阳民间剪纸》一书。2003年，有五十多件潮阳剪纸作品入编《中国民间美术全集·剪纸卷》、《中国民间吉祥艺术博览》和

《潮汕民间美术全集·剪纸卷》等书。1997年，潮阳区被广东省政府命名为“广东省民族民间艺术（剪纸艺术）之乡”。现在潮阳民间剪纸的主要传承人有张佩龙、蔡名英、李婵仙等。但健在的老艺人平均年龄已在75岁以上，迫切需要年轻人加入其中进行继承。

潮州是广东省东部沿海的港口城市，潮州剪纸主要分布在粤东地区，流行于明代，繁荣于清代，至光绪年间达到鼎盛。现存的一件清雍正年间的作品《蝙蝠》（潮州市司马浦镇）系以棕色丝线剪成，技艺十分精巧，说明潮州剪纸早就达到了很高的艺术水平。

清代中期，潮州修祠建庙蔚然成风，在此背景下剪纸就当作了祭祀、节庆、游神赛会、红白喜事等民俗活动中的一种饰物，寺庙中的僧尼也剪纸花馈赠善男信女，潮州剪纸因之而在寺庙中得到迅速发展。至20世纪初，还有江根和、李木林、杨学友、罗瑞瑜、辜秋泉、谢楚周等尼姑带出的潮州剪纸艺人在当地剪纸创作中发挥作用。1962年后，因寺院僧尼无后，出家者少，潮州剪纸渐失传人。

潮州剪纸题材涉及花果、走兽、人物、风景和文字图案等，具有浓厚的地方文化特色。不同剪纸艺人往往有细致、豪放、秀逸等不同风格表现。以形式区分，潮州剪纸有纯色、多色、阳刻、阴刻等类型。潮州民间剪纸艺人善于将三五张色纸叠在一起，灵巧地运使剪刀，以娴熟的技巧剪出各种花纹图案。如纯色剪纸充分发挥“剪”的特点，以纤细秀丽的线条配合块面，借助夸张、变形手法创造出栩栩如生的艺术形象，剪刀味十分浓郁，富有装饰性。纯色剪纸有一个特点，就是不画稿，艺人们仅凭记忆和想象，一手拿纸，一手运剪，直接将花样剪出。这种匠心独运的剪法极富创造性，造型活泼而富于变化，很少有重复的作品。多色剪纸则用多种色纸分别剪出物象的各个部分，然后再合并为一件完整的剪纸作品，生动细致，别有特色。

潮州剪纸有一个品种称为“錾纸”，是将图案放在色纸或金箔上，用刻刀錾刻而成。“錾纸”又分衬色剪纸和写料剪纸。衬色剪纸先用金箔或黑纸刻出轮廓线，再用彩纸衬底；写料剪纸则用纯色纸或金箔刻画出形象的线条骨架，再用颜色彩绘衬底。錾纸工艺以饶平县镂金村的色錾纸最为著名，色錾纸俗称“大钱”，用于祭神祭祖或游神活动，内容以戏曲人物、鸟兽虫鱼、花卉博古、诗词书法等为主。

现在人们的生活方式发生了很大的变化，潮州剪纸已逐渐失去以往的生存环境，现存知名的剪纸艺人不足十人，且年事渐高，传统的潮州剪纸后继无人，亟待抢救、保护。

剪纸·傣族剪纸

◎ 申报地区或单位：云南省潞西市

傣族剪纸主要流行于云南省德宏傣族景颇族自治州潞西市，其最早形式源于傣族祭祀仪式所用的纸幡，后来在佛教文化和中原文化的影响下逐步充实发展，形成完善的剪纸并被广泛应用于祭祀、赕佛、丧葬、喜庆及居家装饰等方面。在潞西，几乎村村寨寨的傣族村民都能剪纸。

潞西傣族剪纸以特制的剪刀、刻刀、凿子和锤子为工具，其剪刀和刻刀具有尖、利、仄、薄的特点，一般可剪八层纸；凿子和锤子有稳、钻、灵、活的特点，一次可凿三十余层纸。傣族剪纸分“剪”与“凿”两种方法，剪无需稿样，随手可剪；凿则需稿样，按样制作。傣族剪纸的主要制品为扎、董、佛幡、挂灯、吊幢、板等，多用以装饰佛殿的门窗、丰伞、佛幡及演出道具、节日彩棚、泼水龙亭等。傣族剪纸内容多与傣族所信仰的南部上座部佛教有关，涉及佛经故事、民间传说和边疆风物特产等，带有浓厚的生活气息和乡土风味。常见图形既有龙凤、孔雀、大象、狮子、麒麟、马鹿、骏马、游鱼及各种奇兽异鸟，也有糯粘花、荷花、玫瑰花、菊花、茶花、杜鹃等花木，还有亭台楼阁、佛塔寺庙等建筑，形象生动，图案整齐，匀称美观，风格粗犷有力，朴实无华。傣族剪纸在当地的社会生活中占据着重要而特殊的地位，从剪纸内涵到外在表现形式诸方面均折射出傣族人民的历史文化传统、审美追求和独特的民族精神。

在当前日新月异的社会变革中，傣族剪纸面临困境。因为剪纸艺人收入低微，年轻人大多不愿从事这一行业。现在傣族剪纸的传承人寥寥无几，且年事已高，这一特色民族艺术急需抢救和保护。

剪纸·安塞剪纸

◎ 申报地区或单位：陕西省安塞县

安塞剪纸是流行于陕西省安塞县的一种民间艺术。大凡喜庆的日子，安塞妇女都要铰剪纸、贴窗花。腊月天，妇女们围在一起，早早就为春节剪纸，临近年关，家家户户新糊的洁白窗户纸上贴满了红红绿绿的剪纸。这样，一个村子就是一个剪纸艺术展览会。

有专家评论说，陕西剪纸在陕北，陕北剪纸在安塞。安塞剪纸不仅造型美观，剪工精致，而且具有深邃的历史文化内涵，包含了美学、历史学、哲学、民俗、考古学、文化人类学等多方面的内容，被誉为“地上文物”和文化“活化石”。

安塞剪纸形式多样，风格淳厚凝练，线条粗犷明快，寓意单纯质朴，充满对平安吉祥的祈望之情。

316 顾绣

◎申报地区或单位：上海市松江区

顾绣系明嘉靖三十八年（1559）松江府进士顾名世之子顾汇海之妾缪氏所创，是江南惟一以家族冠名的绣艺流派。顾名世次孙媳韩希孟善画，在针法与色彩运用上独具巧思，显著提高了这种绣法的艺术品格，顾绣由此又称“画绣”。

据明代崇祯年间《松江县志》记载：“顾绣，斗方作花鸟，香囊做（作）人物，刻画精巧，为他郡所未有。” 其特点主要有三：第一，半绣半绘，以补色、借色见长；第二，用料奇特；第三，运用中间色化晕。韩希孟以这种绣、画结合的方法，穷数年心力摹绣宋元绘画名迹八幅（册页），为世所重。明代松江画派代表人物董其昌对顾绣极为赞赏，称它“精工夺巧，同侪不能望其项背……人巧极天工，错奇矣”。韩希孟创立“画绣”阶段是顾绣发展的初期，绣品多为家庭女红，世称“韩媛绣”，基本用于家藏或馈赠。

韩希孟之后，顾氏家道中落，逐渐倚赖女眷刺绣维持生计，并广招女工，从此顾绣由家庭女红转向商品绣。顾

名世的曾孙女顾兰玉得缪、韩之亲授，并将技艺传承下去。据清代嘉庆年间《松江府志》记载，顾兰玉“工针凿，设幔授徒，女弟子咸来就学，时人亦目之为顾绣。其绣针法外传，顾绣之名震溢天下”。清代道光年间，松江丁佩既精刺绣又通画理，著《绣谱》，于顾绣“心知其妙而能言其所妙者”。“言以仿效者皆称顾绣，绣品肆竟以顾绣相称校。凡苏属之绣几无不以顾绣名矣。”20世纪初，松江出现了松筠女子职校的顾绣班，现年近九旬的戴明教老人曾为该班学生，她是近半个世纪顾绣在松江的代表性传承人，著有《顾绣针法初探》一书。

顾绣是民间绣艺与文人画结合的产物，从业人员须具备传统的书画修养。正因如此，

它很难普及，且制作费时耗工。20世纪50年代以后，上海曾办过不少顾绣厂，现基本都已关闭。受现代工业的影响，大量顾绣仿制品涌入市场，形成对顾绣的冲击，顾绣之名虽盛而真得“画绣”真谛者在上海几乎不复可寻，因此必须要采取措施对这一传统绣艺进行抢救、保护、整理、挖掘。

317 苏绣

◎申报地区或单位：江苏省苏州市

苏绣为苏州刺绣之简称，它以产生之地命名，历史上曾广泛存在于苏州城乡。近十年来苏绣行业逐渐萎缩，现主要集中于苏州市区和高新区东渚镇、镇湖街道一带。

苏绣技艺的起源不详。现存的宋代以来苏绣实物显示了不同历史时期苏绣技艺的发展状况和实际水平，如元代苏绣残片表明，当时已有一件作品运用9种刺绣针法；明代绣品多采用文人画稿，开始形成精细雅洁的独特风格；清代苏绣成为行业，商品绣极为发达，苏州因此有“绣市”之称。道光年间，江苏女子丁佩总结刺绣技艺，完成了中国第一部刺绣专业著作《绣谱》；清末民初，苏绣名家沈寿创“仿真绣”，晚年口述《雪宧绣谱》，总结刺绣经验；20世纪30年代，苏绣名家杨守玉创“乱针绣”，丰富和扩展了苏绣的题材与内涵；20世纪50年代，苏州刺绣研究所建立，聚集、培养了大批苏绣人才，他们在继承传统绣法的基础上研究和创制了多种绣法与

针法，使苏绣技艺不断发展和提高。

自明代以来，苏绣大师辈出，流派纷呈，目前尚有确切传人并有影响的苏绣可分为三大谱系，一是传统细绣，二是沈寿所创的“仿真绣”，三是杨守玉所创的“乱针绣”。这三大谱系的技艺都有着丰富而多变的适应性，完整而系统的技艺法理，具有传统的书画品味和浓厚的地方色彩。

苏绣一直是苏州地区最具代表性的工艺美术，对工艺美术史、民俗学和女性学等学科的研究具有重要价值。但随着现代商品经济和科学技术的发展，电脑绣花技术得到普遍应用，在此情势下苏绣的生存空间日益缩小，拥有高超技艺的苏绣传承人和高品质的苏绣艺术品越来越少，苏绣正面临着有序传承的危机，亟待抢救、保护。

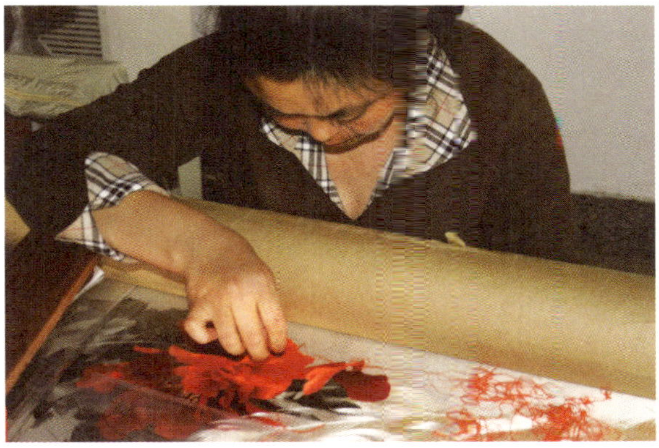

318 湘绣

◎申报地区或单位：湖南省长沙市

湘绣的传统产区，主要分布在长沙市及其所辖的长沙县、望城县、开福区的数十个乡镇。解放后，在原有绣庄的基础上，组建了国营红星湘绣厂、湖南省湘绣厂、长沙市湘绣总厂(已改制)、长沙县湘绣厂(已破产)、望城县湘绣厂(已破产)，鼎盛时期从业人员近十万。1979年省厂改为湖南省湘绣研究所，1998年湖南省人民政府拨款780万元建立了湖南省湘绣博物馆。1986年成立长沙市沙坪湘绣厂(民营)，2003年中外合资修建了湖南星沙湘绣城。

湘绣近百年来被世人普遍认为是中国四大名绣之一，1972年长沙马王堆一号汉墓出土的“深褐色菱纹信期绣”、“黄绢地长寿纹绣”等大量刺绣残片证明湖南刺绣已有两千多年的历史。湘绣在清代后期形成了具有独特风格的刺绣体系。清末，湘绣艺人李仪徽(1854—1928)首创掺针绣法；胡莲仙于1898年在长沙市司门口开设了第一家湘绣“吴彩霞绣庄”，掺针绣法通过胡莲仙传教徒弟而得以推广。掺针绣法能表现物像的浓淡阴阳、色阶渐变、色调混合，再与极为精细的劈丝技术相结合，使文人绘画的精神得以充分展现。清末民初，湘绣艺人廖家惠绣制《吴佩孚母亲像》(现藏上海博物馆)；“奉安大典”中，孙中山先生灵柩覆盖的是湘绣棺罩(现藏台北故宫博物院)；1933年长沙锦华丽绣庄刺绣的《罗斯福总统绣像》(现藏美国亚特兰大市小白宫博物馆)，在美国芝加哥百年进步博览会上展出，引起轰动，使湘绣扬名国际。这一时期，湘绣技艺均已达到相当高度。解放后，湘绣名老艺人余振辉(1913—1984)发明和完善了鬅毛针法，使湘绣表现的狮、虎栩栩如生，成为中国四大名绣中独有的著名针法。通过数代艺人的传承、发展，湘绣技艺现已形成5大类72种完整的针法体系，为完美地表现文人绘画和现代摄影作品奠定了良好的基础。双面全异绣使湘绣的表现形式和技艺水平达到了惊人的高度，国人誉为“超级绣品”，外国友人称为“魔术般的艺术”。

改革开放以来，国务院先后授予的湘绣中国工艺美术大师有李凯云、杨应修、黄粹峰、刘爱云、周金秀5位。湘绣狮、虎等题材的作品现藏中国工艺美术馆，成为国家级珍品（国宝）。湘绣艺人曾多次受国家委派，到国外表演，大量湘绣作品作为国家礼品馈赠国际机场和友人，传播了中华文化，增进了国际友谊；2005年，我国“神六”太空之旅，搭载了湘绣作品（长沙沙坪湘绣厂绣制）；2005年10月，在江苏省木椟举办的“中国四大名绣展评”中，惟有湘绣《长寿鸟》（湖南星沙湘绣城绣制）获一等奖；2005年11月，由中国工艺美术协会在杭州举办的“中国工艺美术大师作品暨精品展”中，湘绣《安南绣像》（长沙绣花园绣制）获得刺绣类惟一金奖。

近年来，由于外来文化的冲击、市场经济的迅速发展、农村大量劳动力的转移，使源于民间手工技艺的传统湘绣存在传承人的匮乏，部分优秀的手工技艺趋于失传，为了保护、发展湘绣传统技艺，长沙市人民政府正积极采取有效务实的措施，逐步加大保护力度，使湖湘人民千百年来创立的湘绣品牌得以传承和发展。

319 粤绣

（广绣、潮绣）

◎申报地区或单位：广东省广州市、潮州市

粤绣是流传于广州及其古属地南海、番禺、顺德等地的民间刺绣工艺，至今已有一千多年的历史。唐代苏颚《杜阳杂编》中就已有南海少女卢眉娘"工巧无比，能于尺绢绣《法华经》七卷"的记载。

粤绣技艺注意结合材料形质，有真丝绒绣、金银线绣、线绣和珠绣四大类。真丝绒绣以蚕丝为绣材，表现力强，是历史最为悠久、技艺传承最为完整的粤绣品种；金银线绣的针法独具特色，有平绣、编绣、绕绣、凸绣、垫绣、贴花绣、织锦等七大类六十多种；珠绣属于粤绣的新品种，最近几十年才由粤绣艺人开发应用。

粤绣在广东有着悠久的历史，潮绣在唐代就已出现于广东潮州地区，流传至明代已形成风格。它以龙凤、花卉、飞禽走兽、水族人物为题材，成品多充作日常用品、祭祀用品、欣赏用品、戏服装饰品等。其绣法可分为绣、垫、贴、拼、缀5种，针法有六角三叠踏针锦、垫棉过金针、双丁鳞、垫绣菊花畔鳞等两百多种。许多作品都综合运用了不同的绣法和针法，并有所创新，如潮绣代表作《九龙屏风》就运用了五大绣法。其中潮绣独有的钉金垫浮绣法使龙的形象栩栩如生。

粤绣工艺自成一家，它针法多变，针步均匀，能巧妙运用针法丝理表现物像的肌理。粤绣题材广泛，色彩丰富，注重光和影的和谐运用，同时还能做到“工”为“艺”用，对绣品的艺术效果十分重视。

粤绣中凝聚着历代艺人的天才与智慧，从艺术风格到创作思维都充满了岭南特色，其成长历程与岭南文化发展的轨迹紧密叠合在一起。黄洪、许练成、余德、黄妹、陈荷影等都是具有影响力的粤绣传承人。现在随着老艺人的逝世，一些粤绣绝活已经逐渐失传，粤绣惟一的工艺大师陈少芳女士也已年近七十，粤绣迫切需要年轻的传承人。在社会经济不断发展、科学技术迅猛进步的今天，依靠手工技艺出奇制胜的粤绣受到机绣、电脑绣的严重冲击，市场萎缩，生存困难，迫切需要扶持和保护。

320 蜀绣

◎申报地区或单位：四川省成都市

蜀绣又称川绣，起源于川西民间，因地缘关系而得名。古代川西平原盛产蚕，故称“蜀国”。《史记》载，春秋时蜀地把丝织品、麻织品运往泰国都城雍进行贸易，至两晋时，刺绣品已成为蜀地特产。蜀绣随着蜀地丝织业的发达而发展起来，汉末三国时期蜀绣产品为官府所控制。隋唐后，随着丝绸之路的贸易往来，织绣品需求剧增，蜀绣在此情势下得以迅速发展，达到历史上的高峰。明清两代，除闺阁女红外，四川又出现了许多专业刺绣人员和小型刺绣作坊。到1925年前后，仅成都就有刺绣从业人员一千多人，店铺六十余家。20世纪50年代，蜀绣遍布四川民间。70年代末，川西农村几乎是“家家女红，户户针工”，刺绣从业人员达四五千人之多。

蜀绣技艺以针法见长，共有12大类、122种。蜀绣以本地织造的红、绿等色缎和散线为原料，各种针法交错使用、施针严谨，用线工

整稳重，设色典雅，既长于刺绣花、鸟、虫、鱼等细腻而生动的图像，又善于表现山水磅礴的气势。受地理环境、风俗习惯、地方文化艺术等因素的影响，蜀绣在长期不断的发展过程中逐渐形成了严谨细腻、光亮平整、构图疏朗、浑厚圆润、色彩明快的独特风格。

蜀绣具有较高文化艺术价值。但由于受到社会变迁和市场需求的影响，近年来蜀绣在生产规模和商业收益上明显衰减，导致大量熟练的手工艺人改行流散，许多古老的刺绣工艺迅速失传。

321 苗绣

◎ 申报地区或单位：贵州省雷山县、贵阳市、剑河县
（雷山苗绣、花溪苗绣、剑河苗绣）

苗绣是指苗族民间传承的刺绣技艺。流传在贵州省雷山县、贵阳市、剑河县等地的苗绣有着不同的形式与风格。

贵州省苗族侗族自治州雷山县地处黔东南，是苗族的主要聚集地之一，全县苗族人口占总人口的83.6%。雷山苗族的服饰至今仍保留着原汁原味的传统风格，精美绝伦的刺绣技艺和璀璨夺目的银饰让人赞叹不已。雷山苗族服饰按结构和风格划分，主要有长裙、中裙、短裙、超短裙四种，也称西江型、也蒙型、公统型、大塘型。

雷山苗族服饰制作工艺独特，形制很有代表性，有些是雷山独有，有些他处亦有却主要分布在雷山县境内。与形制相关的刺绣工艺亦有其独特性，如双针锁绣、绉绣、辫绣、丝絮贴绣等，尽管别处也有，但就技巧而言，雷山苗绣更具特色，并技法多样。雷山苗族刺绣的图案在形制和造型方面，大量运用各种变形和夸张手法，并大胆使用多维立体造型和型中型的复合手段及比喻、暗喻、借喻、象征等的表达技巧，体现出别具民族风格的审美情趣。

贵阳市花溪苗族挑花技艺在贵州苗族刺绣技艺中具有一定的代表性。据史书记载：苗族先祖九黎部落原居黄河流域，由于在与外族争战中多次败北，逐渐西迁，部分支系进入今贵州境内，其中一个自称为“谋”（他族称之为“花苗”）的支系定居在格洛格桑（今贵阳）。这个苗族支系原先主要用蜡染来装扮自身，后发现挑花色彩更丰富，表现力也更强，便开始在蜡染图案底纹上进行挑花，挑花渐从蜡染脱胎，形成独特的表现手法和艺术语言。常见的挑花图案有猪蹄杈、牛蹄

杈、牛头、羊头、狗头、冰雪花、刺藜花、浮萍、荷花、稻穗、荞子花、铜鼓、灯笼、银杈、铜钱、太阳、青蛙、水爬虫、螃蟹、燕子、楼阁、田园、桥梁、河流、苗王印等。

花溪苗族挑花技艺具有追念先祖、记录历史、表达爱情和美化自身等功用，同时又有很强的装饰性。用十字绣为基本针法，数纱而绣，不用底稿，反面挑正面看的特殊技法，使整件挑花作品显得更加美观精巧。花溪苗族挑花的艺术风格可分为早、中、晚三个时期，1900年以前为早期，

年纳余庆
节号长春

这一时期挑花底布为自织青色麻布，色彩单纯雅致，以银色调为主，白色中点缀有小面积的彩色，构图严谨，图案有几何化、程式化的特征；1900年至1966年以前为中期，这一时期挑花底布仍多为青色麻布，也有少量青色土棉布，色彩热烈华丽，多以红色调为主，配以黄、绿、白等色丝线，构图较前期活泼，图案更加丰富；1967年以后为晚期，这一时期挑花底布色彩和质地都呈多样化趋势，增加了红、蓝、黄、白、黑等色机织布，甚至使用塑料窗纱和粗麻袋布做底布，挑绣用的彩线除了蚕丝线又增加了十字线和毛线，构图更加自由，图案更加多样化，有的艺人还开始模仿现代织物上的写实图案制作挑花。

由于苗族没有文字，花溪苗族挑花成了本民族历史和传说的载体，独特的挑花贯首服也成为这支苗族的识别标记和象征。挑花在花溪苗族的日常生活、节日庆典及择偶、婚丧、宗教等仪式中得到广泛的运用，有着很强的实用价值。花溪苗族妇女在制作挑花时，不但注重继承本民族的艺术传统，而且还善于发挥想象力，大胆地进行再创作，几乎找不到两幅完全雷同的作品，使得挑花有着较强的艺术性和独创性，广大美术家和收藏家对之极为珍爱，国内外博物馆也多有收藏。

剑河县苗族锡绣主要分布于贵州省剑河县境内的南寨、敏洞、观么等乡镇，已流传了五六百年。苗族锡绣以藏青色棉织布为载体，先用棉纺线在布上按传统图案穿线挑花，然后将金属锡丝条绣缀于图案中，再用黑、红、蓝、绿四色蚕丝线在图案空隙处绣成彩色的花朵。银白色的锡丝绣在藏青色布料上，对比鲜明，明亮耀眼，光泽度好，质感强烈，使布料看上去酷似银质，与银帽、银耳环、银项圈、银锁链、银手镯相配，极其华丽高贵。锡绣工艺独特，手工精细，图案清晰，做工复杂，用料特殊，具有极高的鉴赏和收藏价值。苗族锡绣与其他民族刺绣的不同之处在于，它不是用蚕丝线而是用金属锡丝条在藏青棉布挑花图案上刺绣而成，其核心图案犹如一座迷宫，变化莫测，耐人寻味，寓意深刻，充满强烈的神秘意味。

但是，随着人们审美观念和趣味的不断变化，民族服装的市场越来越小，苗族青年人中，穿着本民族服装的人越来越少。在此情势下，苗绣艺人的数量日渐减少，可以说，现代文化越是发达，苗绣的传统技艺流失也越快。面对苗绣技艺所遭遇的危机，应尽快采取措施予以解决，以保证这一古老的民族工艺顺利传承下去。

322

水族马尾绣

◎申报地区或单位：贵州省三都水族自治县

贵州省三都是全国惟一的水族自治县，位于贵州省黔南布依族苗族自治州东南部。水族马尾绣是水族妇女世代传承的以马尾作为重要原材料的一种特殊刺绣技艺。这种水族独有的民间传统工艺，分布在三都境内三洞、中和、廷牌、塘州、水龙等乡镇的水族村寨。

水族马尾绣的起源已不可考，主要产品形式有马尾绣背带和马尾绣花鞋等。四川成都织绣和其他民族的刺绣技艺也用马尾为原材料，但只有水族才如此集中地将之用于背带等绣品。水族马尾绣工艺有自己独特的制作技艺与方法。第一步先取马尾3至4根做芯，用手工将白色丝线紧密地缠绕在马尾上，使之成为类似低音琴弦的预制绣花线。第二步再将这种白丝马尾芯的绣线盘绣于传统刺绣或剪纸纹样的轮廓上。

第三步用7根彩色丝线编制成扁形彩线，填绣在盘绣花纹的轮廓中间部位。第四步再按照通常的平绣、挑花、乱针、跳针等刺绣工艺绣出其余部分。

马尾绣工艺十分复杂，采用这种工艺制作的绣品具有浅浮雕感，造型抽象、概括、夸张。马尾绣工艺主要用于制作背小孩的背带（水语称为“歹结”）及翘尖绣花鞋（水语称为“者结”）、女性的围腰和胸牌、童帽、荷包、刀鞘护套等。虽历经时代和环境的变化，但其造型理念和程式化符号基本不变。马尾绣背带主要包括三部分，上半部为主体图案，由二十多块大小不同的马尾绣片组成，周围边框在彩色缎料底子上用大红或墨绿色丝线平绣出几何图案，而在上部两侧为马尾绣背带手，下半部为背带尾，有精美的马尾绣图案与主体部位相呼应，“歹结”成为通体绣花的完整艺术品。制作这样一件“歹结”要花一年左右的时间。水族中老年妇女制作“歹结”尾花，一般不用剪纸底样，而直接在红色或蓝色缎料上用预制好的马尾绣线盘绣，综合运用结绣、平针、乱针，灵活自如，图案美观耐看。

遗憾的是，由于社会变革等方面的原因，马尾绣工艺传承出现严重断层。现代马尾绣的工艺制品质量下降，人们已很少愿意使用，对水族马尾绣这一特殊的工艺门类应当进行抢救、保护。

323 土族盘绣

◎申报地区或单位：青海省互助土族自治县

互助土族自治县位于青海省东北部，这里地处祁连山东南麓，为黄土高原与青藏高原交错衔接地带。土族独具特色的刺绣艺术盘绣就产生在这一地区。

土族盘绣艺术主要流传在甘肃互助县东沟、东山、五十、松多、丹麻等乡镇。在青海省都兰县发掘的土族先祖吐谷浑墓葬中，就出土有类似盘绣的绣品，由此可知，4世纪左右盘绣工艺已经出现。盘绣用料考究，加工精细，以黑色纯棉布做底料，再选面料贴上。盘绣是丝线绣，有红、黄、绿、蓝、桂红、紫、白等七色绣线，绣时一般七色俱全，配色协调，鲜艳夺目。盘绣的针法十分独特，操针时同时配两根色彩相同的线，一作盘线，一作缝线。盘绣不用棚架，直接用双手操作，绣者左手拿布料，右手拿针，作盘线的那根线挂在右胸，作缝线的那根线穿在针眼上。上针盘，下针缝，一针二线，虽费工费料，但成品厚实华丽，经久耐用。盘绣的图案构思巧妙，具有浓郁的民族风格，包括法轮（土语称为"扩日洛"）、太极图、五瓣梅、神仙魁子、云纹、菱形、雀儿头、富贵不断头、人物、佛像等几十种样式。一千多年来，盘绣以母女相传为主，亦在姊妹、妯娌、婆媳间传承。现代主要传承人有麻宝青、牛玛索等。

有着千年历史的土族盘绣一直传承至今，其文化与艺术的价值不可低估。土族盘绣色彩缤纷，图案逼真，在形、色、质、意等方面体现出本民族的审美态度和价值判断，为民族学、美学等的研究提供了鲜活的材料。

1949年以后，特别是近二十几年来，虽然各级政府部门和有关人员对土族盘绣做了一些发掘、抢救、保护工作，但这一古老的民族技艺至今仍面临着不少难以解决的问题。目前老一辈的盘绣能手大多年事已高，还有不少人已经谢世，一些绝技得不到传承就已悄然消亡，而年轻妇女多热衷于较简单的刺绣技术，如剁绣、机扎等，这些状况造成盘绣艺术后继乏人，濒临灭绝，急需调动各方面力量加以抢救、保护。

324 挑花

◎申报地区或单位：湖北省黄梅县 湖南省隆回县

（黄梅挑花、花瑶挑花）

挑花是一种具有极强装饰性的刺绣工艺。流传于湖北省黄梅县和湖南省隆回县的挑花技艺各具特色。

黄梅挑花又名架子花、十字挑花，广泛流传于湖北省黄梅县。相传起源于唐宋时期，成熟于明末清初。长期以来，经过一代又一代农家妇女的精研细作，这门工艺日臻完善，以明快的色彩组合、精巧的图案构想凸显出独特的艺术表现力。

黄梅挑花被国内许多民间工艺研究专家称为彩挑。黄梅乡下百里棉区的彩色挑花更为精美，花样丰富多彩，地方特色浓郁。当地有俗谚说：“黄梅有女皆挑花。”蔡山、新开、孔垅等地的挑花工艺最为兴盛，女孩刚懂事就跟着妈妈或婶婶做针线活，一直做到出嫁。当地人把不会挑花的女孩叫做“整巴掌”，这对女孩是一种羞辱。

黄梅挑花不同于一般刺绣，刺绣重刺，挑花重挑。黄梅挑花以元青布作底，用针将五彩丝线挑绣在底布经线和纬线交织的网格上，形成色泽绚丽、立体感强的图案。其中针脚为“×”字形的称“十字绣”，针脚为“—”字形的称平线绣。作品最初主要有头巾、衣边、门帘、帐沿、未围等，民间妇女用它们来打扮自己和装饰居室。

黄梅挑花的主要原料是当地的家机布，又叫大布，这种布被染成青色作底，艺人依靠一根针、一根线(七种颜色)在上面交替挑绣各种图案。主要有被面、床单、门沿、方巾、围腰、衣裤、鞋垫、枕头等，其中以方巾最为出色，曾多次获国际博览会金奖，产生过广泛影响。

挑花是纯粹的手工活，挑一幅图案少则三五天，多则一个月，却往往得不到相应的报酬。因此自20世纪90年代初以来，黄梅会挑花的年轻人越来越少，这门特色技艺濒临失传，亟待抢救。

花瑶挑花是湖南省隆回县瑶族女子中流传的一种独特的手工艺，隆回瑶族因女子筒裙上装饰有艳丽的挑花而被人称为“花瑶”。花瑶分布在隆回北部海拔1300米以上的虎形山瑶族乡、小沙江镇、大水田乡和麻塘山乡，共有七千余人。

花瑶挑花相传源于汉代，成熟于明清时期。挑花的材料为藏青色或白色的土布和各色丝纱线，挑花女不用描图和模具，只是遵循土布的经纬徒手挑制，多采用图案中套图案的填充式挑花工艺。挑花图案取材广泛，多达千余种，大致有动物、植物、历史、生活习俗等四大类，以动物类图案最为常见，构思奇巧，造型大胆夸张，布局均衡对称，色彩黑白分明，具有强烈的视觉冲击力。我国著名文博专家沈从文先生称之为“世界第一流的挑花”。花瑶挑花服饰被中国美术馆、民族博物馆列为珍品收藏。1994年花瑶挑花在文化部举办的“中国民间艺术一绝大展”中获得铜奖，2003年又获“中国首届文物仿制品暨民间工艺品大展”金奖，隆回县虎形山瑶族乡因此被湖南省文化厅命名为“文化艺术之乡”。

随着社会变革的深入和生活环境的改变，民族服饰不断被外界所同化。这一时期，许多老的挑花艺人去世，技艺传承出现断裂，同时挑花材料匮乏，制作面临困境。花瑶挑花工艺日渐式微，已到了濒危状态，亟待保护和挽救。

325

庆阳香包绣制

◎申报地区或单位：甘肃省庆阳市

庆阳市位于甘肃省最东部，地处黄河中上游的黄土高原，是陕甘宁三省的交会处。秦时为北地郡，隋代改庆州，宋代定为庆阳府。当地流传的庆阳香包又称“绌绌”，是庆阳的一种民间民俗物品。

庆阳地区有端午节制作佩戴“绌绌”（“绌”原指原始骨针的一种缝制方法，后借称用布缝制、袋口能松能紧的包袋）的习俗，其起始时间尚不可考，据说形成于公元前两千三百多年，《黄帝内经》的作者岐伯曾携一药袋防疫驱瘟、禁蛇毒，开创“薰蒸法”。因岐伯生于庆阳，故此法在当地渐成习俗，流传不断。草药被称为“香草”，因而药袋便称为‘香包”或“绌绌”。至明清两代，庆阳香包十分兴盛，成为人们佩戴或馈赠的佳品。20世纪60年代以前，庆阳香包的绣制普及到家家户户，庆阳女孩儿多“七岁八岁学针线”。20世纪50年代，庆阳

香包开始走向沉寂。近二十年，香包的制作与刺绣又开始复兴，2002年庆阳市被中国民俗学会命名为“香包刺绣之乡”。

庆阳香包是一种立体造型和平面刺绣兼融的纯手工艺制品，构型简单质朴，按制作技艺分有“绌绌”类、线盘类、立体刺绣类、平面刺绣类四大类型。“绌绌”又名藏针绣，其特点是把针线藏起来，以造型状物、形神兼备而不见针线为佳境，其工艺流程包括创意、选料、剪裁、状物等环节。线盘类香包是用各色线条盘成五角菱形的“粽子”，其技艺包括折壳子、配色线、盘线成型、成果（即将线盘成品连掇，吊上彩穗）等，如此制成的香包可以随身佩戴，可以挂在门庭，也可以馈赠他人，以寓示祥和平安。立体刺绣类香包内容庞杂，形式繁多，有单面挂、佩件，双面挂、佩件，立体挂件和摆件等近四百种样式，其制作过程分构图、刺绣、彩染、缝合、成果等环节，有过样子、打样子、扩背子、上样子、绣花、状物、成果、打扮等工艺步骤，制品讲究神似而不求形似。平面刺绣类香包风格敦厚凝重，厚实中流露出隽永，其制作有破线绣、合线绣、掇绣及齐针、辫针、缉针、掺针、抢针、挽针、盘金、点金、圈金等方法。

庆阳香包是一门传统工艺，现在主要的传承人有李秀娥、贺梅英等。目前庆阳香包绣制面临着手工产品被现代复制品取代的局面，刺绣工艺渐已失传，具备民俗文化知识的极少数工作者多半退休，研究人才奇缺，后继乏人，亟待抢救、保护。

326 象牙雕刻

◎申报地区或单位：北京市崇文区
广东省广州市

象牙雕刻是指以象牙为材料的雕刻工艺及其成品。北京和广州的象牙雕刻有着不同的艺术风格。

北京牙雕即北京象牙雕刻，可考的历史至少可追溯到两千多年前，在后来的历史发展过程中，从外地迁徙或被招募到京的优秀工匠与北京当地的工匠不断切磋，经过数百年的实践，北京牙雕具有了雍容华贵的宫廷艺术品格，形成独特的工艺特点。北京牙雕在清末曾一度衰落，后经杨士惠及其传人的努力，这一古老工艺又得以复兴。

象牙雕刻因牙材自身的品质而具有高洁的美感，成为中国特种工艺美术的一部分。北京象牙雕刻工艺复杂且有难度，表现题材广泛，技艺以口传心授方式承传。20世纪80年代以来，出于保护大象种群的考虑，国际上曾经一度禁止象牙贸易，这使得完全依赖进口象牙原料的北京象牙雕刻工艺陷入了困境，面临着一无原材料，二无年轻传人的局面。近年来，国际上已开始摒弃死板的贸易禁令方式，允许库存象牙贸易。即使如此，也无法解决作为特种工艺的北京象牙雕刻技艺无人传承

326 象牙雕刻

的问题，应尽快建立保护机制，对这一古老的特色技艺加以发掘抢救。

广州牙雕即广州象牙雕刻，镂雕牙球、花舫、微刻书画均是广东牙雕的代表。广东牙雕产品主要分为三类，一是欣赏品，包括象牙球、花舫、蟹笼、花塔、花瓶、鸟兽、人物、石山景等；二是实用品，包括折扇、台灯、烟盅、烟嘴、笔筒、粉盒、图章、梳具、筷子、牙签、书签、纸刀、象棋等；三是装饰品，包括手镯、项链、耳环、戒指、别针等。

广州牙雕重雕工，以镂空、透深的雕刻技法闻名于世，在长期的工艺实践中逐步形成一整套完整的精湛雕刻工艺。广州牙雕纤细精美，玲珑剔透，讲究牙料的漂白和色彩装饰，雅俗并举。作品以牙质莹润、精镂细刻见长，整体布局繁复热闹，不留空白。象牙雕刻与其他多种材料如紫檀、犀

角、玳瑁、翠羽等巧妙地镶嵌于一器之上，使图案更富于层次，同时刀法见棱见角，华丽而美观。

广州牙雕有着悠久的历史，秦汉时期已有了一定的发展，明清时工艺与生产规模曾达到历史高峰，民国以来其工艺水平日趋精湛，在全国牙雕行业中独树一帜。广州牙雕的传承方式以师徒传承、家族传承为主，采取手工作坊的生产模式。著名的传承人有陈祖章、翁昭、翁荣标、冯少侠、李定宁等。

地处中国南大门的广州与海外各地有着密切的经济贸易往来，具有民族特色的手工艺市场发展前景也相当可观，但目前广州牙雕行业中已没有了家族式的手工作坊，师徒关系也有了很大的改变，手工技艺在不知不觉中流失或变异，精工细作的手工艺流程也受到冲击，没有人愿意也无法单纯以传统的象牙雕刻技艺谋生，这极大地影响了广州象牙雕刻业的发展和传统技艺的传承，需要制定计划，尽快改变目前不利的状况。

327

扬州玉雕

◎申报地区或单位：江苏省扬州市

扬州是我国玉器的主要产区，琢玉工艺源远流长。在江淮东部龙虬新石器时代遗址出土了玉璜、玉管等物，扬州汉代墓葬亦出土不少玉器，品类繁多，造型优美，且已采用透雕、阴线刻和浅浮雕手法。唐代的扬州玉器工艺又达到新高峰，宋代扬州玉雕出现了镂雕和练条技艺，为后来特色技艺的形成打下了基础。清代乾隆年间扬州玉雕进入全盛时期，两淮盐政在扬州建隆寺设玉局，大量承办宫廷玉器，并按岁例向朝廷进贡。1840年后，扬州琢玉行业逐年衰弱，扬州玉工流向上海和香港等地，留在本地的多从事平面玉件的雕琢，也有人转行。20世纪50年代，扬州玉器厂成立，扬州玉雕技艺重新得到传承。

玉石质地坚硬缜密，摩氏硬度为4至8，手工雕琢技术较为复杂，其工艺特点是琢磨，即“琢玉”与“碾玉”。扬州玉雕使用的玉料有新疆的白玉、青玉、碧玉，辽宁的岫玉、玛瑙、黄玉，江苏的水晶，湖北的绿苗、松耳石，广东的南方玉及巴西的玉石、缅甸的翡翠、阿富汗的青金、加拿大的碧玉和日本的珊瑚等；其制作工艺在几千年的传承中保持着扬州传统的地方文化特色，将阴线刻、深浅浮雕、立体圆雕和镂空雕等多种技法融为一体，形成浑厚、圆润、儒雅、灵秀、精巧的特点，具有秀丽典雅、玲珑剔透的艺术风格。历代扬州玉雕分别保留了不同时期的艺术特征，如西汉的《白玉蝉》以和阗玉雕成，采用“汉八雕”的手法，线条凝练挺拔，推磨极见功夫；清代的《大禹治水》多种手法并用，属于稀世珍品，它以新疆青白玉为材料，高224厘米，前后雕琢6年，用工15万个，耗费白银一万五千余两。

当今的扬州琢玉艺师，全面继承了传统的扬州玉雕优秀技艺，锐意创新，在实践中遵循“量料取材，因材施艺”的琢磨工艺规律，结合时代的要求，不断提高“相玉”能力及雕琢技艺，创作了大批构图新颖、造型优美、做工精致的产品。他们的“山子雕”和“练子活”技艺独具一格，显示出扬州玉雕工艺技法的精湛。现在主要的扬州玉雕传承人有黄永顺、顾永骏、焦一鸣、刘筱华、李小威、江春源、夏林宝、汪德海等。

目前，扬州从事玉器生产的企业普遍面临成本高（玉石价格年年上涨）、费用高、赋税高等困难，生存极为不易。同时玉雕为手工操作，生产周期长，艺人需要付出艰辛的脑力劳动和体力劳动，却得不到相应的报酬。这两方面的原因直接导致现有技术人员大量流失，青年人不愿学习和从事这项手艺，扬州玉雕技艺后继乏人，亟待保护、抢救。

328 岫岩玉雕

◎ 申报地区或单位：辽宁省岫岩满族自治县

岫岩玉雕是以辽宁省岫岩地区为中心而发展起来的一项民间玉石雕刻工艺。

五千年前的红山文化遗址中出土了用岫玉制作的玉龙、玉猪、人面纹玉琮、兽面纹玉琮等“素活”工艺品，说明这里的玉雕工艺起步极早。清末民初，岫岩地区形成了有三百多人从业的玉石街，出现了以江保堂为首的玉雕“八大匠”和以李得纯为代表的“素活二李”。当时玉雕有人物、花鸟、动物、花卉、素活等五大类产品，特别是素活工艺达到了较高的水平。20世纪50年代至80年代末，素活工艺又有了进一步的发展，其代表作品岫玉塔壶《华夏灵光》高3.15米，是迄今中国玉雕史上最大的一件瓶素工艺品，在全国百花奖评比中获"金杯奖"，并被定为国家珍品，藏于人民大会堂。

岫岩玉雕技法丰富，以素活见长，柔环、活链为其典型工艺，难度之高，世人称绝。岫岩玉雕的素活工艺继承了中国玉器传统技法，做工以立体圆雕及浮雕为主，辅之线刻、镂刻、透刻，并有勾花、勾散花、顶撞花等手法，尤擅用剜脏去绺、因材施艺、化瑕为瑜、废料巧用、俏色巧用、螺纹组合等技法。

1942年出生的当代玉雕大师李洪才从艺四十余年，创作出不少精品和绝活儿。1964年，他的作品作为辽宁工人的礼品献给中国共产党中央委员会及毛泽东主席。他的绝活儿玉雕《如意壶》可分别斟出两种酒，泾渭分明；《九龙宝亭》的亭中有玉龙吐雾，玉珠悬于空中，永不落下。1999年澳门回归之际，李洪才师徒设计制作的玉雕作品《九九月圆图》作为辽宁省政府的礼品献给澳门特别行政区政府，受到广泛好评。目前，高科技工艺已进入玉雕领域，手工技艺受到很大冲击，像李洪才这样的大师在岫岩地区已为数不多，岫岩玉雕的传承发展前景堪忧，需采取措施加以保护。

329 阜新玛瑙雕

◎ 申报地区或单位：辽宁省阜新市

辽宁省阜新市是中国四大玛瑙产地之一，玛瑙雕刻工艺享誉海内外。阜新清河门辽墓出土的莲花式盅及玛瑙管珠项链、酒杯、围棋等距今已有一千年的历史。清代乾隆年间，宫廷所用玛瑙饰物和雕件的用料及工艺大部分来自阜新。现今阜新蒙古族自治县七家子乡宝珠营子村就是因乾隆皇帝六十大寿时当地王爷进献“佛光玛瑙朝珠”而受封得名的。

玛瑙属中档宝石，具有多种天然色彩和条带花纹，是雕刻的理想材料。玛瑙有“玉黄金”的美称，其材质本身就具有收藏、保值、增值作用，并被视为美丽、幸福、吉祥、富贵的象征。制成一件精美的玛瑙玉件要经过选料、剥皮、设计、抛光、初雕、细雕和配座等七道工序。阜新玛瑙雕刻工艺门类齐全，素活工艺在同行业中处于领先地位，其中打钻掏膛、取链活环、肩耳制作、透雕活球、装饰雕刻等技艺为其特有的绝活儿。1974年根据周恩来总理指示雕成的阜新玛瑙《水帘洞》，现藏于中国国家博物馆。

阜新玛瑙雕技艺主要通过家族传承，历史上有名望的玛瑙世家目前已传至第四代，玛瑙工艺素活的代表李洪斌大师现已67岁，阜新玛瑙雕在取得辉煌业绩的同时，已面临手工艺人技艺失传的危机，亟待抢救、保护。

330 夜光杯雕

◎ 申报地区或单位：甘肃省酒泉市

甘肃省肃州区在历史上曾称为酒泉郡，自西汉置郡至今已有两千多年的历史，是著名的古河西四郡之一，也是丝绸之路上重要的历史文化名城。

酒泉夜光杯是一种琢玉而成的名贵饮酒器皿。据《十洲记》记载，周穆王时西域向朝廷敬献“夜光常满杯”，杯为白玉之精。唐代诗人王翰的《凉州曲》称：“葡萄美酒夜光杯，欲饮琵琶马上催。醉卧沙场君莫笑，古来征战几人回。”由此可见，酒泉夜光杯至少在唐代就已出现。葡萄美酒产于凉州（武威），夜光杯产于肃州（酒泉），酒因杯而质愈显，杯因酒而名更著，相得益彰，名驰千秋。

夜光杯的制作要经过28道复杂的工序。首先需在祁连山老山窝子精选上乘玉料，根据酒杯的尺寸切成不同规格的圆柱体，再按一定尺寸制作毛坯，然后切削和精磨外形，形成夜光杯的雏形，再经过掏膛使夜光杯基本成形，最后通过细磨、冲、碾、拓、抛光、烫蜡等14道工序后，再用马尾网打磨，即制成晶莹剔透的夜光杯。

酒泉夜光杯体薄如纸，表面光滑细腻。制作工艺经不断改进，已能生产六大类三十多种造型的夜光杯。各类品种都十分注重保持传统的生产工艺，使夜光杯更加熠熠生辉。地方政府已组织实施五年保护计划，挖掘、整理民间原始的夜光杯制作工艺。

331 金石篆刻

（西泠印社）

◎ 申报地区或单位：浙江省杭州市西泠印社

西泠印社创立于清光绪三十年，是主要从事金石篆刻创作与研究，同时兼及书画创作的民间社团。社址坐落于浙江省杭州市西湖景区孤山西麓，社址内包括多处明清古建筑遗址，园林精雅，景致幽绝，人文景观荟萃，摩崖题刻随处可见，有“湖山最胜”之誉。

西泠印社由浙派篆刻家丁仁友、王福厂、叶舟、吴隐等人共同发起创建。1913年，近代艺术大师吴昌硕被推为首任社长，印人翕然向风，东瀛名家河井荃庐、长尾甲渡海而来，一时精英云集。入社者均为精擅篆刻、书画、鉴赏、考古、文史的大家，印社由此声誉日隆。每年春秋两季，同仁雅集，并形成独特的祭仪和活动模式。

西泠印社秉承“保存金石、研究印学、兼及书画”之宗旨，在艺术创作、学术研究、文物考古、出版交流等方面均取得辉煌成就，成为海内外金石篆刻史上一个时间最悠久、成就最高、影响最广大的学术团体，获得“天下第一名社”之盛誉。其篆刻技艺传统应受到良好的保护。

332 青田石雕

◎申报地区或单位：浙江省青田县

青田石雕是以青田石为材料的传统石雕艺术，因取材于浙江青田县所产优质叶腊石而得名。青田石质地温润，脆软相宜，色彩丰富，花纹奇特，既是篆刻艺术的最佳印材，又是石雕艺术的理想石料。

据史料记载，青田石雕工艺发端于六朝时期，讲究因材施艺，因色取巧，有相石、开坯、雕琢、封蜡、润色等工序，

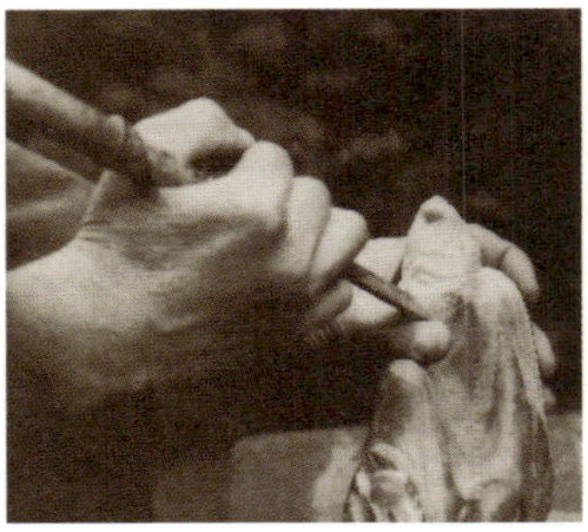

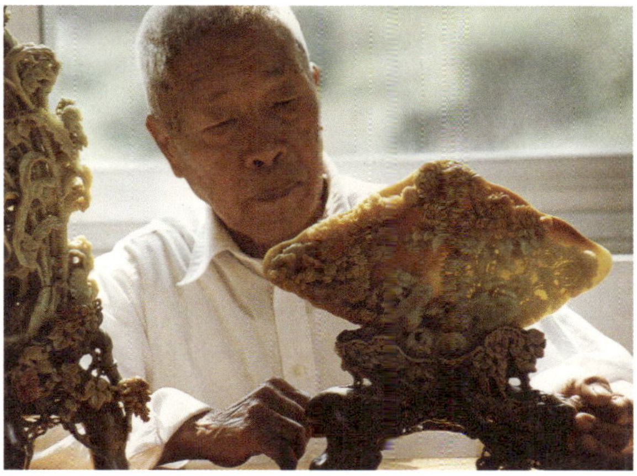

尤以镂雕技艺见长，且圆雕、镂雕、高浅浮雕、线刻交替使用。青田石雕题材广泛，鱼虫花鸟、山水人物皆有，其精雕细刻，神形兼备，写实尚意诸法齐备，大气之中不失精妙，工艺规范，自成一格。

青田石雕曾在1899年巴黎赛会、1905年比利时赛会、1915年美国太平洋万国博览会上展出并获奖，近年来又有数十件作品分获中国第二、四、五、六、七届“百花奖”优秀创作设计一等奖。经国家工商总局商标局核定，青田石雕成功注册了原产地“证明商标”，青田县也因此而被文化部、中国轻工业联合会命名为“中国民间艺术之乡”和“中国石雕之乡”。

目前，优质叶腊石历经千余年的开采，资源已近枯竭，同时青田石雕手工作坊规模逐渐缩小，传统技艺面临失传的危险，亟待抢救和保护。

333 曲阳石雕

◎申报地区或单位：河北省曲阳县

曲阳县位于华北平原西部、太行山东麓，蕴藏着丰富的大理石资源。自西汉始，曲阳石工即用大理石雕刻碑碣等物，北魏时曲阳石雕中的佛像、石狮已独具风格，唐时曲阳成为我国北方汉白玉雕像的发源地及雕造中心。至元代，曲阳石雕已享有盛名，涌现出杨琼、王道、王浩等一批杰出的民间雕刻艺人。明清时期，曲阳石雕工艺更加精巧，清末曲阳人雕刻的《仙鹤》、《千枝梅》等作品在巴拿马国际艺术博览会上荣获第二名，以致“天下咸称曲阳石雕”。中华人民共和国成立后，曲阳石雕艺人先后参加了人民英雄纪念碑、人民大会堂、天安门修复等北京十大建筑工程和毛主席纪念堂兴建工程的雕刻工作，1995年曲阳县被国务院正式命名为“中国雕刻之乡”。

曲阳雕刻工艺历经千年而不中断，誉满海内外。随着曲阳雕刻材质从大理石、玉石到木质、象牙、青铜、不锈钢等的扩展，其雕刻技艺也发生了变化，出现了圆雕、透雕、镂雕、浮雕等造型门类，技法不一而足。现在雕刻的题材相当广泛，既有传统的仿古建筑饰品，又有现代人物雕像；既有园林雕塑，又有家庭装饰；既有飞禽走兽，又有游鱼花卉；既有上百米的巨作，又有长不盈寸的精品。其雕刻工艺既善于利用刨荒、刨光、

开脸等特技，又善于目测定型，采用“上细”工艺，达到了“线要直、面要平、弯要活”的标准。曲阳石雕现在的主要传承人为卢进桥、甄彦苍、安荣杰等。

随着社会的发展与科技的进步，传统的曲阳手工雕刻技艺不断受到冲击，开料、手工刨荒、工具制作、手工锤钎等技法已近失传，模型也不再制作。此外，为了适应市场的需求，雕刻材质和雕刻类型受到影响，佛像制作越来越少，这对传统曲阳石雕技艺的保留与传承也造成了不少损害。必须尽快制定措施拯救曲阳石雕这一古老的手工技艺。

334 寿山石雕

◎申报地区或单位：福建省福州市

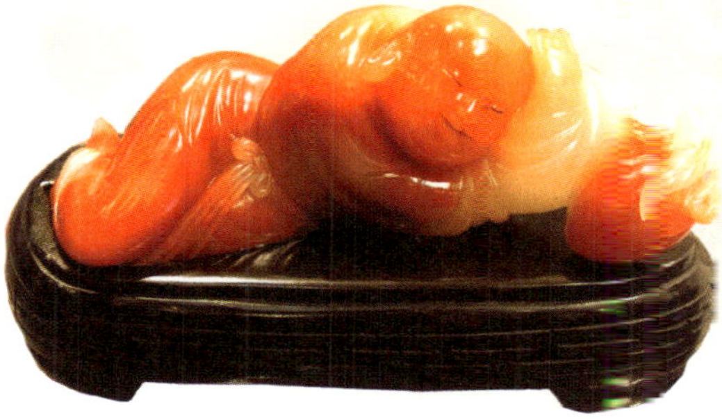

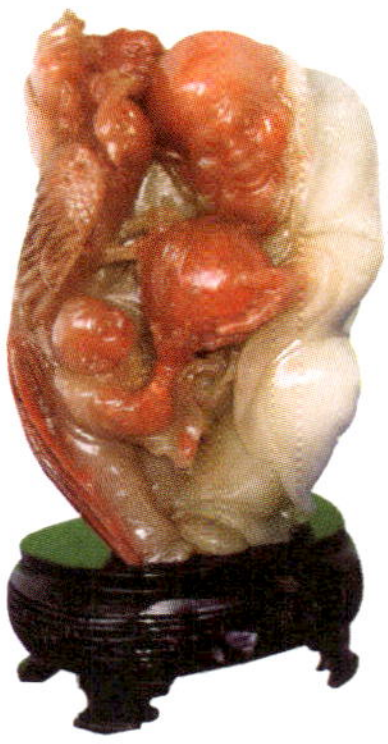

寿山石雕是传统的民间雕刻艺术，以产于福州北部山区北峰的寿山石为材料，通过特殊技艺制作出供人玩赏的小型雕刻。寿山石雕技艺主要流传在福州市晋安区鼓山、岳峰镇、象园、王庄街道和寿山乡。

寿山石的石质、石色、石形、石纹均极丰富，晶莹滋润，品种繁多，摩尔硬度在2.5至2.7之间，是上等雕刻彩石，具有细、洁、润、腻、温、凝的特点，民间称之为“石帝”、“石后”，并有“贵石而贱玉”之说。具有独立造型的寿山石雕刻品的出现至今已有一千五百年的历史。南宋时，寿山石矿已得到开采，经过元、明、清三代的发展，独立的寿山石雕产业最终形成。清圣祖等皇帝均用寿山石制宝玺，寿山石中以田黄石料身价最高，俗有“一两田黄三两金”之说。清代同治、光绪年间，寿山石雕形成自己独特的风格，出现东门、西门两大流派。以林谦培、林元珠为代表的东门派擅长于人物、山水、动物的圆雕，以潘玉茂、潘玉泉为代表的西门派则从传统的印纽技法中创造出具

有中国画特色的薄意技法。后来又出现了林清卿的薄意雕刻，使寿山石雕进入诗意融融的境界，提升了它的文化品位。

寿山石雕技法丰富多样，精湛圆熟，又在发展过程中广纳博采，融合了中国画和各种民间工艺的雕刻技艺与艺术精华。其技法主要包括圆雕、印纽雕、薄意雕、镂空雕、浅浮雕、高浮雕、镶嵌雕、链雕、篆刻和微雕等。寿山石雕作品题材广泛，有人物、动物、山水、花鸟等品类。由于这些原因，寿山石雕的社会影响面极广，具有“上伴帝王将相，中及文人雅士，下亲庶民百姓”的艺术魅力，深受国内外鉴赏家与收藏家的好评。

寿山石雕在中国传统玉石文化中占有突出地位，相关雕刻品已成为高雅、精美、凝重和睿智的象征。寿山石雕追求既雕又琢的艺术效果，提倡返璞归真，故以“相石”为重要环节，讲究利用石形石色，巧施技艺，以达到“天工合一”的境界。现在寿山石雕的主要传承人，西门派有林文举、刘爱珠、江依霖、王洧华等，东门派有郭功森、林元康、郭懋介、林炳生、林发述等。

寿山石为珍稀的石材，其资源管理在近数十年一度处于无序状态，导致开采过甚，给石雕造成了不良影响。目前许多老艺人年事渐高，已无法继续雕刻，而传统的师承关系又遭到破坏，寿山石雕技艺后继无人，面临失传的危险，亟待抢救。

335 惠安石雕

◎ 申报地区或单位：福建省惠安县

惠安石雕是以硬质的青石料为主要原料的传统雕刻艺术，主要流传在福建省泉州地区的惠安县，成品多用于建筑装饰。

惠安石雕工艺源于黄河流域的中原文化，形成过程中又汲取了闽越文化及经“海上丝绸之路”传入的外来文化，与建筑艺术相生相伴，逐渐形成独特的艺术风格，历代名师辈出，从南宋以来就有谱系传承记载，流派众多。宋元时期，惠安石雕工艺就十分发达，明末以后更趋成熟，成为南派石雕艺术的代表。

惠安石雕的品类有碑石加工、环境园林雕塑、建筑构件、工艺雕刻、实用器皿五大系列，其工艺主要有圆雕、浮雕、线雕、沉雕、影雕五类。

惠安石雕具有强烈的民族性和鲜明的时代性，作为南派石雕艺术的代表，很早地传播到海外，在东南亚等地备受推崇。在国内，它与曲阳石雕齐名，“南有惠安，北有曲阳”之说在石雕界广为流行。

目前，老一代惠安石雕艺人已逐渐退休，同时随着科技的进步，珍贵的传统手工雕刻技艺正日渐为机械所取代。传统的技艺是在师徒间或家族中以口传心授方式承传的，多处于封闭状态，现代工厂内的学徒很难真正学到传统石雕工艺的精髓，故整个石雕行业后继乏人。再加上雕匠艺人文化程度普遍较低，对传统石雕工艺的静态保护及理论研究在资金上投入不足，工作没有全面展开等方面的问题，惠安石雕的传统技艺日益陷入濒危状态，亟待扶持和救护。

336 徽州三雕（婺源三雕）

◎申报地区或单位：安徽省黄山市 江西省婺源县

古代徽州辖地包括今天的安徽省黄山市和江西省婺源县。“徽州三雕”是古代徽州地区流传的木雕、砖雕和石雕三种工艺的统称，它们均为古代徽州地区明清建筑的装饰性雕刻，具有浓厚的地方文化色彩。

徽州古建筑以民居、官宅、宗祠、庙宇、廊桥、牌坊为主，无论建筑部件还是家居设备都具有很强的地域风格，十分注重雕刻装饰。一般多在房子的月梁、额枋、斗拱、雀替、梁驼（俗称元宝）、平盘头、椽饰、钩挂、隔扇门窗格心、裙板、绦环板、莲花门、窗格、窗栏板、栏杆、轩顶、楼沿护板、挂络等部位以木雕进行装饰，而房内陈设的家具如床、榻、椅、柜、桌、梳妆架、案几等的上面也都有精美的木雕。砖雕主要装饰于民居的门楼、门罩等部位；石雕则主要用作祠堂的石栏板，民居门墙的础石、漏窗及石牌坊的装饰。“徽州三雕”与建筑整体配合得极为严密稳妥，其布局之工、结构之巧、装饰之美、营造之精、内涵之深，令人叹为观止。无论是木雕、砖雕、还是石雕，都将浮雕、透雕、圆雕、线刻等多种技法并用，从中可看出汉唐以来我国建筑装饰雕刻艺术的传承脉络，同时也反映出徽州文化中其他艺术门类如新安画派、徽派版画、徽派篆刻、徽州砚雕、墨模雕刻等艺术形式对徽州建筑装饰雕刻风格的影响。

“徽州三雕”的制作程序因材料、工具和技法的不同而有差异。如砖雕的制作程序包括修砖、放样、打坯、出细、打磨、修补等，传统工具主要有木炭棒、凿、砖刨、撬、木槌、磨石、砂布、弓锯、棕刷、牵钻等；木雕的制作程序包括取料、放样、打粗坯、打中坯、打细坯、打磨、揩油上漆等环节，传统工具主要有小斧头、硬木锤、凿、雕刀、钢丝锯、磨石、砂布等；石雕

的制作程序包括石料加工、起稿、打荒、打糙、掏挖空当、打细等环节，传统工具主要有錾子、楔、扁錾、刻刀、锤、斧、剁斧、哈子、剁子、磨头等。

“徽州三雕”的传统制作技艺历来在民间建筑与雕刻行业中广为流传，1979年以后，一批古建园林施工企业相继成立，一些“三雕”老艺人被重新组织起来，并开始带徒授艺。但由于建筑材料、工具的变化及建筑成本核算等原因，费时、费工、费料且刀法掌握困难的传统雕刻技艺逐渐被人们排斥在应用范围之外，许多技艺已经失传。

婺源三雕是指江西省婺源县境内明清古建筑中的砖雕、石雕和木雕，它属于徽派建筑艺术的支系，制品多用作民居、官宅、宗祠、庙宇、廊桥和牌坊等建筑上的装饰部件。其起源可追溯到唐代，明清时期徽商兴起，“婺源三雕”依托徽派建筑达于鼎盛，相关技艺主要分布在江湾镇、思口镇、龙山乡、沱川乡、浙源乡、清华镇、段莘乡、镇头镇等部分乡镇村落。

明万历二十四年（1596），户部侍郎、工部尚书余懋学兴建于婺源县沱川理坑的“尚书第”建筑上的装饰可视为“婺源三雕”最初的实例。其后，明代吏部尚书余懋衡也于天启六年（1626）在理坑兴建“上官卿第”。清顺治十六年（1659）余维枢兴建“司马第”，标志着“婺源三雕”进入全新的发展阶段。清康熙二十年（1681）婺源县北部古坦乡黄村建成“百柱宗祠”，清乾隆元年（1736）婺源县思溪、延村建“商宅群”，这些建筑的装饰物呈现了“婺源三雕”极盛时的气象。

“婺源三雕”虽附属于徽派建筑，但它冶美学、力学、数学、历史学、生态学于一炉，具有深刻的文化内涵和极高的艺术价值。“婺源三雕”取材十分严格，砖一定要用本地产的水磨青砖，石则须用安徽的“黟县黑”或浙江的青田石、淳安的茶青石，大木雕一定要用百年以上的枫、樟、柏、槠等，细木雕则用纹理细密的楠、枣、杨、桃等。各种刀法是“婺源三雕”的关键所在，其特点在于不拘一法，混合并用，使作品达到空灵剔透的效果，故而圆雕、浮雕、浅雕、深雕和透雕极为常见。从别号“雕三雕”的刘三元始，“婺源三雕”的技艺自成谱系，但目前与“徽州三雕”一样面临着失传的危险，亟待抢救、扶持。

337 临夏砖雕

◎申报地区或单位：甘肃省临夏县

临夏回族自治州临夏县位于甘肃省中部及西南部，是自古以来从中原通往青海、西藏、四川的必经之路，属于闻名世界的丝绸之路的一部分。这里聚居着汉、回、藏、东乡、撒拉、保安、土等民族，形成了独具特色而又丰富多彩的民俗文化。

临夏砖雕是临夏县一种传统的建筑装饰雕刻。该县境内出土的金代大定十五年（1175）进义校尉王吉砖室墓中的砖雕饰物，是以土窑青砖为材料，据此可以判断临夏砖雕实源于秦汉，是当时民间木雕技艺的延伸。明、清两代是临夏砖雕的兴盛时期，1949年后曾一度冷落，近二十年又得以复兴。砖雕成品主要用来装饰寺、庙、观、庵及民居中的深宅大院，一般用于天井、山墙、影壁、廊心壁、丹墀、台阶、下槛、墀头、须弥座、屋脊等处，雕刻题材可分自然景物、社会生活及富有民族特色的装饰纹样等几类。在发展过程中，临夏砖雕吸收了木雕、石雕、玉雕等雕刻艺术的手法，同时注意将传统国画、书法、印章、诗文的艺术表达形式与砖雕手法融会贯通起来，形成多元性的艺术特征，既保留着特有材料所呈现的质朴和简约，又呈现出多样化的艺术特征。

临夏砖雕的工艺主要分为捏雕和刻雕两种。捏雕先捏塑各种造型，后入窑窖烧，制作脊兽、套兽、宝瓶等多用此法；刻雕在土窑绵砖上用刀雕刻，建筑物中的墙饰、台阶等多用此法。刻雕的工艺包括打磨、构图、雕刻、细磨、过水、编号、拼接安装、修饰8道程序，制作工具有折尺、锯子、刨子、铲、錾、刻刀等，其中铲、錾和刻刀又随工艺要求分轻重、大小、长短、刃口宽窄薄厚数种。其雕刻技法主要有阴线刻、凹面线刻、凸面线刻、浅浮雕、高浮雕、镂空式透雕等种类。现在临夏砖雕的主要传承人有周敬德、绽学仁等。

目前，传统的砖雕工艺已失去了市场，许多从业人员缺乏传统的砖雕技术和基本的艺术素养，砖雕技艺存在着严重的“断代”现象，而分段制作的现代流水线生产方式也将导致砖雕作品风格的不统一，缺乏个性的表现和生动的气韵。在此状况下，有必要采取具体措施，对临夏砖雕的传统技艺进行抢救、保护。

338 藏族格萨尔彩绘石刻

◎申报地区或单位：四川省色达县

藏族格萨尔彩绘石刻属于格萨尔文化的一种遗存，主要分布在四川省甘孜藏族自治州色达、石渠、丹巴三县境内，以色达县的格萨尔彩绘石刻最有代表性。色达县立于蜀西北，传说曾是岭国长系部落居住的地方，又是岭国名将尼崩达尔雅和阿奔·布益盘达的故里，故格萨尔文化的积淀十分深厚，有“格萨尔艺术之乡”的美誉。两个多世纪前，格萨尔彩绘石刻就在这片草原上孕育产生。

格萨尔彩绘石刻以英雄史诗《格萨尔》的核心内容为表现对象，融精湛的刻石技艺和传统绘画为一体，以独特的艺术风格再现了岭·格萨尔王及岭国众将士为民造福、不畏邪恶、英勇奋战的历史场面。石刻以色达县出产的天然板石为材料，制作时多保持石材的自然形状，先以线描构图，再用立刻、刮刻等手段雕刻，走线如行云流水，形象自然生动。绘刻完成后，在刻石的画面上通刷一道白色颜料为底，干后着彩。色彩多用

红、黄、蓝、白、黑、绿六色，一般不用中间色。这些色彩都具有特定的意指，与《格萨尔史诗》中的各位将士相对应，当地群众一看便能明白。格萨尔彩绘石刻技艺的传承方式以师徒或家族传承为主，作者一般不在石刻上署名。现在传承人有17位，主要有尼秋、觉热、扎洛、切玛等人。

色达县的格萨尔彩绘石刻主要存放在泥朵乡、色柯镇、年龙乡、翁达镇，其中翁达镇翁达村雅格修行地的格萨尔彩绘石刻年代最为久远，而传承最好、数量最多、规模最大的则是泥朵乡普吾村的格萨尔彩绘石刻群，其工艺不仅在色达县和甘孜州具有代表性，就是放在全国格萨尔文化流传地区中来看也非常典型。

泥朵乡位于色达县西北部的泥曲河畔，海拔4180米。这里的格萨尔彩绘石刻存放在普吾村普吾寺白塔四周刻石经墙中的一座大石台上。石台共分五层，安放着千余幅格萨尔彩绘石刻，形成一个谱系。此处石刻的近期部分由普吾村著名高僧阿亚喇嘛发起组织刻绘，它规模宏大，气势雄伟，刀法精细，取材考究，表现了岭·格萨尔王及岭国30员大将、80位将士的前世，石刻中还有天竺八十大成就者和百位文武尊神的形象。无论从人物谱系的完整性，还是从艺人技艺的传承性来看，这一石刻都具有代表性。泥朵乡的格萨尔彩绘石刻数量繁多，已形成了一套较为完整的刻绘工艺体系。

2002年以来，甘孜藏族自治州色达、石渠、丹巴格萨尔彩绘石刻相继公诸于世，引起了学术界的极大关注。有关专家一致认为它不仅为格萨尔文化提供了一种新的传承方式，而且填补了格萨尔文化在藏族石刻中的空白。

格萨尔彩绘石刻长期露天放置，因高原严寒的侵袭和强烈紫外线的照射而造成较为严重的自然损坏，20世纪60年代又遭到近乎毁灭性的人为破坏，有关刻绘技艺基本失传。20世纪80年代以来，在阿亚喇嘛的发起和组织下，格萨尔彩绘石刻的技艺才薪火复燃。但由于格萨尔彩绘对艺人的素质有着特殊的要求，而目前的石刻艺人基本都是农牧民或寺庙僧人，业余从事彩绘石刻，“有艺不精”，“学而不成”，其中还有一些艺人放弃这门手艺改从他业，因此格萨尔彩绘石刻技艺面临着传人青黄不接的局面，急需扶持、保护。

339

潮州木雕

◎申报地区或单位：广东省潮州市

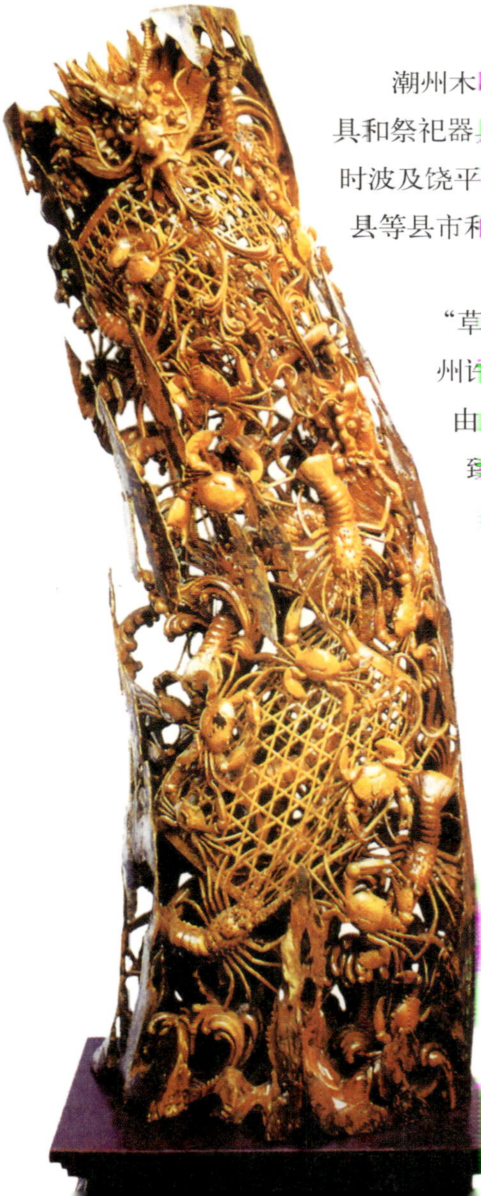

潮州木雕是广东潮州地区的一项民间雕刻艺术，主要用以装饰建筑、家具和祭祀器具。这项技艺主要流行于潮州市湘桥区意溪镇莲上村、西都村，同时波及饶平、汕头、潮阳、揭阳、揭西、普宁、陆丰、大埔、五华、兴宁、梅县等县市和福建东南部沿海一带。

潮州木雕始于何时不得而知，现潮州开元寺天王殿梁架上有一“草尾”装饰的斗拱为唐代遗物，而悬挂铜钟的木龙则为宋代遗物。潮州许驸马府建于北宋治平年间，其建筑装饰木雕亦以“草尾”为主。由此可知潮州木雕唐宋时期即已存在。至明清两代，潮州木雕技艺臻于完美。明末，石窟艺术基本停顿，各大寺院多制木雕佛像及佛器、案几的木雕装饰，出现多层镂雕技术。潮州木雕与东阳木雕并誉，皆以多层镂通为特色，不少木雕以金箔贴饰，以黑漆或五彩烘托，前者称“黑色装金”，后者称“五彩装金”。也有采用“本色素雕”的，为的是达到质朴无华的效果。全国重点文物保护单位、建于清光绪十三年的潮州己略黄公祠，祠内各处梁柱多饰以龙、凤、狮等祥瑞动物，展现了潮州木雕的多种表现技法，被誉为“潮州木雕一绝”。民国初年，潮商崛起，兴寺庙、建祠堂、置豪宅成风，在此背景下，木雕艺人利用东南亚红木创作出“红木方曲”、“如意屐”等，形成精致、端庄、华贵的木雕新风格。

潮州木雕多以坚韧度适中的樟木为材质，镂刻形式丰富多样，有浮雕、沉雕、圆雕、镂雕、通雕等多种手法，雕出的成品剔透玲珑，层次丰富。在一件雕刻上，潮州木雕常以“之”字形布局构图，利用山水亭阁将曲折、连续的故事巧妙地分割为不同画面，做到人物繁而不乱，情节生动有序。因考虑观者的视线，置于椽梁高端的木雕装饰往往将人物某些部位适当夸张，如眼部加深、鼻子加高、口部突出等，抬头一看，恰到好处。在构图处理上，潮州木雕不是模仿中国画，就是仿照戏曲舞台，其特点是在一个木雕面上将不同时空中发生的故事同时表达出来，其叙述方式有所谓的“径路”（用特殊的构图方式处理人物活动的脉络）。潮州木雕的装饰设计最惹人注目的就是门，门被分出顶横肚、枋栏、门窗、企肚、中横肚、大肚和下横肚等装饰部位，各部位装饰所用题材、形式和手法各不相同。除建筑装饰雕刻外，潮州木雕尚可制作神亭、神轿、进盒、宣炉罩、烛台、果碟等神器装饰。其雕刻形式大体分沉雕、浮雕、通雕和圆雕几种。由于分布地区广泛，出现了地方性的风格差异。仅就潮汕、兴梅地区而论，潮汕地区木雕布局繁复、结构严密、精细纤巧，以表现连续性情节见长；兴梅地区木雕刀法简练、人物不多，以突出主要故事情节为特征。清末潮州木雕行业中曾出现过奇才黄开贤，他以高超技艺为潮州木雕赢得了声誉。现代传承这一技艺的著名木雕艺人有张鉴轩、陈舜羌等，张鉴轩认为潮州木雕技艺可归纳为“匀匀、杂杂、通通”六个字，“匀匀”指虚实中主次分明，“杂杂”指要有层次又要有穿插，“通通”指镂通剔透。由于现代居住环境的改变，潮州木雕失去了原先的依存条件，加之传统民俗日益淡化，神龛、神

亭等物品淡出日常生活，所以潮州木雕的用武之地日渐减少。另一方面，潮州木雕工艺精细，创作难度大，加工程序多，且多手工操作，既辛苦又无法形成规模化生产，经济效益差，因此目前从事木雕加工生产的人愈来愈少，青年一代尤其不愿从事这项工作，这导致潮州木雕陷入后继乏人的境地，亟待抢救、扶持。

340 宁波朱金漆木雕

◎ 申报地区或单位：浙江省宁波市

宁波朱金漆木雕简称“朱金木雕”，主要技艺是在木雕上贴金漆朱，它以浙江省宁波市为中心，延及慈溪、余姚、奉化、象山、宁海、镇海、鄞州等地。

宁波地区的髹漆工艺可上溯到新石器时代的河姆渡文化，而宁波朱金漆木雕则与汉代雕花髹漆盒金箔贴花艺术同源。至唐代，随着木结构建筑的发展，出现了彩漆和贴金并用的装饰性木雕，现存宁波阿育王寺建筑装饰上的朱金木雕就是此类风格，它与唐乾元二年（759）鉴真和尚及其弟子在日本所建招提寺讲经殿和舍利殿上的朱金漆木雕十分相似。明清以来，朱金漆木雕广泛应用于民间日常生活，日用陈设、佛像雕刻、家具装饰，特别是婚娶喜事中的“床”和“轿”都用到朱金木雕，既讲究又排场，以至有“千工床”、“万工轿”之说。另外，用以迎神赛会和参与灯会的雕花木船、亭、台阁等也均以朱金漆木雕制成，皆是绝妙的民间工艺品。

朱金漆木雕的人物多取自京剧，艺人仿剧中服饰与姿态制作，被称为“京班体”。“京班体”的构图以人物为主，配上背景，以上下之

关系喻远近，故画面上前不挡后，显得充实而饱满。木雕上往往人、马大于屋，石上有树为山，石上长草为石，有鸟有云为天空，有景为陆，有船为河，“武士无颈，美女无肩，老爷凸肚”，这些特点鲜明的形象及程式化的表现手法使宁波传统的朱金漆木雕充满了无尽的妙趣。朱金漆木雕的雕刻材料主要有樟木、椴木、银杏等，形式则包括浮雕、圆雕、透雕等，此外还有上漆、贴金、砂金、碾银、开金等工艺。

“三分雕刻七分漆”是朱金漆木雕艺人的经验总结，由此可见朱金漆木雕的特色主要在于漆而不在于雕。其关键一在漆料（生漆），二在漆艺，即贴金箔、漆朱红。其中修磨、刮填、上

彩、贴金、描花等工序都十分讲究，工艺流程有18道之多，贴金有“五先五后，四准四快”的要诀，要求较高，按此施行可以产生富丽堂皇、金光灿烂的效果。从晚清的孙雨田至今，朱金漆木雕历代均有传承人，现在的传承人主要有宁海黄才良、奉化童小海、鄞州陈盖鄞、东钱湖谢武宏、宁海戴新国、奉化周锡芳、宁海葛安飞等五十余人。

随着民间习俗的改变，宁波朱金漆木雕在人们生活中已远不如以前那么重要了。现今民间在制作仿古家具的时候，还依然使用这一工艺手法，但已远远不如往昔，主要的原因就在失却真传，水平日趋下降。制作者不再严格地遵守工艺程序，常随意简化制作环节或使用替代品以减低成本。传统中那种熟练而完善的技巧和出神入化的表现能力，以及漆工与雕工相得益彰的关系等均难再见于今日。由于缺乏传承制度和社会保障，朱金漆木雕工艺将很难继续以原来的形态存在发展下去，亟待抢救、扶持、挖掘、保护。

341 乐清黄杨木雕

◎申报地区或单位：浙江省乐清市

乐清市位于浙江省东南部沿海，与温州隔江相望。乐清黄杨木雕是以黄杨木为材料的一种观赏性的圆雕艺术，主要流行于乐清市的翁洋镇南街村、象阳镇后横村、柳市镇、乐城镇一带，传播至温州、永嘉、杭州、上海等地。

乐清的黄杨木雕起于何时不能确知。现藏于北京故宫博物院、有元至正年款的《铁拐李像》为迄今纪年最久的黄杨木雕，但乐清黄杨木雕的出现较迟，应在此雕像之后。乐清地处瓯江口岸，

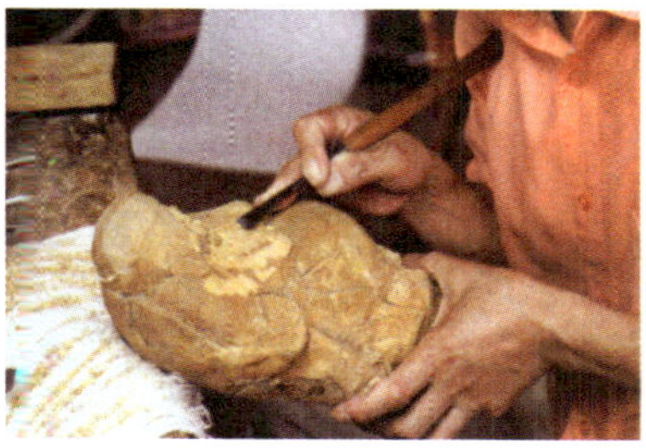
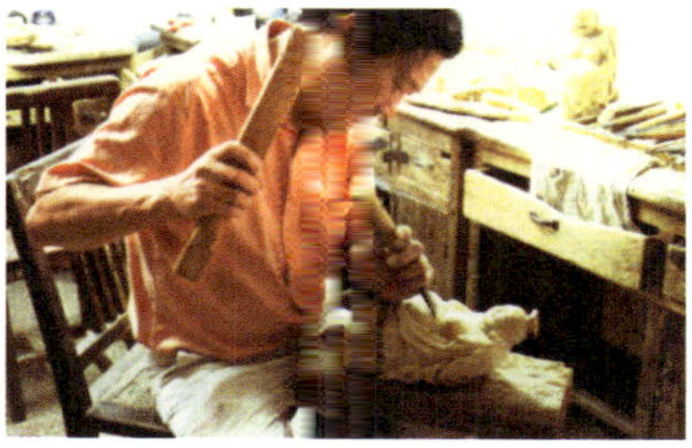
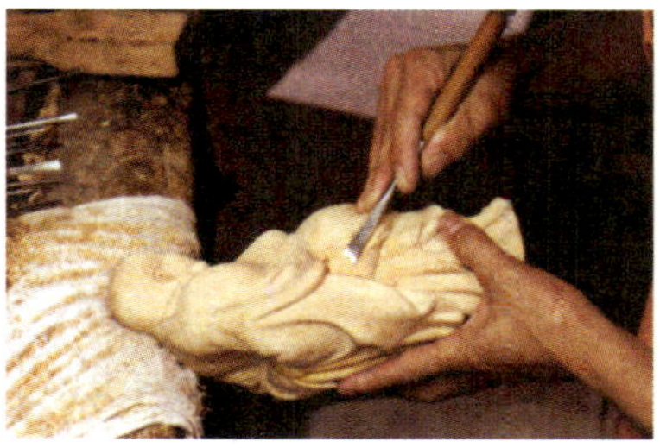
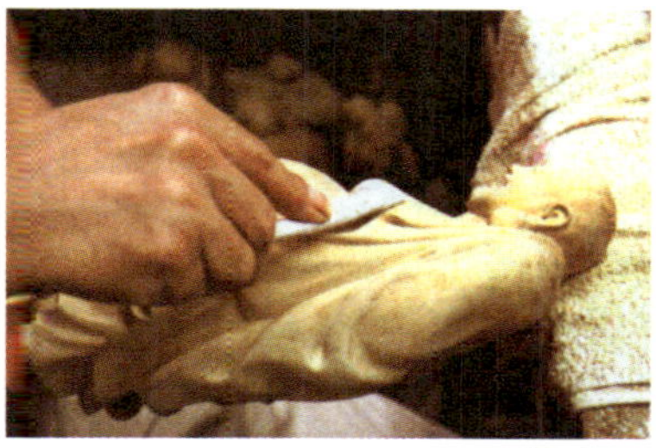
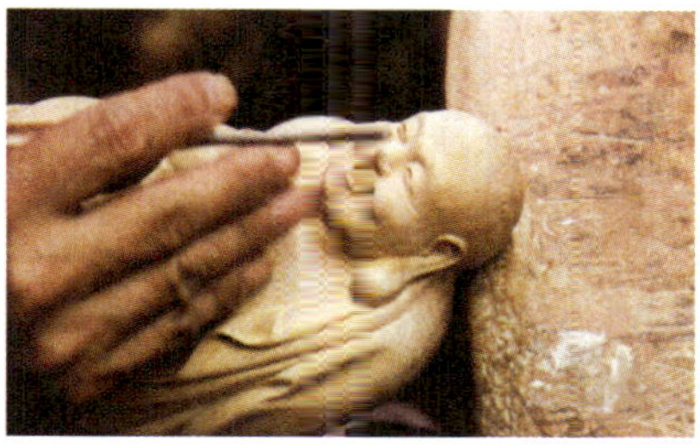
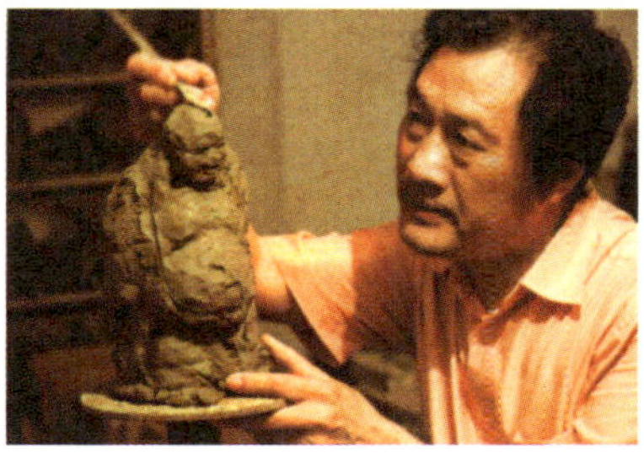
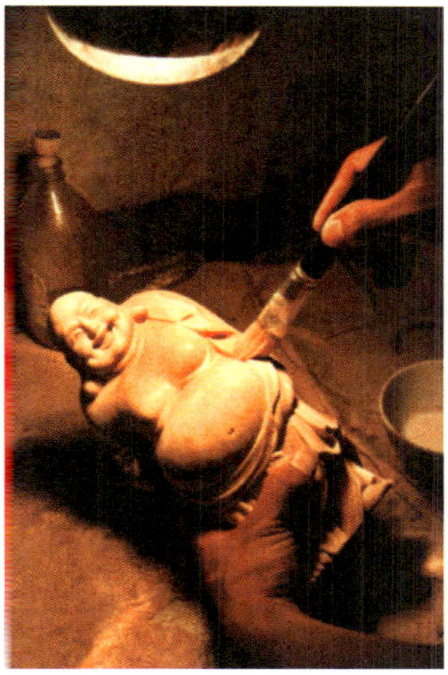

常遇洪水，当地有做“龙档”消灾避邪的习俗。“龙档”以樟木制作，上有人物雕刻，正是这种民间工艺孕育了乐清黄杨木雕。1876年，温州辟为通商口岸，对外贸易活跃，许多乐清黄杨木雕为国内外商人所收藏，原来从事“龙档”雕刻和佛像雕刻的民间艺人纷纷转事黄杨木雕业。1909年，温州人朱子常的黄杨木雕作品《济癫和尚》参加南洋劝业会获优秀奖，19[illegible]年其作品《捉迷藏》又在国际巴拿马赛会上获二等奖。朱子常之外，黄杨木雕行业中还出现了[illegible]阜如、王凤祚、

叶一舟等名家。现在的传承人主要有高公博、虞金顺、王笃纯、虞定良、王笃芳等。

乐清黄杨木雕有三种类型，三种类型的造型理念、技艺及程序都不一样。一是传统类，以单一的人物造型为主，亦有群雕或拼雕；二是根雕类，以天然黄杨木根块为材料，利用树根造型；三是劈雕类，将无法用作人物雕刻的木块劈开，取其劈裂后的自然纹理立意雕刻，一切顺乎自然，不作精雕细刻。传统类的雕刻有人物范型，材型要与之相适合，故有泥塑构稿、选材取料、敲坯定形、实坯定格等程序；而根雕则随机应变，构思的灵活性很大，无需泥塑构稿，而必须注意保持树根特有的造型意味，劈雕则将注意力转移到纹理的造型基础上。

黄杨木是珍贵树材，质地坚韧，纹理细腻，生长周期慢，有“千年黄杨难成柏”之说。其乐清黄杨木雕刻充分展现了民间工匠的智慧，在历史的发展过程中呈现出多种不同的风格，如明之木雕刀法圆润，简练流畅；清之木雕刀法清澈，光滑圆转等等。黄杨木雕工艺流程复杂，每道工序的细腻程度及工艺要求都是其他雕刻难以比拟的，亦无法以现代技术加以替代。时至今日，乐清黄杨木雕的材料来源出现危机，同时专业人员流失严重，新人难以为继，且个体作坊分散，难以产生影响。这些状况都影响着黄杨木雕技艺的发展，迫切需要有关方面制定方案对这一特色技艺加以抢救、保护。

342

东阳木雕

◎ 申报地区或单位：浙江省东阳市

东阳木雕系因地缘关系而得名。东阳市地处浙江中部，“三山夹两盆，两盆夹两江”，山多地少，旧时南北两江旱涝迭起，百姓为之所苦，被迫以手艺谋生。东阳木雕即是众多手艺中较为突出的一种。主要分布在东阳各乡镇，延及周边县市，并流入江苏、上海、江西、安徽、福建、广东、湖北、河南、吉林、四川、重庆、台湾、香港、澳门，远至新加坡、泰国、蒙古、阿尔巴尼亚、加拿大等国家。

据东阳《康熙新志》载，唐太和年间，东阳冯高楼村的冯宿、冯定两兄弟曾分任吏部尚书和工部尚书，其宅院“高楼画栏耀人目，其下步廊几半里”。陆氏墓与唐元和年间进士、宰相舒元舆的墓同在20世纪初被盗，均有精雕的陪葬木俑出土，可见唐代太和年以前东阳木雕已发展到一定程度。现存宋代建隆二年所雕的善才童子和观音菩萨像造型古雅端庄，足以说明东阳木雕当时的水平与风格。明清时期，东阳木雕广泛应用于建筑和家具装饰，形成整套的技艺和完善的风格，现存有卢宅“肃雍堂”和白坦“务本堂”、马上桥 “一经堂”等明清古建筑及“千工床”、“十里红妆”等家具。20世纪初，东阳木雕开始由民间建筑和家具装饰转向外销的工艺品生产。1914年在杭州开设的“仁艺厂”是东阳木雕最早的厂家，以后逐步向上海、香港、新加坡等地发展。20世纪50年代后，东阳木雕在全国各地开始建厂生产。

传统的东阳木雕属于装饰性雕刻，以平面浮雕为主，有薄浮雕、浅浮雕、深浮雕、高浮雕、多层叠雕，透空双面雕、锯空雕、满地雕、彩木镶嵌雕、圆木浮雕等类型，层次丰富而又不失平面装饰的基本特点，且色泽清淡，不施深色漆，保留原木天然纹理色泽，格调高雅，被称为“白木雕”。东阳木雕选料严格，多用椴木、白桃木、香樟木、银杏木等材质。其工艺类型有无画雕刻与图稿设计雕刻两类，均注重创意和“绘画性”，具有较高的艺术价值。东阳木雕流派众多，以家族传承和师徒传承为主要传承方式，现在的主要传承者有陆光正等人。

近二十年来，人们的生活发生了极大的变化，传统木雕不再用来装饰现代建筑，东阳木雕娴熟而精湛的手工技艺、巧妙而灵动的构思和丰富的传统内涵失去了赖以存在的环境，逐渐走向衰落。现代的年轻人难以潜心传统技艺，因此出现了从业人员技艺不精、普遍流失的现象。面对濒危的东阳木雕技艺，必须尽快对之进行抢救、保护。

343 漳州木偶头雕刻

◎申报地区或单位：福建省漳州市

漳州木偶头雕刻是木偶戏道具制作中的一门特殊技艺，属于民间工艺美术，主要分布在福建省漳州市、厦门市、泉州市及周边地区。

漳州木偶的整体造型包括头、四肢、服装、冠盔等，木偶头雕刻仅指头部造型。作为戏曲舞台人物头像的雕刻，非常注重人物性格特征的刻画，夸张的造型、丰富的表情、类型化的处理方式是漳州木偶头雕刻的普遍特征。这一雕刻历来师徒相承，且以家族祖传的方式为主，一直流传至今而无中断。

现在漳州木偶头雕刻的代表性传承人为徐竹初。他从艺半个多世纪，继承了祖辈优秀的雕刻手法，并能创新发展，形成自己独特的风格。他设计的戏曲人物造型多达六百多种，生、旦、净、末、丑等各行当齐全，其中既有传统名剧的名角，又有神话传说中的神仙、魔怪等形象，个个脸谱不同，率真、精致、优美，神态各异，生动传神，被誉为“东方艺术珍品”。

徐竹初的木偶俗称“北派木偶”，其技法源自北方汉剧的风格模式，强调木偶戏剧的表情化与性格化，注重内在神情性格的表现，强调“以形写神”，因此在落刀之前，他总要细细研究，认真揣摩所刻画人物的身世、身份、性格、好恶，思考成熟才下刀，故其刀法有力，形神兼备，韵味十足。

闽南地区的木偶戏有着较为广泛的社会群众基础，木偶头的造型艺术也因之而获得了一个深厚的发展基础。木偶头雕刻艺术与传统戏曲之间形成了生死相依的关系。在戏曲演出

普遍衰落的形势下，木偶头雕刻技艺的传承也遇到了难题：如果固守戏曲舞台，木偶头雕刻只能随戏曲一起走向沉寂；如果离开戏曲舞台，木偶头雕刻只能成为单纯的观赏品，其传统技艺中许多活态的文化就会丢失。目前，漳州木偶头雕刻就面临着这种境遇，需要有关方面加以关注。

344 萍乡湘东傩面具

◎申报地区或单位：江西省萍乡市

湘东傩面具是优秀的民间传统雕刻，有着悠久的历史。湘东为“江南煤都”萍乡所辖，是江西的西大门。据处士赖明德口述，湘东傩面具的雕刻技艺有唐代雕法和宋代雕法之分，唐代雕法

比较粗陋，宋代雕法比较精细。现存湘东傩面具雕刻技法在清代时由湖南传入，在湘东已传至三代，主要是宋代傩面雕刻技艺。用这种手法雕刻的面具风格古朴细腻，工艺复杂讲究，目前的传承人能够雕刻 440 只完整的宋代人形傩面。

湘东傩面具的品种较多，从原料加工到成品需经十多套程序。面具的神情及其冠饰具有特定的文化内涵和意义指向，雕刻工艺精湛，面具神态古朴，手法夸张，具有明显的地域风格。由于手工雕刻出的傩面具技术难度大，花费时间长，年轻人多不愿学，故湘东傩面具雕刻现已后继乏人。目前，现代机械化的生产方式正在进入傩面具的制作行业，促使湘东傩面具进一步市场化，由此导致许多独具特色的手工技艺走向消亡。另外，传统的傩面画谱多毁于各种历史动乱中，现仅存一部完整的傩面画谱，因时代久远，损毁也十分严重。由以上种种状况可知，湘东傩面具雕刻技艺已处于濒危状态，急需抢救、保护。

345 竹刻 嘉定竹刻

345 竹刻

（嘉定竹刻、宝庆竹刻）

竹刻·嘉定竹刻

◎ 申报地区或单位：上海市嘉定区

嘉定竹刻工艺流传于上海市嘉定地区，嘉定位于上海西北部，北依浏河，盛产竹子。嘉定竹刻技艺为明代正德、嘉靖年间（1506—1566）朱鹤所创，主要在嘉定县（区）内传承。

朱鹤将书画艺术融入竹刻，开创了以透雕、深雕为特征的“深刻技法”，使竹刻成为一门独立的观赏艺术。其子朱缨、其孙朱稚征均继承上辈竹刻技艺，并推陈出新。朱缨的刀法比朱鹤更为丰富，而朱稚征的成就更进一步超过了父祖辈，刀法神妙，风格简洁精雅，古朴淳厚。祖孙三代奠定了嘉定竹刻艺术的基本品格，在历史上被人称为“三朱”。“三朱”之后，李流芳、娄坚等“嘉定四先生”在书画之余，亦承朱氏“深刻法”刻竹消遣。清代康熙年间，吴之璠创薄地阳文

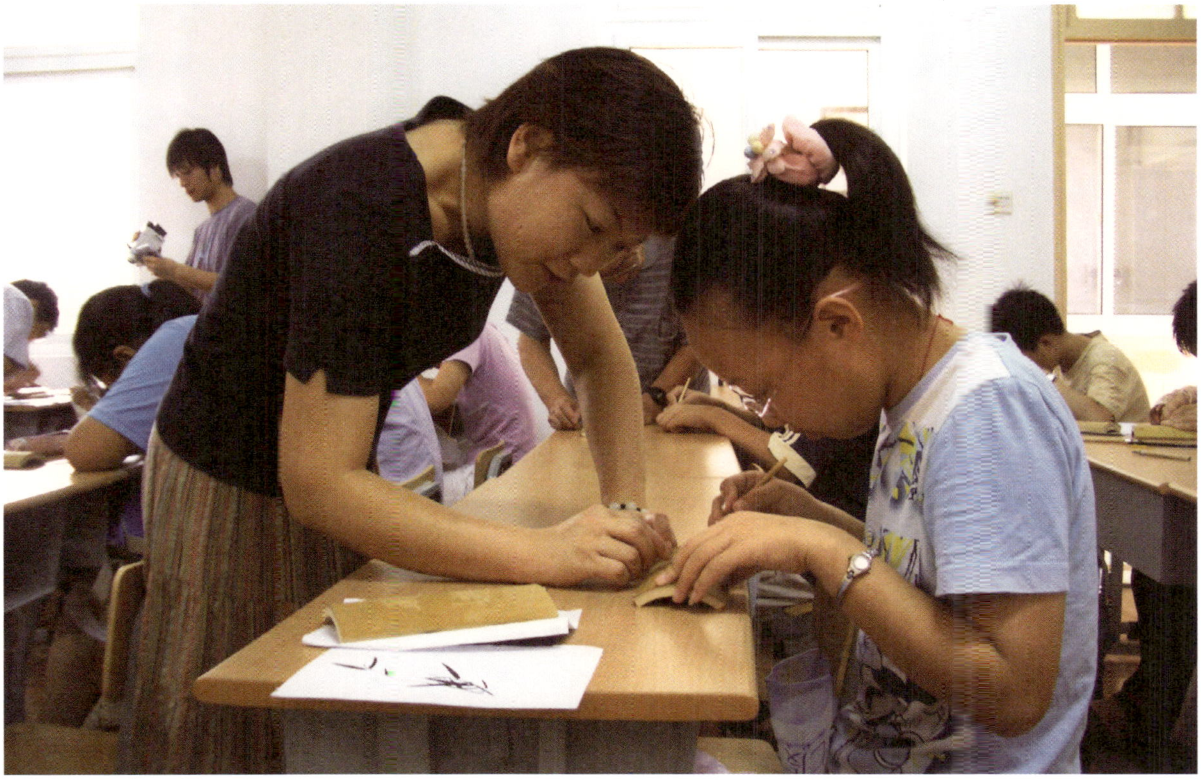

刻法，秀媚遒劲，层次多变，被时人称之“鬼斧神工”。另有封锡禄、封锡爵、封锡璋三兄弟，精于圆雕，擅作人物，作品生动传神，将嘉定竹刻推入全盛时期。至乾隆年间，嘉定竹刻流派纷呈，而以周颢为领军人物。周颢集嘉定竹刻之大成，用刀如笔，作品生动浑成，被世人称为“绝顶佳品”。与周颢齐名的还有周笠、施天章，时称“嘉定三艺人”。嘉定竹刻早在清初即被当作贡品送入宫廷，康熙及雍正两帝不仅收藏，还将艺人封锡禄、封锡璋、施天章等召入内廷供奉；乾隆皇帝则将自己的诗题写在笔筒上，让嘉定竹刻艺人刻录。晚清时，嘉定竹刻集中在嘉定城内，作坊林立，店铺繁多，时大经的“文秀斋”、韩玉的“云霞室”、叶端甫的“翠晴斋”、张学海的“文玉斋”、朱厚甫的“酉阳组”、范雅堂的“文元斋”、申竹芗的“瑞芝斋”及“潘松云斋”、“谢荫轩”等均有一定影响，但此时整个竹刻行业已开始陷入停滞并渐次衰落。1949 年后，嘉定竹刻有了专业的行会组织和研究机构。嘉定竹刻传统上主要以家族、师徒授受方式承传，朱氏浮雕透雕刻派、封氏圆雕派、吴氏薄地阳文派、周氏南宗画派等众多流派均有传人。现在这一技艺主要的传承人有范勋元、张迎尧、樊其昌、丁黎良、王威、王乐平、张伟忠、蒋玉铭、苏玉蓉、庄龙、周铿、张伟忠等。

嘉定竹刻艺人以刀代笔，将书、画、诗、文、印诸种艺术融为一体，赋予竹以新的生命，使竹刻作品获得了书卷之气和金石品味，风雅绝俗，成为历代文人士大夫的雅玩。嘉定竹刻的形制多适合文人口味，其品种有以竹筒和竹片制成的笔筒、香筒（薰）、臂搁、插屏、抱对等，也有以竹根刻成的人物、山水、草木、走兽等。其技法包括浅刻、深刻、薄地阳文、浅浮雕、深浮雕、透雕、圆刻等十余种，具有明显的地域风格和鲜明的原创性，审美价值远远超过实用价值。

由于嘉定竹刻系纯手工操作，工艺流程复杂，制作耗时费神，难以形成规模化的生产，经济效益低，所以艺人大都已转业。而美术学院培养出来的中国画画家亦无人操刀刻竹，书画家和竹刻艺人之间缺乏沟通和交流，致使嘉定竹刻的文化内涵逐渐丧失。另外，随着城市化的步伐，大片竹林消失，竹刻的原材料出现匮乏。所有这些都导致嘉定竹刻技艺走向衰微，急需制定措施加以抢救。

竹刻·宝庆竹刻

◎ 申报地区或单位：湖南省邵阳市

湖南省邵阳市旧称宝庆府，地处湘西南，是湖南西南部政治、经济、文化的中心。宝庆属西高东低半山区半丘陵地貌，盛产楠竹，自古竹器制作业十分发达，是中国竹文化的主要发源地之一。

宝庆竹刻是从实用竹器工艺中脱胎出来的一种集观赏、实用于一体的民间工艺。明代编修的《宝庆府志》，曾记载过万历年间宝庆竹刻名师潘一龙及其竹艺作品的情况。清代康熙年间，宝庆竹刻艺人王尚智发明了翻簧工艺和翻簧竹刻。以此法制作竹刻时，艺人将竹子去青去节，剥削出竹簧，经煮、晒、碾等工序后，压平贴于木胎或竹胎之上，再抛光打磨，运用不同的手法在上面雕刻人物、山水、花鸟。竹簧雕刻色泽犹如象牙，格调高雅，一经问世，即成为达官贵人和文人雅士竞相收藏的珍品，并被宫廷定为贡品和外交礼品。曾在巴拿马太平洋万国博览会上荣获金质奖章；1950年，政务院特定8件宝庆翻簧竹刻工艺品，作为毛泽东主席出访苏联向斯大林祝寿的礼物。

宝庆竹刻的雕刻技艺种类齐全，题材丰富，手法别致，仅刀法就多达二十余种。宝庆竹刻的历代大师们擅长于将自己高超的艺术表现技巧与文人的审美情趣和中国古典书画的意境融会贯通，创造了无数精美的竹刻艺术作品，具有极高的艺术价值和文化内涵。

宝庆竹刻这朵民间艺术奇葩虽然在历代战乱和20世纪60年代屡受严重挫折，仍顽强地生存了下来。但在20世纪90年代邵阳原有的9家竹艺厂全部破产倒闭，技师流散全国各地，现仅存的二十多名老艺人亦年事渐高。宝庆竹刻正濒临消亡，亟待抢救、保护。

346 泥塑

（天津泥人张、惠山泥人、凤翔泥塑、浚县泥咕咕）

泥塑·天津泥人张

◎ 申报地区或单位：天津市

天津泥人张彩塑是一种深得百姓喜爱的民间美术品，它创始于清代道光年间，流传、发展至今已有180年的历史。

张明山是泥人张的创始人，18岁即得艺名“泥人张”，以家族形式经营泥塑作坊塑古斋。他“技艺高深、触手成像”。1915年，张明山创作的《编织女工》彩塑作品获得巴拿马万国博览会一等奖、张玉亭的作品获得巴拿马万国博览会荣誉奖，后经张玉亭、张景福、张景禧、张景祜、张铭等四代人的传承，成为中国北方泥塑艺术的代表。

1949年后，人民政府对泥人张彩塑采取了保护、扶持、发展的政策，安排张家几代艺人到文艺创作、教学等部门工作，第二代传人张玉亭被聘为天津市文史馆馆长，同时民间彩塑艺术步入大学殿堂。第三代传人张景祜先后受聘于中央美院、中央工艺美院任教，在天津建立泥人张彩塑工作室，先后招收五批学员，为国家培养了一大批彩塑艺术专门人才。第四代传人张铭在主持工作室和教学工作的二十多年中，呕心沥血，传授技艺。从此，泥人张彩塑艺术从家庭作坊走向社会。郭沫若曾题词：“昨日造人只一家，而今桃李满天下。”

20世纪60年代初，泥人张彩塑工作室曾两次进京举办泥人张彩塑优秀作品专题展览，当年周恩来总理曾委派邓颖超、陈毅主持在中国美术馆举办的展览会开幕仪式。

泥人张彩塑在艺术上继承了我国古代泥塑的优秀传统，并有所发展和创新。张明山父子为中国泥塑作品从佛殿神堂步入寻常百姓家作出了重要贡献，堪称我国近代泥塑艺术巨匠。

泥塑·惠山泥人

◎申报地区或单位：江苏省无锡市

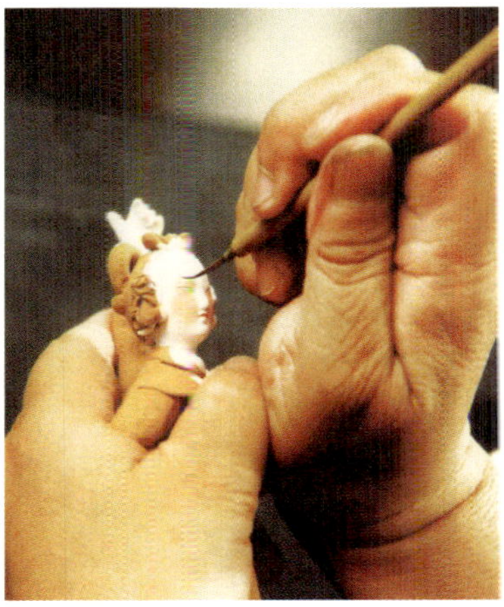

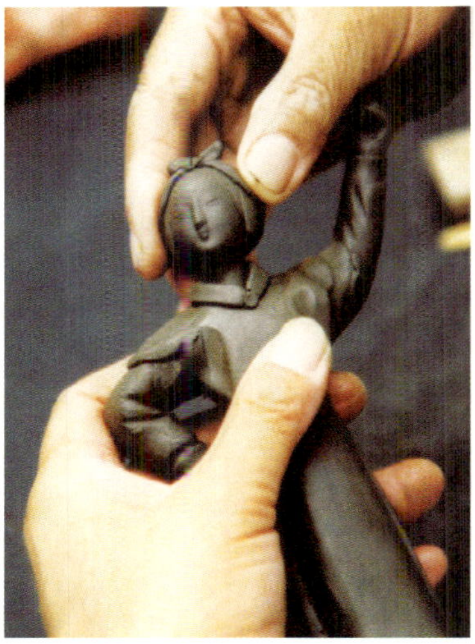

无锡位于江苏省东南部，公元前202年置县，1295年升为州。无锡泥人的生产和销售都集中在无锡惠山附近，故无锡泥人又称“惠山泥人”。无锡惠山泥人的制作始于明末，《古今图书集成》有载。清代开始出现专业化的惠山泥人手工作坊，五里长街、上下河塘开设了数十家泥人店、两百多家泥人作坊，形成有名的“泥人街”。20世纪初，惠山镇的泥人店不少于120家，这一状况一直延续至今。

无锡泥人分“粗货”与“细货”两类，“粗货”大多以喜庆吉祥题材为表现内容，如大阿福、蚕猫、老寿星、渔翁等，寄托着民间祈求祥瑞、辟邪纳福、丰衣足食的美好愿望，其造型粗犷简洁，色彩明快，挥洒写意，形神兼备；“细货”即手捏泥人，这类作品主要取材于传统的戏曲人物、神话传说、民风民俗，人物塑画生动传神，色彩色调秀丽明隽。无锡手捏泥人对材质要求严格，需取当地水稻田一米深处的乌土为材料。传统工艺极为复杂，有搓、揉、挑、捏、印、拍、剪、色、压、

贴、镶、划、扳、插、推、指、糊、装等技艺。作为彩塑，彩绘技艺在整个泥人的工艺制作中占有较高的比重，因而有“三分塑七分彩”之说。无锡泥塑以独特的艺术造型、鲜明的民族民间色彩和浓郁的江南乡土气息而深受海内外各界人士的喜爱，被誉为“无锡三宝”之一，其《手捏戏文》和《大阿福》名满天下，广为人知，被视为最富有东方色彩的民间彩塑。

在传承、发展过程中，无锡泥人精品迭出，许多精品为国家级博物馆和专家收藏，不少作品还获得“山花奖”等多项全国性大奖。目前，无锡手捏泥人面临着知识产权受侵害、手工制作成本飙升、人才大量流失、惠山泥日益稀少等严重的问题，亟待抢救性的保护措施。

泥塑·凤翔泥塑

◎申报地区或单位：陕西省凤翔县

凤翔彩绘泥塑为陕西省凤翔县的一种民间美术，当地人称“泥货”。凤翔县位于关中平原西部，境内出土的春秋战国及汉唐墓葬中均有泥塑的陪葬陶俑，可见其泥塑工艺历史之久。近年来凤翔彩绘泥塑主要分布在城关镇六营村及周边地区，相传明代曾在此驻扎六营军队，后军士转为地方居民，其中部分人重操入伍前的陶瓷制作手艺，利用当地黏性很强的板板土，和泥捏塑泥人，制模做偶彩绘，然后到各大庙会出售。当地老乡购泥塑置于家中，用以祈子、护生、辟邪、镇宅、纳福。六营村的脱胎彩绘泥偶由此出名，并代代相传，成为我国民间美术中独具特色的精品，在国内外享有盛誉。

凤翔彩绘泥塑有三大类型，一是泥玩具，以动物造型为主，多塑十二生肖形象；二是挂片，

有脸谱、虎头、牛头、狮子头、麒麟送子、八仙过海等；三是立人，主要为民间传说及历史故事中的人物造像。凤翔泥塑共有一百七十多个花色品种，其中有半人高的巨型蹲虎、虎挂脸，也有小到方寸的小兔、小狗。制作中使用黑黏土、大白粉、皮胶等，有模具定性，造型洗练、夸张，装饰华美富繁，色彩艳丽喜庆，形态稚拙可爱，在全国众多的民间泥塑中独树一帜。20世纪60年代初，六营村及周边村有三百多户农家生产泥塑，现在只有胡深、胡新民、胡永兴、韩锁存、杜银等艺人利用农闲时从事泥塑创作与生产。

凤翔泥塑具有浓郁的乡土气息及较高的民俗文化、民间艺术和美学研究价值，深为有关专家所瞩目。但在商业环境的影响下，现在的凤翔泥塑艺人往往以销定产，一味迎合市场需要，这使得许多传统产品近于灭绝，也使得凤翔泥塑技艺逐步失去原有的文化内涵，不断发生变异。

泥塑·浚县泥咕咕

◎ 申报地区或单位：河南省浚县

浚县位于河南省北部，为鹤壁市所辖。据《资治通鉴》载，隋末农民起义军与隋军争夺黎阳仓（当时浚县称黎阳），瓦岗军首领李密手下有一员叫杨圮的大将在此屯兵，得杨圮屯村名。当时军中有一些士兵会捏泥人，为纪念在战场上阵亡的将士和战马，他们用当地的胶泥捏塑泥人、泥马。后来军队中一些人员就地安置，这门手艺便流传下来。浚县泥塑形体较小，大的不足20厘米，小的只有4至5厘米，因其

尾部有两小孔，吹时发出“咕咕”的声音，故称“泥咕咕”。黎阳镇杨圯屯是泥咕咕的主要产地。

浚县泥咕咕的基本内容有人物、动物、飞禽三大种类一百多个品种。其制作工具很简单，主要是塑形的竹筒和竹棍，制作者利用这些器具，经过和水、捶制等工序，将当地的黄胶泥塑成作品，然后蘸上松香（现改为墨汁）、洋颜色（现改为水粉颜料）、用自制的麻笔（现改为毛笔）在塑形坯上涂绘，多以黑色为底色，然后再以红、黄、蓝、绿等比较鲜艳的颜色绘出各种图案，与黑底形成强烈的对比，再用清漆罩上一层，放入高与宽约一米左右的砖砌小土窑焙烧。泥咕咕作品主要有历史人物、戏曲人物、十二属相、小动物、飞禽、骑马人等。

浚县泥咕咕历史久远，有着浓厚的民间特色，造型古朴，夸张别致，深受广大群众和专家学者的好评，被民俗学专家称为历史的活化石。现在主要传承人有王学峰、王安田、宋学海等人，但现代的年轻人不愿再继续学习这门手艺，传统手艺后继乏人，逐步失传，急需抢救。

347 塔尔寺酥油花

◎申报地区或单位：青海省湟中县

塔尔寺位于青海省湟中县城所在的鲁沙尔镇南面的莲花山中，距西宁25公里，为国务院公布的第一批全国重点文物保护单位。该寺藏语称“衮本贤巴林”，意为“十万佛身慈氏洲”，简称“衮本”，汉语称“塔尔寺”。酥油花是一种用酥油（黄油）塑形像物的特殊技艺，为“塔尔寺三绝”（酥油花、壁画、堆绣）之一。

酥油花最早产生于西藏苯教，是施食供品上的小小贴花。另有传说称641年文成公主进藏，带去一尊释迦牟尼12岁等身像并将其供奉于拉萨的大昭寺，吐蕃人民用酥油做成花供献于佛前，以示崇敬之心，后各藏传佛教寺院相继使用，视为礼佛珍品，献酥油花遂成为正月祈愿大法会的重要内容。在发展过程中，酥油花的塑造方式、花色品种、内容题材和工艺技巧都不断发生

着变化。1409年，宗喀巴大师首次在拉萨大昭寺发起祈愿大法会时，组织制作了大型立体人物群像的酥油花供奉于佛前。此后，酥油花传入宗喀巴大师的诞生地塔尔寺，在此相沿成习。每年正月十五日，皓月升起，华灯初放，塔尔寺便迎来了一年一度的元宵酥油花灯节，人们做花、赏花，祈求吉祥平安，几百年来从未中止。

酥油花的制作分扎骨架、制胎、敷塑、描金束形、上盘、开光6道工序。寺院里的大型酥油花以宗教题材为主（如《释迦牟尼本生故事》、《释迦牟尼十二行传》、《莲花生本传故事》、《宗喀巴本传故事》等，凡佛之造像必守“三十二相”要求），兼及藏戏、神话传说和历史人物（如《文成公主进藏》），另外还有一些别致的小型酥油花。酥油花的原料十分讲究，需用上年塑制酥油花后拆除下来的陈旧酥油和精细草木灰掺和成韧硬的黑色胎料，方可制胎塑形。塑造时，温度要求较高，制作难度较大。一架酥油花，从整体来看，亭台楼阁数十座，人物、走兽动辄以百计，大至一两米的菩萨金刚、小至十数毫米的花鸟鱼虫无所不备，浮雕与圆雕结合，人物与景物结合，佛界与凡间结合，动态与静态结合，时空分而不断，物像繁而不乱，色彩缤纷，浑然一体，令人叹为观止。酥油花展出时还有十多人组成的小型乐队在旁伴奏。

塔尔寺设有 “上花院”和“下花院”两个专门制作酥油花的机构，每院有艺僧二十人左右，这些艺僧一般在十五六岁入院，终身从艺。酥油花制作技艺主要靠口手相承、师徒相传。上、下两个花院分别有总监（称“掌尺”）主持，决定当年酥油花的题材、构图、制作分工等事项。现在塔尔寺酥油花制作技艺的主要传承人有扎西尼玛、罗藏龙珠、尕藏加措、加阳谢热、智华老三等。

1958年宗教改革后，藏区宗教活动停止，僧人被遣送出寺。至20世纪80年代恢复酥油花制作时，大部分著名艺僧已相继去世。酥油花作品极易变形，无法长期保存，这使传统技艺在传承中不容易得到固定的范本，应进一步加大对酥油花制作技艺的保护力度，使这一富于特色的民族手工艺长久存留于世间。

348 热贡艺术

◎ 申报地区或单位：青海省同仁县

热贡艺术产生于13世纪的青海黄南藏族地区，并随着隆务寺的兴盛而发展。热贡艺术主要指唐卡、壁画、堆绣、雕塑等绘画造型艺术。热贡艺术以藏传佛教中的佛本生故事，藏族历史

人物和神话、传说、史诗等为主要内容，同时也包括一些世俗化的内容。热贡艺术凭借其独特的审美观念、独有的原材料和独有的传承习惯在藏传佛教、民间美术、建筑艺术等方面具有重要的历史价值和艺术价值。

传统的热贡艺术主要在藏传佛教寺院内部创作、传承，并为藏传佛教服务。自1958年宗教改革以后，随着大量佛徒的还俗，热贡艺术开始流向民间，并在民间传播。

热贡艺术的主要创作群体分布在黄南州同仁县的五屯村、年都乎村、尕沙日村、郭玛日村等村落，又自成体系。其中五屯村以绘画为主，兼事雕塑和堆绣；年都乎村以堆绣为主，兼事雕塑、唐卡和壁画创作；尕沙日村和郭玛日村以唐卡和壁画创作为主。

热贡艺术的传承方式主要以师徒传承和父子传承为主，由于历史上的热贡艺术品不追求署名，好多历史精品佳作不知作者，其师承关系只能追溯到近代。

热贡艺术凭借其精美的设计、艳丽的色彩和精细的线条，不仅在佛教盛行地区流行，而且也越来越受到港澳台地区以及世界各地艺术爱好者们的欢迎，在近十多年的发展中，有繁荣的趋势，但是随着老艺人的相继去世（四个大师级的画家前后于世纪之交离世）、市场经济和商品意识的不断冲击、旅游业的不断繁荣，热贡艺术精品越来越少，而充斥市场的赝品、复制品和粗制滥造的现象却越来越多，急需抢救、保护。

349 灯彩

（仙居花灯、硖石灯彩、泉州花灯、东莞千角灯、湟源排灯）

灯彩·仙居花灯

◎ 申报地区或单位：浙江省仙居县

仙居针刺无骨花灯系因灯面图案由刀凿针刺成孔、灯身无骨而得名，其发源地在浙江省仙居县皤滩，后延及横溪、白塔、田市、下各、朱溪等乡镇。

相传无骨花灯始于唐代，俗称“唐灯”，明清时技艺趋于成熟。1996年，仙居针刺无骨花灯荣获中国民间艺术作品金奖、澳门第四届国际艺术博览会金奖。2000年，仙居县被文化部命名为“中国民间艺术之乡”。

仙居针刺无骨花灯融绘画、刺绣、建筑艺术于一体，造型别致，空间感强，立面变化丰富，结构细腻生动，是传统女红技艺的杰作。仙居针刺无骨花灯灯面图案由光线透过刀凿针刺的孔洞留影而形成，其造型方法亦独树一帜，通身不用一根骨架，由大小不等、形状各异的纸质灯片折拼粘接而成。单灯风姿卓越，组灯气势恢弘，具有很高的审美观赏价值。在仙居当地，既用作馈赠的礼物，又用于民居装饰，在民间节庆活动中更占有重要的地位。无骨花灯的花色品种曾经多达八十余种，现已抢救恢复27种，挖掘、保护工作还有待进一步深入。

灯彩·硖石灯彩

◎申报地区或单位：浙江省海宁市

硖石灯彩主要流传于浙江省海宁市硖石镇。早在唐僖宗乾符年间（874—879），硖石灯彩即已誉满江南，南宋时，被列为朝廷贡品。清代乾隆年间，硖石形成了演灯、顺灯、斗灯的盛况，下东街的“塔灯”、横港桥的“凌云阁”、横头的“梅亭”等灯会层出不穷。19世纪末至20世纪初，硖石民间制灯、迎灯盛行，灯彩的制作工艺和造型形态亦有较大突破，出现了“龙舟”、“采莲船”等品种。

硖石灯彩以针刺花纹出名，制品工细绚丽，玲珑剔透。灯体以宣纸、竹篾、铅丝为主要材料，有画、拗、刻、扎、针刺、裱、糊、结八大制作技法，制成后以灯映画，能显出形象逼真、惟妙惟肖的立体画面。

硖石灯彩在传统技艺的基础上，不断加以改进和创新，形成座灯、提灯、壁灯、挂灯和礼品灯五大品种，观赏和收藏价值进一步提升。现硖石灯彩制作技艺的主要传承人为胡金龙。由于种种原因，目前多数灯彩学生都已弃艺而去，独特精湛的制灯工艺濒临失传，急需抢救、保护。

灯彩·泉州花灯

◎申报地区或单位：福建省泉州市

泉州花灯起于唐代，盛于宋元，一直延续至今。其主要分布区域为泉州市鲤城区、丰泽区，延及周边的晋江市、惠安县、南安县和永春县。泉州花灯历史悠久，具有鲜明的地方特色，是南方花灯的代表。

泉州花灯以其独有的刻纸、针刺工艺和料丝镶装技艺闻名于世。制作传统的泉州花灯“彩扎灯”时，艺人们先用纸捻将竹篾绑扎成灯的骨架，再把裁好的纸或绸布喷水绷粘在骨架上，然后贴上花边，描上图案，挂上丝穗，便成了彩扎灯。“刻纸灯”的工艺出现较晚，首创者是泉州刻纸大师李尧宝（1892—1983），花灯的所有图案全由制作者自己设计，再用刻刀在纸板上刻出来。刻纸灯不用骨架，全以刻好图案的纸板拼成。后来，李尧宝又在这些镂空的图案内镶上玻璃丝，创作出精美绝伦的刻纸料丝灯。1978年，艺人蔡炳汉创作了“针刺无骨灯”。这种灯的图案全是用钢针在制图纸上密密麻麻刺出来的，光源从针孔中透出，

显得晶莹剔透、璀璨夺目。现在泉州花灯的主要传承人有陈明华、李珠琴、吴祖赞、许谦慎、陈昌土、陈丽霞等。曾经一度繁盛的泉州花灯目前制作分布的区域明显缩小，从业人员锐减，花灯制作成为了一门"穷手艺"，且销售的时间性强，在此形势下，泉州花灯制作程序简化，技艺流失，急需抢救、保护。

灯彩·东莞千角灯

◎ 申报地区或单位：广东省东莞市

千角灯是广东东莞民间工艺的瑰宝，原为东莞赵家所独有。东莞赵氏为宋帝皇族后裔，相传元初时赵家开始扎制千角灯，配饰的灯带共24条。千角灯十年扎制一次，中华人民共和国成立前曾在濮藩宗祠（即解元坊之赵氏宗祠）展出过。灯虽不断重制，而灯带仍为宋物，一向由赵家珍藏，20世纪60年代被毁。

千角灯的制作中断40年后重新复苏，现主要传承人在莞城区政府的支持下费时8个月扎制成了千角灯，但毕竟已至耄耋之年，后继乏人，因此急需将千角灯制作技艺传承下去。

灯彩·湟源排灯

◎申报地区或单位：青海省湟源县

湟源排灯流传于青海省湟源县城关镇，其产生可追溯至清代嘉庆、道光年间，当时内地客商云集湟源县城，湟源城内商铺为招揽顾客而纷纷制作名号招牌，招牌内插蜡烛，夜晚一点亮便熠熠生辉。后来各商铺的名号招牌制作得越来越精致华美，成为带有底座而形态图案各异的牌灯，横跨街道的大型排灯即是在牌灯基础上改制而成的。

湟源排灯的框架用上好木料制成，框边雕刻精细考究，其形状有长方形、马鞍形、扇形等，一般长2米，高0.6米，厚0.4米左右，前后面分3至6档，每档画一图案，内容为商家自选的历史人物、典故、山水花鸟等，各图之间相互关联，里面仍用蜡烛点亮。入夜以后湟源城街道上一排排排灯交相辉映，绚丽多彩。此俗一直沿袭到清末民初，并得到当地商会、火神会的支持，每年正月十五元宵节期间都会举行排灯展挂活动。

1958年，排灯框架大多被毁，图案也基本散失。1992年，湟源县文化部门组织艺人重新制作了70副排灯，赶在1993年正月十五展挂。1997年，湟源县重新形成了排灯一条街。现湟源排灯制作的主要传承人为张生录、杨增贵、张廷恩等。因为中断了三十多年，不少排灯制作的传统技艺已经失传，且后继无人，湟源排灯这一特色民间工艺目前已处于濒危状态，需加以抢救、扶持。

350 嵊州竹编

◎ 申报地区或单位：浙江省嵊州市

嵊州地处浙江东部，曹娥江上游，四明山西麓，竹资源丰富，且劈篾性能好，适宜发展竹编工艺。嵊州竹编遍布全市产竹区，上规模的有嵊州市区、苍岩、长乐、崇仁、黄泽、通源、石璜、甘霖等地。

嵊州竹编始于两千多年前的战国时期，至汉晋时工艺已臻精细，明清两代编结水平进一步提高，竹编成为民间必不可少的生活用品。清光绪年间，嵊州出现竹编作坊，以编制挈篮、考篮、香篮、食篮、鞋篮等细篾竹编器皿为主。1949年后，竹编艺人合作办场，创立了嵊县（州）篾业产销工场，1954年改为嵊县（州）竹器生产合作社；1959年改名工艺竹编厂，被誉为“中外竹编第一家”。

嵊州竹编有篮、盘、罐、盒、瓶、屏风、动物、人物、建筑物、家具、灯具、器具12个大

类，七千余个花色品种。其制作工艺较为复杂，一般要经过设计、造型、制模、估料、加工竹丝篾片、防蛀防霉、染色、编织、雕花配件、装配、油漆等工序，仅竹丝篾片工艺就有锯竹、卷竹、剖竹、开间、劈篾、劈丝、抽篾、刮丝、刮篾等步骤，编织技法更有一百多种。嵊州竹编有模拟动物、漂白、花筋、蓝胎漆 4 个特色品种，代表作有《六和塔》、《岳飞》、《苏武牧羊》、《昭陵六骏》等。竹编《九狮舞绣球》陈列在人民大会堂浙江厅，深受好评；竹编《沧海还珠》作为浙江省人民政府赠给澳门特区新政府的礼品，引来一片赞誉之声。

嵊州竹编以编织精巧、工艺繁多、花色丰富著称。编织方法粗细并存。细者能在一寸长度内编进 150 根竹丝，精巧细腻，薄如羽翼；粗者能充分利用竹材的弹性，巧插灵编，粗犷豪放，工致质朴。嵊州竹编历史悠久，文化底蕴深厚，除具有极高的实用价值和艺术价值外，还为研究竹编生产历史和江南农村的民俗民情提供了重要的考察线索。20 世纪 90 年代以后，各式各样的塑料制品代替了竹编日用品，竹编需求量日益减少，竹编艺人难以为继，嵊州工艺竹编厂已于 2002 年 11 月停产，嵊州竹编后继乏人，亟待抢救、扶持。

兴紫砂陶制作技艺　352 界首彩陶烧制技艺　353 石湾陶塑技艺　354 黎族原始制陶技艺　355 傣族慢轮制陶技艺　356 维吾尔族模制法土陶烧制技艺　357 景德镇

瓷技艺　358 耀州窑陶瓷烧制技艺　359 龙泉青瓷烧制技艺　360 磁州窑烧制技艺　361 德化瓷烧制技艺　362 澄城尧头陶瓷烧制技艺　363 南京云锦木机妆花手工

艺　364 宋锦织造技艺　365 苏州缂丝织造技艺　366 蜀锦织造技艺　367 乌泥泾手工棉纺织技艺　368 土家族织锦技艺　369 黎族传统纺染织绣技艺　370 壮族织

371 藏族邦典、卡垫织造技艺　372 加牙藏族织毯技艺　373 维吾尔族花毡、印花布织染技艺　374 南通蓝印花布印染技艺　375 苗族蜡染技艺　376 白族扎染技

7 香山帮传统建筑营造技艺　378 客家土楼营造技艺　379 景德镇传统瓷窑作坊营造技艺　380 侗族木构建筑营造技艺　381 苗寨吊脚楼营造技艺　382 苏州御窑金

传统手工技艺

4 玉屏箫笛制作技艺　385 阳城生铁冶铸技艺　386 南京金箔锻制技艺　387 龙泉宝剑锻制技艺　388 张小泉剪刀锻制技艺　389 芜湖铁画锻制技艺　390 苗族银饰

艺　391 阿昌族户撒刀锻制技艺　392 保安族腰刀锻制技艺　393 景泰蓝制作技艺　394 聚元号弓箭制作技艺　395 明式家具制作技艺　396 蒙古族勒勒车制作技

7 拉萨甲米水磨坊制作技艺　398 兰州黄河大水车制作技艺　399 万安罗盘制作技艺　400 雕漆技艺　401 平遥推光漆器髹饰技艺　402 扬州漆器髹饰技艺　403 天

漆夹苎技艺　404 福州脱胎漆器髹饰技艺　405 厦门漆线雕技艺　406 成都漆艺　407 茅台酒酿制技艺　408 泸州老窖酒酿制技艺　409 杏花村汾酒酿制技艺　410 绍

酿制技艺　411 清徐老陈醋酿制技艺　412 镇江恒顺香醋酿制技艺　413 武夷岩茶(大红袍)制作技艺　414 自贡井盐深钻汲制技艺　415 宣纸制作技艺　416 铅山连四

技艺　417 皮纸制作技艺　418 傣族、纳西族手工造纸技艺　419 藏族造纸技艺　420 维吾尔族桑皮纸制作技艺　421 竹纸制作技艺　422 湖笔制作技艺　423 徽墨

艺　424 歙砚制作技艺　425 端砚制作技艺　426 金星砚制作技艺　427 木版水印技艺　428 雕版印刷技艺　429 金陵刻经印刷技艺　430 德格印经院藏族雕版印刷

431 制扇技艺　432 剧装戏具制作技艺　433 桦树皮制作技艺　434 黎族树皮布制作技艺　435 赫哲族鱼皮制作技艺　436 浏阳花炮制作技艺　437 黎族钻木取火技

8 风筝制作技艺(潍坊风筝、南通板鹞风筝、拉萨风筝)　439 凉茶

351 宜兴紫砂陶制作技艺

◎ 申报地区或单位：江苏省宜兴市

宜兴手工紫砂陶技艺是指分布于江苏省宜兴市丁蜀镇的一种民间传统制陶技艺。该工艺产生于宋元，成熟于明代，迄今已有 600 年以上的历史。紫砂陶制作技艺举世无双，它以特产于宜兴的一种具有特殊团粒结构和双重气孔结构的紫砂泥料（具体有紫泥、朱泥、本山绿泥等多种）为原料，采用百种以上的自制工具，经过打泥片、拍打身筒（圆器）、镶接身筒(方器)或镶接与雕塑结合(花器)、表面修光、陶刻装饰等步骤最终完成陶制品。

宜兴紫砂陶制作技艺成品以茗壶为代表，其制器物件有光器（又分圆器和方器）、筋纹器和花器等不同的造型流派。紫砂器内外一般均不施釉，以纯天然质地和肌理为美。作为上品茶具，其良好的透气性能使人尽享茶之色香味，由是紫砂器与中国传统的茶文化相融合，成为茶文化的重要组成部分。

伴随着中国茶文化的发展，明代晚期以后，紫砂陶制作艺人经过长期探索，创造了陶刻、镶嵌(镶嵌金、银、玉石、色泥、螺钿、红木、瓷花等)、包锡、包漆、泥绘、粉彩、彩釉、珐琅彩、描金、浮雕、镂雕、绞泥、模印、贴饰等一系列装饰技艺。其中最具代表性的是陶刻，它是诗文、金石、书画、篆刻艺术与紫砂制作技艺的完美结合，符合中华民族传统的审美标准，尤与文人阶层的审美情趣相吻合。因此，紫砂技艺一直富有实用和艺术鉴赏的双重特色。经过千百年的传承，紫砂陶器的生存空间、技艺特征、衍生谱系、传统文化内涵等

方面，迄今仍呈现良好的态势。

但是，由于紫砂制陶的原料是一种稀缺矿产资源，目前已被过度开发和滥用。再加上产业化的影响，紫砂制陶精品越来越少，杰出的紫砂陶制作技艺受到了严重冲击，如何传承这一优秀的民间手工技艺已成为一个亟待解决的课题。

352 界首彩陶烧制技艺

◎ 申报地区或单位：安徽省界首市

界首彩陶烧制技艺源于唐代，是淮北手工艺的精华。1999年，淮北柳孜运河发掘出土了大量的界首三彩陶片，成为当时全国十大考古发现之一。

界首彩陶秉承唐三彩遗风，又吸收了剪纸、木版年画的艺术风格，在制陶技艺中自成流派。在胎面的制作上，界首彩陶饰以两层化妆土，在刻画过程中表现出红、黄或赭、白两种基本对比色；在刻画题材上，除以生活中的花、鸟、鱼、虫为创作对象外，还着重吸取了传统戏曲中的艺术元素，以一幕幕场景的形式加以表现，卢山义的“骑马人”系列是其代表；在烧制方面，界首彩陶制作先除潮，然后素烧，温度一般在摄氏700至800度，成

品为砖红色的刻画陶，素烧后可以釉烧，即涂以含铅、二氧化硅、粉土的釉料后放入陶制的匣钵内，逐渐加高温度，达到摄氏1000至1050度，烧两天两夜，成品为红地白花的界首彩陶。

界首彩陶体现了农民敦厚朴实的性格和大拙大巧的审美意趣，反映了中国民间艺术崇尚自然、追求和谐的审美趋向。这样的艺术品深受国内外市场的欢迎，英国维多利亚博物馆就珍藏有界首三彩刻画陶。

界首彩陶技艺历史上主要分布在安徽省界首市颍河南岸的13个村，因每个村的村民都以业陶为生，并且村名均以“陶窑”为名，因此有“十三窑”之说，这些村现属安徽省界首市田营镇管辖。1958年，界首在颍河北岸顺河路组建技艺陶瓷厂，现该厂已成为彩陶

的主要制作地，界首彩陶烧制技艺在这里得到传延。但是，近几年来，受现代工业产品的冲击，以传统技艺生产的彩陶制品出现滞销，市场萧条，而年轻人多不愿从师学艺，目前界首彩陶烧制技艺有后继无人之忧，有必要对其进行保护。

353 石湾陶塑技艺

◎ 申报地区或单位：广东省佛山市

石湾位于广东省佛山市禅城区中心区域，石湾陶塑技艺主要分布在禅城区石湾镇街道及周边地区。丰富的自然资源，依

山傍水的地理位置，水陆畅达的交通条件，使石湾成为我国岭南重要的陶业基地。

石湾陶塑技艺具有人文性、地方性、民族性的特点，在创作上具有独特的艺术风格。“石湾公仔”陶塑技艺按实物形态可分为人物陶塑、动物陶塑、器皿、微塑、瓦脊陶塑5大类。以人物造型为代表的“石湾公仔”陶塑技艺形神兼备，它吸收各种文化艺术精华，高度写实和适度夸张相结合，兼有生活趣味和艺术品位，形成了鲜明的地方风格。其制作工艺有构思创作、泥料炼制、成形、装饰、上釉、龙窑煅烧6个环节，其中煅烧的火候全凭师傅的心得体会。龙窑的上中下有高中低三种火，分别用于移动烧制物品的不同部位，技艺娴熟的工匠才能把握。

石湾陶塑技艺是在日用陶器的基础上发展起来的，从石湾东汉墓出土的陶塑可见其艺术雏形。石湾陶塑技艺的发展大致可分为4个时期，唐至明以前为形成发展期，明清时期为鼎盛期，民国时期为低谷期，中华人民共和国成立后尤其是改革开放后为全盛创新期。当代石湾陶塑名家中，以刘佳、庄家、刘泽棉、廖雄标等为代表。

石湾陶塑技艺发展到现在面临着后继无人的困境，有限的市场空间和现实的生存环境令年轻人难以把这门技艺当成终身职业。在此情势下，石湾陶塑技艺中注入了大量外来元素，传统技艺难以保存，急需保护。

354 黎族原始制陶技艺

◎ 申报地区或单位：海南省昌江黎族自治县

海南岛制陶历史悠久，在黎族聚居地区的史前遗址中曾发现过陶片，文献中也不乏相关记载。如宋朝的《诸蕃志》卷下曾记黎族“以土为釜，瓠匏为器”，清代顾炎武《天下郡国利病书》亦记黎人“缌绠绩木皮木布，陶土为釜”。黎族地区的制陶技术保留在哈方言、润方言、赛方言、美孚方言等区域。

黎族制陶工具包括木杵、木臼、木拍、木刮及竹刀、蚌壳、钻孔竹棍、竹垫等，制陶过程由挖陶、挑陶土、晒陶土、粉碎陶土、筛陶土、和泥、制坯、干燥、准备烧陶、点火烧陶、取陶、加固等 12 个步骤组成。制成品主要有釜、甑、瓮、碗、罐、蒸酒器、蒸饭器等器型。

制坯技艺从一个侧面反映出黎族原始制陶技艺的水平，它包括捏制、泥条盘筑、快轮制陶等。泥片贴筑法、泥条盘筑法、快轮拉坯法等制坯方法至今仍在黎族地区保留着，其中泥条盘

筑具有不用羼和料、制陶工具简单、露天烧陶、没有陶车和陶轮、器型少等特点，简便实用。

泥条盘筑法之类的原始制陶工艺至今在海南岛昌江黎族自治县石碌镇大坦地区仍有传承，这对史前制陶史的研究具有重要的启示作用。但是，随着社会的发展、生活水平的提高和社会文化的趋同，瓷器、玻璃器、金属器、塑料器等替代陶器进入日常生活，黎族制陶逐渐萎缩，尤其是“文革”期间，几乎全部停产。现在懂得制陶的黎族艺人寥寥无几，制陶技艺濒临消亡，亟待采取切实措施确保其传承。

355 傣族慢轮制陶技艺

◎ 申报地区或单位：云南省西双版纳傣族自治州

云南有长达四千余年的制陶史，西双版纳傣族自治州的景洪曼斗寨、勐罕曼峦站寨、勐海曼扎寨及勐龙寨等地均保留着较为完整的傣族传统制陶技艺。

傣族自古喜爱用陶，制陶在傣语中称为“板磨”，俗称“土锅”。明初钱祖训所著《百夷传》称：傣族“惟陶冶之器是用”。与其他民族不同的是，傣族制陶是由妇女世代相承的。其主要工具有转轮、木拍、竹刮、石球等，主要技艺流程包括舂土、筛土、拌沙、渗水、安装转盘、制坯、打坯、干燥、准备烧陶、烧陶等环节，所生产的陶器按其用途可分为生活用具、建材、赕佛用具等种类。

傣族制陶技艺最突出的特色为慢轮手工制作，器物表面均用有纹的木拍拍打出印纹，这与南方新石器遗址出土的印纹陶器相一致。傣族陶器在用料上亦有讲究，主要以泥土加砂石料来改善成型性能。其焙烧方式也有自己的特点，包括露天焙烧和封闭半焙烧等多种方法。成坯方法呈多样化特点，有无转轮制坯、脚趾拨动慢轮、手拨动转轮等方式。这些远古时期的制陶技术，至

今仍为傣族传承使用。20世纪50年代末期以来，国内外著名的考古学家多次对傣族制陶进行专门调查，认为傣族传统制陶是我国原始陶艺的代表，是解开中国新石器时代烧陶之谜的钥匙。

但是，随着现代化进程的深入，除了少量用于建筑物屋脊的装饰品和佛教礼器外，在其他场合已不大容易看得到传统的傣族陶器。另外陶器制作的经济效益不理想，所以学习和从事制陶技艺的人越来越少。在西双版纳，只有少数村寨的几户人家还会制作陶器，原始制陶术已处于即将消亡的状态，亟待拯救和保护。

356 维吾尔族模制法土陶烧制技艺

◎ 申报地区或单位：新疆维吾尔自治区英吉沙县、喀什市、吐鲁番地区

维吾尔族模制法土陶烧制技艺有两千多年的历史，它随着丝绸之路的开通而兴起，其间不断发展创新，一直流传至今。它以手口方式传承，没有详细的文字记录。

现喀什市古则尔社区下属的阔子其亚尔比西居民区是世世代代从事土陶作业的地方。这里的土壤为黏土，是制陶的重要原料。土陶制作者即利用这种黏土制陶，不经任何加工，不添加配料，以水和泥制成器皿状，再涂以不同颜色，烧成光泽美观的生活用品。

英吉沙县也是维吾尔族制陶的重要地区，长期以来其制品远销南疆各地。其产品造型精美、古朴，具有典型的维吾尔风格。英吉沙的土陶分为素陶和琉璃陶两类，都以黄泥制坯，素陶是直接烧制的，琉璃陶则成坯施釉后再烧。因釉料有铝、黑铁渣、石英石、红土等不同成分，故烧成后有深绿、浅绿、棕色、白色、土黄、土红、奶黄等颜色。

吐鲁番地区的维吾尔族模制法土陶烧制同样历史悠久，吐鲁番维吾尔族土陶器可分为素陶、素釉陶和彩釉陶三种。制作工序有备土、和泥、闷泥、揉泥、造型、上釉、烧制、加工等，成品的造型、风格别具特色。

这些土陶器及其技艺是丝绸之路上东西方交流的物证，不少作品明显带有佛教文化的印迹，同时又有鲜明的阿拉伯风格，深入研究维吾尔族制陶技艺，可以帮助人们了解当年中西文化交流的情况。

随着社会经济与文化的迅速发展，土陶器在人们日常生活中使用得越来越少，致使品种骤减，如吐鲁番就从百种减为寥寥数种，花色也由繁变简。除花盆、花缸以外，土陶器基本退出了人们的生活。因为受到市场经济的冲击，土陶匠人大都闲

置了祖传手艺，年轻一代也无心学习和传承传统烧制技艺。1949 年前，喀什市阔子其亚尔比西居民区从事土陶手艺的匠人有一百多户，如今仅剩 11 户，其中工匠只有 17 人。面对这种形势，必须迅速采取措施对维吾尔族模制法土陶烧制进行抢救和保护。

357 景德镇手工制瓷技艺

◎ 申报地区或单位：江西省景德镇市

在全国首批 24 座历史文化名城中，景德镇是惟一凭借自己的特产名列其中的。考古发掘表明，景德镇自五代开始生产瓷器，宋、元两代迅速发展，至明、清时在珠山设御厂，成为全国的制瓷中心。

景德镇手工制瓷技艺中重要的成型工序在宋代已初步建立。瓷业内部分工日益细化，普遍采用拉坯、印坯、利坯、修足、蘸釉、荡釉等技艺制作瓷坯，再采用匣钵仰烧、垫钵覆烧、支圈覆烧等技法进行装烧。到元代，又发明了瓷石加高岭土的“二元配方法”及青花和下彩绘技术。明、清两代，景德镇制瓷业进一步发展，“共计一坯之力，过手七十二，方克成器。其中微细节目，尚不能尽也”，制瓷手工技艺体系基本完善，采矿、淘洗、制坯、练泥、陈腐、拉坯、利坯、画坯、施釉、烧窑、画红、烧炉、选瓷、包装等工序环环紧扣，专业化程度日益提高，各方面都有身怀绝技的能工巧匠，景德镇手工制瓷业至此达到了历史的最高峰。

景德镇瓷业习俗是景德镇制瓷历史的重要组成部分。景德镇在宋代出现“村村窑火，户户陶埏”的景观，瓷业习俗已具雏形。明、清以后，珠山御厂的设立和海外市场的进一步扩大刺激了景德镇制瓷业的蓬勃发展，致使几乎所有散落在乡村的小窑作坊都集中到城区，形成众多的手工业工场，吸纳了大量从业人员，“窑户与铺户当十之七八，土著十之二三”。景德镇由此成为“五方杂处”、有“十八省码头”之称的陶瓷大都会，为瓷业习俗的最终形成奠定了坚实的基础。

民国时期，景德镇瓷业习俗的突出表现是客籍瓷商队伍的不断壮大及瓷行、瓷庄和瓷号的大量涌现。各商帮都有自己的瓷行、瓷庄或瓷号，他们加强了景德镇与外地的联系，也操纵了景德镇瓷器的运销。随之而来的各地风俗习惯给景德镇瓷业习俗增添了新的内涵。

建国以后，随着政治、经济的变革和瓷业机械化生产的不断发展，景德镇瓷业习俗开始淡化，现已濒临消亡。景德镇传统的制瓷手工艺虽然得到部分保留与发展，但其中的一大部分仍在不断地流失和消亡，亟待抢救和保护。

358 耀州窑陶瓷烧制技艺

◎ 申报地区或单位：陕西省铜川市

耀州窑在唐代就是中国陶瓷烧制的著名产地，宋代更进一步达到鼎盛，成为我国“六大窑系”中最大的一个窑系，其产品则成为北方青瓷的代表。耀州窑以铜川黄堡镇为中心窑场，沿漆河两岸密集布陈，史称“十里陶坊”。同时还有立地、上店村、陈炉镇、王益村等窑场，依次排列，绵延百里。经过金元兵燹及各朝代的动荡变迁，各陶场均已停烧，惟有陈炉镇延续至今，成为西北地区的制瓷重镇。陈炉镇11个村庄几乎家家烧瓷，被誉为“陈炉不夜”。中华人民共

和国成立后，全镇作坊并为国营陶瓷厂。20世纪70年代，在李国桢等专家的帮助下，恢复了耀州窑的传统技艺，生产出耀州青瓷、黑釉及剔花瓷、白釉及剔花瓷、兰花瓷、铁锈花瓷、花釉等六大系列陶瓷，成为铜川市的支柱产业。

耀州窑的传统工艺主要体现在原料的采配、成分及加工，泥料的储备及练揉，手工拉坯及修坯，手工雕花、刻花、划花、贴花、印花，釉药的选配、制备及敷施，匣钵、窑具的制作及装窑，火焰气氛及烧成等7个方面。一件制品完成要经过采料、精选、风化、配比、粑泥、陈腐、熟泥、揉泥、手拉坯、修坯、釉料精选、配制、施釉、手工装饰（雕、刻、贴、印）、窑具制作、装窑、烧窑等17道工序。各工序都有相应的技术要求，掌握相关技艺的人被称为“匠人”。

近20年来，在现代化工业产品的冲击下，陈炉镇的陶瓷业一度萧条，加之年轻人纷纷出外打工，年纪大的“匠人”相继去世，使得流传了一千多年的传统陶瓷技艺面临着后继无人的危险，急需抢救。

359 龙泉青瓷烧制技艺

◎ 申报地区或单位：浙江省龙泉市

龙泉是浙江省历史文化名城，位于浙江西南部，与江西、福建两省接壤，以出产青瓷著称。文物普查发现，这里烧制青瓷的古代窑址有五百多处，仅龙泉市境内就有三百六十多处，这个庞大的瓷窑体系史称龙泉窑。

龙泉窑是中国陶瓷史上烧制年代最长、窑址分布最广、产品质量最高、生产规模和外销范围最大的青瓷名窑。龙泉窑始于西晋，北宋时已初具规模，南宋中晚期进入鼎盛时期，制瓷技艺登峰造极，梅子青、粉青釉达到了青瓷釉色的最高境界，传统龙泉窑中的哥窑与官、汝、定、钧等窑并称为宋代五大名窑。龙泉窑的青瓷技艺推动了各地瓷窑的发展，从南宋至明代，福建、广东沿海和江西一带的瓷窑纷纷烧造出类似龙泉青瓷的产品。龙泉窑青瓷在国外也有重大影响，宋元时期就大量出口，陈桥驿在《龙泉县地名志序》中说：“从中国东南沿海各港口起，循海道

一直到印度洋沿岸的波斯湾、阿拉伯海、红海和东非沿海……无处没有龙泉青瓷的踪迹。”龙泉青瓷在宋元时达到高峰，明代生产规模不减，但质量下降，至清代逐渐衰落，晚清后曾一度停烧，仅有少数窑口从事仿古生产。

龙泉青瓷工艺流程由配料、成型、修坯、装饰、施釉和素烧、装匣、装窑、烧成8个环节组成，其中施釉和烧成两个环节极富特色。坯件干燥后施釉，可分为荡釉、浸釉、涂釉、喷釉等几个步骤。厚釉类产品通常要施釉数层，施一层素烧一次，再施釉再素烧，如此反复四五次方可，最多者要施釉十层以上，然后才进入正烧。素烧温度比较低，一般在摄氏800度左右。而釉烧则在摄氏1200度左右，按要求逐步升温、控温，控制窑内气氛，最后烧成成品。南宋至元代前期，龙泉窑曾烧制薄胎原釉器物，施一层釉烧一次，最厚可达十余层。

青瓷烧制不仅是一种技术，而且也是一种艺术。上乘青瓷青翠滋润、莹澈剔透，富于韵味，有“类玉”之美，体现出深厚的文化内涵。

中华人民共和国成立后，恢复了清末民初以来衰微的青瓷烧制工艺。但由于青瓷器皿的功能逐渐被现代物品所代替，故社会需求并不多。目前青瓷生产的一些技艺渐被遗忘，加上现代机械的介入，传统手工制瓷技艺面临着严重的挑战，濒于消亡，亟待拯救、保护。

360 磁州窑烧制技艺

◎ 申报地区或单位：河北省峰峰矿区

峰峰矿区的彭城镇位于邯郸市西部，总面积 32.6 平方公里，是磁州窑的主要产区。在新石器时代的磁山文化时期，峰峰地区已经能够生产优美的陶器，成为我国陶器的发祥地之一。到宋代，磁州窑步入兴盛期，明代达到鼎盛，彭城作为磁州窑的中心，也随之而成为北方瓷都。

磁州窑原料产于本地，主要有青土、白碱、缸土、笼土、黄土（黑药土）、紫木节、紫砂土、耐火黏土、水冶长石等。窑工们在瓷土的应用上有一套独特技艺，能使产品五彩缤纷。磁州窑的制坯技艺也丰富多样，有雕塑、拉坯、盘条、印坯等技法，风格独特。磁州窑的装饰艺术同样值得称道，它主要分为化妆白瓷、黑釉瓷和低温彩釉瓷三大系列，其装饰技法包括化妆白瓷、白釉刻划花、珍珠地刻花、黑釉刻划花、宋三彩、红绿彩、白地黑花、清代褐彩、民国蓝花及现代磁州窑图案等。

以磁州窑的传统烧制技艺为核心，还形成了包括商贸街区民俗文化、口头文学、窑坊建筑艺术等在内的陶瓷行业文化。彭城古镇庙会最盛时每年达二十多个，促进了陶瓷商贸活动，产生了独特丰富的商贸习俗、民间故事、生产谚语，留下了大量的器皿文字和绘画等。

在现代化的冲击下，磁州窑传统烧制技艺已经面临着老艺人退休、传统生产方式和制作观念改变、生产资金缺乏、手工技艺失传的局面，急需进行全面的抢救、保护。

361 德化瓷烧制技艺

◎ 申报地区或单位：福建省德化县

德化县地处福建省中部。德化瓷的制作方法可分两种，一是选用优质的高岭土直接塑造成型，一是翻制模具后再注浆或拓印成型。德化瓷一般在土坯干后再根据需要决定是否上釉，而后放入窑中，在摄氏一千多度的高温中烧制出成品。

德化瓷的制作兴于唐宋，盛于明清，技艺独特，至今传承未断。它一直是我国重要的对外贸易品，与丝绸、茶叶一道享誉世界，为制瓷技术的传播和中外文化交流作出了贡献。明代，德化瓷艺人何朝宗利用当地优质的高岭土，使用捏、塑、雕、刻、刮、接、贴等8种技法制作出精美的德化瓷塑，因艺术风格别致而被欧洲各国收藏。德化瓷因而被誉为“东方艺术珍宝”，在清代时出口欧洲。晚清以后，德化瓷业每况愈下，但艺人苏学金、许友义等仍坚守此业，作品在巴拿马、英国、日本等国际博览会上获得金奖。中华人民共和国成立后，德化瓷业获得新生，新秀辈出，他们继承前人的优秀技法和风格，不断创新发展，使德化瓷烧制技艺重新焕发出青春。

近年来，由于生活方式的改变和外来文化的影响，年轻人多不愿投身这一学习周期长、见效慢的传统行业，现在的艺人多在60岁左右，有人亡技失之忧，迫切需要有关方面予以重视和扶持。

362 澄城尧头陶瓷烧制技艺

◎ 申报地区或单位：陕西省澄城县

陕西关中东部的澄城县尧头镇出产粗瓷。此地煤炭资源丰富，又有坩土矿分布于沟涧的石崖中，夹生白、紫两色的原料，便于烧制陶瓷、砂器。当地农民利用农闲，夏秋制坯彩绘，入冬烧窑销售，代代相传。

据明代县志记载，澄城“瓷砂始于唐”，至明清时达于兴盛。尧头瓷全部用土法手工生产，原料采自当地坩土，加工过程包括泥浆、制坯、施釉、煅烧四道工序。浆泥先取干土矿石粉碎，投入水池浸泡数日，再搅拌成浆，分池沉淀。粗泥制成瓮、盆等大件器皿，细泥做碗、碟等精细瓷器。瓷业产品与群众的生产、生活紧密相连，其造型粗中见细、拙中寓巧，给人以朴实自

然的美感，与南方陶瓷细腻精巧的风格迥异。瓷虎枕玲珑光润、虎视眈眈却又稚拙可爱，既是枕头，又是摆设，并含有驱邪壮胆之意；小孩坐的“懒老婆”，带有原始彩陶的味道，小孩坐在里边，当妈妈的可以腾出手来做家务；黑色的老鼠罐、狮子罐形象奇特，盖上以各种形态的老鼠、狮子作纽手，妙趣横生。

尧头粗瓷釉色多用白、黄、黑三种，还有蓝色及棕红色。各种器物上装饰的花卉、动物与当地的剪纸、面花造型同出一源，内容多是莲花、牡丹、菊花或福、禄、寿、禧等字样。

近几十年来，人们的生活方式及消费观念发生了很大改变，尧头陶瓷的瓮、盆、罐等主要产品用途渐失。目前，陶瓷艺人大都已六七十岁，新培养的艺人不足20人，仅存的小作坊只能视市场需求断断续续地制造少量的应时产品，尧头陶瓷技艺至此已届濒危，亟待抢救。

363 南京云锦木机妆花手工织造技艺

◎ 申报地区或单位：江苏省南京市

在古代丝织物中，“锦”是代表最高技术水平的织物。南京云锦浓缩了中国丝织技艺的精华，是中国古代三大名锦之一。南京云锦的生产现主要分布在南京市的秦淮、建邺、白下、玄武、栖霞五区。一千五百多年前，史籍即有关于南京丝织品的文字记载，但无实物流传。东晋末年，南京有了专门生产织锦的机构——斗场锦署。北宋南迁后，南京成为中国的丝织中心。南京云锦织金饰约始于元代，而彩色妆花织金饰则盛于明清两代。

南京云锦是用传统的大花楼木织机、由拽花工和织手两人相互配合，通过手工操作织造出来的。这种操作劳动强度大、工艺水平高，老艺人有“一抡、二撤、三抄、四会、五提、六捧、七拽、八掏、九撒”的拽花字诀，织手要做到足踏开口、手甩梭管、嘴念口诀、脑中配色、眼观六路、全身配合。云锦主要品种有织金、库锦、库缎和妆花四大类，前三类已可用现代机器生产，惟妆花的“挖花盘织”、“逐花异色”至今仍只能用手工完成。

南京云锦中包含的文化、科技内涵十分丰富，可以为中国工

艺史、科技史、文化史提供实证材料。清朝康熙至嘉庆年间，南京云锦生产规模巨大，木织机达到三万多台，有二十余万人以此为业，年产锦缎上百万匹，产值在300万两白银以上。光绪末年云锦业开始走向衰落，1949年南京解放时全市能生产的云锦织机只有4台。1949年后，经抢救、扶持和保护，云锦技艺得到传承。

随着现代科技的发展，丝织新品种不断涌现，服饰面料更新换代加速，市场对云锦的需求量减少，加之云锦的学艺周期长、劳动强度大，青年人多不愿从事此项工作，妆花手工织造技艺已濒临失传。目前，云锦研究所确认的传承人有24人，都是具有多年云锦设计、织造经验的技艺人员。应保护和利用好这一资源，使南京云锦技艺得以传承和发展。

364

宋锦织造技艺

◎申报地区或单位：江苏省苏州市

宋锦，为宋代发展起来的织锦，因主要产地在苏州，故谓“苏州宋锦”。

苏州是我国著名的丝绸古城，为锦绣之乡、绫罗之地。唐宋时，苏州成为国内丝绸生产中心；明清时期，苏州又有著名的苏州织造府，其宫廷织造和民间丝织产销两旺，素有“东北半城，万户机声”之称。

苏州宋锦的渊源可追溯至春秋时，地处江南的吴国贵族已经在生活中大量使用织锦。历经各时代的发展，织锦技艺在北宋时期得到了全面的提高。南宋时，苏州成立了作院，这时在苏州织锦中，出现了一种质地精美、技艺独特的新品种——苏州宋锦，除用于袍服衣着等服用外，还大量用于书画卷轴类技艺装裱之用，品种共有四十多种。特别是装裱书画的应用，使这些美丽华贵的织锦与书画珍品一起得以保存。明清时，宋锦织物使用范围扩大，特别是康熙、乾隆年间（1662—1795）出现历史上的全盛时期。故宫博物院收藏的“极乐世界织成锦图轴”就是乾隆时期苏州生产的重锦，堪称稀世珍宝。

苏州生产的宋锦，织工精细，艺术格调高雅，具有宋代以来的传统风格与特色，与元明时期流行的光泽艳丽的织金锦、妆花缎等品种有着明显的区别，是一种以经线和彩纬同时显花的织锦，既继承了秦汉经锦的技艺，又继承了唐代纬锦的风格，集两者特色于一身。宋锦的类别，根据织物的结构、技艺的精粗、用料的优劣、织物的厚薄以及使用性能等方面，分为重锦、细锦、匣锦和小锦4类。

传统宋锦的生产制作，工序很多，从缫丝染色到织成产品前后要经过二十多道工序。其产品的基本特点是采用了经线和纬线联合显花的组织结构，应用了彩抛换色之独特技艺，使织物表面色线和组织层次更为丰富。这一技艺特征被后来的云锦所吸收，并一直流传到当代的织锦技艺上。在艺术风格上，以变化几何形为骨架，内填自然花卉、吉祥如意纹等，配以和谐、对比的色彩，使之艳而不俗，古朴高雅。正因此，自宋代起，宋锦便取代了秦汉时期的经锦、隋唐时期的纬锦，并在宋、元、明、清得以蓬勃发展。宋锦不仅是苏州这座丝绸古城优秀丝绸传统文化的重要组成部分，也是中国丝绸传统技艺杰出的代表作，具有很高的历史文化价值。

由于经济转型和长期得不到重视，传统宋锦手工作坊现已停产，艺人、工具、纹样严重散佚，亟待采取切实措施，予以恢复和保护。

365 苏州缂丝织造技艺

◎申报地区或单位：江苏省苏州市

缂丝是苏州的一种古老丝织技艺，主要存在于苏州及其周边地区。缂丝织造技艺主要是使用古老的木机及若干竹制的梭子和拨子，经过“通经断纬”，将五彩的蚕丝线缂织成一幅色彩丰富、色阶齐备的织物。这种织物具有图案花纹不分正反面的特色。在图案轮廓、色阶变换等处，织物表面像用小刀划刻过一样，呈现出小空或断痕，“承空观之，如雕镂之象”，因此得名“缂（刻）丝”。

南宋苏州缂丝业已有辉煌成就。自明代始，缂丝技艺在苏州市区及周边的蠡口、陆慕、黄桥、光福、东渚等地广为流传，成为该地区最具代表性的文化表现形式之一。明代苏州缂丝织造技艺更为精湛，以御用缂丝龙袍及缂丝书画中的开相织品著称。到了清代，出现了缂、绘结

合的新技艺。

20世纪 60 年代，以复制南宋缂丝名作为起点，艺人们恢复了中华人民共和国成立前已告濒危的缂丝织造技艺。至20世纪70至80年代，苏州先后成立了5家缂丝厂，缂丝织造技艺得到空前发展。《双蝶·牡丹·山茶》和《寿星图》这两件双面全异的缂丝作品在传统缂丝基础上取得了新的突破，备受瞩目，被当作国宝级珍品收藏。

缂丝作为最早用于艺术欣赏的丝织物，素以制作精良、古朴典雅、艳中带秀的艺术特点著称，被誉为“织中之圣”。同时由于经得起摸、擦、揉、搓、洗，它又获得“千年不坏艺术织品”之誉。缂丝作品具有很高的观赏价值，历代缂丝精品中蕴含着丰富的文化信息，缂丝技艺体现了传统文化的特色，具有相应的文化与科学价值。

在现代化冲击下，苏州缂丝织造技艺因生产周期长、成本高、价格贵而濒临消亡，目前从事这一行业的多为中老年人，其发展前景令人忧虑，有必要制定规划加以保护。

366 蜀锦织造技艺

◎ 申报地区或单位：四川省成都市

成都有“天府之国”的美称，手工织锦技艺在这片土地上已延续了两千多年。所谓蜀锦即是指四川成都地区制造的花锦，最早的文字记载见于春秋秦国的惠文王年间。战国时期，蜀锦已成为重要的贸易品。它兴于秦汉，盛于唐宋，衰于明末，清代中晚期得以恢复，近代再次陷入危机。中华人民共和国成立后，蜀锦曾一度辉煌，但随着工业化的进展，手工织机逐渐被现代织机所取代，呈现出萎缩和衰退的趋势。

与花楼织机融合在一起的蜀锦织造技艺，从纹样设计、挑花结本到挽花工、织工合作生

产，一直秉承古老的传统。其后当代传统织锦的有梭机械织机，其技艺原理与之相同。

蜀锦是成都的标志性技艺　成都以盛产锦而获得“锦城”、“锦官城”的美名。岷江环绕成都，蜀锦濯于江水，故岷江又称“锦江”。蜀锦植根于蜀文化，有着鲜明的地域特色。早在秦汉三国时期，蜀锦已走出四川，进入少数民族地区，为经济发展、社会稳定和民族团结作出了贡献。它在举世闻名的南北“丝绸之路”中作为文化交流及贸易的载体见证了历史，具有独特的文化价值。采取切实措施确保蜀锦的传承是当务之急，希望有关方面对此加以重视。

367

乌泥泾手工棉纺织技艺

◎申报地区或单位：上海市徐汇区

乌泥泾手工棉纺织技术的传承源于黄道婆自崖州带回的纺织技艺。宋末元初，松江府乌泥泾人黄道婆在流落崖州三十余年后，于元贞年间返回故里，传播植棉和纺织技术。她改进了擀、弹、纺、织等手艺，创制了“配色”、“挈花”成“折枝”、“团凤”的织造工艺，开发出众多精美的棉纺织品。

黄道婆的棉纺织技艺改变了上千年来以丝、麻为主要衣料的传统，改变了江南的经济结构，催生出一个新兴的棉纺织产业，江南地区的生活风俗和传统婚娶习俗也因之有所改变。可以说，乌泥泾手工棉纺织技艺是中国纺织技术的核心内容之一。

历史上松江乌泥泾的印染技艺也很著名。扣布、稀布、标

布、丁娘子布、高丽布、斜纹布、斗布、紫花布、刮成布、踏光布等与印染的云青布、毛宝蓝、灰色布、彩印花布、蓝印花布（药斑布）等同享盛誉。目前掌握手工棉纺织和印染技艺的传承人都已是七八十岁的高龄，这项古老的技艺面临失传的危险，有必要对其进行有效保护。

土家族织锦技艺

◎申报地区或单位：湖南省湘西土家族苗族自治州

湘西酉水流域土家族织锦技艺主要分布于永顺、龙山、保靖、古丈四县的土家族聚居区。土家锦用棉线织成，俗称“打花”，主要有打花铺盖（土家语西兰卡普）和花带两大品种。其中西兰卡普最具代表性和典型性，它采用“通经断纬”的挖花技术，分为“对斜”平纹素色系列和“上下斜”斜纹彩色系列两大流派。西兰卡普使用古老的纯木质腰式斜织机织造，

其技艺流程主要由纺捻线、染色、倒线、牵线、装筘、滚线、捡综、翻篙、捡花、捆杆上机、织布、挑织等12道工序组成，另以“反织法”挑织成图案花纹。花带是土家锦中普及面更广的品种，它采用“通经通纬”的古老“经花”手法，几乎不需专用工具即可在织造者两膝间完成。

湘西土家族织锦技艺历史悠久，自成形以来已有一千五百多年的历史，体现了中国少数民族织锦技艺体系的基本特征。

土家锦的四百多种传统图案花纹是其民族文化心理和不同时代文化积淀的独特表现方式，充分展示了土家人的创造力，对中华民族多元文化的形成与发展有积极的见证意义。

湘西西水流域土家族地区是土家锦手工技艺的原生地和最后一块热土，也是全国土家族中至今仍保留民间织造风尚的惟一区域。然而，社会的变迁、经济结构和文化意识的变化，正使土家族织锦技艺逐步失去赖以生存的土壤和环境，陷入全面濒危的境地，亟待采取强有力的措施予以保护。

369

黎族传统纺染织绣技艺

◎申报地区或单位：海南省五指山市、白沙黎族自治县、保亭黎族苗族自治县、乐东黎族自治县、东方市

黎族的织染技艺历史悠久，特点鲜明，有麻织、棉织、织锦、印染（包括扎染）、刺绣、龙被等品种。

黎族聚居区有极为丰富的木棉、野麻等纺织、印染原料。在棉纺织品普及之前，野麻纺织品在黎族地区盛行。人们一般在雨季将采集的野麻外皮扒下，经过浸泡、漂洗等工艺，渍为麻匹。麻匹经染色后，用手搓成麻纱，或用纺轮捻线，然后织成布。野麻布质地坚实，多用于制作劳动时穿着的外衣和下裳。

黎族织锦的图案丰富多彩，有160种以上，主要有人物、动物、植物、花卉、生活用具、几何图案等纹样，而以人物、动物、植物图案为主。织造黎锦的机杼主要有脚踏织机和踞腰织机两种。踞腰织机是极为古老的织机，黎族妇女可用它织出精美华丽的复杂图案，不同图案、色彩和风格的黎锦曾是区分具有不同血缘关系的部落群体的重要标志，具有极其重要的人文价值。

黎族的印染以扎染为主，古代称为绞缬。织物经过结扎、入染、晒干、折线等步骤，最后形成色彩斑斓的花纹。印染所用的染料以植物的叶、花卉、树皮、树根等为主，天然矿物颜料为辅。

黎族刺绣有平面刺绣和双面绣两种，其中以白沙地区润方言黎族的双面绣最为著名，构图和图案都非常精美。

龙被是黎锦中的珍品，它集纺织、印染、刺绣、织造等多种技艺于一体，制作精巧，色彩鲜艳，图案典雅，款式多样，在黎锦中技艺最为突出、文化艺术价值最高，因而成为海南地区历代进贡的珍品。龙被又称大被，史书上称为崖州被。龙被织绣因黎族方言和居住地区的不同而产生各异的艺术风格和特色，成为研究黎族文化演进的宝贵实物资料。1950年以后，部分黎族妇女已不再织造龙被，如今掌握此项技艺的妇女大多年事已高，而且缺少传人，亟待拯救。

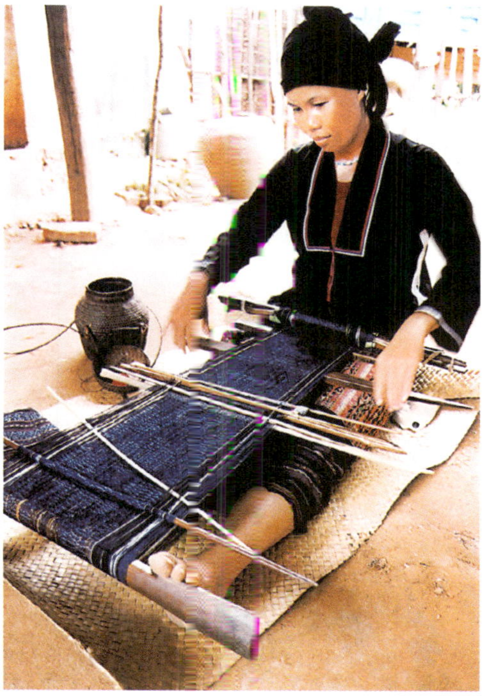

370 壮族织锦技艺

◎申报地区或单位：广西壮族自治区靖西县

壮锦历史极为悠久，壮族先民在汉代织出的"斑布"就是其前身。中华人民共和国成立后，考古工作者在广西罗泊湾汉墓的七号殉葬坑内发掘出土了数块橘红色回纹锦残片，证实汉代广西已有织锦技艺。

壮锦技艺形成于唐宋时代，明清时期进一步发展，在明代列为贡品，清末民初，壮锦开始衰落。历经千余年发展的壮锦有自成体系的三大种类、二十多个品种和五十多种图案，以结实耐用、技艺精巧、图案别致、花纹精美著称。

壮锦是壮族的优秀文化遗产之一，它不仅可为我国少数民族纺织技艺的研究提供生动的实物材料，还可以为中国乃至世界的纺织史增添活态的例证，对继承和弘扬民族文化，增强民族自尊心起到积极的作用。然而，由于历史和现实等多方面的原因，壮锦面临着严峻的传承危机，急需抢救和保护。

371 藏族邦典、卡垫织造技艺

◎申报地区或单位：西藏自治区山南地区、日喀则地区

藏族的毛织技艺有着悠久的历史，其制品以围裙和地毯最为著名。藏族人民常用的毛织围裙在藏语中称为“邦典”，具有装饰、耐寒等功能。西藏山南地区贡嘎县杰德秀镇是藏族围裙的主要产地，因而有“邦典之乡”的美称。杰德秀镇生产毛织品已有一千多年的历史，生产围裙也已有五六百年的历史。在历史上，该镇店铺众多，家家户户都拥有一台或多台织机，所织造的氆氇曾为历代贡品，相传文成公主所穿的氆氇服装便产于该镇。经过世代传承和改进，杰德秀镇的毛织品在品种、图案、色彩和技艺等方面都有了很大的发展。镇上目前约有780户2200人，几乎家家生产毛织围裙，产品不仅在国内享有盛名，还远销印度、尼泊尔、不丹及西欧各国。

日喀则地区江孜县是西藏著名的地毯（藏族称为“卡垫”）之乡。江孜地毯和土耳其地毯、波斯地毯并称为世界三大名毯。

早在公元 11 世纪，在年楚河中游地区（即今白朗县一带）就有一种名为“旺丹仲丝”（即“卡垫”）的手工艺品。这一地区一直是西藏地毯的传统产区，织造技艺得到了较大发展，并形成了系列图案。之后，江孜人民在传统“卡垫”手工技艺的基础上不断改进和创新，形成了独具特色的江孜地毯。民国年间，英国商人曾在江孜开设小型工厂和技艺学校，产品出口到欧洲。

江孜“卡垫”反映了一千多年间藏族织造技艺发展的历史，其图案、纺线、染色、织造、剪毯等方面都非常出色，具有织造技艺独特、色泽鲜艳和谐、毯面柔软的特点，艺术价值极高。这些民族手工技艺应得到保护和传承。

372

加牙藏族织毯技艺

◎申报地区或单位：青海省湟中县

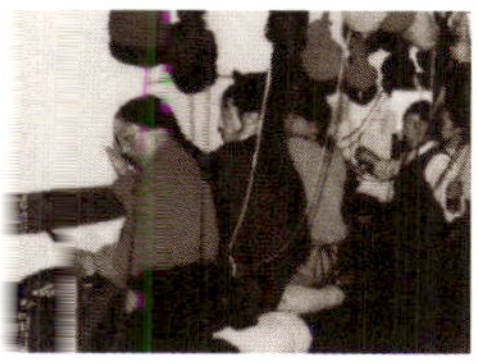

藏毯是青海藏族的传统手工织造品。经过三千多年的传承，青海逐步形成了具有地方特色的藏毯织造行业。由于历史和地理环境的原因，安多藏区和康巴藏区在藏毯的编织技艺、图案设计上存在着差异。康巴藏区（玉树地区）较多地保留了传统藏毯的编织技艺，而安多藏区则在图案设计上将藏汉文化融为一体，构思巧妙，色调和谐，风格独特。

加牙藏毯属于安多藏毯，其主要产地分布在距西宁市 26 公里的湟中县加牙村及上新庄，还有藏族居住区玉树、海南、海北、果洛藏族自治州及西宁周边的贵德、平安、乐都、湟源等县。

藏系绵羊毛是世界上公认的织毯优质原材料，青藏地区的牦牛不仅在数量上占到世界牦牛的三分之二，而且绒毛厚，光洁度好。加牙藏毯的原材料来自天然放养的藏系绵羊毛、山羊绒、牦牛绒和驼绒等，通过低温染纱、低温洗毯等工艺流程，成品具有色泽艳丽、弹性好和不脱色掉毛的优良品质。加牙藏毯品种繁多，有 14 个系列、七十多个品种，采用连环编结法，毯面较厚，约在 15 毫米以上，同时保留着传统藏毯边缘不缝线的特点。

藏毯技艺的传承区域处于藏传佛教的发祥地，这一民间手工艺与佛教文化结下了不解之缘。加牙藏毯从天然原材料的选取到织造工艺的实施都十分讲究，这使它具有天然环保的品质，适应了人们健康生活的需要，因而备受喜爱。即此而言，加牙藏毯具有极高的艺术价值、历史文化价值、实用价值和商业价值。

373 维吾尔族花毡、印花布织染技艺

◎申报地区或单位：新疆维吾尔自治区吐鲁番地区

新疆维吾尔族的织造、印染技艺有着悠久的历史，其中以花毡和印染花布最为著名。按照维吾尔族的传统习俗，居室内目光所及之处都要精心装饰，羊毛毡就是进行居室装饰的传统手工艺品之一。它主要用于铺炕、铺地、拜垫和壁挂等，直到十多年前仍在广泛使用。目前虽已不多见，但少数睡土炕的人家也还在使用。

花毡的种类很多，包括压制花毡、印染花毡、彩绘花毡和刺绣花毡等。花毡的纹样及印花布纹样约有百余种，其中既有受汉文化影响的“寿”字纹、回文、博古纹，也有阿拉伯风格的几何和花卉纹样及维吾尔族独特的日常用品和工具纹样，还有伊斯兰教风格的净壶、圣龛等纹样，甚至还有古代西域流传的一些纹样。花毡纹样图案丰富、色彩鲜艳，反映了维吾尔族人民的生活状态及外来文化、汉文化交流的悠久历史，有着很高的人文和艺术价值。

维吾尔族的印染技艺以花布彩印为主，有刻版印染、扎染和木模戳印等种类，其中流传最广、使用最多、历史最久的是木模戳印技艺。人们长期使用彩印花布作为棉袍衬里、腰巾、罩单、窗帘、门帘、尘垫套、壁挂、礼拜单、墙围布和炕围布。

木模戳印技艺是用雕刻了图案的木模蘸

上各种天然植物、矿物染料，戳印到手工纺织的土白布上，使多种不同的木模图案组合在一起，形成彩印花布。广大民间艺人自己设计、制作的彩印花布绚丽多姿，有的制作精细，堪称艺术珍品。木模戳印花布有一百多种纹样，不拘一格，丰富多彩。但这些纹样中却没有人物和动物形象，这是受伊斯兰教不得表现有灵魂物体的教规禁约所致。

制作花毡和彩印花布都是维吾尔族人民世代相传的传统手工技艺。20 世纪 80 年代以来，人们的居住条件逐步改善，生活方式也发生了相应的改变，由此导致花毡逐渐消失，新疆城乡居民大多已搬进新居，也不再需要墙围布、炕围布，彩印花布在维吾尔族生活中的用途正在减少，在市场上已乏人问津。在此情势下，花毡和彩印花布艺人纷纷改行转业，他们的子孙也不再继承这一古老的技艺。目前在世的老艺人大多已到暮年，古老的手工技艺面临着人亡艺绝的局面，急需抢救和保护。

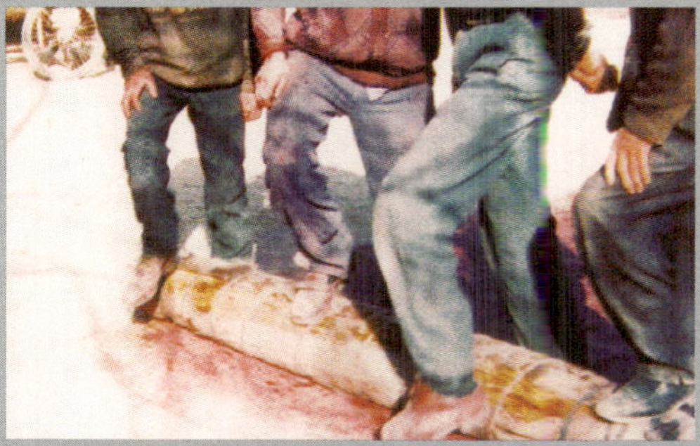

374

南通蓝印花布印染技艺

◎申报地区或单位：江苏省南通市

南通蓝印花布传统印染技艺遍及南通地区各县，影响较大的作坊在如皋的石庄、通州的二甲和石港、海门的三阳、启东的汇龙及南通市区。民间利用蓝草色素染色可以追溯到春秋战国时代，后来蓝靛发展成为蓝染技艺，至今已逾千年。南通滨江临海，适宜种植棉花。元、明以后，南通地区家家户户都有织女，是著名的纺织之乡、蓝印花布之乡。

南通蓝印花布印染技艺延续至今，以手纺、手织、手染的方法制作被面、包袱、头巾等生活用品，印染图案以植物花卉

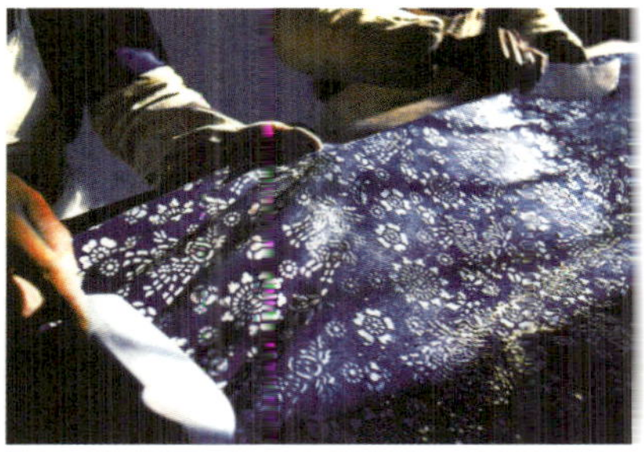

和动物纹样为主，也有简洁的几何图形。它以耐脏耐磨、结实经用、图案吉祥等特点深受广大群众喜爱，长久以来流传不衰，成为最具代表性的传统手工艺品之一。

蓝印花布印染技艺上流传时间长，普及面广，影响深远，具有很高的文化价值。南通蓝印花布馆共搜集明清以来蓝印花布实物及图片资料一千多件，设计开发蓝印花布系列产品百余种，整理出版了《中国蓝印花布纹样大全》藏品卷、纹样卷等，展现出南通印染技艺的风采和魅力。

但是，当前从事蓝印花布印染的人数正在减少，专业人士青黄不接，有的蓝印花布已改成自动化或半自动化生产，传统工艺逐渐变异，有必要提请有关方面注意，对蓝印花布印染技艺的保护已到了关键时刻。

375 苗族蜡染技艺

◎ 申报地区或单位：贵州省丹寨县

蜡染是贵州省丹寨县、安顺县、织金县苗族世代传承的传统技艺，古称"蜡缬"，苗语称"务图"，意为"蜡染服"。

丹寨县、安顺县及织金县是以苗族为主体的多民族聚居区，在长期与外界隔绝的艰苦环境中，这里的居民逐渐形成了自给自足的生活方式，古老的蜡染技艺因此得以保留下来。按苗族习俗，所有的女性都有义务传承蜡染技艺，每位母亲都必须教会自己的女儿制作蜡染。所以苗族女性自幼便学习这一技艺，她们自己栽靛植棉、纺纱织布、画蜡挑秀、浸染剪裁，代代传承。在此状况下，这些苗族聚居区形成了以蜡染艺术为主导的衣饰装束、婚姻节日礼俗、社交方式、丧葬风习等习俗文化。

苗族蜡染是为生产者自身需要而创造的艺术，其产品主要为生活用品，包括女性服装、床单、被面、包袱布、包头巾、背包、提包、背带、丧事用的葬单等。

苗族蜡染有点蜡和画蜡两种技艺，从图案上可分为几何纹和自然纹两大类。丹寨苗族蜡染的作者们更喜欢以自然纹为主的大花，这种图案造型生动、简练传神、活泼流畅、充满夸张，乡土气息十分浓厚。安顺苗族蜡染以几何纹样为主，图案结构松散、造型生动。织金苗族蜡染以细密白色为主，布满几何螺旋纹，图案结构相互交错，浑然一体。

蜡染的制作工具主要有铜刀（蜡笔）、瓷碗、水盆、大针、骨针、谷草、染缸等。制作时先用草木灰滤水浸泡土布，脱去纤维中的脂质，使之易于点蜡和上色。然后把适量的黄蜡放在小瓷碗里，将瓷碗置于热木灰上，黄蜡受热熔化成液体后，即可往布上点画。点好蜡花的布再用温水浸湿，放入已发好的蓝靛染缸，反复浸泡多次，确认布料已经染好，即可拿到河边漂洗，让清水冲去浮色，再放进锅里加水煮沸，使黄蜡熔化浮在水面上，回收后以备再用。之后，再将蜡染反复漂洗，使残留的黄蜡脱净，即算完工。丹寨蜡染在这之后还要拼涂红色和黄色，涂红的一般用茜草根，黄色则用栀子提取。为了避免褪色，一般要待蜡染品制成后才着色。除上述步骤外，蜡染还有制作蓝靛和发染缸等工序，各道工序前后连接，构成一套完整、成熟的技艺和操作规程。

随着科技的发展，纺织品的种类不断丰富，蜡染作为贵州苗族地区主流纺织品的地位已渐动摇。伴随旅游业的发展，蜡染手工艺制品被当作特色旅游纪念品推向市场，而为了满足市场需要和追求经济收益，粗劣的蜡染制品大量涌现，对技艺的有序传承构成了威胁。由此可见，苗族蜡染技艺亟待得到真正的保护和合理的开发。

376 白族扎染技艺

◎ 申报地区或单位：云南省大理市

扎染古称“绞缬”，是我国一种古老的纺织品染色技艺。大理白族自治州大理市周城村和巍山彝族回族自治县的大仓、庙街等地至今仍保留着这一传统技艺，其中以周城白族的扎染业最为著名，被文化部命名为“民族扎染之乡”。

据史书记载，东汉时期大理地区就有染织之法。唐贞元十六年（800），南诏舞队到长安献艺，所着舞衣“裙襦鸟兽草木，文以八彩杂革”，即为扎染而成。明清时期，洱海白族地区的染

织技艺已达到很高水平，出现了染布行会，明朝洱海卫红布、清代喜洲布和大理布均是名噪一时的畅销产品。近代以来，大理染织业继续发展，周城成为远近闻名的手工织染村。

扎染一般以棉白布或棉麻混纺白布为原料，染料主要是植物蓝靛（云南民间俗称板兰根）。扎染的主要步骤有画刷图案、绞扎、浸泡、染布、蒸煮、晒干、拆线、碾布等，技术关键是绞扎手法和染色技艺，染缸、染棒、晒架、石碾等是扎染的主要工具。白族扎染品种多样，图案多为自然形的小纹样，分布均匀，题材寓意吉祥，具有重要的美学价值和实用功能，深受国内外消费者的好评。

大理白族扎染显示出浓郁的民间艺术风格，一千多种纹样是千百年来白族历史文化的缩影，折射出白族的民情风俗与审美情趣，与各种工艺手段一起构成富有魅力的大理白族织染文化。

但是，当前产业化的趋势使部分传统扎染技艺走向消亡，原有的民间特色开始退化，污染问题日益突出，市场经营滋生了对经济利益的过度追求，植物染料板兰根供不应求。在此情势下，白族扎染技艺的传承受到困扰。只有认真解决上述问题，才能促进大理传统白族织染技艺的传承和发展。

377 香山帮传统建筑营造技艺

◎申报地区或单位：江苏省苏州市

苏州的香山位于太湖之滨，有两千五百多年的历史，是吴文化的发祥地之一。香山帮是一个以苏州市吴中区胥口镇为地理中心，以木匠领衔，集泥水匠、漆匠、堆灰匠、雕塑匠、叠山匠、彩绘匠等古典建筑工种于一体的建筑工匠群体。

香山帮是吴文化的产物，历史上曾涌现过不少大师，如塑圣杨惠之、蒯祥和姚承祖等。蒯祥主持明皇宫三大殿、天安门和王府六部衙署的营造，发明创造了“金刚腿”，被宪宗皇帝誉为“蒯鲁班”。姚承祖的传世之作有现存怡园的藕香榭、灵岩山寺的大雄宝殿、香雪海的梅花亭，他最大的成就是撰成《营造法原》，这部记述香山帮传统技法的专著被国人誉为“中国苏派建筑的宝典”。

香山帮是一个传承千年的建筑流派，到明清时期达于鼎盛。北京故宫、天安门和苏州园林等举世闻名、精美绝伦的建筑均是以蒯祥、姚承祖等为杰出代表的苏州香山帮匠人所造，香山帮凭借这些建筑作品在中华建筑史上留下了光辉的篇章。香山帮建筑的特点是色调和谐、结构紧凑、制造精细、布局机巧。20世纪以降，由于西方建筑文化的渗透，香山帮逐渐衰落，近几年来虽恢复了一些生机，但仍未摆脱濒危的困境，匠人收入低、劳作苦，传统营造技艺后继乏人，亟待采取措施予以保护，才能确保其传承有序。

378 客家土楼营造技艺

◎ 申报地区或单位：福建省龙岩市

福建永定客家土楼建筑是人文内涵丰富、造型功能独特的传统生土建筑，它遍布永定全县各个乡村，主要分布在汀江、永定河流域。永定土楼以方形为主，圆形土楼较为少见，后者主

要集中在金丰溪流域，此外方圆兼具的“大夫第”即“五凤楼”，主要分布在永定河流域。据统计，永定境内目前尚保存有两万多座土楼。

土楼建筑中蕴含着天人合一的理念，融安全防卫和生产生活需要、聚居和崇文重教意识于一体。土楼营造工艺精巧，规划构筑考究，充分利用自然空间，合理安排房屋布局，或依山或傍水，使居住的楼屋与自然环境相协调。土楼结构千姿百态，内部空间丰富有序，装饰工艺精湛高超。土楼的营造工艺是客家建筑文化的生动表现，它继承了中原古老的生土构筑技艺，保留了大量优秀的建筑传统，成为古建筑技艺研究中的活化石。

据记载，明代成化十四年（1478），永定正式建县，县中的客家人“人文鹊起，甲第巍科为数郡冠”。由明末开始，永定客家人积极从事烟草生产和贸易，财源滚滚而来。这些文化和经济方面的突出成就成为永定客家土楼兴盛的精神和物质基础。

在现代化和商品经济大潮的冲击下，永定地区居民的居住观念发生了变化，已不再建筑土楼。原有的永定客家土楼年久失修，建筑技艺的传承也出现危机，急需政府给予关注和支持，采取切实措施加以保护。

379 景德镇传统瓷窑作坊营造技艺

◎ 申报地区或单位：江西省

景德镇是最早的瓷业城市，景德镇瓷业建筑及营造技艺堪称一绝。景德镇传统制瓷作坊的“窑房”建筑是中国工场手工业罕见的场所物证，具有独特而丰富的历史价值、科学价值和旅游价值。

明代后期以来，景德镇的城市范围和规模基本稳定，两平方公里的老城区内密布的各类瓷业建筑成为城市建筑的主体。这里坯房、窑房密集，“陶舍重重”，构成景德镇的一大景观。景德

镇瓷业建筑技艺由此得到发展，在明清以后走向成熟，达于鼎盛。

窑体、窑房和坯房的独特形状、结构、材料和功能要求成就了窑房营造的独特技艺。例如，清代雍正以来，景德镇最盛行的是“镇窑”，蛋形的镇窑属于平焰窑，它综合了龙窑、馒头窑、葫芦窑的优点，成为古代最杰出的窑型。砌窑（结窑）、补窑（修窑）在景德镇被称为“挛窑”，这在全国其他瓷区是没有的。坯房（即作坊）是重要的生产场所，同时兼有居住功能，布局紧凑。景德镇传统窑房宽敞通风、经济实用，兼具仓库、生产车间和生活间的三重功能，它给建造者提出了很高的建筑标准，要求工艺高超而又别具风格，由此形成了景德镇的城区风貌，同时成就了景德镇瓷业建筑的营造技艺。

近三十年以来，景德镇大部分的传统窑房作坊在工业化和城市化过程中被拆除，许多老建筑工匠也相继故去。据统计，目前景德镇市内仅余23处传统窑房、作坊，在世的挛窑匠师仅有古窑瓷厂的胡家荣等3人，传统窑房作坊建造工匠也只余十几人，景德镇瓷业建筑的营造技艺濒临消亡，抢救保护迫在眉睫。

380 侗族木构建筑营造技艺

◎ 申报地区或单位：广西壮族自治区柳州市、三江侗族自治县

侗族木构建筑营造技艺是广西三江县最出色的民族民间传统文化表现形式。三国时期，侗族先人“依树积木，以居其上，名曰干栏”，逐渐形成木构建筑营造技艺。三江侗族木质建筑以风雨桥、鼓楼为代表，不仅造型美观，而且工艺堪称一绝。整座建筑凿榫打眼、穿梁接拱、立柱连枋，

不用一颗铁钉，全以榫卯连接，结构牢固，接合缜密，有极高的工艺和艺术价值。

鼓楼又称“罗汉楼”，埋巨木为中心柱，建成塔形“独角楼”，矗于侗寨之中，立地顶天，成为侗家人的精神象征。风雨桥横卧江上，在侗族观念中是沟通阴阳两界的“生命之桥”和护寨纳财的“福桥”，因此不吝雕琢修饰，使其集亭、塔、廊、桥为一体，壮丽辉煌。楼、桥上的各种图案及雕梁画栋寄托了侗族人民祈望风调雨顺、五谷丰登的美好愿望和美学追求，是侗族文化特性的集中体现。

侗族人是天生的艺术家，民间工匠的建筑才能十分高超。他们建造楼、桥和民居时不用一张图纸，整个结构烂熟于心，仅凭简单的竹签为标尺，靠独特的“墨师文”为设计标注，使用普通的木匠工具和木料就能制造出样式各异、造型美观的楼、桥，设计之精巧，造型之美观，均令人叹为观止。

令人担忧的是，目前由于侗族建筑工匠后继乏人，木材来源匮乏，加之木构建筑防火能力极弱，易损毁而难再生，因此侗族木构建筑及相关技艺存在着延续的危机。只有加强抢救和保护工作，才能使绝妙的侗族木构建筑技艺世代传承下去。

381 苗寨吊脚楼营造技艺

◎ **申报地区或单位：贵州省雷山县**

西江千户苗寨位于贵州省雷山县东北部雷公山之麓、白水河畔的西江镇境内，包括平寨、东引、羊排、南贵4个行政村、10个自然寨。这里的居民建筑系木质结构，不用一钉一铆，房子框架由榫卯连接，依山势而成，建筑风格别具特色，形成独特的苗寨吊脚楼景观。

西江千户苗寨吊脚楼的营造技艺远承7000年前河姆渡文化中“南人巢居”的干栏

式建筑，在历史沿革中又结合居住环境的要求加以变化。西江的造房匠师根据地形和主人的需要确定相应的建房方案，使用斧凿锯刨和墨斗、墨线，在30至70度的斜坡陡坎上搭建吊脚楼。这种建筑以穿斗式木构架为主，因前檐柱吊脚，故而得名。吊脚楼一般有三层，四榀三间、五榀四间、六榀五间成座，依山错落，次第鳞比。

吊脚楼具有简洁、稳固、防潮的优点，还能节省耕地和建材。西江千户苗寨吊脚楼连同相关营造习俗形成了苗族吊脚楼建筑文化，它对于西江苗族社会文明进程和建筑科学的研究具有极为珍贵的价值。

随着社会的发展和人们居住理念的改变，西江当地的年轻人不再愿意居住吊脚楼，也无兴趣学习相关营造技艺，吊脚楼建造匠师后继乏人。吊脚楼营造对地质、木材有一定的要求，建成后防山体滑坡、防火的任务较重。因此，西江千户苗寨吊脚楼建筑技艺文化的延续和实物保护都面临着极其严峻的挑战，需要有关方面加以关注和支持。

382 苏州御窑金砖制作技艺

◎ 申报地区或单位：江苏省苏州市

金砖是大型方砖的雅称，据古籍《金砖墁地》记载，金砖是专为皇宫烧制的细料方砖，其颗粒细腻，质地密实，敲之作金石之声。又因金砖制成后要运至北京的京仓，以供皇宫专用，故又有“京砖”之称。

金砖御窑位于苏州市相城区陆慕镇御窑村，千百年来，此地村民专以烧窑为业。明代永乐年间，明成祖朱棣迁都北京，大兴土木建造紫禁城。经苏州香山帮工匠的推荐，明宫中特地派出官员到苏州陆墓（现陆慕）监制金砖。由于陆慕镇的黄泥适宜制坯成砖，且做工考究、烧制有方、技艺独特，所产金砖细腻坚硬，“敲之有声，断之无孔”，所以永乐皇帝赐封陆慕砖窑为“御窑”。北京故宫的太和殿、中和殿和天安门城楼所铺设的就是御窑金砖。

御窑金砖制作技艺繁复，工序多达二十余道，其中主要工序有选泥、练泥、制坯、装

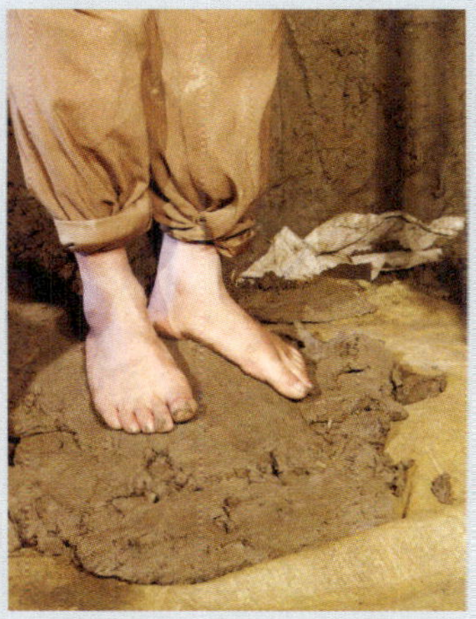

窑、烧制、窨水、出窑、打磨等。道道工序，环环紧扣，一道不达，前功尽弃。

御窑金砖是我国窑砖烧制业中的一朵奇葩，明清以来受到历代帝王的青睐，成为皇宫建筑的专用产品。到明代嘉靖时，金砖烧制进入全盛期。清朝末年以后，因战争连年，金砖的生产时断时续，直至1984年才完全恢复生产。御窑烧制金砖自1413年始，至今已五六百年。

御窑金砖具有较高的实用价值和观赏价值，是我国民族建筑文化中的一颗璀璨明珠。用金

砖铺成的地面具有光润耐磨、愈擦愈亮、不滑不涩等特点，既可防止地下潮气上升，又能把宫殿衬托得更加雄伟壮丽，把豪宅古居装点得更加富丽堂皇。

随着现代化、城市化步伐的加快，不但宫殿式建筑已成为历史，而且民间古典厅堂建筑也日渐消亡，让位于高楼大厦，金砖的市场需求量很小，致使生产规模一直无法扩大。烧制金砖是高技艺的复杂体力劳动，学习周期长、劳动投入大、经济收益低，年轻人无意涉足其中，整个行业后继乏人。目前苏州只有御窑一处，还有匠人二十余位在进行金砖制作，因此迫切需要对御窑金砖制作技艺这一古老的民间手工技艺采取保护措施。

383

苗族芦笙制作技艺

◎申报地区或单位：贵州省雷山县 云南省大关县

贵州省雷山县苗族居住区村村有芦笙，是芦笙的重要产地。芦笙制作工匠分别居住在雷山县丹江镇的排卡村、方祥乡的平祥村和雀鸟村、桃江乡的桃梁村和年写村，这些村寨都位于大山之中，交通极不方便。

制作芦笙，除了要懂得一定的乐理知识外，还要具备物理知识，了解力学原理。芦笙种类较多，音质各有区别，形体大小也各有不同，要做出合乎需要的芦笙，首先要求制作工匠有长期的制作经验。苗族传承芦笙制作技艺的师傅只用风箱、锤子、黄铜、斧子、凿子、锯子、钻子、苦竹、桐油和石灰（有的已改用乳胶）就能制作出精美实用的各式芦笙。雷山地区制作的芦笙音质纯正，外表光洁美观，极负盛名。

芦笙是苗族文化的一种象征，苗族芦笙在表演吹奏方面把词、曲、舞三者融为一体，保持了苗族历史文化艺术的原始性、古朴性。芦笙制作技艺历来都由师傅亲手教授，无文字资料留存，且技艺考究，传承比较困难。

云南省昭通市大关苗族芦笙制作技艺主要存在于云南苗族聚居区的昭通市大关县天星镇。天星镇芦笙以苦竹、桦槁树皮、杉木、铜片为料，使用刀、锯、刨、凿、钻、锤、剪刀、炼炉等工具制作。芦笙通常由笙管、笙斗和簧片三部分构成，常见的芦笙发音管一般为六根，大关县芦笙制作传人王杰锋在继承祖传秘技的基础上作了创新，将发音管改成八根或十根，又在高温冶炼黄铜笙簧片时加入一定比例的铅，增强了芦笙簧片的弹性及韧性，这样制成的芦笙发音更加响亮悦耳，传承百余年的天星“王芦笙”就此扬声滇黔交界的苗族村寨，为大关天星芦笙增添了光彩。但现在，像王杰锋这样能熟练制作芦笙的艺人已越来越少，精湛技艺后继乏人，面临失传的危险，亟待抢救、保护。

384 玉屏箫笛制作技艺

◎ 申报地区或单位：贵州省玉屏侗族自治县

玉屏箫笛用贵州玉屏侗族自治县出产的竹子制成，遂因此而得名。玉屏箫笛是我国著名的传统竹管乐器，以音色清越优美、雕刻精致而著称，它是玉屏当地侗、汉、苗、土家等多民族

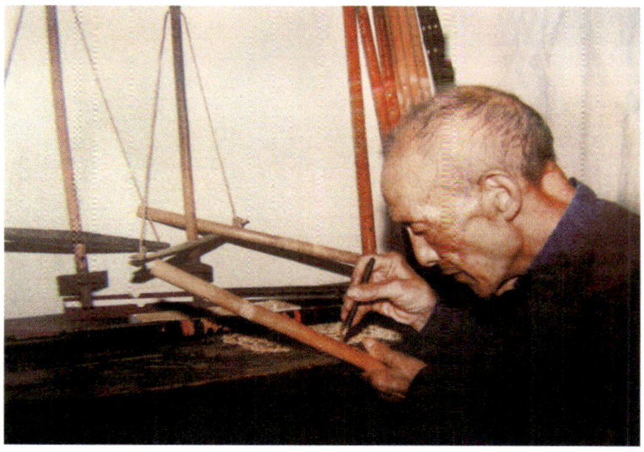

文化发展的结晶，具有较高的历史文化和工艺价值。

玉屏箫笛也称“平箫玉笛”，因箫笛上多有雕刻精美的龙凤图案，又称“龙箫凤笛”。据记载，其中的平箫系由明代万历年间（1573—1619）的郑维藩所创，玉笛则始创于清代雍正五年（1727）。平箫玉笛往往被人们当作礼品赠送或收藏，与茅台酒等一道被列为“贵州三宝”。玉屏箫笛的制作有取材、制坯、刻花、打磨等工序，成品式样优美，雌雄成对。爱好音律的郑氏将制作箫笛的技艺视为传家宝，代代坚守其业，故郑氏箫笛在明代一度被列为贡品。清代咸丰年间，郑氏传人因家境萧条而被迫卖箫糊口，由此开始专制平箫，挂牌出售。后因产品供不应求，始打破嫡传规训，向外招徒传艺，扩大生产规模。至抗日战争时期，玉屏箫笛的生产有了大的发展，仅城区就有箫笛店铺三十余家，从业者八十余人。

1949年后，箫笛制作技艺得到保护。20世纪80年代至90年代前期，是玉屏箫笛发展的鼎盛时期，产品连年获省、部优称号，最高年产量五十余万支，产值八十余万元。

随着现代化进程的加快，民族乐器受到很大的冲击，箫笛制作技艺的保护和发展形势严峻。目前，玉屏箫笛制作技艺面临人亡艺绝、后继无人的境地，箫笛厂连厂长及管理人员在内仅剩7人，城区从事箫笛制作的老艺人也不足十人。如再不对玉屏箫笛制作技艺进行抢救、保护，这项特色手工技艺很快就会在世间绝迹。

385 阳城生铁冶铸技艺

◎ 申报地区或单位：山西省阳城县

公元前6世纪中国诞生了生铁冶铸术，这比欧洲至少早了16个世纪，由此开始，中国逐渐形成了和西方迥然不同的钢铁冶炼技艺体系，创造了辉煌的铁器时代与钢铁文明。

山西阳城地处中条山区，为中国生铁冶铸术的重要留存地，犁炉炼铁和犁镜的铁范铸造等技艺十分突出。阳城盛产富铁矿，且距地表较浅。熔炼铸造时先将采得的矿石粉碎，再经

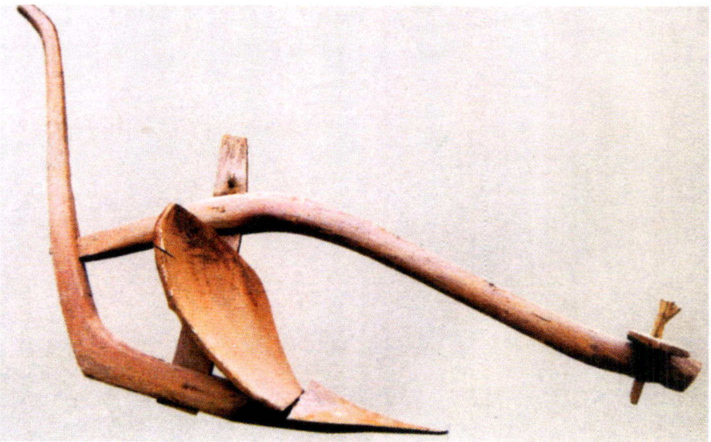

高温焙烧去硫，然后方可入炉。犁炉为中国式的竖炉，由炉缸、炉腔、炉身及支架构成，其内腔呈曲线状，具有风流顺畅、利于炉况顺行的优点，以当地江木等优质木材烧制的木炭则被用作熔炼的原料和还原剂。熔炼时有一整套成熟的工艺，师傅们凭借多年经验，通过看火色、辨铁水等方法娴熟地掌握炉况、火候及铁水成色，恰到好处地把握铁水的化学成分和温度。辨铁水一法堪称绝技，熔炼师傅从出铁口舀出一小勺铁水，观察其色泽及表层纹样变化，就能判定其成色。犁镜是阳城的名牌产品，为步犁上的重要配件。阳城犁镜由原铁水浇铸，这种做法在世界上十分罕见。铸型以灰口铁作原料，用泥范铸成。一副铁范可用上千次，所铸犁镜坚固耐用且省力，深受农民欢迎。犁镜烧铸最盛时，年产七十余万片，远销尼泊尔、越南、朝鲜等国。

20世纪60年代，太原理工大学曾对阳城生铁冶铸技艺作了实地考察和理论分析。从80年代起，伴随着社会经济的转型和机耕的推广，阳城犁镜生产逐渐萎缩，至90年代后期冶铸作坊已全部停产，艺人及铸炼设备散失严重，亟待抢救和保护。

386 南京金箔锻制技艺

◎ 申报地区或单位：江苏省南京市

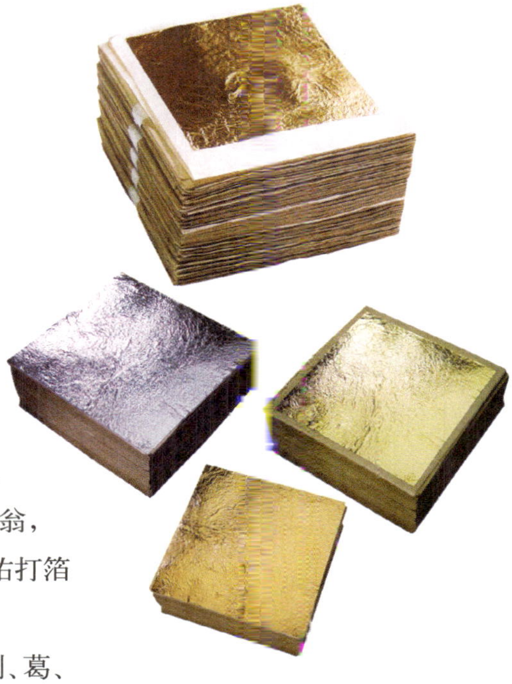

南京金箔锻制业发源于栖霞区龙潭花园一带，这里曾分属句容县和江宁县。相传东晋葛仙翁（葛洪）是金箔锻制的始祖，打金箔户一直流传着“仙家造金箔”的传说。葛洪为句容县城北下荫人，旧时龙潭打造金箔的都供奉葛仙翁，四季上香，逢年过节跪拜，香案边上还要放把锤，求神保佑打箔顺当。

根据老艺人介绍，南京最早打金箔的都是龙潭人，有刘、葛、印三大姓，刘姓打金箔，葛姓切金箔，印姓制金线。中华人民共和国成立前，龙潭周围的六子桥、四段圩都有金箔制作作坊，男锤金箔，女织锦线。

最早记载金箔生产技艺的文字见于明代宋应星的《天工开物》：“凡造金箔，既成薄片后，包入乌金纸，竭力挥椎打成（打金椎，短柄，约八斤重）。”南京金箔系用真金经作条、下条、拍叶、

做捻子、打开子、装家生、打了戏、出具、切金箔、检验包装等十多道工序锤炼而成，其中打箔最为辛苦，须把一块金“疙瘩”打成0.1微米左右的薄片。两个人面对面打，要打上万次。民间传说，一两黄金打出的金箔能盖一亩三分地。经科学测算，943张金箔厚仅一毫米，一万张金箔重仅178.125克，打制技艺之精可见一斑。

当今中国所有的寺庙以及莫斯科中国大酒店、泰国皇宫、日本大阪牌楼、扎伊尔总统官邸等都闪现着南京金箔的辉煌，食用、化妆、建筑、技艺、装饰等领域所用金箔也多出于南京匠人之手。

南京金箔是传统手工技艺的杰出代表，目前地处龙潭街道的南京金县金箔总厂及20世纪80年代迁往江宁的江宁金箔集团还在从事这一行业。但打箔是高技巧高体力消耗的劳动，年轻人愿意加入这一行业的很少，因此整个金箔业后继乏人，同时金箔的衍生品有了多种替代，导致其市场日益缩小，加上金箔的传统工艺不断遭到打箔机器的排挤，金箔的锻制技艺面临着失传的危险，需要加以保护。

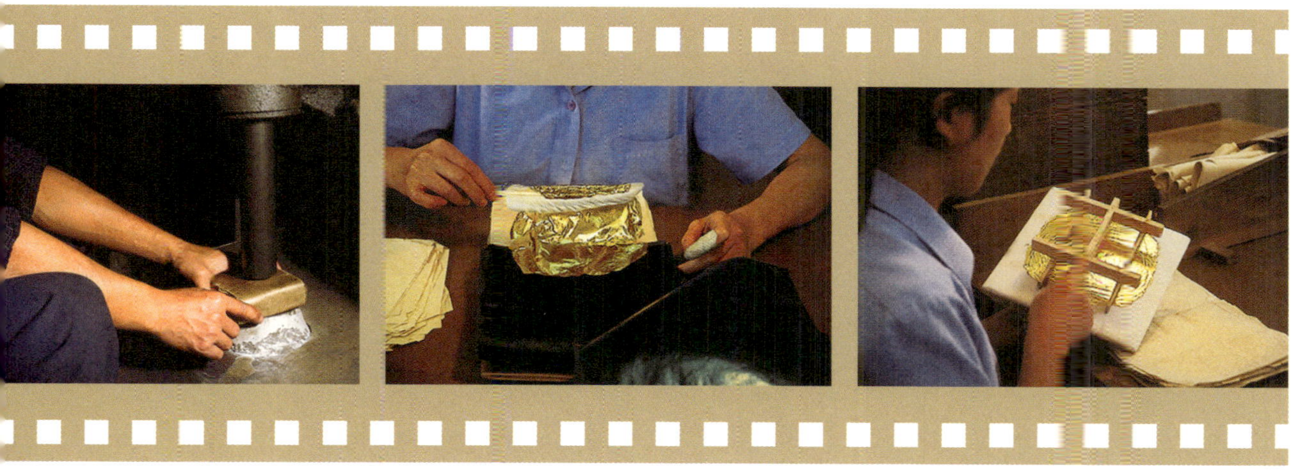

387 龙泉宝剑锻制技艺

◎申报地区或单位：浙江省龙泉市

龙泉宝剑是中华古兵器的代表，也是我国著名的传统工艺品，迄今已有两千五百多年的历史。相传春秋末期，越国铸剑大师欧冶子在龙泉秦溪山铸成龙渊、泰阿、工布三把名剑，并以龙渊为乡名，由此传下技艺。后因避唐高祖李渊讳，以“泉”代“渊”，龙渊改称龙泉，现在的浙江龙泉即以出产宝剑而闻名。

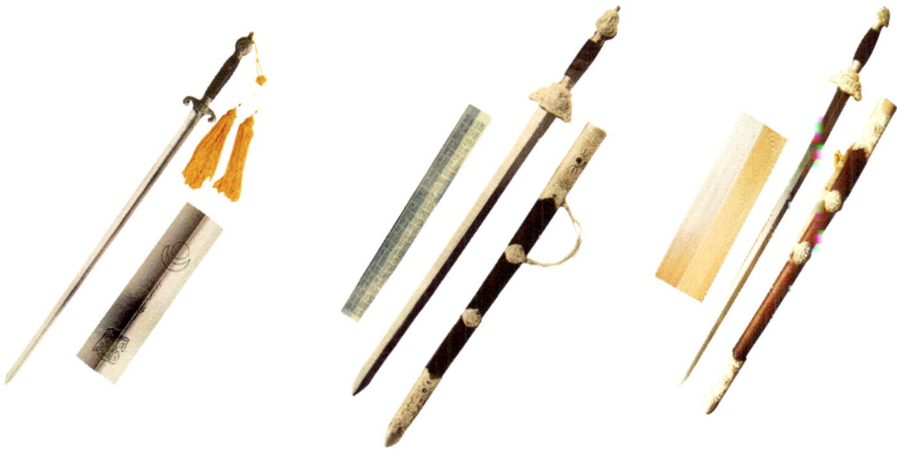

龙泉一地蕴藏有矿石“铁英”，磨剑的“亮石”和做剑鞘的花榈木，秦溪山泉可以淬剑，茂密的森林能够提供充足的木炭燃料。

龙泉宝剑以锋刃锐利、寒光逼人、刚柔并济、纹饰精致四大特色而著称。其选材考究，有“三斤毛铁半斤钢”之说，锻打火候掌握得当，成分均匀，花纹清新；淬火方式也很独特，研磨十分讲究。龙泉宝剑的锻打技艺中蕴藏着丰富的文化内涵，在中国兵器史、冶金史和艺术史上占有重要地位。龙泉宝剑不仅是健身武术器械和影视舞台道具，还是赠送外宾的国礼，为海内外民众和剑术爱好者所珍视。

但是，当今锻剑工艺已完全现代化，这对传统技艺造成了巨大冲击，追求产销经济效益的企业经营策略影响了剑的质量，锻剑之地的环境也受到破坏。上述问题导致龙泉宝剑锻制技艺处于濒危状态，急需抢救和保护。

388 张小泉剪刀锻制技艺

◎ 申报地区或单位：浙江省杭州市

清代康熙二年（1663），张小泉剪刀始创于杭州，后成为闻名遐迩的“五杭”产品之一。传统民用剪刀是张小泉的起家产品，它有“信花、山郎、五虎、圆头、长头”五款，靠镶钢均匀、钢铁分明、磨工精细、刃口锋利、销钉牢固、开合和顺、式样精巧、刻花新颖、经久耐用、物美价廉十大特点称雄制剪业。张小泉传统制剪共有72道工序，其中有两项精湛独特的制作技艺历经磨

炼被延续下来，一是镶钢锻打技艺，造剪选用浙江龙泉、云和的好钢镶嵌在熟铁上，经千锤百炼，制作成剪刀刃口，并用镇江泥砖磨削；二是剪刀表面的手工刻花技艺，造剪工匠在剪刀表面刻上西湖山水、飞禽走兽等纹样，栩栩如生、完美精巧。

张小泉剪刀创始人张小泉曾立下“良钢精作”的家训，三百四十余年来由其后人身体力行，成为张小泉企业文化的核心理念。张小泉剪刀厂“质量为上，诚信为本”的经营宗旨和“用心去做每一件事”的精神即源于此。

张小泉剪刀曾为清宫御用品，因乾隆皇帝专门赐章褒奖而成为中华“老字号”。它不仅在国内广受称赞，而且享誉世界。1910年张小泉剪刀获得南洋劝业会银奖，1915年获巴拿马万国博览会二等奖，1926年获美国费城世博会银奖，1929年获西湖博览会特等奖。1956年，毛泽东在《加快手工业的社会主义改造》一文中指出：“提醒你们，手工业中许多好东西，不要搞掉了。王麻子、张小泉的刀、剪一万年也不要搞掉。我们民族好的东西，搞掉了的，一定都要来一个恢复，而且要搞得更好一些。”

但随着时代的发展，现代冲压注塑工艺的应用大大冲击了传统的剪刀锻制技艺，致使这一古老的手工艺出现传承断档，如今能够从头至尾完成所有工序的制剪高手已不复存在，张小泉剪刀锻制工艺急需抢救、恢复。

389 芜湖铁画锻制技艺

◎ 申报地区或单位：安徽省芜湖市

芜湖自古铁冶业发达，有“铁到芜湖自成钢”的美誉，芜湖铁画制作技艺即是在此基础上发展形成的。芜湖铁画以锤为笔，锻铁为画，鬼斧神工，气韵天成，技艺高超。铁画始于清康熙年间，由芜湖铁工汤鹏与芜湖画家萧云从相互砥砺而成，至今已有三百四十多年的历史。据清代《芜湖县志》所录《铁画歌·序》载：“汤天池与画家为邻，日窥其泼墨势，画师叱之。鹏发愤，因煅铁为山水嶂，寒汀孤屿，生趣宛然。”芜湖铁画源于国画，具有新安画派落笔瘦劲简洁、风格冷峭奇倔的艺术特征，纯靠手工锻打完成。它以熟铁为原料，经红炉冶热后，用锻、钻、抬、压、焊、锉、凿等技法制成。芜湖铁画既有国画的神韵又具雕塑的立体美，还表现了钢铁的柔韧性和延展性，是一种独具风格的艺术品。

芜湖铁画先后参加过法国巴黎世界博览会和匈牙利布达佩斯造型艺术展，并赴日本、科威特、意大利、尼日利亚、沙特、香港等二十多个国家和地区展出。1958年，毛泽东、刘少奇先后

在安徽省博物馆欣赏了芜湖铁画，称赞铁画艺术技艺精湛，提出要将之加以发展。1959年至1960年，老艺人储炎夫和几位弟子制作了大型铁画《迎客松》、《梅山水库》和铁书法《沁园春·雪》，陈设在人民大会堂。

芜湖铁画经三百多年的承传和发展，除制作传统形式的尺幅小景、画灯、屏风外，还创出了立体铁画、盆景铁画、瓷板铁画和镀金铁画等新品种，形成了座屏、壁画、书法、装饰陈设和礼品五大系列两百多个品种，以其与众不同的风格和魅力在艺坛独树一帜。

但是，当今市场经济的利益驱动不断影响着铁画质量，加上兼备国画和文学修养的铁画艺人出现断代，芜湖铁画面临技艺变形、失传的困境，亟待国家给予支持和扶助。

390 苗族银饰锻制技艺

◎ 申报地区或单位：贵州省雷山县
湖南省凤凰县

银饰是苗族最喜爱的传统饰物，主要用于妇女的装饰，品种多样，分为头饰、面饰、颈饰、肩饰、胸饰、腰饰、臂饰、脚饰、手饰等，彼此配合，体现出完美的整体装饰效果。

银凤冠和银花帽是头饰中的主要饰品，也是整套银饰系列之首，素有龙头凤尾之美称，其制作较为复杂，使用的小件饰品少则一百五十余件，多则达两百余件，价值昂贵。苗族银饰精

致美观，以贵州省雷山县和湖南省凤凰县的制品为代表，其中雷山县的银匠主要集中在西江镇的控拜、麻料、乌高。

银饰锻制是苗族民间独有的技艺，所有饰件都通过手工制作而成。银饰的式样和构造经过了匠师的精心设计，由绘图到雕刻和制作有30道工序，包含铸炼、锤打、焊接、编结、洗涤等环节，工艺水平极高。

苗族银饰制作技艺历史悠久，先后经历了从原始装饰品到岩石贝壳装饰品、从植物花卉饰品到金银饰品的演进历程，传承延续下来，才有了模式和形态基本定型的银饰，其品种式样至今还在不断地翻新，由此形成的饰品链条成为苗族社会演进的象征之一。

苗族银饰具有丰富多彩的文化内涵，从品种、图案设计、花纹构建到制作组装都有很高的文化品位。在对外交往中，苗族人民把银饰作为礼品赠送友人，和藏族的哈达、汉族的珠宝一样珍贵。

苗族银饰的创制技艺充分体现了苗族人民聪明能干、智慧机巧、善良友好的民族性格。银饰洁白可爱、纯净无瑕、质地坚硬，正是苗族精神品质的体现。

苗族银饰长久以来都是在苗族地区流传，改革开放后，其开发前景看好。但是，银饰锻打技艺一般是在家庭内部承传，无法择优而授，原有艺人多已年老，真正能继承银饰锻造这一精湛工艺的并不多，所以这门特色技艺的发展前景不容乐观，有必要加强保护工作。

391 阿昌族户撒刀锻制技艺

◎ 申报地区或单位：云南省陇川县

阿昌族户撒刀锻制技艺流传于云南省德宏傣族景颇族自治州陇川县西北部的户撒乡，主要集中在潘乐、户早、隆光、相姐、明社、曼炳6个村。

户撒刀是阿昌族人智慧的结晶，其先民在唐代就掌握了锻制和铸造铁器的要领，明代“三征麓川”（1441—1449）时使户撒成为了“兵工厂”。阿昌族人吸收了汉族的兵器制造技术，形成独特的户撒刀锻制工艺，明末清初走向成熟，民国年间生产达到鼎盛。户撒刀制作过程须经下料、制坯、打样、修磨、饰叶、淬火、刨光、做柄、制带、组装10道工序，尤以淬火技艺最为突出，通过热处理使刀叶的硬度和韧性达到最佳状态，如史所称是“柔可绕指，吹发即断，刚可削铁”。

户撒刀品种繁多，功能多样，现已发展出生产工具、生活用具及装饰性工艺品三大类一百二十多种。除服务周边民族和邻近地区及远销西藏、青海外，还出口东南亚地区，为守疆固邦和促进各民族经济文化共同发展作出了积极的贡献。

但是，在外来文化和社会经济转型的压力下，户撒刀制作的传统技艺和设备有被现代机械及原材料替代之势，加上老艺人年事已长，后继乏人，阿昌族户撒刀技艺面临失传的危险，急需抢救和保护。

392

保安族腰刀锻制技艺

◎申报地区或单位：甘肃省积石山保安族东乡族撒拉族自治县

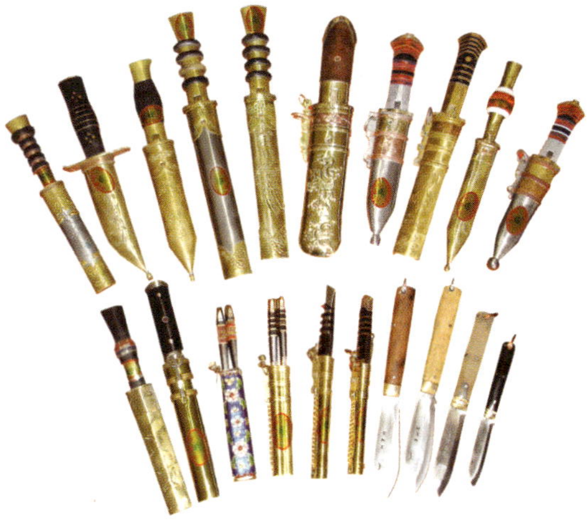

保安腰刀是保安族传统的手工艺制品，主要产于甘肃省积石山保安族东乡族撒拉族自治县大河家镇、刘集乡及周边地区。长期以来，保安族腰刀锻制技艺一直是维系整个保安族生存的重要手段，也是保安族经济文化的命脉。

保安人打制腰刀的历史久远，保安腰刀的出现与元代的军事活动密切相关。1227年成吉思汗东征时，把部分来自中亚的官兵和工匠留在青海同仁地区。这部分色目人与当地蒙、汉、回、藏、土等各族人民相邻而居，互通共融，逐步形成了保安民族。在保安城定居以后，他们中有许多人从事手工业生产，出现了铁匠、金银匠、木匠、鞋匠等行业。当时的铁匠主要制作土枪、弓箭等，一脉相通的冶铁技术使他们具备了雄厚的制刀资质。保安族迁徙到大河家以后，受生活条件的影响，他们自己制作的腰刀在用以自卫的同时也具有了商品的性质，于是保安族开始用腰刀交换牧民的牛羊和其他日常用品。从此，保安族腰刀和经济发展紧密联系在一起。

传统的保安腰刀制作工序多达40至80道，其中制坯时的加钢、炼烧后的淬水至关重要，恰到好处的处理能保证刀具刚韧相济。

保安腰刀制作技艺不仅巩固了保安族的文化根基，也丰富了中国金属工艺的内容。周恩来总理曾将保安腰刀作为礼物馈赠给外宾。1987年，保安腰刀获国家民委、国家轻工部优质产品称号，1991年又获北京国际博览会金奖。

打制腰刀素来是保安族主要的经济活动之一。在改革开放的浪潮中，保安人相继建起多家民族刀具厂，集中技艺较高的工匠，添置新的设备，组织批量生产。在这种情况下，传统技艺由原先的手工操作渐向半机械化发展，传统技艺出现了传承危机。同时，腰刀产品也在不断创新，相继出现了“什样锦”、“波日季”、“雅吾其”、“双落”、“满把”、“扁鞘”、“珠算刀”、“鱼刀”、“西瓜头”、“马头刀”等品种，生产越来越兴旺。

但由于过度开发，腰刀质量渐低，信誉度也有所下降。公安部门的刀具管理也限制了保安腰刀的经销和技艺流传。在此情势下，保护保安腰刀锻制技艺的工作已成为当务之急。

393 景泰蓝制作技艺

申报地区或单位：北京市崇文区

北京景泰蓝技艺又名“铜胎掐丝珐琅”，因成熟于明景泰年间，故名“景泰蓝”。其技艺是用铜作胎，将细铜丝轧扁后以手工制成各种图案，掐、焊、贴在胎体上，再施珐琅釉料，经过烧制、磨光、镀金等多道工序最后制作出成品。

景泰蓝技艺是外传珐琅技艺和本土金属珐琅工艺相结合的产物。明清两代，御用监和造办处均在北京设有专为皇家服务的珐琅作坊，技艺从成熟走向辉煌。近代以来，北京景泰蓝技艺曾一度衰微。1949年后，因国家采取积极的保护、扶持政策，这一古老技艺得以迅速恢复和发展。

北京景泰蓝技艺复杂，工序繁多，它综合了青铜工艺和珐琅工艺，继承了传统绘画和金属錾刻工艺，体现出中国传统工艺门类之间相互学习和借鉴的传统。景泰蓝制品造型典雅，纹样繁缛，色彩富丽，具有宫廷艺术的特点，给人以"圆润结实、金光灿烂"的艺术感受，有很高的艺术价值，曾多次参加国内外重要展览，为祖国赢得荣誉，还经常被作为国礼馈赠外宾。

在市场经济的冲击下，由于一些从业者的不良运作，北京景泰蓝的艺术质量和技艺水平有所下降，大量次品充斥市场，影响恶劣。而正宗的景泰蓝制作工厂或破产或濒危，技艺高超的景泰蓝制作大师和传人寥寥无几，再不加以抢救保护，这一优秀技艺行将衰败甚至失传。

394 聚元号弓箭制作技艺

◎ 申报地区或单位：北京市朝阳区

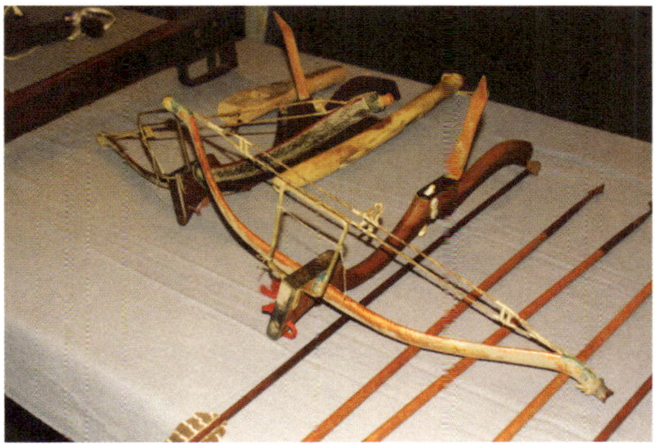

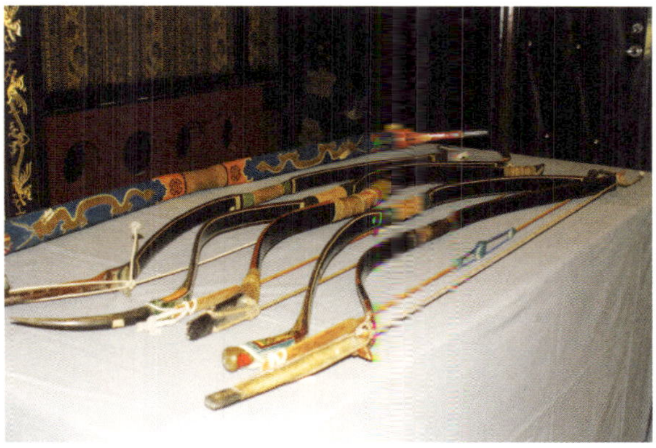

聚元号是清朝皇家专设的兵工厂，其弓箭铺位于北京东四附近的弓箭大院。1957年聚元号被改造后迁至北京第一体育用品厂，成为现在朝阳区的区属单位，位于现在的国际贸易大厦附近。1998年，聚元号第九代传人杨文通在朝阳区的团结湖居民区内设铺，重兴旧业。

聚元号弓箭制作技艺承袭了中国双曲反弯复合弓的优良传统，弓的主体内胎为竹，外贴牛角，内贴牛筋，两端安装木质弓肖。弓的制作分成弓的“白活”和装饰的“画活”两个环节。弓弦一般有牛皮和棉线两种，聚元号多采用棉线制作。制箭步骤主要包括调杆、打皮、刮杆、安装箭头和尾羽等。

聚元号杨氏制弓世家早年曾荣获巴拿马万国博览会奖项。出于对弓箭传统技艺的热爱和文化传承的自觉，杨福喜毅然放弃了原有工作，改从其父杨文通学艺，全面继承了聚元号清代皇家弓箭作坊的全套技艺。聚元号制作弓箭所用原料、工具、技法与《考工记》、《梦溪笔谈》、《天工开物》所载相近，所制各类弓箭品质精良，深受各界好评，曾应邀赴香港参与亚洲射艺交流活动，并由中央电视台和多家媒体进行报道。

聚元号弓箭制作技艺的传承发展现在面临很大的困难，杨福喜生活窘迫，工作条件与环境都很差，而且没有徒弟继承他的手艺。如果不及时采取保护措施，技艺失传只是时间早晚的问题。

395

明式家具制作技艺

◎申报地区或单位：江苏省苏州市

苏州明式家具是指自明代中叶以来以苏州为中心的江南地区能工巧匠用紫檀木、酸枝木、杞梓木、花梨木等外来木材制作的硬木家具，所以也称为“苏州明式家具”，简称“苏式”。

苏州明式家具，具有结构严谨、线条流畅、技艺精良、漆泽光亮的特点，以其鲜明的艺术风格和地方特色独树一帜。结构严谨是指家具构成都是靠卯榫技艺，注重结构的整体性及力的平衡；线条流畅是指家具外观上以线条为主，很少雕饰；技艺精良是指选料、配料、木工、打磨、漆工等每道工序均做工讲究，无懈可击；漆泽光亮是指家具上漆均采用生漆传统技艺，通过十几道工序的精工细作，达到似漆非漆的效果。

设计是明式家具制作的头道工序，不仅要设计造型，还包括家具的结构、雕花纹样等，其高下全凭设计师的独具匠心。

木工制作即生坯制作，其基本流程除中间的机械加工外，有划线、理线、装配、打磨4个环节。

雕刻需按设计图样通过铲底、理顺边线、拉花、雕刻纹样等，做到跟脚清、花叶活翻、层次清晰、有立体感。

漆工共有16道工序：打生坯、刮面漆、磨砂皮、做颜色、上头胶漆、缕砂皮面漆、缕砂皮、揩漆、推砂叶面漆、推砂叶、揩漆等。

明式家具的历史文化价值在于经过长期发展，在日常使用的家具领域里取得了里程碑式的成就，其完美性、合理性、实用性、装饰性都达到了巅峰。在明式家具中，不论是椅子、茶几还是条桌、书架，其清秀的造型、匀称的比例、明晰的线条，充分表现了家具的文化内涵和艺术气质。它以结构部件为装饰部件，充分反映了天然材质的自然特性，精练、合度和科学的榫卯技艺，更使其达到了尽善尽美的境地。

396 蒙古族勒勒车制作技艺

◎ 申报地区或单位：内蒙古自治区东乌珠穆沁旗

勒勒车是蒙古式的牛车，又名辘轳车、罗罗车、牛牛车，“勒勒”原是牧民吆喝牲口的声音。勒勒车是为适应北方草原的自然环境和蒙古族生活习惯而制造的交通工具，现在东乌珠穆沁旗及其周边地区依然可见。

勒勒车的起源可上溯到《汉书》所记载的“辕辐”。从秦汉到20世纪七八十年代的两千余年中，勒勒车一直是草原牧人最重要的交通运输工具，有“草原之舟”之称，在蒙古族的生产生活中发挥着巨大的作用。

勒勒车是牧民流动的家，“行则车为室，止则毡为庐”。它车身小，双轮大，完全用桦木、松木、柳木、榆木制成，不用铁件，便于

制造和修理，而且易于在草原上行走，被誉为“草上飞”，除了搬运毡房、牛粪、生活用水外，战时还常用作驮运军队辎重的战车。

随着经济的快速发展，勒勒车已逐渐为机动车所取代，除少数偏僻地区还有牧民使用外，目前草原上已难以见到。掌握勒勒车制作技艺的艺人多数已上了年纪，且后继乏人，因此这项传统技艺亟待抢救和保护。东乌旗地处四大草原之一的锡林郭勒草原腹地，目前仍存有一定数量的勒勒车，种类也比较齐全，具备保护勒勒车制作技艺的条件，有关方面应根据当地具体情况迅速展开工作。

397 拉萨甲米水磨坊制作技艺

◎申报地区或单位：西藏自治区

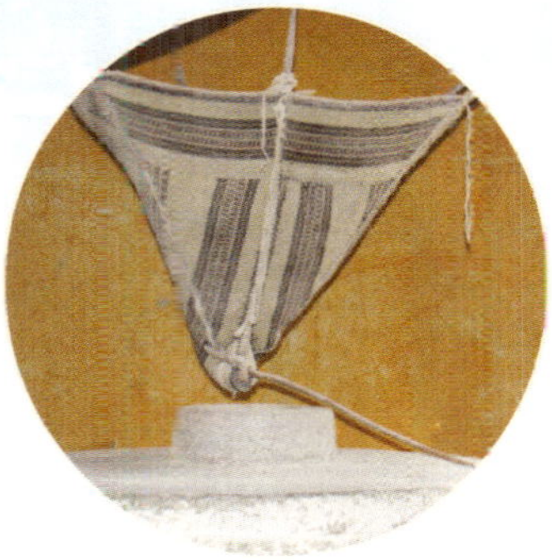

在西藏农区和部分牧区，人们利用山间水的落差巧妙地建造了水磨坊，用来加工糌粑、面粉及家畜饲料，其中以“甲米曲果”最为驰名。“甲米曲果”意为甲米水磨坊，它位于拉萨市北郊的娘热沟，距拉萨市中心6公里。娘热沟丰富的水资源使这里形成了拉萨市郊最具规模的水磨坊群，近两公里的水边修建了近二十座水磨坊，这在整个藏区是绝无仅有的。娘热沟从古至今一直是拉萨地区加工糌粑的重要场所。

甲米水磨坊约建于公元17世纪，五世达赖喇嘛在帕邦卡松赞岩洞闭关修行时，磨坊主人曾向他供奉过该磨坊所产的糌粑。这些糌粑加工精细，纯白无杂，美味可口，五世达赖喇嘛对其赞不绝口。到七世达赖时，娘热甲米水磨坊成为向达赖喇嘛供奉糌粑的定点磨坊，并获得正式命名。为了表彰甲米水磨坊向历代达赖喇嘛供奉甲米糌粑的功绩，原西藏地方政府特赐给长2米、宽20公分的法棍两根，免去磨坊的税额和乌拉差役，并规定甲米水磨如有坍塌、损坏，由其他水磨坊协力修复，并给予甲米水磨坊优先使用水资源的特权。

甲米水磨坊显现了藏族人民机械制造和谷物加工的杰出才能，它充分利用天然泉水，以节能、无污染的方式磨制糌粑。但由于水磨效率不高、产量低，所以甲米水磨坊受到了电动磨面工具的冲击，发展前景不甚乐观，亟待保护。

398

兰州黄河大水车制作技艺

◎申报地区或单位：甘肃省兰州市

兰州市地处亚欧大陆腹地，具有带状盆地城市的特征，干旱少雨。黄河自西向东穿城而过，河面距地面有十多米至二十多米落差，由此带来丰富的天然水力资源。

公元1556年，段续借鉴云南通河的筒车灌溉技术，在兰州创制了适合于本地的水车。黄河水车利用水流动力工作，成为一种廉价高效的灌溉工具。水车小者直径十七八米，大者二十多米，有单辆车、双辆车和多辆车等类型，一辆水车可灌溉农田七八百亩。明末以降，大水车在黄河流域的皋兰、白银、泾川、平凉、银川及陕西得到了广泛使用，促进了这些地区农业生产的发展。

黄河大水车是黄河文化的重要组成部分，它体现了中华民族的创造力，为中国农业文明和水利史研究提供了见证。水车的发明为人民安居乐业和社会和谐稳定奠定了基础。1952年，兰州黄河岸边仍有水车252辆。自电力灌溉技术普遍应用后，水车逐年减少，制作者后继乏人，面临濒危状况，对黄河大水车制作技艺进行保护已成为迫在眉睫的重要任务。

399 万安罗盘制作技艺

◎申报地区或单位：安徽省休宁县

罗盘是广泛运用于天文、地理、军事、航海和居屋、墓葬选址的重要仪器，是中国古代四大发明之一指南针的沿续和发展。万安罗盘是现存的全国惟一以传统技艺手工制作的罗盘，产地在今天的安徽省休宁县万安镇万安老街。

万安罗盘制作业至迟兴起于元末，在明代得到发展，清代中叶进入鼎盛时期，清末一度衰败，民国初年重振辉煌并延续至20世纪60年代初，停顿近二十年后，1982年又恢复生产。

万安罗盘继承了中国传统的罗盘制作技艺，在长期生产过程中形成了自己的特点，对技艺流程和技艺手法有严格的要求。制成一具罗盘，一般要经过6道工序，首先要精选特等木料“虎骨树”（学名重阳木），锯成罗盘毛坯，然后将毛坯车圆磨光并挖好装磁针的圆孔，随后在上面画格和书写盘面，接着熬炼桐

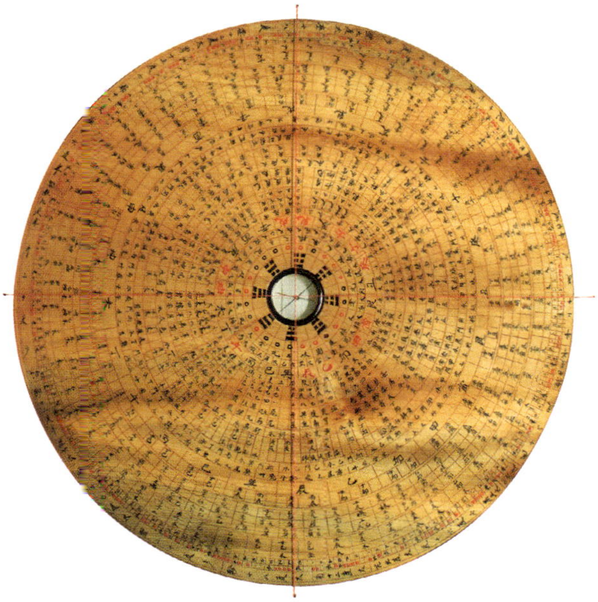

油并往罗盘上上油。安装磁针是最后也是最关键的工序，由店主在密室内单独操作，其工作包括磁化钢针、测定磁针重心、装针等。

万安罗盘按盘式可分三合盘、三元盘和综合盘三种，按直径分约有11种规格。万安所产罗盘设计独特、选材考究、制作精良、品种齐全，被奉为罗盘正宗，享有“徽罗”“徽盘”的美誉。1915年，万安罗盘和日晷曾在巴拿马万国博览会上展出，获得金奖。

万安罗盘承载着中国古代天文学、地理学、环境学、哲学、易学、建筑学等方面的文化信息，传承着磁性指南技术及相关技艺，为研究中国古代科技史、社会史、人居环境及古徽州的历史文化提供了宝贵资料。

但是，在现代社会中，万安罗盘的实用功能逐步退化，市场需求萎缩，老艺人先后离世，后继传人缺乏，罗盘制作技艺濒于消亡，亟待保护利用。

400 雕漆技艺

◎ 申报地区或单位：北京市崇文区

北京雕漆工艺是把天然漆料在胎上涂抹出一定厚度，再用刀在堆起的平面漆胎上雕刻花纹的技法。雕漆制品造型古朴、纹饰考究、色泽光润、形态典雅，并有防潮、抗热、耐酸碱、不变形、不变质的特点。它体现了我国工艺美术家的高超技艺和聪明才智，是中华民族传统工艺的瑰宝。

雕漆工艺发源于唐代，由于北京特殊的政治、经济和文化背景，经过元、明、清三代的发展最终落户北京。北京雕漆工艺在几百年的发展过程中融合了华夏南北雕漆技艺之大成，是中国髹漆工艺的优秀代表之一。光绪三十年（1904），艺人萧乐安及李茂隆在北京开办了近现代第一个民间雕漆制造作坊——“继古斋”。1949年后，北京市召集分散在民间的继古斋雕漆传人建成北京雕漆生产合作社，1958年转为北京市雕漆工厂，成为北京雕漆工艺传承与发展的主要阵地。

北京雕漆工艺制品种类繁多、题材丰富，其设计创作集雕刻、绘画、工艺于一身，具有庄重典雅的艺术性。对于现代社会人们审美素养的提升和美化生活具有不可替代的作用。北京雕漆工艺集中体现了中国历史悠久的髹漆工艺文化传统，是研究中国传统工艺美术不可缺少的重要内容。

进入20世纪90年代，由于市场转型、生产周期长、投资大及管理体制变化等原因，雕漆行业发生萎缩。北京雕漆厂名存实亡，真正的手工雕漆品越来越少，雕漆行业技艺人员面临着年龄结构老化、无新人后继的残酷现实。从现在的情况看，延续几百年的北京雕漆工艺已濒临失传。

401 平遥推光漆器髹饰技艺

◎申报地区或单位：山西省平遥县

平遥推光漆器髹饰技艺发源于山西中部的平遥县，传布至北方广大地区。以此种技艺制作的漆器远在唐代开元年间已遐迩闻名，明清两代由于晋商的崛起，推光漆器有了长足的进步。中华人民共和国成立后，平遥推光漆器厂建立，老艺人乔泉玉、任茂林等献艺授徒，使推光漆器的生产进入了黄金时期，平遥推光漆器自此成为我国著名的漆艺品种之一，产品销往三十多个国家，有些精品为人民大会堂和中国美术馆所珍藏。1989年，平遥推光漆器获得国家金杯奖。

平遥推光漆艺有精湛的成套技艺，其制作过程主要包括以下步骤：（1）用特殊配方、技艺及设施炼制大漆；（2）以大漆和天然桐油炼制罩漆；（3）木胎披麻挂灰，生漆须褙布，猪血灰须披麻，黄土胶则需褙纸；（4）以人发、牛尾制作漆栓（髹饰工具）；（5）在特设的阴房内阴干漆器；（6）描金彩绘，包括平金开黑、堆鼓罩漆、勾金、罩金和蛋壳镶嵌等传统技法；（7）用砂纸、木炭、头发、砖灰、麻油等逐次推光，使漆器光亮如镜；（8）采用镶嵌、

镂刻、罩金、刻灰等技艺进行装饰。

平遥推光漆髹饰品分为实用品（如漆柜、漆箱、条案、茶几）和陈设品（如屏风、漆画）两大类，具有很高的实用价值和工艺价值，为广大群众所欢迎。推光漆技艺还普遍用于宫廷、庙宇、厅堂、文房的陈设装饰，取得了良好的艺术效果。

目前仍健在的平遥推光漆艺人有中国工艺美术大师薛生金和他的传人耿保国、贾兴林等。由于受现代化学漆和腰果漆的冲击，以天然漆为原料的推光漆艺日益萎缩，导致艺人改行和流失，漆艺产品质量有所下降，处于濒危状态。现平遥县已建立了薛生金工作室和漆艺苑，将整理该项技艺的资料建档，建立平遥漆器艺术馆，举办漆艺培训班，以确保这一珍贵技艺的传承和发展。

402

扬州漆器髹饰技艺

◎申报地区或单位：江苏省扬州市

扬州漆器为中国传统的特种工艺品，它历史悠久，品种齐全，技艺精湛，风格独特，蜚声中外。

早在两千三百多年前的战国时期，扬州漆器髹饰技艺就已开始出现，从出土实物可以看出，当时漆器的造型和髹饰技法已有较高水平。到了汉代，漆器被广泛用于许多领域，造型和装饰手法更为精美多变。扬州市郊出土的汉代漆器不下万件，以彩绘漆器居多，器型繁多，图纹丰富。唐代扬州的脱胎干漆、金银平脱、螺钿镶嵌等工艺技法已相当成熟，漆器被列为24种贡品之一。明清时期，扬州漆艺臻于鼎盛，出现剔红雕漆、平磨螺钿镶嵌、软螺钿镶嵌、百宝镶嵌等著名品种，形成特有的地方风格。乾隆年间，扬州出现多条以生产漆器命名的街巷，漆器产量和品种均达到历史最高峰。

现代扬州漆器制作工艺有点螺、雕漆、雕漆嵌玉、刻漆、平磨螺钿、彩绘、骨石镶嵌、楠木雕漆砂砚、磨漆画制作九大门类，品种齐全，技艺精巧，绚丽多彩，格调清新，极富东方神韵。所产以扬州漆器厂出品的“漆花”牌漆器最负盛名，曾多次荣获国

际、国内金奖，并有多件代表作被选为国礼或陈列于人民大会堂、钓鱼台国宾馆等重要场所。

由于漆艺从业人员培养周期长，收入偏低，在市场经济条件下，扬州漆器行业出现了人才断层的状况。在现代生活中，人们的审美观念发生了巨大变化，漆器的社会需求和审美价值逐渐弱化，导致漆器市场萎缩，漆艺行业的生存出现危机。因此，有必要对扬州漆器技艺实施保护，以使其在现代社会继续传承下去。

403

天台山干漆夹苎技艺

◎申报地区或单位：浙江省天台县

天台县位于浙江省东部，这里山林茂密，盛产山漆、苎麻、香樟等漆艺所需的天然原材料。早在东晋时期，干漆夹苎已在天台民间得到应用，经历代工匠不断努力，技艺逐步成熟。唐代中期，僧人思托在日本用此法制作了鉴真坐像，被日本奉为国宝。

干漆夹苎有完整的技艺流程，其制作由48道工序组成，从型模、上灰、夹苎、披灰到上漆、砂光、上朱、磨光、贴金，均采用苎麻、生漆、古瓦粉、火山灰、桐油、朱砂、五彩石等天然材料。在麻布、漆料层层包粘、反复打磨后再涂以朱砂等辅料，贴上金箔和研光，整个制作过程全由手工完成。经多种技艺处理后，成品综合体现出雕塑、彩绘、金装的艺术魅力。干漆夹苎的成品主要用于佛教造像，宫殿、庙宇建筑物的装饰、保护及民间器材的制作，具有经久不蛀、光泽润亮、不开裂、不变形等特点。其代表作除鉴真坐像外，还有供奉于日本清淳寺的由宋代张延皎、延袭兄弟所作的释迦牟尼像，现存天台山万年寺的由谢秀旺在1984年所作的观音像及南京博物馆收藏的汤春甫于1991年所作的释迦牟尼像。

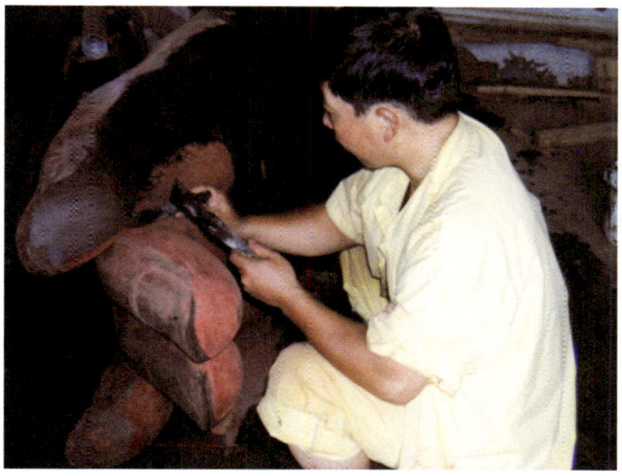

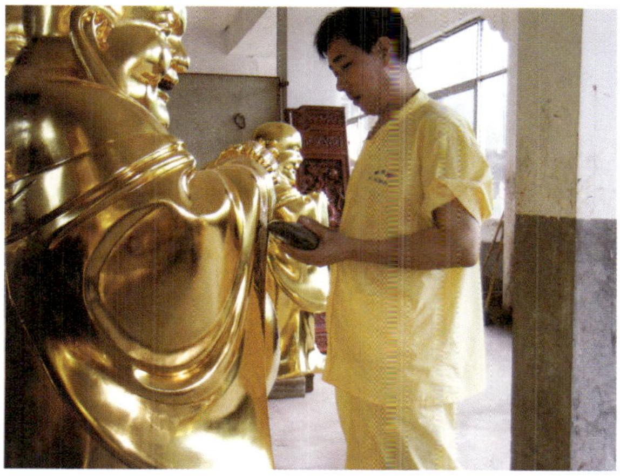

目前天台山干漆夹苎技艺的主要传人为汤春甫及其艺徒郑丙瑞、金红初等，他们所制作品为49个国家和地区所收藏，多次荣获国际和国内工艺美术金奖。天台山干漆夹苎技艺不仅有重要的工艺和艺术价值，而且在修复古建筑、古文物方面有着无可替代的实用价值，能达到整旧如旧的效果。由于对从业人员素质要求高，而且学艺时间长，干的又都是手工活，所以青年人多不愿加入干漆夹苎这一行业。随着老艺人的陆续退休，如何继承干漆夹苎这门绝活已成为迫在眉睫的重要问题。此外，受利益驱动，有的作坊不严格按传统技艺操作，在制作过程中使用现代化学合成材料，导致赝品充斥市场，真正的手工艺制品反而销售困难，发展空间日益缩小。在此情势下，需要积极采取措施，保障干漆夹苎技艺的传承和发展。

404 福州脱胎漆器髹饰技艺

◎申报地区或单位：福建省福州市

福州脱胎漆器髹饰技艺是沈绍安在继承几千年中国髹漆技艺的基础上创立的。沈氏脱胎漆艺在脱胎成型和表层髹漆方面具有鲜明的技艺特点，制作时采用布坯或木坯，经上灰、打磨、髹饰、黑推光、色推光等工序后，再用彩漆晕金、锦纹、朱漆描金、台花嵌螺钿等技法加以装饰。因技艺精良、品种繁多、造型巧妙、色彩绚丽，自1898年以来，福州脱胎漆器先后在巴黎、多伦多、柏林、伦敦、美国费城的世界博览会上获奖。光绪三十一年（1905），清廷授予沈绍安五代孙沈正镐“四等商勋，五品顶戴”，宣统二年（1910）又晋升沈正镐、沈正恂为“一等商勋，四品顶戴”。1949年后，沈氏兰记漆器店改制为脱胎漆器公司。著名漆艺家李芝卿、高秀泉在设计、髹饰艺术等方面都取得了新的突破，作品荣获全国漆器造型设计一等奖，并为人民大会堂福建厅、台湾厅用作主要装饰品。

目前，由于市场经济的冲击，福州第一、第二脱胎漆器厂已相继倒闭，福建工艺美术研究所被解散，从业人员纷纷改行，原有艺人所剩无几，“印锦”、“台花”等脱胎漆器髹饰的技法也已失传，福州脱胎漆器髹饰这一传统技艺面临人亡艺绝的困境，需要善加保护。

405 厦门漆线雕技艺

◎ 申报地区或单位：福建省厦门市

漆线雕工艺在厦门流传三百余年，历经蔡氏13代传人。这一工艺系古代佛像雕塑艺术的遗脉，是受宋元线雕工艺特别是沥粉和泥线雕的启发而产生的。它形成于明末清初，至晚清时逐渐成熟，在厦门地区的发展与民间宗教的兴盛及神佛雕塑行业的繁荣密不可分。

传统的漆线雕制作包括雕塑、粉底、漆线装饰、妆金填彩等4个方面。就作品的创作设计而言，雕塑是首要的。但就艺术的特殊美感而言，漆线装饰的技艺才是关键。漆线雕用陈年砖粉和大漆、熟桐油等原料调和，经反复舂打成为柔软而又富于韧性的泥团，俗称“漆线土”，再由手工搓成 “漆线”，然后在涂有底漆的坯体上用“漆线”盘、结、绕、堆，塑造浮凸的图形。

漆线雕工艺关注线条的审美特质，形态丰富多变，在创作中随心所欲而达到极高境界，中国工艺美术中的线条美在这里得到升华。漆线雕以线条盘结，而以浮雕形式展现，精细之处毫厘不爽，所有细节都非常严谨。可以说，手工是漆线雕的灵魂。

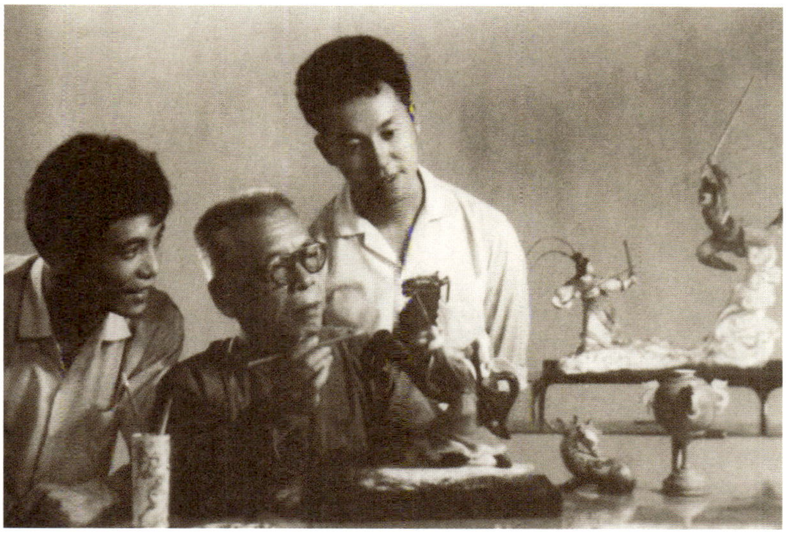

三百多年前，漆线雕的制作基地在同安县马巷镇。马巷蔡氏作坊原名“西竺轩”，现在蔡姓艺人有姓名可考的可上溯到第8代蔡善养，年代约在清嘉庆年间。第11代传人蔡文沛将作坊迁至厦门，他首次用漆线雕来表现历史人物，且广收学生，公开家门绝技。蔡文沛之子蔡水况为工艺美术大师，他的艺术视野更加开阔，作品《还我河山》和《波月洞悟空降妖》作为经典之作由中国工艺美术馆收藏。1972年，蔡水况将漆线雕图案做成独立的装饰艺术品，这种装饰艺术品很快便成为现代漆线雕的主流产品，获得了极大的效益。

随着改革开放的深入，现代市场经济给传统的漆线雕工艺带来了巨大冲击，由于漆线雕工艺比较复杂，不易掌握，所以传人不易寻觅，蔡氏一门至今仍从事漆线雕的仅有13代传人蔡彩美，有后继乏人之虞，有关方面应对这一古老手工艺进行保护、抢救，以防止传统技艺失传。

406 成都漆艺

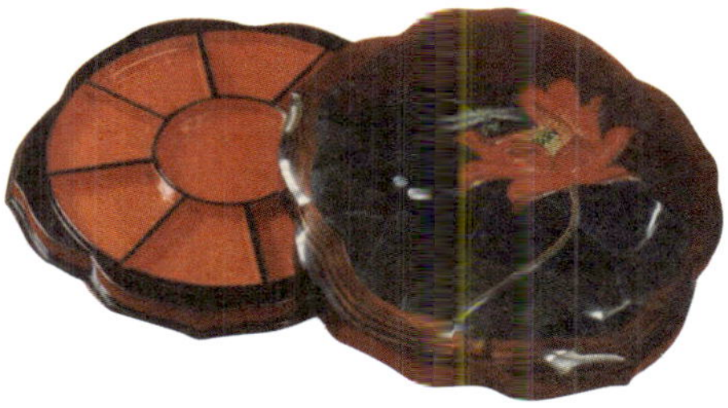

◎ 申报地区或单位：四川省成都市

成都漆艺是我国最早的漆艺之一，现存于成都市青羊区。成都漆器又称卤漆，发轫于商周时期，金沙遗址出土的漆器残片现在依然文饰斑斓、色彩亮丽。到战国、秦汉时期，成都漆艺趋于兴盛，正如《史记》所言：“木器髹者千枚”、“漆千斗”。扬雄《蜀都赋》中亦称：“雕镂器，百伎千工。”在唐宋元明清几代，成都漆艺不断发展，对我国其他漆艺流派产生了较大影响。

成都漆艺工序繁多、制作细致、耗时久长，尤以雕嵌填彩、雕填影花、雕锡丝光、拉刀针刻、隐花变涂等极富地域特色的修饰技艺闻名于世。成都漆器以天然生漆、实木为原料，胎体不拘，做工讲究，是集艺术性和实用性为一体的手工制品。它以精美华丽、富贵典雅、光泽细润、图彩绚丽著称，它既可高悬于庙堂之上以彰显华贵，又可充当精致耐用的日常用品。成都漆器既是历代习俗的重要见证和文化交流的使者，也是中国传统审美观念的重要载体。

传统漆艺的手工性、艺术性决定了成都漆器不能采用工业方式生产，而只能通过手工劳动制出成品，同时也只能通过口传心授的方式传承。近年来，在传统与现代的夹缝中，成都漆艺正面临巨大的生存危机，产品市场狭小，制作者后继乏人，许多传统技艺已开始变形和失传，必须尽快采取必要的保护措施以挽救这种行将灭绝的古老手工艺。

407 茅台酒酿制技艺

407 茅台酒酿制技艺

◎ 申报地区或单位：贵州省

408 泸州老窖酒酿制技艺

贵州茅台酒厂位于仁怀市西北六公里的茅台镇，地处赤水河东岸、寒婆岭下、马鞍山斜坡上，依山傍水，海拔450米。茅台酒厂区建于赤水河上游，水质好、硬度低、微量元素含量丰富，且无污染。峡谷地带微酸性的紫红色土壤，冬暖夏热、少雨少风、高温高湿的特殊气候，加上千年酿造环境，使空气中充满了丰富而独特的微生物群落。

茅台酒是大曲酱香型白酒，生产工艺分制曲、制酒、贮存、勾兑、检验、包装六个环节。整个生产周期为一年，端午踩曲，重阳投料，酿造期间九次蒸煮，八次发酵，七次取酒，经分型贮放，勾兑贮放，五年后包装出厂。茅台酒的酿制有两次投料、固态发酵、高温制曲、高温堆

积、高温摘酒等特点，由此形成独特的酿造风格。

茅台酒是中国大曲酱香型的代表和鼻祖，历史悠久。产地内出土的文物中，有相当部分是商周时代的酒具，说明当时已经有酒。距今两千多年前的汉武帝时期，茅台当地就能酿酒，史称枸酱酒、牂牁酒。明末清初，以大曲参与糖化、发酵、蒸馏取酒的工艺日趋成熟。数百年来，茅台酒酿造工艺在继承和发展中不断完善，至今仍完整沿用。白酒界专家称“贵州茅台酒技术是最独特的大曲酱香型酿酒工艺，是人类将微生物应用于酿造领域的典范”。作为中华民族的珍贵文化遗产，茅台酒酿制技艺得到了很好的保护和继承发扬，在中国酒文化中占据极为重要的地位。

408 泸州老窖酒酿制技艺

◎ 申报地区或单位：四川省泸州市

泸州老窖酒是中国浓香型白酒的代表，其相关酿造技艺的产生、传承、发展均在四川省南部的泸州市。这一技艺的重要载体之一——泸州老窖窖池群包括四口位于城区的有四百余年历史的老窖池（已被国务院列为国家级重点文物保护单位）和三百余口分布于城区及周边县的百年以上的老窖池，它们是泸州老窖酒酿造技艺传承、发展的根基。

泸州老窖酒传统酿造技艺包括泥窖制作维护、大曲药制作鉴评、原酒酿造摘酒、原酒陈酿、勾兑尝评等多方面的技艺及相关法则。

泸州酒业始于秦汉，兴于唐宋，盛于明清。泸州老窖酒传统酿造技艺在秦汉以来川南酒业发展的特定时空氛围下开始孕育，在元、明、清三代正式定型并走向成熟。

泸州老窖酒传统酿造技艺在我国酒类行业中享有“活文物”之称，它是我国酿酒技术和酒文化的一个典型实例，即使是科学发达的今天也难以用现代技术加以替代。作为世界酿酒业的珍贵非物质文化遗产，这一传统技艺亟待保护和发扬。

409 杏花村汾酒酿制技艺

◎ 申报地区或单位：山西省汾阳市

汾酒也称“老白汾酒”，因产于山西省吕梁市汾阳县杏花村，故又称杏花村汾酒。

汾酒是清香型白酒的典范，堪称中国白酒的始祖。中国许多名酒如茅台、泸州大曲、西凤、双沟大曲等都曾借鉴过汾酒的酿造技术。

汾酒的酿造技艺是一套将高粱、大麦、豌豆、水等原料在一定的生态条件下发酵酿造的完整技术体系，人的自觉和悟性在其中起着至关重要的作用，像制曲、发酵、蒸馏等就都是经验性极强的技能。千百年来，这种技能以口传心授、师徒相延的方式代代传承，并不断得到创新、发展，在当今汾酒酿造的流程中，它仍起着不可替代的关键作用。

汾酒产地杏花村已发现有六千年前的仰韶文化遗址，从出土器物可以判断当时就有酿酒的活动。汾阳当地至今仍保存着明清时期的酿酒作坊、古井、石碑、牌匾、老街等遗迹，传统技艺的传承链也还在延续，这种历史的承接性，已成为保护汾酒传统酿制技艺的坚实基础。

汾酒酒系在发展中逐渐扩大，以汾酒为母酒产生了老白汾酒、竹叶青酒、玫瑰汾酒、白玉汾酒等系列酒。现在杏花村地区的酒厂还有“分杏”、“杏花”等。

但在目前，汾酒的大工业生产给手工作坊式的传统酿造工艺的传承带来了巨大的挑战，与此同时，汾阳还存在着水源紧张、大气污染、高粱等原料短缺问题，对此应引起高度重视，及时采取措施以保证汾酒的正常生产和汾酒酿造技艺的顺利传承。

410 绍兴黄酒酿制技艺

◎ 申报地区或单位：浙江省绍兴市

绍兴酒是中国黄酒的杰出代表。因酿坊所处位置与操作技巧的差异，绍兴酒分“东帮”和“西帮”两大流派。地处绍兴城西东浦、阮社、湖塘等地的酿坊称为“西帮”，城东斗门、马山、孙端、皋埠、陶堰、东关等地的酿坊为“东帮”。

绍兴酒一般在农历七月制酒药，九月制麦曲，十月制淋饭（酒娘）。大雪前后正式开始酿酒，到次年立春结束，发酵期长达八十多天。

酿酒以糯米为原料，经过筛米、浸米、蒸饭、摊冷、落作（加麦曲、淋饭、鉴湖水）、主发酵、开耙、灌罐后酵、榨酒、澄清、勾兑、煎酒、灌罐陈酿（3年以上）等步骤造出成品酒。绍兴酒的主要品种有元红酒、加饭酒、善酿酒、香雪酒四大类型。酿造绍兴酒的工具大部分为木、竹及陶瓷制品，少量为锡制品。主要有瓦缸、酒坛、草缸盖、米筛、蒸桶、压桶、竹簟、木耙、大划脚、小划脚、木钩、木铲、挽斗、漏斗、木榨、煎壶、汰壶等。

绍兴酿酒的历史非常悠久，文字记载可追溯至春秋战国时期。这里土地肥沃，气候温和，日照充足，四季分明，又有鉴湖这一丰沛而优质的水源，酿酒可谓得天独厚。绍兴黄酒产地主要分布在鉴湖水系区域，包括绍兴市越城区、绍兴县和上虞市东关镇等地。截止到2004年，绍兴地区共有酒厂八十多家，黄酒总产量26.4万吨，占全国黄酒产量的14.[illegible]%。

源于春秋、成于北宋、兴于明清的绍兴黄酒酿造技艺是越地先民传承和发展下来的绝技。近年来，由于绍兴黄酒酿造周期长、酿造用水及其他原料要求高、工艺复杂且需要经验，要扩大再生产面临着许多困难。受商业大潮的冲击，绍兴酒传统酿造技艺陷入濒危境地，这些情况已引起当地政府的高度关注，一些保护措施正相继出台。

411 清徐老陈醋酿制技艺

◎ 申报地区或单位：山西省清徐县

山西老陈醋是中国四大名醋之一，主产地在清徐县内孟封、清源、徐沟、西谷等乡镇。清徐位于太原市南部，依山面川，相传“尧帝城西南有玉泉，尧王亲往酿醯”。春秋战国时期，清徐人便已以液态发酵方式用缸、瓮酿醋，这种酿醋技艺一直延续下来。西汉时，清徐出现商业性的酿醋作坊。北魏时期，酿醋技艺由液态发酵改为固态发酵，这一里程碑式的创举，为清徐老陈醋酿造技艺独特风格的形成奠定了基础。

清徐老陈醋是以当地种植的红高粱为主要原料，以各种皮糠为辅料，以红心大曲为发酵剂并以

曲代料，经合理配料、蒸料，采用稀醪厌氧酒化，固态醋酸人工翻醅，按需人为变温发酵，经高温熏醅、高密度淋滤、高标准陈酿而成。这种具有明显地方特色的技艺在清徐世代相传，经不断改进、完善，形成一套北方风格的高级食醋酿制技艺流程。

与西方长期食用果醋不同，中国先民主要食用由谷物发酵而成的食醋，这使中国食醋含有更多的氨基酸等人体必需营养成分。山西老陈醋色泽亮丽，入碗挂壁，集醋香、料香、醇香、酯香为一体，在民间素有“透瓶香”的雅号。它的酸味纯正柔和、口感醇厚、微甜爽口、回味绵长，具有断腥、去臊、除膻、杀菌之独特功效，是烹煮各种美味佳肴的精品调料，兼能养身健体、治病美容。但是目前在经济利益的驱动下，一些作坊偷工减料，肢解传统工艺，生产次品，使山西陈醋的技艺和声誉遭到扭曲、败坏，应对之进行彻底治理和严格规范。

412 镇江恒顺香醋酿制技艺

◎ 申报地区或单位：江苏省镇江市

镇江恒顺香醋创始于1840年，为中国四大名醋之一。据《中国医药大典》称：“醋产浙江杭绍为最佳，实则以江苏镇江为最。”如今这一产品拥有中国驰名商标、中国名牌、国家免检产品、原产地域保护产品、绿色食品等众多荣誉，成为镇江市的城市名片。

镇江恒顺香醋具有独特的酿造技艺，使用固态分层发酵方法，由此酿造出“酸而不涩，香而微甜，色浓味鲜，愈存愈醇”的独特风味。在同类产品中，镇江恒顺香醋不仅在色、香、味等方面占有优势，而且各项理化指标（不挥发酸、氨基酸、酯等）也位居前列。

镇江恒顺香醋原料考究，必须是江浙鱼米之乡的优质糯米。酿造时首先在蒸熟的糯米饭中加入自制的特种麦曲为发酵剂，使之糖化和酒化，酿出作为醋醅的优质酒液。然后采用固态分层发酵技艺，在酒液中加入麸皮、稻糠拌成固态，温度适宜时，接下筛选出的独特醋酸菌种，并每天翻动一次进行降温、透氧和醋化发酵。醋酸菌在二十多天的生长繁殖过程中产生系列生化反应，生成醋酸、氨基酸等酸、鲜、香的物质。至此可将成熟的醋醅封存，然后加到淋醋缸中，添入自制米色加水浸泡，放淋出生醋，再经过滤、煎煮后进行存储，具体步骤是先将煎煮的醋倒进透气性能好的陶罐容器中，然后置于露天，使其经受风吹、日晒、雨淋，摆放期至少半年，最长可达8年。通过长时间储存，煎煮的醋产生自然浓缩、酯化增香等后期反应，最终形成“醋香浓郁、酯香突出、酸味柔和、香而微甜”的风味。以上技艺共经历四十多道工序，不包括储存时间就耗时六十多天。

目前镇江恒顺香醋酿造技艺正日益受到外来液态酿造工艺的冲击，日本甚至打出了“镇江香醋日本造”的旗号，研究仿制镇江香醋工艺，在此情势下，我们更应对这一传统民族手工技艺加以妥善的保护和传承。

413 武夷岩茶（大红袍）制作技艺

◎申报地区或单位：福建省武夷山市

武夷山市位于福建省西北部，拥有“世界文化与自然遗产”和文化部授予的全国惟一“中国茶艺艺术之乡”等称号，是岩茶的故乡。

武夷岩茶的制作可追溯到汉代，经历代的发展沿革，到清代初年出现了岩茶制作的完善技艺，首开乌龙茶制作的先河。

武夷岩茶（大红袍）独有的“岩骨花香”是由武夷山独特的生态环境、气候条件和精湛的传统制作技艺造就的，其传统制作流程共有10道工序，环环相扣，不可或缺，其中对茶质起关键作用的是“复式萎凋”、“看青做青，看大做青”、“走水返阳”、“双炒双揉”、“低温久烘”等环节。

武夷山为红茶、乌龙茶的发源地，与武夷岩茶制作技艺相伴而生的茶俗有浓郁的地方特色，

喊山、斗茶赛、茶艺等风俗雅俗共赏，拥有广泛的群众基础。

国家技术监督部门已经批准武夷岩茶为原产地保护产品，国家商标总局也批准其使用“武夷山大红袍”商标。但由于受到市场经济利益的驱使和机械生产工艺的冲击，加上老艺人疏于传技，传统岩茶制作工艺出现濒危迹象，急需加以保护。

414 自贡井盐深钻汲制技艺

◎ 申报地区或单位：四川省自贡市、大英县

四川井盐源远流长，据文献记载和专家考证，享誉世界的大英县卓筒井创始于北宋庆历年间，比西方要早八百多年。《中国钻探技术史》、《中国科学技术史》、《中国井盐科技史》等著作皆称其为“世界石油钻井之父”，“开创了机械钻井的先河”。与大英县相比，自贡的井盐开采更是规模宏大，遐迩闻名。

历史上井盐业最繁荣的时期曾有卓筒井1711口，年产盐四千多吨，现在大英县境内还保留着41口这样的古盐井，分布在方圆6公里范围内。它沿袭了宋代汲制井盐的工艺流程，包括钻

井、取卤、晒卤（滤卤）、煎盐等工序。井盐技艺的发明导致了绳式顿钻钻井技术的出现，使地底深处的天然卤水得到了开采。被誉为中国盐都的自贡市是冲击式顿锉钻凿技术的发源地，这一技术经历了东汉至宋初大口浅井的孕育期、宋代卓筒井的转型期、明代至清代小口深井的成熟期等发展阶段，有一千九百多年的历史。1835年，世界第一口超千米深井——海井（1001.42米）的凿成，是中国顿钻技术成熟的重要标志，它对世界钻井技术的发展起到了推动作用。顿钻技术包括凿井、测井及纠斜、补腔、打捞、修治木柱等工序，它在井盐生产上的广泛运用使自贡早在清朝就获得了“富甲全川”的美誉，1939年自贡“因盐设市”，到今天已经发展成为一个拥有320万人口的历史文化名城。

自贡市和大英县的井盐汲制技艺传承几近千年，其流程至今仍保存完整，成为世界钻探深井的活化石，应采取切实措施对之加以重点保护。

415 宣纸制作技艺

◎ 申报地区或单位：安徽省泾县

造纸术为中国古代四大发明之一，宣纸是传统手工纸品最杰出的代表，居文房四宝之首，迄今已有一千五百多年的历史。

宣纸产地在安徽泾县西南方的小岭一带，这里气候温和，雨量充沛，特殊的喀斯特山地适合青檀树的生长，冲积平原则适宜生产长秆水稻，青檀树和水稻秆均为宣纸制造提供了优质的原料。泾县境内有多条河流，尤其是乌溪上游的两条支流，一条属淡碱性，适合原料加工；一条属淡酸性，适合成纸用水。

宣纸以青檀皮为主料，按比例配入沙田稻草浆，整个生产过程由一百四十多道工序组成。造出的宣纸品种繁多，在生产过程中又不断创新，1949年后成功制出了“丈二”、“二丈”等新品。

宣纸质地纯白细密，纹理清晰，绵软坚韧，百折不损，光而不滑，吸水润墨，宜书宜画，防腐防蛀，故有“纸寿千年”、“纸中之王”的美称。郭沫若参观泾县宣纸厂时题词说：“宣纸是中国劳动人民所发明的艺术创造，中国的书法和绘画离了它便无从表达艺术的妙味。”宣纸的手工制作和纸质特点体现了传统技艺的长处，这一技艺至今尚不能用机制代替。

自唐代以来，宣纸一直为中国人民所爱好，其生产至清代臻于鼎盛，出现了王六吉、汪同和等著名品牌，在国内外屡得大奖。现宣纸集团公司所制红星牌宣纸为中国驰名商标，由技术监督部门授予原产地保护品牌，远销日本等国。

但是，宣纸生产原料——青檀皮、长秆水稻的采集、种植经济效益差，原材料出现严重危机；同时由于某些厂家不良经营行为的影响，伪劣产品损害了宣纸的声誉，市场几近混乱，宣纸制作技艺的传承令人担忧。

416 铅山连四纸制作技艺

◎申报地区或单位：江西省铅山县

铅山县位于江西省东北部，今属上饶市。境内峰峦起伏，水系发达，植被茂盛，水土保持良好，盛产毛竹。连四纸的原产地在铅山县，明代高濂《遵生八笺》把“铅山纸”列为元代“妍妙辉光，皆世称也”的精品。明代宋应星《天工开物》有数处记载了铅山造纸状况，对铅山纸品种的连四、柬纸作了说明，并给予很高评价。

铅山连四纸产地分布在武夷山脉南、北麓，鼎盛时期有纸槽两千余张。“片纸不易得，措手七十二”，连四纸的制作工艺程序十分考究。原料要用毛竹的嫩竹竿，在立夏前后嫩竹将要长出两对芽叶的时候砍伐取用。纸料需经几个月的日晒雨淋，使之自然漂白，生产周期长达一年。连四纸依靠手工操作制成，无理化指标，全凭经验驾驭。制造过程的技术关键：一是水质，凡冲、浸、漂、洗所接触的水均不能有任何污染，须采用当地泉水；二是配药，药系采用水卵虫树制成。

连四纸纸质洁白莹辉，细嫩绵密，平整柔韧，有隐约帘纹，防虫耐热，永不变色，有“寿纸千年”之称，旧时贵重书籍、碑帖、契文、书画、扇面等多用之。书画家、鉴赏家欣赏它独特的品质韵味，许多字画、印谱、拓本依托它得以传世。

连四纸制作技艺是历代造纸工人智慧的结晶，其技艺传承自成体系，既蕴含了丰富的科学内容，又难以完全用现代技术替代，十分珍贵。但是，连四纸的生产对原料、时间、工艺要求都很高，成本也大，技艺仅靠口传心授传承，不易迅速推广，因此目前连四纸制作技艺已面临失传的危险，急需抢救、保护。

417

皮纸制作技艺

◎申报地区或单位：贵州省贵阳市、贞丰县、丹寨县

造纸术是中国古代四大发明之一，用竹和楮树皮制作的竹纸和皮纸是传统手工纸的两个重要品种。贵州为少数民族聚居区，该省的许多地区仍然保留着传统竹纸和皮纸制作的古老技艺，其中尤以贵阳市香纸沟（布依族）、贞丰县小屯和丹寨县石桥（苗族）的制作技艺最为杰出。

以香纸沟所产竹纸为例，据传它始于明代洪武年间，迄今已有六百多年的历史。整套操作工艺包括伐竹、破竹、沤竹、蒸煮、碾篾、提浆、抄纸、压榨、烘晾等72道工序，与宋应星《天工开物》所载造纸法完全相同。其成品既绵且韧，有隐形竹纹，还散发出淡淡香气。

贞丰县小屯所产白棉纸创始于清代咸丰年间，直至20世纪末全乡仍有千余户从事抄纸生产。所产纸以构皮为原料，整套操作也经72道工序，成品绵韧，平整润柔。

丹寨县石桥所产的白皮纸也用构皮、杉根为原料，另外还生产彩色纸，包括云龙皱褶、凹凸、压平、花草、麻纸六

个品种。其制作过程一般有十多道环节，生产时将棉絮状纸浆兑水加入“青药”搅匀，经抄、压、晒、揭，包装而成品，纸质绵韧、光润，耐水性好。

以上手工纸品对原料、水质、工艺均有严格要求，技艺的传承全靠口传心授，与制造相伴，产生了丰富的纸业习俗，每年都要祭祀造纸宗师蔡伦。从这些情形来看，相关的竹纸、皮纸制造技艺已成为文化多样性和民族认同的重要证物。但在现代化纸业的强力冲击下，这些复杂难学的造纸古法传承已成问题，需要加以抢救、保护。

418 傣族、纳西族手工造纸技艺

◎ 申报地区或单位：云南省临沧市、香格里拉县

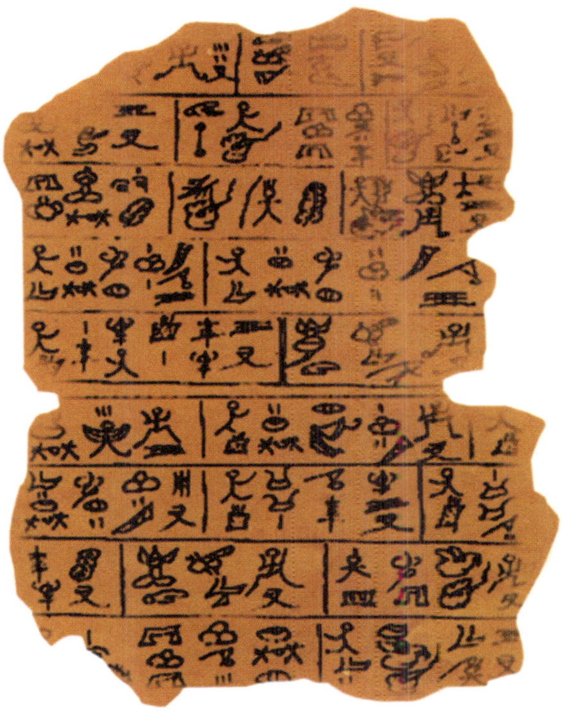

纳西族东巴纸又称白地纸，其制作技艺较为独特，现保存于迪庆藏族自治州香格里拉县三坝纳西族乡的白地村。白地（即白水台）是纳西族东巴文化的发祥地，东巴纸是东巴最重要的写经用纸，在滇西北各族中久负盛名。

东巴纸的原料采自当地独有的植物原料“阿当达”，经鉴定为瑞香科丽江荛花。其造纸过程由采集原料、晒干、浸泡、蒸煮、洗涤、舂料、再舂料、浇纸、贴纸、晒纸等工序组成，主要工具有纸帘、木框、晒纸木板、木臼等。东巴纸的活动纸帘较为特殊，晒纸过程明显受到浇纸法的影响，又有抄纸法的痕迹，是中国造纸术与印巴次大陆造纸法兼容并蓄的结果。

白地东巴纸色白质厚，不易遭虫蛀，可长期保存，用它书写的东巴经典据20世纪40年代的调查有五千多卷。白地东巴纸为弘扬东巴文化作出了卓著贡献，从工艺史角度来看，它又是研究我国手工造纸的难得实例。

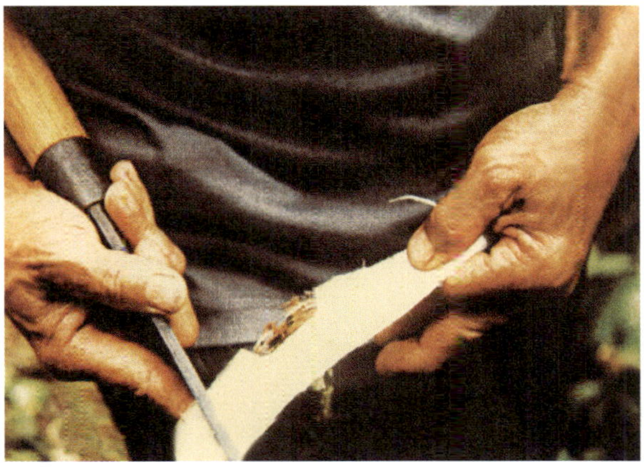

纳西族造纸技艺有传子不传女的传统，一向以家庭作坊进行生产且不外传，故在现代商业社会的压迫下随时都有消亡的可能，急需抢救和保护。

419 藏族造纸技艺

◎ 申报地区或单位：西藏自治区

自唐朝文成公主远嫁吐蕃时起，中原造纸术传入西藏已有一千三百多年的历史。8世纪以来，为译经之需要，藏族人民不断学习、借鉴周边民族先进的造纸技艺，就地取材，生产出了独具地方特色的藏纸。

藏纸以瑞香狼毒、沉香、山茱萸科的灯台树、杜鹃科的野茶花树为主要原料，根据原料品质的差异，可以制成各种不同用途和等级的藏纸。造纸工艺一般都有去皮、划捣、蒸煮、沤制、漂洗、捣料、打浆、抄造等环节。藏族造纸业不仅在西藏地区得到全面推广，还传入印度、尼泊尔、不丹等国。

随着社会历史的发展，西藏造纸技艺形成了多种类共同发展的格局。藏东地区盛产康纸，藏南盛产金东纸、塔布纸、工布纸、波堆纸、门纸（珞巴、门巴地区的纸），卫藏地区盛产尼纸、臧纸、聂纸（聂拉木纸）、猛噶纸、灰纸及阿里纸等。造纸技术的提高与普及使藏纸行业名匠辈出，创造了许多精工细作的名纸，如产于塔布金东而享誉全藏的金东纸，适于馆藏文献使用的尼木县毒纸等。许多特殊的纸面加工纸品更令世人刮目相看，如印刷纸币和邮票的精品藏纸，制作技艺精湛的金汁、银汁大藏经用纸等即是其中显明的实例。

因高原干燥缺氧，原料有一定毒性，因而藏纸具有防腐、防蛀、防潮的特性，易于长期保存，其纸质较为柔韧，经久耐用，色彩也丰富多样，具有装饰美感。

高超的藏纸技艺、悠久的藏纸历史、丰富的藏纸生产经验创造了独具特色的藏纸文化，有必要对这一重要的非物质文化遗产加以切实保护。

420 维吾尔族桑皮纸制作技艺

◎ 申报地区或单位：新疆维吾尔自治区吐鲁番地区

维吾尔族聚居的新疆南部和东部自古便有植桑采果的传统。至迟在唐代，当地便有用桑树枝嫩皮为原料造纸的手工行业。

维吾尔族桑皮纸以桑树枝内皮为原料，桑枝内皮有黏性，纤维光滑细腻，易于加工，经剥削、浸泡、锅煮、捶捣、发酵、过滤、入模、晾晒、粗磨等工序后可制成桑皮纸，成纸分高、中、低三个档次，用途广泛。清代新疆的书册典籍主要用桑皮纸印刷。民国时还出现过用桑皮纸印制的钞票。中档纸一般用于茶叶、草药等的包装，粗直的桑皮纸则往往用来糊天窗或作为制衣靴的辅料。

制作桑皮纸曾是维吾尔族家家糊口的技艺，一般是子承父业，代代相传。直到20世纪70年代，维吾尔族民间仍在使用桑皮纸。但是，早在1950年，维吾尔族桑皮纸便退出了印刷和书写用纸的行列，从那时起就没有高档桑皮纸了。20世纪80年代以后，桑皮纸已经完全退出了维吾尔族人民的日常生活。因为没有市场需求，制作桑皮纸的匠人都已转业，他们的子孙也没有继承这门技艺的愿望。目前仅存的一位会制作桑皮纸的艺人已届暮年，这门古老的技艺正面临着失传的危险，亟待抢救、保护。

421 竹纸制作技艺

◎ 申报地区或单位：四川省夹江县
浙江省富阳市

造纸术是我国古代四大发明之一，四川省夹江县和浙江省富阳市为竹纸的重要产地。

夹江的环境适合竹类生长，当地在唐代即开始以“竹料手工造纸”，竹纸制作技艺兴于明，盛于清。自唐代以来，夹江即享有“蜀纸之乡”的美称，夹江纸以质量佳、品种多、规模大、技术精著称，曾被康熙皇帝指定为贡纸。

夹江竹纸以手工造纸术制作，从选料到成纸共有15个环节、72道工序，与明代《天工开物·杀青》的记载相合。以嫩竹为主料生产的夹江手工书画纸具有洁白柔软、浸润保墨、纤维细腻、绵韧平整等特点，与安徽宣纸齐名，曾被国画大师张大千先生誉为“国之二宝”。

随着时代的变迁，夹江手工纸生产面临危机，原材料供给困难，传承乏人。夹江全县虽存有一千多家造纸作坊，但严格意义上的传统手工纸生产已不多见。因此，有必要对夹江竹纸制作技艺这项具有历史、文化和科学价值的非物质文化遗产进行保护和抢救、挖掘。

浙江富阳素有“土纸之乡”的称号，其竹纸制造技艺始于南宋，世代相传，迄今已有一千多年。现在富春竹纸主要产于富春江南岸山区及青云、龙羊、新登等地

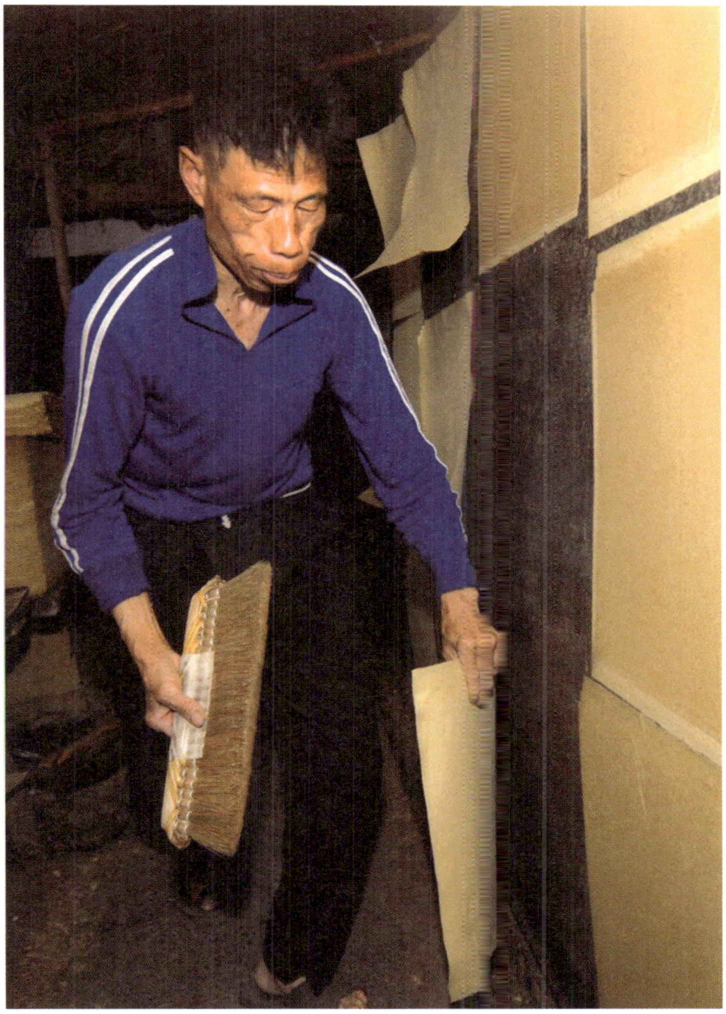

富春竹纸具有纸质柔软的特点，即使卷舒过久也不会出现墨渝的现象，同时也不易为蠹虫蛀蚀。历史上，富春竹纸名品竞出，行销国内并出口日、韩、新加坡、菲律宾等国。其中，昌山纸获1915年农商部最高特货称号和巴拿马万国商品博览会二等奖、1926年北京国货展览会三等奖，京放纸获1915年巴拿马万国商品博览会二等奖、1926年北京国货展览会三等奖，元书纸和乌金纸获1929年杭州西湖博览会特等奖，刷黄纸和五千元书纸获1929年西湖博览会一等奖。

富春竹纸在继承我国传统造纸技艺的基础上形成了一整套独具特色的制作技艺，如制浆技艺中的“人尿发酵法”，抄制技艺中的“荡帘打浪法”等，均是富春竹纸生产的绝艺，为其他竹纸产区所无。富春竹纸制作技艺是富阳造纸工匠在长期生产实践中形成的智慧结晶，也是继承和发扬我国古代伟大发明——造纸术的重要个案。

伴随着富春造纸技艺的传承，富阳地区还派生出一年一度祭祀蔡伦、纸工谚语、山歌和长篇民间叙事歌谣《朱三与刘二姐》等民俗文化内容，说明富阳造纸技艺中蕴藏着厚重的历史文化内涵。

目前虽仍有人沿袭传统造纸技艺生产竹纸，但由于多种原因的影响，生产陷于窘境，加上造纸匠人大都年事已高，富春竹纸传统制作技艺后继乏人，濒临消亡，亟待抢救、保护。

422 湖笔制作技艺

◎ 申报地区或单位：浙江省湖州市

湖笔是毛笔中的佼佼者，以制作精良、品质优异而享誉海内外。

湖笔的发源地在湖州市南浔区善琏镇，善琏制笔业约始自晋代。据清代同治《湖州府志》载：“（善琏）一名善练……居民制笔最精，盖自智永僧（隋朝人，名王法极，王羲之七世孙）结庵连溪往来永欣寺，笔工即萃于此。”经过唐宋两代的发展，湖笔技艺有了很大的进步。到了元代，湖笔名声鹊起，奠定了毛笔之冠的地位，湖笔与徽墨、端砚、宣纸一起被称为“文房四宝”。

湖笔纯由手工制作，工艺流程由择料、结头、装套、镶嵌、择笔、刻字等一百二十多道工序组成，主要工序由技工专司，选料精细，制作精工，尤其讲究锋颖。制作工匠秉承“精、纯、美”的准则，生产出“尖、齐、圆、健”四德齐备的成品湖笔。

湖笔精湛的制作技艺是具有鲜明地域特色的湖笔文化的重要组成部分。但是社会文化的转型、书写工具的革新、对经济利益的片面追求导致湖笔生产中出现次品泛滥、工匠流失、传承乏人的状况，传统湖笔技艺受到很大冲击，应积极采取措施保护。

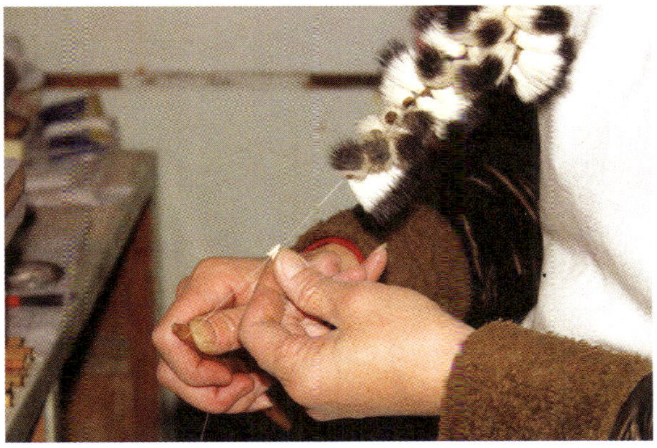

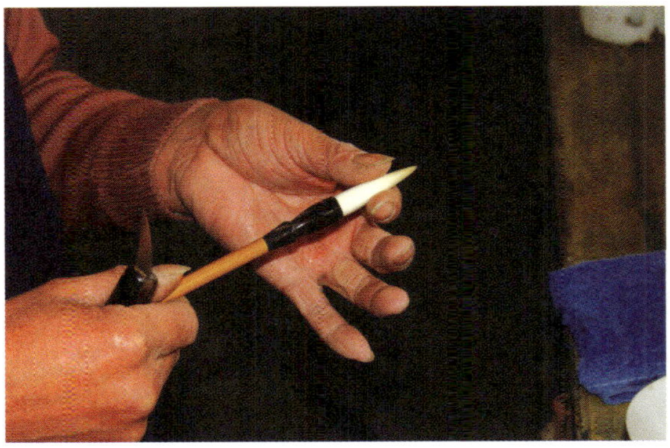

423 徽墨制作技艺

◎ 申报地区或单位：安徽省绩溪县、歙县、黄山市屯溪区

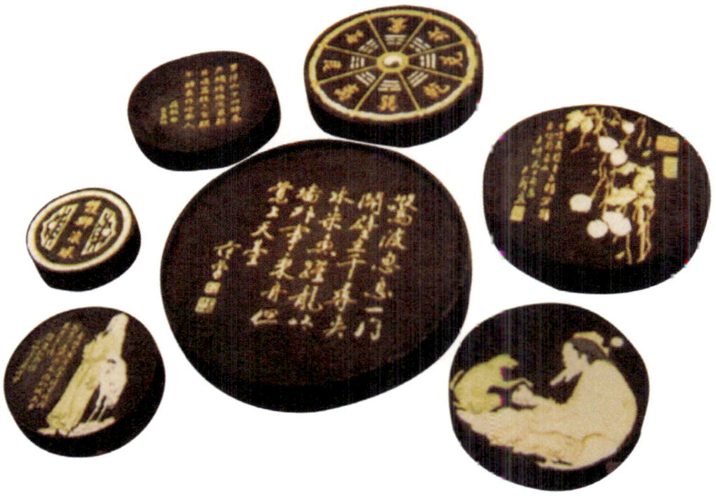

墨的发明是我国先民对中国文化乃至世界文明的一项重大贡献。徽墨是我国制墨技艺中的一朵奇葩，它特征鲜明、技艺独特、流派品种繁多、科技内涵丰富，在中国制墨史上占有重要地位。用传统技艺制作的徽墨精品具有多方面的优点，有的“其坚如玉，其纹如犀，写数十幅不耗一二分也”，有的“香彻肌骨，磨研至尽而香不衰”，有的“取松烟，择良胶，对以杵力……滓不留砚”，有的“坚如石，纹如犀，黑如漆，一螺值万钱”，有的“光可以鉴，锋可以截，比德于玉，缜密而栗。其雕镂之工，装式之巧，无不备美”。

从现有史料来看，徽墨生产可追溯到唐代末期，历宋、元、明、清而臻于鼎盛。在清代四大制墨名家中，绩溪县就有汪近圣和胡开文两位，清末民初著名的墨模木雕艺人胡国宾也是绩溪县上庄人。他们是清代与民国时期徽墨制作技艺传人的代表，其后代至今仍在当地传承徽墨制作技艺的精髓。

徽墨制作技艺复杂，不同流派有自己特有的绝技且秘不外传，一派中针对不同的制墨原料，也会采用不同的生产工艺。如桐油、胡麻油、生漆均有独特的炼制、点烟、冷却、收集、贮藏方法，松烟窑的建造模式、烧火及松枝添加时间与数量、收烟及选胶、熬胶、配料和剂等也各有秘诀。如此制出的徽墨具有拈来轻、磨来清、嗅来馨、坚如玉、研无声、一点如漆、万载存真的特点。

但是，由于原料不足和工匠后继乏人，徽墨生产前景堪忧，相关的制作技艺也有失传的危险，急需抢救、保护。

424 歙砚制作技艺

◎申报地区或单位：安徽省歙县
江西省婺源县

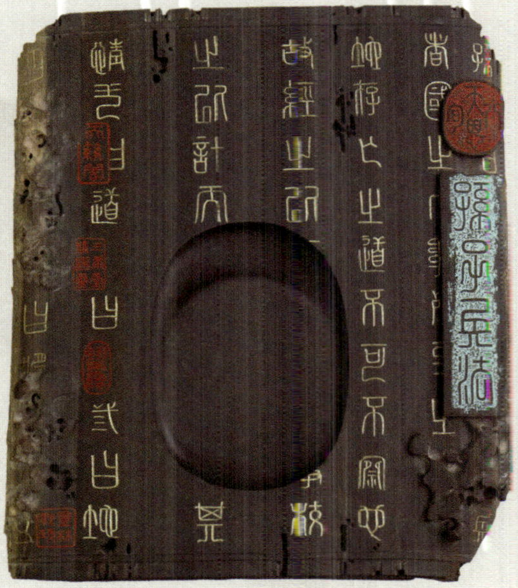

歙砚为中国四大名砚之一，其主要制作地和成名地在古徽州歙县，故称歙砚。江西省婺源县原属徽州，所产亦称歙砚。汉、晋时期已有歙砚问世，至唐代名声日盛。开元以后，龙尾砚石被发现，歙砚更为世所珍重。南唐后主李煜视歙砚为“天下冠”，在歙州设置了“砚务”，擢砚工李少微为“砚务官”，歙砚的身价从此扶摇直上。宋代歙砚发展很快，品种增多，精砚不断涌现，其名色之多、质地之细、雕镂之工，为诸砚之冠。从元末至清初未见有官方开采歙石的记载，歙砚制作只是维持残局。中华人民共和国成立后，歙砚生产一度得到发展，金星歙砚重新问世。改革开放后，歙县和婺源县先后成立了歙砚厂、工艺厂、文房四宝公司等，从砚石开采、产品制作到装潢工种齐全，还挖掘了“豆斑”、“绿刷丝”、“歙

红”、“紫云”等新品种。20世纪80年代中期后，歙砚进入全国制砚行业首列，并以优良品质荣获国家优质产品、出口创汇金奖和有关部门授予的“国之宝”证书。

歙砚的制作技艺以雕刻为中心，由选石、构思、定型、图案设计、雕刻、打磨、配制砚盒等多道工序构成，按石材纹理分为罗纹、眉纹、金星、金晕、鱼子五大类一百多个品种。砚材纹理细密，兼具坚、润之质，有涩不留笔、滑不拒墨的特点，被誉为“石冠群山”、“砚国名珠”。

目前，歙砚砚石原料奇缺，传统工艺后继乏人，急需加大保护力度。

425 端砚制作技艺

◎ 申报地区或单位：广东省肇庆市

端砚的发源地在广东省肇庆市黄岗镇白石村、宾日村一带。白石、宾日两村相邻，八成村民无田可耕，世代靠采石制砚谋生，如今这一带依然是端砚制作的核心区域。端砚的原料端溪石产于肇庆市东郊羚羊峡斧柯山和北岭山一带。

据记载，端砚创兴于唐初，唐代中期已风行全国，因下墨如风、发墨如油、不耗水、不结冰、不朽、护毫等优点而闻名于世，被称为众砚之首。在一千三百多年的发展历史中，端砚艺人不断总结经验，因地制宜，形成了一整套科学、严谨的制作工艺。端砚的制作过程十分复杂，主要有采石、选料、制璞、设计、雕刻、配盒、打磨、上蜡等工序。端溪石大多不抗震，所以一直以来端砚生产的各个环节均为手工制作。

端砚制作中的采石很关键，古代砚坑洞高约80厘米，采石工人只能蹲着、坐着或斜躺着采石，所用开采工具往往因石材所处环境而制，雕刻工具则因砚石的硬度、雕刻的技巧等需要而制。20世纪70年代前，这些工具多由采石工或砚

匠自制。采石工具主要包括粗细不等的尖口铁凿、铁笔、铁锤、炮凿及灯等。雕刻工具主要包括锤、凿、凿卡、木钻、锯、滑石及工夫台等。

与众多传统手工艺一样，端砚制作也有自己的行业崇拜和行会组织。端砚艺人崇拜伍丁，每年农历四月初八都要举行盛大的祭拜活动。端砚行是端砚的行会组织，艺人入行方有资格制作端砚。

端砚具有很高的艺术价值、收藏价值和人文价值，在新的历史条件下，机械生产冲击着手工端砚制作，传统记忆的传承方式导致工匠后继乏人，只有认真解决了这些问题，才能切实保护和延续传统端砚制作技艺。

426 金星砚制作技艺

◎ 申报地区或单位：江西省星子县

金星砚又名金星宋砚，以金星石为原料，主产地在江西省星子县横塘镇驼岭山下。民间相传第一方金星砚出自晋代陶渊明之手，北宋米芾《砚史》中亦有星子青石砚的记载。明代星子的石砚制作一度中衰，至清代中叶又渐中兴。民国时星子县境内有制砚作坊百余家，所产金星砚曾两度参加国际性展览并获奖。

中华人民共和国成立后，先后建立了两家专业砚厂，更新设计样式，改进制砚工艺，金星砚生产得以高速发展。20世纪80年代至90年代，金星砚频频在全国展览、评比中获奖，产品远销日、韩、东南亚及欧美各国。90年代末，国企改制，星子县现有制砚的私企和个体户近百家。

金星砚以星子县驼岭出产的宋石为原料，这种石料稀少珍贵，石质坚韧细腻，温润莹洁，纹理缜密，色彩和纹理具有自然美，制成砚后发墨极快，且储水不涸，久磨无粉，发出的墨富于光泽。金星砚从开始生产到制作完成共有开采、选料、制坯、雕刻、打磨抛光五道程序。传统金星砚的造型与图饰因取材于当地物产、山水和人文传说而极具地域性色彩，风格古朴大方，简略写意，是中国民间艺术中的瑰宝。

近年来，由于金星宋石开采过滥，从业人员技艺荒疏，石砚产品鱼目混珠，传统技艺的声誉遭到损害，传承发展也大受影响，急需有关方面加以扶持和保护。

427 木版水印技艺

◎ 申报地区或单位：北京市荣宝斋

荣宝斋位于北京市宣武区琉璃厂西街十九号，其木版水印技艺堪称一绝。荣宝斋木版水印源于中国古代雕版印刷的“饾版”套印，所谓“饾版”套印，是根据画稿笔迹的粗细长短、曲直方圆、刚柔枯润，设色的深浅、浓淡、冷暖及色相的向背阴阳分版勾摹，刻成若干版，然后对照原作，由深至浅，逐笔依次叠印，力求逼肖原作，精确无误，达到乱真的程度。木版水印这种纯手工印刷工艺有勾（分版）、刻（制版）、印（印刷）等基本工艺程序和刻、剔、掸、描等特殊技巧，它以笔、刀、刷子、耙子、国画颜料、水等材料为基础工具，以追求复原传统书画的艺术形态、笔墨、神采为目的。

我国最早的雕版印刷，有确切纪年的是隋代。荣宝斋于1896年设帖套印，延聘刻、印高手，印制了大量精美的诗笺、信笺。民国期间荣宝斋重刊《十竹斋笺谱》，使彩色套印和拱花术获得了延续和发展。中华人民共和国成立后，荣宝斋木版水印由原来只能印大不及尺的诗笺、信笺发展到能惟妙惟肖、神形兼备地印制笔墨淋漓、气势豪放的《奔马图》及唐代周昉的《簪花侍女图》、宋代马远的《踏歌图》等大幅艺术作品，标志着雕版印刷术已发展到了巅峰，也说明荣宝斋木版水印技术已真正成熟。

荣宝斋木版水印继承了中国传统的雕版印刷技术并将之发扬光大，其技艺过程具有观赏价值，应该加以保护和传承。现在木版水印正经历着后继乏人和市场运营成本高的考验，需要有关方面施以援手，帮助解决困难，走出低谷。

428

雕版印刷技艺

◎申报地区或单位：江苏省扬州市

雕版印刷技艺出现于隋唐时期，宋代毕昇在此基础上发明了活字印刷术，但是雕版印刷并没有被活字印刷所替代，仍一直在古代中国印刷业中占据主流地位。目前，雕版印刷技艺可在扬州广陵古籍刻印社见到，这里聚集了一批雕版印刷艺人，并存有近30万块雕版，因此其技艺被称为扬州雕版印刷技艺。

雕版印刷的工艺流程极为复杂，大致可分四个环节，每个环节又有若干程序。一是备料，即制版、备纸、备墨；二是雕版，即写版、校正、上版、雕刻；三是刷印与套色；四是装帧。扬州广陵古籍刻印社保留着国内惟一的全套古籍雕版印刷工艺流程，共有二十多道工序，整个流程散发着古朴典雅的文化气息。

据记载，扬州雕版印刷技艺始创于唐代，清代得到空前发展，康熙年间刊印了包括《全唐诗》在内的内府书籍三千余卷。1960年，扬州广陵古籍刻印社成立，成为传承雕版印刷技艺的职能机构。但是，这一机构作为自筹资金的事业单位，目前面临转企改制的形势，市场经济正逼近传统雕版印刷工艺，需要采取措施加以保护。

金陵刻经印刷技艺

◎申报地区或单位：江苏省南京市

南京古称金陵，是六朝古都，历史悠久，文化底蕴深厚，佛教刻经事业源远流长。清同治五年（1866），我国近代佛教文化复兴的奠基人杨仁山等有识之士创办了金陵刻经处，传承我国古代佛经、佛像木刻雕版印刷技艺，百余年来在国内外享有盛誉。金陵刻经处位于江苏省南京市白下区淮海路，总占地面积3923平方米，收藏佛经版125318块、大型佛像版18块，是我国著名的佛教文化机构，也是融古代经书、经版收藏，经书雕刻、印刷、流通及佛学研究于一体的佛经出版机构。

金陵刻经保持了中国古代传统的木刻水印技艺，它由三个环节组成：一、刻版，包括写样、上样、雕刻等工序；二、印刷，包括放版、刷墨、覆纸、压擦、揭纸等工序；三、装订，包括分页、折页、撮齐、捆扎压实、齐栏、订纸捻、贴封面封底、配书、切书、打装订眼、贴书名签条等工序。

金陵刻经选本精严，内容纯正，校勘严谨，版式疏朗，字大悦目，刻印考究，纸墨精良，习称金陵本。目前该处手工印刷的佛教典籍有三百余种，约占全部经版数量的五分之一，其中包括《华严经》（80卷）、《玄奘法师译撰全集》（1347卷）等重要经论。金陵刻经的雕刻、印刷技艺以口传心授方式承传，现已传到第七代。

但是，手工印刷的线装经书比平装机印的经书成本要高，价格也贵，其购买对象相对固定。这些状况限制和影响了刻经的生产流通。目前金陵刻经处仅有2名刻工，传承问题突出，刻经技艺随时有失传的可能，需要采取措施加以发掘、抢救和保护。

4 3 0 德格印经院藏族雕版印刷技艺

◎ 申报地区或单位：四川省德格县

德格县位于四川省甘孜州西北部，青藏高原东南缘。这是一个以藏民族为主的多民族聚居县，藏族居民占县总人口的96%左右。这里遍布高山大川，风景壮美，但交通不便，较为闭塞，藏民族的传统文化在此环境中得到了较好的保存。素有“藏文化大百科全书”之称的德格印经院就坐落在德格县城。

德格印经院建立于公元1729年。早在1703年，德格土司就已出资雕刻经版、印刷经书了。除1958年至1979年间中断了20年外，印经历史接近300年。德格土司时期以藏纸印经，每年用藏纸约50万张。

现在的印经工艺包括造纸、制版、印刷等程序，造纸以瑞香狼毒草的根作原料，制作技艺属于浇纸法系统，独具特色。所生产的藏纸不会被虫蛀，吸墨性很强，分量轻，韧性好，有独特的价值。1958年，停止生产藏纸。2000年，印经院请一位80岁的老人教

年轻人造藏纸，初步抢救了这门传统技艺。德格印经院的经版选红桦木为原料，经火熏、水煮、烘晒、刨光等工序后，可几百年不变形，最宜用来雕刻。印经院的经版文字雕刻很深，而且书法十分优美，适合反复印刷，在印制中形成了许多独特的技艺。

德格印经院为藏族地区三大印经院之首，德格版的经书在藏族地区及国内外的藏学界广泛流传，十分有名，因此，应该对德格印经技艺进行重点保护。目前的问题是手工生产成本高，工艺复杂，很难传承，藏墨生产工艺尚未恢复，这些都有待逐步解决。

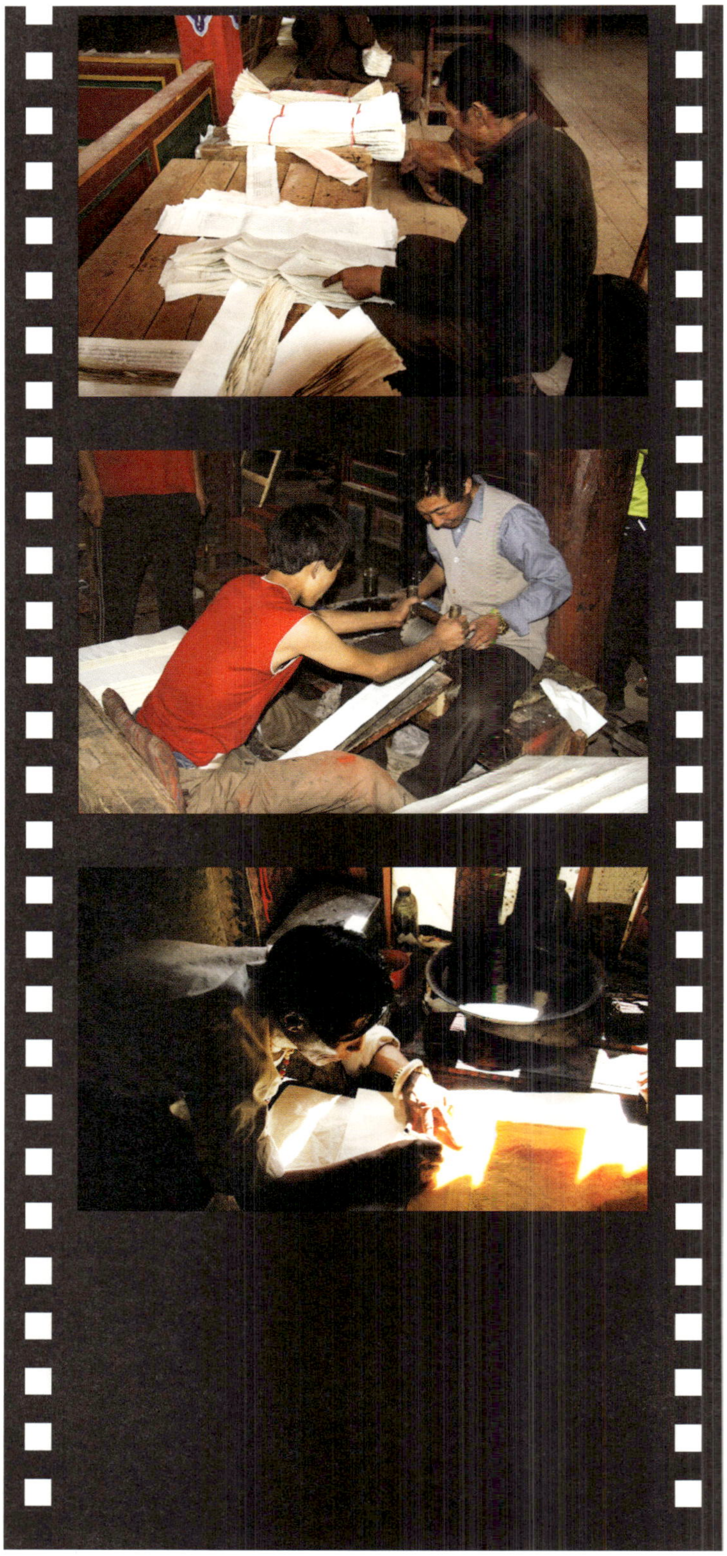

431 制扇技艺

◎申报地区或单位：江苏省苏州市

苏扇是苏州特产，包括折扇、檀香扇和绢宫扇三大类，统称为“苏州雅扇”。明清以来，主要在苏州及周边地区广泛流传。

南宋时苏州便有人自制折扇，到明代宣德年间设作坊生产，并出现名牌产品，如著名的乌竹骨泥金扇。清代顺治年间苏扇成为皇家贡品，制扇业开始兴盛。

苏州雅扇有不少名品，所谓“吴中折扇，凡紫檀、象牙、乌木作股为俗制，惟棕竹、毛竹为之，称怀袖雅物”。折扇的扇骨制作以变化丰富和精工细致闻名，打磨后的竹折扇骨匀细光洁，高雅古朴。

檀香扇从折扇演变而来，以檀香木制成，散发天然香味。苏州是檀香扇的发源地，有“拉花”、“烫花”、“雕花”、“画花”等工艺，扇面还要绘上山水花鸟景色，雅致宜人。自20世纪初始作以来，檀香扇即以其独有的技艺特色受到国内外人士的喜爱。

绢宫扇主要有圆形、六角形、长方形、腰圆形等形状，扇面往往绘以山水、花鸟、人物，并题有名人诗句，古色古香，极具观赏性。

苏州雅扇制作集造型、装裱、雕刻、镶嵌、髹漆等精湛技艺于一体，历来是文人雅士不可或缺的掌中宝物。

20世纪80年代以后，人们的生活方式发生了急剧变化，电扇和空调的出现使扇子的需求量急剧下降。晚清民国时期仅上海一地苏州扇庄及经营苏州扇面扇骨的文玩店就达上百家，现在只剩下王星记和朵云轩两处。目前苏州本地制扇艺人仅剩三四人，有些工艺已濒于失传。

432 剧装戏具制作技艺

◎申报地区或单位：江苏省苏州市

剧装戏具制作是苏州市擅长的一门独特的手工技艺，其起源可上溯至明代中叶，与当时南戏北调中最为典雅优美的昆曲相伴而生。

明清以来，苏州一直是丝绸和棉布的主要产地，苏州的刺绣也因技艺精湛而名闻海内外。在此前提下，苏州剧装戏具制作具备了其他地区所无法比拟的优势。19世纪30年代，京剧界最负盛名的梅兰芳、程砚秋、荀慧生、尚小云四大名旦的剧装均在苏州定制。

苏州剧装戏具门类齐全，品种丰富，图案独特，色彩雅丽，工艺细致，制作精良。现全国仅有苏州能胜任戏衣、盔帽、靴鞋、刀枪、口面、头饰六大类一千余个品种的制作，其中戏衣类378种，戏帽类246种，刀枪类276种，戏靴类41种，髯口头面类79种，头饰光片类23种。

苏州剧装戏具每个品种的工艺均各有特点，迄今仍用一件一制的方式手工制作，而刺绣、成合、缝制由于色彩、规格不一，每件均需道道把关。各种图案的选用沿袭了传统表现手法和文化元素，刺绣色彩更显出苏州水乡淡雅秀丽的特色。

苏州剧装戏具有深厚的历史文化底蕴，它融会了绘画、刺绣、色彩、历史、文学等各种文化艺术元素，结合造型、印绘、缝制、制革等手法，形成了独特、系统的手工制作技艺。在目前形势下，传统戏剧的衰微带来剧装戏具制作的不景气，从业人员年龄老化，熟练工减少，行业收入偏低，影响了制作工艺的承传和发展，有必要采取措施进行抢救和保护。

433

桦树皮制作技艺

◎申报地区或单位：内蒙古自治区鄂伦春自治旗
黑龙江省

桦树皮制作技艺是我国北方游猎民族的独特手工技艺，具有浓厚的民族特色和地域性，内蒙古鄂伦春自治旗、鄂温克族自治旗、莫力达瓦达斡尔族自治旗、额尔古纳左旗（根河市）和黑龙江流域均有这门技艺流传。

古代北方游猎、游牧民族如东胡、匈奴、鲜卑、契丹、女真等都有过制陶时代，而鄂伦春、鄂温克、达斡尔、蒙古等民族均无制陶历史。鄂伦春、鄂温克、达斡尔等创造的桦树皮器皿在生产和生活中代替了陶器和瓷器，体现了森林狩猎民族的文化特色。

桦树皮具有良好的防水、抗腐蚀性能，以此制成的器具轻便、易携带、不易破碎，是狩猎民族喜爱的生产工具和生活用品。它形式多样，造型各异，主要有船、篓、箱、盒、碗等种类。这些器具都是将桦树皮以兽筋、马尾绳缝制而成，上面刻压有各种花纹和图案，它们不但是重要的用具，也是精美的艺术品。

传统的桦树皮加工技艺有四个步骤：一是剥取树皮；二是将皮子浸软或煮软；三是剪裁缝合；四是装饰图案。装饰手法有用砸压的，也有用剪贴的，各民族都把象征吉祥、喜庆、平安、丰收的图形装饰在桦树皮制品上。

随着社会的发展，游猎民族的生产生活方式发生了巨大变化，狩猎文化已逐渐衰微，桦树皮制作技艺也逐渐衰落。鉴于保护这一技艺具有极其重要的意义，应尽快制定措施付诸实行。

434 黎族树皮布制作技艺

◎申报地区或单位：海南省保亭黎族苗族自治县

树皮布又称纳布、楮皮布、谷皮布等。古代文献中所称的楮冠、谷布衣，就是用树皮制成的衣冠产品。海南岛黎族树皮布主要分布在中南部黎族集聚区，包括三亚、五指山、东方等市及琼中、保亭、陵水、乐东、昌江、白沙等县。

保亭县黎族树皮布文化的起源可上溯至石器时代。先民们在用麻和木棉纺织之前，曾经历过相当长时期的

"无纺织"年代，用于蔽体的衣物主要是这种粗纤维的"树皮布"。由晋人袁洲《东观汉记》一书可知，汉代已有用树皮布做冠的记载，当时边疆少数民族还以树皮布制衣裳、被褥。

海南岛的黎族先民掌握棉纺织技术之后，树皮布并未完全让位于麻、棉制品，依然有人用楮树皮制作垫单、衣服、腰带等生活用品。这主要是因为树皮原料丰富且易采集，黎族对其技艺已相当娴熟，而成品又一分耐用。

黎族地区可以用于加工树皮布的树有很多种，如厚皮树、黄久树、箭毒树、构树等，其中构树古称"穀树"，学名"楮树"。

黎族"缝树皮为衣"有七个步骤：扒树皮、修整、将树皮放在水中浸泡脱胶、漂洗、晒干、拍打成片状和缝制。人们利用加工好的树皮布剪裁缝制帽子、枕头、被子、上衣、裙子、兜卵布、口袋等生活用品。尽管这一技艺分为若干工序，但所用工具并不多，其中以锤打工具最为重要。石拍是制作树皮布的器具，也是树皮布文化的标志。

近半个世纪以来，随着社会的发展和人们生活方式的改变，海南岛上的树皮布及石拍已经进入了博物馆而在生活中消失。在黎族地区，年轻一代已不知树皮布为何物。因此，对于树皮布制作技艺的保护和发掘整理具有重要意义。

435

赫哲族鱼皮制作技艺

◎申报地区或单位：黑龙江省

鱼皮制品以北方冷水鱼的鱼皮为原料，冷水鱼皮质有一定的厚度和韧性，比较耐磨，便于在生产生活中使用。鱼皮文化是北纬45度以上区域内存在的特色文化。虽然历史上众多民族都曾有过鱼皮文化，但从清代至今只有黑龙江省同江市街津口乡的赫哲族将之传承沿袭下来。赫哲族长期以渔猎为生，他们捕鱼、食鱼、用鱼皮盖房、造舟、制衣，在历史上以“鱼皮部落”为世所知。

传统的鱼皮技艺包括一整套复杂的加工过程，分为剥皮、干燥、熟软、拼剪缝合、艺术修饰等步骤。过去赫哲族妇女都能熟练掌握这一技艺。20世纪中叶以后，鱼皮制品被其他用品所取代，这种传统手艺也渐渐失传。

由于博物馆收藏和人类文化学研究的需要，同江市街津口赫哲乡的老一代赫哲人曾多次为国内外博物馆复制鱼皮服饰，使这一技艺在局部地区得到传承。老艺人还用传统技艺创制了鱼皮萨满服饰及赫哲风俗系列作品，一些年轻人发展创新，利用传统的鱼皮剪贴技术创制了现代的鱼皮技艺品及鱼皮画，使古老的鱼皮文化延伸到旅游、艺术等领域。

目前掌握传统鱼皮技艺的老人多已离世，仅尤翠玉老人尚健在，也已年近80高龄。鉴于古老的赫哲族鱼皮制作技艺濒临消亡，亟待抢救与保护。

436 浏阳花炮制作技艺

◎ 申报地区或单位：湖南省浏阳市

浏阳花炮源远流长。1935年出版的《中国实业志》记载："湘省爆竹之制造，始于唐，盛于宋，发源于浏阳也。"浏阳花炮一直尊李畋为始祖。清代康熙年间，浏阳花炮的生产已具相当规模。至光绪年间，它已销往香港、澳门、南洋等地，成为名牌产品。中华人民共和国成立后，浏阳花炮由历史上的外销二十多个国家和地区发展到外销五大洲一百多个国家和地区，内销则达于全国32个省市自治区，其品种也由三十多个发展到现在的13大类三千多个。1995年浏阳市被国家授予“中国烟花之乡”的荣誉称号；2002年成立国际烟花协会（IFA），总部常设浏阳；2003年国家质量监督检验检疫总局对浏阳花炮实施原产地域产品保护；2004年国家工商总局注册“浏阳花炮”驰名商标。

浏阳花炮与中国古老的民俗结下了不解之缘。传统节日中，人们无不放鞭炮烟花以志喜庆。举行各种祭祀庆典时，也须燃放花炮。

浏阳花炮生产原是传统技艺，全靠手工制作，有12道流程、72道工序。随着现代科学技术的发展，从业人员已研制成功安全可靠无公害的无烟烟花、冷光烟花、日观烟花、室内和舞台烟花等高科技新产品，达到世界领先水平。花炮燃放也可由传统的手工点火改为遥控点火，燃放程序全部由电脑编排操控。

浏阳现已成为我国最大的花炮产销地。2004年，花炮产业实现产值32亿元，创税收6亿元。在近30万浏阳花炮从业人员中，有90%来自农村，吸收了大量的农村剩余劳动力。目前浏阳正在筹建花炮博物馆，建成后将成为中国花炮收藏、研究、展示和交流的中心。

437 黎族钻木取火技艺

◎申报地区或单位：海南省保亭黎族苗族自治县

黎族钻木取火技艺主要分布在海南岛中南部包括三亚、五指山、东方等市及琼中、保亭、陵水、乐东、昌江、白沙等县的黎族集聚区。

我国古代有燧人氏钻木取火的传说，《韩非子·五蠹》提到："上古之世……民食果蓏蚌蛤，腥臊恶臭，而伤害腹胃，民多疾病。有圣人作，钻燧取火以化腥臊，而民悦之，使王天下，号之曰燧人氏。"

黎族手钻取火工具由钻火板和钻竿（或弓木）两部分组成。钻火板用较软的山麻木砍制，一般长35厘米左右，宽7到10厘米，厚3到5厘米。在一侧挖若干小穴，穴底为流火槽，火星由此下落。钻竿（或弓木）长50到60厘米，用硬杂木制成，直径3到5厘米，下端略尖，如圆锥状。此外，还需用芯绒、芭蕉根纤维、木棉絮等引燃物。取火时，用脚踏住钻火板，将钻竿插在小穴内，以双手搓动钻火棒或弓，使机械能转为热能，产生火星。火星沿槽而落，点燃引燃物。当引燃物冒烟时，迅速将之拿起来吹风助燃，从而引出火来。

随着社会的发展和科技的进步，钻木取火的实用功能已经消失，懂得这一技艺的人已很少了，亟待采取措施予以抢救和保护。

4 3 8

风筝制作技艺

（潍坊风筝、南通板鹞风筝、拉萨风筝）

风筝制作技艺·潍坊风筝

◎ 申报地区或单位：山东省潍坊市

潍坊市位于山东半岛中部，北濒渤海湾，南临黄海，春天风多雨少，主风向单一，瞬时波动小，风力基本呈正态分布。正是这样特殊的地理环境孕育产生了潍坊风筝。其生产制作集中在寒亭区杨家埠一带和奎文区、潍城区。

潍坊风筝兴于明初的杨家埠村。那时，村民已有木版年画的刻印技术，利用每年春天的空余时间，用印年画的纸张、颜料，绘制出各种图案，扎制风筝。开始时仅自娱自乐或馈赠亲朋好友，后逐渐发展为商品。至乾隆年间（1736—1795），风筝已成为当地重要的手工业。

明代潍坊风筝以板子风筝为主，后逐步形成了以硬翅风筝为主、以长串蜈蚣为最（最长可达三百六十多米）、软翅风筝为巧、筒子风筝为奇的造型系列，内容有人物故事、鸟兽、鱼虫

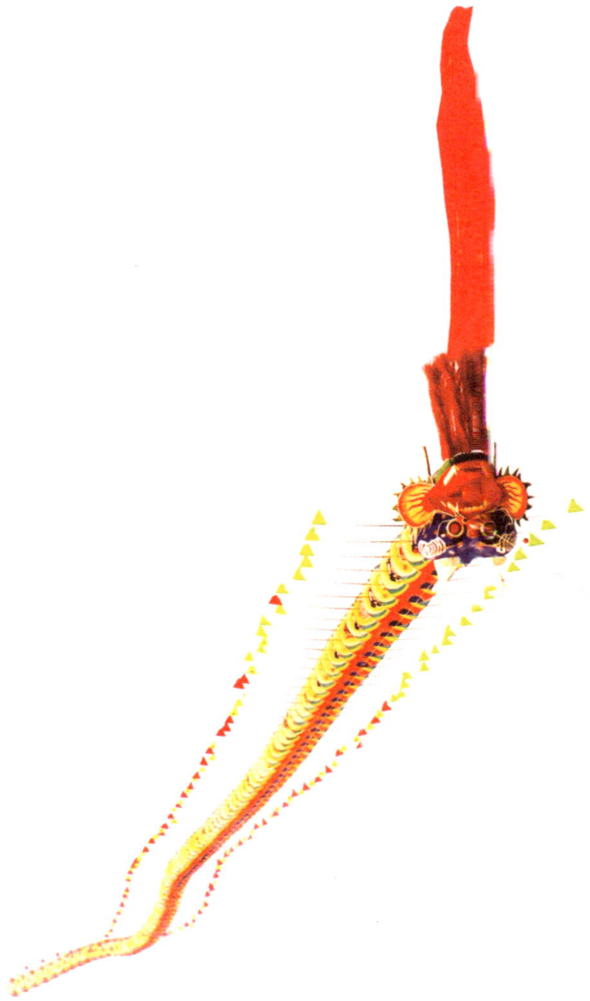

等。目前，西杨家埠村风筝扎制专业户近百家，风筝品种达三百余种，年产近百万只，主要传承人为杨其信、杨其民、杨连敏、杨乃忠、杨学顺等。

潍坊风筝具有起飞平稳、放飞高的特征。无论是软翅、硬翅还是串式、立体式的风筝，除了板子风筝需要坠外，其他不需要任何辅助物都能平稳地直升蓝天。其扎制方法虽简单，少则竹条三根，多不超过七根，但讲究竹条均匀、骨架周正、左右对称、重心拴线，形象简练，色彩鲜艳，对比强烈。但近年来，因考虑制作成本而忽略了传统的文化内涵，变换了材料，丢失了传统技艺，也失去了潍坊风筝的地方特色。

风筝制作技艺·南通板鹞风筝

◎ 申报地区或单位：江苏省南通市

南通市位于江苏省东部、长江入海口北岸，三面环水，气候温和，风量、风速、风力较为均匀，非常适宜形体较大的板鹞风筝放飞。板鹞风筝因造型如一块平板，故名。其制作集中在南通市郊的闸东乡、闸西乡、秦灶乡和通州市的李港乡、刘桥镇、四安镇等地。

南通板鹞风筝又称“哨口板鹞”，源于北宋。它融扎裱造型、配色绘画、音律设计、“哨口”雕刻于一体，其形状有正方形、长方形、六角形和八角形，以六角板鹞为多（即由一个长方形和一个正方形组合而成的有六个凸角的风筝），也有由多个这样的几何图形组合而成的“七联星”、“九联星”、“十九联星”等。大者丈余，小者盈尺，装饰图案多为工笔重彩，内容有“八

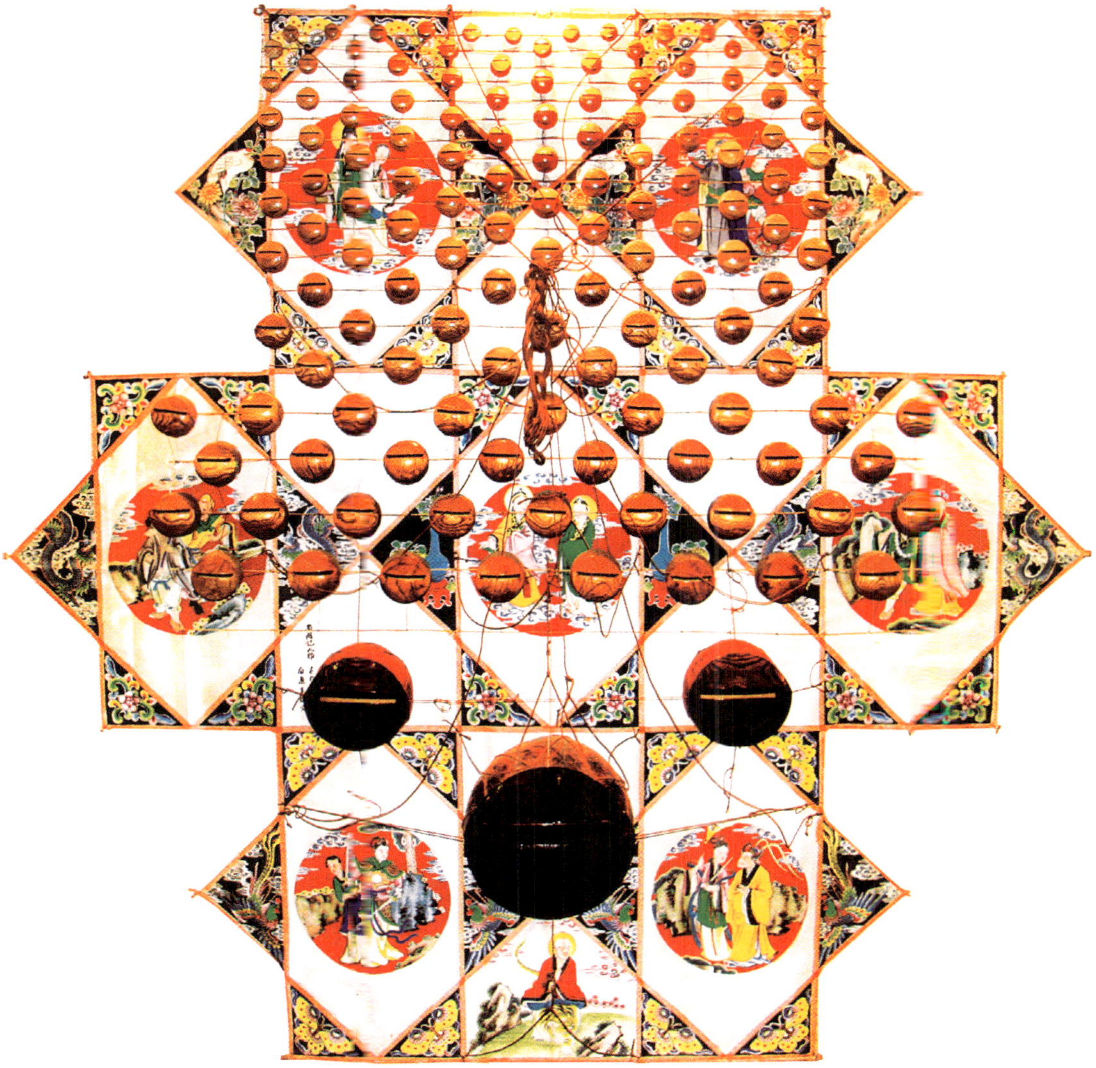

仙”、“凤戏牡丹”、“三国故事”等，喜用红、黑、青、紫色，以造成强烈的色彩对比。风筝上缀满了大小不等的“哨口”，多者达数千。“哨口”由哨面和哨筒两部分组成。哨面通常用竹片或质地松脆的木块雕刻而成；哨筒分管状和球状两大类，管状哨口统称“哨”，古时多用竹筒内膜及鹅毛管等制成；球状哨口统称“口”，通常用葫芦、果壳、蚕茧等制成。标准的哨口板鹞无论大小，均可承受5级以上风力，即使在7—8级大风中，仍可稳悬于数百米的高空，并发出美妙的声音。

南通板鹞风筝的基本特征在于“哨口”设计，哨口的大小形状和材料的差异，使发出的音量、音质、音调千变万化。南通市现有风筝爱好者两万余人，艺人千余名（其中雕哨艺人五十余人），主要传承人为王泽君、黄智灵、王德清、顾继荣、高焕文、高郁文、周广泉、郭承毅、高则先、高则菜、陆桂林、陆宝如等。近年来，李港乡被文化部命名为“全国风筝之乡”。但健在的“哨口”雕刻大师均年过半百，有的画师已年过花甲，能画会雕者越来越少，且小型的风筝展馆和风筝协会均属民间组织，处于自生自灭状态。

风筝制作技艺·拉萨风筝

◎ 申报地区或单位：西藏自治区拉萨市

拉萨风筝流行于西藏拉萨、日喀则、泽当等地，并传播到邻国尼泊尔、不丹，清代盛行于藏族上层。十三世达赖喇嘛偏爱风筝，曾为专供风筝和加工筝线的“上哉”加封印章。

藏历八月卫藏地区风力较足，是放风筝的季节。民间认为，风筝放早了，秋季就会过早终结。拉萨风筝的放飞有许多规定。在时间上，拉萨在雪顿节后放飞，日喀则必须由东头宗的俗官先行放飞。风筝的形制与使用有年龄的规定，如六轴、八轴、十轴风筝，必须按年龄大小分开选择。藏族风筝形态较为单一，多为菱形平面，但讲究彩绘图案，有“加沃”（大胡子）、“古玛或古那”（钉头或黑头）、“米洛”（瞪眼）、“其瓦”（龇牙）、“帮典”（围裙）、“嘎林”（腿骨号）六种。因色彩艳丽，放飞时天空一片斑斓。平时这些风筝悬挂在墙，视为升腾运气的圣物。

拉萨风筝的放飞技巧体现在空中的争斗玩耍。放线与收线的微妙变化，可以使风筝在空中迅速地升降、旋转、左右打滚。最大的特点是“打架斗殴”，最后断线飘走者为败。各种打斗技巧最后都集中在“绞线”上，线的质量至关重要，故在制作时有一道工序即上“那”。“那”的主要成分是玻璃碎粉，加入一种黏性较好的植物“旺拉”，调上捣碎的大米、白糖和水搅拌煎熬。等冷却到一定温度时，将“那”放在手心，将风筝的线从指间穿过，使粘上粗细不等的“那”如同锯齿。拉萨风筝的制作具有季节性。每年秋季在拉萨、日喀则等城镇有人专门做风筝出售。日喀则的拉达卡其和拉萨的次仁等家族风筝制作技术精湛、特色鲜明，颇有影响。但现在一批有造诣的风筝艺人相继去世或年迈古稀，技艺面临失传。

439 凉茶

◎申报地区或单位：广东省文化厅
香港特别行政区民政事务局
澳门特别行政区文化局

凉茶是粤、港、澳地区人民根据当地的气候、水土特征，在长期预防疾病与保健的过程中，以中医养生理论为指导，以中草药为原料，食用、总结出的一种具有清热解毒、生津止渴、祛火除湿等功效，伴随人们日常生活的饮料。它有特定的术语指导人们日常饮用，既无剂量限制，也无需医生指导。

306年，东晋医药家葛洪南来岭南，由于当时瘴疠流行，促使他悉心研究岭南各种温病医药。葛洪所遗下的医学专著以及后世岭南温派医家总结劳动人民长期防治疾病过程中的丰富经验，形成了岭南文化底蕴深厚的凉茶，其配方、术语世代相传。关于凉茶的历史典故、民间传说在岭南和海外广为流传，经久不衰。数百年来，林立于广东、香港、澳门的凉茶铺，形成了一条岭南文化的独特风景线。

凉茶配制技艺以家族世袭传承下来，已有数

百年历史。“文革”中，凉茶文化虽遭到了严重破坏，不仅凉茶铺关门，有关凉茶的制作器具、遗址、遗迹、史料、照片等文物也所剩无几，但其在港、澳地区仍经久不衰。王老吉、上清饮、健生堂、邓老、白云山、黄振龙、徐其修、春和堂、金葫芦、星群、润心堂、沙溪、李氏、清心堂、杏林春、宝庆堂等16个凉茶品牌的54个配方及其所构成的凉茶文化得到了民众的广泛认可。

凉茶文化的悠久历史和广泛的民间性、公认的有效性、严格的传承性及巨大的后发效应，使其成为世界饮料的一匹“黑马”。目前，凉茶产量已达200万吨（含港、澳地区），销售范围已覆盖全国及美国、加拿大、法国、英国、意大利、德国、澳大利亚、新西兰等近二十个国家。在产业高速发展的今天，作为中华饮食文化的组成部分，保护和发扬凉茶文化具有一定的现实意义。

第一批国家级非物质文化遗产名录图典

440 中医生命与疾病认知方法　441 中医诊法　442 中药炮制技术　443 中医传统制剂方法　444 针灸　445 中医正骨疗法　446 同仁堂中医药文化　447 胡庆余堂中药文化　448 藏医药（拉萨北派藏医水银洗炼法和藏药仁青常觉配伍技艺、甘孜州南派藏医药）

传统医药

440

中医生命与疾病认知方法

◎申报地区或单位：中国中医科学院

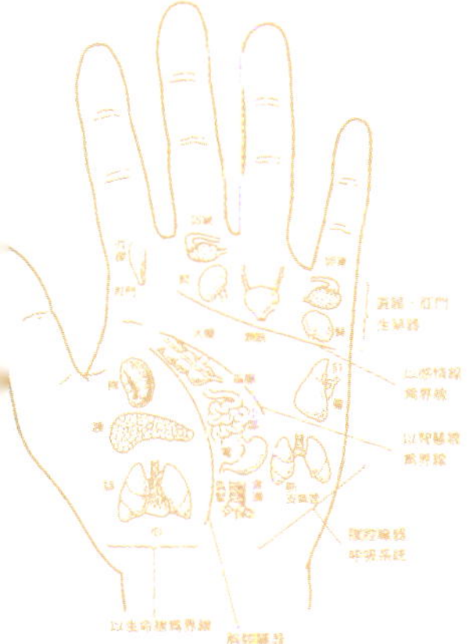

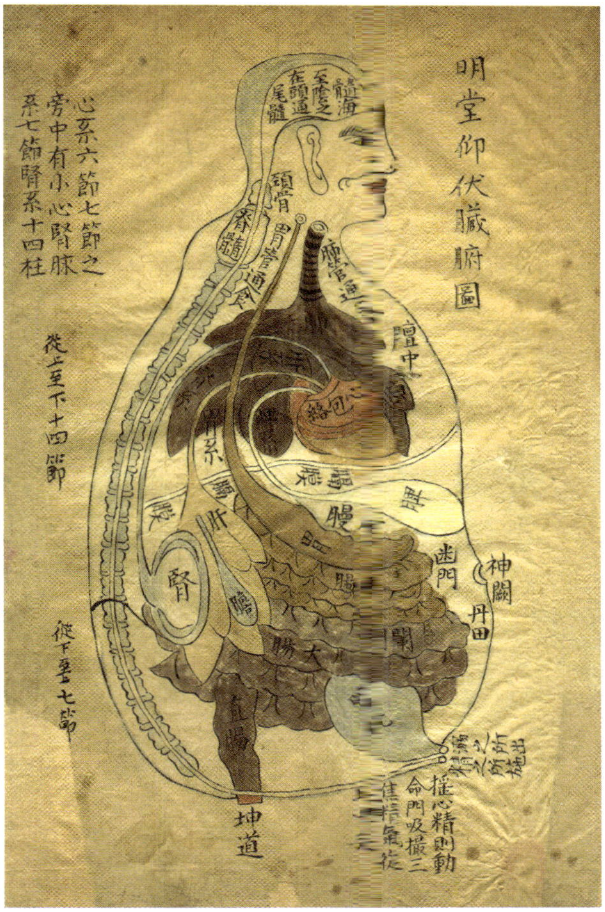

中医对生命与疾病的认知是基于中华民族传统文化产生的认识人体生命现象和疾病规律的一种医学知识。中医生命与疾病的知识起源于传说中的远古黄帝、岐伯时代，以《黄帝内经》为标志的中医生命与疾病知识体系的形成至今已有两千多年的历史。中医生命与疾病知识主要包括阴阳、五行、脏象、经络、疾病与症候、病因病机、辨证、治则治法、五运六气等内容。

中医学运用阴阳对立统一的观念来阐述人体生命活动，以及人与自然、社会等外界环境之间相互依存的关系。阴阳平衡是维持和保证人体生命活动的基础，阴阳失调则导致疾病的发生变化。中医学运用五行学说阐述人体与自然界、人体各部分之间的联系以及疾病发生发展的机理，并用以指导疾病的治疗。脏象是人体重要的生命现象，主要包括五脏、六腑、奇恒之腑以及精、气、血、津液的生理功能和病理变化。经络是人体气血运行的通道，有联络全身的作用。经络系统包括十二经脉、奇经八脉以及络脉等，是中医诊断和治疗疾病的基础，也是针灸、推拿等疗法的重要理论依据。病因是研究疾病发生原因和条件的学说，包括外感六淫、内伤七情和饮食劳倦等。病机学说是研究疾病发生发展规律的学说。辨证论治是运用望、闻、问、切等方法诊察疾病，将诊察结果加以分析、综合得出结论，确立治疗的原则。治则治法，是治疗疾病必须遵守的基本原则与方法，是中医在长期临床实践中总结出的治疗规律，主要有调整阴阳、扶正祛邪、标本缓急，以及因人、因时、因地制宜等。五运六气是研究、探索自然界天文、气象、物候变化对人体健康和疾病影响的系统知识。

对疾病、症候的认识，中医学有着独特的理论与方法。中医学认为，疾病的发生是正邪消长的表现。《黄帝内经》提出“正气存内，邪不可干”，“邪之所凑，其气必虚”的疾病观。《伤寒杂病论》等早期文献中记载了大量对疾病的认识，隋代的《诸病源候论》中记载了67门1720种病症。

中医生命与疾病的认知是构成中医学知识的核心，对中医养生、诊法、疗法、方剂、中药、针灸及临床实践的各个环节发挥指导作用。但是，受西方医学的影响，能够理解和传承这一知识的人日渐减少，面临保存与发展的困境，亟待得到尊重保护和发展。

441 中医诊法

◎申报地区或单位：中国中医科学院

中医诊法是中医学的组成部分。中医诊法是以中医理论为指导，主要运用“四诊”的方法诊察疾病，探求病因、病位、病性及病势，辨别症候，对疾病作出诊断，为治疗提供依据。中医学在长期医疗实践中形成了一套完备的诊断疾病的理论、方法、技术以及实物，体现了鲜明的中国传统文化和地域特征。

中医诊法有着悠久的历史。战国时期名医秦越人（扁鹊）擅长“切脉、望色、听声、写形，言病之所在”。《黄帝内经》根据阴阳五行、脏象经络理论，对诸多诊法作了具体描述，并阐述其综合运用的原则，在方法上奠定了“四诊”

基础。西晋王叔和撰集《脉经》，承前启后，确立中医脉诊的方法，历代医家在临床实践中不断继承完善着中医的诊法，形成了大量有关诊法的典籍，如宋代的《三因极一病证方论》、明代《敖氏伤寒金镜录》、清代的《望诊遵经》等，累积存世的诊法著作有近百种。

望诊是医生运用视觉，观察病人身体有关部位及其分泌和排泄物等以了解病情的诊断方法。包括望舌、望神、望色、望五官、望形态、望络脉等。其中望舌即舌诊，指观察病人舌质和舌苔变化，以判定病情、推测预后，是望诊的重要内容。

闻诊是医生通过听病人声音、嗅其气味以了解病情的诊断方法。听声音指通过声音了解病人语言、呼吸、咳嗽、呕吐、呃逆等声音变化；嗅气味则是凭嗅觉嗅病人口气、体气和排泄物等异常气味。

问诊是医生对病人或陪诊人进行系统而有针对性的询问，是全面了解病情的一种诊断方法。

切诊是医生运用手的触觉，对病人寸口脉及体表特定的部位进行触摸、按压、体验，从而了解病情的一种诊断方法。主要包括切寸口脉和按诊两部分。寸口是人体脏腑气血交会之处，独取寸口的方法，在汉代成书的《八十一难经》中就已经形成。

中医诊法是中医学独具特色的诊断疾病的方法，其潜在的科技与人文文化内涵，随着医学科学的发展和中外文化的广泛交流，发挥着越来越大的作用。但是，受西方医学的影响，中医诊法的应用日渐萎缩。

442 中药炮制技术

◎ **申报地区或单位：中国中医科学院**
中国中药协会

中药炮制是指在中医理论的指导下，按中医用药要求将中药材加工成中药饮片的传统方法和技术，古时又称“炮炙”、“修事”、“修治”。药物经炮制后，不仅可以提高药效、降低药物的毒副作用，而且方便存储，是中医临床用药的必备工序。几千年以来，不仅积累了丰富的炮制方法与技术，而且也形成了一套传统的炮制加工工具。炮制是中药传统制药技术的集中体现和核心，“饮片入药，生熟异治”是中药的鲜明特色和一大优势。中药饮片炮制技术是中国所特有的，是中国几千年传统文化的结晶，是中华文化的瑰宝。

中药炮制历史久远。相传起源于神农时代，汉代的《神农本草经》、梁代陶弘景的《本

草经集注》对中药炮制已有详细的记述。东汉张仲景的《伤寒杂病论》记述了一百余种药物的炮制方法。南北朝时期雷敩的炮制专著《雷公炮炙论》记载了300种药物的炮制方法与技术。唐代的《新修本草》是中国第一部国家药典，标示有药物炮制的方法，是炮制技术受到政府保护的开端。明代李时珍的《本草纲目》设有炮制专项，缪希雍的《炮炙大法》，总结中药炮制大法17种。清代张睿的《修事指南》，详细记载了232种炮制方法。

目前，全国专门从事炮制工作的只有近百人，中药炮制技术处于萎缩的濒危状况。由于“现代”用药方法趋于“常规化”，传统的“一方一法”的用药模式已不复存在，许多特殊而又可产生特效的传统炮制技术逐渐被遗忘。现存为数不多的身怀绝技的炮制老药工对于自己经过长期工作总结出来的炮制方法秘而不宣，传统的炮制技术面临衰退甚至失传的局面。相关部门对炮制技术的继承和保护还不够重视，在继承和保护方面未采取具体措施，所以，中药的炮制技术亟待得到保护。

443

中医传统制剂方法

◎申报地区或单位：中国中医科学院
中国中药协会

中医传统制剂是在中医药理论指导下，以中药为原料，加工制成具有一定规格、可直接用于防病、治病的药品。最具代表性的传统剂型有丸、散、膏、丹。千百年来，中医传统制剂在历代医家的医疗实践中，积累了丰富的经验，形成了独特的制剂技术，是祖国传统医学宝库中重要的组成部分。

远在夏禹时代，祖先们由酿酒而发现了酒的作用，并制成药酒，同时发现了曲剂。至商代，汤剂已广泛应用。东汉时期对制药理论和制备法则已有认识，指出“药性有宜丸者，宜散者，宜水煎者，宜酒渍者，亦有一物兼宜者，亦有不宜入汤酒者，并随药性，不得违越”。强调根据药性选择剂型。张仲景在汤、丸、散、膏、酒的基础上，又创制了坐剂、导剂、洗剂、滴耳剂、糖浆剂及脏器制剂等十余种剂型。而且制备方法较完备，用法用量、适应症明确。晋代葛洪创造了利用药物本身的粘合力制丸，以及铅硬膏、蜡丸、浓缩丸、锭、条、灸等剂型。金元时代发明丸剂包衣，明代则有“朱砂为衣”的新工艺。明代李时珍是集大成者，总结了16世纪以前药物制剂的方法，记录了四十余种药物剂型。

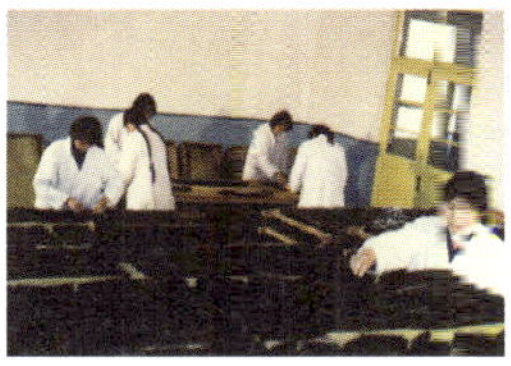

现代科学技术的进步，中药新剂型、新工艺、新技术不断涌现，丰富了中药制剂的剂型。但是，传统的制剂技术受到了前所未有的挑战和冲击。除汤剂仍然是中医临床首选剂型外，“丸、散、膏”仍被广泛使用，有些传统剂型和技术已经失传或正在被淘汰，其中不乏传统技术。因此，有必要对其进行保护，以实现继承和发展。

4 4 4

针灸

◎申报地区或单位：中国中医科学院 中国针灸学会

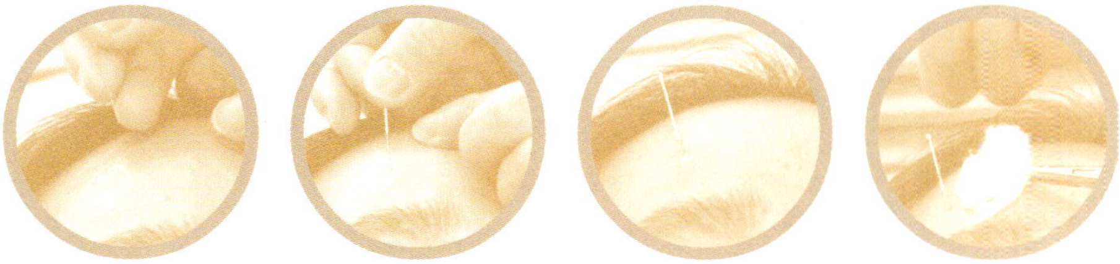

针灸是我国古代劳动人民创造的一种独特的医疗方法，有着悠久的历史。几千年来，人们利用金属针具或艾炷、艾卷，在人体特定的部位进针施灸，用以治疗疾病，解除病痛，并由此创立了独具特色的人体经络腧穴理论，成为中国医学的一枝奇葩，在世界上享有盛誉。

针灸由“针”和“灸”构成，是中医学的重要组成部分之一，其内容包括针灸理论、腧穴、针灸技术以及相关器具，在形成、应用和发展的过程中，具有鲜明的中华民族文化与地域特征，是基于中华民族文化和科学传统产生的宝贵遗产。

早在新石器时代，人们就用“砭石”砭刺人体的某一部位治疗疾病。《山海经》说：“有石如玉，可以为针”，是关于石针的早期记载。灸疗的产生是在火的发现和应用后形成的，秦汉时期的《黄帝内经》说：“藏寒生满病，其治宜灸焫”，便是指灸术，其中详细描述了九针的形制，并大量记述了针灸的理论与技术。春秋战国时期，针灸疗法已经相当成熟，出现了不少精通针灸的医生，《史记》记载的扁鹊就是其中的代表人物之一。扁鹊被誉为“中华医祖”，他起死回生的神奇针术以及救死扶伤的动人事迹为后人世代传颂，至今在河北内丘等地还保留有纪念扁鹊的鹊王庙、鹊王祠以及各种民间传统祭祀活动。在湖南长沙马王堆汉墓出土的《足臂十一脉灸经》和《阴阳十一脉灸经》、湖北江陵张家山汉墓出土的《脉书》中均记载有经脉的循行与主病。从四川绵阳双包山西汉墓出土的一具黑漆小型木质人形，其体表正背面标有纵横方向的经

脉路径，是我国迄今发现的最早的人体经脉模型实物。到了隋唐时期，针灸学发展成为专门学科，针灸著作倍增，内容丰富多彩，针灸被正式列入国家的医学教育课程。在太医署专设有针博士、针助教、针师、针工和针生等职衔。北宋时期，医官王惟一考订腧穴主治，统一腧穴定位，撰著《铜人腧穴针灸图经》一书颁行全国，并铸造了造型逼真、构造精巧的教学工具——铜人模型，对针灸学术发展起了极大的推动和促进作用。明清以降，针灸理论继往开来，技术和器具不断改进，流派纷呈，名家辈出，佳作不断，针灸疗法取得了更大的发展。

针灸在长期的医疗实践中，形成了由十四经脉、奇经八脉、十五别络、十二经别、十二经筋、十二皮部以及孙络、浮络等组成的经络理论，以及361个腧穴及经外奇穴等腧穴与腧穴主病的知识，发现了人体特定部位之间特定联系的规律，创造了经络学说，并由此产生了一套治疗疾病的方法体系。

由于针灸疗法具有独特的优势，有广泛的适应症，疗效迅速显著，操作方法简便易行，医疗费用经济，极少副作用，远在唐代，中国针灸就已传播到日本、朝鲜、印度、阿拉伯等国家和地区，并在他国开花结果，繁衍出一些具有异域特色的针灸医学。到目前为止，针灸已经传播到世界一百四十多个国家和地区，为保障全人类的生命健康发挥了巨大的作用。

针灸是在中国历代特定的自然与社会环境中生长起来的科学文化知识，蕴含着中华民族特有的精神、思维和文化精华，涵纳着大量的实践观察、知识体系和技术技艺，凝聚着中华民族强大的生命力与创造力，是中华民族智慧的结晶，也是全人类文明的瑰宝，应该受到更好的保护与利用。

445 中医正骨疗法

◎申报地区或单位：中国中医科学院

中医正骨疗法是通过拔伸、复位、对正等手法，采用小夹板外固定方式，治疗骨折、关节脱位等运动系统疾病的一种治疗方法。它是中国传统医学的重要组成部分，距今已有三千多年的历史。早在周代，医疗分工上已有专人掌管骨科疾病的治疗，秦汉时期形成基本理论和技术，世代传承，如《肘后备急方》、《仙授理伤续断秘方》、《千金要方》、《医宗金鉴》中有大量记载。

中医正骨在长期的医疗实践中，形成了一套独特的理论体系和完整的治疗原则及方法，积累了非常丰富的经验。正骨术中的“小夹板固定”属于中国首创，其后被许多国家效仿。中医正骨术堪称中国传统医学对世界医学的伟大贡献之一。

中医这些简便廉验的疗法在长期的医疗实践活动中为中华民族的健康作出了巨大的贡献，长期流传并不断传承发展。其中有些有文献记载，有些只在民间口耳相传得以延续。然而，由于受经济利益的驱使，目前不少医院甚至中医院已基本放弃了这一疗法，正宗的正骨术只在北派、南派的不到十家医院中传承着。中医正骨疗法的传承陷入困境，举步维艰。为继承中医正骨这一中华传统医术，应尽快采取有效措施加以保护，并积极开展相关学术研究与政策研究，以促进正骨术的继承和发展。

446

同仁堂中医药文化

◎申报地区或单位：中国北京同仁堂（集团）有限责任公司

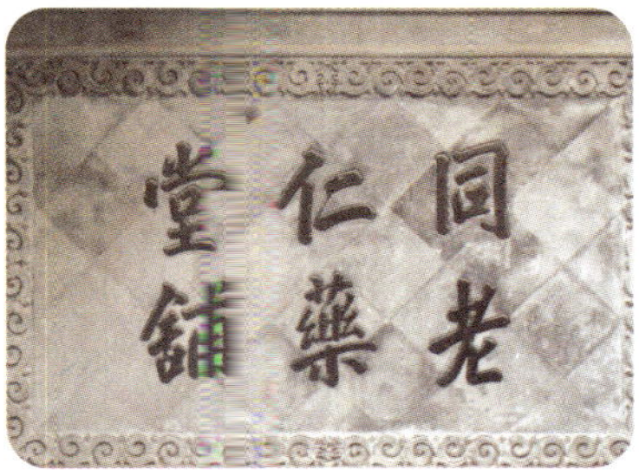

北京同仁堂是中国传统医药界闻名遐迩的老字号，始建于1669年，至今已有337年历史。同仁堂从1723年开始“承办官药”直至1911年，在长达188年的时间里，同仁堂遵照皇家挑选药材标准、恪守皇宫秘方和制药方法，形成一套严格的质量监督制度，同仁堂与清宫太医院、御药房之间有机的融合和影响，形成了同仁堂中医药文化的特殊风格。

同仁堂中医药文化集中体现在“同修仁德，济世养生”的价值观，“炮炙虽繁必不敢省人工，品味虽贵必不敢减物力”的质量观和“讲信义，重人和”的经营理念，“童叟无欺，一视同仁”的职业道德，以及同仁堂的品牌和特有标记，《乐氏世代祖传丸散膏丹下料配方》和《同仁堂虔修诸门应症丸散膏丹总目》，同仁堂传统中药炮制技术，同仁堂的制药特色即传统中医药与宫廷制药的融合，可概括为“处方独特、选料上乘、工艺精湛、疗效显著”。

目前同仁堂原有的传统中药炮制技术和制药特色面临着生存发展的困境，传统的制药方法受到束缚，独特的技术面临流失的危险。同仁堂为保护这一优秀的传统文化做着不懈努力，并亟待得到全社会的尊重和保护。

447 胡庆余堂中药文化

◎ 申报地区或单位：浙江省杭州市

“江南药王”胡庆余堂，是“红顶商人”胡雪岩在清同治十三年（1874）创建的药铺，地处杭州清河坊。从南宋建都临安（今杭州）到明、清两代，清河坊一带形成了一条“药铺”长廊。其中如南宋的保和堂，明朝的朱养心膏药店，晚清的“六大家”胡庆余堂、叶种德堂、方回春堂等。胡庆余堂全面继承了南宋官方制定的《太平惠民和剂局方》制药技艺和行业规范。从这一意义上讲，杭州是“古代中医药典”的发迹之地，而胡庆余堂则秉承了这一良好的传统。

胡庆余堂所保存下来的传统商贸习俗内容极其丰富。

“戒欺”文化。“戒欺”是胡庆余堂的店训，由胡雪岩亲笔写就。一百三十余年来，胡庆余堂始终恪守“戒欺”原则，秉承中国传统伦理道德和中医药文化，形成了以“戒欺”为内涵特色的经商理念和店规。这种理念具有超越企业层面、倡导社会公德的特征。

胡庆余堂保存了一批民间的古方、秘方。企业内身怀绝技、熟练掌握中药手工技艺的老药工至今仍然健在，这都是社会的巨大财富。

由于现代技术影响、气候变化、环境污染以及强势文化的冲击等因素，胡庆余堂的传统正在受到威胁，有的甚至到了濒危状态。为此，胡庆余堂投入了一定的人力物力，制订了一个切实可行的保护计划。

448 藏医药

（拉萨北派藏医水银洗炼法和藏药仁青常觉配伍技艺、甘孜州南派藏医药）

14世纪以后，藏医药在学术上分为南、北两派。两派的学术内涵各有所长，互有交叉，但南、北两派均为藏医学的组成部分。

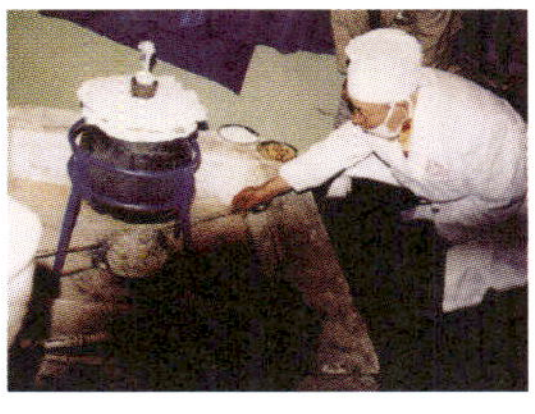

藏医药·拉萨北派藏医水银洗炼法和藏药仁青常觉配伍技艺

◎ 申报地区或单位：西藏自治区

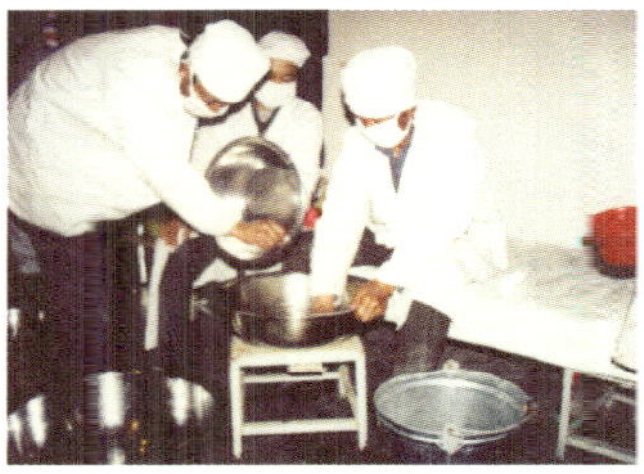

拉萨北派藏医药是藏医药的主要流派之一，“水银洗炼法”、“仁青常觉配伍技艺”是独具特色的药物加工技法。

藏医“水银洗炼法”简称“水银加工”或“佐珠钦莫”，藏族人民把“佐珠钦莫”称为藏药的宝中宝，是藏族历代名医把含有剧毒的水银经过复杂的特殊加工炮制后，炼制成无毒而具有奇特疗效的药中之王“佐塔”。作为藏药材重要的加工方法和藏药实践的惟一精华，千百年来历代藏医药学者都非常重视该技术的实践与传承，并代代相传，使此技术得以发扬光大。水银加工的实践方法始载于8世纪玉妥宁玛·云旦贡布编著的《四部医典》中，并在珍宝药“仁青常觉”丸的配方中有较详细的阐述。13世纪末，大圣邬坚巴·仁钦贝成功地进行了“水银洗炼”的冷热处理及祛毒等整个实践操作，并编著了《制水银论典》等著作，开创了藏药“水银加工”系统完整的实践操作，为“水银加工”的普及和弘扬作了无法估量的贡献。后经贤者噶玛巴·让琼多吉、苏喀·年尼多吉、贡珠·云丹嘉措等著名藏医药学家的不断实践和传承，使这一藏医药文化的精粹得以世代相传，继续为人类健康保驾护航。

水银洗炼加工后的“佐塔”是配制名贵藏成药不可或缺的重要原料，在藏医药的使用中有悠久的历史，经过了近两千年的临床实践验证，应用面广，使用量大，是藏药中的极品，并具有延年益寿、强身壮体、减毒增效等功效。

藏药仁青常觉配伍技艺成方于8世纪，始载于藏医经典巨著《四部医典》。是根据藏医学原理，选用生长在世界屋脊特殊生态环境下的天然、珍贵、稀有藏药材，并采用现代科学与传统技艺相结合的方法精制而成。经一千多年的临床实践证明，对陈旧性胃炎、胃溃

疡、慢性萎缩性胃炎、肝胆等疾病具有独特疗效，沿用至今，以它的独特功效，驰名于中外，备受国内外医学专家和广大患者的高度评价。此方由一百二十多种西藏特有的天然动、矿、植物配伍而成，全国十多家藏药企业都在生产销售，其中多数药材资源受到了不同程度的破坏，有些药物出现种群衰退甚至面临灭绝。为此，从藏药仁青常觉配伍和技艺出发，尽快保护和再生利用仁青常觉配伍中濒临灭绝的一些药物是至关重要的。

藏医药·甘孜州南派藏医药

◎ 申报地区或单位：四川省甘孜藏族自治州

藏医药有近两千三百余年的历史，是藏族人民通过长期的实践，不断积累完善而形成的具有完整理论体系、独特治疗方法和浓郁民族特色的医药学体系。在历史上藏医药形成南北两派，甘孜州是藏医药的发祥地之一、南派藏医药的故乡。

历史上把以康巴为中心的藏医药称为南派藏医药。康巴地区包括四川甘孜州、云南迪庆州、西藏昌都地区及青海玉树州，总面积55万平方公里。

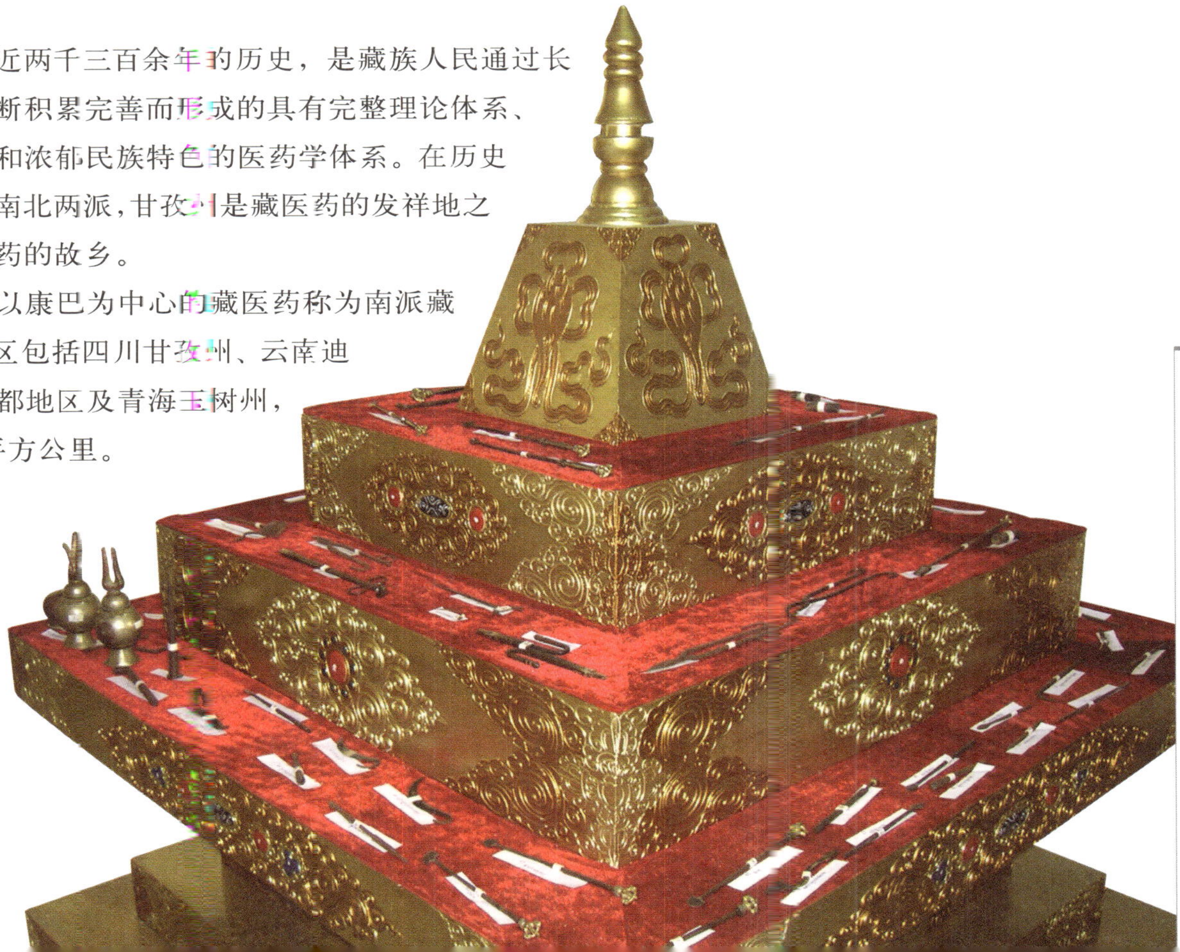

藏医药学到12至15世纪，产生了以向巴·郎加扎桑为代表的北派藏医药和以宿喀·娘尼多吉为代表的南派藏医药。南派藏医药经过杰巴泽翁、释迦汪秋、五世达赖喇嘛、达姆·门然巴洛桑曲批等藏医药学家的继承和发展，一直到司都·确吉迥列，南北派藏医药学才逐渐合而为一，而南派藏医药一度成为藏医药中坚力量，领导了整个藏医药学的继承、发扬。以嘉央·青则江布等为杰出代表的19世纪初南派藏医药学家，使藏医药有了空前的发展。

藏医药学是藏族文化的重要组成部分，对研究藏族社会的发展具有极其重要的价值。同时，对保护人们的健康起着重要的作用。

随着环境恶化给人体健康带来的危害、化学药物的毒副作用及其在治疗疾病过程中面临的无奈，人类越来越认识到藏医药对健康保健的重要作用。现代科学更进一步证实了藏医药学对人类健康保健、疾病预防的科学价值。

第一批国家级非物质文化遗产名录图典

民俗

449 春节　450 清明节　451 端午节（屈原故里端午习俗、西塞神舟会、汨罗江畔端午习俗、苏州端午习俗）　452 七夕节　453 中秋节　454 重阳节　455 京族哈节　456 傣族泼水节　457 锡伯族西迁节　458 火把节（彝族火把节）　459 景颇族目瑙纵歌　460 黎族三月三节　461 鄂伦春族古伦木沓节　462 瑶族盘王节　463 壮族蚂蚜节　464 仫佬族依饭节　465 毛南族肥套　466 羌族瓦尔俄足节　467 苗族鼓藏节　468 水族端节　469 布依族查白歌节　470 苗族姊妹节　471 独龙族卡雀哇节　472 怒族仙女节　473 侗族萨玛节　474 仡佬毛龙节　475 傈僳族刀杆节　476 塔吉克族引水节和播种节　477 土族纳顿节　478 都江堰放水节　479 雪顿节　480 黄帝陵祭典　481 炎帝陵祭典　482 成吉思汗祭典　483 祭孔大典　484 妈祖祭典　485 太昊伏羲祭典　486 女娲祭典　487 大禹祭典　488 祭敖包　489 白族绕三灵　490 厂甸庙会　491 热贡六月会　492 小榄菊花会　493 瑶族耍歌堂　494 壮族歌圩　495 苗族系列坡会群　496 那达慕　497 维吾尔刀郎麦西热甫　498 秦淮灯会　499 秀山花灯　500 全丰花灯　501 泰山石敢当习俗　502 民间社火　503 鄂尔多斯婚礼　504 土族婚礼　505 撒拉族婚礼　506 马街书会　507 胡集书会　508 安国药市　509 壮族铜鼓习俗　510 楹联习俗　511 苏州甪直水乡妇女服饰　512 惠安女服饰　513 苗族服饰（昌宁苗族服饰）　514 回族服饰　515 瑶族服饰　516 农历二十四节气　517 女书习俗　518 水书习俗

449 春节

◎ 申报地区或单位：文化部

春节是中国民间传统节日，新年指夏历(农历)正月初一，是一年中最隆重的节日。汉、壮、布依、侗、朝鲜、仡佬、瑶、畲、京、达斡尔等民族都过这个节日。

春节历史悠久，起源于殷商时期年头岁尾的祭神活动。有关传说很多，其中以“年”兽传说、熬年传说和万年创建历法说等最具代表性。自汉武帝改用农历以后，中国历代都以二十四节气中的立春日为春节，农历正月初一为新年。立春最早是祭天、祭农神和祭春神、鞭春牛、祈丰年的日子。《史记》、《汉书》称正月初一为“四始”（岁之始、时之始、日之始、月之始）和“三朝”（岁之朝、月之朝、日之朝，朝亦始也）。古人常在此时举行朝贺，进行各种娱乐活动，迎神祭祖，占卜气候，祈求丰收，后来逐渐形成内容丰富的新春佳节。

辛亥革命之后，改农历正月初一为春节，立春逐渐淡化。

春节又叫阴历(农历)年，俗称“过年”，相关民俗活动要持续一个月。正月初一前有祭灶、祭祖等仪式；节中有给儿童压岁钱、向亲友拜年等习俗；节后半月又是元宵节，其时花灯满城，游人满街。元宵节过后，春节才算结束。

春节是一种综合性的民俗文化，其中包括崇尚、仪式、节日装饰、饮食和相关的娱乐活动。春节期间的主要活动有：腊月初八喝腊八粥；二十三日祭灶，吃关东糖和糖粥等；除夕夜以家庭为单位包饺子、包汤圆、做年糕，吃团圆饭守岁，另外还贴春联、年画、剪纸和放爆竹；正月初一迎神、拜年；初五开小市；十五日元宵节开大市、迎财神、吃元宵、游灯会、猜灯谜等。燃放鞭炮是春节期间辞旧迎新的一项民俗活动。

春节是体现和谐亲情与和睦人际关系的重要平台。其内容丰富多彩，具有重要的历史、艺术和文化价值。过好春节是提升亲情关系、增强社会凝聚力、构建和谐社会的重要途径之一，对文化产业的发展也有积极的促进作用。

我国城乡地区因所处环境不同，过春节的方式也有所差异。目前广大农村则按照传统方式过春节，但崇尚和仪式的内容淡化，而送礼品、请客吃饭之风日盛；城市过春节的形式与农村地区相比，显得更为简单。

450 清明节

◎ 申报地区或单位：文化部

清明节是我国重要的传统节日之一，至今仍是中华民族包括海外华人的重要节日。清明节古时也称三月节，已有两千多年历史。公历4月5日前后为清明节，原为二十四节气之一。全国汉族和部分少数民族地区过此节日。

在中国农历二十四个节气中，既是节气又是节日的只有清明。由于二十四节气比较客观地反映了一年四季气温、降雨、物候等方面的变化，所以古代劳动人民据此来安排农事活动。《淮南子·天文训》云：“春分后十五日，斗指乙，则清明风至。”《岁时百问》：“万物生长此时，皆清洁而明净，故谓之清明。”清明一到，气温升高，雨量增多，正是春耕春种的大好时节，故有“清明前后，点瓜种豆”、“植树造林，莫过清明”的农谚，可见这个节气与农业生产有着十分密切的关系。

但是，清明作为节日，与纯粹的节气又有所不同，它包含着丰富的风俗活动内容。

清明节是纪念祖先的节日，主要活动仪式是祭祖、扫墓，这是人们慎终追远、敦亲睦族及行孝的具体表现。秦汉时代，墓祭已成为人们重要的礼俗活动之一。扫墓原是清明节前一天寒食节的内容。寒食节相传起于晋文公对介子推的悼念。唐玄宗开元二十年（732）诏令天下，“寒食上墓”。后来，由于寒食与清明日子接近，这个民间禁火扫墓的日子就逐渐与清明合二为一了。寒食既成为清明的别称，也变成为清明时节的一个习俗，清明之日不动烟火，只吃凉的食品。

除了禁火、扫墓，还有踏青、放风筝、荡秋千、娱乐游戏

等活动，江南还有蚕花会和祭祀蚕神等活动。因此，清明时节既有祭扫坟墓的悲酸之泪，又有踏青游玩的欢笑之声，是一个富有特色的节日。

中华人民共和国成立后，各地群众多在清明节前后前往革命烈士陵园扫墓，表达对先烈的缅怀之情。

清明节的文化意义非同寻常。它可以满足人们追思先人的情感需要，强化亲情关系。通过祭祀祖先可以追根溯源，吸取历史教训，从而更好地教育后代。寻根祭祖，怀念先烈，又能团结海内外华人华侨，心向祖国，增进中华民族的凝聚力。

451 端午节

（屈原故里端午习俗、西塞神舟会、汨罗江畔端午习俗、苏州端午习俗）

◎申报地区或单位：文化部

端午节是中国的传统节日，又名重午、端五、蒲节，时在农历五月初五。端有“初”的意思，故称初五为端五。夏历（农历）的正月建寅，按地支顺序，五月恰好是午月，加上古人常把五日称作午日，因而端五又称重午。端午节传遍全国各地，主要分布于广大汉族地区，壮、布依、侗、土家、仡佬等少数民族也过此节。

端午节的起源有许多传说，如纪念屈原投江、始于五月五日毒日的禁忌、越王勾践训练水师、纪念伍子胥投钱塘江和曹娥救父等等，这些说法经过历代加工，与端午的民俗活动结合在一起，从而形成中华民族的一个节日。

端午节的主要活动有：1.纪念历史人物；2.划龙舟；3.吃粽子；4.各种防五毒习术（贴端午符剪纸、挂艾草菖蒲、佩戴香包等避邪物、兰汤沐浴）；5.游戏，如玩斗草、击球、射柳等。与端午节相关的主要器具、制品有龙舟、粽子、五毒图、艾草菖蒲、钟馗画、张天师画、屈原像等。

端午节起源于民间习俗，其中有不少活动都是健康向上的。随着社会的进步，端午节渐渐发展成为内容丰富的传统节日，有较强的生命力。端午节对研究民间习俗的发展有重大价值，由于它是多民族共享的节日且包含跨国习俗，因此对研究民族文化往来、国际间文化交流、传统体育竞技、饮食文化等均有重要价值。

端午节中的划龙舟、吃粽子很好地保留下来，并获得健康发展。有鉴于此，端午节的其他文化表现形式应加以科学的引导，使人民群众的节日文化活动更为丰富。

端午节·屈原故里端午习俗

◎ 申报地区或单位：湖北省宜昌市、秭归县

“五月五（农历），过端午。”端午节是中华民族的传统节日。《续齐谐记》、《荆楚岁时记》载，魏晋南北朝后端午节便与纪念屈原结合起来。唐元和十五年（820），归州刺史王茂元在屈原故里秭归屈原沱建立屈原祠并写下祭文，众乡亲与各色龙舟汇集于此，作为起点，进行龙舟竞渡，形成了屈原故里端午民俗的鲜明特色。这种民俗在屈原故里延续至今，形成一种传统。

屈原故里端午民俗隆重而欢愉，一般端午三次过。五月初五小端午挂菖蒲、艾叶，饮雄黄酒；五月十五大端午龙舟竞渡；五月二十五末端午送瘟船，亲友团聚。祭奠屈原贯穿节庆活动的始终，包括设坛祭拜、游江、龙舟竞渡、粽子寄情、乡里“闹晚”等程序，端午民俗过程因此而更见完整、紧凑和鲜活。自明代起，秭归农民自发组织“骚坛诗社”，于端午时吟诵楚辞或

作赋，相互唱和，这在全国各地端午习俗中独具一格。屈原故里端午民俗既继承了传统端午习俗驱疫避瘟的内容，更保留了故乡人民对屈原精神、品格的颂扬和纪念之意。

屈原故里端午民俗是中国上古楚文化和端午礼俗等的活态见证，具有人生观、价值观、历史学、心理学、人类学等多方面的研究价值。它宣扬和传播了中国文人杰出代表之一的屈原之精神品格和中国文化传统精神，把传统的祖先崇拜和英雄崇拜人性化和娱乐化，增强了民族的凝聚力和文化认同感。同时，这一节日民俗还传承了《楚辞》与其他民间文艺表现形式，具有丰富的文化内涵。

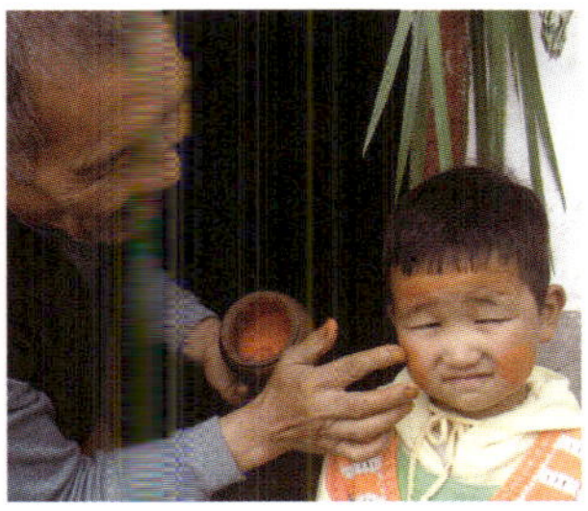

端午节·西塞神舟会

◎ 申报地区或单位：湖北省黄石市

西塞神舟会是黄石市西塞山区道士袱村民庆贺端午节的传统盛会，主要活动有制作神舟、唱大戏、巡游、送神舟下水等仪式和活动。从每年农历四月初八佛祖诞生之日举行龙舟的开工仪式，扎制神舟，到农历五月初五子时由道士主持仪式为神舟开光，直至五月十五至十八的神舟会正式会期，整个活动历时40天，是目前国内端午节时间较长的祈福活动。

神舟会期间，当地群众日日夜夜唱楚剧大戏，四乡八岭的民众赶来向神舟许愿求福。农历

五月十六早晨8点神舟出会巡游，家家户户都要在门边悬挂菖蒲艾叶，门口设香案，燃香烛，摆上酒、茶、米、水果等供品。每到一家，村民们都要放鞭炮迎接，撒茶米，参拜。农历五月十七晚，为神舟点燃48盏长明灯，通宵打醮守夜。农历五月十八日上午神舟出宫，道士和神舟会全体成员共同为神舟开路，由16名青壮小伙抬着神舟恭送入江，任由水流带着龙舟沿江而下，东流入海。此时江上众多渔船在船头摆香设案、鞭炮齐鸣、绕神舟三圈，以示送行。神舟入江处的大堤上，有成千上万的村民双手合十、跪拜神舟，祈求神舟带走疾病、带走瘟疫、带走灾难，祈盼一年吉祥、幸福、安康。

民众自发组织神舟会，举办以消灾、祛病和求平安健康、益寿延年为主题的传统民间文化活动。神舟会借助“送神舟”这一形式为一方百姓禳灾祈福，是端午节俗中最壮观的一种民间盛会，至今已有千余年历史。该活动规模宏大，具有深厚的群众基础，至今传承不息，它集中、生动地表达了古代民间端午习俗的内容，具有宝贵的文化价值。自纪念屈原的传说与端午节结合以后，特别是中华人民共和国成立后，神舟会的活动也与祭吊屈原的传说联系在一起，使传统节日注入新的活力。神舟会活动期间群众文化活动丰富多彩，精心扎制的楼台亭榭、雕梁画栋工艺精致，气势宏伟，富有特色，有较高的艺术价值。

端午节·汨罗江畔端午习俗

◎ 申报地区或单位：湖南省汨罗市

湖南汨罗江畔端午节一般从五月初一开始，十五结束。沿江的楚塘、渔街、凤凰山、河市、归义、红花、新市、浯口、长乐等一带的端午习俗除了办盛宴、吃粽子、插艾挂菖、喝雄黄酒、赛龙舟外，还有雕龙头、偷神木、唱赞词、龙舟下水、龙头上红、朝庙、祭龙和祭祀屈原等特殊风俗，这些民俗仪式具有丰富的文化内涵，留下了如“宁荒一年田，不输五月船”等许多端午民谣。观龙舟、回娘家、辞端阳、插艾叶、喝雄黄酒等风俗更有浓郁的地方特色。上述习俗和文化场景自汉以来就有零散的文字记载，424 年颜延之的《祭屈原文》、6 世纪初吴均的《续齐谐记》及稍后的《荆楚岁时记》、《隋书·地理志》中均作了相关描述。

端午节让一代又一代劳作的人们受到传统文化的浸染，激起对美好生活的向往、对国富民安的祈求、对屈原等先贤的深深怀念；更有青年男女把这个节日当成了相亲社交的绝佳时机。

汨罗江畔端午节鲜明的个性特征可充分展现出汨罗江地方文化的特色。当前，随着人们生活方式的改变，汨罗江畔端午节的文化内涵日益衰减，需要抢救和保护。

端午节·苏州端午习俗

◎申报地区或单位：江苏省苏州市

苏州的五月端午活动历史悠久，内容丰富，全民参与，久盛不衰，集中展示了苏州地区富于江南特色的民俗传统。

苏州端午节的起源最早可追溯到对春秋时期吴国名将伍子胥的纪念。随着社会经济文化的发展，以纪念伍子胥为始的端午节逐渐演化成苏州一年一度的盛大狂欢节，形成了一整套与当地自然条件、生产生活、经济特征和文化发展状况相对应的端午民俗活动。这些活动分为四大类：第一类是龙舟表演的大型活动；第二类活动主要表现苏州人适应自然、改善生活的智慧，如采草药、挂艾叶、挂菖蒲等；第三类活动展现苏州悠久的丝织文化和特有的服饰文化，如佩百索等；第四类活动包粽子、吃端午饭是其核心内容。

苏州端午节的龙舟竞渡等大型活动在“文革”期间曾一度中断，近年来有所恢复。其他各种习俗在苏州居民中依然不同程度地延续着，但是年轻人知道的已经越来越少了。这些传统习俗必须采取措施保护，才能继续传承下去。

452 七夕节

◎申报地区或单位：文化部

农历七月初七的夜晚就是人们俗称的七夕节，又叫“乞巧节”或“女儿节”，它是中国传统节日中最具浪漫色彩的一个，也是旧时姑娘们最为重视的日子。七夕节是中国农耕社会传承下来的重要节日之一，除汉族外，满、朝鲜、壮、侗、苗、畲等少数民族也过此节。但有些少数民族对这个节日有其自称，如满族称之为祭星节、鄂伦春族称之为祭月亮等。

七夕节起源于牛郎织女神话。早在战国时期就有对牛郎星、织女星的记载。东汉时，传说天帝为媒，让牛郎与织女成婚，但玉帝又令西王母以银簪划河为界，规定每年七月七牛郎才能借鹊桥同织女相会，民间据此传说形成了七夕节，并且一直保留下来。

七夕节主要包括：1.拜牛郎织女，瓜棚下听“天语”；2.丢巧针，卜运气；3.七姊妹结盟；4.接露水，种生；5.祭七夫人、魁星、文昌、关公、天孙等等。七夕节的相关器具、制品有牛郎织女年画、七夫人像、七夕绘画、乞巧楼、乞巧针、乞巧果、七巧板等。

七夕节是女性的节日。发展变化过程中，男女爱情的内容也融入其中，体现出人们追求美好情感的愿望。此外，七夕节期间还进行各种智力游戏，丰富了节日内容。

七夕节对研究中国历史文化有重要价值。其中，深入人心的牛郎织女是中国民间文学的重要题材，它与民俗生活结合起来形成了具有特色的民间活动，是文学、民俗学、游艺诸学科研究的重要内容。

目前城市一般不过七夕节，在农村还保留着相关节俗，一些传说也还在流行，但乞巧活动已经淡化，所以七夕节的文化内涵正在逐步弱化，需要加以挖掘和保护。

453

中秋节

◎申报地区或单位：文化部

农历八月十五是中秋节，又称“月夕”、“秋节”、“仲秋节”、“八月节”、“八月会”、“追月节”、“玩月节”、“拜月节”、“女儿节”、“团圆节”，是流行于全国众多民族中的传统文化节日。因其恰值三秋之半，故得此名。据说此夜月亮最大最圆最亮。从古至今人们都有中秋之夜饮宴赏月的习俗，回娘家的媳妇是日必返夫家，以寓圆满、吉庆之意。在香港，过了中秋兴犹未尽，还要在十六夜再狂欢一次，名为“追月”。

中秋节是远古敬月习俗。周代已有“中秋夜迎寒”、“中秋献良裘”、“秋分夕月（拜月）”的活动；汉代则在中秋或立秋之日敬老、养老；晋时已有中秋赏月之举；直到唐代将中秋与嫦娥奔月、吴刚伐桂、玉兔捣药、杨贵妃变月神、唐明皇游月宫等神话故事结合起来，使之充满浪漫色彩，赏月之风方才大

兴；北宋，定八月十五为中秋节，并出现“小饼如嚼月，中有酥和饴”之类节令食品。中秋节的相关活动有：1.流传月亮、嫦娥、玉兔、吴刚等传说；2.举行祭月仪式；3.吃月饼；4.祭祀土地生日；5.做占卜活动；6.送瓜祝子；7.在中秋进行赏月、斗蟋蟀、养蝈蝈等活动。中秋节期间的主要制作工具及作品包括：月亮神马、月饼模子、月饼食品、兔儿爷、蟋蟀罐、蝈蝈笼等。

中秋节的最大特征是将人与自然美好的愿望寄托在天上。中秋节时正当农业丰收的季节，月饼和瓜果既是祭神媒介，也是人们庆祝丰收美好心情的具体象征。

中秋时节，人们在追求花好月圆美景的同时，加强了亲情关系，因此这一传统节日对建设和谐社会有重要价值。

中秋节是一个团圆活泼的大节，其崇尚内容虽然正在淡化，但娱乐、节日饮食等活动还相当活跃。

454 重阳节

申报地区或单位：文化部

农历九月初九为“重阳”，又称“重九”。重九成为节日，可以追溯到汉代。《西京杂记》载：“汉武帝宫人贾佩兰九月九日佩茱萸，食蓬饵，饮菊花酒，云令人长寿。”经过两千多年的变迁，重阳节已成为多元性的节日，伴有形式多样的习俗。

重阳节期间，民间要举行各种活动，其中包括登高、采药、插茱萸、赏菊花、饮菊花酒、围猎、射柳、放风筝、蹴鞠、吃重阳糕、妇女回娘家、孝敬老人等。重阳节期间的制作和作品也非常丰富，主要有茱萸、菊花、菊花酒、重阳糕、寿星、玩具等。

今天的重阳节被赋予了新的含义，1989年，我国把每年的九月九日定为老人节，将传统与现代和谐地结合起来，使这一传统佳节成为尊老、敬老、爱老、助老的正式节日。全国各机关、团体、社区往往都在此时组织从工作岗位上退下来的老人秋游赏景，或临水玩乐，或登山健体，让老人的身心都在大自然的怀抱里得到舒展；不少家庭中晚辈也会搀扶着年老的长辈到郊外活动或特地为老人准备一些可口的饮食。

重阳节有天时（秋高气爽）、人和（敬老）之利，是秋季大节，相关习俗有采中草药、敬祝老人、制药酒养生、登高等。港、澳、台等地尤其重视在这一天举行的祭祀海神活动。重阳节为研究传统节日文化、顺应时代发展提供了典型个案。重阳节向老人节转化对于弘扬健康社会风气有积极的促进作用，对维护祖国统一、增进民族认同感也有十分重要的现实意义。

455 京族哈节

◎ **申报地区或单位：广西壮族自治区东兴市**

京族主要聚居在广西壮族自治区东兴市的沥尾、巫头、山心三个小岛上，地处我国大陆海岸线最西南的部位，与越南隔海相望。

哈节是京族最隆重的节日，也称“唱哈节”。“哈”是京语译音，含有“歌”的意思。各地京族哈节日期不一样，或农历六月初十，或八月初十，或正月十五。各地都有专门用于哈节活动的建筑物——哈亭。京族哈节活动由祭祖、乡饮、社交、娱乐等内容组成。关于哈节有不少民间传说，其中比较有代表性的传说称：古代有位歌仙来到京族三岛，以传歌为名，动员群众起来反抗封建压迫。她的歌声感动了许多群众。后人为了纪念她，建立了“哈亭”，定期在哈亭唱歌传歌，渐成节俗。各村的哈亭是节日活动的中心。

节日活动历时3日，通宵达旦，歌舞不息。周围各族群众亦来共同欢庆。唱哈的主角有3人：男歌手1人，称“哈哥”，专司抚琴伴奏，两位女歌手是“哈妹”，一个持两块竹板，另一个拿一只竹梆，击节伴奏，轮流演唱。歌的内容有民间传说、哲理佳话、爱情故事等。锣鼓声中常有少女登台献舞，其中最有特色的是“头顶天灯舞”。舞者头顶瓷碗，碗上叠盘，盘子里点燃蜡烛，同时两手端着酒杯，杯中也各有蜡烛一根。歌舞时三根蜡烛闪闪不灭，若有多人共跳此舞，则满眼烛光闪烁，美丽动人。

经过近五百年的发展演变，京族哈节已是京族传统文化的集中体现者。

456 傣族泼水节

◎ 申报地区或单位：云南省西双版纳傣族自治州

傣族泼水节又名“浴佛节”，傣语称为“比迈”（意为新年），西双版纳德宏地区的傣族又称此节日为“尚罕”和“尚键”，两名称均源于梵语，意为周转、变更和转移，指太阳已经在黄道十二宫运转一周开始向新的一年过渡。阿昌、德昂、布朗、佤等族过这一节日。柬埔寨、泰国、缅甸、老挝等国也过泼水节。

泼水节一般在傣历六月中旬(即清明前后十天左右)举行，是西双版纳最隆重的传统节日之一。其内容包括民俗活动、艺术表演、经贸交流等，具体节日活动有泼水、赶摆、赛龙舟、浴佛、诵经、章哈演唱和孔雀舞、白象舞表演等。

泼水节为傣族的新年，它起源于印度，曾是婆罗门教的一种宗教仪式，其后为佛教所吸收，约在13世纪末到14世纪初经缅甸传入我国云南傣族地区。随着“南传上座部”佛教在傣族地区影响的增大，泼水节的习俗也日益流行起来。现在，这一节日已成为傣族最主要的民俗节日。节日期间，傣族男女老少都穿上节日盛装，挑着清水，先到佛寺浴佛，然后就开始互相泼水，泼出的清水象征着吉祥、幸福、健康，年轻人还把手里明亮晶莹的水珠，象征甜蜜的爱情。

泼水节是全面展现傣族水文化、音乐舞蹈文化、饮食文化、服饰文化和民间崇尚等传统文化的综合舞台，是研究傣族历史的重要窗口，具有较高的学术价值。泼水节展示的章哈、白象舞等艺术表演能给人以艺术享受，有助于了解傣族感悟自然、爱水敬佛、温婉沉静的民族特性。同时泼水节还是加强西双版纳全州各族人民大团结的重要纽带，对西双版纳与东南亚各国友好合作交流，对促进全州社会经济文化的发展起到了积极作用。

457 锡伯族西迁节

◎ 申报地区或单位：新疆维吾尔自治区察布查尔锡伯自治县

新疆维吾尔自治区锡伯族的西迁节，俗称“迁徙节”、“农历四月十八节”、“农历四月十八西迁节”等。乾隆二十九年（1764）的农历四月十八，四千余名锡伯族官兵及眷属奉朝廷之命由盛京（今沈阳）出发，西迁新疆伊犁地区屯垦戍边。之后每逢农历四月十八这一天，人们都会开展各种活动，以隆重纪念祖先的英雄业绩，这一天遂成为锡伯族的传统节日。

西迁节的庆祝活动丰富多彩，包括野炊、射箭、比武、唱歌、跳舞等内容。特别是以独唱和合唱形式演唱、以西迁过程为主要内容的徵调式西迁之歌，唱词达四百余行，三节为一乐句，全曲十二小节，历经二百多年的丰富、加工和创作，已有7种之多，传承至今，成为西迁节最独特的文化表现形式。西迁节这一天，锡伯族的男女老少都要穿上盛装，欢聚在一起，弹响“东布尔”，吹起“墨克调”，尽情地跳起舞姿刚健、节拍明快的“贝勒恩”。姑娘们的“抖肩”、小伙子们的“鸭步”均惟妙惟肖，他们以此表达对故乡的思念和对未来美好生活的憧憬。这种节庆活动集中展示了锡伯族灿烂悠久的文化传统、民族心理、民族情感、民间信仰、民风民俗及各种工艺和歌舞艺术，有丰富的文化内涵和宝贵价值。

目前，口头和文学作品的失传现象日渐严重，精通满语满文的人越来越少，西迁节民俗艺术的个性特色逐年弱化，需要加大对其保护和抢救的力度。

458 火把节

（彝族火把节）

◎ 申报地区或单位：云南省楚雄彝族自治州 四川省凉山彝族自治州

彝族火把节是所有彝族地区的传统节日，流行于云南、贵州、四川等彝族地区。白、纳西、基诺、拉祜等族也过这一节日。

农历六月二十四的火把节是楚雄和凉山彝族自治州最隆重、最盛大、最富有民族特征的节日。火把节古时又称星回节。有的学者认为此节原系彝族十月历法的一个年节。火把节就是上半年的过年日，因此又称过大年。

有的学者认为火把节的起源与人们对火的崇拜有关，其目的是期望用火驱虫除害，保护庄稼生长。火把节期间，各村寨以干松木和松明子扎成大火把竖立寨

中，各家门前竖起小火把，入夜点燃，村寨一片通明；同时人们手持小型火把绕行田间、住宅一周，将火把、松明子插于田间地角。青年男女在寨中大火把周围弹唱、跳舞，彻夜不息。节日期间，还有赛马、斗牛、射箭、摔跤、拔河、荡秋千等娱乐活动，并开设贸易集市。

火把节期间举行的祭祀、文艺体育、社会交往、产品交流四大类活动是彝族文化体系严整、完备的集中体现。彝族火把节历史悠久，群众基础广泛，覆盖面广，影响深远。火把节充分体现了彝族敬火崇火的民族性格，保留着彝族起源发展的古老信息，具有重要的历史和科学价值；火把节是彝族传统文化中最具有标志性的象征符号之一，也是彝族传统音乐、舞蹈、诗歌、饮食、服饰、农耕、天文、崇尚等文化要素的载体；火把节对强化彝族的民族自我认同意识、促进社会和谐具有重要意义；同时，火把节作为彝族人民与各民族交流往来以及促进民族团结都有现实作用。

459 景颇族目瑙纵歌

◎申报地区或单位：云南省陇川县

目瑙纵歌又称“总戈”，意为“欢聚歌舞”，流传于云南省德宏傣族景颇族自治州的景颇族聚居区，是景颇族最为隆重的传统民族节日。

目瑙纵歌的产生年代可追溯到原始社会时期。目瑙纵歌的最主要活动是跳目瑙纵歌舞。正式活动前，人们在舞场中心立起四根木柱，用来祭祀太阳和指示舞蹈路线。柱侧置刀、矛，象征人民强悍刚毅的性格。根据目瑙舞起源于鸟类舞的传说，在柱档两端设木雕犀鸟、孔雀各一只。柱前立活竹高竿，表示生命常青。上方挂有横匾，画有景颇传说中的起源地喜马拉雅山。

随着时代的发展，目瑙节已成为景颇人民欢庆丰收的歌舞

娱乐的民俗节日。目瑙节中最具代表性的表现形式是目瑙纵歌。它包括东目瑙（招财庆丰收）、巴当目瑙（庆祝胜利）　定栓目瑙（庆贺新居落成）、结如目瑙（出征誓师）等十几种。与目瑙纵歌配合的舞蹈动作虽然不多，但顿步摆肩的韵律鲜明独特，是景颇族舞蹈的代表性动作。举行目瑙纵歌时，方圆百十里有上万人参加，大家同场共舞，气氛隆重热烈，极富民族感召力和凝聚力，又是加强民族关系、增强民族团结的重要渠道。1983年，经德宏傣族景颇族自治州人民代表大会常委会讨论通过，确立目瑙纵歌为德宏州法定的民族节日，时间为每年的正月十五、十六。

景颇族是一个跨境而居的民族，在缅甸北部和印度北部居住有近百万景颇族，国内外都举行目瑙纵歌。而陇川县是目前国内景颇族人口最多、目瑙纵歌传承最为完整规范、最具景颇族代表性的地区。目瑙纵歌集景颇族文化为一体，涉及社会生产生活的各个方面，集中地展现出景颇族的传统文化，对景颇族的历史文化研究有重要价值。

460 黎族三月三节

◎ 申报地区或单位：海南省五指山市

三月三节是海南黎族人民悼念勤劳勇敢的祖先、表达对爱情幸福向往之情的传统节日。

三月三节的来历有两种说法。第一种说法称，相传很久以前，聚居在昌化江畔的黎族遭受了一次特大洪灾，人畜死亡，只剩下一对叫天妃和南音的兄妹。兄妹二人长大成人以后，决定分头寻找伴侣，相约每年三月三再回到燕窝岭下相会。以后每年三月三，南音和天妃娘子跟子孙们便回到这里迎接春天。为纪念他们，黎家称石洞为娘母洞，三月三也就自然成了黎家的盛大节日。第二种说法称，相传在很久以前，石洞有一只作恶多端的乌鸦精，使黎民百姓不得安居乐业。一天乌鸦精抓到了美丽的黎族少女俄娘，这年三月三俄娘的心上人阿贵带尖刀弓箭上山救俄娘，被乌鸦精害死。俄娘闻讯悲痛万分，终于趁乌鸦精熟睡之机杀死了它，为阿贵报了仇，为黎族百姓除了大害。俄娘终生未嫁，每年农历三月三这一天她都会到俄贤洞唱她和阿贵恋爱时的情歌。后来，黎族人民为了纪念她，把这山洞取名为俄娘洞（昌江）。每年三月三这一天，附近的未婚黎族青年男女都会在俄贤岭集会，唱着情歌寻找自己的意中人。此项活动逐年扩大并传播至海南各个黎胞居住区，成为盛大的传统节日。宋代史籍中就有与“三月三”相关的记载。宋范成大《桂海虞衡志》云：“春则秋千会，邻峒男女装束来游，携手并肩，互歌互答，

名曰作剧。”自古以来，每年农历三月初三，黎族人民都会身着节日盛装，挑着山篮米酒，带上竹筒香饭，从四面八方汇集一起，或祭拜始祖，或三五成群相会、对歌、跳舞、吹奏打击乐器来欢庆佳节。青年男女更是借节狂欢，以歌会友，以舞传情，沉醉在幸福的爱河里，直到天将破晓，才会依依惜别，相约来年三月三再会。

黎族三月三有着非常广泛的群众基础。随着时代的变迁，庆祝内容也日益多样，但对歌、民间体育竞技、民族歌舞、婚俗表演仍是最基本的内容。

三月三节是黎族千百年流传下来的文化资源，是黎族文化最具体、最典型的表现。

1984年，根据黎族人民的意愿和要求，广东省人大和广东省人民政府决定将三月三确定为黎族的传统节日。

461 鄂伦春族古伦木沓节

◎申报地区或单位：黑龙江省

鄂伦春族是我国人口较少的少数民族之一，自古以来繁衍生息在黑龙江流域和大小兴安岭的密林深处，世代以狩猎和游猎为生。这种独具特色的生产生活方式形成了别具一格的传统节日——古伦木沓节。

“古伦木沓”为鄂伦春语，意为祭祀火神。古伦木沓节由祭祀火神的仪式演变而来。自古以来，鄂伦春人每到年节或吉日，家家户户都要在自家门前燃起篝火，并焚香跪拜祷告，以求火神保佑平安；饭前还要向火塘洒酒抛肉，以示供奉。长此以往，形成了一种世代传承的民间习俗。

鄂伦春族古伦木沓节活动习惯在每年的春季举行，届时人们带着好酒好肉及帐篷等物，举家骑马到预定地点参加活动。节日期间，活动内容丰富多彩。夜间在篝火周围请萨满跳舞，祭神祭祖；白天则举行赛马、射箭、射击、摔跤及唱歌、跳舞、讲故事、下棋、玩木牌等文体活动。古伦木沓节并非是单一的祭神祭祖日，同时还蕴蓄着丰富的文化内涵。

然而，由于历史原因，古伦木沓节有很长时间停止活动，近几年虽然有群众自发性地加以恢复，但活动的方式和内容已发生了很大变化，一些传统活动濒临消失。因此，保护这一民俗节日刻不容缓。

462

瑶族盘王节

◎申报地区或单位：广西壮族自治区贺州市 广东省韶关市

瑶族盘王节源自农历十月十六的盘王节歌会。每逢这天，瑶民便汇聚一起，载歌载舞，纪念盘王，并逐渐发展为盘王节。今天的盘王节已逐步发展为庆祝丰收的联谊会。青年男女则借此机会以歌道情，寻觅佳偶。

过山瑶的“盘王节”，又称“还盘王愿”，有单家独户举行的，也有全村人举行的。盘王节的节期包括三天三夜和七天七夜两种，其仪式主要分两大部分进行。第一部分是“请圣、排位、上光、招禾、还愿、送圣”，整个仪式中唢呐乐队全程伴奏，师公跳《盘王舞》（《铜铃舞》、《出兵收兵舞》、《约标舞》、《祭兵舞》、《捉龟舞》等）；第二部分是请瑶族的祖先神和全族人前来“流乐”，流乐的瑶语意思是玩乐。这是盘王节的主要部分，恭请瑶族各路祖先神参加盘王节的各种文艺娱乐活动，吟唱表现瑶族神话、历史、政治、经济、文化艺术、社会生活等内容的历史长诗《盘王大歌》。流乐仪式一般要举行一天一夜。

盘王节仪式由4名正师公主持，各司其职，还愿师、祭兵师、赏兵师、五谷师，每人1名助手，共8人，此外还有4名歌娘歌师、6名童男童女、1名长鼓艺人和唢呐乐队参与盘王节。其传承方式以师承和家传为主。

盘王节作为历史悠久、分布广泛的大众节庆活动，集瑶族传统文化之大成，是一种增强民族向心力、维系民族团结的人文盛典。

463 壮族蚂蜗节

◎ 申报地区或单位：广西壮族自治区河池市

壮族蚂蜗节主要流行于广西西北部红水河流域境内，因壮族把青蛙称“蚂蜗”而得名。传说掌管风雨的不是龙王，而是蚂蜗女神。红水河沿岸壮族村寨通过祭祀蚂蜗，祈求风调雨顺，五谷丰登，人畜兴旺。所以，每当春节到来之时，这里的壮乡村寨的人们便自发到蚂蜗亭（社亭）周

围举行隆重热烈的蚂蜗节歌会。蚂蜗节期一般从大年初一起至二月初二结束。节日期间人们以祭蚂蜗为主要活动，敲锣打鼓，招集四方歌友。大家穿上节日盛装，欢聚一堂，歌声遍野。活动程序一般有找蚂蜗、孝蚂蜗、葬蚂蜗三步，以跳蚂蜗舞、唱蚂蜗歌形式相伴完成，以共庆丰收，祈求来年风调雨顺。蚂蜗舞的舞姿多模拟青蛙而为，主要动作有双腿深蹲、撑棍仰身、碎步横行、抬踏颤点等，富于生活气息，诙谐风趣。

红水河两岸百余里的壮家村寨都盛行蚂蜗节活动，历史上曾建成过二三百座蚂蜗亭。由于历史原因，20 世纪六七十年代，蚂蜗节活动很少举行，一些蚂蜗亭在当时遭受破坏，现在遗留下来的已经很少了。

改革开放以后，蚂蜗节活动在各地又陆续得到恢复。目前，年轻人对传统民俗文化活动的态度日益淡漠，一些活动传承人因年事已高而退出舞台，有的已谢世，导致某些技艺得不到传承。有关部门正采取措施对蚂蜗节的相关民俗活动加以抢救和保护。

464 仫佬族依饭节

◎ 申报地区或单位：广西壮族自治区罗城仫佬族自治县

仫佬族主要聚居于广西壮族自治区，自称“伶”和“谨”。依饭节是仫佬族特有的传统节日，带有强烈的感恩和祝愿色彩。依饭节又称“喜乐愿”、“依饭公爷”，意为“向祖先还愿”。

关于依饭节的来历，有两种传说。其一，传说仫佬族始祖因犯罪坐牢期间，得到守监梁、吴二人同情而趁深夜放出始祖。但当晚一片漆黑，又有追兵在后。危难关头忽见一白衣姑娘，牵白马前来相救。始祖骑马腾空而去脱离险境。始祖发迹后不忘梁、吴和白马姑娘救命之恩，定遇难呈祥之日为“依饭节”。其二，传说宋代天禧年间仫佬山乡遭外敌入侵，梁、吴带领乡民鏖战抗击，不幸英勇牺牲。宋理宗于嘉熙四年（1240）特封梁、吴二人为官，并建龛堂，规定每逢亥、卯、未年奉请三元师祈祥集福，祈求人畜平安，五谷丰登。

仫佬族每10年中分别三次于农历立冬时节选择吉日，以仫佬族人居住区或所谓的“冬”为单位，在各自的宗族祠堂里举行隆重而神圣的依饭节，进行虔诚的祭祀活动。整个活动历时一昼夜，由安坛、请圣、点牲、交圣、唱牛哥、合兵和送圣七个程序组成。节日期间，全村上下一片欢腾，男女老少同庆丰收，共享欢乐，相互祝福来年五谷丰登、六畜兴旺。

依饭节为仫佬族所独有，是仫佬族信仰习俗长期积淀的结晶。它体现出仫佬族文化之精髓，进而成为仫佬族文化的重要象征。目前，仫佬族的许多传统民俗日益淡化，依饭节传承的文化空间逐渐缩小，传承后继乏人，亟待抢救、保护。

465 毛南族肥套

◎ 申报地区或单位：广西壮族自治区环江毛南族自治县

“肥套”是毛南族还愿等活动的总称，盛行于明清之际，初为毛南族借助傩祭祀天地自然万物的仪式，在传承过程中融合毛南族口头文学、山歌、戏剧、舞蹈、音乐、打击乐等艺术元素成为内容丰富的民俗活动。其歌、舞、乐、戏等艺术形式承载着毛南人祈求民族生生不息、冀望来年风调雨顺、五谷丰登的美好愿望，它既是毛南族发展的历史见证，又是毛南族传统文化的珍贵遗产。

毛南族肥套种类繁多，内容丰富，其主要表现形式有傩歌、傩舞、傩戏、傩乐、傩故事（口头传说）、傩面具雕刻几大类。

毛南族肥套的形成、发展、演变对认识毛南族历史有重要参考价值。其傩文化以歌、舞、乐、戏等多种形式表现，可以看到毛南族文化与汉族文化融合、嬗变的印记。

由于社会发展和人们价值观念的变化，毛南族肥套处于濒危状态，急需采取有效措施加以保护，使其发挥保持民族文化独特性和维护文化多样性的应有作用。

466 羌族瓦尔俄足节

◎ 申报地区或单位：四川省阿坝藏族羌族自治州

羌族是中国古老的民族之一，自称尔玛人，因依山而居，被称为云朵上的民族，主要聚居于四川省阿坝藏族羌族自治州的茂县。地处茂县北部的曲谷乡西湖寨、河西村千百年来一直流

传着这样一个习俗，为祭祀天上的歌舞女神莎朗姐，每年农历五月初五都要举行“瓦尔俄足”活动，汉语俗称“歌仙节”或“领歌节”。因是羌族女性为主要角色的习俗活动，当地人又称之为“妇女节”。

瓦尔俄足的活动程序主要有：1.“瓦尔俄足”前夜的活动程序：寨中妇女目聚在火塘边制作祭祀女神的太阳馍馍、月亮馍馍和山形馍馍（舅舅陪同）；舅舅开坛、祝词；制作摆供品。2.“瓦尔俄足”这天的活动程序：前往女神梁子祭拜（舅舅带领）；举行敬献、祭杀山羊仪式；舅舅唱经、酬神、祈神；领歌引舞；寨中有威望的老妈妈讲述歌舞女神莎朗姐的故事，让人们明确爱情、生育、家务等传统；男人们在旁烹饪、伺候；传送歌舞。

瓦尔俄足的重要活动，舅舅自始至终参与其中，体现了远古时期羌族女性群体活动中母舅权大的特征，带有浓重的原始母系崇拜色彩，对研究古羌民族的文化内涵及女性习俗等有着重要的价值。瓦尔俄足展现的民间文化艺术，对于研究民间舞蹈“莎朗”的发展、演变也有重要的意义。

467 苗族鼓藏节

◎申报地区或单位：贵州省雷山县

雷山县位于贵州省黔东南苗族侗族自治州西南部，是苗族历次大迁徙后的主要聚集地之一。据《苗族古歌》载，鼓藏节在先秦以前夏王朝时期的古三苗国就已经有了。三苗国在与夏王朝的战争中解体，苗族在往西南迁徙过程中仍然过鼓藏节。苗族迁到雷公山地区定居后，鼓藏节更为盛行。鼓藏节，苗语称“牯哝江略”，意为鼓社节，即以血缘宗族为单位的祭鼓活动。鼓藏节的来历在苗族经典《苗族古歌》里有记载，说的是人类祖先姜央过鼓藏节是为了祭祀创世的蝴蝶妈妈。传说蝴蝶妈妈是枫树生出来的，所以苗族崇拜枫树。既然祖宗的老家在枫树心里，用枫树做成的木鼓就成了祖宗安息的地方，祭祖便成了祭鼓。苗族最高的神是祖先，是生命始祖枫树和蝴蝶妈妈。鼓藏节就是祭祀神枫树和蝴蝶妈妈。

鼓藏节12年举办一次，每次持续达4年之久，现在改为持续3年。苗族聚族而居，雷山苗族以血统宗族形成的地域组织“鼓社”为单位维系其生存发展。“鼓”是祖先神灵的象征，所以鼓藏节的仪式活动都以“鼓”为核心来进行。鼓藏节的仪式由鼓社组织的领导“鼓藏头”操办，“鼓藏头”经由群众选举产生。

鼓藏节第一年二月申日举办“招龙”仪式。全鼓社男女老幼集中到迎龙场的枫香神树脚，由“鼓藏头”在五彩宝辇下主持“招龙”仪式。第一年的七月寅日举办“醒鼓”仪式。第二年十月卯日举办“迎鼓”仪式。第三年的四月吉日，举办“审牛”仪式。第四年十月丑日，

举行杀猪祭鼓仪式，称为“白鼓节”，是“鼓藏节”的结束仪式。

苗族鼓藏节具有鲜明的民族传统文化内涵，是苗族人生价值观的展现，怀念祖先、尊老爱幼、和睦相处、勤劳俭朴、富裕安康等是鼓藏节的祷告主题。苗族鼓藏节是研究苗族历史与文化的百科全书，具有重要的价值。

468 水族端节

◎申报地区或单位：贵州省三都水族自治县

水族主要聚居在贵州省三都水族自治县。端节是水族最盛大的传统节日，相当于汉族的春节。依据水族典籍水书、水历的规定，端节在水族历法年底、岁首的谷熟时节举行，以庆贺丰收、辞旧迎新，节期正对应农历的八月至十月。

端节以亥日为主干推算过节日期，过节批次多，古代分9批，今分7批，首尾间隔约五十来天，保留着水族古代氏族部落庆谷熟、过新年的遗风。

端节主要活动为祭祀和赛马。“除夕”与“初一”相连的两顿饭忌荤食素，但不忌鱼虾。节日期间，铜鼓声此起彼伏，悠扬的歌声和芦笙调从早到晚回荡在翠竹掩映的竹楼里，水

乡山寨沉浸在节日的气氛中。赛马大会是端节活动的最高潮。赛马的地点叫“端坡”或“年坡”，人们吃过年酒后便成群结队地从各村寨赶来这里，端坡顿时人山人海。青年人赶端坡不但为了看赛马，还把这盛大的聚会看成是物色情侣的好机会。跑马之前也要举行一个简单的祭典。人们在跑道中央设一供席，上摆各种各样的祭品，由寨中德高望重的长者主祭。长老伫立桌前神情肃穆，端着斟满酒的酒杯，口中念念有词，大多是对祖先的怀念和吉祥如意的话语。祭典完毕，寨老跃身上马在跑道上遛上一圈，方宣告赛马开始。水族的赛马形式非常独特，叫做“挤马”。当指挥者一声号令，骑手扬鞭策马，在山谷间冲闯，在抗争中挤出山谷向坡顶冲去，谁先到达坡顶，谁就是胜者。

端节堪称是历时最长、批次最多的具有民族特色的年节。登高赛马活动是南方民族年节中独有的现象。同时，端节是水族斗牛舞、铜鼓舞、芦笙舞、对歌等诸多民间艺术起源、传承、发展的重要文化空间。

469 布依族查白歌节

◎ 申报地区或单位：贵州省

布依族主要聚居在贵州省。查白歌节每年农历六月二十一在贵州顶效镇查白村举行。它源于布依族口传民间故事《查郎与白妹》。相传古时候，查白场（原名虎场坝）的查郎救了白妹的命，两人遂成为情深意长的伴侣。白岩寨头人野山猫为抢夺白妹，害死了查郎。白妹放火烧死野山猫，自己也投入火海殉情，与查郎一同变成白仙鹤比翼双飞，飞上九天，成为紫云歌仙。人们为了纪念这对忠贞的夫妇，就将查郎和白妹的姓连在一起，把虎场坝改名为“查白场”，将农历六月二十一定为“查白歌节”。

查白歌节时，男女老少汇集查白场，同吃狗肉汤锅、五色糯米饭和冤枉坨，并在查白树下悼念查郎、白妹，到查白井取水净心，到查白庙敬香，这一天查姓村民要请摩公端公主持祭祀活动，中老年人在查白树下用布依古歌唱查白，祭查白，以此传承查白故事。布依青年男女则穿着节日盛装到查白桥、查白河、松林坡、查白洞、查白井等风物景点去吹木叶、打花包、浪哨交友。夜晚各农户家坐满亲友，通宵喝酒、唱歌。到二十二，青年男女互送信物后依依不舍地离去。

查白歌节不仅是纪念性节日，更是布依青年谈情说爱和求婚择偶的独特时机。

查白歌节是布依族传统文化的一个有特色的展现空间，对于传承布依族优秀传统文化有重要价值。

470

苗族姊妹节

◎申报地区或单位：贵州省台江县

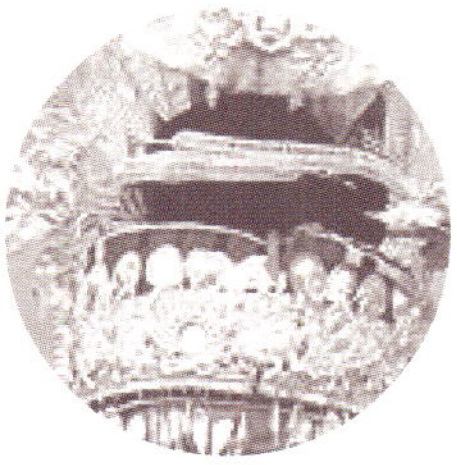

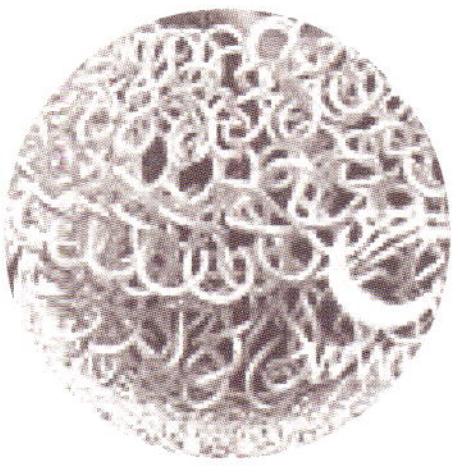

台江苗族姊妹节是台江县老屯、施洞一带苗族人民的一个传统节日，每年农历三月十五至十七举行。届时苗族青年男女穿上节日的盛装，聚集于榕江、杨家、偏寨，欢度这个极富民族特色的传统佳节。台江苗族姊妹节苗语叫“浓嘎良”，它以青年妇女为中心，以展示歌舞、服饰、游方，吃姊妹饭和青年男女交换信物为主要活动内容，节日规模较大，内容丰富独特。

苗族姊妹节历史悠久，作为一种民俗、婚恋、社交方式传承至今。吃姊妹饭是这个节日的重要礼仪事项。按本地人的说法，吃了姊妹饭，防止蛀虫叮咬。姊妹饭同时也是姑娘们送给情侣以表达情意的信物，是节日中最为重要的标志。下田捉鱼捞虾是姊妹饭活动之一，一个寨子的姑娘与另一个寨子的小伙子相约，以捉鱼捞虾谈情说爱等风俗活动，寻找意中人。踩鼓是整个社区参与节日活动的重要方式，姑娘们在父母的精心打扮下，身着节日的盛装聚向鼓场踩鼓，从鼓场上可以看出谁的服饰艳丽，谁的银饰既美又多，苗族人以此方式展示自己的服饰文化。晚上青年男女游方对歌，谈情说爱，男方向女方讨姊妹饭，姑娘们在姊妹饭里藏入信物以表达对男方的不同感情。姊妹节同时也是社区内人们走亲访友、文化娱乐、社会交往的活动舞台，是民族内凝聚人心、加强团结的纽带。

独龙族卡雀哇节

◎申报地区或单位：云南省贡山独龙族怒族自治县

471 独龙族卡雀哇节

472 怒族仙女节

独龙族卡雀哇节流传于云南省怒江傈僳族自治州贡山独龙族怒族自治县西部独龙江流域的所有独龙族村寨。

卡雀哇节在每年农历腊月即公历的12月至次年的1月之间举行，节期最短3天，最长9天。1991年，贡山独龙族怒族自治县人大常委会根据独龙族人民的意愿，把每年的公历1月10日定为独龙族的卡雀哇节。节庆内容包括木刻传信、跳锅庄、射击猎物模型、火塘烧松叶求吉祥、喝木罗酒、剽牛等。各村寨的卡雀哇节节期前后相续，居住于独龙江上游的村落最先揭开序幕，由上游经中游而至下游，各村寨依序进入节期，整个独龙江流域独龙族山寨的卡雀哇庆典前后持续一个月。

卡雀哇节对探索独龙族文化发展的轨迹有重要价值，尤其有助于把握独龙族历法的起源及变迁历史；其次，卡雀哇节日中保留着木刻传信的信息传播方式，是研究无有文字族群的社会组织机制的珍贵样本。另外，卡雀哇节还是独龙族对传统文化加以系统整合和传承的重要载体，彰显了独龙族敬畏自然的理念和人生顺达的愿望。

472

怒族仙女节

◎申报地区或单位：云南省贡山独龙族怒族自治县

怒族仙女节又称“鲜花节”，流传于云南省怒江傈僳族自治州贡山独龙族怒族自治县丙中洛乡的怒族聚居区，每年农历三月十五举行，持续三天。节庆活动包括祭祀仙女洞并迎接圣水、歌舞求福、体育竞技三大类别。

怒族仙女节的起源，一种说法是源于原始崇拜，另一说法是怒族早期母系氏族尊崇女性的一种遗俗。怒族信奉仙女，以祈求安泰。为了纪念传说中的仙女阿茸姑娘，在她死后的第二年农历三月十五，人们举行祭拜活动，逐渐形成仙女节习俗。主祭人念祝辞，大家口头献贡。随着时代的发展，祭祀仙女仪式已渐渐淡化，歌舞求福和体育竞技成为仙女节的主要活动内容。

怒族仙女节的社会基础相当广泛，体现出原始宗教尤其是自然崇拜、生殖崇拜的意识及受藏传佛教文化的影响，对于怒族传统文化传承有着重要价值。

怒族是我国人口较少且跨国境线而居的少数民族之一，其传统文化极易受到外界因素的冲击，仙女节的传承曾一度中断，直到十一届三中全会以后才得以恢复。

473 侗族萨玛节

◎申报地区或单位：贵州省榕江县

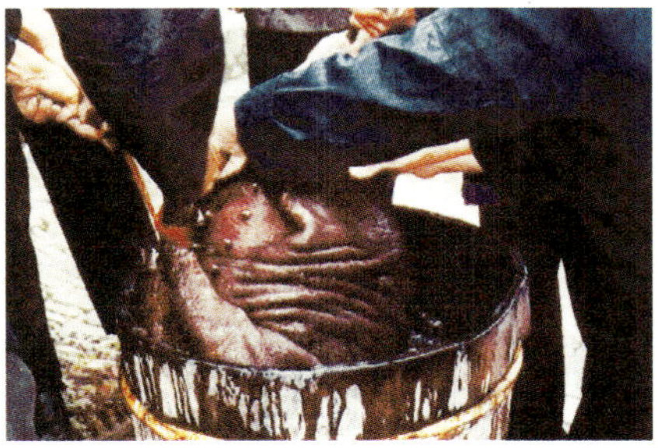

侗族萨玛节流传于贵州省榕江县、黎平县、从江县及周边的侗族地区，主要以榕江县车江侗族萨玛节为代表。

“萨玛”是侗语译音，“萨”即祖母，“玛”意为大，萨玛可汉译为“大祖母”（又称萨岁），她是整个侗族（特别是南部方言地区）共同的祖先神灵的化身。侗族认为祖先神威巨大、至高无上，能赋予人们力量去战胜敌人、战胜自然、战胜灾害，赢得村寨安乐、五谷丰登、人畜兴旺，因而对之虔诚崇拜，奉为侗族的社稷神。同时，萨玛又是传说中的古代女英雄，在侗族古代社会的政治、军事、文化等方面占有重要地位。

萨玛节（祭萨）是南部侗族现存最古老的传统节日，是侗族母系氏族社会时期风俗的遗存。为了祭祀萨玛，大

多数侗族村寨都建有萨玛的祭坛——“然萨”（侗语，“然”是房屋，汉译为“祖母的房屋”，也称萨玛祠、圣母祠），年年农历正月、二月都要在“然萨”举行盛大的祭典，场面宏大而壮观，代代相传，形成了今天的“萨玛节”。

萨玛节举行的时间，一般是农历正月、二月，但有时也根据生产、生活或其他重大活动情况改为在其他月份举行。祭萨的规模，一般为各村（团寨）各祭，有时也邀请邻村、数村或相邻片区联祭，场面壮观。参加祭萨的人员，各地不同，许多地方是全寨男女老少一齐参加。榕江三宝侗乡各村寨，则是以已婚妇女为主体（也有少数德高望重的男性寨老参加）。因此，车江三宝侗乡的祭萨活动，带有悠久的远古母系氏族社会的遗风。祭萨后，活动参加者绕寨一周，最后到达固定的耶坪，围成圆圈，手拉手跳起舞来，齐声高唱赞颂萨玛的“耶歌”。这种边唱边舞的形式，称为“多耶”，气氛古朴而热烈。

萨玛节在侗族人民的思想观念中有很深的影响，先辈“至善”的美德对侗族的兴旺发达有举足轻重的作用。因此，尊敬老人等已成为侗族人民代代相传的优良传统。萨玛是侗寨的保护神、团结神，又是侗族的娱乐神。“萨玛”文化历史悠久，内涵浓厚，对侗族的社会生活有多方面的深刻影响。

仡佬毛龙节

◎申报地区或单位：贵州省石阡县

"仡佬毛龙"是石阡仡佬族世代流传下来的民间崇尚的表现形式，主要流传于贵州省石阡县龙井、汤山等乡镇的宴明、龙凤等仡佬族村寨，辐射及于全县各地的侗、苗、土家各民族。仡佬毛龙主要活跃在元宵节期间，有学者推论，毛龙源起于古代仡佬的"竹王"崇拜和生殖崇拜。

龙崇拜是仡佬毛龙的核心。其基本要素包括：1."龙"信仰，包括传统故事、敬龙仪式、敬龙场合和用品及敬龙神诵词；2.附属图腾信仰，包括"竹王"崇拜、盘瓠崇拜、民间佛道崇拜和原始崇拜等；3.扎艺，包括选材（竹篾、彩纸）和工艺等；4.玩技，包括"二龙抢宝"、"懒龙翻身"、"单龙戏珠"、"天鹅抱蛋"、"倒挂金钩"、"犀牛望月"和"螺丝旋顶"等；5.念诵，包括"开光"、"请水"、"烧龙"等仪式的念诵及"开财门"和"敬财神"等表演时的诵唱。

"仡佬毛龙"有着丰富的文化价值，显示出独特的民族性、地域性及多样的社会功能，它是研究古代仡佬族文化传统的宝贵财富。

475 傈僳族刀杆节

◎申报地区或单位：云南省泸水县

傈僳族刀杆节，傈僳语叫"阿堂得"，意思是"爬刀节"，它是居住在云南省怒江傈僳族自治州泸水县境内的傈僳族以及彝族的传统节日，节期是每年正月十五。

"上刀山，下火海"是刀杆节中主要的习俗表演活动。它再现了山地民族翻山越岭的生活经历及攀藤负葛的艰苦卓绝精神，同时也是一种民间传统习俗活动。关于刀杆节的来历有这样的传说：明代兵部尚书王骥受朝廷派遣，率兵马到云南边陲傈僳族居住地区部署军民联防，平息叛逆，收复被侵占的土地，在当地百姓的配合下，赶走了入侵的敌人。为了使边境民富兵强，他带领傈僳青年习武练勇。后来皇帝听信谗言，毒死王骥。傈僳人民即以过"刀杆节"的方式纪念这位爱国将领。

"上刀山，下火海"包括点兵、点刀、耍刀、迎花、设坛、祭刀杆、竖杆、祭杆、上刀、折刀、下火海等步骤，其间有一套严格的仪式。上刀山和下火海是仪式中最为惊心动魄的环节。上刀山是将36把利刀捆扎于四五丈高的栗树杆上，每把刀相距尺许，刀刃全部朝上，表演者赤脚踏着锋利的钢刀，逐级爬至刀杆顶端，依次进行开天门、挂红、

撒谷等表演。下火海是表演者下刀杆后又踏入通红炽热的炭火中，表演绝技。现在节日中，原始信仰的内容已被展现健康新颖的唱词和丰富的手上舞蹈动作的“跳嘎”所取代，具有了更广泛的群众性。

刀杆节是傈僳族人民自然崇拜的产物，更是傈僳族人民爱国主义精神和不畏艰险的民族精神的体现。

476

塔吉克族引水节和播种节

◎申报地区或单位：新疆维吾尔自治区塔什库尔干塔吉克自治县

在新疆塔什库尔干塔吉克自治县，塔吉克族引水节和播种节是塔吉克族的农事节日。塔吉克语称播种节为“哈莫孜瓦斯特”、引水节为“孜瓦尔”，每年春播的头一天即是节期。

届时，全村人聚集田野，祝贺春播开始，各家各户都带一点麦子放在一起，公众推选一位全村尊敬的长辈来撒种。被推举的长者喜笑颜开，口中念念有词，抓着种子一把把地向田间早已等待在那里的人群身上撒去，大家抻着衣襟，笑声阵阵，往种子撒落处簇拥着，以此表示对春耕播种的祝贺。撒完种子，由一人牵着一头膘肥体壮的耕牛到地里象征性地犁几下，并撒几把麦种表示开播。然后给耕牛喂些形如犁铧、犁套之类的面食，表示对耕牛的慰劳。

据说在旧社会的播种节，那些生活贫困、缺乏种子的人们要全家出动去接种子以解燃眉之急，现在的撒种与接种不过是一种仪式而已。塔吉克人的播种节还有向客人泼水的礼俗，这一天塔吉克人家中若来客人，临别时，早已端着一盆水等候在门外的妇女待客人一出来就向他身上泼水，表示敬意。

引水节和播种节虽然和农业有着密切的关系，但和当地的自然条件也有着密不可分的联系。塔什库尔干塔吉克自治县位于帕米尔高原，气候寒冷，人口稀少，居住分散。在这

种自然条件下，开春破冰引水、播种仅靠一两户人家是难以完成的，需动员和组织全村男女老少一起出动，团结互助把水引来。水引来后，第二天便开犁播种。其间，人们还对缺少种子的人进行帮助，目的是把大家组织起来搞好春耕生产。举行仪式是为了祈求吉祥和丰收，使全村的人都有饭吃。

引水节和播种节的形成和发展以塔吉克族人民互助淳朴的情感为基础，它所提倡的“助人为荣，损人为耻”的风尚对构建和谐社会具有现实意义。

477

土族纳顿节

◎申报地区或单位：青海省民和回族土族自治县

纳顿节是青海省民和县三川地区土族独有的民俗活动。“纳顿”土语原意为“游戏”，关于它的历史渊源，目前还没有发现文字记载。有学者认为，从纳顿节中傩舞傩戏的内容、形式、服饰等考证，纳顿节当起源于元代中期，完善于明代早期。

青海三川地区的官亭、中川等7个乡镇的七十多个村庄都过纳顿节。各地举行纳顿的顺序按庄稼收割季节的先后排列，从农历七月十二的宋家纳顿开始，一村接一村，由下川

向中川和上川转移，一直延续到农历九月十五结束，历时63天。

纳顿节分三个阶段进行。首先是筹备，从清明节开始，三川各村即在本村的神庙祭奠二郎神和地方神，并推选出当年七月举办纳顿会的“大牌头”和“小牌头”，他们在节前负责筹集经费，维持本村社会秩序，协调生产管理（如田间用水顺序）等，节日期间则具体负责活动的组织和实施。其次是小会。节前，村民在会场搭建大型帐篷，以供安放神像和进行祭奠。节前一日大小牌头敲锣打鼓，进行祭典等一系列活动。然后便是纳顿节的正会，它由跳会手、跳面具舞（傩戏）、跳“法拉”（巫）三部分组成。

土族纳顿节特点十分鲜明，它是一种乡人傩民俗活动，以民间信仰为连接村落的纽带，流

传历史久远，每次活动延续时间长，参与广泛等。纳顿节具有严格的组织和程序，其活动与乡村管理和生产时序紧密结合，有明显的社会调适功能。节日期间，活动内容丰富多彩，极富民族地方特色。特别是其中的傩戏傩舞，保存着北方民族萨满文化的残影，同时又吸收了二郎神、关公崇拜等汉文化的内容，既表现了土族的文化个性，又体现了多元文化共生共荣、相互影响、相互交融的民族和谐现象，具有丰富的文化艺术内涵，其音乐、舞蹈、颂词、服饰、仪礼等都富于特色。

纳顿节是人们认识土族历史的“活文献”，它所蕴涵的丰富文化信息，是学术研究的一个重要源泉。

478

都江堰放水节

◎申报地区或单位：四川省都江堰市

清明放水节是世界文化遗产都江堰水利工程所在地都江堰市的民间习俗。在农历二十四节气的清明这一天，为庆祝一年一度都江堰水利工程岁修竣工和进入春耕生产大忙季节，民间都要举行盛大的庆典仪式。

都江堰市位于四川省中部成都平原西北边沿，地处岷江上游和中游结合部的岷江出山口，公元前256年李冰治

理岷江，修筑都江堰水利工程，彻底根治了岷江水患，使成都平原成为“水旱从人”的“天府之国”。人们为了纪念李冰，每年都举行一系列相关活动，包括官方祭祀和群众祭祀活动。官祭活动首先由主祭官宣读祭文，并献帛，献爵，献花，然后瞻仰二王庙。群众祭祀活动主要是拜谒二王庙，祈愿一年风调雨顺，五谷丰登，六畜兴旺。放水节最为重要的活动内容是在都江堰渠首鱼嘴分水工程处举行砍断连接杩槎的竹索、外江水流入经岁修后的内江的开水仪式。

清明放水节再现了成都平原农耕文化漫长的历史发展过程和民俗文化，体现了中华民族崇尚先贤、崇德报恩的优秀品质，具有弘扬传统文化的现实意义。

479 雪顿节

◎ 申报地区或单位：西藏自治区

“雪顿”意为酸奶宴。在藏语中，“雪”是酸奶子的意思，“顿”是“吃”、“宴”的意思，雪顿节按藏语解释就是吃酸奶子的节日。因为雪顿节期间有隆重热烈的藏戏演出和规模盛大的晒佛仪式，所以有人也称之为“藏戏节”、“展佛节”。传统的雪顿节以展佛为序幕，以演藏戏看藏戏、群众游园为主要内容，同时还有精彩的赛牦牛和马术表演等。

雪顿节在17世纪以前是一种原始宗教节日活动，民间相传，由于夏季天气变暖，百虫惊蛰，万物复苏，其间僧人外出活动难免踩杀生命，有违“不杀生”之戒律。因此，格鲁派的戒律中规定藏历四月至六月期间，僧人只能在寺庙念经修行，直到六月底方可开禁。待到解制开禁之日，僧人纷纷出寺下山，世俗老百姓为了犒劳僧人，备酿酸奶，为他们举行郊游野宴，并在欢庆会上表演藏戏。这就是雪顿节的由来。

1642年藏传佛教格鲁派掌权后，五世达赖喇嘛驻锡的哲蚌寺甘丹颇章宫一变成了西藏地方的政治宗教文化中心。每年藏历六月三十日，成千上万的人涌进哲蚌寺，给五世达赖喇嘛和哲蚌寺的僧人们献酸奶，请求摩顶祝福。雪顿节的内容更加丰富，已开始演出藏戏。据记载，参加雪顿

节演出活动的是扎西雪巴、迥巴、降嘎尔、香巴、觉木隆、塔仲、伦珠岗、朗则娃、宾顿巴、若捏嘎、希荣仲孜、贡布卓巴共12个藏戏团体。因此这个有三百多年历史的民族传统节日，在某种意义上可以说是一个藏戏节。

藏戏渗入到雪顿节的初期，范围仍局限在寺庙内，先是以哲蚌寺为活动中心，故人称“哲蚌雪顿节”。五世达赖从哲蚌寺移居布达拉宫后，每年六月三十日的雪顿节，也总是先在哲蚌寺内进行藏戏会演，第二天到布达拉宫为达赖演出。18世纪初罗布林卡建成后，雪顿节的活动又从布达拉宫移至罗布林卡内，并开始允许市民群众入园看藏戏。这以后，雪顿节的活动更加完整，形成了固定的传统节日仪式。

二百年来，拉萨出现了哲蚌雪顿、布达拉雪顿和罗布林卡雪顿并存的局面，其中以罗布林卡为中心。

雪顿节是藏族的重要节日，是藏族文化传承绵延的具体表现形式，过好这一节日对发挥藏族保持民族文化独特性、增强民族团结和维护世界文化多样性有积极意义。

480 黄帝陵祭典

◎申报地区或单位：陕西省黄陵县

黄陵县位于陕西中部、延安市南端，因这里是中华民族始祖轩辕黄帝的陵墓所在地而得名。

轩辕黄帝开历史之先河，创中华之文化，被奉为中华民族始祖。为了纪念和缅怀始祖精神，先民就有了隆重的祭祀活动。据《绎史》记载："黄帝崩，其臣左彻取衣冠几杖而庙祀

之。”最早见诸史料的后世帝王祭祀是周威烈王四年（前422）秦灵公作吴阳上畤，专祭黄帝。汉代以后，祭祀黄帝形成朝廷定例。

1911年，孙中山先生就任临时大总统，专程派人赴黄帝陵祭祖。抗战时期，国共两党几度同祭黄帝陵，毛泽东主席亲自撰写祭文。

黄帝陵祭祀活动在长期的实践中已形成一定的规模格式和祀典礼仪，大致可分为官(公)祭、民祭两种形式。

现在的公祭黄帝陵仪式庄严、肃穆，祭陵现场的布置是：在祭亭上悬挂一横额，上书“公祭黄帝陵典礼”，祭亭内悬挂吊幅，两边柱子上悬挂每年新撰的对联，祭桌上摆放祭器、时鲜水果、鲜花、蜡烛、面花等。祭陵的仪程是：1.全体肃立；2.主祭人、陪祭人就位；3.奏古乐；4.敬献花篮、花圈；5.行三鞠躬礼；6.恭读祭文（由主祭人宣读）；7.讲话；8.鸣放鞭炮、绕陵一周；9.留影；10.植纪念树。

民间祭祀一般在清明节前后和重阳节期间，无固定的仪式，往往根据祭奠者的愿望及习俗而自己确定。民祭程序是：1.全体肃立；2.各界代表就位；3.击鼓鸣钟；4.奏古乐；5.祭奠（敬献花篮、花圈，群众代表敬献三牲祭品，上香，烧纸，奠酒等）；6.行三鞠躬礼；7.恭读祭文；8.鸣放鞭炮、绕陵一周（由鼓乐队前导，主祭、陪祭人依次绕行）；9.祭陵留影；10.植纪念树。民祭活动除保持了公祭活动中的一些内容外，更突出了民间性，增加了鼓乐队、唢呐队、仪仗队、三牲队。

新中国成立后，尤其是改革开放以来，黄帝陵祭祀越来越受到海内外华夏儿女的关注，祭祀规模也日渐隆重，祭祀黄帝已成为传承中华文明、凝聚华夏儿女、共谋祖国统一、开创美好生活的一项重大活动。

炎帝陵祭典

◎申报地区或单位：湖南省炎陵县

炎帝陵位于湖南省株州市炎陵县城西南15公里处的炎陵山山麓。相传上古时代，中华民族的始祖炎帝神农氏来南方巡视，尝草采药，为民治病，不幸误尝毒草身亡，安葬于此。据史料载，从汉代起，祭祀炎帝已成习俗。

炎帝是一位伟大人物，一直受到历朝历代的炎黄子孙的无比敬仰和祭祀。

炎陵县的“炎帝陵祭典”文化历史悠久，祭祀方式包括文祭、物祭、炎祭、乐祭、龙祭等。祭典分官方祭祀和民间祭祀两种，民间祭祀连年累月不断，官方的公祭、告祭也从古代一直延续下来。据史料记载，盛大的祭典于宋代就“三岁一举”，明代不下15次，清代有38次之多。在漫长的历史进程中，“炎帝陵祭典”已成为一个涵盖音乐、舞蹈、文学等多个领域的综合性文化载体，其中在祭奠现场的圣火台上九条龙以圣火石为中心呈放射状排开，自口中喷出火焰点燃圣火石顶端的炎帝圣火，以纪念炎帝神农氏普及火的运用；现场完全不用道具表演的“人龙”，体现中国人既是龙的传人，也是传龙之人的理念；在神龙大殿广场上，黄、青、黑、白、赤五条不同颜色的龙按照“五行”方位进行的表演，蕴涵着丰富的传统文化内涵。改革开放以来，随着炎帝陵在华人界影响力的不断加强，参加“炎帝陵祭典”已成为炎黄子孙寻找民族认同、企盼国家统一、抒发爱国情感的重要方式。近年来，每年来炎帝陵祭奠的海外华人华侨达十多万人次。

炎帝文化的形成，经历了血缘认同、政治认同和文化认同的过程，这种认同，至今仍是维系民族团结、国家统一、反对分裂的牢固精神纽带。在炎帝文化熏陶和影响下，形成的团结统一、独立自主、爱好和平、自强不息、勇于奉献、变革创新等优秀历史文化传统美德，对今天的华夏儿女仍产生着深刻的影响。

千门

482

成吉思汗祭典

◎申报地区或单位：内蒙古自治区鄂尔多斯市

成吉思汗陵是历史伟人成吉思汗英灵供奉之地，位于内蒙古自治区鄂尔多斯市（原伊克昭盟）金霍洛旗霍洛苏木，这里具有独具一格的成吉思汗传统祭祀活动。成吉思汗1227年病逝后，按照当时的习俗实行了秘葬。蒙古族为了纪念自己最杰出的领袖，在漠北高原建立了成吉思汗陵寝“八白室”（即八座可以移动的白色蒙古包），收集成吉思汗遗物供奉在“八白室”中的灵柩内。

成吉思汗祭祀每日举行一次，专项祭奠一年举行六十多次。成吉思汗祭祀主要是表达对长生天、祖先、英雄人物的崇拜，祭奠中再现了古老的蒙古民族牲祭、火祭、奶祭、酒祭、歌祭等形式，诸多富有特色的珍贵祭器则表现了草原民族喜爱大自然和动物的艺术审美观念。

达尔扈特是成吉思汗陵守灵部落，近八百年来世代祭祀成吉思汗，使成吉思汗祭奠完全保留着13世纪以来蒙古帝王祭祀仪式的原貌，成为形式独特、内容丰富、内涵深刻的民族文化遗产。

成吉思汗祭典凝结着蒙古族人民的民族感情，是蒙古族文化绵延的见证，保护好这项活动对保持蒙古族文化的独特性具有重要意义。

483 祭孔大典

◎申报地区或单位：山东省曲阜市

祭孔大典是山东省曲阜专门祭祀孔子的大型庙堂乐舞活动，亦称“丁祭乐舞”或“大成乐舞”，是集乐、歌、舞、礼为一体的综合性艺术表演形式，于每年农历八月二十七孔子诞辰时举行。现在的祭孔大典从9月26日持续到10月10日。

祭孔活动可追溯到公元前478年，孔子卒后第二年，鲁哀公将孔子故宅辟为寿堂祭祀孔子。汉高祖刘邦过鲁，以“太牢”祭祀孔子，开历代帝王祭孔之先河。随着历代帝王的褒赠加封，祭典仪式日臻隆重恢弘，礼器、乐器、乐章、舞谱等也多由皇帝钦定颁行。历代帝王或亲临主祭，或遣官代祭，或便道拜谒，总计达196次。清朝仅乾隆皇帝一人就先后8次亲临曲阜拜谒孔子。民国政府明令全国祭孔，其程序和礼仪做了较大变动，献爵改为献花圈，古典祭服改为长袍马褂，跪拜改为鞠躬礼。1986年，沉寂了半个世纪的祭孔大典经曲阜市文化部门挖掘整理，在当年的“孔子故里游”开幕式上得以重现。

祭孔大典主要包括乐、歌、舞、礼四种形式，乐、歌、舞都是紧紧围绕礼仪而进行的，所有礼仪要求“必丰、必洁、必诚、必敬”。大典用音乐、舞蹈等集中表现了儒家思想文化，体现了艺术形式与政治内容的高度统一，形象地阐释了孔子学说中“礼”的涵义，表达了“仁者爱人”、“以礼立人”的思想，具有较强的思想亲和力、精神凝聚力和艺术感染力，对于弘扬优秀传统文化、营造和乐氛围、构建和谐社会、凝聚民族精神具有不可替代的社会作用。

484 妈祖祭典

◎ 申报地区或单位：福建省莆田市
中华妈祖文化交流协会

湄洲岛位于福建沿海的湄洲湾口，属福建省莆田市，这里是四海共仰的海神妈祖的故乡，是妈祖文化的发源地。目前世界上二十多个国家和地区、国内30个省市五百多个县、市建有五千多座颇具规模的妈祖分灵庙宇，恭祭妈祖民众近两亿人，每年前往湄洲妈祖祖庙朝拜的海内外游人超过一百万人次。

妈祖文化起源于北宋初期，至今已有一千多年的历史。妈祖姓林名默，北宋建隆元年（960）生于莆田湄洲岛，雍熙四年（987）因救助海难逝世。人们感念她生前行善济世，在她死后不久，自发在湄洲岛上立祠祭祀，始称"妈祖"，尊为护航女神。

妈祖祖庙祭典在每年农历三月二十三妈祖圣诞之日举行，行祭地点设在湄洲祖庙广场和新殿天后广场。祭典全程约需45分钟，规模有大、中、小三种，其程序包括：1.擂鼓鸣炮；

2.仪仗仪卫队就位,乐生、舞生就位；3.主祭人、陪祭人就位；4.迎神上香；5.奠帛；6.诵读祝文；7.跪拜叩首；8.行初献之礼，奏和平乐；9.行亚献之礼，奏乐；10.行终献之礼，奏乐；11.焚祝文，焚帛；12.三跪九叩；13.礼成。

妈祖祭典习俗历史悠久、影响深远，尤其在我国大陆沿海、港、澳、台地区和东南亚一带，妈祖形象可谓深入人心，老少皆知。湄洲妈祖文化习俗自成一体，内容独特，有研究和保护价值，尤其是在进一步促进闽台两地交流方面能发挥很大的作用。

台湾有妈祖庙一千多座，妈祖在台湾被尊为“天上圣母”。

2004年10月，中华妈祖文化交流协会在福建莆田湄洲妈祖祖庙成立，为海内外妈祖文化机构和人员开展学术研究、进行联谊交流、弘扬妈祖文化、增进理解共识等提供了重要平台。

在漫长的传承演绎进程中，妈祖文化逐步传播至我国的沿江、沿海和台港澳地区，并随着华侨华人的脚印逐步传播到世界上的五大洲二十多个国家。妈祖文化对世界华人具有很强的凝聚力，特别是在东南亚地区有着很大的影响。妈祖文化经过千年岁月，已经成为中华民族优秀传统文化的重要组成部分，并且成为联系海内外华人、沟通世界各地的文化桥梁和精神纽带。

485 太昊伏羲祭典

◎ 申报地区或单位：甘肃省天水市
河南省淮阳县

甘肃省天水市是我国古文化发祥地之一，也是人类文明始祖伏羲的诞生地。伏羲是中华民族文明创始人，他教佃渔，造工具，兴农耕，制嫁娶，正姓氏，造书契，通八卦，用文明

的灯火引导人们走出了鸿蒙未启的混沌，结束了原始时代的生活方式。伏羲的开天明道之功，奠定了几千年中华文明昌盛的根基。为了纪念和彰显伏羲的功绩，后人修建了伏羲庙，并进行一年一度的祭祀活动。

天水伏羲庙祭祀活动自明成化十九年(1483)开始，一直延续至今。各个历史时期在祭祀规格及内容上都有差别。最兴盛于明代，由朝廷颁发祭文，采用太牢规格，一年两祭，一祭三日，隆重而神圣。到了清代，简化了祭祀程序，仪礼简略。民国时期更为简略，由民间祭祀组织上元会主持祭祀。中华人民共和国成立后，逐渐恢复了清代的祭祀规格，祭祀日期改为正月十五至正月十七，一祭三日，一迎礼，二大典，三送礼。

伏羲庙祭祀活动形成了如下一些基本特征：1.伴随民俗活动产生和发展而形成的对民间习俗的依存特征；2.根据不同历史时期而相对固定的程序性特征；3.具有本区域民

俗祭祀传统与天子祭祀礼仪相结合的特征；4.在祭祀内容上大力弘扬龙文化和伏羲文化的特征；5.具有群众文化活动的特征。

近年来，甘肃省委省政府非常重视伏羲祭祀活动。从2005年开始，每年祭典由甘肃省政府主办。伏羲祭典对于增强中华民族的凝聚力，构建和谐社会，起到了积极的促进作用。

太昊伏羲氏的陵庙位于河南省淮阳县城北1.5公里处，因是中华民族"人文始祖"之陵庙，故称"天下第一陵"。

每年农历二月二至三月三，都要在太昊陵举行朝祖进香祭典。祭典举行期间，也举行庙会，历时月余。二月初十至二月二十的10天，二月十四至二月十六的3天，可说是祭典活动的高峰期，逛会的人群摩肩接踵，万头攒动，每天可达二十余万人。

关于庙会的起源，据《陈州太昊陵庙会概况》一书所言，应始于赵宋以后。庙会的影响范围除河南外，还扩展到安徽、山东、河北等省数十个县（市）。会场方圆约一平方公里，百业杂陈，各行俱备，而以祭祖为核心内容。庙会上出售的"泥泥狗"、"老虎"等泥制玩具，被一些国内外专家学者誉为"真图腾"、"活化石"。

在长期的历史演进中，广大劳动人民把自己的愿望、理想、审美情趣转化为可观可感的文化形态融入庙会活动之中，形成了特定的仪式。它所包括的祭祀性和俗性乐舞、具有"劝善"意义的"守宫说唱"、保留着人类童年意识的民间美术和民间工艺等，由此造成人祖庙会深厚的文化内涵和丰富多彩的表现形式。

近年来，不少国内外专家、学者来庙会上寻古探幽，研究古老华夏的东方文化，港澳台胞回大陆观光，参加太昊陵祭典，寻根问祖，以示不忘祖先，不忘自己是龙的传人。

女娲祭典

◎申报地区或单位：河北省涉县

涉县位于河北省西南部晋冀豫三省交界处，城西10公里的古中皇山上建有娲皇宫，占地面积550亩。主要建筑有朝元宫、停骖宫、广生宫和娲皇宫等，分为山上和山下两组，中间以十八盘山道相连。

传说农历三月十八是女娲的生日，因此，每年农历三月初一至十八，来自晋、冀、鲁、豫四省的人们都要前来朝拜女娲，由此形成影响深远的娲皇宫庙会，至今已有千余年的历史。祭

拜活动以颂扬人类始祖女娲抟土造人、炼石补天、断鳌足、立四极、治洪水、通婚姻、做笙簧等功德为主，主要内容包括民祭、公祭、朝拜等。女娲传说及与其有关的婚嫁、生育、人生礼仪、岁时节庆等民俗事象构成了奇特的民间文化现象。涉县的许多村名、地名都与女娲文化有关，如弹音村与女娲造笙管有关，磨盘村与女娲造人有关等。

保护和弘扬女娲文化，对传承华夏文明、增进民族融合、加强民族凝聚力、激发人们的创业精神具有重要作用，同时有神话学、民俗学、社会学、民间文艺学和宗教学的研究价值。现在女娲祭典日趋式微，民祭的道具、乐器及仪式过程只有几位老人还掌握详情，人生礼俗等内容不断淡化，急需抢救和保护。

487 大禹祭典

◎ 申报地区或单位：浙江省绍兴市

大禹陵位于浙江省绍兴市东南的会稽山。《越绝书·越绝外传记地传》称："禹因病亡死，葬会稽。"据"夏商周断代工程"研究确定，禹在位10年，葬于会稽时为公元前2062年，距今已有四千多年。

大禹陵是全国祀禹中心。四千多年来，大禹陵总是俎豆千秋，玉帛相接，青庙巨丽，祭祀绵亘。历代祭禹，古礼攸隆，影响巨大。自公元前2059年左右，大禹子夏王启开端，祭会稽大禹陵已有定例，夏王启首创的祭禹祀典，是中华民族国家祭典的雏形。公元前210年，秦始皇"上会稽，祭大禹"。历代以来，由皇帝派出使者，帝沐赍礼来会稽祭禹者更多。到明代，遣使特祭成为制度。清代，康熙、乾隆又亲临绍兴祭禹。民国时改为特祭，每年9月19日举行，一年一祭。1995

年4月20日，浙江省人民政府和绍兴市人民政府联合举行了“1995浙江省暨绍兴市各界公祭大禹陵典礼”，承续了中华民族四千年来尊禹祀禹的传统，翻开了新中国祭禹的新的祭祀典章，公祭每五年一祭；地方民祭和后裔家祭则每年一次，绵延不绝。

大禹是华夏民族在神州大地奠基立国的一位伟大先祖。大禹的杰出贡献，对中国历史的演进和发展有深远的影响。大禹陵庙几千年祀典相继，是后人学习大禹明德、弘扬大禹精神的明证，是弘扬民族精神的重要举措，对中华民族起着无可替代的凝聚作用。大禹陵祭典的制度和礼仪，包括祭品、祭器、祭乐、祭舞和祭文等等，灿如星汉，蕴含了十分丰富的民族传统文化的信息。

加强对大禹祭典的保护，对于传承中华历史悠久的传统文化有重要的历史价值、人文价值和学术价值。

488 祭敖包

◎申报地区或单位：内蒙古自治区锡林郭勒盟

祭敖包是蒙古民族传统的习俗，是草原民族崇尚自然思想的表现形式之一。锡林郭勒盟是祭敖包历史遗存保存较为完整的地区。

蒙古族崇尚的“敖包”，也叫“脑包”、“鄂博”，意为“堆子”，以石块堆积而成，一般都建在山顶或丘陵之上，形状多为圆锥形，高低不等。

古代敖包的建立和祭祀比较简单，由祭师宣布，选择某一座山或丘陵作为敖包的所在地。人们在这个地方用土或石头建成堆子，举行若干仪式后就建成

了敖包。以后附近的居民每年都要到这里祭拜，祈祷人畜兴旺。藏传佛教传入蒙古族聚居区后，祭敖包的形式发生了一些变化，但牧民对敖包的参拜祭奠始终不变。

祭敖包的仪式通常在每年农历五月至七月间举行。有的一个旗、一个苏木独祭，也有几个苏木、几个旗联合祭祀的。祭敖包从日出之前开始，仪式隆重、严肃。所有参加者都要围绕敖包沿顺时针方向转三圈，边转边向敖包滴洒鲜奶和酒，然后在敖包正前方叩拜，将带来的石头添加在敖包上，并用柳条、哈达、彩旗等将敖包装饰一新。

祭敖包仪式结束后，便要举行“那达慕”活动，牧民们无拘无束、自由欢乐地参加摔跤、赛马、射箭等传统体育活动，引吭高歌，翩翩起舞，并聚在一起举杯畅饮。

祭敖包是蒙古族古老文化的缩影，与此有关的一系列活动和礼仪体现了蒙古民族的创造力。祭敖包作为一种文化空间，包含了许多蒙古族的传统文化和习俗，对研究游牧文化、蒙古民族发展史具有重要价值。发掘、抢救、保护祭敖包，对促进中华民族文化的认同、增强社会凝聚力，增进民族团结和社会稳定也有重要意义。

489

白族绕三灵

◎申报地区或单位：云南省大理白族自治州

大理白族绕三灵，白族称为“观上览”，流传于云南省大理白族自治州苍山洱海周边地区的白族村寨，迄今已有一千多年。

每年农历四月二十三至二十五，刚好是种植水稻的农忙节令之前，又恰值天气和煦，山川秀丽，生活在苍山洱海一带数百个村庄的白族民众，不分男女，都插花戴朵，身着节日盛装。他们以村庄为单位，几十人至上百人不等，成群结队，携带祭祀用具和简单的行李以及食品、炊具等，从四面八方赶会。人们满怀热情，希望通过自己虔诚的祭拜，使今年风调雨顺，秋后五谷丰登；也祈祷阖家平安。“绕三灵”队伍分为三部分：前导为一男一女（有时也为两男或两女）两位手执柳树枝和牛尾的老人（称花柳树老人）；中部除了吹笛子的一人外，还有手执“霸王鞭”、“金钱鼓”的男女舞者数十人；队尾则由吹树叶的一人和数十位亦歌亦舞、手执扇子或草帽的妇女组成，排成“一字长蛇阵”，在花柳树老人的带领下，于农历四月二十三早晨，聚集到大理古城城隍庙，点燃香烛，准备行装。当日，来自四方的白族群众，从城隍庙出发，一股股，一队队，一路载歌载舞，沿着点苍山麓向北，先到矗立着唐代三塔的佛都崇圣寺燃香祭拜；继而又迤逦北行约16公里，到达苍山五台峰下的朝阳村本主庙祭拜“抚民皇帝”本主，称为“南朝（拜）”，再往北到庆洞村，祭拜“神都”的庆洞“本主”庙，称为“北朝（拜）”。人们认为“神都”所供奉的是大理地区最大的本主“五百神王”段宗榜。然后，在寺院内外场地，打“霸王鞭”和“金钱鼓”，跳扇子舞、唱白族调子，傍晚在神都周围埋锅造饭，当晚即夜宿庆洞庙宇和四周野地树林中。人们尽情歌舞，通宵达旦，热闹非常，使这里成为“绕三灵”活动的中心场所。

四月二十四，祭拜象征洱海之神的斩蟒英雄段赤诚本主。

四月二十五，到大理城北洱海边的马久邑村，祭拜这里的“本主”保安景帝。

在这3天里，“绕三灵”的人们要行走四十多公里路程，吹吹打打，载歌载舞，对歌应答。

绕三灵传承历史久远，群众基础深厚，活动规模庞大，巡游空间广阔，体现出白族在文化上的包容吸纳能力和高度的创新精神。它对强化文化认同感，增强白族凝聚力有很强的现实作用，已成为白族文化最有标志意义的象征之一。

490 厂甸庙会

◎ 申报地区或单位：北京市宣武区

北京市宣武区厂甸庙会始于明代嘉靖，兴于清代康熙，盛于乾隆。1918 年，经市政当局整顿后，正式确定每年正月初一至十五以厂甸和海王村公园为中心举办庙会集市，成为旧时京城惟一的官办春节庙会。1945 年前后，厂甸庙会几近“残灯破庙”。1949 年解放以后，每年农历正月初一至十五，在和平门到虎坊桥路口举办庙会。1960年，因自然灾害曾一度中断。1963年，市政府重开了厂甸庙会，全城轰动。后因修路及“文革”原因，厂甸庙会停办。

厂甸庙会历时四百多年，历经由祭祀而庙市，转而书市，衍成文商并举的春节逛厂甸民俗活动的演变过程，被誉为“雅俗相济、商娱相融”。历史上的厂甸庙会，北起和平门，南抵梁家园，西到南北柳巷，东至延寿寺街，以新华街、海王村、火神庙、吕祖祠为核心地带，又以“厂东门”即琉璃厂东街为主。由于厂甸庙会离市中心最近，是京城各阶层男女老幼旧历新年争相光顾的场所。光绪年间《厂甸记》中说：“平时空旷，人迹罕至；至正月则倾城士女，如荼如云，车载手挽，络绎于途。”

广甸庙会以其悠久的历史、宏大的规模、开放性的形式，尤其是鲜明的京味文化特色在京城独树一帜，现已成为展示京味民间文化和宣南文化的窗口和平台，它是各地民族民间文化艺术精品荟萃的大舞台，具有深厚的文化底蕴和广泛的社会意义，深受广大京城百姓的喜爱，并吸引了众多民族民间传统项目和优秀民间艺术家的积极参与，由此产生的社会效益和经济效益日渐增大。

2001年，新世纪的第一春，厂甸庙会在阔别京城37年后，又以崭新的面貌、深厚的文化内涵、高雅的文化品位出现在京城百姓面前，一举成为北京标志性庙会，使这一历史悠久的文化活动继续得以传承。

4 9 1 热贡六月会

◎ 申报地区或单位：青海省同仁县

热贡六月会是藏族、土族群众中盛行的大型祭祀表演活动，流传于青海省黄南藏族自治州同仁县，每年农历六月十七至六月二十五之间举行，举办活动的村庄有五十多个。

热贡六月会是青海同仁县藏族村庄特有的传统文化节，已流传一千四百多年，其祭神方式在全藏区是独有的。热贡六月会的渊源有两种相关的传说。其一称唐蕃和解时，为了庆祝和平的到来，守卫当地的吐蕃将军于当年的六月十六至二十五向当地的诸守护神叩拜，并隆重祭祀，由此发展成热贡六月会。其二称元末明初时，元朝一支蒙汉混编的军队在隆务河谷接受了明朝的招安并在当地解甲务农。 为了庆祝和平安宁，他们举行了隆重的祭典活动，祈求消灾去难人寿粮丰，热贡六月会即从此发展而来。六月会有固定的阶段时间，它是每年农历六月十七到二十五。正式参加者是所有的男子和年轻未婚的少女，其他人只是观赏者。六月会的节目形式多种多样，气氛热烈而庄重。具体日程少则包括煨桑、请神、大鼓、舞蹈、祭祀等，多则还有上口钎、开山、小品和山歌等。

六月会从头到尾贯穿歌舞表演，主要分为“拉什则”（神舞）、“勒什则”（龙舞）和“莫合则”（军舞）三大类，在不同村庄呈现出多样性。热贡六月会具有很强的传统文化特点，它集仪式、庆典、歌舞、民间小戏表演为一体，具有艺术学、宗教学、人类学、民俗学、文化学等方面的研究价值。

4 9 2

小榄菊花会

◎申报地区或单位：广东省中山市

小榄镇位于珠江三角洲中部，是广东省中山市的重镇。小榄人善作盆菊，技艺精湛。历史上每逢菊花盛开时，各家族将各种菊艺摆设在一起评比高下，曰“菊试”，后发展为菊花会。会期数天至十数天不定，活动内容主要包括赏菊、赛菊、吟菊、画菊、尝菊、水上飘色、菊花戏等。小榄菊花会以花为媒，以菊会友，技艺精巧，规模宏大，构成了独具一格的民间传统综合性花会。

南宋时期，小榄开始种菊。明代，小榄艺菊之风已盛，菊花栽培过渡到整形盆栽。1782年和1791年，各大姓氏先后联合举办了两次大型的菊花会。清嘉庆甲戌（1814）再次举办大型菊花会，乡绅约定，为纪念先辈南宋咸淳甲戌定居之功，以后每逢甲戌年便要开一次盛会。至1934年，共举行了3次菊花大会。大会之间，每年或数年举办一次小型的菊花会。1994年，为秉承传统，各村联合举办了甲戌菊花大会。

小榄菊花会是中国菊文化最集中的体现，群众参与性极强，文化内涵深厚，具有较高的历史和文化价值。同时，菊花品性高洁，早已深入人心，传承菊文化的小榄菊花会对陶冶性情、提高群众文化素养、增进对外文化交流、构建和谐社会均有重要的促进作用。

493 瑶族耍歌堂

◎ 申报地区或单位：广东省清远市

位于粤北山区西北部的清远市连南瑶族自治县，是我国惟一的排瑶聚居地，也是耍歌堂流传的地区。耍歌堂是瑶族一项大型文化活动，主要流行于三排（含南岗）、涡水、大坪、香坪（含盘石）、三江（含金坑）等6个镇的排瑶村寨，具体表现形态包括有祭祀、出歌堂、过州舞、长鼓舞、瑶歌演唱和对唱、法真表演、追打黑面人等。根据史料记载，在明洪武年间（1368—1398）排瑶鼎盛时期已有完整的耍歌堂，至今已有六百多年的历史。耍歌堂是集连南排瑶纪念祖先、追忆历史、庆祝丰收、酬谢还愿、传播知识和群众娱乐活动于一体的民间盛会。大歌堂历时三天，每三年或五年举办一次；小歌堂历时一天，每两年或三年举办一次，会期在农历十月十六盘古王婆生日这一天。排瑶没有本民族的文字，耍歌堂便成了文化交流和传承历史的重要载体。耍歌堂传诵的瑶经为排瑶的族源提供了有力的证据，为瑶划分的定型时间以及研究排瑶的民间信仰与瑶经创作提供了充分的材料。此外瑶经还反映了古代岭南的征战，具有很高的民族学、社会学、民俗学的历史研究价值。另外，耍歌堂中瑶胞佩戴的精美头饰、配饰绚丽的服饰，独特的长鼓舞、师爷舞，以及所用的牛角、铜锣、唢呐、芒笛、五月箫、长笛等民族民间乐器，有很强的民族艺术风格和很高的艺术价值。“文革”期间，耍歌堂曾被禁止，直到20世纪80年代末，耍歌堂才得到了初步恢复。

494 壮族歌圩

◎ 申报地区或单位：广西壮族自治区南宁市

“歌圩”是壮族群众在特定时间、地点举行的节日性聚会歌唱活动形式，壮语称为“圩欢”、“圩逢”、“笼峒”、“窝坡”等。凡是壮族较大的聚居区都有歌圩，举办歌圩的时间主要在春秋两季。春季歌圩以三四月间为最盛，农历三月初三举办的次数最多；秋季歌圩集中于农历八九月，尤以中秋节为最佳日期。歌圩的举办地点各处不尽相同，但每一处歌圩一般都在一个相对固定的地方举行。

歌圩源于氏族部落时代祭祀性的歌舞活动，随着社会的发展，这种原始仪式性的群体歌舞由“娱神”向“娱人”过渡，从“舞化”朝“歌化”发展，从而形成群体性酬唱的歌圩活动。歌圩具有特别的象征性和凝聚力，对壮族的每个成员、每个家庭都有影响。

歌圩以青年男女交情即倚歌择配和赛歌赏歌为核心内容，同时还兼有戏剧、曲艺、体育等文化娱乐活动。它是壮族民歌文化的自然载体，对于壮族各类传统民歌的产生、传承与发展具有重要的作用。同时它又是壮族民间文学的宝库，对了解和研究壮族古代社会生活具有重要的价值。歌圩还为广大民众特别是青年提供了学习山歌和展示歌才的场所，满足了他们崇尚山歌、诗性思维的心理需求。

随着现代化步伐的加快，民族民间传统文化受到严重冲击，歌圩活动也逐渐减少。不少歌圩因为老歌手退出后没有中青年歌手参与和接班而消亡。应迅速采取措施，对这一古老民族风俗进行抢救和保护。

495 苗族系列坡会群

◎ 申报地区或单位：广西壮族自治区融水苗族自治县

苗族系列坡会群，是指在每年春季的农历正月初三至十七这段时间内，广西壮族自治区融水县各乡镇村屯的节日活动。这期间，每天一个坡会，排列成序，连续不断，是以苗族为主的各族人民悼念先烈、禳灾祈福、鼓舞斗志、交流感情、集体聚会娱乐的盛大民间传统节日。

苗族系列坡会群作为一个独特的节日，给当地群众带来的不仅仅是一个聚会活动的契机，更让山民们在互相赶坡中实现展现才华、谈情说爱、交友叙旧、传递信息、交流技术、交易商贸等不同的愿望，展现出这个地区以苗族为主的各族人民的生产生活特征、风俗习惯、民族审美情趣，它凝聚了民族的共同情感，增强了民族文化认同感、凝聚力和向心力，显现出非常鲜明的非物质文化遗产的价值。

然而，由于现代化的影响，人们的生产生活方式发生了改变，加之农村受城市化建设等多方面因素的影响，苗族系列坡会群出现了濒危的状况。

496

那达慕

◎申报地区或单位：内蒙古自治区锡林郭勒盟

那达慕是蒙古族传统群众性盛会，锡林郭勒盟的那达慕具有代表性。那达慕起源于蒙古汗国建立初期，早在1206年，成吉思汗被推举为蒙古大汗时，就举行了盛大的那达慕。

那达慕大会多半选择在牧草茂盛、牛羊肥壮的七八月份举行。古代和近代的那达慕盛会都要进行男子“三艺”——摔跤、赛马和射箭的竞技赛。当代的那达慕大会除了进行男子三项竞技外，还增加了马球、马术、田径、球类比赛、乌兰牧骑演出等新的内容。同时举行物资交流会和表彰先进。今天，锡林郭勒盟地区举办的那达慕已成为全民健身和群众娱乐的重要活动。

摔跤是那达慕的重要项目，按蒙古族传统习俗，摔跤运动员不受地区、体重的限制，采用淘汰制，一跤定胜负。比赛前先推一族中的长者对参赛运动员进行编排和配对，蒙古长调“摔跤手歌”唱过3遍之后，摔跤手挥舞双臂、跳着鹰舞入场，向主席台行礼，顺时针旋转一圈，然后由裁判员发令，比赛双方握手致意后比赛开始，膝盖以上任何部位着地者为负，每个参赛运动员都有奖。

每次那达慕大会都要举行赛马、射箭等活动。赛马分速度赛马（跑马）、走马、颠马三种。参加者有时全是少年，有时不分年龄，具有广泛的群众性。蒙古族射箭分静射和骑射两种。静射时射手立地，待裁判发令后，放箭射向箭靶，优者为胜；骑射时射手骑在马上，在马跑动中发箭，优者为胜。

那达慕已有近八百年的历史，一直在锡林郭勒草原上流传和发展，深受各族群众的喜爱，

成为了蒙古族文化传统的重要载体。那达慕上的各项活动是力与美的显现、体能和智慧的较量、速度和耐力的比拼，比较全面地展示了在草原上生活的群众的综合素质。

发掘、抢救和保护那达慕，对中国体育史，乃至世界体育史的丰富和完善都有重要价值。

497 维吾尔刀郎麦西热甫

◎申报地区或单位：新疆维吾尔自治区麦盖提县

新疆麦盖提县位于新疆维吾尔自治区西南部，这里是维吾尔族典型的聚居地区，约89%的人口是能歌善舞的刀郎维吾尔族。

刀郎麦西热甫以表现刀郎地区维吾尔人民野外狩猎、喜庆丰收、欢乐生活等情景为主，包含有刀郎木卡姆演唱、群众自娱舞蹈、餐饮、文学艺术表演及各种游戏等。它不受环境条件、时间、参与人数的限制，程序严格，种类繁多，内容丰富多彩，根据其性质和功能，大致可分为节庆礼仪和人生礼仪、农牧业生产、社交活动、其他民俗活动等几种类型。

刀郎麦西热甫有着悠久的历史，据说它源于西域土著民族文化，又深受伊斯兰文化的影响。有专家认为，在维吾尔族祖先从事渔猎、畜牧时期就产生了在旷野、山间、草地、场院即兴抒发豪情壮志的歌舞。在长期的社会历史发展的进程中，刀郎维吾尔人将各种生活素材不断充实到刀郎麦西热甫之中，形成了独特的刀郎文化。刀郎麦西热甫主要流传于塔里木盆地西北缘以叶尔羌河至塔里木河流域为中心的刀郎地区维吾尔民间，其中尤以麦盖提县传承最为广泛。

由于刀郎麦西热甫舞姿变化无穷，热情奔放，参与人数较多，不受时间地点限制，因而成为培养刀郎麦西热甫民间艺术家和陶冶刀郎人情操的主要方式。它始终保持着塔里木土著歌舞浓郁的原生态特色，是刀郎维吾尔人日常生活的重要组成部分。

刀郎麦西热甫是研究刀郎维吾尔人历史、社会生活、精神风貌的百科全书，发掘、抢救、保护刀郎麦西热甫对新疆地区精神文明建设，丰富人民群众的文化生活，提高人民素质，促进人的全面发展，构建社会主义和谐社会都将产生积极的推动作用。

498

秦淮灯会

◎申报地区或单位：江苏省南京市

秦淮灯会是历史上流传于南京地区的民俗文化活动，又称“金陵灯会”，主要集中在每年春节至元宵节期间举行。

秦淮灯会的历史源远流长，根据文献记载，早在南朝时期，都城南京就出现了举办传统元宵灯会的习俗。其盛况堪称全国之冠。自明初洪武帝朱元璋在南京倡导元宵灯节活动以后，南京逐渐开始享有了“秦淮灯火（彩）甲天下”的美誉，秦淮河悬挂花灯的画舫（俗称“灯船”）随之蜚声天下。

历史上的秦淮灯会主要分布在南京秦淮河流域，20世纪以后它主要集中在夫子庙地区，目前已经扩展到“十里秦淮”东侧五里地段，核心区域包括夫子庙、瞻园、白鹭洲公园、吴敬梓故居陈列馆、江南贡院陈列馆、中华门瓮城展览馆及中华路、平江府路、瞻园路、琵琶路一带。

南京地区广大民众为了祈求风调雨顺、家庭美满和天下太平，在秦淮灯会时通过扎灯、张灯、赏灯、玩灯、闹灯等诸种形式不断地营造出“万星烂天衢，广庭翻人潮”的美好意境，寄托自己的良好愿望与生活追求。与此相辉映的其他民间文化艺术门类如南京剪纸、空竹、绳结、

雕刻、皮影、兽舞、秧歌、踩高跷等也随之得到迅速发展，进而对中国其他地区的民间文化和民俗活动产生积极的影响。

秦淮灯会作为一项重要的民俗文化活动，是历代南京民众延续和传承民俗文化的重要空间，长久以来，它已成为秦淮文化的重要组成部分。南京本土和外来的文化艺术贯穿于灯会中，构成其艺术内涵。每年的秦淮灯会吸引了众多海内外游人，他们在领略秦淮灯会、感受金陵民间文化的同时，也促进了该地区经济的发展。

秦淮灯会无论是历史意义、人文价值、经济价值还是社会影响都非常巨大，作为南京地区的特色文化空间，它将进一步发扬光大，并传承下去。

499 秀山花灯

◎申报地区或单位：重庆市秀山土家族苗族自治县

秀山花灯流传于重庆市秀山土家族苗族自治县，它起源于唐宋，延续于元明，兴盛于清代，发展于民国，辉煌于中华人民共和国成立以后，是一种集歌、舞、戏剧和民间吹打于一体的以歌舞表演为主的综合性表演艺术。

秀山花灯有两人表演的单花灯、四人表演的双花灯、多人表演的群花灯。音乐包括曲调和打击乐两部分。曲调有“正调”、“杂调”之分，传统曲目有“黄杨扁担”等五百余首，打击乐曲牌有【懒龙过江】、【猛虎下山】等四十余个。花灯戏又名鱼边戏，有《花子醉酒》等三十多个剧目。

秀山花灯表演从正月初二开始，至正月十五结束，十六以后叫“厚脸灯”。表演花灯有一套完整的程序，包括祭灯、启灯、开财门、观灯、送寿月、闹红灯、拜年祝贺、谢主、辞神、烧灯等。

在长时期的表演中，形成了舞蹈性、歌唱性、戏剧性、模拟性、民族性、地域性、程序性、群众性等特征，深受广大民众喜爱。

抢救、保护秀山花灯，对于丰富民众文化生活，促进土家族民俗音乐舞蹈艺术及其历史的研究，具有重要的实用价值和学术价值。

500

全丰花灯

◎申报地区或单位：江西省修水县

全丰花灯是江西修水全丰镇一项介于灯、戏、舞之间的艺术表演活动，主要特色是灯队表演，具有浓厚的民俗色彩。春节期间，乡村各路花灯云集，从初一发灯一直唱到元宵，跑东家串西家，通宵演唱。此外，民间节日、做寿、上梁、婚嫁，都请来花灯热闹一番。

全丰花灯有八盏（也叫盆灯），其灯工有八种特技，号称：姑嫂推磨、老鼠犯梁、刘海戏船、猴子打兑、仁贵射雕、姐妹观花、洞宾背剑、张三打虎，全属玩耍表演。场内四角各立一盏六角长形的彩灯，伴有花灯音乐。花灯的说唱，均用道地的西乡全丰方言。节日花灯上门演出，首先要送“灯帖”通知对方。出发时，将书有“庆祝某某某娱乐花灯”的牌头开道，一路彩灯高照，锣鼓喧天。花灯队活跃在偏乡僻壤、山高林密之处，不要舞台、幕布，田间、草地、厅堂、庭院，随时随地可演，为山区群众所喜所乐，给山民送去祥和欢乐的气氛。

全丰镇有二十余支花灯队，最活跃的是塘城街（镇所在地）、龙泉段、黄沙段、绿豆窝、黄袍冲、杉树坪、上源等地。每支花灯队均有锣鼓、服装、道具等设备，演员最小的16岁，年长的七十余岁，皆有一定的演唱表演能力。龙泉段一千二百多人，70%的人都会唱花灯，可见普及程度。现在主要传承人曹泽民，祖宗三代都唱花灯。

501 泰山石敢当习俗

◎ 申报地区或单位：山东省泰安市

“石敢当”习俗分布的地区十分广泛，以山东泰山地区为中心，逐渐扩散到全国各地（包括台湾省和少数民族地区）和东亚的日本、韩国及东南亚和世界各地的华侨居住区。它的主要表现形式是以小石碑（或小石人）立于桥道要冲或砌于房屋墙壁，上刻（或书）“石敢当”或“泰山石敢当”之类字样，以禁压不祥。此俗在民间甚为流行。

石敢当习俗起源于上古时期的灵石崇拜，先后经历了早期石敢当的萌芽阶段、石敢当的变异阶段和兴盛阶段三个时期。明代以后，石敢当信仰与东岳泰山崇拜紧密结合，由“石敢当”发展到“泰山石敢当”，其功能也经历了从最早的“镇宅”到“化煞”再到“治病”、“门神”、“辟邪”、“防风”等的转变。在历史的演变过程中，关于石敢当的神话故事也在各地演绎成多种版本。

泰山石敢当所表现的“吉祥平安文化”体

现了人们普遍渴求平安祥和的心理，体现了中华民族的人文精神和文化创造力。泰山石敢当习俗历经千年而不绝，主要是因为它与“中国人魂归泰山”的信仰结合在一起，同时也与各地的民间信仰和民俗文化相结合，在此前提下，它获得了扎根于相关社区、群体的文化传统，并世代相传。石敢当信仰为中国广大地区和众多民族所认同并远播海外，从一个侧面反映了中华文明的历史延续性，因此它具有见证中华民族文化传统生命力的独特价值。石敢当在国内外广大地区传播的过程中，产生了大量精美的石刻和造像，它们不但具有美学价值、艺术价值，而且是重要的历史文物。在民间口头传承的石敢当神话故事和民间艺人创作的相关戏曲、曲艺，则充分表现了民间文化艺术的创造力。

发掘、抢救、保护石敢当习俗，弘扬它所体现的平安文化，对于增强中华民族的文化认同，促进祖国统一大业，增强民族团结和社会凝聚力都具有重要作用。

502 民间社火

◎申报地区或单位：山西省潞城县 陕西省宝鸡市

民间社火是春节期间流行于民间的一种自演自娱活动，它来源于古老的土地与火的崇拜。社，即土地神；火，即火祖，是传说中的火神。在以农业文化著称的中国，土地是人们的立身之本，它为人类的生存

发展奠定了物质基础。火是人们熟食和取暖之源，也是人类生存发展必不可少的条件，远古人们凭着原始思维认为火也有“灵”，并视之为具有特殊含义的神物，加以崇拜，于是形成了崇尚火观念。由古老的土地与火的崇拜中，产生了祭祀社与火的风俗。随着社会的发展和人们认识能力的提高，祭祀社火的仪式逐渐增加了娱人的成分，成为规模盛大、内容繁复的民间娱乐活动。

社火根据其表演形式可分为造型社火和表演社火两类。造型社火有布社火、背社火、马社火、车社火、芯子社火、山社火、面具社火等列队游演，主要展示人物造型和工艺；表演社火有地台社火、高跷社火等，主要在场院进行斗打表演。

社火以民间传说和戏剧故事为题材，通过一个或一组人物展现一个故事，一个故事即为一转社火。人物要画社火脸谱，穿社火服装，持社火把杖。社火游演一般是探马在前，后面跟着社火会旗、火铳队（炮队）、旗队、社火队，最后是锣鼓队。

改革开放给民间社火艺术带来了新的生机，社火艺术得到发扬光大，成为群众喜闻乐见的民间文化活动。

503 鄂尔多斯婚礼

◎申报地区或单位：内蒙古自治区鄂尔多斯市

鄂尔多斯婚礼发源于古代蒙古，形成于蒙元时期。15世纪，随着蒙古族鄂尔多斯部进入鄂尔多斯地区，祭祀成吉思汗的“八白室”安奉在鄂尔多斯境内的甘德尔敖包上，蒙古族的鄂尔多斯婚礼便以其特有的仪式程序流传在鄂尔多斯民间。鄂尔多斯地区至今仍然比较完整地保留着鄂尔多斯婚礼的仪式程序，并使其发展演变成为一种礼仪化、规范化、风俗化和歌舞化的民俗文化现象。

鄂尔多斯婚礼有哈达订亲、佩弓娶亲、拦门迎婿、献羊祝酒、求名问庚、卸羊脖子、分发出嫁、母亲祝福、抢帽子、圣火洗礼、跪拜公婆、掀开面纱、新娘敬茶、大婚回门等一系列特定的仪式程序和活动内容。

这些仪式程序和活动内容既不同于其他民族婚礼的程序，也与其他地区的蒙古族婚礼有别，是蒙古族婚礼中最具特色、最有吸引力、最隆重的形式，它凝聚了蒙古民族礼仪风俗的精华，成为迄今保留最完整、内容最丰富的一部蒙古民族风情画卷。鄂尔多斯婚礼以男方娶亲为主线，浓缩了蒙古族娶亲过程中的精华内容，寓情于歌舞，场面热烈欢快、诙谐喜庆，内容健康，品格高雅，突出表现了蒙古族人民粗犷剽悍、豪爽热情、讲究礼仪的民族性格。鄂尔多斯婚礼集鄂尔多斯蒙古族传统的崇尚文化、祭祀文化、宫廷文化、饮食文化、服饰文化、礼仪习俗、民族歌舞之大成，以幸福、吉祥、喜庆、热烈的情绪贯穿始终，展示了民族魅力，表达了人们追求幸福生活的美好愿望，具有丰富而深刻的文化内涵。

504

土族婚礼

◎申报地区或单位：青海省互助土族自治县

互助土族地区流传的土族婚礼习俗源远流长。土族婚礼习俗是土族人民通过与自然界的斗争和长期的生产生活的实践逐步形成和发展起来的，是在载歌载舞活动中完成的，是土族劳动人民集体智慧的结晶。婚俗分几个步骤，第一步说媒，第二步定亲，第三步开礼，第四步就是结婚仪式。结婚的前一天是女方的出嫁之日，需宴请亲朋好友，男方则在这一天下午请两名能歌善舞、能说会道的“纳什金”(即娶亲者)带上娶亲的礼品和新娘穿戴的服装、首饰，拉着一只白母羊(象征着纯洁和财富)到女方家娶亲。此时，女方家故意不给纳什金开门，并由阿姑(年轻女

子)唱起悦耳的“花儿”,让纳什金对歌,还从门顶上向纳什金身上泼水,以示吉祥。直到阿姑们被唱得无歌以对或者是娶亲人词穷时,女方才肯开启大门将纳什金邀至家中。随后由新郎向岳父母敬献哈达,拜神佛,礼毕上炕喝茶、吃饭。此时阿姑们拥挤在窗口唱起婚礼曲,气氛热烈欢快,紧接着阿姑们冲进屋里拉起娶亲人到庭院或麦场上去跳“安昭”舞。整个婚礼一直进行到深夜才结束，其间所涉及歌舞的种类近二十种，一场土族人的婚礼就是一次优美的歌舞盛典。

互助土族婚礼具有土、藏、汉文化兼融的特点。土族婚礼歌曲调优美，蕴涵丰富，包括天文、地理、历史、宗教、神话、人生礼俗等内容，带有浓厚的文化色彩，是土族传统文化最突出的表现形式，寓含土族人的精神、信仰、价值取向等内容，涉及土族衣食住行等方方面面，富有强烈的地方特色和独特的民族特色，是土族民间文学和民间艺术的重要载体，对研究土族文化、历史、民风民俗等具有重要的学术价值。

505

撒拉族婚礼

◎申报地区或单位：青海省循化撒拉族自治县

撒拉族婚礼是撒拉族人生礼仪中最为重要的一个礼仪活动。撒拉族传统的婚礼仪式都在每年的隆冬季节举行，从订婚到举行婚礼仪式需要经过相亲、打发媒人、送订婚茶、送聘礼、念合婚经、送嫁、回门等几个程序，大约半年多时间。在撒拉族婚礼中迄今还保留着敬献“羊背子”等古老的突厥民族婚礼习俗。这些习俗已在突厥民族后裔的生活中绝迹，却在时间和空间上远离突厥文化圈的撒拉族风俗中得以传承，因此它是研究突厥古代文化的“活化石”。

撒拉族的婚礼中保留的“堆委奥义纳”是一出以民族迁徙史传统教育为主要内容的带有一定话剧特点的民族舞蹈，20 世纪 50 年代以前的婚礼中尚有保存，但是由于社会变革，婚期缩短，这种表现形式已不复存在，只有一些老年人尚有记忆。

撒拉族婚礼仪式在清乾隆年间编撰的《循化志》一书中有较为详细的记载，二百多年来，整个婚礼仪式程序未有太大的变化，传承体系较为完备，对研究撒拉族文化史有重要价值。

506 马街书会

◎ 申报地区或单位：河南省宝丰县

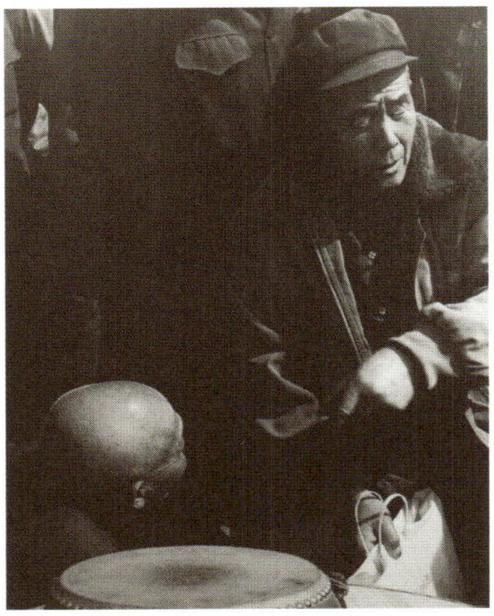

河南省宝丰县的马街书会又称“十三马街书会”，是全国曲艺行当的交易盛会。每年农历正月十三到十五为书会的会期，十三为书会正日。书会在宝丰县城南7公里处杨庄镇马街村北应河岸边举行，届时来自河南省和外省市的说书艺人负鼓携琴，汇集于此，说书亮艺，河南坠子、道情、曲子、琴书等曲种应有尽有，规模壮观，形成全国民间艺术的奇伟景观。由于马街书会具有独特的民间艺术表演魅力和深厚的文化底蕴，它被誉为“中国十大民俗”之一，宝丰县也因此被国家有关部门命名为“曲艺之乡”和“中国民间艺术之乡”。

马街书会历史久远，其起始年代已难确考。据史料推断，

它最早可能出现在元代，距今已有六百多年的历史；最晚可能出现在清乾隆年间，距今也已有二百多年。

作为具有鲜明特点的民间曲艺交流交易场所和文化空间，马街书会的主要特点在于：1.规模大，居全国之冠；2.历史久，源远流长；3.说书“写书”（与艺人约定说书合同），形式独特；4.内涵丰富，影响力大；5.以书会友，艺乡情深。

每年书会期间，来自各地的曲艺艺人满怀虔诚前来“亮书”（展示说书艺术），以天当幕，以地为台，说、拉、弹、唱，以艺会友，代代相传。观众动辄十万人以上，影响辐射周边数百公里。

507 胡集书会

◎申报地区或单位：山东省惠民县

“胡集书会”是兴起并扎根于山东省惠民县胡集镇的一种曲艺集市盛会。据民间传说，至今已有三百多年的历史。最早源于曲艺艺人的竞技活动，后逐渐演变为以联谊为主、具有习俗性质的自发性民间曲艺交流活动。

每年农历的正月十二为胡集书会的“偏节”，十五为“正节”。每逢书会，艺人们于十一日晚前赶到胡集，借宿在村民家，集体进行“望空”、“报门”等联谊活动，次日早8时至下午1时，聚集在镇东南的干沟附近，择地演唱。书会上有西河大鼓、木板大鼓、毛竹板书、评书、渤海大鼓、山东快书、山东琴书、渔鼓书等曲艺表演形式。附近群众及各村的“请书”代表轮番前来观看，选定艺人及节目后，拿走艺人的乐器以表示成交。从当日晚至正月十六，艺人在约请演出的人家或单位连演4天，所得报酬颇为丰厚。

书会兴盛时，除附近及本省艺人外，还有来自辽宁等地的外地说书艺人前来，最多时达到三百余栏，观众十多万人。

胡集书会一直是民间艺人自发的活动，书会期间公推德高望重者主持祭奠、授徒等仪式。1985年，政府修建了可容纳八百多人的曲艺厅，平整了场地，对到会艺人进行有效管理和妥善安置，受到欢迎。

胡集书会作为自发形成的单纯曲艺交易活动，历史悠久，影响深远，对交流发展曲艺艺术、丰富群众节日娱乐生活起到过积极作用。

508 安国药市

◎申报地区或单位：河北省安国市

安国市为保定市辖区，南距省会石家庄100公里。安国药王庙始建于东汉，祭拜东汉光武帝刘秀二十八大将之一的邳彤（字伟君）。自南宋咸淳年间始，安国药市至今已有七百余年历史。庙会有“春五秋七”之说，即春庙五个月，秋庙七个月，经年不断。春庙的正期是农历四月二十八，传说这天为药王生日，所以成为春庙最盛的一天。冬庙则以农历十月十五为正期，传说这天为药王祭日，盛况与春庙正日相同。

药王市有其独特的参拜礼仪。演戏、抬大供、献鼎、树伞、塑金身、挂匾、献袍、捐地、劳役等多种形式。礼仪则分三拜九叩和四叩礼等数种，另供面食、三牲祭品。其间还有丰富多彩的游艺活动。

随着药王庙会声望日隆，药材交易规模不断扩大，清代中期逐渐形成全国各地药商组成的“十三帮”及“五大会”，同时建立了招待商客、管理市场的“安客堂”，安国自此成为我国北方最大的药材交流中心，被誉为“药都”和“天下第一药市”。自明清至民国，庙会由“十三帮”轮流操办，每年初一、十五都要临庙祭祀。

药王庙在全国医药界人士和广大民众的捐助下，于1985年重修，传统的庙会文化活动日益发展。安国药市不仅是具有地域特色和行业特色的民俗文化，而且在带动药业发展、促进社会进步等方面具有积极的作用。

509

壮族铜鼓习俗

◎申报地区或单位：广西壮族自治区河池市

广西的一些少数民族素来有在节日庆典或祭祀中击打铜鼓的习惯，这一风俗一直沿袭至今，现在东兰、天峨等地壮族群众每年过三月三和春节，都安、巴马、大化等地瑶族群众过祝著节，南丹瑶族举行葬礼祭祀，南丹中堡苗族过春节或遇上喜庆时都要以击铜鼓的方式表示庆贺或悼念之情。

大约在公元前7世纪前后，生活在中国珠江流域的濮人从炊具铜釜中创造了打击乐器铜鼓。此后铜鼓向北传入四川邛都，向东传入贵州和广西、广东，向南传入越南北部，向西传入缅甸、泰国，至今铜鼓已流传了两千多年。在大部分地区和众多的民族中已相继退出历史舞台，只留下某些遗迹和历史的回忆，但仍有一部分地区和民族还保存着使用铜鼓的古老习俗，为绵延千古的铜鼓文化留下了“活化石”。贵州南部和广西西北部接壤的红水河流域是保留铜鼓文化最丰富的地区，还在使用铜鼓的民族主要有属壮侗语族的壮族、布依族、傣族、侗族、水族，属苗瑶语族的苗族、瑶族和属藏缅语族的彝族。铜鼓在失去权力象征的功能之后回到民众中，至今仍在民间使用，成为一种活着的文化遗存。红水河流域各民族的传统文化活动都使用铜鼓，铜鼓成为这些民族现存文化传统的活见证，

从不同侧面反映了红水河流域使用铜鼓民族的经济状况、文化面貌和心理素质，以及他们在漫长的历史进程中为适应自然环境而产生的独特创造力。

铜鼓涉及矿冶、铸造、声学、历史、艺术以及与之相关的科技史、考古学、民族学、人类学等，具有重要的文化价值。

510 楹联习俗

◎ 申报地区或单位：中国楹联学会

楹联习俗源于我国古代汉语的对偶现象。西晋时期(290年左右)，出现合律讲究的对句，可视为其形成的重要标志。在一千七百余年的历史传衍过程中，楹联与骈赋、律诗等传统文体形式互相影响、借鉴，历北宋、明、清三次重要发展时期，形式日益多样，文化积淀逐渐丰厚。楹联有偶语、俪辞、联语等通称，以"对联"称之，则肇始于明代。楹联以"副"为量词，一般以两行文句为一副，并列竖排展示，自上而下读，先右后左，右边为上联，左边为下联。

楹联属格律文学，有种种讲究，但无字数和句数的限制，少则一字，多至千言。上下对举、字数相等、词性相同、平仄相对、辞法相应、节律对拍、形对义联是其文体特性，其中尤以声律的平仄与词性的对仗为关捩。楹联言简意赅，雅俗共赏，人称"诗中之诗"。

楹联以文字为内容、以书法为载体，制品种类繁多，包括纸裱、镜框、木刻、石刻、竹刻等。在楹联发展过程中，出现了大量的相关著述，各类楹联典籍数以万计。

楹联应用广泛，除名胜宫殿、亭台楼阁、厅堂书屋悬挂外，还广泛应用于节庆、题赠、祝贺、哀挽、陵墓等场合。依据功用之不同，可分为春联、寿联、风景名胜联、自题联及各种技巧联等。

楹联习俗在华人乃至全球使用汉语的地区以及与汉语汉字有文化渊源的民族中传承、流播，对于弘扬中华民族文化有着重大价值。

511 苏州甪直水乡妇女服饰

◎ 申报地区或单位：江苏省苏州市

生活在苏州以东吴县甪直、胜浦、唯亭、陆墓一带的农村妇女一直保留着传统的民俗服饰，她们以梳愿摄头、扎包头巾，穿拼接衫、拼裆裤，束偃裙，裹卷膀，着绣花鞋为主要特征的传统服饰颇具江南水乡特色，获得了苏州“少数民族”之称。水乡妇女很重视愿摄头的梳理和装饰，

她们在乌黑的头发、硕大的发髻、众多的饰品之外，辅以精美的包头巾和服饰，显示出自己的心灵手巧和端庄秀美。其服饰的地方特色非常浓郁，传承性相当稳定，随着季节的变化、年龄的差异和礼仪的需要，其服饰会有明显的差别。一般来说，春秋季节服饰的特点最为突出。春秋季水乡妇女服饰上装以拼接衫为主，面料多用花布、土布、深浅士林布等，色彩对比鲜明，鲜而不艳、艳而不俗。几种色彩的面料拼接而成的服装剪裁得体，缝工精细，装饰性很强，拼接、滚边、纽襻、带饰、绣花等装饰工艺很好地显示了服装的风格特征。裤子多用蓝地白印花布或白地蓝印花布制成，裤裆用蓝或黑色士林布拼接。这些服饰最初由于受布幅的

限制，为省料而拼接，后由实际需要的拼接发展到主观意识的拼接，讲究整齐均衡和对称的形式美。腰部的瞩裙也很有特色，长度齐膝，裙裥极细，裥面和裙带上均有不同工艺的花饰，裙外面系上一条小穿腰，与瞩裙相连。穿腰上缝着一个大口袋，四周及带上绣着各种图案的花纹，是服饰中的重要装饰物。

水乡妇女服饰历史悠久，世代相传，相沿成习，传承性很强。它适合水乡妇女从事生产劳动的需要，实用价值较高。这种服饰还反映了水乡地区传统的审美观念。

512 惠安女服饰

◎申报地区或单位：福建省惠安县

惠安女服饰是流传于福建省东南沿海地区惠安县的一种独特的妇女服饰。它源于百越文化，又融会了中原文化和海洋文化的精华，经过一千多年的演变和传承而顽强地保留下来。惠安女服饰的整体样式定型于唐代，至宋代渐趋成熟。清初发生比较明显的变化，形成了款式奇异、装饰独特、色彩协调、纹饰艳丽的基本特征。现在惠安县东沿海的崇武、小岞和净峰三个乡镇的渔家女及东岭、山霞等部分“内地”妇女还保留着这种服饰习俗，其中以崇武和小岞的服饰最具特色。

惠安当地以“封建头，民主肚，节约衣，浪费裤”的歌谣概述了惠安女服饰各个部分的特征。斗笠是惠安女现代服饰最显现的部分，主体色彩是纯黄色的，非常鲜艳。头巾是惠安女服饰中最富有特色的部分，每条头巾都是正方形的（约66厘米），色彩和花纹基本上是蓝地白花、绿地白花、白地绿花等，虽然每条头巾的花纹均不相同，但都比较清新、淡雅、悦目。惠安女的发饰装扮，继承了中国古代妇女重视首饰的传统。

衣服最大的特点是“衣短露脐”。惠安女的腰饰，一种是用各种色彩的塑料带编织而成的，总宽约7至9公分，色彩非常醒目；另一种是用银打制成的。惠安女所穿的裤子主色调为黑色，显得稳重、大方，又容易搭配其他颜色的衣料及饰物。

惠安女服饰各部分之间在色彩、款式、线条、图案等方面的配合是相当协调且恰如其分的，它既带有传统风味，又有一定的现代气息。

惠安女服饰的发展变化有其自身固有的规律，它以适应生活和劳动为前提，并严格遵循自身的审美观念，以“称体、入时、从俗”为追求目标。

如今，受生活方式变化的影响，穿着传统惠安女服饰的人已经越来越少了，对这一富于地方特色的服饰风格尚需传承发展。

513 苗族服饰

（昌宁苗族服饰）

◎ 申报地区或单位：云南省保山市

昌宁苗族服饰流传于云南省保山市昌宁县街乡的苗族村寨。其原料主要为当地生产的火麻土布。当地苗族人民将火麻剥出的麻丝用手摇机纺成线，再用土布机织成火麻土布。苗族妇女们根据自己的爱好和想象在麻布缝制成的衣裙上缝出各种图案，抒写出自己的梦想与渴望。一套完整的苗族妇女盛装包括包头、上衣、披肩、围腰、腰带、短裙等大小十八件套，被形象地称作“十八一朵花”。用色大胆是昌宁苗族服饰的显著特点，其色调以红、黄、橙、白为主，并以刺绣取胜。

昌宁苗族服饰有着极其独特的历史内涵和文化意蕴，伴随着服饰工艺而产生的《种

麻纺织调》、《纺织调》、《刺绣调》等是中华民族口述文学中的瑰宝。从昌宁服饰可以追溯苗族历史的发展进程和文化沉积，由此折射出苗族在与自然的抗争中对世界的认识。昌宁苗族服饰集中反映了苗族的价值观和审美意识。

514 回族服饰

◎ 申报地区或单位：宁夏回族自治区

回族服饰具有鲜明的民族特色，主要有坎肩、戴斯达尔、麦赛海袜、准白、礼拜帽、盖头等。

坎肩的原料为布、绸、绢、麻等，有夹、棉、单等多种，冬夏均可穿用，可作内衣，也可作外衣，便于挽袖子洗小净、干活，且不易受凉。

戴斯达尔是波斯语，意为缠头巾，它源于伊斯兰教创始人穆罕默德早期传播伊斯兰教时头缠的“戴斯达尔”，色以白、黄为主。麦赛海袜是阿拉伯语，意为皮袜子，牛皮加工制成，洁净光亮，结实耐用。伊斯兰教规定，穆斯林每日五次礼拜须洗小净，如果穿上麦赛海袜子可以免去小净中的洗脚程序，用湿手在袜子的脚尖至脚后跟上抹一下即可代替。准白也是阿拉伯语，意即袍子，用棉布、化纤和毛料制作，有单、夹、棉、皮四种，款式近似现代的长大衣，领子为制服领口，色多为黑、白、灰三种。礼拜帽亦称回回帽，系一种无檐小圆帽。回族在礼拜磕头时，前额和鼻尖必须着地，戴无檐帽行动更为方便，遂受

展成为一种服饰习俗。礼拜帽色以白、黑为主，也有灰、蓝、绿色。白色回回帽多用棉布制作，有的用白线绾成，用于秋冬季节。因所处地区和教派不同，礼拜帽的样式有集中类型，除圆帽外，还有圆边角帽和尖顶六角帽。

盖头是回族等穆斯林妇女传统的头巾，用于遮盖头发、耳朵、脖子，露出面孔。伊斯兰教把妇女头发列为“羞体”，《古兰经》强调指出，穆斯林妇女必须“俯首下视，遮其羞体”，为了遮发，同时也为了防沙保洁，于是逐步形成了穆斯林妇女披盖头的习俗。

宁夏回族自治区的回族服饰是回族宗教信仰、生存环境、文化活动的生动写照，也是回族文化传承的重要载体，具有一定的学术价值。

515 瑶族服饰

◎申报地区或单位：广西壮族自治区南丹县、贺州市

广西壮族自治区南丹县瑶族服饰在广西瑶族服饰中特色非常突出，分男装和女装。男装又分盛装和便衣，其服饰图案，鸡仔花是主要纹饰，均见于男女服装，体现出对鸡的崇敬。

南丹瑶族男子便衣为蓝黑色立领对襟衣，胸前两侧各绣一个鸡仔花图案；裤子则用白布做成，长度刚过膝盖，裤脚用黑布镶边。南丹瑶族男子盛装的上衣外沿都用蓝布镶边，腰部两边和背部下沿绣有鸡仔花和米字纹图案。南丹瑶族男子白裤的膝部绣有五条红色花纹，民间相传这是瑶王与外族战争时留下的血手印。

南丹瑶族女性夏装的上衣称为“褂衣”，为前后两块方布缝合而成——前为纯色黑布，后则用染、绣手法做成各种图案；冬装上衣一般为右衽，袖服，无扣。不分冬夏，南丹瑶族妇女下身均着蓝色及膝的百褶裙，裙面用树汁画染成三组环形图案，裙边用红色无纺蚕丝片镶边。南丹瑶族妇女服饰的上衣和裙子都采用独特的树汁染技术。

无论刺、绣、镶、染，其物态形式均已成为一种民族的文化符号，表达了南丹瑶族的生活意趣和特定的文化意念，在中国少数民族服饰文化中具有重要的地位和价值。

广西贺州市地处湘、粤、桂边境五岭余脉山区，是中国瑶族的主要聚居区。贺州瑶族服饰分过山瑶、土瑶、平地瑶三大类。其中，过山瑶服饰仅头饰就分尖头、平头、包帕等三类七种。如，

尖头又分塔式、斜形、小尖头；平头又分包锦、缠纱；包帕又分单帕、重帕。

贺州瑶族服饰的图案纹饰具有鲜明的民族文化的历史特征。如大量的动物纹和植物纹，反映了瑶族从渔猎经济向农耕经济的过渡；大量的人形纹及“卍”字纹，体现了瑶族的原始宗教崇拜和佛道文化对瑶族的深刻影响。另外，贺州瑶族服饰还反映了瑶族人的年龄、婚否、爱情及社会地位等状况。研究和保护瑶族服饰具有重要的学术价值和现实意义。

516 农历二十四节气

◎ 申报地区或单位：中国农业博物馆

二十四节气起源于黄河流域，远在春秋时期，中国古代先贤就定出仲春、仲夏、仲秋和仲冬等四个节气，以后不断地改进和完善，到秦汉年间，二十四节气已完全确立。公元前104年，由邓平等制订的《太初历》正式把二十四节气定于历法，明确了二十四节气的天文位置。二十四节气是我国劳动人民独创的文化遗产，它能反映季节的变化，指导农事活动，影响着千家万户的衣食住行。

太阳从黄经零度起，沿黄经每运行15度所经历的时日称为“一个节气”。每年运行360度，共经历24个节气，每月2个。其中，每月第一个节气为“节气”，它们是：立春、惊蛰、清明、立夏、芒种、小暑、立秋、白露、寒露、立冬、大雪和小寒12个节气；每月的第二个节气为“中气”，它们是：雨水、春分、谷雨、小满、夏至、大暑、处暑、秋分、霜降、小雪、冬至、大寒。“节气” 和“中气”交替出现，各历时15天，现在人们已经把“节气”和“中气”统称为“节气”。

二十四节气反映了太阳的周年视运动，所以它在现行的公历中日期基本固定，上半年在6日、21日，下半年在8日、23日，前后相差1至2天。

二十四节气为中国大众所普遍接受，日常生活中随处可见二十四节气的影响，一些节气和民间文化相结合，已经成为人们的固定节日。最著名的清明、立春、立夏、冬至都融入了节日的氛围，夏至、暑伏也与日常生活紧密相连，以致民间有“冬至饺子、夏至面”、“头伏饺子、二伏面、三伏烙饼摊鸡蛋”、“冬练三九、夏练三伏”的说法。在这些节令中，往往伴有丰富多彩的民俗活动。

二十四节气这一非物质文化遗产十分丰富，其中既包括相关的谚语、歌谣、传说等，又有传统生产工具、生活器具、工艺品、书画等艺术作品，还包括与节令关系密切的节日文化、生产仪式和民间风俗。二十四节气是中国古代农业文明的具体表现，具有很高的农业历史文化的研究价值。

517

女书习俗

◎申报地区或单位：湖南省江永县

江永县位于湖南省南部边陲，西部和南部与广西桂林地区为邻，隶属永州市。江永女书流传于江永县的仅有两万人口的上江圩（包括上江圩镇和铜山岭农场及周边的个别村落）一带。该县的潇浦镇、千家峒瑶族乡、允山镇、黄甲岭乡等地历史上也曾流传过女书，但在60年前即已先后消失。

江永女书是现在世界上惟一存在的性别文字——妇女专用文字，它的发展、传承及以其为符号承载的文化信息构成了女书习俗。女书文字呈长菱形，笔画纤细均匀，似蚊似蚁，民间叫它作长脚蚊字或蚂蚁字，因其专为妇女所用，学术界便将其称为“女书”。江永女书是一种古老文字，已为专家学者们所共识，但因女书没有古代文物，又未载于史志，故不能确定其起源时间。

女书记录的语言是女书流行地的与众不同的永明土话；它标记语言的手段和方法奇特，可以同音借代，用仅有的四百多个字符可以写出千余字的七字韵文来；女书采取家传、亲朋相教的方式世代相传；它和妇女特有的婚嫁、岁时节日、庙会等民俗活动紧紧融合在一起，充分表现了自己的功能和价值。因此女书对语言文字学、历史学、考古学、人类学、妇女学、民俗学、社会学、美学以及民族文化史和民间文学等多学科领域都具有重要的研究价值。

518 水书习俗

◎ 申报地区或单位：贵州省黔南苗族布依族自治州

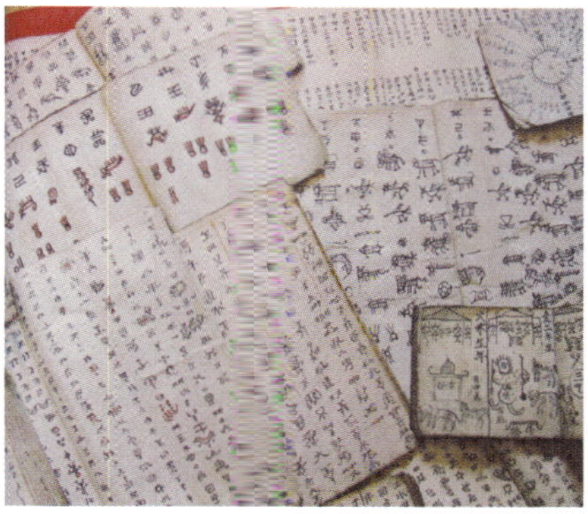

“水书”是水族先民创制的一种独具一格的雏形文字，水族语言称其为“泐雎”，它是水族民间知识、民间文化的综合记录与反映，涉及天文历法、原始信仰、伦理道德、生产生活等诸多方面的内容，主要流传于西南地区的水族聚居地。

水书的文字符号体系独特，既有类似甲骨文、金文的一种汉字，也有众多的象形文字符号，还有段落表义的图画文字。其字数少（仅数百字）、文字符号体系独特，文本不能独立表达意义，而要依靠有师承关系的水书先生，即能看懂读通和会使用水书的“祭师”（全部为男性）。据水书所载相关条目，结合口传内容作

出解释才能具有意义。因此几千年来水书是靠一代又一代的水书先生通过口传、手抄的形式流传下来的，它是水族古文字抄本和口传心授文化传承的结合。水书习俗是水书形成、发展和传承并以此构成与水族生活相关的习俗。

水书习俗的传承方式形成了水书的两大组成部分：一部分是用水族雏形古文字编著的手抄本，一部分是通过水书先生口传心授，用以弥补因文字发展不完善而无法记录的大量要义、仪式、祝词等。水书各类卷本繁多，主要有诵读卷本、应用卷本两大类。应用卷本主要包括《诵读卷》、《时辰卷》、《28宿卷》等数十种，诵读卷本主要包括《正七卷》、《亥子卷》等十数种。

水书被誉为水族的百科全书。水族人民丧葬、祭祀、婚嫁、营建、出行、占卜、生产，均由水书先生从水书中查找出依据，然后严格按照其制约行事，并由此形成水书习俗。水书先生与水书的结合是传承水族传统文化的重要前提。

附录

国务院办公厅《关于加强我国非物质文化遗产保护工作的意见》（国办发〔2005〕18号） 国务院《关于加强文化遗产保护的通知》（国发〔2005〕42号） 联合国教科文组织《保护非物质文化遗产公约》 《国家级非物质文化遗产保护与管理暂行办法》（中华人民共和国文化部令，第39号）

国务院办公厅
《关于加强我国非物质文化遗产保护工作的意见》

国办发〔2005〕18号

各省、自治区、直辖市人民政府，国务院各部委、各直属机构：

我国是一个历史悠久的文明古国，不仅有大量的物质文化遗产，而且有丰富的非物质文化遗产。党和国家历来重视文化遗产保护，弘扬优秀传统文化，为此做了大量工作并取得了显著成绩。但是，随着全球化趋势的增强，经济和社会的急剧变迁，我国非物质文化遗产的生存、保护和发展遇到很多新的情况和问题，面临着严峻形势。为贯彻落实党的十六大有关扶持对重要文化遗产和优秀民间艺术的保护工作的精神，履行我国加入联合国教科文组织《保护非物质文化遗产公约》的义务，经国务院同意，现就进一步加强我国非物质文化遗产保护工作，提出以下意见：

一、充分认识我国非物质文化遗产保护工作的重要性和紧迫性

非物质文化遗产是各族人民世代相承、与群众生活密切相关的各种传统文化表现形式和文化空间。非物质文化遗产既是历史发展的见证，又是珍贵的、具有重要价值的文化资源。我国各族人民在长期生产生活实践中创造的丰富多彩的非物质文化遗产，是中华民族智慧与文明的结晶，是连结民族情感的纽带和维系国家统一的基础。保护和利用好我国非物质文化遗产，对落实科学发展观，实现经济社会的全面、协调、可持续发展具有重要意义。

非物质文化遗产与物质文化遗产共同承载着人类社会的文明，是世界文化多样性的体现。我国非物质文化遗产所蕴含的中华民族特有的精神价值、思维方式、想象力和文化意识，是维护我国文化身份和文化主权的基本依据。加强非物质文化遗产保护，不仅是国家和民族发展的需要，也是国际社会文明对话和人类社会可持续发展的必然要求。

随着全球化趋势的加强和现代化进程的加快，我国的文化生态发生了巨大变化，非物质文化遗产受到越来越大的冲击。一些依靠口授和行为传承的文化遗产正在不断消失，许多传统技艺濒临消亡，大量有历史、文化价值的珍贵实物与资料遭到毁弃或流失境外，随意滥用、过度开发非物质文化遗产的现象时有发生。加强我国非物质文化遗产的保护已经刻不容缓。

二、非物质文化遗产保护工作的目标和方针

工作目标：通过全社会的努力，逐步建立起比较完备的、有中国特色的非物质文化遗产保护制度，使我国珍贵、濒危并具有历史、文化和科学价值的非物质文化遗产得到有效保护，并

得以传承和发扬。

工作指导方针：保护为主、抢救第一、合理利用、传承发展。正确处理保护和利用的关系，坚持非物质文化遗产保护的真实性和整体性，在有效保护的前提下合理利用，防止对非物质文化遗产的误解、歪曲或滥用。在科学认定的基础上，采取有力措施，使非物质文化遗产在全社会得到确认、尊重和弘扬。

工作原则：政府主导、社会参与，明确职责、形成合力；长远规划、分步实施，点面结合、讲求实效。

三、建立名录体系，逐步形成有中国特色的非物质文化遗产保护制度

认真开展非物质文化遗产普查工作。要将普查摸底作为非物质文化遗产保护的基础性工作来抓，统一部署、有序进行。要在充分利用已有工作成果和研究成果的基础上，分地区、分类别制订普查工作方案，组织开展对非物质文化遗产的现状调查，全面了解和掌握各地各民族非物质文化遗产资源的种类、数量、分布状况、生存环境、保护现状及存在问题。要运用文字、录音、录像、数字化多媒体等各种方式，对非物质文化遗产进行真实、系统和全面的记录，建立档案和数据库。

建立非物质文化遗产代表作名录体系。要通过制定评审标准并经过科学认定，建立国家级和省、市、县级非物质文化遗产代表作名录体系。国家级非物质文化遗产代表作名录由国务院批准公布。省、市、县级非物质文化遗产代表作名录由同级政府批准公布，并报上一级政府备案。

加强非物质文化遗产的研究、认定、保存和传播。要组织各类文化单位、科研机构、大专院校及专家学者对非物质文化遗产的重大理论和实践问题进行研究，注重科研成果和现代技术的应用。组织力量对非物质文化遗产进行科学认定，鉴别真伪。经各级政府授权的有关单位可以征集非物质文化遗产实物、资料，并予以妥善保管。采取有效措施，防止珍贵的非物质文化遗产实物和资料流出境外。对非物质文化遗产的物质载体也要予以保护，对已被确定为文物的，要按照《中华人民共和国文物保护法》的相关规定执行。充分发挥各级图书馆、文化馆、博物馆、科技馆等公共文化机构的作用，有条件的地方可设立专题博物馆或展示中心。

建立科学有效的非物质文化遗产传承机制。对列入各级名录的非物质文化遗产代表作，可采取命名、授予称号、表彰奖励、资助扶持等方式，鼓励代表作传承人（团体）进行传习活动。通过社会教育和学校教育，使非物质文化遗产代表作的传承后继有人。要加强非物质文化遗产知识产权的保护。研究探索对传统文化生态保持较完整并具有特殊价值的村落或特定区域，进行动态整体性保护的方式。在传统文化特色鲜明、具有广泛群众基础的社区、乡村，开展创建民间传统文化之乡的活动。

四、加强领导，落实责任，建立协调有效的工作机制

要发挥政府的主导作用，建立协调有效的保护工作领导机制。由文化部牵头，建立中国非物质文化遗产保护工作部际联席会议制度，统一协调非物质文化遗产保护工作。文化行政部门与各相关部门要积极配合，形成合力。同时，广泛吸纳有关学术研究机构、大专院校、企事业单位、社会团体等各方面力量共同开展非物质文化遗产保护工作。充分发挥专家的作用，建立非物质文化遗产保护的专家咨询机制和检查监督制度。

地方各级政府要加强领导，将保护工作列入重要工作议程，纳入国民经济和社会发展整体规划，纳入文化发展纲要。加强非物质文化遗产保护的法律法规建设，及时研究制定有关政策措施。要制定非物质文化遗产保护规划，明确保护范围、保护措施和目标。中国民族民间文化保护工程是非物质文化遗产保护工作的重要组成部分，要根据其总体规划，有步骤、有重点地循序渐进，逐步实施，为创建中国特色的非物质文化遗产保护制度积累经验。

各级政府要不断加大非物质文化遗产保护工作的经费投入。通过政策引导等措施，鼓励个人、企业和社会团体对非物质文化遗产保护工作进行资助。要加强非物质文化遗产保护工作队伍建设。通过有计划的教育培训，提高现有人员的工作能力和业务水平；充分利用科研院所、高等院校的人才优势和科研优势，大力培养专门人才。

要充分发挥非物质文化遗产对广大未成年人进行传统文化教育和爱国主义教育的重要作用。各级图书馆、文化馆、博物馆、科技馆等公共文化机构要积极开展对非物质文化遗产的传播和展示。教育部门和各级各类学校要逐步将优秀的、体现民族精神与民间特色的非物质文化遗产内容编入有关教材，开展教学活动。鼓励和支持新闻出版、广播电视、互联网等媒体对非物质文化遗产及其保护工作进行宣传展示，普及保护知识，培养保护意识，努力在全社会形成共识，营造保护非物质文化遗产的良好氛围。

附件：

1．国家级非物质文化遗产代表作申报评定暂行办法

2．非物质文化遗产保护工作部际联席会议制度

3．非物质文化遗产保护工作部际联席会议成员名单

国务院办公厅

二〇〇五年三月二十六日

附件 1

国家级非物质文化遗产代表作申报评定暂行办法

第一条　为加强非物质文化遗产保护工作，规范国家级非物质文化遗产代表作的申报和评定工作，根据中华人民共和国宪法第二十二条“国家保护名胜古迹、珍贵文物和其他重要历史文化遗产”及相关法律、法规，制定本办法。

第二条　非物质文化遗产指各族人民世代相承的、与群众生活密切相关的各种传统文化表现形式（如民俗活动、表演艺术、传统知识和技能，以及与之相关的器具、实物、手工制品等）和文化空间。

第三条　非物质文化遗产可分为两类：(1) 传统的文化表现形式，如民俗活动、表演艺术、传统知识和技能等；(2) 文化空间，即定期举行传统文化活动或集中展现传统文化表现形式的场所，兼具空间性和时间性。

非物质文化遗产的范围包括：

（一）口头传统，包括作为文化载体的语言；

（二）传统表演艺术；

（三）民俗活动、礼仪、节庆；

（四）有关自然界和宇宙的民间传统知识和实践；

（五）传统手工艺技能；

（六）与上述表现形式相关的文化空间。

第四条　建立国家级非物质文化遗产代表作名录的目的是：

（一）推动我国非物质文化遗产的抢救、保护与传承；

（二）加强中华民族的文化自觉和文化认同，提高对中华文化整体性和历史连续性的认识；

（三）尊重和彰显有关社区、群体及个人对中华文化的贡献，展示中国人文传统的丰富性；

（四）鼓励公民、企事业单位、文化教育科研机构、其他社会组织积极参与非物质文化遗产的保护工作；

（五）履行《保护非物质文化遗产公约》，增进国际社会对中国非物质文化遗产的认识，促进国际间的文化交流与合作，为人类文化的多样性及其可持续发展作出中华民族应有的贡献。

第五条　国家级非物质文化遗产代表作的申报评定工作由非物质文化遗产保护工作部际联席会议（以下简称部际联席会议）办公室具体实施。部际联席会议办公室要与各有关部门、单位和社会组织相互配合、协调工作。

第六条　国家级非物质文化遗产代表作的申报项目，应是具有杰出价值的民间传统文化表现形式或文化空间；或在非物质文化遗产中具有典型意义；或在历史、艺术、民族学、民俗学、社会学、人类学、语言学及文学等方面具有重要价值。

具体评审标准如下：

（一）具有展现中华民族文化创造力的杰出价值；

（二）扎根于相关社区的文化传统，世代相传，具有鲜明的地方特色；

（三）具有促进中华民族文化认同、增强社会凝聚力、增进民族团结和社会稳定的作用，是文化交流的重要纽带；

（四）出色地运用传统工艺和技能，体现出高超的水平；

（五）具有见证中华民族活的文化传统的独特价值；

（六）对维系中华民族的文化传承具有重要意义，同时因社会变革或缺乏保护措施而面临消失的危险。

第七条　申报项目须提出切实可行的十年保护计划，并承诺采取相应的具体措施，进行切实保护。这些措施主要包括：

（一）建档：通过搜集、记录、分类、编目等方式，为申报项目建立完整的档案；

（二）保存：用文字、录音、录像、数字化多媒体等手段，对保护对象进行真实、全面、系统的记录，并积极搜集有关实物资料，选定有关机构妥善保存并合理利用；

（三）传承：通过社会教育和学校教育等途径，使该项非物质文化遗产的传承后继有人，能够继续作为活的文化传统在相关社区尤其是青少年当中得到继承和发扬；

（四）传播：利用节日活动、展览、观摩、培训、专业性研讨等形式，通过大众传媒和互联网的宣传，加深公众对该项遗产的了解和认识，促进社会共享；

（五）保护：采取切实可行的具体措施，以保证该项非物质文化遗产及其智力成果得到保存、传承和发展，保护该项遗产的传承人（团体）对其世代相传的文化表现形式和文化空间所享有的权益，尤其要防止对非物质文化遗产的误解、歪曲或滥用。

第八条　公民、企事业单位、社会组织等，可向所在行政区域文化行政部门提出非物质文化遗产代表作项目的申请，由受理的文化行政部门逐级上报。申报主体为非申报项目传承人（团体）的，申报主体应获得申报项目传承人（团体）的授权。

第九条　省级文化行政部门对本行政区域内的非物质文化遗产代表作申报项目进行汇总、筛选，经同级人民政府核定后，向部际联席会议办公室提出申报。中央直属单位可直接向部际联席会议办公室提出申报。

第十条　申报者须提交以下资料：

（一）申请报告：对申报项目名称、申报者、申报目的和意义进行简要说明；

（二）项目申报书：对申报项目的历史、现状、价值和濒危状况等进行说明；

（三）保护计划：对未来十年的保护目标、措施、步骤和管理机制等进行说明；

（四）其他有助于说明申报项目的必要材料。

第十一条　传承于不同地区并为不同社区、群体所共享的同类项目，可联合申报；联合申报的各方须提交同意联合申报的协议书。

第十二条　部际联席会议办公室根据本办法第十条的规定，对申报材料进行审核，并将合格的申报材料提交评审委员会。

第十三条　评审委员会由国家文化行政部门有关负责同志和相关领域的专家组成，承担国家级非物质文化遗产代表作的评审和专业咨询。评审委员会每届任期四年。评审委员会设主任一名、副主任若干名，主任由国家文化行政部门有关负责同志担任。

第十四条　评审工作应坚持科学、民主、公正的原则。

第十五条　评审委员会根据本办法第六条、第七条的规定进行评审，提出国家级非物质文化遗产代表作推荐项目，提交部际联席会议办公室。

第十六条　部际联席会议办公室通过媒体对国家级非物质文化遗产代表作推荐项目进行社会公示，公示期30天。

第十七条　部际联席会议办公室根据评审委员会的评审意见和公示结果，拟订入选国家级非物质文化遗产代表作名录名单，经部际联席会议审核同意后，上报国务院批准、公布。

第十八条　国务院每两年批准并公布一次国家级非物质文化遗产代表作名录。

第十九条　对列入国家级非物质文化遗产代表作名录的项目，各级政府要给予相应支持。同时，申报主体必须履行其保护计划中的各项承诺，按年度向部际联席会议办公室提交实施情况报告。

第二十条　部际联席会议办公室组织专家对列入国家级非物质文化遗产代表作名录的项目进行评估、检查和监督，对未履行保护承诺、出现问题的，视不同程度给予警告、严重警告直至除名处理。

第二十一条　本《暂行办法》由部际联席会议办公室负责解释。

第二十二条　本《暂行办法》自发布之日起施行。

附件2

非物质文化遗产保护工作部际联席会议制度

文化部 发展改革委 教育部 国家民委

财政部 建设部 旅游局 宗教局 文物局

为贯彻落实党的十六大关于“扶持对重要文化遗产和优秀民间艺术的保护工作”的精神，加强我国非物质文化遗产保护工作，建立非物质文化遗产保护工作部际联席会议制度，统一协调解决非物质文化遗产保护工作中的重大问题。

一、部际联席会议的职能

（一）拟订我国非物质文化遗产保护工作的方针政策，审定我国非物质文化遗产保护规划；

（二）协调处理我国非物质文化遗产保护中涉及的重大事项；

（三）审核“国家级非物质文化遗产代表作国家名录”名单，上报国务院批准公布；

（四）承办国务院交办的有关非物质文化遗产保护方面的其他工作，重大问题向国务院请示、报告。

二、联席会议成员单位

部际联席会议由文化部、发展改革委、教育部、国家民委、财政部、建设部、旅游局、宗教局、文物局组成。

文化部为部际联席会议牵头单位，文化部部长任部际联席会议召集人，文化部副部长任部际联席会议成员兼秘书长。各成员单位有关负责同志任部际联席会议成员。

各有关部门根据有关法律法规和国务院赋予的职能开展工作。部际联席会议办公室设在文化部，负责日常工作。

三、部际联席会议工作规则和要求

（一）部际联席会议定期召开例会。根据需要或按照领导同志指示，可临时召开会议。会议的议题主要包括：传达贯彻党中央、国务院领导同志关于我国非物质文化遗产保护工作的指示精神；研究、协调非物质文化遗产保护工作中的重大问题，提出政策措施和建议；审议部际联席会议办公室提交的“国家级非物质文化遗产代表作名录”名单，上报国务院。

（二）部际联席会议讨论达成的意见要形成会议纪要，印发部际联席会议各成员单位。会议所决定的事项，按照各成员单位职能，分工负责，具体落实。

（三）各成员单位应积极参加部际联席会议，相互配合，相互支持，形成合力，充分发挥部际联席会议的作用。

附件 3

非物质文化遗产保护工作部际联席会议成员名单

召集人：孙家正（文化部部长）

成　员：周和平（文化部副部长）
李盛霖（发展改革委副主任）
章新胜（教育部副部长）
周明甫（国家民委副主任）
张少春（财政部部长助理）
仇保兴（建设部副部长）
顾朝曦（旅游局副局长）
齐晓飞（宗教局副局长）
童明康（文物局副局长）

秘书长：周和平（兼）

国务院
《关于加强文化遗产保护的通知》

国发〔2005〕42号

各省、自治区、直辖市人民政府，国务院各部委、各直属机构：

我国是历史悠久的文明古国。在漫长的岁月中，中华民族创造了丰富多彩、弥足珍贵的文化遗产。党中央、国务院历来高度重视文化遗产保护工作，在全社会的共同努力下，我国文化遗产保护取得了明显成效。与此同时，也应清醒地看到，当前我国文化遗产保护面临着许多问题，形势严峻，不容乐观。为了进一步加强我国文化遗产保护，继承和弘扬中华民族优秀传统文化，推动社会主义先进文化建设，国务院决定从2006年起，每年六月的第二个星期六为我国的"文化遗产日"。现就加强文化遗产保护有关问题通知如下：

一、充分认识保护文化遗产的重要性和紧迫性

文化遗产包括物质文化遗产和非物质文化遗产。物质文化遗产是具有历史、艺术和科学价值的文物，包括古遗址、古墓葬、古建筑、石窟寺、石刻、壁画、近代现代重要史迹及代表性建筑等不可移动文物，历史上各时代的重要实物、艺术品、文献、手稿、图书资料等可移动文物；以及在建筑式样、分布均匀或与环境景色结合方面具有突出普遍价值的历史文化名城（街区、村镇）。非物质文化遗产是指各种以非物质形态存在的与群众生活密切相关、世代相承的传统文化表现形式，包括口头传统、传统表演艺术、民俗活动和礼仪与节庆、有关自然界和宇宙的民间传统知识和实践、传统手工艺技能等，以及与上述传统文化表现形式相关的文化空间。

我国文化遗产蕴含着中华民族特有的精神价值、思维方式、想象力，体现着中华民族的生命力和创造力，是各民族智慧的结晶，也是全人类文明的瑰宝。保护文化遗产，保持民族文化的传承，是连结民族情感纽带、增进民族团结和维护国家统一及社会稳定的重要文化基础，也是维护世界文化多样性和创造性，促进人类共同发展的前提。加强文化遗产保护，是建设社会主义先进文化，贯彻落实科学发展观和构建社会主义和谐社会的必然要求。

文化遗产是不可再生的珍贵资源。随着经济全球化趋势和现代化进程的加快，我国的文化生态正在发生巨大变化，文化遗产及其生存环境受到严重威胁。不少历史文化名城（街区、村镇）、古建筑、古遗址及风景名胜区整体风貌遭到破坏。文物非法交易、盗窃和盗掘古遗址古墓葬以及走私文物的违法犯罪活动在一些地区还没有得到有效遏制，大量珍贵文物流失境外。由于过度开发和不合理利用，许多重要文化遗产消亡或失传。在文化遗存相对丰富的少数民族聚居地区，由于人们生活环境和条件的变迁，民族或区域文化特色消失加快。因此，加强文化遗

产保护刻不容缓。地方各级人民政府和有关部门要从对国家和历史负责的高度，从维护国家文化安全的高度，充分认识保护文化遗产的重要性，进一步增强责任感和紧迫感，切实做好文化遗产保护工作。

二、加强文化遗产保护的指导思想、基本方针和总体目标

（一）指导思想：坚持以邓小平理论和“三个代表”重要思想为指导，全面贯彻和落实科学发展观，加大文化遗产保护力度，构建科学有效的文化遗产保护体系，提高全社会文化遗产保护意识，充分发挥文化遗产在传承中华文化，提高人民群众思想道德素质和科学文化素质，增强民族凝聚力，促进社会主义先进文化建设和构建社会主义和谐社会中的重要作用。

（二）基本方针：物质文化遗产保护要贯彻“保护为主、抢救第一、合理利用、加强管理”的方针。非物质文化遗产保护要贯彻“保护为主、抢救第一、合理利用、传承发展”的方针。坚持保护文化遗产的真实性和完整性，坚持依法和科学保护，正确处理经济社会发展与文化遗产保护的关系，统筹规划、分类指导、突出重点、分步实施。

（三）总体目标：通过采取有效措施，文化遗产保护得到全面加强。到2010年，初步建立比较完备的文化遗产保护制度，文化遗产保护状况得到明显改善。到2015年，基本形成较为完善的文化遗产保护体系，具有历史、文化和科学价值的文化遗产得到全面有效保护；保护文化遗产深入人心，成为全社会的自觉行动。

三、着力解决物质文化遗产保护面临的突出问题

（一）切实做好文物调查研究和不可移动文物保护规划的制定实施工作。加强文物资源调查研究，并依法登记、建档。在认真摸清底数的基础上，分类制定文物保护规划，认真组织实施。国务院文物行政部门要统筹安排世界文化遗产、全国重点文物保护单位保护规划的编制工作，省级人民政府具体组织编制，报国务院文物行政部门审查批准后公布实施。国务院文物行政部门要对规划实施情况进行跟踪监测，检查落实。要及时依法划定文物保护单位的保护范围和建设控制地带，设立必要的保护管理机构，明确保护责任主体，建立健全保护管理制度。其他不可移动文物也要依据文物保护法的规定制定保护规划，落实保护措施。坚决避免和纠正过度开发利用文化遗产，特别是将文物作为或变相作为企业资产经营的违法行为。

（二）改进和完善重大建设工程中的文物保护工作。严格执行重大建设工程项目审批、核准和备案制度。凡涉及文物保护事项的基本建设项目，必须依法在项目批准前征求文物行政部门的意见，在进行必要的考古勘探、发掘并落实文物保护措施以后方可实施。基本建设项目中的考古发掘要充分考虑文物保护工作的实际需要，加强统一管理，落实审批和监督责任。

（三）切实抓好重点文物维修工程。统筹规划、集中资金，实施一批文物保护重点工程，排除重大文物险情，加强对重要濒危文物的保护。实施保护工程必须确保文物的真实性，坚决禁止借保护文物之名行造假古董之实。要对文物“复建”进行严格限制，把有限的人力、物力切实用到对重要文物、特别是重大濒危文物的保护项目上。严格工程管理，落实文物保护工程队伍资质制度，完善从业人员管理制度，建立健全各类文物保护技术规范，确保工程质量。

（四）加强历史文化名城（街区、村镇）保护。进一步完善历史文化名城（街区、村镇）的申报、评审工作。已确定为历史文化名城（街区、村镇）的，地方人民政府要认真制定保护规划，并严格执行。在城镇化过程中，要切实保护好历史文化环境，把保护优秀的乡土建筑等文

化遗产作为城镇化发展战略的重要内容，把历史名城（街区、村镇）保护规划纳入城乡规划。相关重大建设项目，必须建立公示制度，广泛征求社会各界意见。国务院有关部门要对历史文化名城（街区、村镇）的保护状况和规划实施情况进行跟踪监测，及时解决有关问题；历史文化名城（街区、村镇）的布局、环境、历史风貌等遭到严重破坏的，应当依法取消其称号，并追究有关人员的责任。

（五）提高馆藏文物保护和展示水平。高度重视博物馆建设，加强对藏品的登记、建档和安全管理，落实藏品丢失、损毁追究责任制。实施馆藏文物信息化和保存环境达标建设，加大馆藏文物科技保护力度。提高陈列展览质量和水平，充分发挥馆藏文物的教育作用。加强博物馆专业人员培养，提高博物馆队伍素质。坚持向未成年人等特殊社会群体减、免费开放，不断提高服务质量和水平。

（六）清理整顿文物流通市场。加强对文物市场的调控和监督管理，依法严格把握文物流通市场准入条件，规范文物经营和民间文物收藏行为，确保文物市场健康发展。依法加强文物商店销售文物、文物拍卖企业拍卖文物的审核备案工作。坚决取缔非法文物市场，严厉打击盗窃、盗掘、走私、倒卖文物等违法犯罪活动。严格执行文物出入境审核、监管制度，加强鉴定机构队伍建设，严防珍贵文物流失。加强国际合作，对非法流失境外的文物要坚决依法追索。

四、积极推进非物质文化遗产保护

（一）开展非物质文化遗产普查工作。各地区要进一步做好非物质文化遗产的普查、认定和登记工作，全面了解和掌握非物质文化遗产资源的种类、数量、分布状况、生存环境、保护现状及存在的问题，及时向社会公布普查结果。3 年内全国基本完成普查工作。

（二）制定非物质文化遗产保护规划。在科学论证的基础上，抓紧制定国家和地区非物质文化遗产保护规划，明确保护范围，提出长远目标和近期工作任务。

（三）抢救珍贵非物质文化遗产。采取有效措施，抓紧征集具有历史、文化和科学价值的非物质文化遗产实物和资料，完善征集和保管制度。有条件的地方可以建立非物质文化遗产资料库、博物馆或展示中心。

（四）建立非物质文化遗产名录体系。进一步完善评审标准，严格评审工作，逐步建立国家和省、市、县非物质文化遗产名录体系。对列入非物质文化遗产名录的项目，要制定科学的保护计划，明确有关保护的责任主体，进行有效保护。对列入非物质文化遗产名录的代表性传人，要有计划地提供资助，鼓励和支持其开展传习活动，确保优秀非物质文化遗产的传承。

（五）加强少数民族文化遗产和文化生态区的保护。重点扶持少数民族地区的非物质文化遗产保护工作。对文化遗产丰富且传统文化生态保持较完整的区域，要有计划地进行动态的整体性保护。对确属濒危的少数民族文化遗产和文化生态区，要尽快列入保护名录，落实保护措施，抓紧进行抢救和保护。

五、明确责任，切实加强对文化遗产保护工作的领导

（一）加强领导，落实责任。地方各级人民政府和有关部门要将文化遗产保护列入重要议事日程，并纳入经济和社会发展计划以及城乡规划。要建立健全文化遗产保护责任制度和责任追究制度。成立国家文化遗产保护领导小组，定期研究文化遗产保护工作的重大问题，统一协调文化遗产保护工作。地方各级人民政府也要建立相应的文化遗产保护协调机构。要建立文化遗

产保护定期通报制度、专家咨询制度以及公众和舆论监督机制，推进文化遗产保护工作的科学化、民主化。要充分发挥有关学术机构、大专院校、企事业单位、社会团体等各方面的作用，共同开展文化遗产保护工作。

（二）加快文化遗产保护法制建设，加大执法力度。加强文化遗产保护法律法规建设，推进文化遗产保护的法制化、制度化和规范化。积极推动《非物质文化遗产保护法》、《历史文化名城和历史文化街区、村镇保护条例》等法律、行政法规的立法进程，争取早日出台。抓紧制定和起草与文物保护法相配套的部门规章和地方性法规。抓紧研究制定保护文化遗产知识产权的有关规定。要严格依照保护文化遗产的法律、行政法规办事，任何单位或者个人都不得作出与法律、行政法规相抵触的决定；各级文物行政部门等行政执法机关有权依法抵制和制止违反有关法律、行政法规的决定和行为。严厉打击破坏文化遗产的各类违法犯罪行为，重点追究因决策失误、玩忽职守，造成文化遗产破坏、被盗或流失的责任人的法律责任。充实文化遗产保护执法力量，加大执法力度，做到执法必严，违法必究。因执法不力造成文化遗产受到破坏的，要追究有关执法机关和有关责任人的责任。

（三）安排专项资金，加强专业人才队伍建设。各级人民政府要将文化遗产保护经费纳入本级财政预算，保障重点文化遗产经费投入。抓紧制定和完善有关社会捐赠和赞助的政策措施，调动社会团体、企业和个人参与文化遗产保护的积极性。加强文化遗产保护管理机构和专业队伍建设，大力培养文化遗产保护和管理所需的各类专门人才。加强文化遗产保护科技的研究、运用和推广工作，努力提高文化遗产保护工作水平。

（四）加大宣传力度，营造保护文化遗产的良好氛围。认真举办“文化遗产日”系列活动，提高人民群众对文化遗产保护重要性的认识，增强全社会的文化遗产保护意识。各级各类文化遗产保护机构要经常举办展示、论坛、讲座等活动，使公众更多地了解文化遗产的丰富内涵。教育部门要将优秀文化遗产内容和文化遗产保护知识纳入教学计划，编入教材，组织参观学习活动，激发青少年热爱祖国优秀传统文化的热情。各类新闻媒体要通过开设专题、专栏等方式，介绍文化遗产和保护知识，大力宣传保护文化遗产的先进典型，及时曝光破坏文化遗产的违法行为及事件，发挥舆论监督作用，在全社会形成保护文化遗产的良好氛围。

与此同时，国务院有关部门也要切实研究解决自然遗产保护中存在的问题，加强自然遗产保护工作。

国务院

二〇〇五年十二月二十二日

Convention for the Safeguarding of the Intangible Cultural Heritage Signed in Paris, 17 October 2003

联合国教科文组织《保护非物质文化遗产公约》

联合国教育、科学及文化组织第三十二届会议正式通过

巴黎　2003年10月17日

联合国教育、科学及文化组织（以下简称教科文组织）大会于2003年9月29日至10月17日在巴黎举行的第三十二届会议。

参照现有的国际人权文书，尤其是1948年的《世界人权宣言》以及1966年的《经济、社会、文化权利国际公约》和《公民权利和政治权利国际公约》；

考虑到1989年的《保护民间创作建议书》、2001年的《教科文组织世界文化多样性宣言》和2002年第三次文化部长圆桌会议通过的《伊斯坦布尔宣言》强调非物质文化遗产的重要性，它是文化多样性的熔炉，又是可持续发展的保证；

考虑到非物质文化遗产与物质文化遗产和自然遗产之间的内在相互依存关系，承认全球化和社会转型进程在为各群体之间开展新的对话创造条件的同时，也与不容忍现象一样，使非物质文化遗产面临损坏、消失和破坏的严重威胁，在缺乏保护资源的情况下，这种威胁尤为严重；

意识到保护人类非物质文化遗产是普遍的意愿和共同关心的事项；

承认各社区，尤其是原住民、各群体，有时是个人，在非物质文化遗产的生产、保护、延续和再创造方面发挥着重要作用，从而为丰富文化多样性和人类的创造性做出贡献；

注意到教科文组织在制定保护文化遗产的准则性文件，尤其是1972年的《保护世界文化和自然遗产公约》方面所做的具有深远意义的工作；

还注意到迄今尚无有约束力的保护非物质文化遗产的多边文件；

考虑到国际上现有的关于文化遗产和自然遗产的协定、建议书和决议需要有非物质文化遗产方面的新规定有效地予以充实和补充；

考虑到必须提高人们，尤其是年轻一代对非物质文化遗产及其保护的重要意义的认识；

考虑到国际社会应当本着互助合作的精神与本公约缔约国一起为保护此类遗产做出贡献；

忆及教科文组织有关非物质文化遗产的各项计划，尤其是“宣布人类口头遗产和非物质遗产代表作”计划；

认为非物质文化遗产是密切人与人之间的关系以及他们之间进行交流和了解的要素，它的作用是不可估量的；

于2003年10月17日通过本公约。

第一章　总　则

第一条　本公约的宗旨

本公约的宗旨如下：

（一）保护非物质文化遗产；

（二）尊重有关社区群体和个人的非物质文化遗产；

（三）在地方、国家和国际一级提高对非物质文化遗产及其相互欣赏的重要性的意识；

（四）开展国际合作及提供国际援助。

第二条　定　义

在本公约中：

（一）“非物质文化遗产”指被各社区群体，有时为个人视为其文化遗产组成部分的各种社会实践、观念表述、表现形式、知识、技能及相关的工具、实物、手工艺品和文化场所。这种非物质文化遗产世代相传，在各社区和群体适应周围环境以及与自然和历史的互动中，被不断地再创造，为这些社区和群体提供持续的认同感，从而增强对文化多样性和人类创造力的尊重。在本公约中，只考虑符合现有的国际人权文件，各社区、群体和个人之间相互尊重的需要和顺应可持续发展的非物质文化遗产。

（二）按上述第1段的定义，“非物质文化遗产”包括以下方面：

1.口头传统和表现形式，包括作为非物质文化遗产媒介的语言；

2.表演艺术；

3.社会实践、礼仪、节庆活动；

4.有关自然界和宇宙的知识和实践；

5.传统手工艺。

（三）“保护”指确保非物质文化遗产生命力的各种措施，包括这种遗产各个方面的确认、立档、研究、保存、保护、宣传、弘扬、传承（特别是通过正规和非正规教育）和振兴。

（四）“缔约国”指受本公约约束且本公约在它们之间也通用的国家。

（五）本公约经必要修改对根据第33条所述之条件成为其缔约方之领土也适用。在此意义上，“缔约国”亦指这些领土。

第三条　与其他国际文书的关系

本公约的任何条款均不得解释为：

（一）改变与任一非物质文化遗产直接相关的1972年《保护世界文化和自然遗产公约》项下的世界遗产的地位或降低其受保护的程度；

（二）影响缔约国从其作为缔约方的任何有关知识产权或使用生物和生态资源的国际文书所获得的权利和所负有的义务。

第二章　公约的有关机关

第四条　缔约国大会

一、兹建立缔约国大会，下称“大会”。大会为本公约的最高权力机关。

二、大会每两年举行一次常会。如若它作出此类决定或政府间保护非物质文化遗产委员会或至少三分之一的缔约国提出要求，可举行特别会议。

三、大会应通过自己的议事规则。

第五条　政府间保护非物质文化遗产委员会

一、兹在教科文组织内设立政府间保护非物质文化遗产委员会，下称“委员会”。在本公约依照第34条的规定生效之后，委员会由参加大会之缔约国选出的18个缔约国的代表组成。

二、在本公约缔约国的数目达到50个之后，委员会委员国的数目将增至24个。

第六条　委员会委员国的选举和任期

一、委员会委员国的选举应符合公平的地理分配和轮换原则。

二、委员会委员国由本公约缔约国大会选出，任期四年。

三、但第一次选举当选的半数委员会委员国的任期为两年。这些国家在第一次选举后抽签指定。

四、大会每两年对半数委员会委员国进行换届。

五、大会还应选出填补空缺席位所需的委员会委员国。

六、委员会委员国不得连选连任两届。

七、委员会委员国应选派在非物质文化遗产各领域有造诣的人士为其代表。

第七条　委员会的职能

在不妨碍本公约赋予委员会的其他职权的情况下，其职能如下：

（一）宣传公约的目标，鼓励并监督其实施情况；

（二）就好的做法和保护非物质文化遗产的措施提出建议；

（三）按照第25条的规定，拟订利用基金资金的计划并提交大会批准；

（四）按照第25条的规定，努力寻求增加其资金的方式方法，并为此采取必要的措施；

（五）拟订实施公约的业务指南并提交大会批准；

（六）根据第29条的规定，审议缔约国的报告并将报告综述提交大会；

（七）根据委员会制定的、大会批准的客观遴选标准，审议缔约国提出的申请并就以下事项作出决定：

1.列入第16、第17和第18条述及的名录和提名；

2.按照第22条的规定提供国际援助。

第八条　委员会的工作方法

一、委员会对大会负责。它向大会报告自己的所有活动和决定。

二、委员会以其委员的三分之二多数通过自己的议事规则。

三、委员会可设立其认为执行任务所需的临时特发咨询机构。

四、委员会可邀请在非物质文化遗产各领域确有专长的任何公营或私营机构以及任何自然人参加会议，就任何具体的问题向其请教。

第九条　咨询组织的认证

一、委员会应建议大会认证在非物质文化遗产领域确有专长的非政府组织具有向委员会提供咨询意见的能力。

二、委员会还应向大会就此认证的标准和方式提出建议。

第十条　秘书处

一、委员会由教科文组织秘书处协助。

二、秘书处起草大会和委员会文件及其会议的议程草案和确保其决定的执行。

第三章　在国家一级保护非物质文化遗产

第十一条　缔约国的作用

各缔约国应该：

（一）采取必要措施确保其领土上的非物质文化遗产受到保护；

（二）在第2条第3段提及的保护措施内，由各社区群体和有关非政府组织参与，确认和确定其领土上的各种非物质文化遗产。

第十二条　清　单

一、为了使其领土上的非物质文化遗产得到确认以便加以保护，各缔约国应根据自己的国情拟订一份或数份关于这类遗产的清单，并应定期加以更新。

二、各缔约国在按第29条的规定定期向委员会提交报告时，应提供有关这些清单的情况。

第十三条　其他保护措施

为了确保其领土上的非物质文化遗产得到保护、弘扬和展示，各缔约国应努力做到：

（一）制定一项总的政策，使非物质文化遗产在社会中发挥应有的作用，并将这种遗产的保护纳入规划工作；

（二）指定或建立一个或数个主管保护其领土上的非物质文化遗产的机构；

（三）鼓励开展有效保护非物质文化遗产，特别是濒危非物质文化遗产的科学、技术和艺术研究以及方法研究；

（四）采取适当的法律、技术、行政和财政措施，以便：

1.促进建立或加强培训管理非物质文化遗产的机构以及通过为这种遗产提供活动和表现的场所和空间，促进这种遗产的承传；

2.确保对非物质文化遗产的享用，同时对享用这种遗产的特殊方面的习俗做法予以尊重；

3.建立非物质文化遗产文献机构并创造条件促进对它的利用。

第十四条　教育、宣传和能力培养

各缔约国应竭力采取种种必要的手段，以便：

（一）使非物质文化遗产在社会中得到确认、尊重和弘扬，主要通过：

1.向公众，尤其是向青年进行宣传和传播信息的教育计划；

2.有关群体和团体的具体的教育和培训计划；

3.保护非物质文化遗产，尤其是管理和科研方面的能力培养活动；

4.非正规的知识传播手段。

（二）不断向公众宣传对这种遗产造成的威胁以及根据本公约所开展的活动；

（三）促进保护表现非物质文化遗产所需的自然场所和纪念地点的教育。

第十五条　社区、群体和个人的参与

缔约国在开展保护非物质文化遗产活动时，应努力确保创造、延续和传承这种遗产的社区、群体，有时是个人的最大限度的参与，并吸收他们积极地参与有关的管理。

第四章　在国际一级保护非物质文化遗产

第十六条　人类非物质文化遗产代表作名录

一、为了扩大非物质文化遗产的影响，提高对其重要意义的认识和从尊重文化多样性的角度促进对话，委员会应根据有关缔约国的提名编辑、更新和公布人类非物质文化遗产代表作名录。

二、委员会拟订有关编辑、更新和公布此代表作名录的标准并提交大会批准。

第十七条　急需保护的非物质文化遗产名录

一、为了采取适当的保护措施，委员会编辑、更新和公布急需保护的非物质文化遗产名录，并根据有关缔约国的要求将此类遗产列入该名录。

二、委员会拟订有关编辑、更新和公布此名录的标准并提交大会批准。

三、委员会在极其紧急的情况（其具体标准由大会根据委员会的建议加以批准）下，可与有关缔约国协商将有关的遗产列入第 1 段所提之名录。

第十八条　保护非物质文化遗产的计划、项目和活动

一、在缔约国提名的基础上，委员会根据其制定的、大会批准的标准，兼顾发展中国家的特殊需要，定期遴选并宣传其认为最能体现本公约原则和目标的国家、分地区或地区保护非物质文化遗产的计划、项目和活动。

二、为此，委员会接受、审议和批准缔约国提交的关于要求国际援助拟订此类提名的申请。

三、委员会按照它确定的方式，配合这些计划、项目和活动的实施，随时推广有关经验。

第五章　国际合作与援助

第十九条　合　作

一、在本公约中，国际合作主要是交流信息和经验，采取共同的行动，以及建立援助缔约国保护非物质文化遗产工作的机制。

二、在不违背国家法律规定及其习惯法和习俗的情况下，缔约国承认保护非物质文化遗产符合人类的整体利益，保证为此目的在双边、分地区、地区和国际各级开展合作。

第二十条　国际援助的目的

可为如下目的提供国际援助：

（一）保护列入《急需保护的非物质文化遗产名录》的遗产；

（二）按照第 11 和第 12 条的精神编制清单；

（三）支持在国家、分地区和地区开展的保护非物质文化遗产的计划、项目和活动；

（四）委员会认为必要的其他一切目的。

第二十一条　国际援助的形式

第 7 条的业务指南和第 24 条所指的协定对委员会向缔约国提供援助作了规定，可采取的形式如下：

（一）对保护这种遗产的各个方面进行研究；

（二）提供专家和专业人员；

（三）培训各类所需人员；

（四）制订准则性措施或其他措施；

（五）基础设施的建立和营运；

（六）提供设备和技能；

（七）其他财政和技术援助形式，包括在必要时提供低息贷款和捐助。

第二十二条　国际援助的条件

一、委员会确定审议国际援助申请的程序和具体规定申请的内容，包括打算采取的措施、必需开展的工作及预计的费用。

二、如遇紧急情况，委员会应对有关援助申请优先审议。

三、委员会在作出决定之前，应进行其认为必要的研究和咨询。

第二十三条　国际援助的申请

一、各缔约国可向委员会递交国际援助的申请，保护在其领土上的非物质文化遗产。

二、此类申请亦可由两个或数个缔约国共同提出。

三、申请应包含第 22 条第 1 段规定的所有资料和所有必要的文件。

第二十四条　受援缔约国的任务

一、根据本公约的规定，国际援助应依据受援缔约国与委员会之间签署的协定来提供。

二、受援缔约国通常应在自己力所能及的范围内分担国际所援助的保护措施的费用。

三、受援缔约国应向委员会报告关于使用所提供的保护非物质文化遗产援助的情况。

第六章　非物质文化遗产基金

第二十五条　基金的性质和资金来源

一、兹建立一项“保护非物质文化遗产基金”，下称“基金”。

二、根据教科文组织《财务条例》的规定，此项基金为信托基金。

三、基金的资金来源包括：

（一）缔约国的纳款；

（二）教科文组织大会为此所拨的资金；

（三）以下各方可能提供的捐款、赠款或遗赠：

1.其他国家；

2.联合国系统各组织和各署（特别是联合国开发计划署）以及其他国际组织；

3.公营或私营机构和个人。

（四）基金的资金所得的利息；

（五）为本基金募集的资金和开展活动之所得；

（六）委员会制定的基金条例所许可的所有其他资金。

四、委员会对资金的使用视大会的方针来决定。

五、委员会可接受用于某些项目的一般或特定目的的捐款及其他形式的援助，只要这些项目已获委员会的批准。

六、对基金的捐款不得附带任何与本公约所追求之目标不相符的政治、经济或其他条件。

第二十六条　缔约国对基金的纳款

一、在不妨碍任何自愿补充捐款的情况下，本公约缔约国至少每两年向基金纳一次款，其金额由大会根据适用于所有国家的统一的纳款额百分比加以确定。缔约国大会关于此问题的决定由出席会议并参加表决，但未作本条第2段中所述声明的缔约国的多数通过。在任何情况下，此纳款都不得超过缔约国对教科文组织正常预算纳款的百分之一。

二、但是，本公约第32条或第33条中所指的任何国家均可在交存批准书、接受书、核准书或加入书时声明不受本条第1段规定的约束。

三、已作本条第2段所述声明的本公约缔约国应努力通知联合国教育、科学及文化组织总干事收回所作声明。但是，收回声明之举不得影响该国在紧接着的下一届大会开幕之日前应缴的纳款。

四、为使委员会能够有效地规划其工作，已作本条第2段所述声明的本公约缔约国至少应每两年定期纳一次款，纳款额应尽可能接近它们按本条第1段规定应交的数额。

五、凡拖欠当年和前一日历年的义务纳款或自愿捐款的本公约缔约国不能当选为委员会委员，但此项规定不适用于第一次选举。已当选为委员会委员的缔约国的任期应在本公约第6条规定的选举之时终止。

第二十七条　基金的自愿补充捐款

除了第26条所规定的纳款，希望提供自愿捐款的缔约国应及时通知委员会以使其能对相应的活动作出规划。

第二十八条　国际筹资运动

缔约国应尽力支持在教科文组织领导下为该基金发起的国际筹资运动。

第七章　报　告

第二十九条　缔约国的报告

缔约国应按照委员会确定的方式和周期向其报告他们为实施本公约而通过的法律、规章条例或采取的其他措施的情况。

第三十条　委员会的报告

一、委员会应在其开展的活动和第29条提及的缔约国报告的基础上，向每届大会提交报告。

二、该报告应提交教科文组织大会。

第八章 过渡条款

第三十一条　与宣布人类口头和非物质遗产代表作的关系

一、委员会应把在本公约生效前宣布为“人类口头和非物质遗产代表作”的遗产纳入人类非物质文化遗产代表作名录。

二、把这些遗产纳入人类非物质文化遗产代表作名录绝不是预设按第16条第2段将确定的今后列入遗产的标准。

三、在本公约生效后，将不再宣布其他任何人类口头和非物质遗产代表作。

第九章　最后条款

第三十二条　批准、接受或核准

一、本公约须由教科文组织会员国根据各自的宪法程序予以批准、接受或核准。

二、批准书、接受书或核准书应交存教科文组织总干事。

第三十三条　加　入

一、所有非教科文组织会员国的国家，经本组织大会邀请，均可加入本公约。

二、没有完全独立，但根据联合国大会第1514（XV）号决议被联合国承认为充分享有内部自治，并且有权处理本公约范围内的事宜，包括有权就这些事宜签署协议的地区也可加入本公约。

三、加入书应交存教科文组织总干事。

第三十四条　生　效

本公约在第三十份批准书、接受书、核准书或加入书交存之日起的三个月后生效，但只涉及在该日或该日之前交存批准书、接受书、核准书或加入书的国家。对其他缔约国来说，本公约则在这些国家的批准书、接受书、核准书或加入书交存之日起的三个月之后生效。

第三十五条　联邦制或非统一立宪制

对实行联邦制或非统一立宪制的缔约国实行下述规定：

（一）在联邦或中央立法机构的法律管辖下实施本公约各项条款的国家的联邦或中央政府的义务与非联邦国家的缔约国的义务相同；

（二）在构成联邦，但无须按照联邦立宪制采取立法手段的各个州、成员国、省或行政区的法律管辖下实施本公约的各项条款时，联邦政府应将这些条款连同其建议一并通知各个州、成员国、省或行政区的主管当局。

第三十六条　退　出

一、各缔约国均可宣布退出本公约。

二、退约应以书面退约书的形式通知教科文组织总干事。

三、退约在接到退约书十二个月之后生效。在退约生效日之前不得影响退约国承担的财政义务。

第三十七条　保管人的职责

教科文组织总干事作为本公约的保管人，应将第32条和第33条规定交存的所有批准书、接受书、核准书或加入书和第36条规定的退约书的情况通告本组织各会员国、第33条提到的非本组织会员国的国家和联合国。

第三十八条　修　订

一、任何缔约国均可书面通知总干事，对本公约提出修订建议。总干事应将此通知转发给所有缔约国。如在通知发出之日起六个月之内，至少有一半的缔约国回复赞成此要求，总干事应将此建议提交下一届大会讨论，决定是否通过。

二、对本公约的修订须经出席并参加表决的缔约国三分之二多数票通过。

三、对本公约的修订一旦通过，应提交缔约国批准、接受、赞同或加入。

四、对于那些已批准、接受、核准或加入修订的缔约国来说，本公约的修订在三分之二的缔约国交存本条第3段所提及的文书之日起三个月之后生效。此后，对任何批准、接受、核准或加入修订的缔约国来说，在其交存批准书、接受书、核准书或加入书之日起三个月之后，本公约的修订即生效。

五、第3和第4段所确定的程序对有关委员会委员国数目的第5条的修订不适用。此类修订一经通过即生效。

六、在修订依照本条第4段的规定生效之后成为本公约缔约国的国家如无表示异议，应：

（一）被视为修订的本公约的缔约方；

（二）但在与不受这些修订约束的任何缔约国的关系中，仍被视为未经修订之公约的缔约方。

第三十九条　有效文本

本公约用英文、阿拉伯文、中文、西班牙文、法文和俄文拟定，六种文本具有同等效力。

第四十条　备　案

根据《联合国宪章》第102条的规定，本公约应按教科文组织总干事的要求交联合国秘书处备案。

中华人民共和国文化部令

第 39 号

《国家级非物质文化遗产保护与管理暂行办法》已经2006年10月25日文化部部务会议审议通过，现予发布，自2006年12月1日起施行。

部　长 

二〇〇六年十一月二日

《国家级非物质文化遗产保护与管理暂行办法》

（中华人民共和国文化部令，第39号）

第一条　为有效保护和传承国家级非物质文化遗产，加强保护工作的管理，特制定本办法。

第二条　本办法所称的“国家级非物质文化遗产”是指列入国务院批准公布的国家级非物质文化遗产名录中的所有非物质文化遗产项目。

第三条　国家级非物质文化遗产的保护，实行“保护为主、抢救第一、合理利用、传承发展”的方针，坚持真实性和整体性的保护原则。

第四条　国务院文化行政部门负责组织、协调和监督全国范围内国家级非物质文化遗产的保护工作。

省级人民政府文化行政部门负责组织、协调和监督本行政区域内国家级非物质文化遗产的保护工作。

国家级非物质文化遗产项目所在地人民政府文化行政部门，负责组织、监督该项目的具体保护工作。

第五条　国务院文化行政部门组织制定国家级非物质文化遗产保护整体规划，并定期对规划的实施情况进行检查。

省级人民政府文化行政部门组织制定本行政区域内国家级非物质文化遗产项目的保护规划，经国务院文化行政部门批准后组织实施，并于每年十一月底前向国务院文化行政部门提交保护规划本年度实施情况和下一年度保护工作计划。

第六条　国家级非物质文化遗产项目应当确定保护单位，具体承担该项目的保护与传承工作。保护单位的推荐名单由该项目的申报地区或者单位提出，经省级人民政府文化行政部门组织专家审议后，报国务院文化行政部门认定。

第七条　国家级非物质文化遗产项目保护单位应具备以下基本条件：

（一）有该项目代表性的传承人或者相对完整的资料；

（二）有实施该项目保护计划的能力；

（三）有开展传承、展示活动的场所和条件。

第八条　国家级非物质文化遗产项目保护单位应当履行以下职责：

（一）全面收集该项目的实物、资料，并登记、整理、建档；

（二）为该项目的传承及相关活动提供必要条件；

（三）有效保护该项目相关的文化场所；

（四）积极开展该项目的展示活动；

（五）向负责该项目具体保护工作的当地人民政府文化行政部门报告项目保护实施情况，并接受监督。

第九条　国务院文化行政部门统一制作国家级非物质文化遗产项目标牌，由省级人民政府文化行政部门交该项目保护单位悬挂和保存。

第十条　国务院文化行政部门对国家级非物质文化遗产项目保护给予必要的经费资助。

县级以上人民政府文化行政部门应当积极争取当地政府的财政支持，对在本行政区域内的国家级非物质文化遗产项目的保护给予资助。

第十一条　国家级非物质文化遗产项目保护单位根据自愿原则，提出该项目代表性传承人的推荐名单，经省级人民政府文化行政部门组织专家评议后，报国务院文化行政部门批准。

第十二条　国家级非物质文化遗产项目代表性传承人应当符合以下条件：

（一）完整掌握该项目或者其特殊技能；

（二）具有该项目公认的代表性、权威性与影响力；

（三）积极开展传承活动，培养后继人才。

第十三条　国家级非物质文化遗产项目代表性传承人应当履行传承义务；丧失传承能力、无法履行传承义务的，应当按照程序另行认定该项目代表性传承人；怠于履行传承义务的，取消其代表性传承人的资格。

第十四条　国务院文化行政部门组织建立国家级非物质文化遗产数据库。有条件的地方，应建立国家级非物质文化遗产博物馆或者展示场所。

第十五条　国务院文化行政部门组织制定国家级非物质文化遗产实物资料等级标准和出入境标准。其中经文物部门认定为文物的，适用文物保护法律法规的有关规定。

第十六条　国家级非物质文化遗产保护单位和相关实物资料的保护机构应当建立健全规章制度，妥善保管实物资料，防止损毁和流失。

第十七条　县级以上人民政府文化行政部门应当鼓励、支持通过节日活动、展览、培训、教育、大众传媒等手段，宣传、普及国家级非物质文化遗产知识，促进其传承和社会共享。

第十八条　省级人民政府文化行政部门应当对国家级非物质文化遗产项目所依存的文化场所划定保护范围，制作标识说明，进行整体性保护，并报国务院文化行政部门备案。

第十九条　省级人民政府文化行政部门可以选择本行政区域内的国家级非物质文化遗产项目，为申报联合国教科文组织“人类非物质文化遗产代表作”，向国务院文化行政部门提出申请。

第二十条　国家级非物质文化遗产项目的名称和保护单位不得擅自变更；未经国务院文化行政部门批准，不得对国家级非物质文化遗产项目标牌进行复制或者转让。

国家级非物质文化遗产项目域名和商标的注册与保护，依据相关法律法规执行。

第二十一条　利用国家级非物质文化遗产项目进行艺术创作、产品开发、旅游活动等，应当尊重其原真形式和文化内涵，防止歪曲与滥用。

第二十二条　国家级非物质文化遗产项目含有国家秘密的，应当按照国家保密法律法规的规定确定密级，予以保护；含有商业秘密的，按照国家有关法律法规执行。

第二十三条　各级人民政府文化行政部门应当鼓励和支持企事业单位、社会团体和个人捐赠国家级非物质文化遗产实物资料或捐赠资金和实物，用于国家级非物质文化遗产保护。

第二十四条　国务院文化行政部门对在国家级非物质文化遗产保护工作中有突出贡献的单位和个人，给予表彰奖励。

第二十五条　国务院文化行政部门定期组织对国家级非物质文化遗产项目保护情况的检查。

国家级非物质文化遗产项目保护单位有下列行为之一的，由县级以上人民政府文化行政部门责令改正，并视情节轻重予以警告、严重警告，直至解除其保护单位资格：

（一）擅自复制或者转让标牌的；

（二）侵占国家级非物质文化遗产珍贵实物资料的；

（三）怠于履行保护职责的。

第二十六条　有下列行为之一的，对负有责任的主管人员和其他直接责任人员依法给予行政处分；构成犯罪的，依法追究刑事责任：

（一）擅自变更国家级非物质文化遗产项目名称或者保护单位的；

（二）玩忽职守，致使国家级非物质文化遗产所依存的文化场所及其环境造成破坏的；

（三）贪污、挪用国家级非物质文化遗产项目保护经费的。

第二十七条　本办法由国务院文化行政部门负责解释。

第二十八条　本办法自2006年12月1日起施行。

索引一（按拼音排序）

A

a

an

B

ba

bai

ban

bao

E

e

er

F

feng

fo

fu

G

gao

K

L

N

Q

Y

索引二（按申报地区或单位排序）

北京市（共12项）

天津市（共7项）

河北省（共31项）

山西省（共30项）

内蒙古自治区（共17项）

辽宁省（共 18 项）

吉林省（共 5 项）

黑龙江省（共 9 项）

上海市（共9项）

江苏省（共37项）

浙江省（共 39 项）

安徽省（共 19 项）

福建省（共 36 项）

江西省（共17项）

山东省（共24项）

河南省（共22项）

湖北省（共19项）

湖南省（共 26 项）

广东省（共29项）

广西壮族自治区（共19项）

海南省（共 9 项）

重庆市（共 12 项）

四川省（共26项）

贵州省（共 31 项）

云南省（共 34 项）

西藏自治区（共 15 项）

青海省（共16项）

宁夏回族自治区（共3项）

新疆维吾尔自治区（共 14 项）

中国社会科学院（共 1 项）

文化部（共 6 项）

中国艺术研究院（共 2 项）

中国中医科学院（共 6 项）

中国农业博物馆（共 1 项）

中国楹联学会（共 1 项）

中国中药协会（共 2 项）

中国针灸学会（共 1 项）

中国北京同仁堂（集团）有限责任公司（共 项）

香港特别行政区民政事务局（共 2 项）

澳门特别行政区文化局（共 2 项）

中国京剧院（共 1 项）

中华妈祖文化交流协会（共 1 项）

后 记

中华文明历经五千年没有间断，一个十分重要的原因是，我们的祖先有守护并不断传扬民族文化的传统。这一传统为我们留下了极为丰富、宝贵的非物质文化遗产，今天，我们则以当代的方式在为民族的明天守护精神家园的同时延续这一传统。

中国共产党和中国政府对于保护、传扬非物质文化遗产向来十分重视，中华人民共和国成立以来的五十多年间，我国的非物质文化遗产保护工作取得了辉煌成就。近年来，党中央、国务院先后制定了一系列政策，加强对非物质文化遗产的保护。对非物质文化遗产进行长期有效的保护，已经上升为我国的一项文化发展战略。2003年，文化部和财政部联合国家民委和中国文联，启动实施了“中国民族民间文化保护工程”；2004年，经全国人大常委会批准，我国正式加入了《保护非物质文化遗产公约》；2005年，国务院办公厅下发了《关于加强我国非物质文化遗产保护工作的意见》，国务院公布了《关于加强文化遗产保护工作的通知》，建立了非物质文化遗产保护工作部际联席会议制度，国务院决定，每年6月的第二个星期六为我国的“文化遗产日”；2006年5月20日，国务院公布了第一批国家级非物质文化遗产名录……全国的非物质文化遗产保护工作，已经进入了一个全面的、整体性的保护阶段。

第一批国家级非物质文化遗产名录的公布，对于我国非物质文化遗产的保护，具有十分重大的意义。逐步建立健全国家和省、市、县级非物质文化遗产名录保护体系，既是我国非物质文化遗产保护的基础，也是抢救、传承、弘扬的依据。第一批国家级非物质文化遗产名录的公布，标志着我国向保护的科学化、规范化方面迈出了重要的一步。因此，《第一批国家级非物质文化遗产名录图典》(以下简称《图典》)的编撰出版，其内容也就相应地具有了示范性、学术性和文献性。《图典》是我国第一部完整系统地介绍第一批国家级非物质文化遗产名录的典籍，也是宣传我国非物质文化遗产的重要工具书。它的出版，将在我国非物质文化遗产保护工作中起到积极的推动作用。

《图典》是以图文的形式展示第一批国家级非物质文化遗产名录项目的工具书，其主要内容是“名录”10个门类518项的简介和图片。在充分考虑我国非物质文化遗产项目的多样性和不同类别的特殊性的前提下，我们认为项目简介要把以下内容表述出来：项目名称（俗称、别称、归属、定位）、历史沿革、地理分布（相对明确的地理分布范围）、呈现形态（包括代表性传人）、价值评估（历史、文化、科学等）、濒危状况及导致濒危的直接原因和保护措施等。选配的图片，也应具有说明该项目的典型性。

第一批国家级非物质文化遗产名录的518个项目的简介和图片的原始资料主要来源于全国各省（自治区、直辖市）及相关单位和团体整理上报的项目申报书。为了达到科学性和规范性的要求，从2006年1月下旬开始，我们先后组织了近30位专家进行名录简介的修订工作，用了3个多月的时间，才得以完成。经过艰辛努力，包含六十余万文字和三千余幅图片的《图典》即将付梓之时，我们诚挚地感谢所参与第一批国家级非物质文化遗产名录申报工作的单位和个人，感谢他们的大力支持和协作，感谢他们为我国“第一批国家级非物质文化遗产名录”的诞生和《图典》的出版作出的贡献！

在《图典》的编辑过程中，我们得到了广大专家的热情支持和真诚帮助，得到了文化部领导及非物质文化遗产保护工作部际联席会议成员单位的高度重视和大力支持，也得到了文化艺术出版社的协助，在此一并致谢！

编　者

2006年12月31日

参与简介修改及图文编辑人员名单

参与简介修改的专家

（按姓氏笔画排序）

王文章　王海霞　方李莉　田　青　吕品田　乔建中　华觉明　刘文峰
刘　祯　刘锡诚　刘魁立　祁庆富　孙建君　李绵璐　吴文科　何星亮
余　从　宋兆麟　沙　蕙　陈　锋　茅　慧　罗　微　罗　斌　[illegible]　工
郑长铃　郑　雷　郎　樱　柯长华　梁力生　朝戈金　傅起凤

参与简介修改的工作人员

（按姓氏笔画排序）

马　岩　王文馨　刘尧辉　刘　锐　李宏复　吴士新　沈悦苓　张乃锋
张亚昕　张　欣　张　静　周进生　赵　远　钟　华　姜玉芳　[illegible]
高　瑜　唐建军　曹　娟

参与图片编辑整理的工作人员

（按姓氏笔画排序）

马　岩　毛景娴　冯　燕　汪　欣　张巍铧　高　瑜　廖燕飞